中國國家圖書館編

國家圖書館藏敦煌遺書

第二十九册　北敦〇二〇六八號——北敦〇二一二三號

北京圖書館出版社

圖書在版編目(CIP)數據

國家圖書館藏敦煌遺書・第二十九册/中國國家圖書館編;任繼愈主編.—北京:北京圖書館出版社,2006.4

ISBN 7-5013-2971-0

Ⅰ.國… Ⅱ.①中…②任… Ⅲ.敦煌學—文獻 Ⅳ.K870.6

中國版本圖書館 CIP 數據核字(2006)第 017846 號

書　　名 國家圖書館藏敦煌遺書・第二十九册
著　　者 中國國家圖書館編　任繼愈主編
責任編輯 徐　蜀　孫　彦
封面設計 李　璀

出　　版 北京圖書館出版社　(100034　北京西城區文津街 7 號)
發　　行 010-66139745　66151313　66175620　66126153
66174391(傳真)　66126156(門市部)
E-mail cbs@nlc.gov.cn(投稿)　btsfxb@nlc.gov.cn(郵購)
Website www.nlcpress.com
經　　銷 新華書店
印　　刷 北京文津閣印務有限責任公司

開　　本 八開
印　　張 57
版　　次 2006 年 4 月第 1 版第 1 次印刷
印　　數 1-150 册(套)

書　　號 ISBN 7-5013-2971-0/K・1254
定　　價 990.00 圓

編輯委員會

主　　編　任繼愈
常務副主編　方廣錩
副 主 編　李際寧　張志清
編委（按姓氏筆畫排列）　王克芬　王姿怡　吳玉梅　胡新英　陳　穎　黄　霞（常務）　劉玉芬

出版委員會

主　任　詹福瑞
副主任　陳　力
委　員（按姓氏筆畫排列）　李　健　姜　紅　郭又陵　徐　蜀　孫　彦

攝製人員（按姓氏筆畫排列）

于向洋　王富生　王遂新　谷韶軍　張　軍　張紅兵　張　陽　曹　宏　郭春紅　楊　勇　嚴　平

目錄

□如是等大菩薩俱
□訶薩明相現時從其住處
來詣佛所在外而立尒時尊者舍利弗富樓那
彌多羅尼子大目揵連摩訶迦葉摩訶迦旃
延摩訶拘絺羅如是等諸大聲聞各從住
處俱詣佛所在外而立
佛知衆會皆悉集已尒時如來從住處出
來而坐告舍利弗汝今何故於晨朝時在門
外立舍利弗白佛言世尊文殊師利童真菩
薩先已至此住門外立我實於後晚來到耳
尒時世尊問文殊師利汝實先來到此住處
欲見如來耶文殊師利即白佛言如是世尊
我實來此欲見如來何以故我樂正觀利益
衆生我觀如來如如相不異相不動相不作
相无生相无滅相不有相不无相不在方不
離方非三世非不三世非二相非不二相非垢
相非淨相以如是等正觀如來利益衆生
佛告文殊師利若能如是見於如來心无所
取亦无不取非積聚非不積聚尒時舍利弗
語文殊師利言若能如是如汝所說見如來
者甚為希有為一切衆生故見於如來而心
不取衆生之相化一切衆生向於涅槃而 亦不

BD02068 號　文殊師利所說摩訶般若波羅蜜經（一卷本）　（26–1）

取亦无不取非積聚非不積聚尒時舍利弗
語文殊師利言若能如是如汝所說見如來
者甚為希有為一切衆生故見於如來而心
不取衆生之相化一切衆生向於涅槃而 亦不
取向涅槃相為一切衆生被大莊嚴而心
不見莊嚴之相尒時文殊師利童真菩薩
摩訶薩語舍利弗言如是如是如汝所說雖
為一切衆生被大莊嚴心恒不見有衆生相為
一切衆生被大莊嚴而衆生界亦不減佛界不
增假使一佛住世若一劫若過一劫如此一佛
世界復有无量无邊恒河沙諸佛如是一一佛
若一劫若過一劫晝夜說法心无暫息各
各度於无量恒河沙衆生皆入涅槃而衆生
界亦不減佛界亦不增乃至十方諸佛世界
亦復如是一一諸佛說法教化各度无量恒河沙
衆生皆入涅槃於衆生界亦不減佛界不增何以
故衆生定相不可得故是故衆生界不減佛界不
增舍利弗復語文殊師利言若衆生界不增不
減何故菩薩為諸衆生求阿耨多羅三藐三
菩提常行說法文殊師利白佛言若 諸衆
生悉空相者亦无菩薩求阿耨多羅三藐三
菩提亦无衆生而為說法何以故我說法中
无有一法當可得故尒時佛告文殊師利若
无衆生云何說有衆生及衆生界文殊師利
言衆生界相如諸佛界又問衆生界者是有
量耶荅曰衆生界量如佛界量佛又問衆

BD02068 號　文殊師利所說摩訶般若波羅蜜經（一卷本）　（26–2）

无有一法當可得故尒時佛告文殊師利若
无衆生云何說有衆生及衆生界文殊師利
言衆生界相如諸佛界又問衆生界者是有
量耶荅曰衆生界量如佛界量佛又問衆
生界量有處所不荅曰衆生界量不可思議又
問衆生界相爲有住不荅曰衆生无住猶如
空住佛告文殊師利如是脩般若波羅蜜時
當云何住般若波羅蜜文殊師利言以不住
法爲住般若波羅蜜復問文殊師利云何不住
法名住般若波羅蜜文殊師利言以无住相
即住般若波羅蜜佛復告文殊師利如是住
般若波羅蜜時是諸善根云何增長云何損
減文殊師利言若能如是住般若波羅蜜於
諸善根无增无減於一切法亦无增无減是
般若波羅蜜性相亦无增无減世尊如是脩
般若波羅蜜則不捨凡夫法亦不取賢聖法
何以故般若波羅蜜不見有法可取可捨如是
脩般若波羅蜜亦不見涅槃可樂生死可
厭何以故不見生死況復厭離不見涅槃何
況樂著如是脩般若波羅蜜不見垢惱可捨
亦不見功德可取於一切法心无增減何以故
不見法界有增減故世尊若能如是是名脩
般若波羅蜜世尊不見諸法有增有減是
脩般若波羅蜜世尊心无悕取不見法相有
可求者是脩般若波羅蜜世尊不見好醜不
生高下不作取捨何以故法无好醜離諸相故

不見法界有增減故世尊若能如是是名脩
般若波羅蜜世尊不見諸法有增有減是
脩般若波羅蜜世尊心无悕取不見法相有
可求者是脩般若波羅蜜世尊不見好醜不
生高下不作取捨何以故法无好醜離諸相故
法无高下等法性故法无取捨住實際故是
脩般若波羅蜜佛告文殊師利是諸佛法
得不勝乎文殊師利言我不見諸法有勝如
相如來自覺一切法空是可證知佛告文殊
師利如是如是如來正覺自證空法文殊師
利白佛言世尊是空法中當有勝如而可得
耶佛言善哉善哉文殊師利如汝所說是真
法乎佛復謂文殊師利言阿耨多羅是名佛法文
殊師利言如佛所說阿耨多羅是名佛法何
以故无法可得名阿耨多羅文殊師利言如
是脩般若波羅蜜不名法器非化凡夫法亦
非佛非法非增長法是脩般若波羅蜜復次
世尊脩般若波羅蜜時不見有法可分別思
惟佛告文殊師利汝於佛法不思惟耶文殊
師利言不也世尊如我思惟不見佛法亦不可
分別是凡夫法是聲聞法是辟支佛法如是名
爲无上佛法復次脩般若波羅蜜時不見凡
夫相不見佛法相不見諸法有決定相是爲
脩般若波羅蜜復次脩般若波羅蜜時不見
欲界不見色界不見无色界不見寂滅界何
以故不見有法是盡滅相是脩般若波羅蜜
復次脩般若波羅蜜時不見作恩者不見報

未知不見佛法相不見諸法有決定相是名
脩般若波羅蜜時不見
欲界不見色界不見无色界不見寂滅界何
以故不見有法是盡滅相是脩般若波羅蜜
復次脩般若波羅蜜時不見作恩者不見報
恩者思惟二相心无分別是脩般若波羅蜜
復次脩般若波羅蜜時不見般若波羅蜜復
次脩般若波羅蜜時不見是佛法可取不見
是凡夫法可捨是脩般若波羅蜜復次脩般
若波羅蜜時不見凡夫法可滅亦不見佛法
而心證知是脩般若波羅蜜佛告文殊師利
善哉善哉汝能如是善說甚深般若波羅蜜
相是諸菩薩摩訶薩所學法印乃至聲聞
緣覺學无學人亦當不離是印而脩道果佛告
文殊師利若人得聞是法不驚不怖者不從
千佛所種善根乃至百千万億佛所久殖德
本乃能於是甚深般若波羅蜜不驚不怖
文殊師利白佛言世尊我今更說般若波羅
蜜義佛言便說世尊脩般若波羅蜜時不見
法是應住是不應住亦不見境界可取捨相
何以故如諸如來不見一切法境界相故乃至
不見諸佛境界況取聲聞緣覺凡夫境界
不取思議相亦不取不思議相不見諸法有
若干相自證空法不可思議如是菩薩摩訶
薩皆已供養无量百千万億諸佛種諸善根
乃能於是甚深般若波羅蜜不驚不怖復次
脩般若波羅蜜時不見縛不見解而於凡夫乃

BD02068號　文殊師利所說摩訶般若波羅蜜經（一卷本）　（26–5）

若干相自證空法不可思議如是菩薩摩訶
薩皆已供養无量百千万億諸佛種諸善根
乃能於是甚深般若波羅蜜不驚不怖復次
脩般若波羅蜜時不見縛不見解而於凡夫乃
至三乘不見差別相是脩般若波羅蜜佛告
文殊師利汝已供養幾所諸佛文殊師利言
我及諸佛如幻化相不見供養及與受者
佛告文殊師利汝今可不住佛乘耶文殊師
利言如我思惟不見一法云何當得住於佛
乘佛言文殊師利汝不得乘乎文殊師利言
如佛乘者但有名字非可得亦非可見我云
何得佛言文殊師利汝得无閡智乎文殊師
利言我即無閡智云何以無閡而得无閡佛言
汝坐道場乎文殊師利言一切如來不坐道
場我今云何獨坐道場何以故現見諸法住
實際故佛言云何名實際文殊師利言身見
等是實際佛言云何身見等是實際文殊
師利言身見如相非實非不實不來不去亦身
非身是名實際舍利弗白佛言世尊若於斯義
諦了決定是名菩薩摩訶薩何以故能聞如
是甚深般若波羅蜜心不驚不怖不沒不悔
彌勒菩薩白佛言世尊得聞如是般若波羅
蜜具足法相是即近於佛坐何以故如來現覺
此法相故文殊師利白佛言世尊得聞甚深
般若波羅蜜能不驚不怖不沒不悔當知
此人即是見佛尒時復有无相優婆夷白佛

BD02068號　文殊師利所說摩訶般若波羅蜜經（一卷本）　（26–6）

蜜具足法相是即近於佛坐何以故如來現覺
此法相故文殊師利白佛言世尊得聞甚深
般若波羅蜜能不驚不怖不沒不悔當知
此人即是見佛尒時復有无相優婆夷白佛
言世尊凡夫法聲聞法辟支佛法佛法是諸
法皆无相是故於所從聞般若波羅蜜皆不
驚不怖不沒不悔何以故一切諸法本无相
故佛告舍利弗善男子善女人若聞如是甚
深般若波羅蜜心得決定不驚不怖不沒不
悔當知是人即住不退轉地若人聞是甚深
般若波羅蜜不驚不怖信樂聽受歡喜不猒
是即具足檀波羅蜜尸波羅蜜羼提波羅
蜜毗梨耶波羅蜜禪波羅蜜般若波羅蜜亦
能他顯示分別如說脩行佛告文殊師利汝
觀何義爲得阿耨多羅三藐三菩提住阿耨
多羅三藐三菩提文殊師利言我无得阿耨
多羅三藐三菩提我不住佛乘云何當得阿
耨多羅三藐三菩提如我所說即菩提相佛
讚文殊師利言善哉善哉汝能於是甚深法
中巧說斯義汝於先佛久種善根以无相法
淨脩梵行文殊師利言若見有相則言无相
我今不見有相亦不見无相云何而言以无相
法淨脩梵行佛告文殊師利汝見聲聞式
耶答曰見佛言汝云何見文殊利言我不
作凡夫見不作聖人見不作學人見不作无
學見不作大見不作小見不作調伏見不作不

BD02068號　文殊師利所說摩訶般若波羅蜜經（一卷本）　（26–7）

法淨脩梵行佛告文殊師利汝見聲聞式
耶答曰見佛言汝云何見文殊利言我不
作凡夫見不作聖人見不作學人見不作无
學見不作大見不作小見不作調伏見不作不
調伏見非見非不見舍利弗語文殊師利言汝
今如是觀聲聞乘若觀佛乘當復云何文
殊師利言不見菩提法不見脩行菩提及
證菩提者舍利弗語文殊師利言云何名佛云
何觀佛文殊師利言云何爲我舍利弗言我
者但有名字名字相空文殊師利言如是
如是如我但有名字佛亦但有名字名字相
空即是菩提不以名字而求菩提菩提之相
无言无說何以故言說菩提二俱空故復次
舍利弗汝問云何名佛云何觀佛者不生不
滅不來不去非名非相是名爲佛如自觀身
實相觀佛亦然唯有智者乃能知耳是名
觀佛尒時舍利弗白佛言世尊如文殊師利所
說般若波羅蜜非初學菩薩所能了知文
殊師利言非但初學菩薩所不能知及諸二乘
所作已辦者亦未能了如是說法无能知者
何以故菩提之相實无有法而可知故无見
无聞无得无念无生无滅无說无聽如是菩
提性相空寂无證无知无形无相云何當有
得菩提者舍利弗語文殊師利言佛於法界
不證阿耨多羅三藐三菩提耶文殊師利言
不也舍利弗何以故世尊即是法界若以法
界證法界者即是諍論舍利弗法界之相即

BD02068號　文殊師利所說摩訶般若波羅蜜經（一卷本）　（26–8）

提性相空寂无證无知无形无相云何當有
得菩提者舍利弗語文殊師利言佛於法界
不證阿耨多羅三藐三菩提耶文殊師利言
不也舍利弗何以故世尊即是法界若以法
界證法界者即是諍論舍利弗法界之相即
是菩提何以故是法界中无衆生相一切法
空一切法空即是菩提无二无分別故舍
利弗无分別中則无知者若无知者即无
言說无言說相即非有非无非知非不知一
切諸法亦復如是何以故一切諸法不見
處所決定性故如逆罪相不可思議何以故
諸法實相不可壞故如逆罪亦无本性不生
天滅不墮地獄亦不入涅槃何以故一切業緣
皆住實際不來不去非因非果何以故法界无
邊无前无後故是故舍利弗若見犯重比丘不
墮地獄清淨行者不入涅槃如是比丘非應供
非不應供非盡漏非不盡漏何以故於諸法
中住平等故舍利弗言云何名不退法忍文
殊師利言不見少法有生滅相名不退法忍
舍利弗言云何復名不調比丘文殊師利言
漏盡阿羅漢是名不調何以故諸結已盡更
無所調故名不調若過心行名爲凡夫何以故
凡夫衆生不順法界是故名過舍利弗言善哉
善哉汝今爲我善脩漏盡阿羅漢義文殊師
利言如是如是我即漏盡真阿羅漢何以故斷
求聲聞欲及辟支佛欲以是因緣故名漏盡得阿
羅漢佛告文殊師利諸菩薩等坐道場時覺

BD02068號　文殊師利所說摩訶般若波羅蜜經（一卷本）　（26–9）

凡夫衆生不順法界是故名過舍利弗言善哉
善哉汝今爲我善脩漏盡阿羅漢義文殊師
利言如是如是我即漏盡真阿羅漢何以故斷
求聲聞欲及辟支佛欲以是因緣故名漏盡得阿
羅漢佛告文殊師利諸菩薩等坐道場時覺
悟阿耨多羅三藐三菩提不文殊師利言菩薩
坐於道場无有覺悟阿耨多羅三藐三菩提
何以故如菩提相无有少法而可得者名阿耨
多羅三藐三菩提无相菩提誰能坐者亦
无起者以是因緣不見菩薩坐於道場亦不
覺證阿耨多羅三藐三菩提文殊師利白佛
言世尊菩提即五逆五逆即菩提何以故菩
提五逆无二相故无覺无覺者无見无見者无
知无知者无分別无分別者如是之相名爲
菩提見五逆相亦復如是若言見有菩提而
取證者當知此輩即是增上慢人尒時世
尊告文殊師利汝言我是如來亦謂爲我如
來乎文殊師利言不也世尊我不謂如來爲
如來耶无有如相可名爲如亦无如來智能
知於如何以故如來及智无二相故空爲如
來但有名字我當云何謂是如來佛告文殊
師利汝疑如來耶文殊師利言不也世尊我
觀如來決定性无生无滅故无所疑佛告文
殊師利汝今不謂如來出現於世耶文殊
師利言若有如來出現於世者一切法界應
出現佛告文殊師利汝謂恒沙諸佛入涅槃

BD02068號　文殊師利所說摩訶般若波羅蜜經（一卷本）　（26–10）

覩如来決定性无生无滅故无所疑佛告文
殊師利汝今不謂如来出現於世耶文殊
師利言若有如来出現於世者一切法界亦應
出現佛告文殊師利汝謂恒沙諸佛入涅槃
耶文殊師利言諸佛一相不可思議佛告文
殊師利如是如是佛是一相不思議相文殊
師利白佛言世尊佛今住世耶佛語文殊師
利如是如是文殊師利言若佛住世恒沙諸
佛亦應住世何以故一切諸佛皆同一相不
思議相不思議相无生无滅若未来世佛出
興於世一切諸佛亦皆出世何以故不思議
中无過去未来現在相但衆生取著謂有
出世謂佛滅度佛語文殊師利此是如来阿
羅漢阿鞞跋致菩薩所解何以故是三種人聞
甚深法能不誹謗亦不讚嘆文殊師利白佛
言世尊如是不思議誰當誹謗誰當讚嘆
佛告文殊師利如来不思議凡夫亦不思議文
殊師利白佛言世尊凡夫亦不思議耶佛言
亦不思議何以故一切心相皆不思議文殊
師利言若如是說如来不思議凡夫亦不思
議今无數諸佛求於涅槃徒自疲勞何以故
不思議法即是涅槃等无異故文殊師利言
如是凡夫不思議諸佛不思議若善男子善
女人久習善根近善知識乃能了知佛告文
殊師利汝欲使如来於衆生中為最勝耶文
殊師利言我欲使如来於諸衆生為最第一

如是凡夫不思議諸佛不思議若善男子善
女人久習善根近善知識乃能了知佛告文
殊師利汝欲使如来於衆生中為最勝耶文
殊師利言我欲使如来於諸衆生為最第一
但衆生相亦不可得佛言汝欲使如来得不
思議法耶文殊師利言我欲使如来得不思議
法而於諸法无成就者佛告文殊師利汝欲使
如来說法教化耶文殊師利白佛言我欲使
如来說法教化而是說及聽者皆不可得何以
故住法界故法界衆生无差別相佛告文殊
師利汝欲使如来為无上福田耶文殊師利言
如来是无盡福田是盡相无盡相即无上
福田非福田非不福田是名福田无有明闇
生滅等相是名福田若能如是解福田相深
善殖種亦无增无減佛告文殊師利云何
殖種不增不減文殊師利言福田之相不可
思議若人於中如法脩善亦不可思議如是
殖種名无增无減亦是无上最勝福田尒
時大地以佛神力六種震動現无量相一万六
千人皆得无生法忍七百比丘三千優婆塞四
万優婆夷六十億那由他六欲諸天遠塵
離垢於諸法中得法眼淨尒時阿難從坐而
起偏袒右肩右膝著地白佛言世尊何因緣
故如是大地六種震動佛告阿難我說福田
无差別相故現斯瑞往昔諸佛亦於此處作
如是說福田之相利益衆生一切世界六種震

起徧袒右肩右膝著地白佛言世尊何因緣
故如是大地六種震動佛告阿難我說福田
无差別相故現斯瑞往昔諸佛亦於此處作
如是說福田之相利益衆生一切世界六種震
動舍利弗白佛言世尊文殊師利是不可
思議何以故所說法相不可思議佛告文殊
師利如是如是如舍利弗言汝之所說實不
思議文殊師利白佛言世尊不思議不可說
思議亦不可說如是思議不思議性俱不可
說一切聲相非思議亦非不可思議佛言汝
入不思議三昧耶文殊師利言不也世尊我
即不思議不見有心能思議者云何而言入
不思議三昧我初發心欲入是定而今思惟
實无心相而入三昧如人學射久習則巧後
雖无心以久習故箭發皆中我亦如是初學
不思議三昧繫心一緣若久習成就更无心
相恒與定俱舍利弗語文殊師利言更有
深妙寂滅定不文殊師利言若有不思議定
者汝可問言更有寂滅定不如我意解不
思議定尚不可得云何問有寂滅定乎舍利
弗言不思議定不可得耶文殊師利言思議定
者是可得相不思議定者不可得相一切衆
生實成就不思議定何以故一切心相即非
心故是名不思議定是故一切衆生相及不
思議三昧相等无差別佛讚文殊師利言善
哉善哉汝於諸佛久殖善根淨脩梵行乃
能演說甚深三昧如今安住如是般若波羅

心故是名不思議定是故一切衆生相及不
思議三昧相等无差別佛讚文殊師利言善
哉善哉汝於諸佛久殖善根淨脩梵行乃
能演說甚深三昧如今安住如是般若波羅
蜜中文殊師利言若我住般若波羅蜜中能作
是說即是有相便住我相若住有相我相中
者般若波羅蜜便有處所般若波羅蜜若住
於无亦是我相亦名處所離此二處住无所
住如諸佛住安處寂滅非思議境界如是不
思議名般若波羅蜜住處般若波羅蜜處
切法无相一切法无作般若波羅蜜即不思
議不思議即法界法界即无相无相即不思
議不思議即般若波羅蜜般若波羅蜜法
界无二无別无二无別即法界法界即无相无相
即般若波羅蜜界般若波羅蜜界即不思
議界不思議界即无生无滅界无生无滅界
即不思議界文殊師利言如來界及我界即
不二相如是脩般若波羅蜜者則不求菩提
何以故菩提相離即是般若波羅蜜故世尊
若知我相而不可著无知无著是佛所知不
可思議无知无著即佛所知何以故知體本
性无所有相云何能轉法界若知本性无體
无著即名无物若无有物是无處所无依
无住无依无住即无生无滅无生无滅即是
有爲无爲功德若如是知則无心相无心相
者云何當知有爲无爲功德无知即不思議

性无所有相云何能轉法界若知本性无躰
无著即名无物若无有物是无處所无依
无住无依无住即无生无滅无生无滅即是
有為无為功德若如是知則无心相无心相
者云何當知有為无為功德无知即不思議
不思議者是佛所知亦无取無不取不見三
常如是知者是名正知不思議智如虛空无
此无彼不可比類无好惡无等等无相无狼
佛告文殊師利若如是知名不退智文殊師
利言无作智名不退智猶如金剛先加鎚打
方知好惡若不治打无能知者不退智相亦
復如是要行境界不念不着无起无作具足
不動不生不滅尒乃顯現尒時佛告文殊師
利言如諸如來自說已知誰當能信文殊師
利言如是智者非涅槃法非生死法是寂滅
行是无動行不斷貪欲瞋恚愚癡亦非不斷
何以故无盡无滅不離生死亦非不離不脩
道非不脩道作是解者名為正信佛告文殊
師利言善哉善哉如汝所說深解斯義尒時
摩訶迦葉白佛言世尊於當來世若說如是
甚深正法誰能信解如聞受行佛告迦葉今
此會中比丘比丘尼優婆塞優婆夷得聞此
經者如是人等於未來世若聞是經必能信
解於甚深般若波羅蜜乃能讀誦信解受
持亦為他人分別演說譬如長者失摩尼寶
憂愁苦惱後若還得心甚歡喜如是迦葉比
丘比丘尼優婆塞優婆夷等亦復如是有信樂

BD02068 號　文殊師利所說摩訶般若波羅蜜經（一卷本）　（26–15）

解於甚深般若波羅蜜乃能讀誦信解受
持亦為他人分別演說譬如長者失摩尼寶
憂愁苦惱後若還得心甚歡喜如是迦葉比
丘比丘尼優婆塞優婆夷等亦復如是有信樂
心若不聞法則生苦惱若得聞時信解受持
常樂讀誦甚大歡喜當知此人即是見佛亦
即親近供養諸佛佛告迦葉譬如忉利天上
波利質多樹胞初出時是中諸天見是樹已
皆大歡喜此樹不久必當開敷若比丘比丘
尼優婆塞優婆夷得聞般若波羅蜜能生信
解亦復如是此人不久亦當開敷一切佛法於
當來世有比丘比丘尼優婆塞優婆夷聞般
若波羅蜜信受讀誦心不悔沒當知是
人已從此會聽受是經亦能為人聚落城邑廣
說流布當知是人佛所護念如是深般若波羅
蜜中有能信樂无疑惑者是善男子善女人
於過去諸佛久已脩學殖衆善根譬如有
人以手穿珠忽遇无上真摩尼寶心大歡喜
當知是人必已曾見如是迦葉若善男子善
女人脩學餘法忽然得聞甚深般若波羅蜜
能生歡喜亦復如是當知此人已曾聞故若
有衆生得聞甚深般若波羅蜜心能信受生
大歡喜如是人等亦曾親近无數諸佛從聞
般若波羅蜜已脩學故譬如有人先所遊
見城邑聚落後若聞人讚嘆彼城所有薗
苑種種池泉華菓林樹男女人民皆可愛樂
是人聞已即大歡喜

BD02068 號　文殊師利所說摩訶般若波羅蜜經（一卷本）　（26–16）

大歡喜如是人等亦曾親近无數諸佛從聞
般若波羅蜜已脩學故譬如有人先所逕
見城邑聚落後若聞人讚嘆彼城所有薗
菀種種池泉華菓林樹男女人民皆可愛樂
是人聞已即大歡喜更勸令說是城薗菀衆好
嚴飾雜華池泉多諸甘菓種種珎妙一切愛
樂是人得聞重甚歡喜如是之人皆曾見故
若善男子善女人有聞般若波羅蜜信心聽
受能生歡喜樂聞不厭而更勸說當知此輩
已從文殊師利曾聞如是般若波羅蜜故迦
葉白佛言世尊若將来世善男子善女人得
是甚深般若波羅蜜信樂聽受以是相故當
知此人亦於過去佛所曾聞脩學文殊師利白
佛言世尊佛說諸法无作无相第一寂滅若
善男子善女人有能如是諦了斯義如聞
如說為諸如来之所讚嘆不違法相是即佛
說亦是熾燃般若波羅蜜相亦名熾燃具足
佛法通達實相不可思議佛語文殊師利我
本行菩薩道時脩諸善根欲住阿鞞跋致
地當學般若波羅蜜欲成阿耨多羅三藐三
菩提當學般若波羅蜜若善男子善女人欲
解一切相欲知一切衆生心界皆悉同等當
學般若波羅蜜文殊師利欲學一切佛法具
足无㝵當學般若波羅蜜欲學一切佛成阿
耨多羅三藐三菩提時相好威儀无量法式
當學般若波羅蜜欲知一切佛不成阿耨多

解一切相欲知一切衆生心界皆悉同等當
學般若波羅蜜文殊師利欲學一切佛法具
足无㝵當學般若波羅蜜欲學一切佛成阿
耨多羅三藐三菩提時相好威儀无量法式
當學般若波羅蜜欲知一切佛不成阿耨多
羅三藐三菩提一切法式及諸威儀當學般
若波羅蜜何以故是空法中不見諸佛菩提
等故若善男子善女人欲知如是等相无疑
或者當學般若波羅蜜何以故般若波羅
蜜不見諸法若生若滅若垢若淨是故善男
子善女人應作如是學般若波羅蜜知一切法
无過去未来現在等相當學般若波羅蜜
何以故法界性相无三世故欲知一切法同入法
法界心无罣閡當學般若波羅蜜欲得三
轉十二行法輪亦自知而不取著當學般若
若波羅蜜欲得慈心遍覆一切衆生而无限
齊亦不作念有衆生相當學般若波羅蜜欲
得於一切衆生不起諍論亦復不取无諍論
相當學般若波羅蜜欲知是處非處十力无
畏住佛智慧得无㝵辯當學般若波羅蜜
尒時文殊師利白佛言世尊我觀正法无為无
相无得无利无生无滅无来无去无知者无見
者无作者不見般若波羅蜜亦不見般若
波羅蜜境界非證非不證不作戲論无有分
別一切法无盡離盡无凡夫法无聲聞法无
辟支佛法无佛法非得非不得不捨生死不證

者无作者不見般若波羅蜜亦不見般若
波羅蜜境界非證非不證不作戲論无有分
別一切法无盡離盡无凡夫法无聲聞法无
辟支佛法无佛法非得非不得不捨生死不證
涅槃非思議非不思議非作非不作法相如是
不知云何當學般若波羅蜜介時佛告文
殊師利若能如是知諸法相是名學般若波
羅蜜菩薩摩訶薩若欲學菩提自在三昧
得是三昧已照明一切甚深佛法及知一切諸
佛名字亦悉了達諸佛世界无有鄣㝵當
如文殊師利所說般若波羅蜜中學文殊師
利白佛言世尊何故名般若波羅蜜佛言般
般若波羅蜜无邊際无名相非思量无歸依
无洲渚无犯无福无晦无明如法界无有分齊
亦无限數是名般若波羅蜜亦名菩薩摩訶
薩行處非行非不行處悉入一乘名非行
處何以故无念无作故文殊師利白佛言當
云何行能速得阿耨多羅三藐三菩提
佛言文殊師利如般若波羅蜜所說行能速得
阿耨多羅三藐三菩提復有一行三昧若善
男子善女人脩是三昧者亦速得阿耨多羅
三藐三菩提文殊師利言世尊云何名一行
三昧佛言法界一相繫緣法界是名一行三
昧若善男子善女人欲入一行三昧當先聞
般若波羅蜜如說脩學然後能入一行三昧
如法界緣不退不壞不思議无㝵无相善男

BD02068號　文殊師利所說摩訶般若波羅蜜經（一卷本）　（26–19）

三昧佛言法界一相繫緣法界是名一行三
昧若善男子善女人欲入一行三昧當先聞
般若波羅蜜如說脩學然後能入一行三昧
如法界緣不退不壞不思議无㝵无相善男
子善女人欲入一行三昧應處空閑捨諸亂
意不取相貌繫心一佛專稱名字隨佛方所端
身正向能於一佛念念相續即是念中能
見過去未來現在諸佛何以故念一佛功德
無量無邊亦与無量諸佛功德無二不思議
佛法等無分別皆乘一如成最正覺悉具无
量功德无㝵辯才如是入一行三昧者盡知恒
沙諸佛法界無差別相阿難所聞佛法得念
摠持辯才智慧於聲聞中雖爲最勝猶住量
數則有限㝵若得一行三昧諸經法門一一
分別皆悉了知決定无㝵晝夜常說智惠
辯才終不斷絕若比丘阿難多聞辯才百
千等分不及其一菩薩摩訶薩應作是念
我當云何速得一行三昧不可思議功德无量
名稱佛言菩薩摩訶薩當念一行三昧常勤
精進而不懈怠如是次第漸漸脩學則能入得
一行三昧不可思議功德作證除謗正法不信
惡業重罪鄣者所不能入復次文殊師利譬
如有人得摩尼珠示其珠師荅言如是无
價真珠摩尼寶即向珠師言爲我治摩勿令
失色珠師治已隨其摩時珠色光明暎徹表裏
文殊師利若有善男子善女人脩學一行三昧不

BD02068號　文殊師利所說摩訶般若波羅蜜經（一卷本）　（26–20）

如有人得摩尼珠示其珠師荅言此是无
價真珠摩尼寶即向珠師言為我治摩勿令
失色珠師治已隨其摩時珠色光明暎徹表裏
文殊師利若有善男子善女人脩學一行三昧不
可思議功德無量名稱隨脩學時知諸法相
明達无㝵功德增長亦復如是文殊師利譬
如日輪光明遍滿無有減相若得一行三昧
悉能具足一切功德無有缺少亦復如是照
明佛法如日輪光文殊師利我所說法皆是
一味離味解脫味寂滅味若善男子善女人得
是一行三昧者其所演說亦是一味離味解
脫味寂滅味隨順正法无錯謬相文殊師利若
菩薩摩訶薩得一行三昧皆悉滿足助道
之法速得阿耨多羅三藐三菩提復次文殊師
利菩薩摩訶薩不見法界有分別相及以
一相速得阿耨多羅三藐三菩提相不可思
議是菩提中亦無得佛如是知是速得阿耨
多羅三藐三菩提若信一切法悉是佛法不
生驚怖亦不疑惑如是忍者速得阿耨多羅
三藐三菩提文殊師利白佛言世尊以如是因
速得阿耨多羅三藐三菩提耶佛言得阿耨
多羅三藐三菩提不以因得不以非因得何以故
不思議界不以因得不以非因得若善男子善
女人聞如是說不生懈怠當知是人已於
先佛種諸善根是故比丘比丘尼聞說是
甚深般若波羅蜜不生驚畏即是從佛出

BD02068號　文殊師利所說摩訶般若波羅蜜經（一卷本）　（26–21）

不思議界不以因得不以非因得若善男子善
女人聞如是說不生懈怠當知是人已於
先佛種諸善根是故比丘比丘尼聞說是
甚深般若波羅蜜不生驚畏即是從佛出
家若優婆塞優婆夷得聞如是甚深般若波
羅蜜心不驚怖即是成就真歸依處文
殊師利若善男子善女人不習深般若波
羅蜜即是不脩佛乘譬如大地一切藥木皆
依地生長文殊師利菩薩摩訶薩亦復如是
一切善根皆依般若波羅蜜而得增長於阿
耨多羅三藐三菩提不相違背尒時文殊師
利白佛言世尊此閻浮提城邑聚落當於何
處演說如是甚深般若波羅蜜佛告文殊師
利今此會中若有人聞般若波羅蜜皆發誓
言於未來世常得与般若波羅蜜相應從是
信解未來世中能聽是經當知此人不從餘
小善根中來所能堪受聞已歡喜文殊師利
若復有人如是聽是般若波羅蜜應作是言
此般若波羅蜜中无聲聞辟支佛法佛法亦
無凡夫生滅等法文殊師利白佛言世尊若
比丘比丘尼優婆塞優婆夷來問我言云何如
來說般若波羅蜜我當云何荅言一切諸法無
諍論相云何如來當說般若波羅蜜何以故
不見有法可与諍論亦無衆生心識能知復
次世尊我當更說究竟實際何以故一切法
相同入實際阿羅漢無有勝法何以故阿羅
漢法凡夫法不一不異故復次世尊如是說

BD02068號　文殊師利所說摩訶般若波羅蜜經（一卷本）　（26–22）

諍論相云何如來當說般若波羅蜜何以故
不見有法可与諍論亦無衆生心識能知復
次世尊我當更說究竟實際何以故一切法
相同入實際阿羅漢無合勝法何以故阿羅
漢法凡夫法不一不異故復次世尊如是說
法無有衆生已得涅槃今得當得何以故無有
決定衆生相故 文殊師利言若人欲聞般若
波羅蜜我當作如是說其有聽者不念不
著無聞無得當如幻人無所分別如是說者
是真說法是故聽者莫作二相不捨諸見而
脩佛法不取佛法不捨凡夫法何以故佛及
凡夫二法相空無取捨故若人問我當作是
說如是安慰如是建立若善男子善女人應
如是問作如是住心不退沒當知法相隨順
般若波羅蜜說尒時世尊嘆文殊師利善哉
善哉如汝所說若善男子善女人欲見諸佛
應學如是般若波羅蜜欲親近諸佛如法供
養應學如是般若波羅蜜若欲言如來是我
世尊應學如是般若波羅蜜若言如來非我
世尊亦應學如是般若波羅蜜若欲成阿耨多
三藐三菩提亦應學如是般若波羅蜜若欲不
成阿耨多羅三藐三菩提亦應學如是般若
波羅蜜若欲成就一切三昧應學如是般若
波羅蜜若欲不成就一切三昧亦應學如是
般若波羅蜜何以故無作三昧无異相故一
切法无生无出故若欲知一切法假名應學

BD02068號　文殊師利所說摩訶般若波羅蜜經（一卷本）　（26–23）

波羅蜜若欲成就一切三昧應學如是般若
波羅蜜若欲不成就一切三昧亦應學如是
般若波羅蜜何以故無作三昧无異相故一
切法无生无出故若欲知一切法假名應學
如是般若波羅蜜若欲知一切衆生脩菩提
道不求菩提相心不退沒應學如是般若波
羅蜜何以故一切法皆菩提相故若欲知一
切衆生行非行相非行即菩提菩提即法界
法界即實際心不退沒應學如是般若波羅
蜜若欲知一切如來神通變化无相无㝵亦
无方便亦應學如是般若波羅蜜佛告文殊
師利若比丘比丘尼優婆塞優婆夷欲得不
墮惡趣當學般若波羅蜜一四句偈受持讀
誦爲他解說隨順實相如是善男子善女人
當知決定得阿耨多羅三藐三菩提則住佛
國若聞如是般若波羅蜜不驚不畏心生信
解當知此輩佛所印可是佛所行大乘法印
若善男子善女人學此法印超過惡趣不入
聲聞辟支佛道以超過故尒時帝釋三十三
天以天妙華優鉢羅華拘物頭華分陁利華
天蔓陁羅華等天旃檀香及餘末香種種金
寶作天伎樂爲供養般若波羅蜜并諸如來
及文殊師利以散其上作是供養已願我常
聞般若波羅蜜法印釋提桓因復作是願願
閻浮提善男子善女人常使得聞是經決定
佛法皆令信解受持讀誦爲人演說一切諸

BD02068號　文殊師利所說摩訶般若波羅蜜經（一卷本）　（26–24）

天蔓陁羅華等天旃檀香及餘末香種種金
寶作天伎樂爲供養般若波羅蜜并諸如來
及文殊師利以散其上作是供養已願我常
聞般若波羅蜜法印釋提桓因復作是願願
閻浮提善男子善女人常使得聞是經決定
佛法皆令信解受持讀誦爲人演說一切諸
天爲作擁護尒時佛告釋提桓因言憍尸迦
如是如是善男子善女人當得決定諸佛菩
提文殊師利白佛言世尊如是受持善男子
善女人得大利益功德无量尒時以佛神力
一切大地六反震動佛時微笑放大光明遍
照三千大千世界文殊師利白佛言世尊即
是如來印般若波羅蜜相佛言文殊師利如
是如是說般若波羅蜜已皆現此瑞爲印般
若波羅蜜故使人受持令无讚毀何以故无相
法印不可讚毀我今以是法印令諸天魔不
能得便佛說是已尒時諸大菩薩及四部衆
聞說般若波羅蜜歡喜奉行

文殊般若經卷

BD02068號　文殊師利所說摩訶般若波羅蜜經（一卷本）　（26–25）

善女人得大利益功德无量尒時以佛神力
一切大地六反震動佛時微笑放大光明遍
照三千大千世界文殊師利白佛言世尊即
是如來印般若波羅蜜相佛言文殊師利如
是如是說般若波羅蜜已皆現此瑞爲印般
若波羅蜜故使人受持令无讚毀何以故无相
法印不可讚毀我今以是法印令諸天魔不
能得便佛說是已尒時諸大菩薩及四部衆
聞說般若波羅蜜歡喜奉行

文殊般若經卷

BD02068號　文殊師利所說摩訶般若波羅蜜經（一卷本）　（26–26）

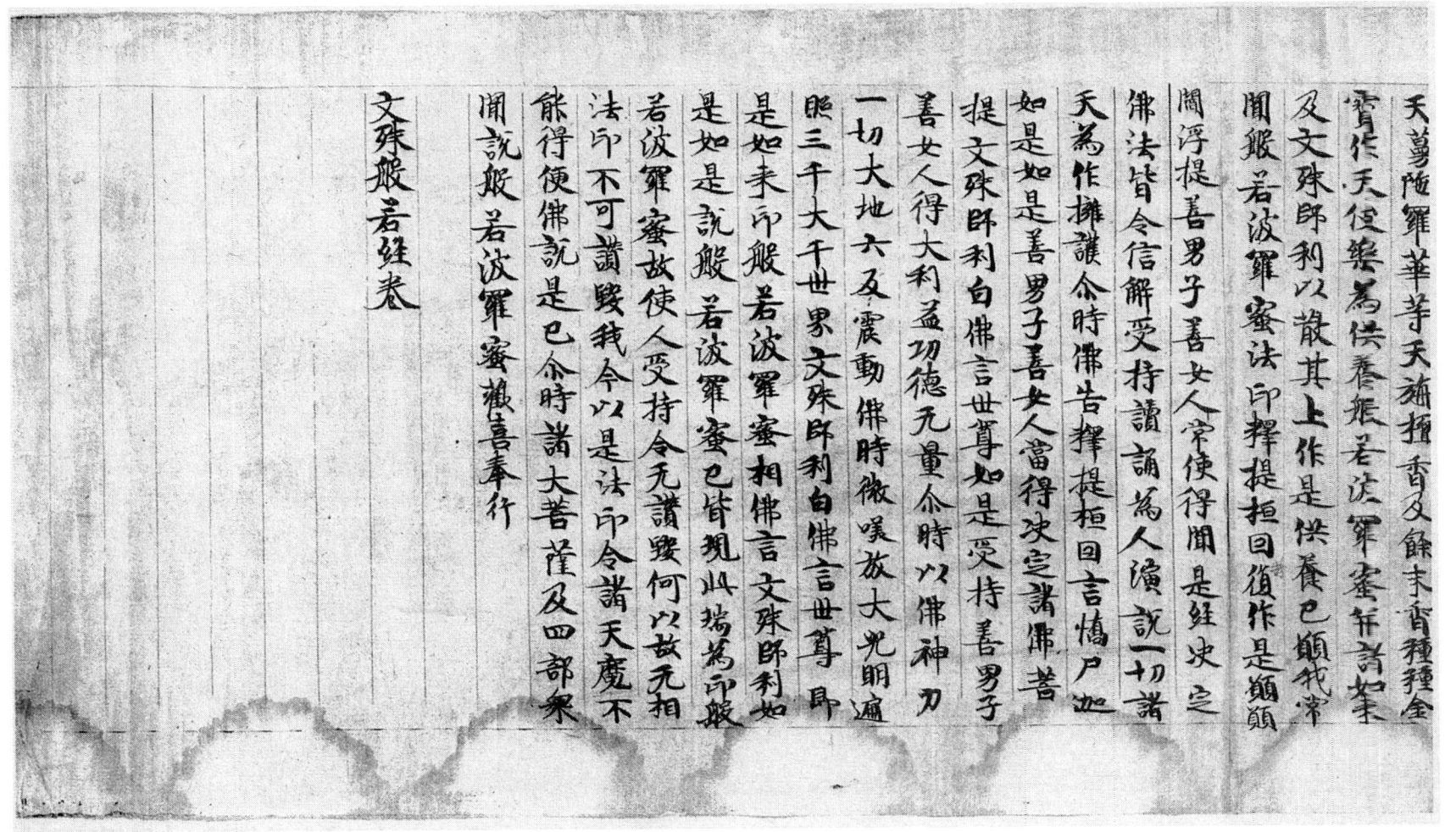

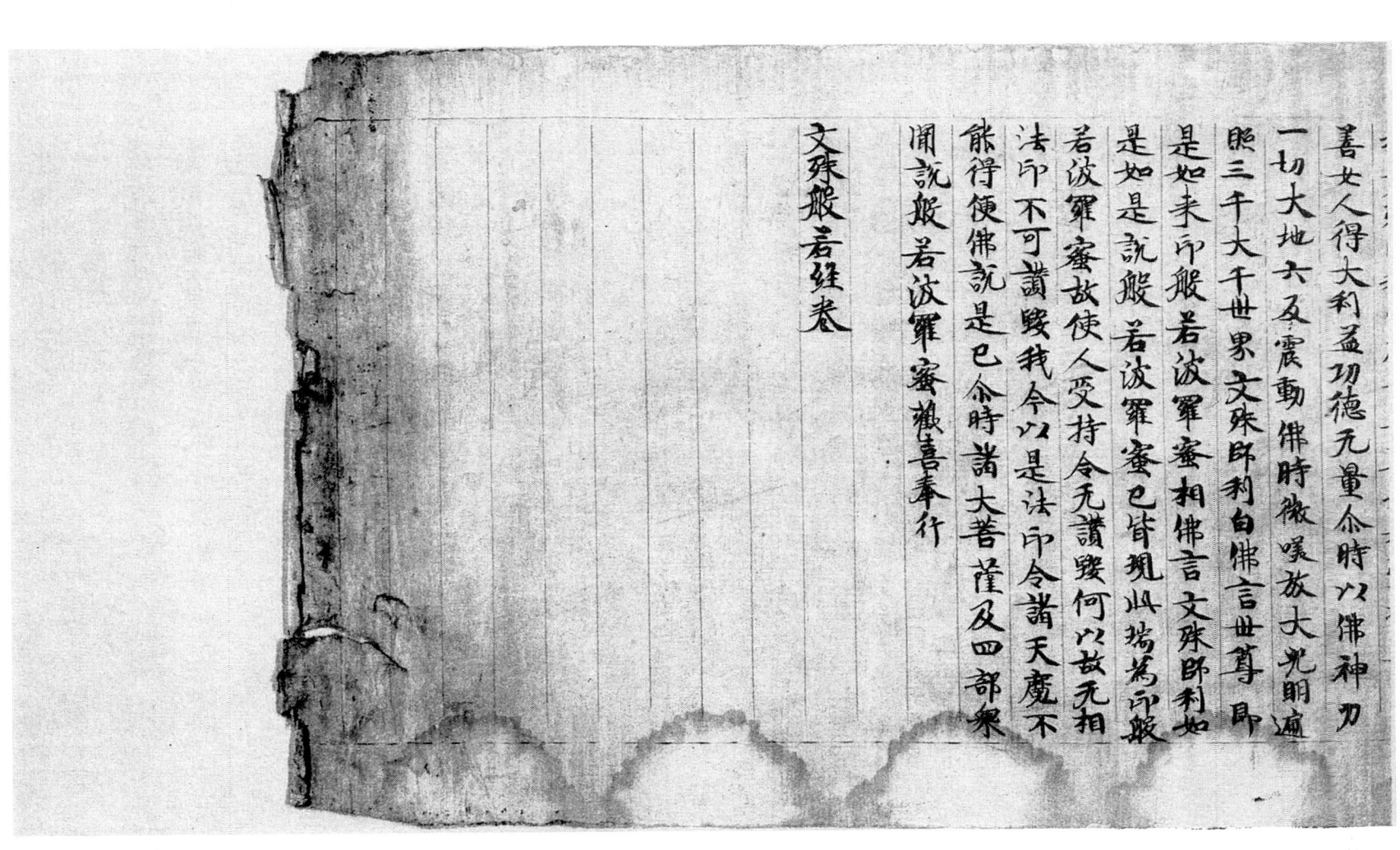

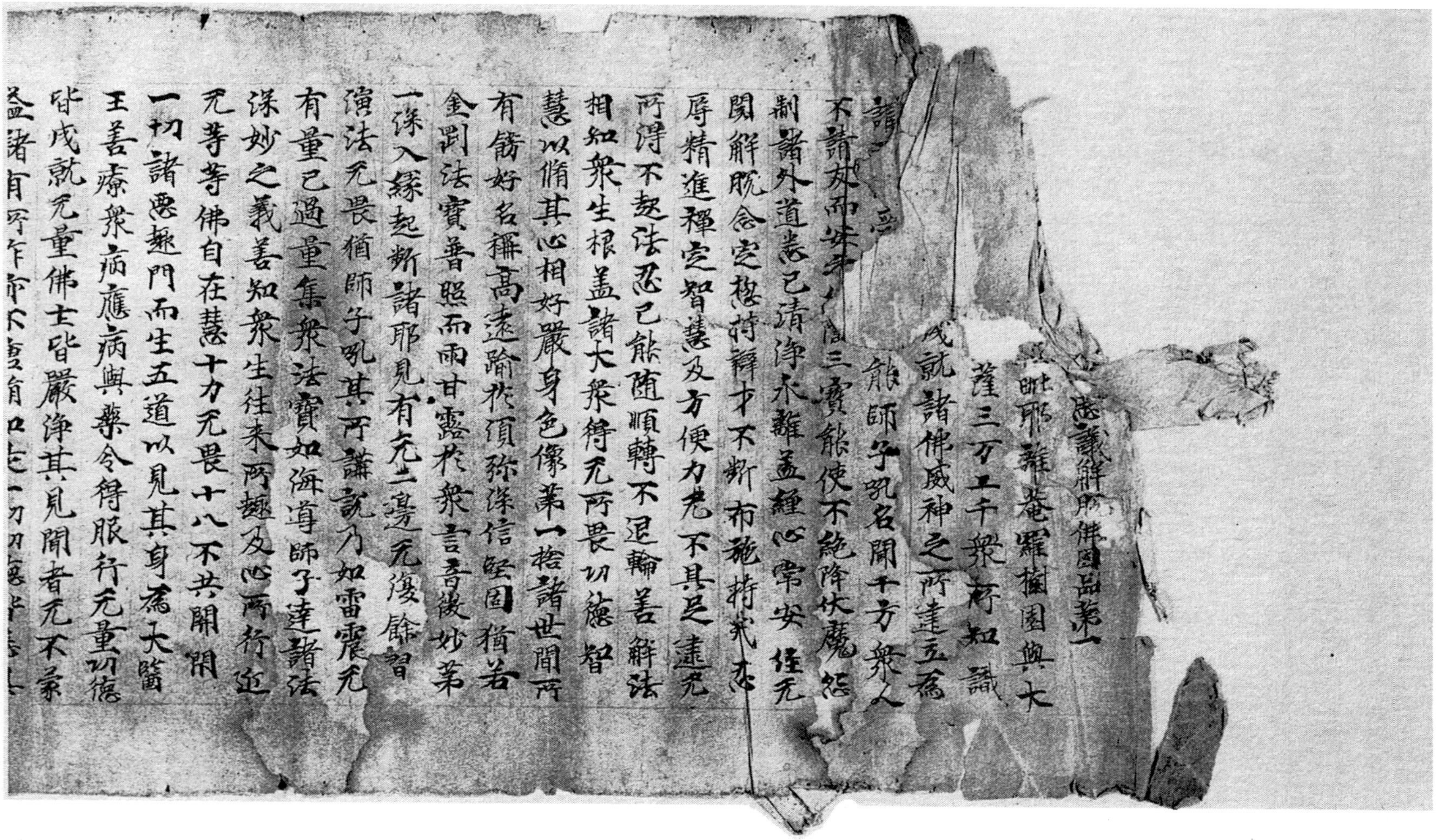
思議解脫佛國品第一
毗耶離菴羅樹園與大
薩三万二千衆所知識
成就諸佛威神之所建立爲
能師子吼名聞十方衆人
不請友而安之紹隆三寶能使不絕降伏魔怨
制諸外道悉已清淨永離蓋纏心常安住无
閡解脫念定揔持辯才不斷布施持戒忍
辱精進禪定智慧及方便力无不具足逮无
所得不起法忍已能隨順轉不退輪善解法
相知衆生根蓋諸大衆得无所畏功德智
慧以脩其心相好嚴身色像第一捨諸世間所
有飾好名稱高遠踰於須弥深信堅固猶若
金剛法寶普照而雨甘露於衆言音微妙第
一深入緣起斷諸邪見有无二邊无復餘習
演法无畏猶師子吼其所講說乃如雷震无
有量已過量集衆法寶如海導師了達諸法
深妙之義善知衆生往來所趣及心所行近
无等等佛自在慧十力无畏十八不共關閉
一切諸惡趣門而生五道以見其身爲大醫
王善療衆病應病與藥令得服行无量功德
皆成就无量佛土皆嚴淨其見聞者无不蒙
益諸有所作亦不唐捐如是一切功德

BD02069 號　維摩詰所說經卷上　（26–1）

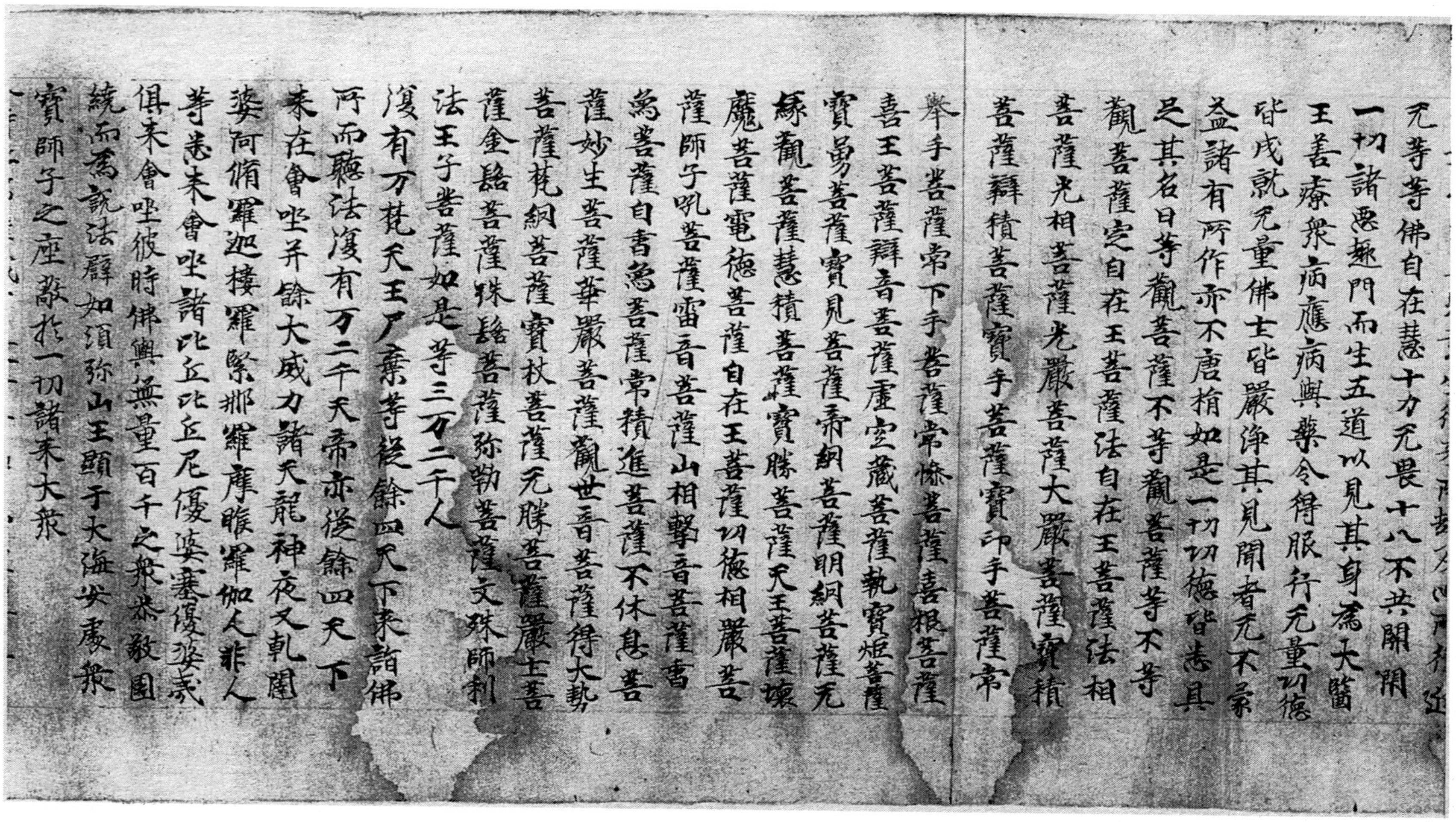
无等等佛自在慧十力无畏十八不共關閉
一切諸惡趣門而生五道以見其身爲大醫
王善療衆病應病與藥令得服行无量功德
皆成就无量佛土皆嚴淨其見聞者无不蒙
益諸有所作亦不唐捐如是一切功德皆悉具
足其名曰等觀菩薩不等觀菩薩等不等
觀菩薩定自在王菩薩法自在王菩薩法相
菩薩光相菩薩光嚴菩薩大嚴菩薩寶積
菩薩辯積菩薩寶手菩薩寶印手菩薩常
舉手菩薩常下手菩薩常慘菩薩喜根菩薩
喜王菩薩辯音菩薩虛空藏菩薩執寶炬菩薩
寶勇菩薩寶見菩薩帝網菩薩明網菩薩无
緣觀菩薩慧積菩薩寶勝菩薩天王菩薩壞
魔菩薩電德菩薩自在王菩薩功德相嚴菩
薩師子吼菩薩雷音菩薩山相擊音菩薩香
象菩薩白香象菩薩常精進菩薩不休息菩
薩妙生菩薩華嚴菩薩觀世音菩薩得大勢
菩薩梵網菩薩寶杖菩薩无勝菩薩嚴土菩
薩金髻菩薩珠髻菩薩弥勒菩薩文殊師利
法王子菩薩如是等三万二千人
復有万梵天王尸棄等從餘四天下來詣佛
所而聽法復有万二千天帝亦從餘四天下
來在會坐并餘大威力諸天龍神夜叉乾闥
婆阿脩羅迦樓羅緊那羅摩睺羅伽人非人
等悉來會坐諸比丘比丘尼優婆塞優婆夷
俱來會坐彼時佛與无量百千之衆恭敬圍
繞而爲說法辟如須弥山王顯于大海安處衆
寶師子之座蔽於一切諸來大衆

BD02069 號　維摩詰所說經卷上　（26–2）

婆阿脩羅迦樓羅緊那羅摩睺羅伽人非人
等悉來會坐諸比丘比丘尼優婆塞優婆夷
俱來會坐彼時佛與無量百千之衆恭敬圍
繞而為說法譬如須弥山王顯于大海安處衆
寶師子之座蔽於一切諸來大衆
尒時毗耶離城有長者子名曰寶積與五百
長者子俱持七寶蓋來詣佛所頭面礼足各
以其蓋共供養佛佛之威神令諸寶蓋合成
一蓋遍覆三千大千世界而此世界廣長之
相悉於中現又此三千大千世界諸須弥山
雪山目真隣陁山摩訶目真隣陁山香山寶
山金山黒山鐵圍山大鐵圍山大海江河川流泉
源及日月星辰天宮龍宮諸尊神宮悉現
於寶蓋中又十方諸佛諸佛說法亦現於
寶蓋中尒時一切大衆覩佛神力歎未曾
有合掌礼佛瞻仰尊顏目不暫捨長者子
寶積即於佛前以偈頌曰
目淨脩廣如青蓮　心淨已度諸禪定
久積淨業稱无量　導衆以寂故稽首
既見大聖以神變　普現十方无量土
其中諸佛演說法　於是一切悉見聞
法王法力超群生　常以法財施一切
能善分別諸法相　於第一義而不動
已於諸法得自在　是故稽首此法王
說法不有亦不无　以因緣故諸法生
无我无造无受者　善惡之業亦不亡
始在佛樹力降魔　得甘露滅覺道成
以无心意无受行　而悉摧伏諸外道
[illegible]

說法不有亦不无　以因緣故諸法生
无我无造无受者　善惡之業亦不亡
始在佛樹力降魔　得甘露滅覺道成
以无心意无受行　而悉摧伏諸外道
三轉法輪於大千　其輪本來常清淨
天人得道此為證　三寶於是現世間
以斯妙法濟群生　一受不退常寂然
度老病死大醫王　當礼法海德无邊
毀譽不動如須弥　於善不善等以慈
心行平等如虛空　孰聞人寶不敬承
今奉世尊此微蓋　於中現我三千界
諸天龍神所居宮　乾闥婆等及夜叉
悉見世間諸所有　十力哀現是變化
衆覩希有皆歎佛　今我稽首三界尊
大聖法王衆所歸　淨心觀佛靡不欣
各見世尊在其前　斯則神力不共法
佛以一音演說法　衆生隨類各得解
皆謂世尊同其語　斯則神力不共法
佛以一音演說法　衆生各各隨所解
普得受行獲其利　斯則神力不共法
佛以一音演說法　或有恐畏或歡喜
或生厭離或斷疑　斯則神力不共法
稽首十力大精進　稽首已得无所畏
稽首住於不共法　稽首一切導師
稽首能斷衆結縛　稽首已到於彼岸
稽首能度諸世間　稽首永離生死道
悉知衆生來去相　善於諸法得解脫
不著世間如蓮華　常善入於空寂行

[illegible]　稽首一切導師
稽首能斷衆結縛　稽首已到於彼岸
稽首能度諸世間　稽首永離生死道
悉知衆生來去相　善於諸法得解脫
不著世間如蓮華　常善入於空寂行
達諸法相无罣礙　稽首如空无所依
尒時長者子寶積說此偈已白佛言世尊
是五百長者子皆已發阿耨多羅三藐三
菩提心願聞得佛國土清淨唯願世尊說
諸菩薩淨土之行佛言善哉寶積乃能為
諸菩薩問於如來淨土之行諦聽諦聽善思
念之當為汝說於是寶積及五百長者子受教
而聽佛言寶積衆生之類是菩薩佛土所以者
何菩薩隨所化衆生而取佛土隨所調伏衆
生而取佛土隨諸衆生應以何國入佛智慧
而取佛土隨諸衆生應以何國起菩薩根而
取佛土所以者何菩薩取於淨國皆為饒益
諸衆生故譬如有人欲於空地造立宮室隨
意无礙若於虛空終不能成菩薩如是為成
就衆生故願取佛國願取佛國者非於空也
寶積當知直心是菩薩淨土菩薩成佛時不
諂衆生來生其國深心是菩薩淨土菩薩成
佛時具足功德衆生來生其國大乘心是菩
薩淨土菩薩成佛時大乘衆生來生其國布
施是菩薩淨土菩薩成佛時一切能捨衆生
來生其國持戒是菩薩淨土菩薩成佛時
行十善道滿願衆生來生其國忍辱是菩
薩淨土菩薩成佛時卅二相莊嚴衆生來生其
國精進是菩薩淨土菩薩成佛時懃脩一切

BD02069 號　維摩詰所說經卷上　（26–5）

薩淨土菩薩成佛時大乘衆生來生其國布
施是菩薩淨土菩薩成佛時一切能捨衆生
來生其國持戒是菩薩淨土菩薩成佛時
行十善道滿願衆生來生其國忍辱是菩
薩淨土菩薩成佛時卅二相莊嚴衆生來生其
國精進是菩薩淨土菩薩成佛時懃脩一切
功德衆生來生其國禪定是菩薩淨土菩薩
成佛時攝心不乱衆生來生其國智慧是菩
薩淨土菩薩成佛時正定衆生來生其國四
無量心是菩薩淨土菩薩成佛時成就慈悲喜
捨衆生來生其國四攝法是菩薩淨土菩薩
成佛時解脫所攝衆生來生其國方便是菩
薩淨土菩薩成佛時於一切法方便無礙衆
生來生其國卅七道品是菩薩淨土菩薩成
佛時念處正懃神足根力覺道衆生來生其
國迴向心是菩薩淨土菩薩成佛時得一切具
足功德國土說除八難是菩薩淨土菩薩成佛
時國土无有三惡八難自守戒行不譏彼闕是
菩薩淨土菩薩成佛佛國土无有犯禁之名
十善道是菩薩淨土菩薩成佛時命不中
夭大富梵行所言誠諦常以濡語眷屬不離
善和諍訟言必饒益不嫉不恚正見衆生來
生其國如是寶積菩薩隨其直心則能發行
隨其發行則得深心隨其深心則意調伏隨
意調伏則如說行隨如說行則能迴向隨其迴
向則有方便隨其方便則成就衆生隨成就衆
生則佛土淨隨佛土淨則說法淨隨說法淨
則智慧淨隨智慧淨則其心淨隨其心
淨則一切功德淨是故寶積若菩薩欲得淨

BD02069 號　維摩詰所說經卷上　（26–6）

[illegible]心隨其深心則意調伏隨
意調伏則如說行隨如說行則能迴向隨其迴
向則有方便隨其方便則成就眾生隨成就眾
生則佛土淨隨佛土淨則說法淨隨說法淨
則智慧淨隨智慧淨則其心淨隨其心
淨則一切功德淨是故寶積若菩薩欲得淨
土當淨其心隨其心淨則佛土淨
尒時舍利弗承佛威神作是念若菩薩心淨
則佛土淨者我世尊本為菩薩時意豈不淨
而是佛土不淨若此佛知其念即告之言於意
云何日月豈不淨耶而盲者不見對曰不也
世尊是盲者過非日月咎舍利弗眾生罪故不
見如來佛國嚴淨非如來咎舍利弗我見此土
清淨而汝不見尒時螺髻梵王語舍利弗勿作
是意謂此佛土以為不淨所以者何我見釋
迦牟尼佛土清淨譬如自在天宮舍利弗言
我見此土丘陵坑坎荊棘沙礫土石諸山穢惡
充滿螺髻梵言仁者心有高下不依佛慧故見
此土為不淨耳舍利弗菩薩於一切眾生悉
皆平等深心清淨依佛智慧則能見此佛土
清淨於是佛以足指案地即時三千大千世
界若干百千珍寶嚴飾譬如寶莊嚴佛无量
功德寶莊嚴土一切大眾歎未曾有而皆自
見坐寶蓮華佛告舍利弗汝且觀是佛土嚴
淨舍利弗言唯然世尊本所不見本所不聞
今佛國土嚴淨悉現佛語舍利弗我佛國土
常淨若此為欲度斯下劣人故示是眾惡不
淨土耳譬如諸天共寶器食隨其福德飯色
有異如是舍利弗若人心淨便見此土功德

[illegible]
淨舍利弗言唯然世尊本所不見本所不聞
今佛國土嚴淨悉現佛語舍利弗我佛國土
常淨若此為欲度斯下劣人故示是眾惡不
淨土耳譬如諸天共寶器食隨其福德飯色
有異如是舍利弗若人心淨便見此土功德
莊嚴當佛現此國土嚴淨之時寶積所將五
百長者子皆得无生法忍八万四千人發阿耨
多羅三藐三菩提心佛攝神足於是世界還
復如故求聲聞乘三万二千天及人知有為
法皆悉无常遠塵離垢得法眼淨八千比丘
不受諸法漏盡意解

方便品第二

尒時毗耶離大城中有長者名維摩詰已曾
供養无量諸佛深殖善本得无生忍辯才无
礙遊戲神通逮諸總持獲无所畏降魔勞怨
入深法門善於智度通達方便大願成就明
了眾生心之所趣又能分別諸根利鈍久於
佛道心已淳淑決定大乘諸有所作能善思
量住佛威儀心大如海諸佛咨嗟弟子釋梵
世主所敬欲度人故以善方便居毗耶離資
財无量攝諸貧民奉戒清淨攝諸毀禁以忍
調行攝諸恚怒以大精進攝諸懈怠一心禪
寂攝諸亂意以決定慧攝諸无智雖為白衣
奉持沙門清淨律行雖處居家不著三界示
有妻子常脩梵行現有眷屬常樂遠離雖服
寶飾而以相好嚴身雖復飲食而以禪悅為味
若至博弈戲處輒以度人受諸異道不毀正
信雖明世典常樂佛法一切見敬為供養
[illegible]攝諸長幼一切治生諧偶雖

有妻子常脩梵行現有眷屬常樂遠離雖服
寶飾而以相好嚴身雖復飲食而以禪悅為味
若至博弈戲處輒以度人受諸異道不毀正
信雖明世典常樂佛法一切見敬為供養
中最執持正法攝諸長幼一切治生諧偶雖
獲俗利不以喜悅遊諸四衢饒益眾生入治
政法救護一切入講論處道以大乘入諸學
堂誘開童蒙入諸婬舍示欲之過入諸酒肆
能立其志若在長者長者中尊為說勝法若
在居士居士中尊斷其貪著若在剎利剎利
中尊教以忍辱若在婆羅門婆羅門中尊除
其我慢若在大臣大臣中尊教以正法若在
王子王子中尊示以忠孝若在內官內官中
尊化政宮女若在庶民庶民中尊令興福力
若在梵天梵天中尊誨以勝慧若在帝釋帝
釋中尊示現无常若在護世護世中尊護諸
眾生長者維摩詰以如是等无量方便饒益
眾生其以方便現身有疾以其疾故國王大
臣長者居士婆羅門等及諸王子并餘官屬
无數千人皆往問疾其往者維摩詰因以身
疾廣為說法諸仁者是身无常无強无力无
堅速朽之法不可信也為苦為惱眾病所集
諸仁者如此身明智者所不怙是身如聚沫
不可撮摩是身如泡不得久立是身如炎從
渴愛生是身如芭蕉中无有堅是身如幻從
顛倒起是身如夢為虛妄見是身如影從業
緣現是身如響屬諸因緣是身如浮雲須臾
變滅是身如電念念不住是身无主為如地

渴愛生是身如芭蕉中无有堅是身如幻從
顛倒起是身如夢為虛妄見是身如影從業
緣現是身如響屬諸因緣是身如浮雲須臾
變滅是身如電念念不住是身无主為如地
是身无我為如火是身无壽為如風是身无
人為如水是身不實四大為家是身為空離
我我所是身无知如草木瓦礫是身无作風
力所轉是身不淨穢惡充滿是身為虛偽
雖假以澡浴衣食必歸磨滅是身為災百一病
惱是身如丘井為老所逼是身无定為要當
死是身如毒蛇如怨賊如空聚陰界諸入所共
合成諸仁者此可患厭當樂佛身所以者
何佛身者即法身也從无量功德智慧生從
戒定慧解脫解脫知見生從慈悲喜捨生從
布施持戒忍辱柔和懃行精進禪定解脫三
昧多聞智慧諸波羅蜜生從方便生從六通
生從三明生從卅七道品生從止觀生從十力四
无所畏十八不共法生從斷一切不善法集
一切善法生從真實生從不放逸生從如是
无量清淨法生如來身諸仁者欲得佛身
斷一切眾病者當發阿耨多羅三藐三菩
提心如是長者維摩詰為諸問疾者如應說
法令无數千人皆發阿耨多羅三藐三菩提心
弟子品第三
尒時長者維摩詰自念寢疾于床世尊大慈
寧不垂愍佛知其意即告舍利弗汝行詣維
摩詰問疾舍利弗白佛言世尊我不堪任詣
彼問疾所以者何憶念我昔曾於林中宴坐
樹下時維摩詰來謂我言唯舍利弗不必是

尒時長者維摩詰自念寑疾于床世尊大慈
寧不垂愍佛知其意即告舍利弗汝行詣維
摩詰問疾舍利弗白佛言世尊我不堪任詣
彼問疾所以者何憶念我昔曾於林中宴坐
樹下時維摩詰來謂我言唯舍利弗不必是
坐爲宴坐也夫宴坐者不於三界現身意是
爲宴坐不起滅定而現諸威儀是爲宴坐不
捨道法而現凡夫事是爲宴坐心不住內亦
不在外是爲宴坐於諸見不動而脩行三十
七品是爲宴坐不斷煩惱而入涅槃是爲宴
坐若能如是坐者佛所印可時我世尊聞是
語嘿然而止不能加報故我不任詣彼問疾
佛告大目揵連汝行詣維摩詰問疾目連白
佛言世尊我不堪任詣彼問疾所以者何憶
念我昔入毗耶離大城於里巷中爲諸居士
說法時維摩詰來謂我言唯大目連爲白衣
居士說法不當如仁者所說夫說法者當如
法說法无衆生離衆生垢故法无有我離我
垢故法无壽命離生死故法无有人前後際
斷故法常寂然滅諸相故法離於相无所緣
故法无名字言語斷故法无有說離覺觀故
法无形相如虛空故法无戲論畢竟空故法
无我所離我所故法无分別離諸識故法无
有比无相待故法不屬因不在緣故法同法
性入諸法故法隨於如无所隨故法住實際
諸邊不動故法无動搖不依六塵故法无去
來常不住故法順空隨无相應无作法離好
醜法无增損法无生滅法无所歸法過眼耳
鼻舌身心法无高下法常住不動法離一切

BD02069 號　維摩詰所說經卷上　（26–11）

性入諸法故法隨於如无所隨故法住實際
諸邊不動故法无動搖不依六塵故法无去
來常不住故法順空隨无相應无作法離好
醜法无增損法无生滅法无所歸法過眼耳
鼻舌身心法无高下法常住不動法離一切
觀行唯大目連法相如是豈可說乎夫說法
者无說无示其聽法者无聞无得譬如幻士
爲幻人說法當建是意而爲說法當了衆生
根有利鈍善於知見无所罣礙以大悲心讚于
大乘念報佛恩不斷三寶然後說法維摩詰
說是法時八百居士發阿耨多羅三藐三菩
提心我无此辯是故不任詣彼問疾
佛告大迦葉汝行詣維摩詰問疾迦葉白佛
言世尊我不堪任詣彼問疾所以者何憶念
我昔於貧里而行乞食時維摩詰來謂我言
唯大迦葉有慈悲心而不能普捨豪富從貧
迦葉住平等法應次行乞食爲不食故應行
乞食爲壞和合相故應取揣食爲不受故應
受彼食以空聚想入於聚落所見色與盲等
所聞聲與響等所嗅香與風等所食味不分
別受諸觸如智證知諸法如幻相无自性无他
性本自不然今則无滅迦葉若能不捨八耶
入八解脫以耶相入正法以一食施一切供養
諸佛及衆賢聖然後可食如是食者非有
煩惱非離煩惱非入定意非起定意非住世
間非住涅槃其有施者无大福无小福不
爲益不爲損是爲正入佛道不依聲聞迦葉
若如是食爲不空食人之施也時我世尊聞說
是語得未曾有即於一切菩薩深起敬意復

BD02069 號　維摩詰所說經卷上　（26–12）

煩惱非離煩惱非入定意非起定意非住世
間非住涅槃其有施者无大福无小福不
為益不為損是為正入佛道不依聲聞迦葉
若如是食為不空食人之施也時我世尊聞說
是語得未曾有即於一切菩薩深起敬心復
作是念斯有家名辯才智慧乃能如是其誰
不發阿耨多羅三藐三菩提心我從是來不復
勸人以聲聞辟支佛行是故不任詣彼問疾
佛告須菩提汝行詣維摩詰問疾須菩提白
佛言世尊我不堪任詣彼問疾所以者何憶念
我昔入其舍從乞食時維摩詰取我鉢盛滿
飯謂我言唯須菩提若能於食等者諸法亦
等諸法等者於食亦等如是行乞乃可取食
若須菩提不斷婬怒癡亦不與俱不壞於身
而隨一相不滅癡愛起於明脫以五逆相而
得解脫亦不解不縛不見四諦非不見諦非
得果非不得果非凡夫非離凡夫法非聖人
非不聖人雖成就一切法而離諸法相乃可取
食若須菩提不見佛不聞法彼外道六師富
蘭那迦葉末伽梨拘賒梨子刪闍夜毗羅胝
子阿耆多翅舍欽婆羅迦羅鳩馱迦栴延尼
揵陀若提子等是汝之師因其出家彼師所
墮汝亦隨墮乃可取食若須菩提入諸邪見
不到彼岸住於八難不得无難同於煩惱離清
淨法汝得无諍三昧一切衆生亦得是定其施
汝者不名福田供養汝者墮三惡道為與衆
魔共一手作諸勞侶汝與衆魔及諸塵勞等
无有異於一切衆生而有怨心謗諸佛毀於法

BD02069 號　維摩詰所說經卷上

淨法汝得无諍三昧一切衆生亦得是定其施
汝者不名福田供養汝者墮三惡道為與衆
魔共一手作諸勞侶汝與衆魔及諸塵勞等
无有異於一切衆生而有怨心謗諸佛毀於法
不入衆數終不得滅度汝若如是乃可取
食時我世尊聞此茫然不識是何言不知以
何荅便置鉢欲出其舍維摩詰言唯須菩
提取鉢勿懼於意云何如來所作化人若以是
事詰寧有懼不我言不也維摩詰言一切諸
法如幻化相汝今不應有所懼也所以者何
一切言說不離是相至於智者不著文字故
无所懼何以故文字性離无有文字是則解
脫解脫相者則諸法也維摩詰說是法時二百
天子得法眼淨故我不任詣彼問疾
佛告富樓那彌多羅尼子汝行詣維摩詰問
疾富樓那白佛言世尊我不堪任詣彼問疾所
以者何憶念我昔於大林中在一樹下為諸
新學比丘說法時維摩詰來謂我言唯富
樓那先當入定觀此人心然後說法无以穢
食置於寶器當知是比丘心之所念无以琉
璃同彼水精汝不能知衆生根源无得發起
以小乘法彼自无創勿傷之也欲行大道莫示
小徑无以大海內於牛跡无以日光等彼螢火
富樓那此比丘久發大乘心中忘此意如何
以小乘法而教導之我觀小乘智慧微淺
猶如盲人不能分別一切衆生根之利鈍時維
摩詰即入三昧令此比丘自識宿命曾於五
百佛所殖衆德本迴向阿耨多羅三藐三

BD02069 號　維摩詰所說經卷上

[illegible]大乘心中忘此意如何
以小乘法而教導之我觀小乘智慧微淺
猶如盲人不能分別一切衆生根之利鈍時維
摩詰即入三昧令此比丘自識宿命曾於五
百佛所殖衆德本迴向阿耨多羅三藐三
菩提即時豁然還得本心於是諸比丘稽首
礼維摩詰足時維摩詰因為說法於阿耨多
羅三藐三菩提不復退轉我念聲聞不觀人
根不應說法是故不任詣彼問疾
佛告摩訶迦旃延汝行詣維摩詰問疾迦旃
延白佛言世尊我不堪任詣彼問疾所以者
何憶念昔者佛為諸比丘略說法要我即
於後敷演其義謂无常義苦義空義我義
寂滅義時維摩詰來謂我言唯迦旃延以生滅
心行說實相法迦旃延諸法畢竟不生不滅是
无常義五受陰通達空无所起是苦義諸
法究竟无所有是空義於我无我而不二是
无我義法本不然今則无滅是寂滅義說是
法時彼諸比丘心得解脫故我不任詣彼問疾
佛告阿那律汝行詣維摩詰問疾阿那律白
佛言世尊我不堪任詣彼問疾所以者何憶
念我昔於一處經行時有梵王名曰嚴淨與
万梵俱放淨光明来詣我所稽首作礼問我
言幾何阿那律天眼所見我即答言仁者吾
見此釋迦牟尼佛土三千大千世界如觀掌中
阿摩勒菓時維摩詰来謂我言唯阿那律天
眼為作相耶无作相耶假使作相則與外道
五通等若无作相即是无為不應有見世尊
我時嘿然彼諸梵等聞其言得未曾有即為

BD02069 號　維摩詰所說經卷上

（26–15）

言幾何阿那律天眼所見我即答言仁者吾
見此釋迦牟尼佛土三千大千世界如觀掌中
阿摩勒菓時維摩詰来謂我言唯阿那律天
眼為作相耶无作相耶假使作相則與外道
五通等若无作相即是无為不應有見世尊
我時嘿然彼諸梵等聞其言得未曾有即為
作礼而問曰世孰有真天眼者維摩詰言有
佛世尊得真天眼常在三昧悉見諸佛國土不以
二相於是嚴淨梵王及其眷屬五百梵天皆
發阿耨多羅三藐三菩提心礼維摩詰足已
忽然不現故我不任詣彼問疾
佛告優波離汝行詣維摩詰問疾優波離白
佛言世尊我不堪任詣彼問疾所以者何憶念
昔者有二比丘犯律行以為恥不敢問佛来
問我言唯優波離我等犯律誠以為恥不
敢問佛願解疑悔得免斯咎我即為其如法
解說時維摩詰来謂我言唯優波離无重增
此二比丘罪當直除滅勿擾其心所以者何彼
罪性不在內不在外不在中間如佛所說心
垢故衆生垢心淨故衆生淨心亦不在內不
在外不在中間如其心然罪垢亦然諸法亦
然不出於如如優波離以心相得解脫時寧
有垢不我言不也維摩詰言一切衆生心
相无垢亦復如是唯優波離妄想是垢无妄
想是淨顛倒是垢无顛倒是淨取我是垢不
取我是淨優波離一切法生滅不住如幻如
電諸法不相待乃至一念不住諸法皆妄見
如夢如炎如水中月如鏡中像以妄想生其知
此者是名奉律其知此者是名善解於是二

BD02069 號　維摩詰所說經卷上

（26–16）

想是淨顛倒是垢无顛倒是淨取我是垢不
取我是淨優波離一切法相生滅不住如幻如
電諸法不相待乃至一念不住諸法皆妄見
如夢如炎如水中月如鏡中像以妄相生其知
此者是名奉律其知此者是名善解於是二
比丘言上智哉是優波離所不能及持律之
上而不能說我荅言自捨如來未有聲聞及
菩薩能制其樂說之辯其智慧明達為若此
也時二比丘疑悔即除發阿耨多羅三藐三
菩提心作是願言令一切衆生皆得是辯故
我不任詣彼問疾
佛告羅睺羅汝行詣維摩詰問疾羅睺羅白
佛言世尊我不堪任詣彼問疾所以者何憶
念昔時毗耶離諸長者子來詣我所稽首作
礼問我言唯羅睺羅汝佛之子捨轉輪王位
出家為道其出家者有何等利我即如法為
說出家功德之利時維摩詰來謂我言唯羅
睺羅不應說出家功德之利所以者何无利
无功德是為出家有為法者可說有利有
功德夫出家者為无為法无為法中无利无
功德羅睺羅出家者无彼无此亦无中間離六
十二見處於涅槃智者所受聖所行處降伏
衆魔度五道淨五眼得五力立五根不惱於
彼離衆離惡摧諸外道超越假名出淤泥无
繫著无我所无所受无擾亂內懷喜護彼意
隨禪定離衆過若能如是是真出家於是維
摩詰語諸長者子汝等於正法中宜共出家
所以者何佛世難值諸長者子言居士我聞

BD02069 號　維摩詰所說經卷上　（26–17）

繫著无我所无所受无擾亂內懷喜護彼意
隨禪定離衆過若能如是是真出家於是維
摩詰語諸長者子汝等於正法中宜共出家
所以者何佛世難值諸長者子言居士我聞
佛言父母不聽不得出家維摩詰言然汝等
便發阿耨多羅三藐三菩提心是即出家是
即具足尒時卅二長者子皆發阿耨多羅三
藐三菩提心故我不任詣彼問疾
佛告阿難汝行詣維摩詰問疾阿難白佛言
世尊我不堪任詣彼問疾所以者何憶念昔
時世尊身小有疾當用牛乳我即持鉢詣大
婆羅門家門下立時維摩詰來謂我言唯
阿難何為晨朝持鉢住此我言居士世尊身小
有疾當用牛乳故來至此維摩詰言止止阿
難莫作是語如來身者金剛之體諸惡已斷
衆善普會當有何疾當有何惱嘿往阿難勿
謗如來莫使異人聞此麤言无令大威德諸
天及他方淨土諸來菩薩得聞斯語阿難轉
輪聖王以少福故尚得无病豈況如來无量
福會普勝者哉行矣阿難勿使我等受斯
恥也外道梵志若聞此語當作是念何名
為師自疾不能救而能救諸疾人可速密去
勿使人聞當知阿難諸如來身即是法身非
思欲身佛為世尊過於三界佛身无漏諸漏
已盡佛身无為不墮諸數如此之身當有何
病時我世尊實懷慙愧得无近佛而謬聽耶
即聞空中聲曰阿難如居士言但為佛出五
濁惡世現行斯法度脫衆生行矣阿難取

BD02069 號　維摩詰所說經卷上　（26–18）

思欲身佛為世尊過於三界佛身无漏諸漏
已盡佛身无為不墮諸數如此之身當有何
病時我世尊實懷慚愧得无近佛而謬聽耶
即聞空中聲曰阿難如居士言但為佛出五
濁惡世現行斯法度脫衆生行矣阿難取
乳勿慚世尊維摩詰智慧辯才為若此也是
故不任詣彼問疾如是五百大弟子各各向
佛說其本緣稱述維摩詰所言皆曰不任詣
彼問疾

菩薩品第四

於是佛告弥勒菩薩汝行詣維摩詰問疾弥
勒白佛言世尊我不堪任詣彼問疾所以者
何憶念我昔為兜率天王及其眷屬說不退
轉地之行時維摩詰來謂我言弥勒世尊授
仁者記一生當得阿耨多羅三藐三菩提為
用何生得受記乎過去耶未來耶現在耶若
過去生過去生已滅若未來生未來生未至
若現在生現在生无住如佛所說比丘汝今即
時亦生亦老亦滅若以无生得受記者无生
即是正位於正位中亦无受記亦无得阿耨
多羅三藐三菩提云何弥勒受一生記乎為
從如生得受記耶為從如滅得受記耶若
以如生得受記者如无有生若以如滅得受
記者如无有滅一切衆生皆如也一切法亦
如也衆賢聖亦如也至於弥勒亦如也若弥勒
得受記者一切衆生亦應受記所以者何夫
如者不二不異若弥勒得阿耨多羅三藐
三菩提者一切衆生皆亦應得所以者何一

BD02069號　維摩詰所說經卷上　（26–19）

如也衆賢聖亦如也至於弥勒如也若弥勒
得受記者一切衆生亦應受記所以者何夫
如者不二不異若弥勒得阿耨多羅三藐
三菩提者一切衆生皆亦應得所以者何一
切衆生即菩提相若弥勒得滅度者一切衆
生亦當滅度所以者何諸知一切衆生畢竟
寂滅即涅槃相不復更滅是故弥勒以此誘
諸天子實无發阿耨多羅三藐三菩提心
者亦无退者弥勒當令此諸天子捨於分
別菩提之見所以者何菩提者不可以身
得不可以心得寂滅是菩提滅諸相故不觀
是菩提離諸緣故不行是菩提无憶念故斷
是菩提捨諸見故離是菩提離諸妄想故障
是菩提障諸願故不入是菩提无貪著故
順是菩提順於如故住是菩提住法性故至
是菩提至實際故不二是菩提離法意故
等是菩提等虛空故无為是菩提无生住滅
故智是菩提了衆生心行故不會是菩提諸入
不會故不合是菩提離煩惱習故无處是菩
提无形色故假名是菩提名字空故如化是菩
提无取捨故无亂是菩提常自靜故善寂是
菩提性清淨故无取是菩提離攀緣故无異
是菩提諸法等故无比是菩提不可喻故微
妙是菩提諸法難知故世尊維摩詰說是法
時二百天子得无生法忍故我不任詣彼問疾
佛告光嚴童子汝行詣維摩詰問疾光嚴白
佛言世尊我不堪任詣彼問疾所以者何憶念
我昔出毗耶離大城時維摩詰方入城我即

BD02069號　維摩詰所說經卷上　（26–20）

妙是菩提諸法難知故世尊維摩詰說是法
時二百天子得无生法忍故我不任詣彼問疾
佛告光嚴童子汝行詣維摩詰問疾光嚴白
佛言世尊我不堪任詣彼問疾所以者何憶念
我昔出毗耶離大城時維摩詰方入城我即
為作礼而問言居士從何所來荅我言吾
道場來我問道場者何所是荅曰直心是
道場无虛假故發行是道場能辦事故深心
是道場增益功德故菩提心是道場无錯謬
故布施是道場不望報故持戒是道場得願
具足故忍辱是道場於諸眾生心无㝵故精
進是道場不懈怠故禪定是道場心調柔故智
慧是道場現見諸法故慈是道場等心眾生
故悲是道場忍疲苦故喜是道場悅樂法故
捨是道場憎愛斷故神通是道場成就六通
故解脫是道場能背捨故方便是道場教化
眾生故四攝法是道場攝眾生故多聞是道
場如聞行故伏心是道場正觀諸法故卅七品
是道場捨有為法故諦是道場不誑世間
故緣起是道場无明乃至老死皆无盡故諸
煩惱是道場知如實故眾生是道場知无我
故一切法是道場知諸法空故降魔是道場
不傾動故三界是道場无所趣故師子吼是道
場无所畏故力无畏不共法是道場无諸過
故三明是道場无餘㝵故一念知一切法是道
場成就一切智故如是善男子菩薩若應諸
波羅蜜教化眾生諸有所作舉足下足當

BD02069號　維摩詰所說經卷上　（26–21）

場无所畏故力无畏不共法是道場无諸過
故三明是道場无餘㝵故一念知一切法是道
場成就一切智故如是善男子菩薩若應諸
波羅蜜教化眾生諸有所作舉足下足當
知皆從道場來住於佛法矣說是法時五百
天人皆發阿耨多羅三藐三菩提心故我不
任詣彼問疾
佛告持世菩薩汝行詣維摩詰問疾持世白
佛言世尊我不堪任詣彼問疾所以者何憶念
我昔住於靜室時魔波旬從万二千天女狀
如帝釋鼓樂絃歌來詣我所與其眷屬稽
首我足合掌恭敬於一面立我意謂是帝釋
而語之言善來憍尸迦雖福應有不當自恣
當觀五欲无常以求善本於身命財而脩堅
法即語我言正士受是万二千天女可備掃
灑我言憍尸迦无以此非法之物要我沙門
釋子此非我宜所言未訖時維摩詰來謂我
言非帝釋也是為魔來嬈故汝耳即語魔
言是諸女等可以與我如我應受魔即驚懼
念維摩詰將无惱我欲隱形去而不能隱盡
其神力亦不得去即聞空中聲曰波旬以女
與之乃可得去魔以畏故俛仰而與尒時維
摩詰語諸女言魔以汝等與我今汝等皆當
發阿耨多羅三藐三菩提心即隨所應而
為說法令發道意復言汝等已發道意有法
樂可以自娛不應復樂五欲樂也天女即問何
謂法樂荅言樂常信佛樂欲聽法樂供養眾

BD02069號　維摩詰所說經卷上　（26–22）

摩詰語諸女言魔以汝等與我今汝等皆當
發阿耨多羅三藐三菩提心即隨所應而
爲說法令發道意復言汝等已發道意有法
樂可以自娛不應復樂五欲樂也天女即問何
謂法樂答言樂常信佛樂欲聽法樂供養衆
樂離五欲樂觀五陰如怨賊樂觀四大如
毒蛇樂觀内入如空聚樂隨護道意樂饒
益衆生樂供養師樂廣行施樂堅持戒樂
忍辱柔和樂懃集善根樂禪定不亂樂離垢
明慧樂廣菩提心樂降伏衆魔樂斷諸煩惱樂
淨佛國土樂成就相好故脩諸功德樂莊嚴
道場樂聞深法不畏樂三解脫門不樂非時
樂近同學不樂於非同學中心无恚㝵樂將
護惡知識樂近善知識樂心喜清淨樂脩无量
道品之法是爲菩薩法樂於是波旬告諸女
言我欲與汝俱還天宮諸女言以我等與此
居士有法樂我等甚樂不復樂於五欲樂也
魔言居士可捨此女一切所有施於彼者是
爲菩薩維摩詰言我以捨矣汝便將去令一
切衆生得法願具足故於是諸女問維摩詰

我等云何止於魔宮維摩詰言諸姊有
法門名无盡燈汝等當學无盡燈者譬如一
燈燃百千燈暝者皆明明終不盡如是諸姊
夫一菩薩開道百千衆生令發阿耨多羅三
藐三菩提心於其道意亦不滅盡隨所說法
而自增益一切善法是名无盡燈也汝等雖
住魔宮以是无盡燈令无數天子天女皆發
阿耨多羅三藐三菩提心者爲報佛恩亦大
饒益一切衆生尒時天女頭面礼維摩詰足隨

BD02069號　維摩詰所說經卷上　（26–23）

夫一菩薩開道百千衆生令發阿耨多羅三
藐三菩提心於其道意亦不滅盡隨所說法
而自增益一切善法是名无盡燈也汝等雖
住魔宮以是无盡燈令无數天子天女皆發
阿耨多羅三藐三菩提心者爲報佛恩亦大
饒益一切衆生尒時天女頭面礼維摩詰足隨
魔還宮忽然不見世尊維摩詰有如是自
在神力智慧辯才故我不任詣彼問疾
佛告長者子善德汝行詣維摩詰問疾善德
白佛言世尊我不堪任詣彼問疾所以者何
憶念我昔自於父舍設大施會供養一切沙
門婆羅門及諸外道貧窮下賤孤獨乞人期
滿七日時維摩詰來入會中謂我言長者子
夫大施會不當如汝所設當爲法施之會何
用是財施會爲我言居士何謂法施之會法
施會者无前无後一時供養一切衆生是名
法施之會何謂也謂以菩提起於慈心以救
衆生起大悲心以持正法起於喜心以攝智
慧行於捨心以攝慳貪起檀波羅蜜以化犯
戒起尸波羅蜜以无我法起羼提波羅蜜以
離身心相起毗梨耶波羅蜜以菩提相起禪
波羅蜜以一切智起般若波羅蜜教化衆生
而起於空不捨有爲法而起无相示現受生
而起无作護持正法起方便力以度衆生起
四攝法以敬事一切起除慢法於身命財起
三堅法於六念中起思念法於六和敬起質
直心正行善法起於淨命心淨歡喜起近賢
聖不憎惡人起調伏心以出家法起於深心以

BD02069號　維摩詰所說經卷上　（26–24）

而起无作讙持正法起方便力以度衆生起
四攝法以敬事一切起除慢法於身命財起
三堅法於六念中起思念法於六和敬起質
直心正行善法起於淨命心淨歡喜起近賢
聖不憎惡人起調伏心以出家法起於深心以
如說行起於多聞以无諍法起空閑處起向
佛慧起於宴坐解衆生縛起脩行地以具
相好及淨佛土起福德業知一切衆生心念如
應說法起於智業知一切法不取不捨入一
相門起於慧業斷一切煩惱一切障㝵一切
不善法起一切善業以得一切智慧一切善
法起於一切助佛道法如是善男子是爲法
施之會若菩薩住是法施會者爲大施主亦
爲一切世間福田世尊維摩詰說是法時婆
羅門衆中二百人皆發阿耨多羅三藐三
菩提心我時心得清淨嘆未曾有稽首礼
維摩詰足即解瓔珞價直百千以上之不肯取我
言居士願必納受隨意所與維摩詰乃受瓔
珞分作二分持一分施此會中一最下乞人
持一分奉彼難勝如來一切衆會皆見光明
國土難勝如來又見珠瓔在彼佛土變成四
柱寶臺四面嚴餝不相鄣蔽時維摩詰現
神變已作是言若施主等心施一最下乞人猶
如如來福田之相无所分別等于大悲不求
果報是則名曰具足法施城中一最下乞人
見是神力聞其所說皆發阿耨多羅三藐
三菩提心故我不任詣彼問疾如是諸菩薩
各各向佛說其本緣稱述維摩詰所言皆

BD02069 號　維摩詰所說經卷上　（26–25）

言居士願必納受隨意所與維摩詰乃受瓔
珞分作二分持一分施此會中一最下乞人
持一分奉彼難勝如來一切衆會皆見光明
國土難勝如來又見珠瓔在彼佛土變成四
柱寶臺四面嚴餝不相鄣蔽時維摩詰現
神變已作是言若施主等心施一最下乞人猶
如如來福田之相无所分別等于大悲不求
果報是則名曰具足法施城中一最下乞人
見是神力聞其所說皆發阿耨多羅三藐
三菩提心故我不任詣彼問疾如是諸菩薩
各各向佛說其本緣稱述維摩詰所言皆
日不任詣彼問疾

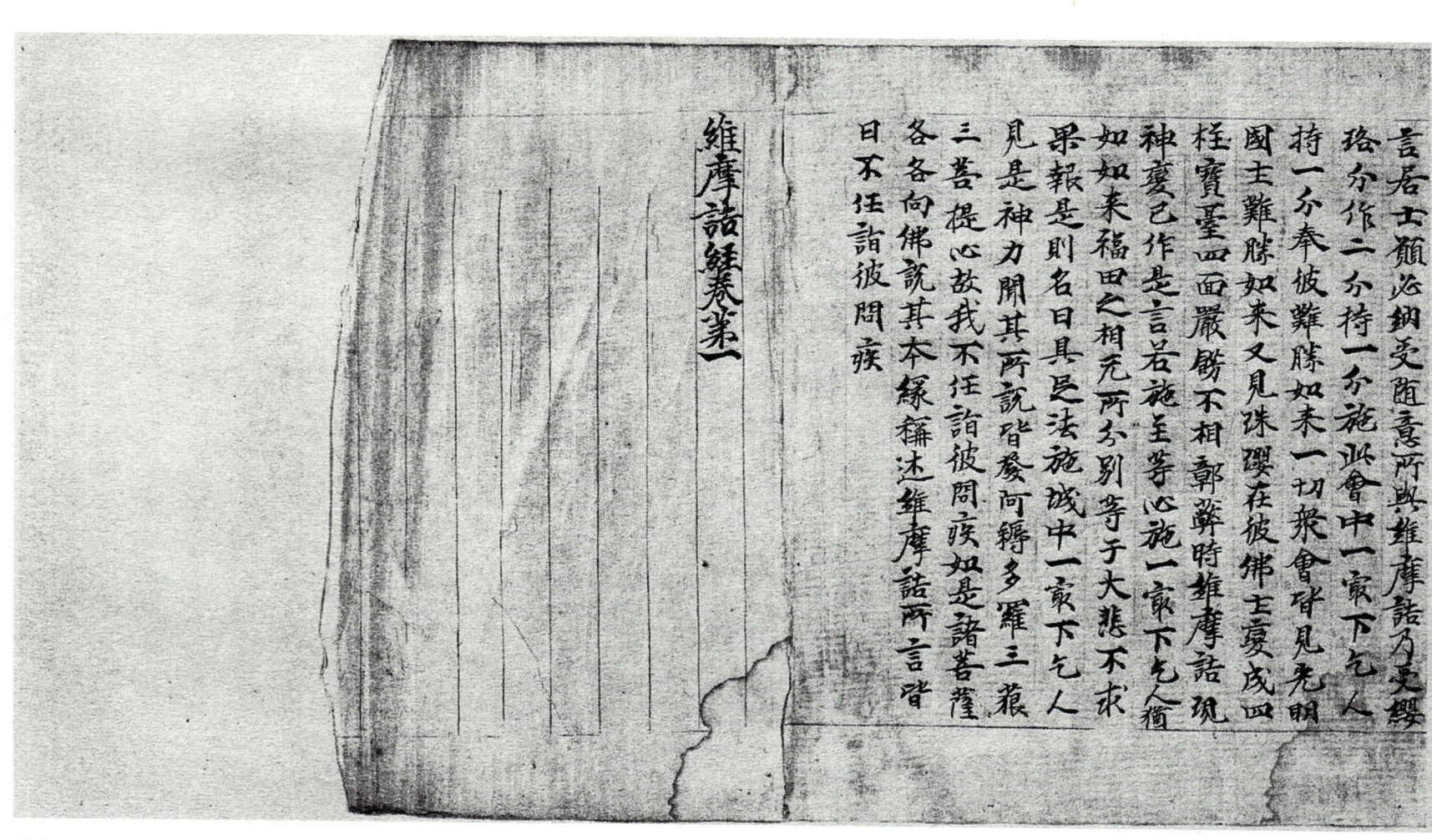

維摩詰經卷第一

BD02069 號　維摩詰所說經卷上　（26–26）

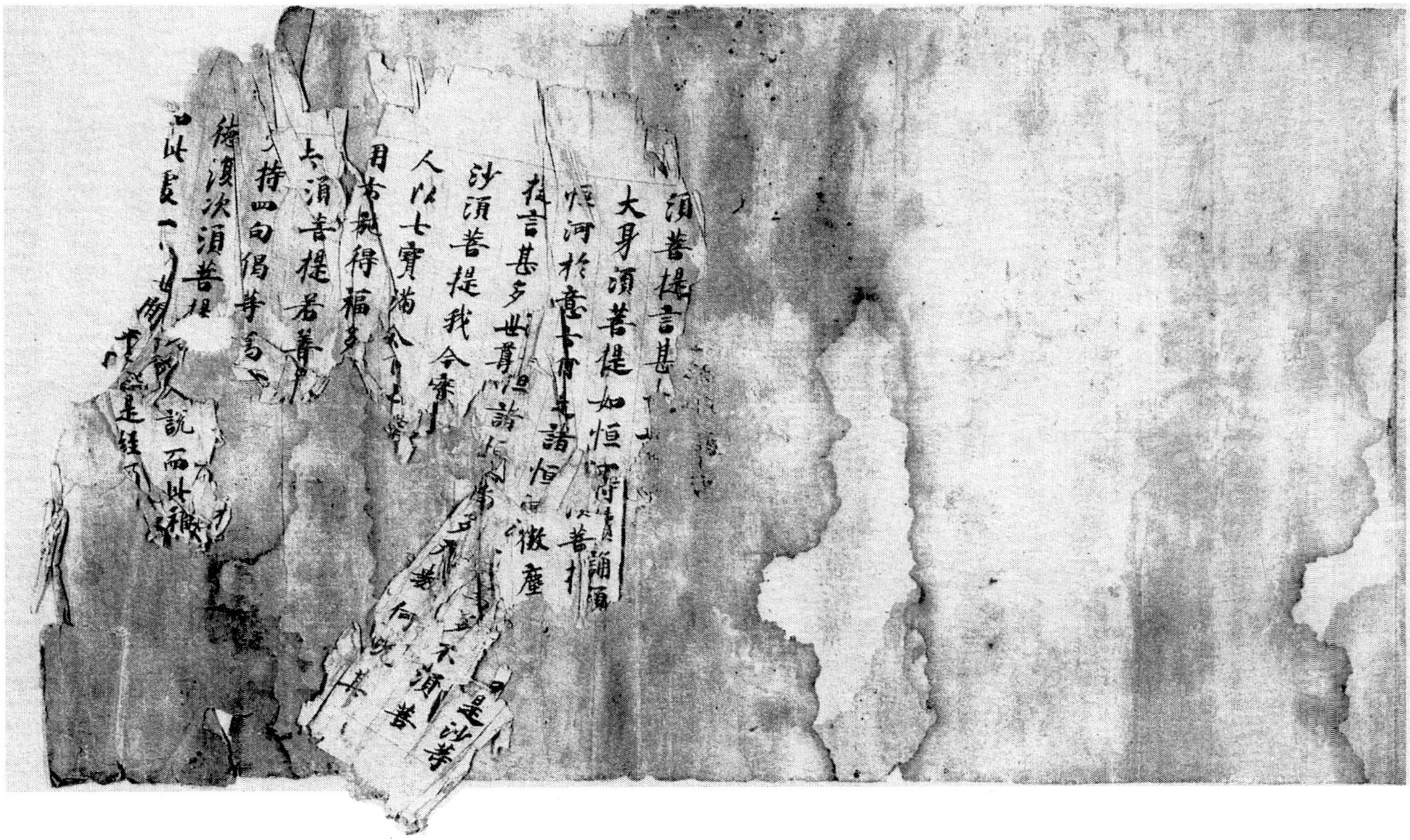

BD02069 號背　金剛般若波羅蜜經　　　（1–1）

BD02069 號背　勘記　　　（1–1）

說而能詮斷一切法性當知即是龍之境界
龍之相貌入一切法陁羅尼性曼殊室利藥
叉境界藥叉相貌及一切法即是清淨陁羅
尼印所行是跡曼殊室利白佛言世尊以何
因緣說言藥叉境界藥叉相貌則是清淨陁
羅尼性佛言曼殊室利藥叉體相依於法性
建立差別無有真實所以者何一切法性本
来寂滅無生處故無定性故當知即是藥
叉境界藥叉相貌入一切法陁羅尼性曼殊
室利乾闥縛界乾闥縛相及一切法即是清
淨陁羅尼印所行是跡曼殊室利白佛言世
尊以何因緣乾闥縛界乾闥縛相即是清淨
陁羅尼性佛言曼殊室利一切諸法過於等
數不可等數不可稱量猶如虛空離分別故
當知即是乾闥縛界乾闥縛相入一切法陁羅
尼性曼殊室利阿蘇洛界阿蘇洛相及一切法
即是清淨陁羅尼印所行是跡曼殊室利白
佛言世尊以何因緣阿蘇洛界阿蘇洛相即
是清淨陁羅尼性佛言曼殊室利一切諸法
無有相貌無有名字無有色聲香味觸法

BD02070號　佛金剛壇廣大清淨陀羅尼經

（15-1）

尼性曼殊室利阿蘇洛界阿蘇洛相及一切法
即是清淨陁羅尼印所行是跡曼殊室利白
佛言世尊以何因緣阿蘇洛界阿蘇洛相即
是清淨陁羅尼性佛言曼殊室利一切諸法
無有相貌無有名字無有色聲香味觸法
乃至無有佛法僧相無聲聞相無緣覺相無
凡夫相一切法無動無生起滅故當知即是
阿蘇洛界阿蘇洛相入一切法陁羅尼性曼
殊室利揭路吒界揭路吒相及一切法即是
清淨陁羅尼印所行是跡曼殊室利白佛言
世尊以何因緣揭路吒界揭路吒相即是清
淨陁羅尼性佛言曼殊室利一切諸法實
無来去而於其中有来去相無速疾相無遲
緩相無定来相無定去相無生無滅無有漏
失無住著相無縛解相離於瞋恚不墮愚癡
遠離貪欲亦復無有行住坐卧四威儀相曼
殊室利一切諸法猶如虛空無有繫縛當知
即是揭路吒界揭路吒相入一切法陁羅尼
性曼殊室利緊㮏落界緊㮏落相及一切法
則是清淨陁羅尼印所行是跡曼殊室利白
佛言世尊以何因緣（緊㮏洛界）緊㮏洛相即是清淨陁
羅尼性佛言曼殊室利一切諸法過於造作（元造）
（造）者求於作者不可得故當知即是緊㮏洛界
緊㮏洛相入一切法陁羅尼性曼殊室利莫
呼洛伽境界相貌及一切法即是清淨陁羅

BD02070號　佛金剛壇廣大清淨陀羅尼經

（15-2）

佛言世尊以何因緣緊㮈洛相即是清淨陁
羅尼性佛言曼殊室利一切諸法過於造作
者求於作者不可得故當知即是緊㮈洛界
緊㮈洛相入一切法陁羅尼性曼殊室利莫
呼洛伽境界相貌及一切法即是清淨陁羅
尼即所行是跡曼殊室利白佛言世尊以何
因緣莫呼洛伽境界相貌即是清淨陁羅
尼性佛言曼殊室利一切諸法是常是遍
性自淨故一切垢觸無能染汙一切衆生同於
法性亦無能染無能淨故所以者何一切諸法
常寂滅故無生起性故無終始異故當知則是
莫呼洛伽境界相貌入一切法陁羅尼性曼
殊室利當知女相及一切法即是清淨陁羅
尼即所行是跡曼殊室利白佛言世尊以何
因緣女之相貌即是清淨陁羅尼性佛言曼
殊室利一切諸法虛誑不實同於幻化無男
相無女相空無得故無依住故無定實故當
知即是女之相貌入一切法陁羅尼性曼殊
室利當知男之相貌及一切法即是清淨陁
羅尼即所行是跡曼殊室利白佛言世尊以
何因緣男之相貌即是清淨陁羅尼性佛言
曼殊室利一切法中求於男相無所得故過
現未來無住處故以是因緣無男女相但以
假名因緣和合是男是女若離假名因緣和
合即無男女所以者何究竟空中無差別故

BD02070號　佛金剛壇廣大清淨陀羅尼經　（15–3）

曼殊室利一切法中求於男相無所得故過
現未來無住處故以是因緣無男女相但以
假名因緣和合是男是女若離假名因緣和
合即無男女所以者何究竟空中無差別故
復次當知男之色相女之色相因依四大之所
成就如是四大同於法性無生起故究竟歸
依空寂滅故當知則是男之相貌入一切法陁
羅尼性曼殊室利舥勒伽界舥勒伽相及一
切法即是清淨陁羅尼即所行是跡曼殊室
利白佛言世尊以何因緣舥勒伽界舥勒伽相
則是清淨陁羅尼性佛言曼殊室利於意云
何舥勒伽界以何等法曼殊室利而白佛言
舥勒伽界与虛空等佛言曼殊室利於意云
何舥伽界爲從衆生差別業緣識心變現分
別而起爲是自性離衆生外造作而有曼殊
室利而白佛言舥勒伽界皆從衆生差別業
緣自心現起世尊是諸衆生愚癡闇妄想
分別不了自心影像虛幻見有地獄餓鬼畜
生便於其中計著堅執以爲真實如是衆生
妄想空中建立地獄而復於中輪迴受苦世
尊我若見有地獄真實亦見衆生受諸苦
惱我若不見地獄真實亦不見衆生受苦世
尊譬如有人於眠夢中見諸地獄縱廣正等
猛炎交熾鑊湯涌沸爐炭炎然刀山劍林
鐵床銅柱熗煨屎糞種種苦具廣大無邊

BD02070號　佛金剛壇廣大清淨陀羅尼經　（15–4）

惱我若不見地獄真實亦不見衆生受苦世
尊譬如有人於眠夢中見諸地獄縱廣正等
猛炎交熾鑊湯涌沸爐炭炎然刀山劍林
鐵床銅柱熗熠屎糞種種苦具廣大無邊
乃見自身墮在其中受無量苦於是夢中
心懷怖懼迷悶熱惱戰汗交流生於種種
苦痛之想一念之中怛然驚悟高聲唱言
大苦大苦悲啼號哭不能自安時諸眷屬
父母兄弟妻子近親及諸隣友咸共問言
汝今何因有是愁苦是人聞已心懷惱恚告
諸人曰我今現受地獄之苦云何問言有何
愁苦是諸親眷便共報言汝今不須自生憂
怖種種悲惱如向所見皆是夢中妄想分別
無有真實汝乃未曾離於本處乃至亦無
一念增損當自安慰勿生驚懼是人聞已方
便醒覺咸悟本心了彼夢中都無真實乃
是自心顛倒妄想見如是事作是語已一切
愁苦赫然除滅踊躍歡喜平復如故世尊一
切衆生癡盲顛倒亦復如是為諸妄想所迷亂
故於諸境界隨喜貪愛以自纏縛復不了知
男相女相幻化虛僞而於其中更相染著念
念之中造作無量染汙不善身口意業而復
於中互相分別是男是女耽染愛著生常樂
相猶如猛利欲因緣故而復追求受用所須
種種資具以是因緣於諸境界順違紛起展

BD02070 號　佛金剛壇廣大清淨陀羅尼經　（15–5）

男相女相幻化虛僞而於其中更相染著念
念之中造作無量染汙不善身口意業而復
於中互相分別是男是女耽染愛著生常樂
相猶如猛利欲因緣故而復追求受用所須
種種資具以是因緣於諸境界順違紛起展
轉能生無量鬪諍從茲則有猜嫌恚恨互
相酬報瞋恚猛盛或相殺害危身亡家憂
怖無量或復從此失心狂亂或復因茲夭逝
身命命終之後承惡業緣墮諸地獄於多劫
中備受衆苦難可焚燎世尊如彼夢人妄
生憂怖親友眷屬尋共告言此是夢中虛
妄所見都無真實諸佛如來告示衆生亦復
如是汝等癡盲四顛倒故昏眠黑暗夢想宅
中目翳真明心馳妄境分別計度男女好醜
愛憎善惡不能於中曉了觀照無男無女
想無我想無人想無衆生想無壽命無養育
一切皆歸虛誑不實一切諸法因緣似有從
妄想生空無主宰無生無起無住無著如夢
如幻如水中月如鏡中像無可染汙無貪瞋
癡乃至無有一法定相勿於其中執著迷悶
如有衆生聞此法已豁然驚悟方能了知一
切諸法本際平等法爾空淨貪瞋癡等無
量煩惱所不能汙復能照見一切諸法性自解
脫無有繫縛無有障礙亦無所在無所斷滅
世尊是諸衆生聞此法門其心廣大猶如虛
空展轉增進當漸證入涅槃世尊我亦如是

BD02070 號　佛金剛壇廣大清淨陀羅尼經　（15–6）

切諸法本際平等法尒空淨貪瞋癡等無
量煩惱所不能汙復能照見一切諸法性自解
脫無有繫縛無有障㝵亦無所在無所斷滅
世尊是諸衆生聞此法門其心廣大猶如虛
空展轉增進當漸證入涅槃世尊我亦如是
方便智慧觀扵地獄尒時佛告文殊室利法王
子言善哉善哉如汝所說應作是見應作是
解觀扵地獄乃至三界一切衆生及一切法
亦復應作如是觀察文殊室利若有能作
如是觀行皆當證入無生法忍尒時世尊說
是法時千千菩薩一時證得無生法忍是諸
菩薩同聲唱言希有世尊希有世尊希奇
甚特不可思議唯有如来扵一切法得大自
在能用地獄方便開示菩提涅槃甚深境界
尒時文殊室利法王子白佛言世尊唯願如
来為諸[illegible]薩垂慈廣說不二法門令諸菩薩
方便證入甚深法門世尊有諸菩薩摩訶薩
住是甚深不二法門便能發起決斷明智扵
一切法無所沉沒能与無量百千菩薩宣揚
論議甚深廣大微妙法門能与一切諸魔境
界而作道場能与一切塵勞惡法為菩提
種而扵甚[illegible]無所分別具足成就無㝵辯才
扵諸法門[illegible]無滯世尊是諸菩薩脩何方
便能入如是[illegible]思議不二法門
尒時佛告文殊[illegible]利法王子言善哉善哉汝

BD02070號　佛金剛壇廣大清淨陀羅尼經　（15–7）

界而作道場能与一切塵勞惡法為菩提
種而扵甚[illegible]無所分別具足成就無㝵辯才
扵諸法門[illegible]無滯世尊是諸菩薩脩何方
便能入如是[illegible]思議不二法門
尒時佛告文殊[illegible]利法王子言善哉善哉汝
今諦聽善思念之我今為汝敷揚顯說不二
法門文殊室利若諸菩薩摩訶薩等得聞如
是不二法門深生領解則能了知菩提煩惱
無有差別文殊室利而白佛言誠如聖說願
樂欲聞佛言文殊室利當知無明為菩提種
則是清淨陁羅尼門文殊室利復白佛言云
何無明為菩提種佛言文殊室利無所得處
是無明性亦無所得無有起滅無起滅故無
垢無淨性自淨故是菩提種復次當知無
明空性無在無著無生無起以是義故如来
說言菩提煩惱無有差別文殊室利是無明
性不可得故名無所得當知即是無明解脫
陁羅尼門諸菩薩等由是清淨陁羅尼門威
德力故便能獲得無量無邊速疾辯才猛利
辯才無㝵辯才深妙辯才文殊室利一切諸
行是菩提種則是清淨陁羅尼門文殊室利
復白佛言云何諸行為菩提種佛言文殊室
利如是諸行超過筭數不可筭數不可稱量
諸行因緣深汙和合便受生死扵生死中亦無
来去無来去故當知則是諸行解脫陁羅尼
門文殊室利當知識支是菩提種文殊室利

BD02070號　佛金剛壇廣大清淨陀羅尼經　（15–8）

行是菩提種則是清淨陁羅尼門文殊室利
復白佛言云何諸行爲菩提種佛言文殊室
利如是諸行超過筭數不可筭數不可稱量
諸行因緣染汙和合便受生死於生死中亦無
来去無来去故當知則是諸行解脫陁羅尼
門文殊室利當知識支是菩提種文殊室利
復白佛言云何識支爲菩提種佛言文殊室
利如是諸識猶如幻化虛誑因緣而得生起文
殊室利汝復應知如是幻識因緣建立思念
妄想和合而生愚癡衆生於妄識中便生種
種計著分別於當来世決定求成菩提佛果
神通相好爲世間尊轉大法輪利樂衆生如
是菩提亦從因緣和合建立都無實性究竟
於中無所得故同於幻識分別生故我從往
昔坐菩提樹無有少法成於佛果亦不見有
緣覺果法聲聞果法乃至不見凡夫等法文
殊室利當知則是識支解脫陁羅尼門文殊
室利當知名色是菩提種文殊室利復白佛
言云何名色爲菩提種佛言文殊室利是名
色支因緣幻起隨假名說終歸於空無定實
故如是名色無造作性亦無作者亦無我相
菩提之性亦復如是無我無造但假名說空無
實故是名色性及菩提性於一切智乃至十
方周遍推求不可得故但有名字如是名字
性復空故當知即是名色解脫陁羅尼門文
殊室利應知六入爲菩提種文殊室利復白

BD02070號　佛金剛壇廣大清淨陀羅尼經　（15–9）

菩提之性亦復如是無我無造但假名說空無
實故是名色性及菩提性於一切智乃至十
方周遍推求不可得故但有名字如是名字
性復空故當知即是名色解脫陁羅尼門文
殊室利應知六入爲菩提種文殊室利復白
佛言云何六入爲菩提種佛言文殊室利如
是六入因緣六塵自性空故無和合故無去来
故眼不自知我能見色耳不自知我能聞聲
鼻不自知我能嗅香舌不自知我能甞味身
不自知我能覺觸意不自知我能知法眼不
不能知色之自性色亦不知眼之自性乃至第
六意不能知法之自性法亦不知意之自性亦
復如是文殊室利眼非屬色色非屬眼非差
別中住自住故乃至意法亦復如是無知無
主自性空故文殊室利以法空故當知即是
六入解脫陁羅尼門文殊室利當知觸支爲
菩提種文殊室利復白佛言云何觸支爲菩
提種佛言文殊室利如来說觸有其六種所
謂眼識相應生觸乃至意識相應生觸如是
觸者根境識三因緣和合之所生故復從無
量追求計念積聚和合之所生故如是能生
觸支因緣空無主故所生之觸亦復如是猶如
幻化虛誑造作空無實故究竟同於寂滅如
故文殊室利當知即是觸支解脫陁羅尼門
文殊室利當知受支爲菩提種文殊室利復
白佛言云何受支爲菩提種佛言文殊室利

BD02070號　佛金剛壇廣大清淨陀羅尼經　（15–10）

觸支因緣空無主故所生之觸亦復如是猶如
幻化虛誑造作空無實故究竟同於寂滅如
故曼殊室利當知即是觸支解脫陁羅尼門
曼殊室利當知受支為菩提種曼殊室利復
白佛言云何受支為菩提種佛言曼殊室利
受有三種所謂苦受樂受捨受曼殊室利而
白佛言如是三受不在內不在外不在中間曼
殊室利而白佛言如是受性內外中間住無住
故當知是空佛告曼殊室利一切衆生云何
名為受於諸受曼殊室利而白佛言一切衆
生癡誑惱熱失本心故失正念故顛倒妄想
現在前故而便執有苦受樂受捨受不苦不
樂世尊如是諸受猶如幻化虛誑不實空無
定性順於如故無生起故曼殊室利以是義
故當知即是受支解脫陁羅尼門曼殊室利
當知愛支是菩提種曼殊室利復白佛言云
何愛支為菩提種曼殊室利於意云何譬
如有人本無男女生男女愛如是愛心為在內
外為在中間於何起耶曼殊室利而白佛言
如無男女當知愛心則無去處佛言曼殊室利
是人或時語其女色欲事和合產生男女於是
男女復生貪愛曼殊室利於意云何以是貪
愛復於何處而得起耶為從東方南西北方
中間內外何所來耶曼殊室利而白佛言如
是貪愛不從東方南西北方中間內外諸處
中來佛言曼殊室利如是貪愛誰為主宰

BD02070號　佛金剛壇廣大清淨陀羅尼經　（15–11）

是人或時語其女色欲事和合產生男女於是
男女復生貪愛曼殊室利於意云何以是貪
愛復於何處而得起耶為從東方南西北方
中間內外何所來耶曼殊室利而白佛言如
是貪愛不從東方南西北方中間內外諸處
中來佛言曼殊室利如是貪愛誰為主宰
誰造誰作誰為作者曼殊室利復白佛言如
是貪愛空無主宰無造無作者（亦無作）但以衆生愚
癡黑暗遮閉慧眼顛倒狂亂奔騰境界如鹿
逐焰起於貪愛佛言曼殊室利於意云何如
是空法東西南北中間內外無所得故無來去
故當知則是（愛）支解脫陁羅尼門曼殊室利當
知取支為菩提種曼殊室利復白佛言云何
取支為菩提種於諸經中如來未曾說是深
義佛言曼殊室利一切衆生於諸法中有所
取不曼殊室利白言如是有所取耶取於色
聲香味觸所五欲境界佛言曼殊室利於
意云何頗有色法能取聲不頗有聲法能取
色不此法復能取彼法不曼殊室利白言不
也世尊佛言曼殊室利於意云何頗有此法
能與彼法為障㝵不曼殊室利白言不也世
尊佛言曼殊室利一切諸法無起作性無障
㝵性無能所取無觀持故乃至離於一切名
字言說斷故過心心所思量界故離於明暗無
覺知故曼殊室利以是義故當知則是取支解
脫陁羅尼門曼殊室利當知有支是菩提種

BD02070號　佛金剛壇廣大清淨陀羅尼經　（15–12）

尊佛言文殊室利一切諸法無起作性無障
㝵性無能所取無觀持故乃至離於一切名
字言說斷故過心心所思量界故離於明暗無
覺知故文殊室利以是義故當知則是取支解
脫陁羅尼門文殊室利當知有支是菩提種
文殊室利復白佛言云何如來為聲聞等說
如是法滅諸有故名曰菩提今復說有為菩
提種是義云何佛言文殊室利為滅有故
如來說有非曾有故而說於有文殊室利若有
衆生於一切法作如是解作如是見當知則是
不生不滅若復有能見一切法猶如虛空當
知是人於佛菩提不取不捨文殊室利以是
義故當知即是有支解脫陁羅尼門文殊
室利當知生支是菩提種文殊室利復白佛
言如來往昔說無生法是菩提道云何如來今
復說生為菩提種佛言文殊室利諸菩薩等
於一切法分明照了始自無生終則無滅二法
性自空故是則菩薩於諸生法流轉習氣盡
滅無餘文殊室利以是義故當知即是生
支解脫陁羅尼門
尒時文殊室利法王子白佛言世尊若有衆
生能於如是甚深微妙廣大清淨無上法門
深入無畏便能獲得無量無邊速疾辯才
猛利辯才無㝵辯才深妙辯才無盡辯才尒
時文殊室利法王子稽首作礼重白佛言世
[illegible]

BD02070號　佛金剛壇廣大清淨陀羅尼經　（15–13）

尒時文殊室利法王子白佛言世尊若有衆
生能於如是甚深微妙廣大清淨無上法門
深入無畏便能獲得無量無邊速疾辯才
猛利辯才無㝵辯才深妙辯才無盡辯才尒
時文殊室利法王子稽首作礼重白佛言世
尊諸菩薩等脩何功德住何等地成就如是
甚深境界通達無礙甚深法門復能具足無
量無邊智慧辯才佛告文殊室利法王子言
無發心無進趣此諸菩薩乃可得說住是地
中於諸佛法及菩薩相無所分別於諸佛土
亦不顯示種種差別不斷婬怒癡不捨世間
法不度脫衆生於甚深法離於二相文殊室
利此諸菩薩作如是解乃可得說住是地中
尒時文殊室利法王子白佛言世尊若有衆
生能於如是佛金剛壇廣大清淨陁羅尼經
受持讀誦分別演說乃至極少一句一偈於
現世中得幾所福佛言文殊室利若有衆
生能於此經受持讀誦念念不忘當知是人
不謗正法得大無畏當為一切天龍藥叉乾
闥縛等之所擁護復能決定於佛深法斷
諸疑心復能分別種種法相於第一義成
就深智無所動搖文殊室利以要言之當知
此經具足圓滿不可思議無量無邊大功德
聚假使諸佛於百劫中說不能盡尒時世尊
說是法時十千菩薩一時證入佛金剛壇陁
羅尼印清淨法門三万二千初發心菩薩得

BD02070號　佛金剛壇廣大清淨陀羅尼經　（15–14）

受持讀誦分別演說乃至極少一句一偈於
現世中得幾所福佛言曼殊室利若有衆
生能於此經受持讀誦念念不忘當知是人
不謗正法得大無畏當爲一切天龍藥叉乾
闥縛等之所擁護復能決定於佛深法斷
諸疑心復能分別種種法相於第一義成
就深智無所動搖曼殊室利以要言之當知
此經具是圓滿不可思議無量無邊大功德
聚假使諸佛於百劫中說不能盡尒時世尊
說是法時千千菩薩一時證入佛金剛壇陀
羅尼印清淨法門三万二千初發心菩薩得
柔順忍尒時世尊說是經已曼殊室利法王
子菩薩歡喜踊躍及諸天龍藥叉乾闥縛人
非人等一切大衆聞佛所說皆大歡喜信受
奉行
佛金剛壇陀羅尼經

BD02070 號　佛金剛壇廣大清淨陀羅尼經　　（15–15）

善男子我於過去諸佛曾見此瑞放斯光已
即說大法是故當知今佛現光亦復如是欲
令衆生咸得聞知一切世間難信之法故現
斯瑞諸善男子如過去无量无邊不可思議
阿僧祇劫尒時有佛号日月燈明如来應供
正遍知明行足善逝世間解无上士調御丈
夫天人師佛世尊演說正法初善中善後善
其義深遠其語巧妙純一无雜具足清白梵
行之相爲求聲聞者說應四諦法度生老病
死究竟涅槃爲求辟支佛者說應十二因緣
法爲諸菩薩說應六波羅蜜令得阿耨多羅
三藐三菩提成一切種智次復有佛亦名日
月燈明次復有佛亦名日月燈明如是二萬
佛皆同一字号日月燈明又同一姓姓頗羅墮
弥勒當知初佛後佛皆同一字名日月燈
明十号具足所可說法初中後善其最後佛
未出家時有八子一名有意二名善意三名
无量意四名寶意五名增意六名除意七
名響意八名法意是八王子威德自在各領
四天下是諸王子聞父出家得阿耨多羅三

BD02071 號　妙法蓮華經卷一　　（20–1）

明十号具足所可說法初中後善其最後佛
未出家時有八子一名有意二名善意三名
无量意四名寶意五名增意六名除意七
名響意八名法意是八王子威德自在各領
四天下是諸王子聞父出家得阿耨多羅三
藐三菩提悉捨王位亦随出家發大乘意常
脩梵行皆為法師已於千萬佛所殖諸善本
是時日月燈明佛說大乘經名无量義教菩
薩法佛所護念說是經已即於大衆中結跏
趺坐入於无量義處三昧身心不動是時天
雨曼陁羅華摩訶曼陁羅華曼殊沙華摩
訶曼殊沙華而散佛上及諸大衆普佛世界
六種震動尒時會中比丘比丘尼優婆塞優婆
夷天龍夜叉乾闥婆阿脩羅迦樓羅緊那羅
摩睺羅伽人非人及諸小王轉輪聖王等是諸
大衆得未曾有歡喜合掌一心觀佛尒時
如來放眉間白毫相光照東方萬八千佛土
靡不周遍如今所見是諸佛土弥勒當知尒
時會中有二十億菩薩樂欲聽法是諸菩薩
見此光明普照佛土得未曾有欲知此光所
為因緣時有菩薩名曰妙光有八百弟子是
時日月燈明佛從三昧起因妙光菩薩說大
乘經名妙法蓮華教菩薩法佛所護念六十
小劫不起于座時會聽者亦坐一處六十小
劫身心不動聽佛所說謂如食頃是時衆

BD02071 號　妙法蓮華經卷一　（20–2）

時日月燈明佛從三昧起因妙光菩薩說大
乘經名妙法蓮華教菩薩法佛所護念六十
小劫不起于座時會聽者亦坐一處六十小
劫身心不動聽佛所說謂如食頃是時衆
中无有一人若身若心而生懈惓日月燈明佛
於六十小劫說是經已即於梵魔沙門婆羅
門及天人阿脩羅衆中而宣此言如來於今
日中夜當入无餘涅槃時有菩薩名曰德藏
日月燈明佛即授其記告諸比丘是德藏菩
薩次當作佛号曰淨身多陁阿伽度阿羅訶
三藐三佛陁佛授記已便於中夜入无餘涅
槃佛滅度後妙光菩薩持妙法蓮華經滿八
十小劫為人演說日月燈明佛八子皆師妙
光妙光教化令其堅固阿耨多羅三藐三菩
提是諸王子供養无量百千萬億佛已皆成
佛道其最後成佛者名曰然燈八百弟子中
有一人号曰求名貪著利養雖復讀誦衆經
而不通利多所忘失故号求名是人亦以種
諸善根因緣故得值无量百千萬億諸佛供
養恭敬尊重讚歎弥勒當知尒時妙光菩薩
豈異人乎我身是也求名菩薩汝身是也今
見此瑞與本无異是故惟忖今日如來當
說大乘經名妙法蓮華教菩薩法佛所護念
尒時文殊師利於大衆中欲重宣此義而說

BD02071 號　妙法蓮華經卷一　（20–3）

養恭敬尊重讚歎彌勒當知尒時妙光菩薩
豈異人乎我身是也求名菩薩汝身是也今
見此瑞與本无異是故惟忖今日如来當
說大乘經名妙法蓮華教菩薩法佛所護念
尒時文殊師利於大衆中欲重宣此義而說
偈言
我念過去世　无量无數劫　有佛人中尊　号日月燈明
世尊演說法　度无量衆生　无數億菩薩　令入佛智慧
佛未出家時　所生八王子　見大聖出家　亦隨脩梵行
時佛說大乘　經名无量義　於諸大衆中　而為廣分別
佛說此經已　即於法座上　跏趺坐三昧　名无量義處
天雨曼陁華　天鼓自然鳴　諸天龍鬼神　供養人中尊
一切諸佛土　即時大震動　佛放眉間光　現諸希有事
此光照東方　萬八千佛土　示一切衆生　生死業報處
有見諸佛土　以衆寶莊嚴　琉璃頗梨色　斯由佛光照
又見諸天人　龍神夜叉衆　乾闥緊那羅　各供養其佛
又見諸如来　自然成佛道　身色如金山　端嚴甚微妙
如淨琉璃中　內現真金像　世尊在大衆　敷演深法義
一一諸佛土　聲聞衆无數　因佛光所照　悉見彼大衆
或有諸比丘　在於山林中　精進持淨戒　猶如護明珠
又見諸菩薩　行施忍辱等　其數如恒沙　斯由佛光照
又見諸菩薩　深入諸禪定　身心寂不動　以求无上道
又見諸菩薩　知法寂滅相　各於其國土　說法求佛道
尒時四部衆　見日月燈佛　現大神通力　其心皆歡喜
各各自相問　是事何因緣　天人所奉尊　適從三昧起

BD02071號　妙法蓮華經卷一　（20–4）

或有諸比丘　在於山林中　精進持淨戒　猶如護明珠
又見諸菩薩　行施忍辱等　其數如恒沙　斯由佛光照
又見諸菩薩　深入諸禪定　身心寂不動　以求无上道
又見諸菩薩　知法寂滅相　各於其國土　說法求佛道
尒時四部衆　見日月燈佛　現大神通力　其心皆歡喜
各各自相問　是事何因緣　天人所奉尊　適從三昧起
讚妙光菩薩　汝為世間眼　一切所歸信　能奉持法藏
如我所說法　唯汝能證知　世尊既讚歎　令妙光歡喜
說是法華經　滿六十小劫　不起於此座　所說上妙法
是妙光法師　悉皆能受持　佛說是法華　令衆歡喜已
尋即於是日　告於天人衆　諸法實相義　已為汝等說
我今於中夜　當入於涅槃　汝一心精進　當離於放逸
諸佛甚難值　億劫時一遇　世尊諸子等　聞佛入涅槃
各各懷悲惱　佛滅一何速　聖主法之王　安慰无量衆
我若滅度時　汝等勿憂怖　是德藏菩薩　於无漏實相
心已得通達　其次當作佛　号曰為淨身　亦度无量衆
佛此夜滅度　如薪盡火滅　分布諸舍利　而起无量塔
比丘比丘尼　其數如恒沙　倍復加精進　以求无上道
是妙光法師　奉持佛法藏　八十小劫中　廣宣法華經
是諸八王子　妙光所開化　堅固无上道　當見无數佛
供養諸佛已　隨順行大道　相繼得成佛　轉次而授記
最後天中天　号曰然燈佛　諸仙之導師　度脫无量衆
是妙光法師　時有一弟子　心常懷懈怠　貪著於名利
求名利无猒　多遊族姓家　棄捨所習誦　癈忘不通利
以是因緣故　号之為求名　亦行衆善業　得見无數佛

BD02071號　妙法蓮華經卷一　（20–5）

供養諸佛已　隨順行大道　相繼得成佛　轉次而授記
最後天中天　號曰然燈佛　諸仙之導師　度脫无量衆
是妙光法師　時有一弟子　心常懷懈怠　貪著於名利
求名利无猒　多遊族姓家　棄捨所習誦　廢忘不通利
以是因緣故　號之為求名　亦行衆善業　得見无數佛
供養於諸佛　隨順行大道　具六波羅蜜　今見釋師子
其後當作佛　號名曰弥勒　廣度諸衆生　其數无有量
彼佛滅度後　懈怠者汝是　妙光法師者　今則我身是
我見燈明佛　本光瑞如此　以是知今佛　欲說法華經
今相如本瑞　是諸佛方便　今佛放光明　助發實相義
諸人今當知　合掌一心待　佛當雨法雨　充足求道者
諸求三乘人　若有疑悔者　佛當為除斷　令盡无有餘

妙法蓮華經方便品第二

尒時世尊從三昧安詳而起告舍利弗諸佛
智慧甚深无量其智慧門難解難入一切聲
聞辟支佛所不能知所以者何佛曾親近百
千萬億无數諸佛盡行諸佛无量道法勇猛
精進名稱普聞成就甚深未曾有法隨宜所
說意趣難解舍利弗吾從成佛已來種種因
緣種種譬喻廣演言教无數方便引導衆生
令離諸著所以者何如來方便知見波羅蜜
皆已具足舍利弗如來知見廣大深遠无量
无礙力无所畏禪定解脫三昧深入无際成
就一切未曾有法舍利弗如來能種種分別

BD02071 號　妙法蓮華經卷一　（20–6）

緣種種譬喻廣演言教无數方便引導衆生
令離諸著所以者何如來方便知見波羅蜜
皆已具足舍利弗如來知見廣大深遠无量
无礙力无所畏禪定解脫三昧深入无際成
就一切未曾有法舍利弗如來能種種分別
巧說諸法言辭柔軟悅可衆心舍利弗取要
言之无量无邊未曾有法佛悉成就止舍利
弗不須復說所以者何佛所成就第一希有
難解之法唯佛與佛乃能究盡諸法實相所
謂諸法如是相如是性如是體如是力如是
作如是因如是緣如是果如是報如是本末
究竟等尒時世尊欲重宣此義而說偈言
世雄不可量　諸天及世人　一切衆生類　无能知佛者
佛力无所畏　解脫諸三昧　及佛諸餘法　无能測量者
本從无數佛　具足行諸道　甚深微妙法　難見難可了
於无量億劫　行此諸道已　道場得成果　我已悉知見
如是大果報　種種性相義　我及十方佛　乃能知是事
是法不可示　言辭相寂滅　諸餘衆生類　无有能得解
除諸菩薩衆　信力堅固者　諸佛弟子衆　曾供養諸佛
一切漏已盡　住是最後身　如是諸人等　其力所不堪
假使滿世間　皆如舍利弗　盡思共度量　不能測佛智
正使滿十方　皆如舍利弗　及餘諸弟子　亦滿十方刹
盡思共度量　亦復不能知　辟支佛利智　无漏最後身
亦滿十方界　其數如竹林　斯等共一心　於億无量劫

BD02071 號　妙法蓮華經卷一　（20–7）

假使滿世間　皆如舍利弗　盡思共度量　不能測佛智
正使滿十方　皆如舍利弗　及餘諸弟子　亦滿十方剎
盡思共度量　亦復不能知　辟支佛利智　无漏最後身
亦滿十方界　其數如竹林　斯等共一心　於億无量劫
欲思佛實智　莫能知少分　新發意菩薩　供養无數佛
了達諸義趣　又能善說法　如稻麻竹葦　充滿十方剎
一心以妙智　於恒河沙劫　咸皆共思量　不能知佛智
不退諸菩薩　其數如恒沙　一心共思求　亦復不能知
又告舍利弗　无漏不思議　甚深微妙法　我今已具得
唯我知是相　十方佛亦然　舍利弗當知　諸佛語无異
於佛所說法　當生大信力　世尊法久後　要當說真實
告諸聲聞眾　及求緣覺乘　我令脫苦縛　逮得涅槃者
佛以方便力　示以三乘教　眾生處處著　引之令得出
尒時大眾中有諸聲聞漏盡阿羅漢阿若憍
陳如等千二百人及發聲聞辟支佛心比丘
比丘尼優婆塞優婆夷各作是念今者世尊
何故慇懃稱歎方便而作是言佛所得法甚
深難解有所言說意趣難知一切聲聞辟支
佛所不能及佛說一解脫義我等亦得此法
到於涅槃而今不知是義所趣尒時舍利弗
知四眾心疑自亦未了而白佛言世尊何因何
緣慇懃稱歎諸佛第一方便甚深微妙難
解之法我自昔來未曾從佛聞如是說今者
四眾咸皆有疑唯願世尊敷演斯事世尊何

BD02071號　妙法蓮華經卷一　（20-8）

到於涅槃而今不知是義所趣尒時舍利弗
知四眾心疑自亦未了而白佛言世尊何因何
緣慇懃稱歎諸佛第一方便甚深微妙難
解之法我自昔來未曾從佛聞如是說今者
四眾咸皆有疑唯願世尊敷演斯事世尊何
故慇懃稱歎甚深微妙難解之法尒時舍利
弗欲重宣此義而說偈言
慧日大聖尊　久乃說是法　自說得如是　力无畏三昧
禪定解脫等　不可思議法　道場所得法　无能發問者
我意難可測　亦无能問者　无問而自說　稱歎所行道
智慧甚微妙　諸佛之所得　无漏諸羅漢　及求涅槃者
今皆墮疑網　佛何故說是　其求緣覺者　比丘比丘尼
諸天龍鬼神　及乾闥婆等　相視懷猶豫　瞻仰兩足尊
是事為云何　願佛為解說　於諸聲聞眾　佛說我第一
我今自於智　疑惑不能了　為是究竟法　為是所行道
佛口所生子　合掌瞻仰待　願出微妙音　時為如實說
諸天龍神等　其數如恒沙　求佛諸菩薩　大數有八萬
又諸萬億國　轉輪聖王至　合掌以敬心　欲聞具足道
尒時佛告舍利弗止止不須復說若說是事
一切世間諸天及人皆當驚疑舍利弗重白佛
言世尊唯願說之唯願說之所以者何是會
无數百千萬億阿億祇眾生曾見諸佛諸
根猛利智慧明了聞佛所說則能敬信尒時
舍利弗欲重宣此義而說偈言

BD02071號　妙法蓮華經卷一　（20-9）

言世尊唯願說之唯願說之所以者何是會
无數百千萬億阿僧祇衆生曾見諸佛諸
根猛利智慧明了聞佛所說則能敬信尒時
舍利弗欲重宣此義而說偈言
法王无上尊　唯說願勿慮　是會无量衆　有能敬信者
佛復止舍利弗若說是事一切世間天人阿
脩羅皆當驚疑增上慢比丘將墜於大坑尒
時世尊重說偈言
止止不須說　我法妙難思　諸增上慢人　聞必不敬信
尒時舍利弗重白佛言世尊唯願說之唯願
說之今此會中如我等比百千萬億世世已
曾從佛受化如此人等必能敬信長夜安隱
多所饒益尒時舍利弗欲重宣此義而說偈
言
无上兩足尊　願說第一法　我為佛長子　唯垂分別說
是會无量衆　能敬信此法　佛已曾世世　教化如是等
皆一心合掌　欲聽受佛語　我等千二百　及餘求佛者
願為此衆故　唯垂分別說　是等聞此法　則生大歡喜
尒時世尊告舍利弗汝已慇懃三請豈得不
說汝今諦聽善思念之吾當為汝分別解說
說此語時會中有比丘比丘尼優婆塞優婆
夷五千人等即從座起礼佛而退所以者何此
輩罪根深重及增上慢未得謂得未證謂證
有如此失是以不住世尊嘿然而不制止尒

BD02071號　妙法蓮華經卷一　（20–10）

說此語時會中有比丘比丘尼優婆塞優婆
夷五千人等即從座起礼佛而退所以者何此
輩罪根深重及增上慢未得謂得未證謂證
有如此失是以不住世尊嘿然而不制止尒
時佛告舍利弗我今此衆无復枝葉純有貞
實舍利弗如是增上慢人退亦佳矣汝今善
聽當為汝說舍利弗言唯然世尊願樂欲聞
佛告舍利弗如是妙法諸佛如來時乃說之
如優曇鉢華時一現耳舍利弗汝等當信佛
之所說言不虛妄舍利弗諸佛隨宜說法意
趣難解所以者何我以无數方便種種因緣
譬喻言辭演說諸法是法非思量分別之
所能解唯有諸佛乃能知之所以者何諸佛
世尊唯以一大事因緣故出現於世舍利弗
云何名諸佛世尊唯以一大事因緣故出現
於世諸佛世尊欲令衆生開佛知見使得清
淨故出現於世欲示衆生佛知見故出現於
世欲令衆生悟佛知見故出現於世欲令衆
生入佛知見道故出現於世舍利弗是為諸
佛以一大事因緣故出現於世佛告舍利弗
諸佛如來但教化菩薩諸有所作常為一事
唯以佛之知見示悟衆生舍利弗如來但以
一佛乘故為衆生說法无有餘乘若二若三
舍利弗一切十方諸佛法亦如是舍利弗過

BD02071號　妙法蓮華經卷一　（20–11）

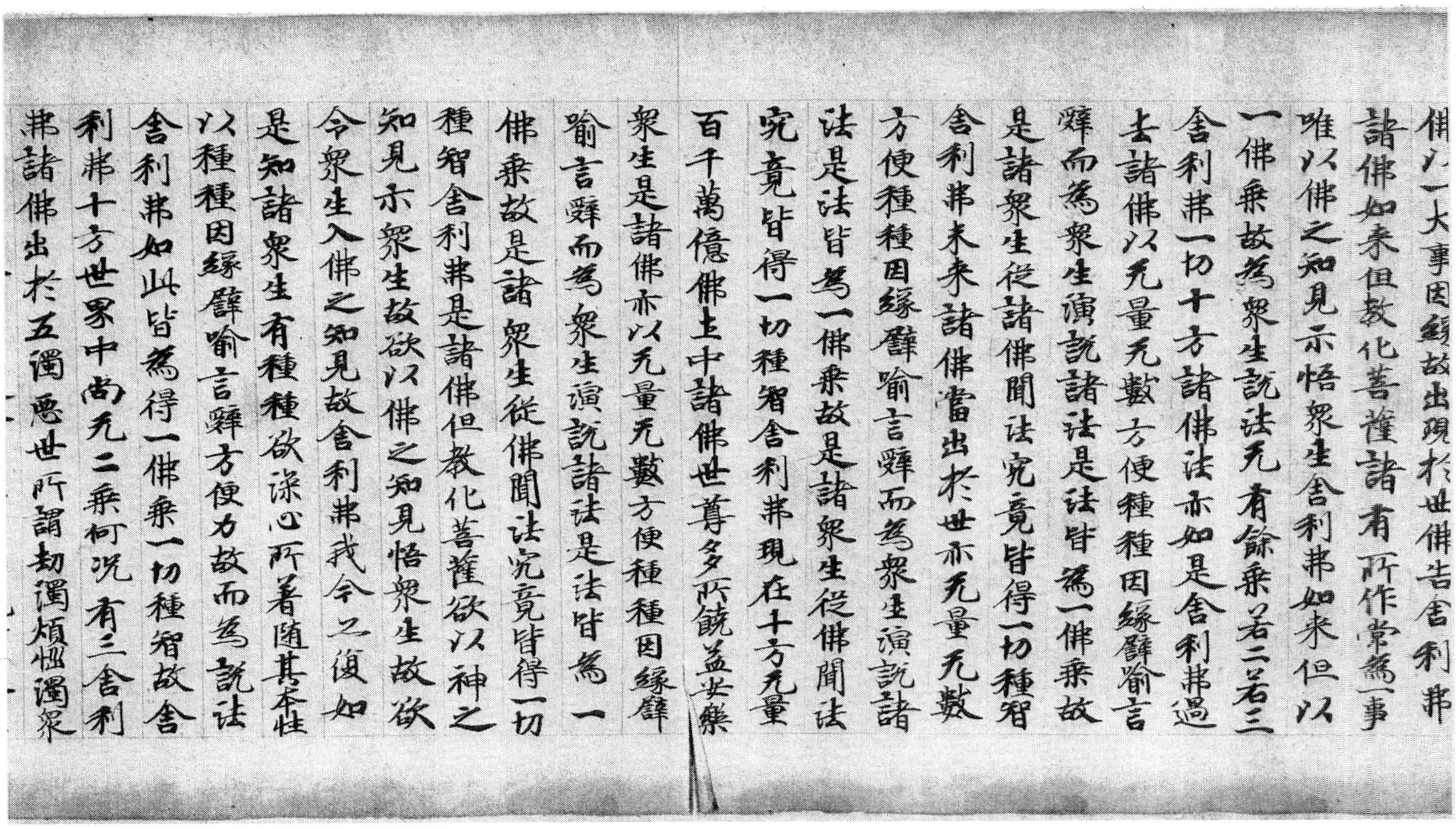
佛以一大事因緣故出現於世佛告舍利弗
諸佛如來但教化菩薩諸有所作常為一事
唯以佛之知見示悟衆生舍利弗如來但以
一佛乘故為衆生說法无有餘乘若二若三
舍利弗一切十方諸佛法亦如是舍利弗過
去諸佛以无量无數方便種種因緣譬喻言
辭而為衆生演說諸法是法皆為一佛乘故
是諸衆生從諸佛聞法究竟皆得一切種智
舍利弗未來諸佛當出於世亦无量无數
方便種種因緣譬喻言辭而為衆生演說諸
法是法皆為一佛乘故是諸衆生從佛聞法
究竟皆得一切種智舍利弗現在十方无量
百千萬億佛土中諸佛世尊多所饒益安樂
衆生是諸佛亦以无量无數方便種種因緣譬
喻言辭而為衆生演說諸法是法皆為一
佛乘故是諸衆生從佛聞法究竟皆得一切
種智舍利弗是諸佛但教化菩薩欲以佛之
知見示衆生故欲以佛之知見悟衆生故欲
令衆生入佛之知見故舍利弗我今亦復如
是知諸衆生有種種欲深心所著隨其本性
以種種因緣譬喻言辭方便力故而為說法
舍利弗如此皆為得一佛乘一切種智故舍
利弗十方世界中尚无二乘何況有三舍利
弗諸佛出於五濁惡世所謂劫濁煩惱濁衆

BD02071 號　妙法蓮華經卷一　（20–12）

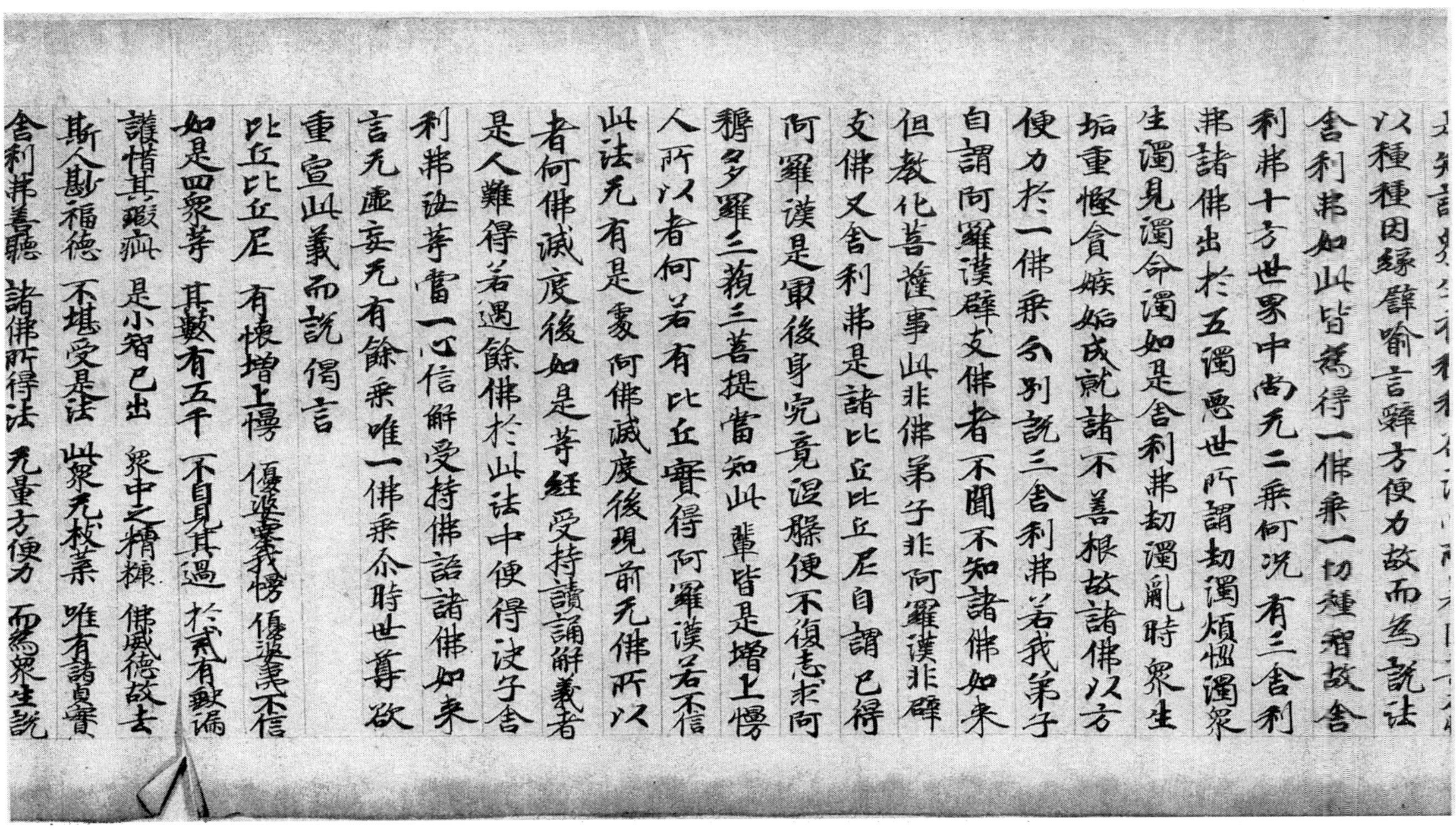
是知諸衆生有種種欲深心所著隨其本性
以種種因緣譬喻言辭方便力故而為說法
舍利弗如此皆為得一佛乘一切種智故舍
利弗十方世界中尚无二乘何況有三舍利
弗諸佛出於五濁惡世所謂劫濁煩惱濁衆
生濁見濁命濁如是舍利弗劫濁亂時衆生
垢重慳貪嫉妬成就諸不善根故諸佛以方
便力於一佛乘分別說三舍利弗若我弟子
自謂阿羅漢辟支佛者不聞不知諸佛如來
但教化菩薩事此非佛弟子非阿羅漢非辟
支佛又舍利弗是諸比丘比丘尼自謂已得
阿羅漢是最後身究竟涅槃便不復志求阿
耨多羅三藐三菩提當知此輩皆是增上慢
人所以者何若有比丘實得阿羅漢若不信
此法无有是處除佛滅度後現前无佛所以
者何佛滅度後如是等經受持讀誦解義者
是人難得若遇餘佛於此法中便得決了舍
利弗汝等當一心信解受持佛語諸佛如來
言无虛妄无有餘乘唯一佛乘尒時世尊欲
重宣此義而說偈言
比丘比丘尼　有懷增上慢　優婆塞我慢　優婆夷不信
如是四衆等　其數有五千　不自見其過　於戒有缺漏
護惜其瑕疵　是小智已出　衆中之糟糠　佛威德故去
斯人尠福德　不堪受是法　此衆无枝葉　唯有諸貞實
舍利弗善聽　諸佛所得法　无量方便力　而為衆生說

BD02071 號　妙法蓮華經卷一　（20–13）

如是四衆等 其數有五千 不自見其過 於戒有缺漏
護惜其瑕疵 是小智已出 衆中之糟糠 佛威德故去
斯人尠福德 不堪受是法 此衆无枝葉 唯有諸貞實
舍利弗善聽 諸佛所得法 无量方便力 而為衆生說
衆生心所念 種種所行道 若干諸欲性 先世善惡業
佛悉知是已 以諸緣譬喻 言辭方便力 令一切歡喜
或說脩多羅 伽陀及本事 本生未曾有 亦說於因緣
譬喻并祇夜 優波提舍經 鈍根樂小法 貪著於生死
於諸无量佛 不行深妙道 衆苦所惱亂 為是說涅槃
我設是方便 令得入佛慧 未曾說汝等 當得成佛道
所以未曾說 說時未至故 今正是其時 決定說大乘
我此九部法 隨順衆生說 入大乘為本 以故說是經
有佛子心淨 柔軟亦利根 无量諸佛所 而行深妙道
為此諸佛子 說是大乘經 我記如是人 來世成佛道
以深心念佛 脩持淨戒行 此等聞得佛 大喜充遍身
佛知彼心行 故為說大乘 聲聞若菩薩 聞我所說法
乃至於一偈 皆成佛无疑 十方佛土中 唯有一乘法
无二亦无三 除佛方便說 但以假名字 引導於衆生
說佛智慧故 諸佛出於世 唯此一事實 餘二則非真
終不以小乘 濟度於衆生 佛自住大乘 如其所得法
定慧力莊嚴 以此度衆生 自證无上道 大乘平等法
若以小乘化 乃至於一人 我則墮慳貪 此事為不可
若人信歸佛 如來不欺誑 亦无貪嫉意 斷諸法中惡
故佛於十方 而獨无所畏 我以相嚴身 光明照世間

BD02071號　妙法蓮華經卷一　（20–14）

定慧力莊嚴 以此度衆生 自證无上道 大乘平等法
若以小乘化 乃至於一人 我則墮慳貪 此事為不可
若人信歸佛 如來不欺誑 亦无貪嫉意 斷諸法中惡
故佛於十方 而獨无所畏 我以相嚴身 光明照世間
无量衆所尊 為說實相印 舍利弗當知 我本立誓願
欲令一切衆 如我等无異 如我昔所願 今者已滿足
化一切衆生 皆令入佛道 若我遇衆生 盡教以佛道
无智者錯亂 迷惑不受教 我知此衆生 未曾脩善本
堅著於五欲 癡愛故生惱 以諸欲因緣 墜墮三惡道
輪迴六趣中 備受諸苦毒 受胎之微形 世世常增長
薄德少福人 衆苦所逼迫 入邪見稠林 若有若无等
依止此諸見 具足六十二 深著虛妄法 堅受不可捨
我慢自矜高 諂曲心不實 於千萬億劫 不聞佛名字
亦不聞正法 如是人難度 是故舍利弗 我為設方便
說諸盡苦道 示之以涅槃 我雖說涅槃 是亦非真滅
諸法從本來 常自寂滅相 佛子行道已 來世得作佛
我有方便力 開示三乘法 一切諸世尊 皆說一乘道
今此諸大衆 皆應除疑惑 諸佛語无異 唯一无二乘
過去无數劫 无量滅度佛 百千萬億種 其數不可量
如是諸世尊 種種緣譬喻 无數方便力 演說諸法相
是諸世尊等 皆說一乘法 化无量衆生 令入於佛道
又諸大聖主 知一切世間 天人群生類 深心之所欲
更以異方便 助顯第一義 若有衆生類 值諸過去佛
若聞法布施 或持戒忍辱 精進禪智等 種種脩福德

BD02071號　妙法蓮華經卷一　（20–15）

如是諸世尊 種種緣譬喻 无數方便力 演說諸法相
是諸世尊等 皆說一乘法 化无量衆生 令入於佛道
又諸大聖主 知一切世間 天人群生類 深心之所欲
更以異方便 助顯第一義 若有衆生類 值諸過去佛
若聞法布施 或持戒忍辱 精進禪智等 種種脩福德
如是諸人等 皆已成佛道 諸佛滅度已 若人善耎心
如是諸衆生 皆已成佛道 諸佛滅度已 供養舍利者
起萬億種塔 金銀及頗梨 車𤦲與馬瑙 玟瑰琉璃珠
清淨廣嚴飾 莊校於諸塔 或有起石廟 栴檀及沈水
木櫁并餘材 塼瓦泥土等 若於曠野中 積土成佛廟
乃至童子戲 聚沙為佛塔 如是諸人等 皆已成佛道
若人為佛故 建立諸形像 刻雕成衆相 皆已成佛道
或以七寶成 鍮石赤白銅 白鑞及鉛錫 鐵木及與泥
或以膠漆布 嚴飾作佛像 如是諸人等 皆已成佛道
彩畫作佛像 百福莊嚴相 自作若使人 皆已成佛道
乃至童子戲 若草木及筆 或以指爪甲 而畫作佛像
如是諸人等 漸漸積功德 具足大悲心 皆已成佛道
但化諸菩薩 度脫无量衆 若人於塔廟 寶像及畫像
以華香幡蓋 敬心而供養 若使人作樂 擊鼓吹角貝
簫笛琴箜篌 琵琶鐃銅鈸 如是衆妙音 盡持以供養
或以歡喜心 歌唄頌佛德 乃至一小音 皆已成佛道
若人散亂心 乃至以一華 供養於畫像 漸見无數佛
或有人禮拜 或復但合掌 乃至舉一手 或復小低頭
以此供養像 漸見无量佛 自成无上道 廣度无數衆
入无餘涅槃 如薪盡火滅 若人散亂心 入於塔廟中

BD02071 號　妙法蓮華經卷一　（20–16）

或以歡喜心 歌唄頌佛德 乃至一小音 皆已成佛道
若人散亂心 乃至以一華 供養於畫像 漸見无數佛
或有人禮拜 或復但合掌 乃至舉一手 或復小低頭
以此供養像 漸見无量佛 自成无上道 廣度无數衆
入无餘涅槃 如薪盡火滅 若人散亂心 入於塔廟中
一稱南无佛 皆已成佛道 於諸過去佛 在世或滅後
若有聞是法 皆已成佛道 未來諸世尊 其數无有量
是諸如來等 亦方便說法 一切諸如來 以无量方便
度脫諸衆生 入佛无漏智 若有聞法者 无一不成佛
諸佛本誓願 我所行佛道 普欲令衆生 亦同得此道
未來世諸佛 雖說百千億 无數諸法門 其實為一乘
諸佛兩足尊 知法常无性 佛種從緣起 是故說一乘
是法住法位 世間相常住 於道場知已 導師方便說
天人所供養 現在十方佛 其數如恒沙 出現於世間
安隱衆生故 亦說如是法 知第一寂滅 以方便力故
雖示種種道 其實為佛乘 知衆生諸行 深心之所念
過去所習業 欲性精進力 及諸根利鈍 以種種因緣
譬喻亦言辭 隨應方便說 今我亦如是 安隱衆生故
以種種法門 宣示於佛道 我以智慧力 知衆生性欲
方便說諸法 皆令得歡喜 舍利弗當知 我以佛眼觀
見六道衆生 貧窮无福慧 入生死險道 相續苦不斷
深著於五欲 如猫牛愛尾 以貪愛自蔽 盲瞑无所見
不求大勢佛 及與斷苦法 深入諸邪見 以苦欲捨苦
為是衆生故 而起大悲心 我始坐道場 觀樹亦經行
於三七日中 思惟如是事 我所得智慧 微妙最第一

BD02071 號　妙法蓮華經卷一　（20–17）

見六道衆生 貧窮无福慧 入生死險道 相續苦不斷
深著於五欲 如犛牛愛尾 以貪愛自蔽 盲瞑无所見
不求大勢佛 及與斷苦法 深入諸邪見 以苦欲捨苦
為是衆生故 而起大悲心 我始坐道場 觀樹亦經行
於三七日中 思惟如是事 我所得智慧 微妙最第一
衆生諸根鈍 著樂癡所盲 如斯之等類 云何而可度
尒時諸梵王 及諸天帝釋 護世四天王 及大自在天
并餘諸天衆 眷屬百千萬 恭敬合掌礼 請我轉法輪
我即自思惟 若但讚佛乘 衆生沒在苦 不能信是法
破法不信故 墜於三惡道 我寧不說法 疾入於涅槃
尋念過去佛 所行方便力 我今所得道 亦應說三乘
作是思惟時 十方佛皆現 梵音慰喻我 善哉釋迦文
第一之導師 得是无上法 隨諸一切佛 而用方便力
我等亦皆得 最妙第一法 為諸衆生類 分別說三乘
少智樂小法 不自信作佛 是故以方便 分別說諸果
雖復說三乘 但為教菩薩 舍利弗當知 我聞聖師子
深淨微妙音 稱南无諸佛 復作如是念 我出濁惡世
如諸佛所說 我亦隨順行 思惟是事已 即趣波羅柰
諸法寂滅相 不可以言宣 以方便力故 為五比丘說
是名轉法輪 便有涅槃音 及以阿羅漢 法僧差別名
從久遠劫來 讚示涅槃法 生死苦永盡 我常如是說
舍利弗當知 我見佛子等 志求佛道者 无量千萬億
咸以恭敬心 皆來至佛所 曾從諸佛聞 方便所說法
我即作是念 如來所以出 為說佛慧故 今正是其時

BD02071號 妙法蓮華經卷一

(20–18)

是名轉法輪 便有涅槃音 及以阿羅漢 法僧差別名
從久遠劫來 讚示涅槃法 生死苦永盡 我常如是說
舍利弗當知 我見佛子等 志求佛道者 无量千萬億
咸以恭敬心 皆來至佛所 曾從諸佛聞 方便所說法
我即作是念 如來所以出 為說佛慧故 今正是其時
舍利弗當知 鈍根小智人 著相憍慢者 不能信是法
今我喜无畏 於諸菩薩中 正直捨方便 但說无上道
菩薩聞是法 疑網皆已除 千二百羅漢 悉亦當作佛
如三世諸佛 說法之儀式 我今亦如是 說无分別法
諸佛興出世 懸遠值遇難 正使出于世 說是法復難
无量无數劫 聞是法亦難 能聽是法者 斯人亦復難
譬如優曇華 一切皆愛樂 天人所希有 時時乃一出
聞法歡喜讚 乃至發一言 則為已供養 一切三世佛
是人甚希有 過於優曇華 汝等勿有疑 我為諸法王
普告諸大衆 但以一乘道 教化諸菩薩 无聲聞弟子
汝等舍利弗 聲聞及菩薩 當知是妙法 諸佛之秘要
以五濁惡世 但樂著諸欲 如是等衆生 終不求佛道
當來世惡人 聞佛說一乘 迷惑不信受 破法墮惡道
有慚愧清淨 志求佛道者 當為如是等 廣讚一乘道
舍利弗當知 諸佛法如是 以萬億方便 隨宜而說法
其不習學者 不能曉了此 汝等既已知 諸佛世之師
隨宜方便事 无復諸疑惑 心生大歡喜 自知當作佛

妙法蓮華經卷第一

BD02071號 妙法蓮華經卷一

(20–19)

諸佛興出世　懸遠值遇難　正使出于世　說是法復難
无量无數劫　聞是法亦難　能聽是法者　斯人亦復難
譬如優曇華　一切皆愛樂　天人所希有　時時乃一出
聞法歡喜讚　乃至發一言　則為已供養　一切三世佛
是人甚希有　過於優曇華　汝等勿有疑　我為諸法王
普告諸大眾　但以一乘道　教化諸菩薩　无聲聞弟子
汝等舍利弗　聲聞及菩薩　當知是妙法　諸佛之祕要
以五濁惡世　但樂著諸欲　如是等眾生　終不求佛道
當來世惡人　聞佛說一乘　迷惑不信受　破法墮惡道
有慚愧清淨　志求佛道者　當為如是等　廣讚一乘道
舍利弗當知　諸佛法如是　以萬億方便　隨宜而說法
其不習學者　不能曉了此　汝等既已知　諸佛世之師
隨宜方便事　无復諸疑惑　心生大歡喜　自知當作佛

妙法蓮華經卷第一

BD02071 號　妙法蓮華經卷一　（20–20）

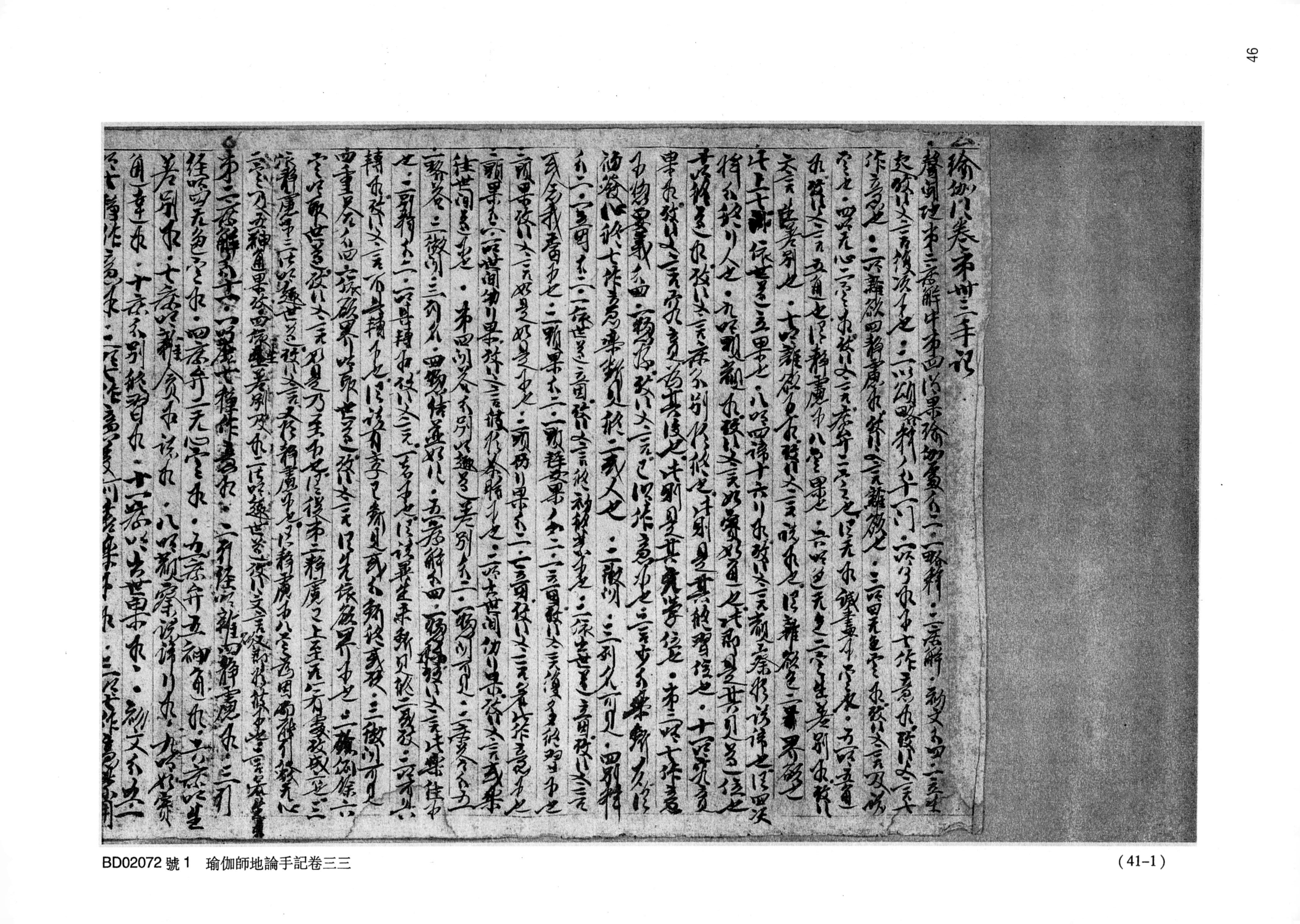

瑜伽論卷第卅三手記

聲聞地第二唱解中第四得果瑜伽處有二。一略釋。二唱解。初文有四。一立生起。論曰乃至復次等也。二以頌略釋八門。六唱第十七作意。論曰乃至云七作意也。二唱離欲四靜慮。論曰乃至云離欲也。三唱四无色定。論曰乃至云及於定也。四唱无心二定。論曰乃至云想等二定也。五唱五通。論曰乃至云五通也。唱靜慮中八定果也。六唱色无色定生差別。論曰乃至云生差別也。七唱離欲有。論曰乃至云離欲也。

[illegible]

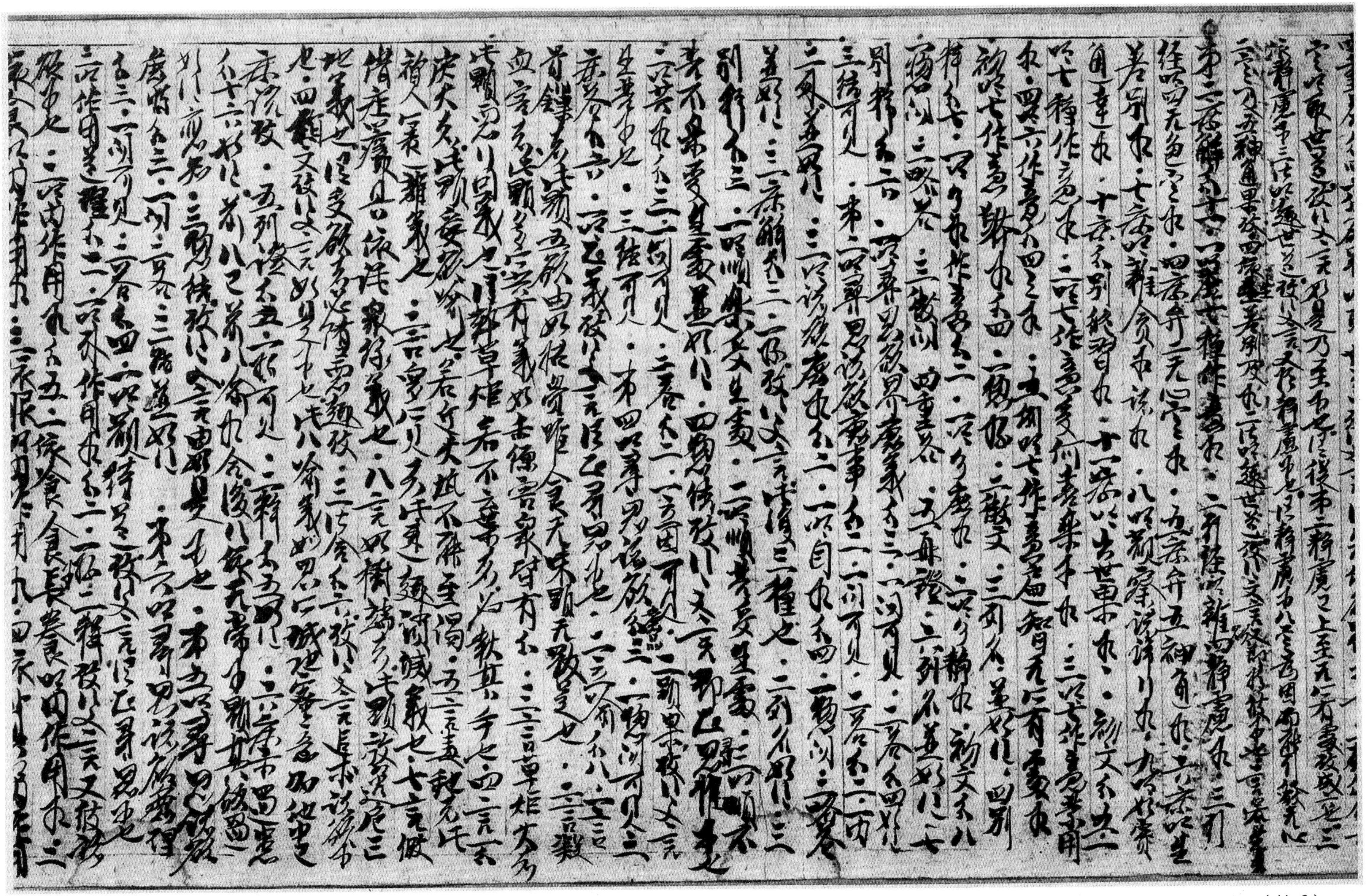

BD02072號 1　瑜伽師地論手記卷三三　　（41–2）

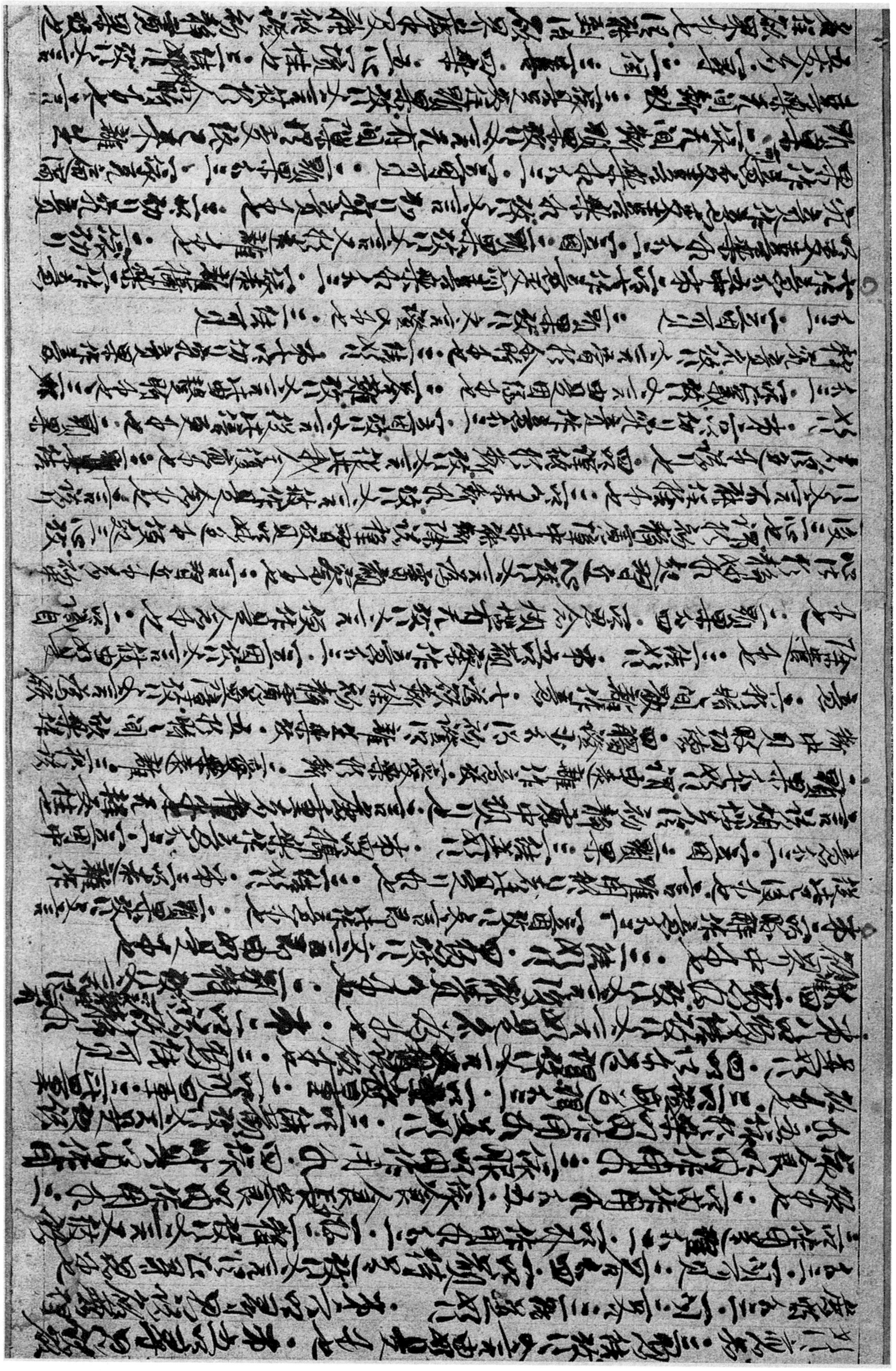

BD02072號 1　瑜伽師地論手記卷三三　（41–3）

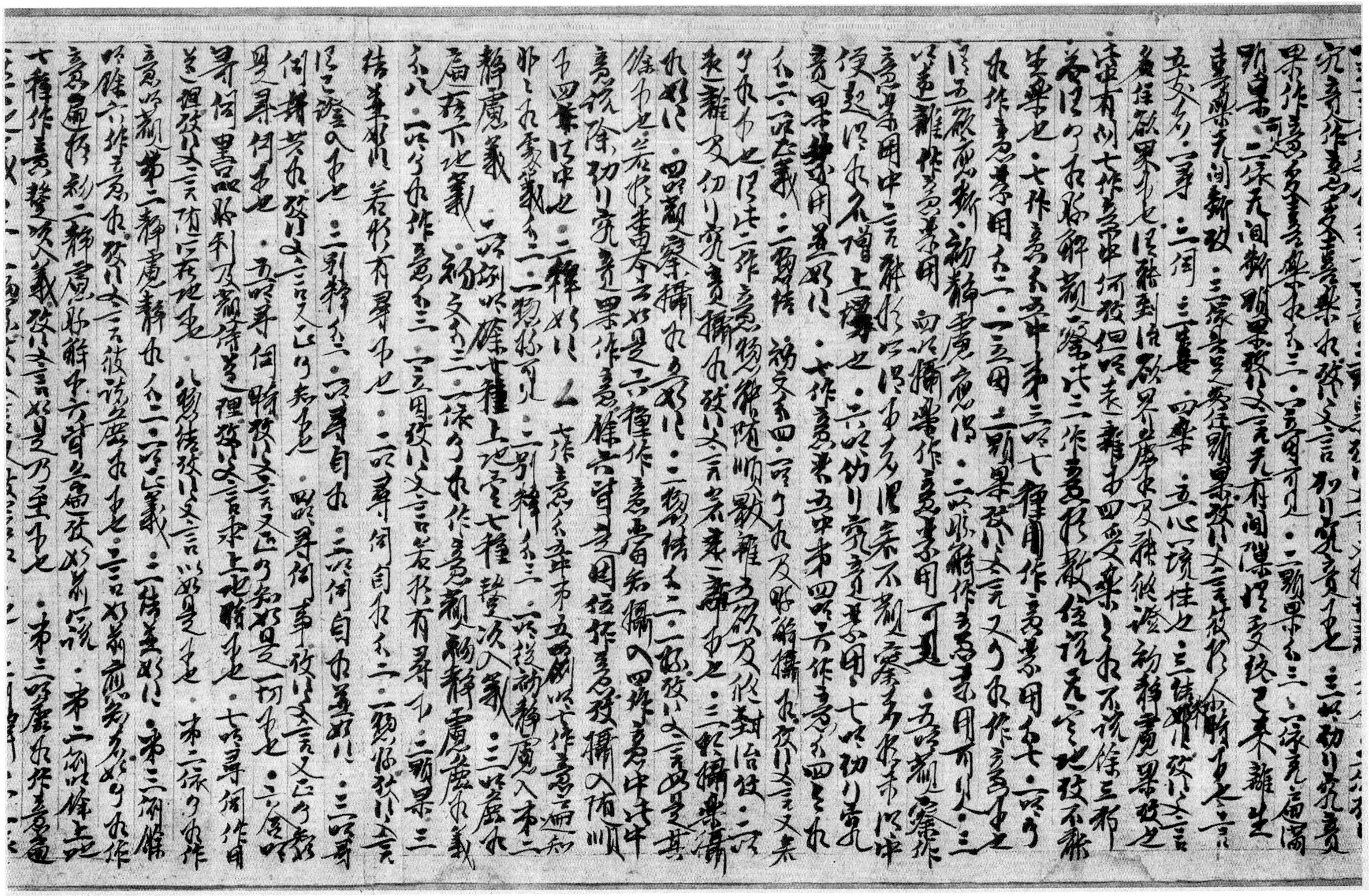

BD02072號1　瑜伽師地論手記卷三三　（41–4）

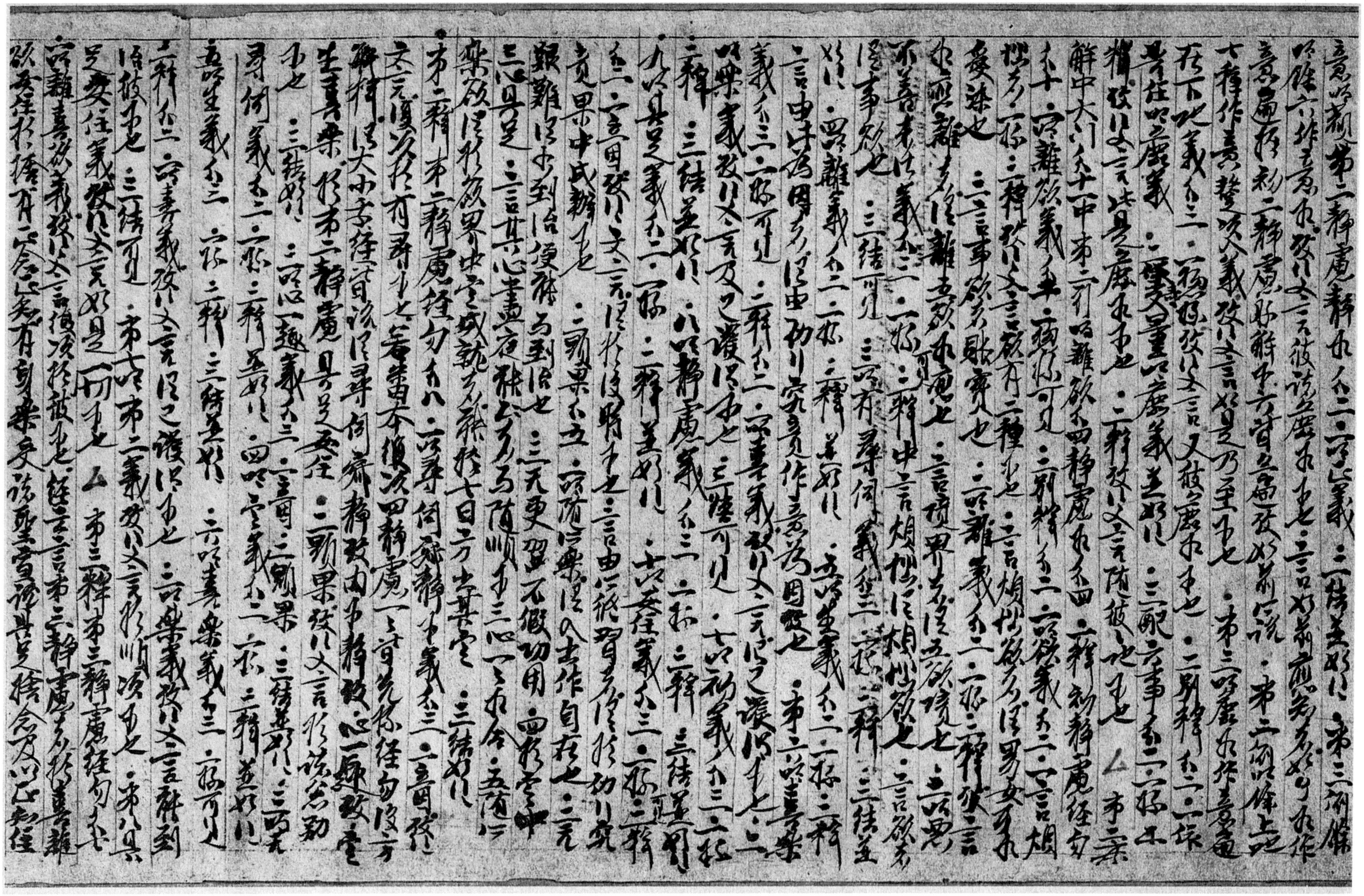

BD02072 號 1　瑜伽師地論手記卷三三　（41–5）

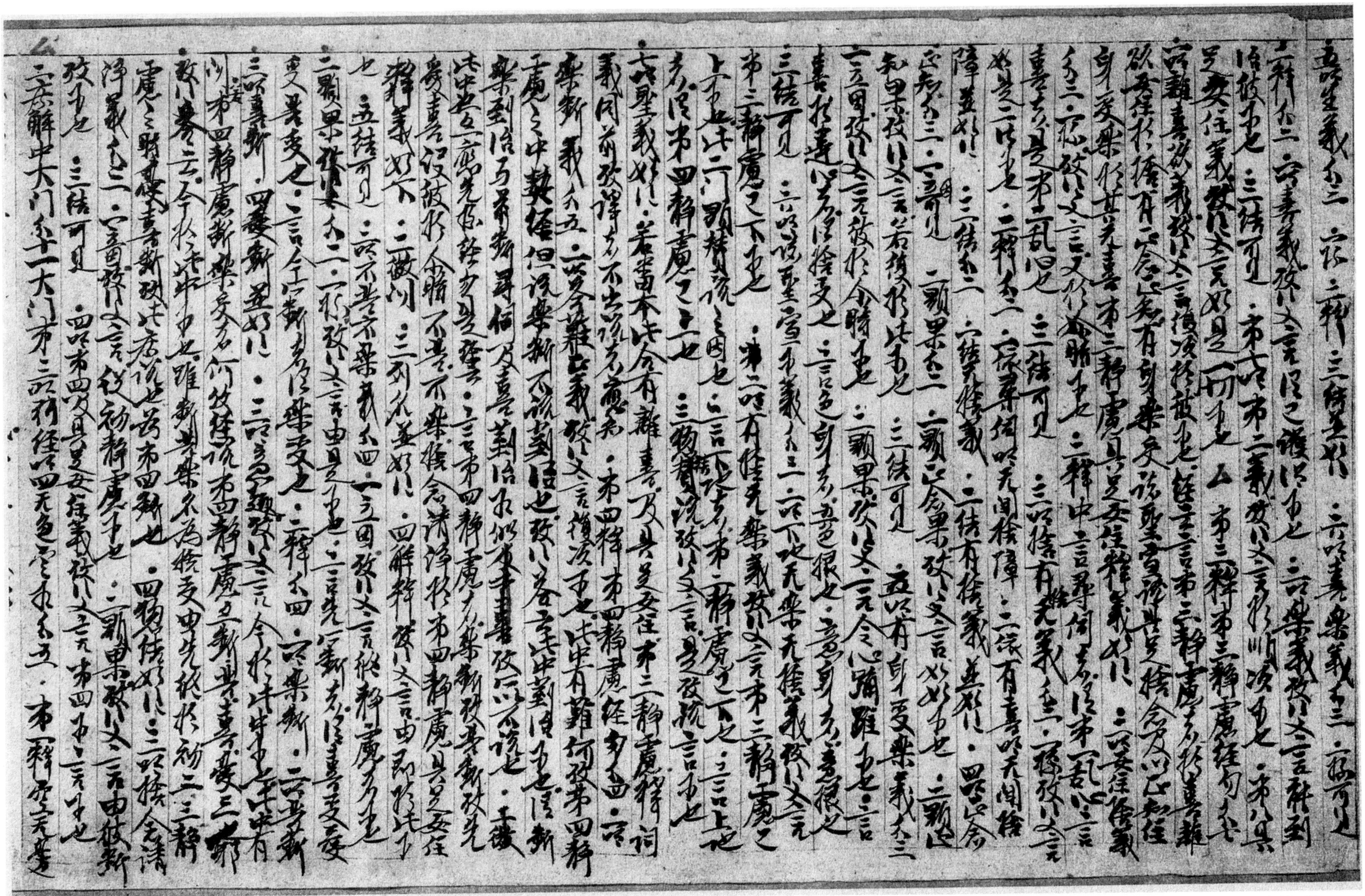

BD02072 號 1　瑜伽師地論手記卷三三

（41–6）

BD02072號1　瑜伽師地論手記卷三三　（41–7）

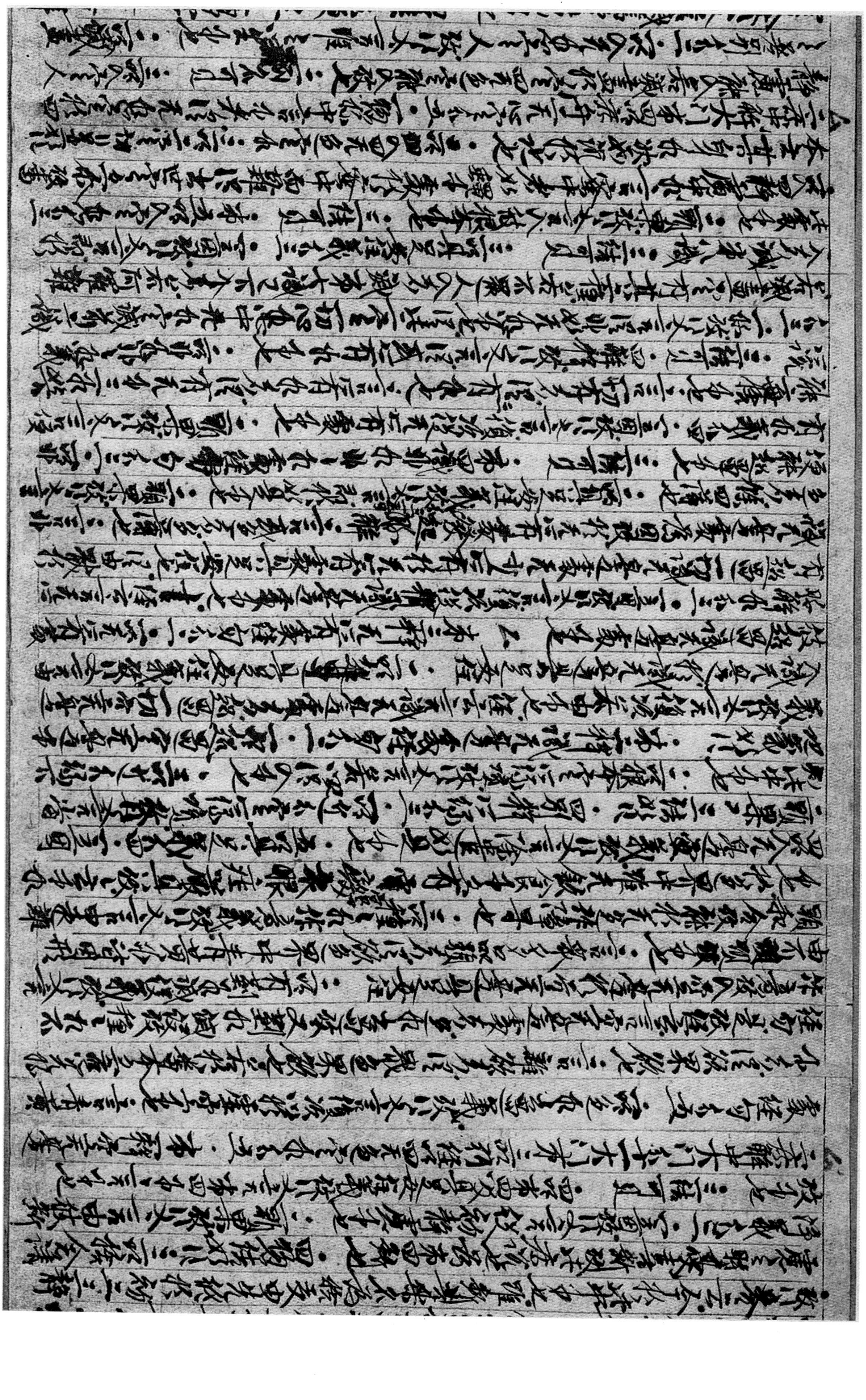

BD02072號 1　瑜伽師地論手記卷三三

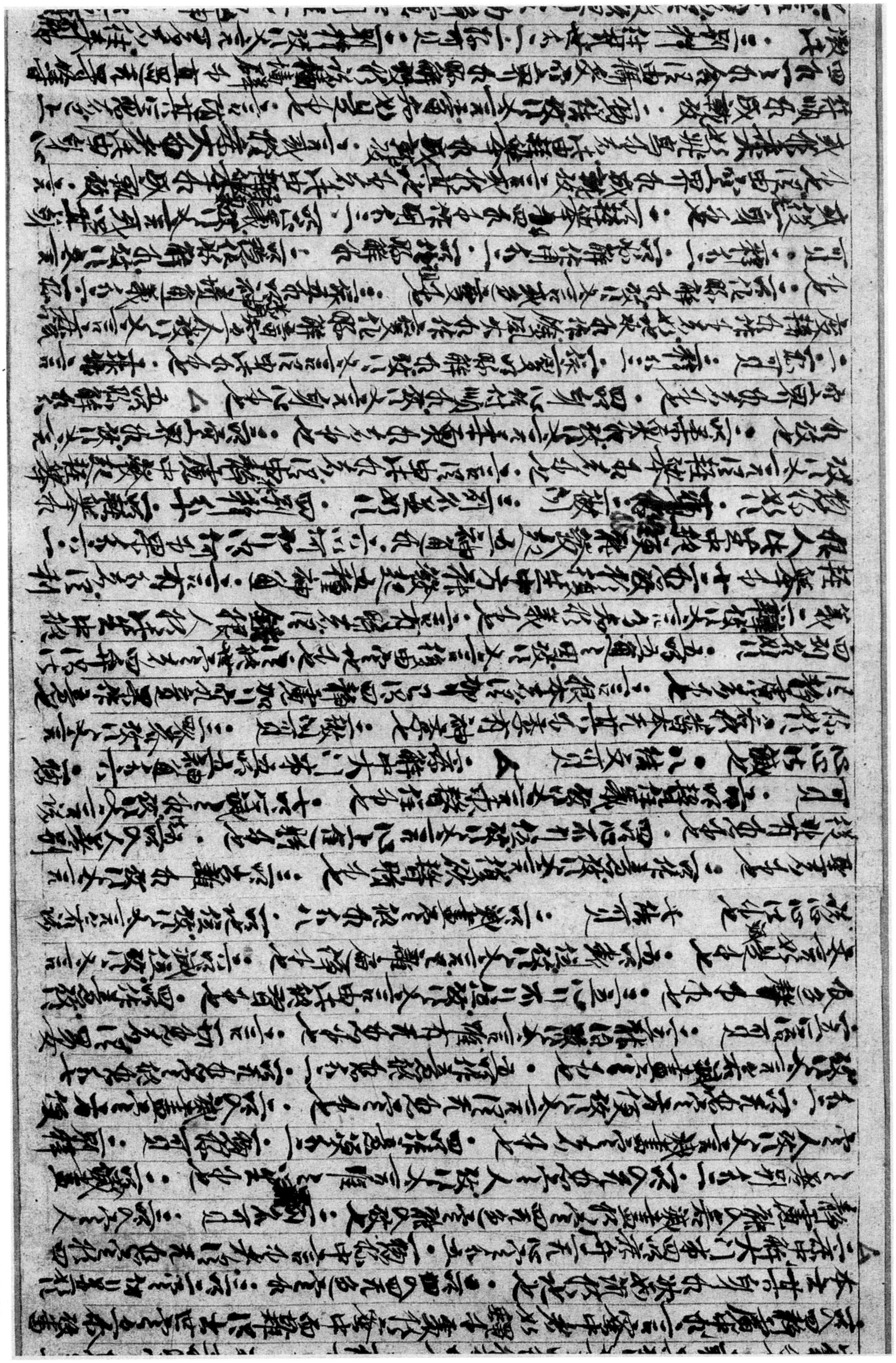

（41–8）

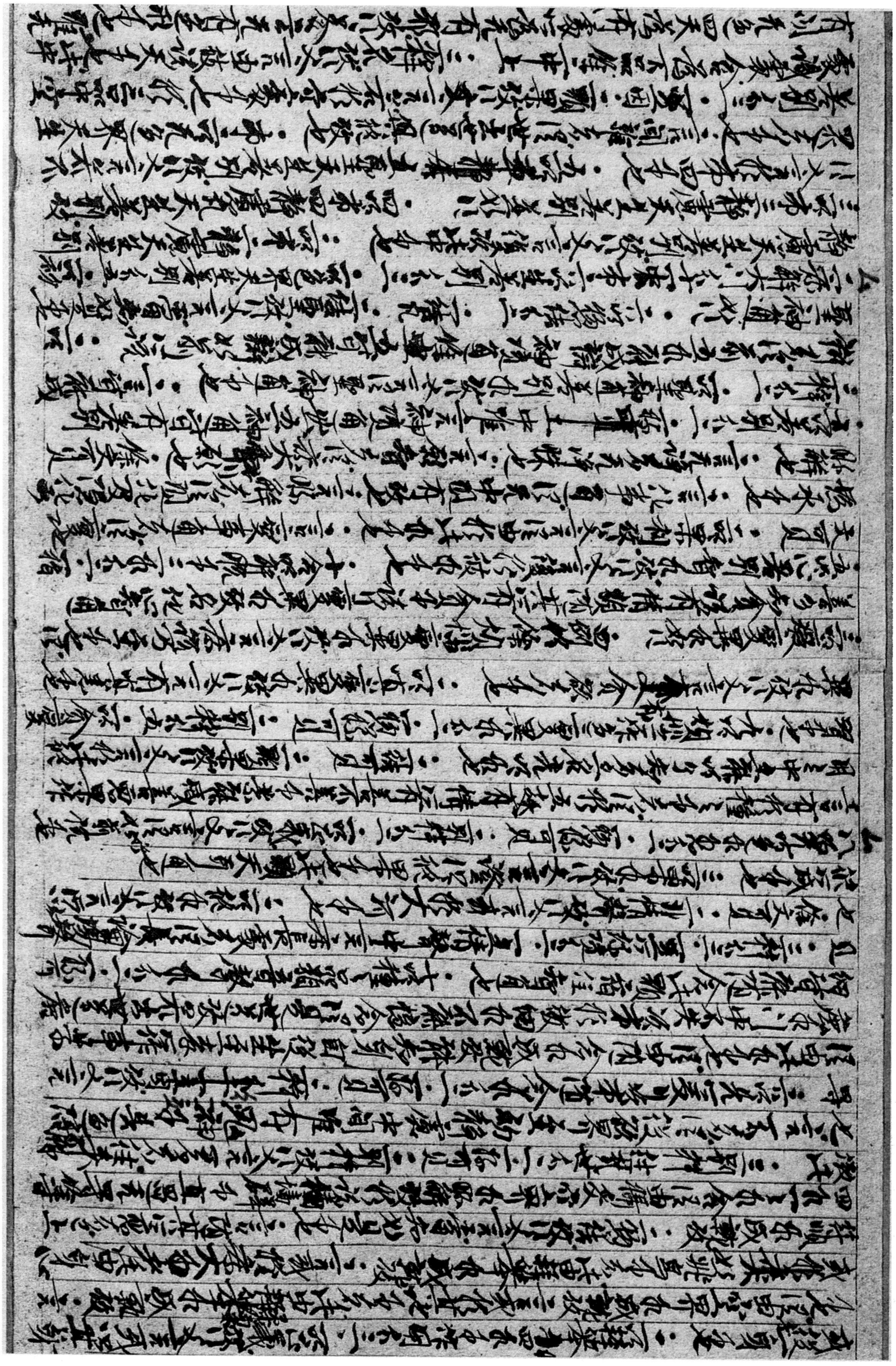

BD02072號 1　瑜伽師地論手記卷三三　（41–9）

BD02072 號 1　瑜伽師地論手記卷三三　　（41–10）
BD02072 號 2　瑜伽師地論手記卷三四

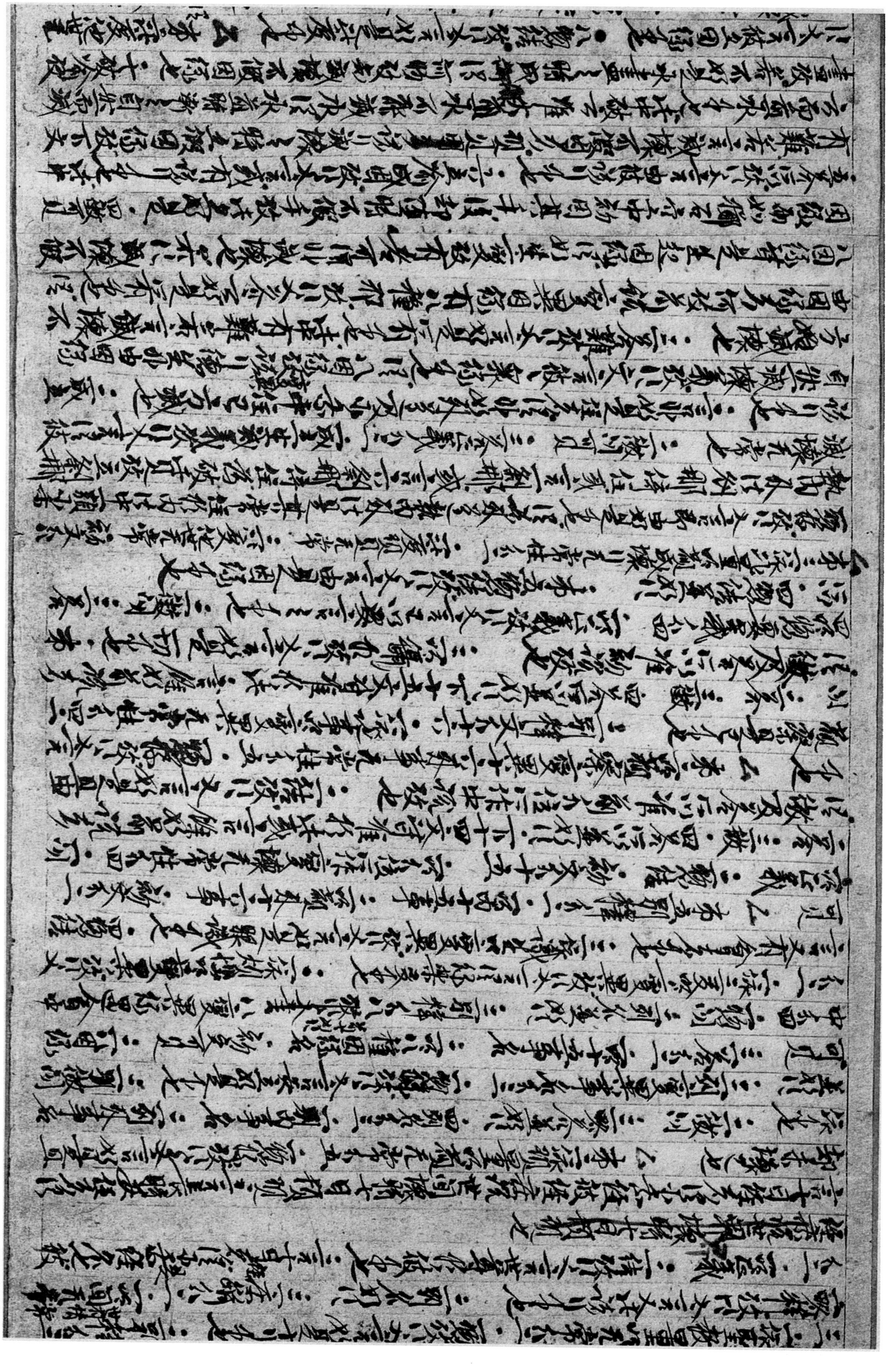

BD02072號2　瑜伽師地論手記卷三四

（41–11）

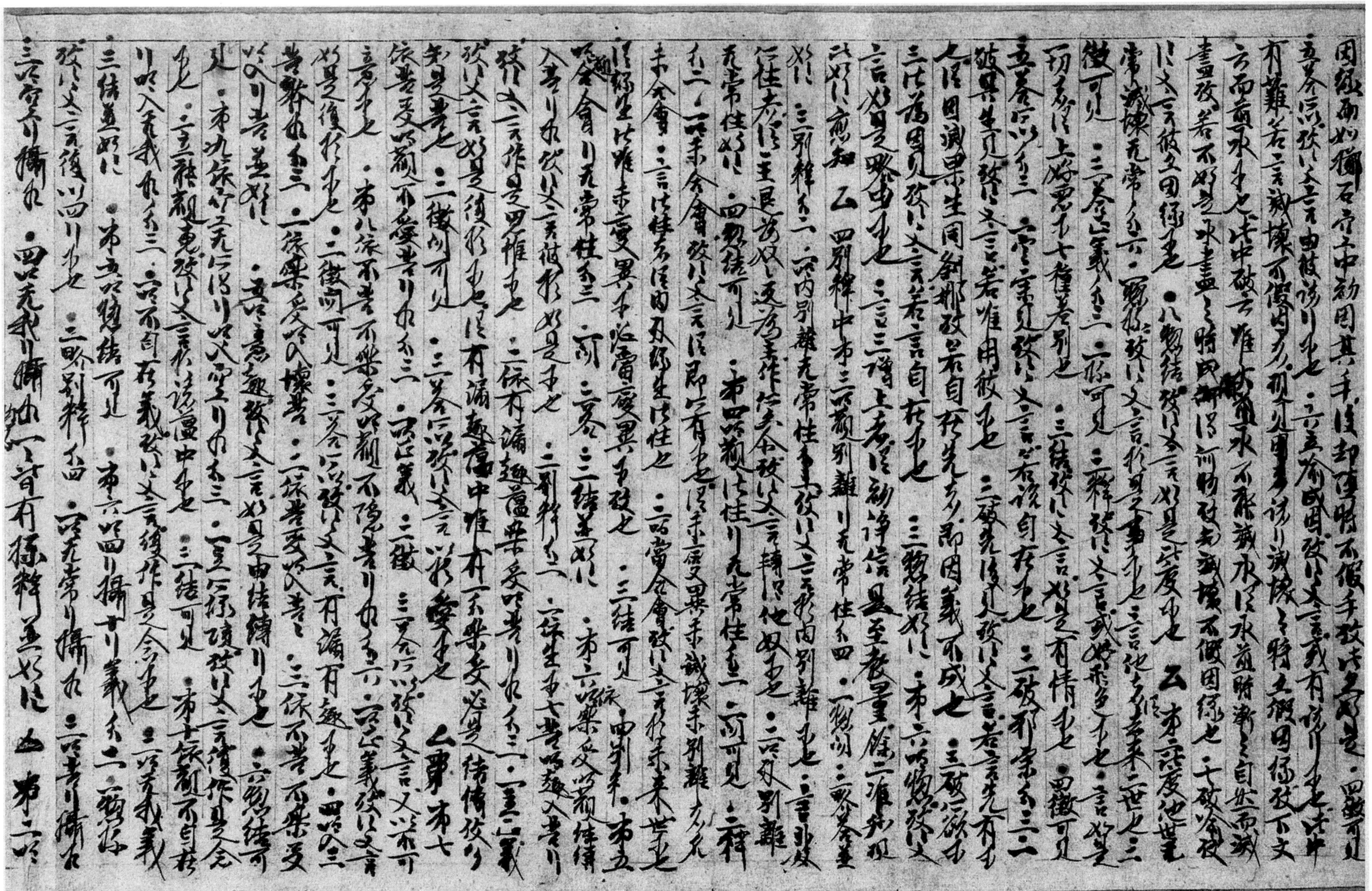

BD02072 號 2　瑜伽師地論手記卷三四　　（41–12）

BD02072 號 2　瑜伽師地論手記卷三四

（41–13）

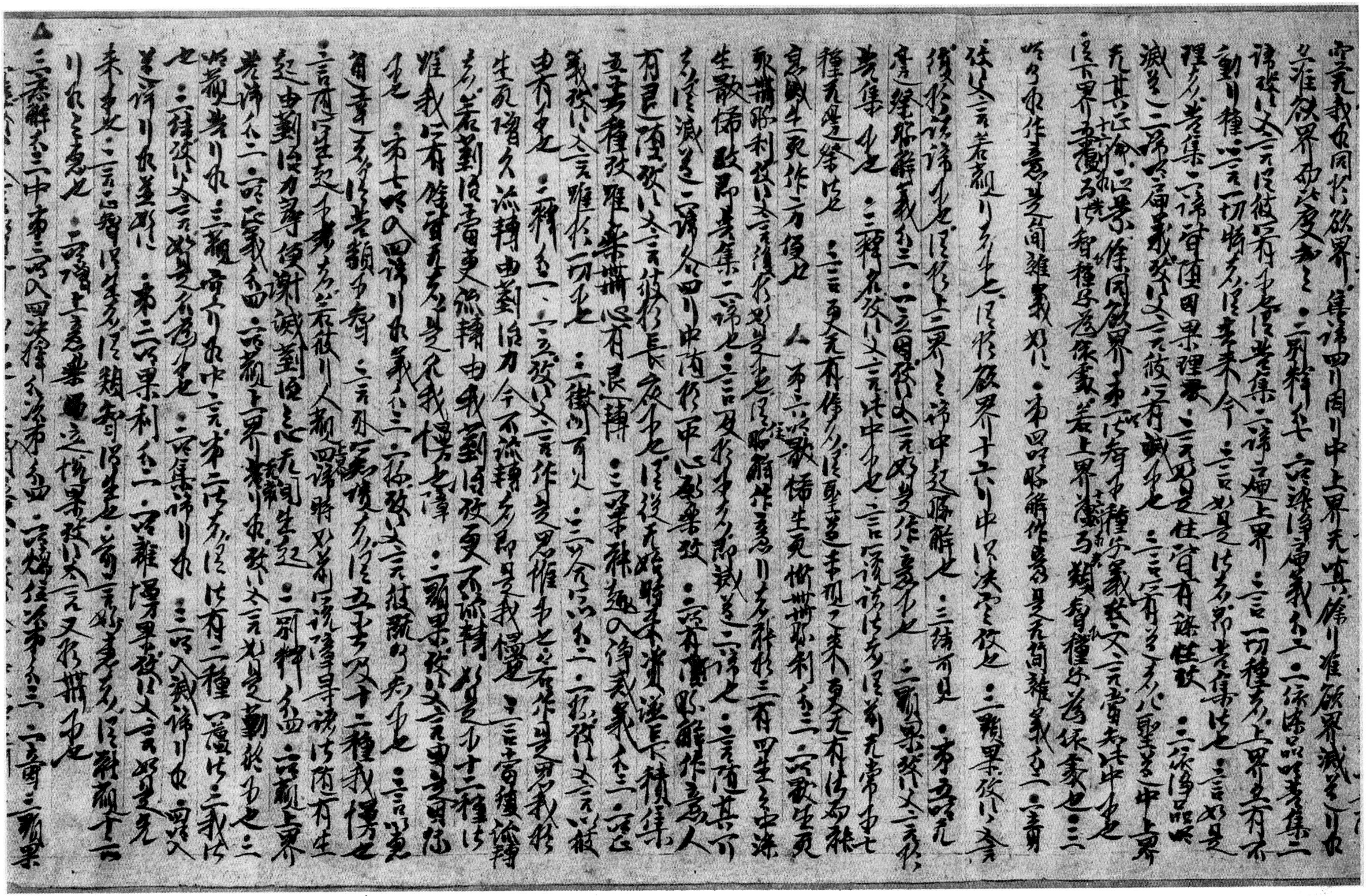

BD02072號2　瑜伽師地論手記卷三四　（41–14）

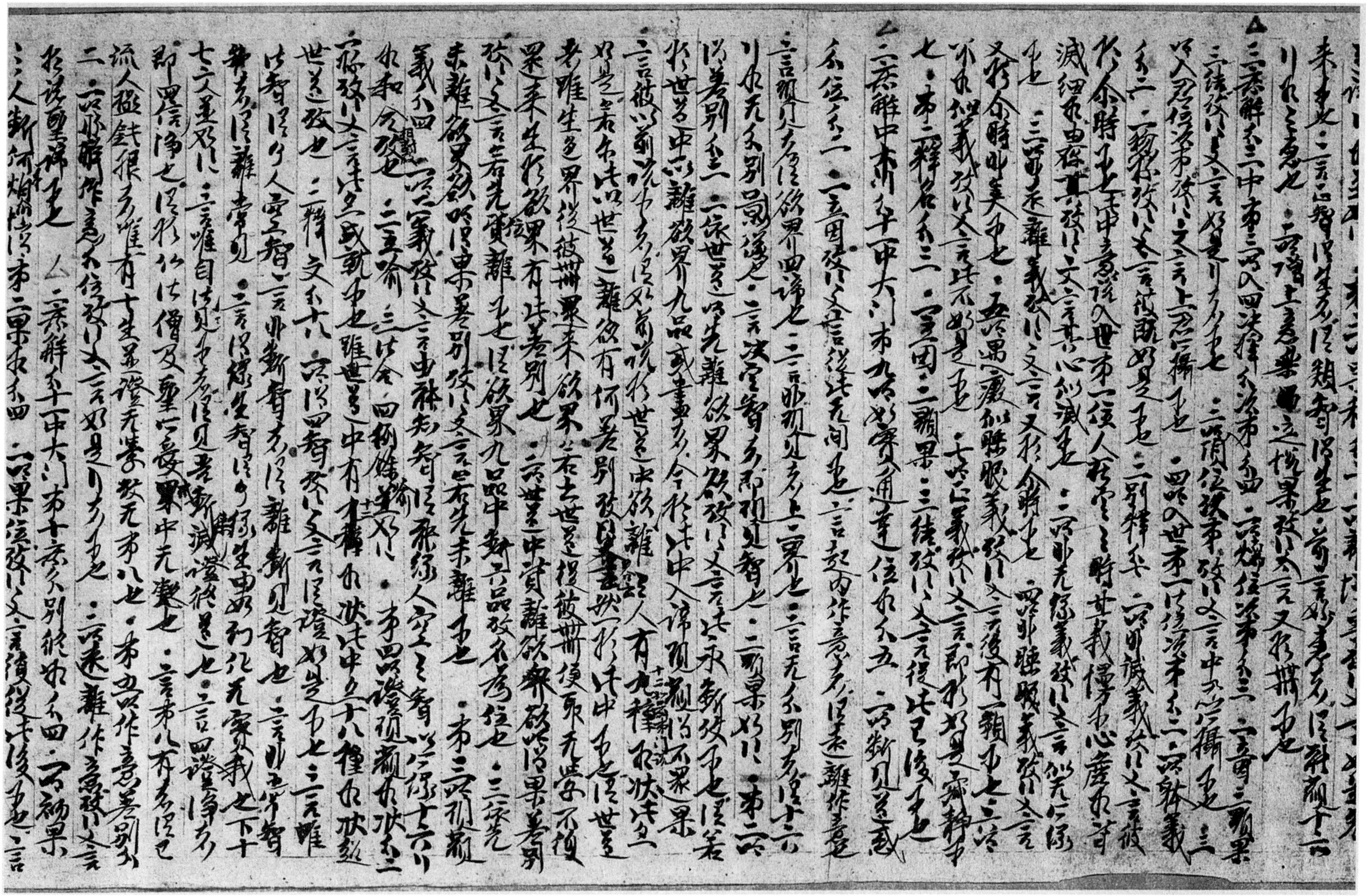

BD02072 號 2　瑜伽師地論手記卷三四　　（41–15）

BD02072號2　瑜伽師地論手記卷三四

（41-16）

[illegible]七種功德[illegible]

初發心時二乘主義无學令之得故　·第三明成就无學[illegible]

·第四明依諸住及作意中隨意轉德分二　·一標得分一　·二標住分

二依作意分差別　·二別釋分三　·一明量住　·二明天住　·三明梵

住差別　·第五明至極究竟分三德分廿二別　·一言開鍵分得

由其煩惱閉鍵故今論有情不入涅槃城　·一言諸帆謙[illegible]分得

四是五道也　·言伊師迦者云難可學煩惱也　·言高幢分得

我慢也　·五文分得數生分也　·六文分得密獲很[illegible]明前

說　·言四果據此得　·三言身則猗其分得以輕安[illegible]

也　·言已親近分得以[illegible]應也　·二言无常上丈夫分得小[illegible]

中佛是羅漢故名老上也　第六明其是恒住功德分二　·一依故以[illegible]

旦是成熟者也　·二釋可見　·第七明不受貪瞋德故文二言彼得[illegible]

·第八明心平等德分五　·一明平和故以[illegible]文云其心由如平也得羅漢心如

虛空及瑜伽淨承得有香[illegible]不能動故[illegible]本云其心如空[illegible]

使諸其論壇及余教[illegible]中其平等　·條文可見　·第九明住

无餘永德分三　·一言因故以文云先[illegible]也　·二明果可見　·三明无漏

界分二　·一明无漏故以文云[illegible]中都无者也　以能生更无有流轉

攝中五一不貪著　·二明有得分二　·一標　·二釋故以文云唯[illegible]者也

·第十明不習近五[illegible]德分二　·一標　·二釋差別　·第十一明離邪[illegible]

·第十二明離善[illegible]德　·第十三明於[illegible]究竟作意者第十四明名別究竟果

作意不住　·第十五明[illegible]差別　·第十六明說義分二　·一明[illegible]

義　·二云[illegible]差別　ム　本地分第二[illegible]解分十七中第十四釋獨覺

地分四　·一[illegible]起問　·二略答　·三列名差別　此中有問[illegible]

[illegible]略釋中一言獨覺地者種住發心[illegible]以果四[illegible]

別同何故此中例五名耶答[illegible]住及則[illegible]是得果[illegible]

上无別　·第四別釋分五　·一明種性分三　·一[illegible]　·二略答　差別　·三

別釋分三　·一明[illegible]種性故以文云一分種性也　·言不受憒鬧

得於自利也　·言樂寂靜分不樂利他　·二依[illegible]以種性故

以文云二分本性也　·言[illegible]及[illegible]自利及不利他

隨次而合　·三依中根[illegible]中言希求无明[illegible]也

·言无顯[illegible]中根故也[illegible]此獨覺成菩提[illegible]

·第二明[illegible]道分三　·一問　·二略答差別

求證及[illegible]善巧　·三別釋分三　·一依利根

劫中[illegible]值諸佛出世[illegible]善巧故　·二言親近[illegible]劫[illegible]百大

成熟[illegible]及[illegible]中後心也　·二依中根順决擇[illegible]善巧[illegible]言

道分三　·一依順决擇[illegible]故以文云[illegible]一類[illegible]也此中有問順决[illegible]

具四種何故此中但說三耶[illegible]由世第一[illegible]觀[illegible]果證

瑜伽論第卅四卷了 從聞聲及獨覺地說畢

沙門洪真本

瑜伽論卷第卅五手記 并初持瑜伽處

沙門洪真本

BD02072 號 2　瑜伽師地論手記卷三四

（41–18）

瑜伽論卷第卅五手記　菩薩地初持瑜伽處　　沙門洪真本
·本地分中第十五明菩薩地，文分二：一略釋，二廣辨。初文分三：一總問略答，二(?)
頌略答，分三：一明持瑜伽持瑜伽處，即有十八品；二明備第二隨法瑜伽
處，即有四品，從分增上意樂，及住也；三明攝第三究竟瑜伽處
即有五品，從生攝受地，即及速至也。此中有問：最勝子亦將菩薩地同於
聲聞，有其四處，此中何故明其六十?卷，此十義門：四處攝，故從種姓發
心二瑜伽處攝，初持故此即不八種，從即處攝，速至一種攝[?]，果處攝
故不即盡也。三長行廣解，分三：一總標中言若略説上九門，亦言七
果處從後一種。二徵問可見。三列釋，分十：一持有十八品，二亦有
五品，三亦有二品，四增上意樂有七及十五，五住有十二品，六生有
五品，七攝受有六，八地有七，九行有四，十建立有一百卅美(?)，
下六明(?)厶(?)。第二廣解大門，分四：一明持瑜伽處有十二卷，
處有一卷半。·三明持究竟瑜伽處(?)，有一卷半。
處有半卷。初持瑜伽處中分十八(?)。一明種姓品，二明發心品，三
明自他利品，四明真實義品，五明威力品，六明成熟品，七明菩
品，八明力種姓品，九明施品，十明戒品，十一明忍品，十二明精進品，
十三明靜慮品，十四明慧品，十五明攝事品，十六明供養親
近無量品，十七明菩提分品，十八明菩薩功德品。初種姓品，分三：
·初持義，二明種姓體分，初文分七：一總問可見，二略答分三：
文，一言從菩薩來也。二言自乘，無有從菩薩來也。三言種，總有廿八品中初
種姓品也。二言發心，即第二品也。三言菩提分，然此菩提分條十六品略也。三徵
可見。·四答分二：一答自種姓是持義，所以故以文言以能菩
地也，從依種姓故有堪任無上菩提，三功能也，言堪任，即功能
三義也。二答最勝初發心是持義，所以故以文言最勝初發心乎
也。第三答一切菩提分法是持義，故以文言一切法門是也，從自利
利他皆是助菩提分法故。·第五明無種姓人遇失故以文言住無
種姓不也。·第六明住種人不發心劬(?)過失義如(?)。·第七明種
姓是菩別，條分二：一明種姓名故以文言又此種姓者，此中有二種
住，第三但名菩提，更有解異名，那故此略言立名為助者，二
劬(?)僻(?)發心劬勞名故以文言如此種姓第七厶(?)。第二明種姓辨分
分四：一明種姓自住，二明種姓分狀，三明種姓功德，四明無常相違。初文
分八：一總問，二略答，三列名如，四別釋分二：一本性住種姓故以文
中言六處殊勝，從眾(?)來六根也。二明習所成種姓如，三明意趣，故以文言
此中義意也。·第三明菩薩別名如，七明細麁差別，分二：一明細，故以文言

住中三但名非所可又有雖異名稱故以智云五名爲助中七二
例佛發心功力除名故以文云好修種住中乙 ム 未二明種性釋中
分四 ・一明種姓自性 ・二明種住功德 ・三明種性相狀 ・四明无常攝障 ・引文
分八 ・一標列 ・二略答 ・三別名釋 ・四別釋分二 ・一本性住種性故以本
中言六處者從眾生言根也 ・二明習所成種住 然以文云言明方便趣故以文云
法中義意也 ・未六明差別名釋 ・七明細麁差別分二 ・一明細故以文言
又法種性也 從未成果時不可分別 此是非即麁問中名之爲細 ・二明麁
故以文云以習成果中也 ・八明超過一切功德分果門 ・初於淨二障明功德分四並
釋 ・未二異門於根本四明超過一切功德分四 前三釋 ・四別釋分四並
釋 ・一言其餘一切中者從非於五明處乃至善巧故名爲勝 人 未二明種
性相狀分四 ・一標列 ・二列名 ・三別釋 ・四明是誰之責 前釋
三別釋分六 ・一標希施種相分三 ・一問可見 ・二答分五 ・一明財施相
故以文言從菩薩也 從无追悔相 心者大相具足觀恥相 有勸起相 心
喜悅相 重賢善相 好是名爲財施相狀 ・二明法施相 ・三明
无畏相施故以文言有歸依也 ・四明不著財物相 故以文言愛化當
物也 ・三心悲園若諸有情於諸真實不顯引別來問之
時隨其真實爲其善答說也 ・五明心量事大悲之以攝故以文云其
住好樂也 從於大師寶之中樂施與他故以文云好受用也
言大事… 四… 之 ・二… ・第三
結文可見 ム 第二明戒波羅蜜種住相分三 ・一標列可見 ・二答分三
一明攝律儀戒分四 ・一明下品不善業所種住 ・二明下品煩惱所
種住相 ・三明遠離所種住相 ・四明不可屈伏所種住相故以文
言於諸菩薩也 ・二明利有情戒所種住分十七故以文云於諸
眾生也 ・三明攝善法戒所種住分十六 故以文云性常善樂中
也 ・第三結好之 ム 第三明忍辱度所種住分三 ・一標列可見 ・二答分三 ・一明
分三 ・一明安受衆苦忍 ・二明耐怨害忍 ・三明諦察法忍 ・三總結並
好之 ・第四明精進度所種住分三 ・一標列可見 ・二答分三 ・一明
被甲精進分三好之 ・二明攝善法精進 ・三明利樂有情進故以
文云於諸衆大事也 ・三總結可見 ム 第五明靜慮度分三 ・一標列可見
云答分三 ・一明現法樂住精慮所種住相 故以文云於諸菩薩中
二明成辦一切德精慮所種住相 故以文云住靜慮煩惱中也 ・三
明利有情精慮所種住相 故以文云若見有情有所求中也 ・三結好之
・第六明慧度所種住分三 ・一標列可見 ・二答分三 ・一明了知一切智種
住相 中二言俱生慧者從二乘生之慧也 ・二明了知所知慧種住相
故以文云性不頑鈍中也 ・微昧 ・愚癡 ・問何異 ・答三隨次配釋 ・三
明離有情所種住相 故以文云於彼彼中也 ・三明所知惣二結中言
於諸菩薩地上等不雜亂見 故云云之 ・第四明是誰之境 故以文

BD02072號3　瑜伽師地論手記卷三五　　（41–20）

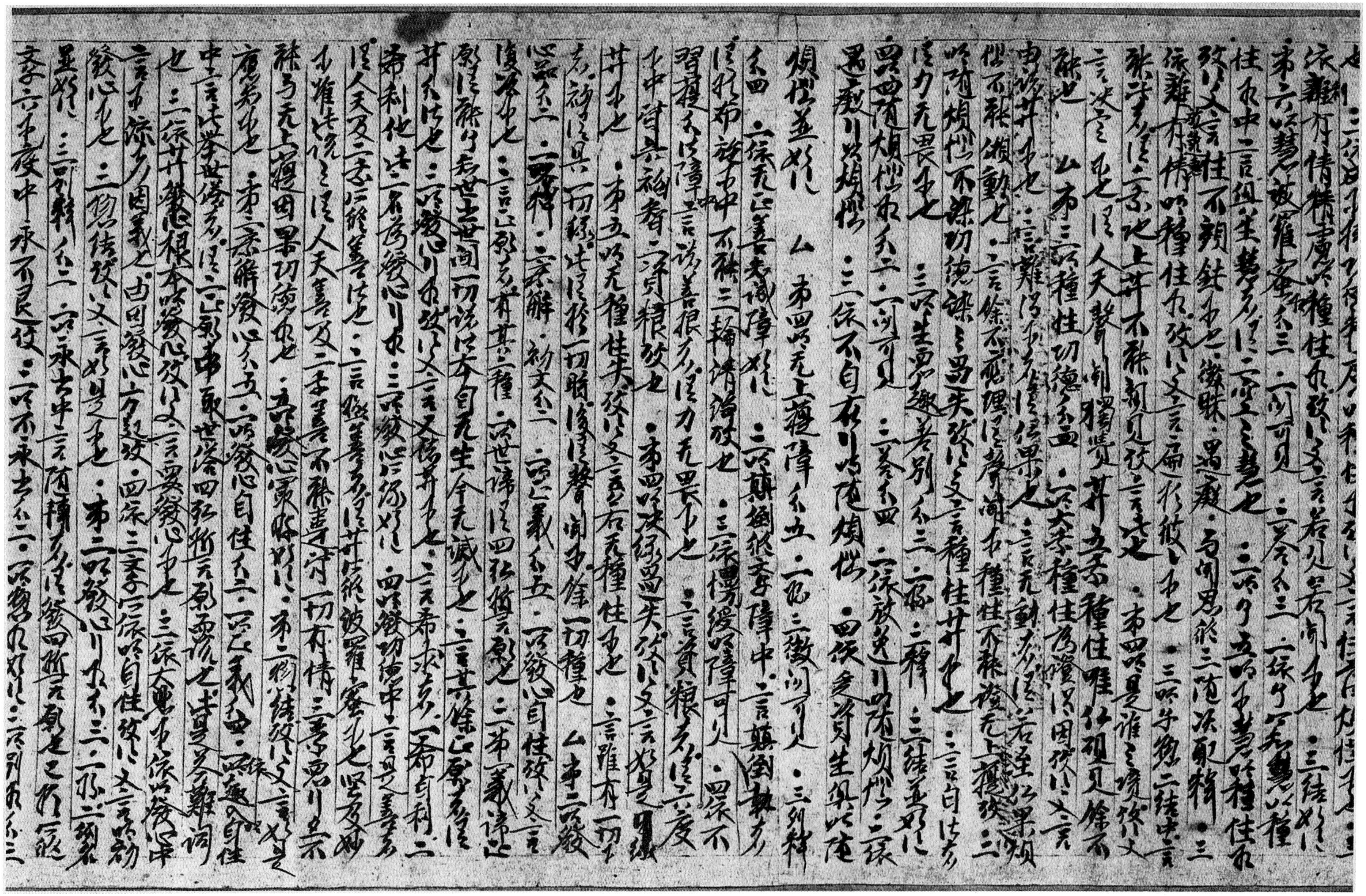

BD02072 號 3　瑜伽師地論手記卷三五　　（41–21）

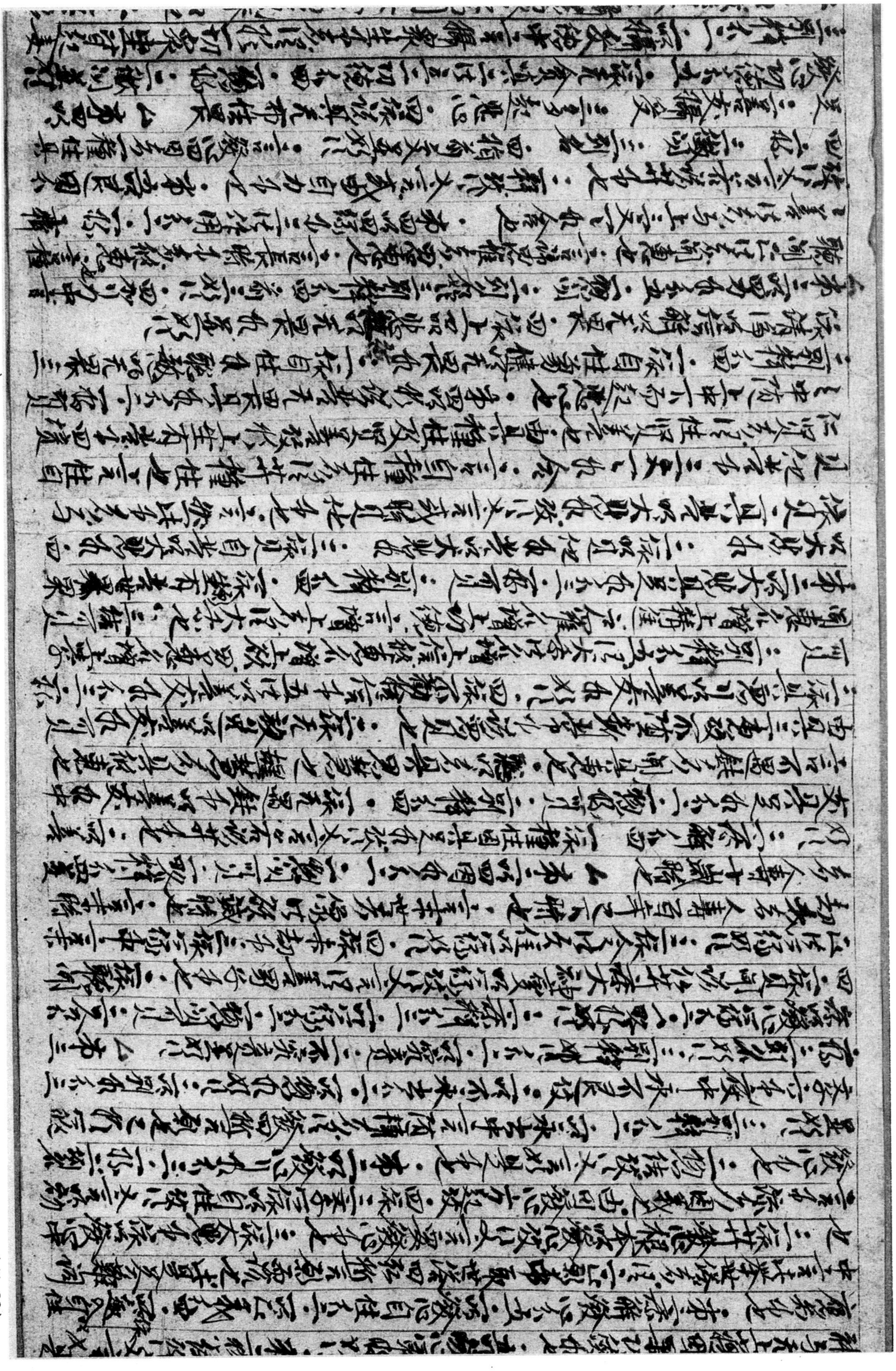

BD02072號3　瑜伽師地論手記卷三五

（41–22）

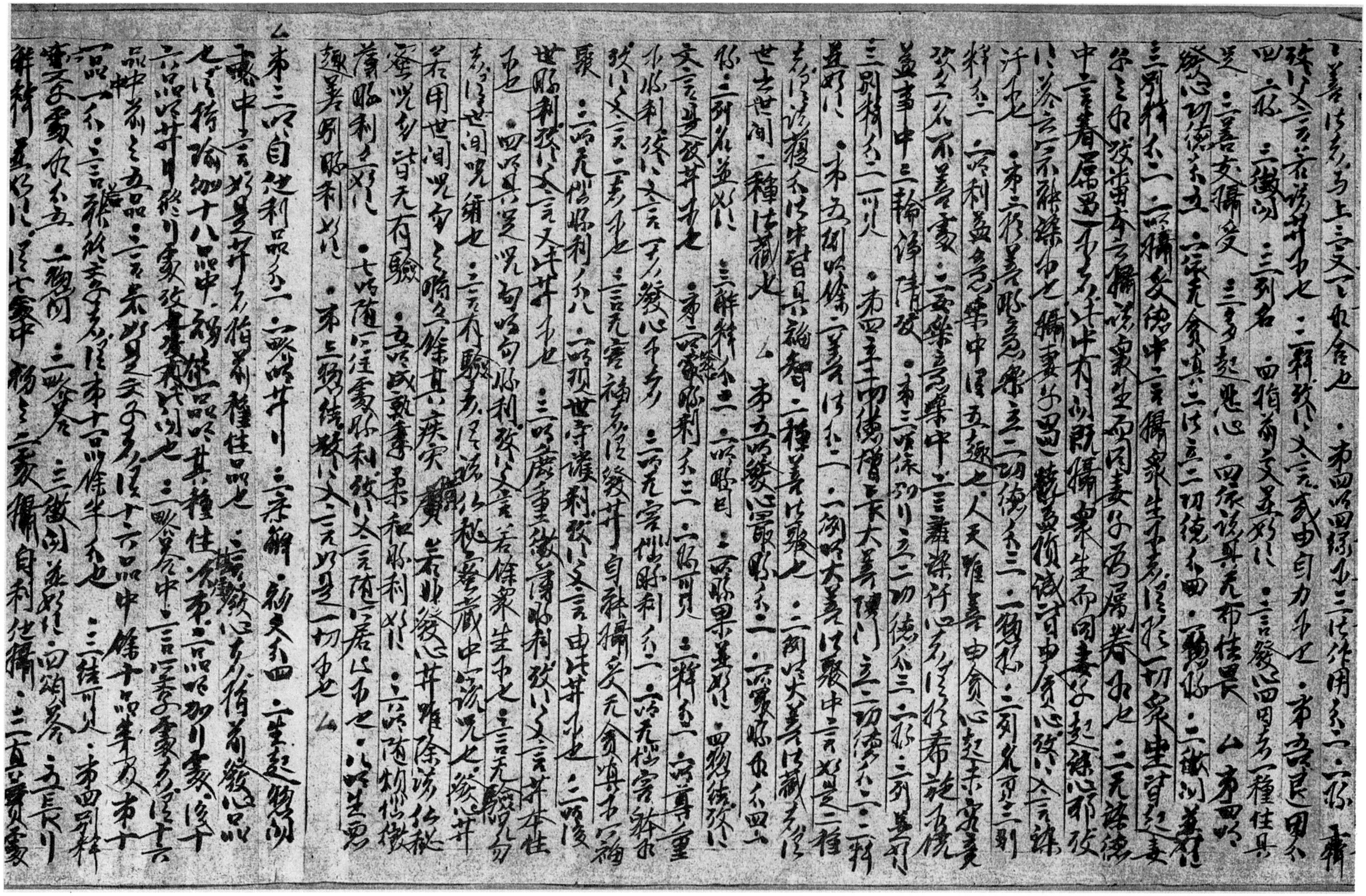

BD02072號3　瑜伽師地論手記卷三五　（41–23）

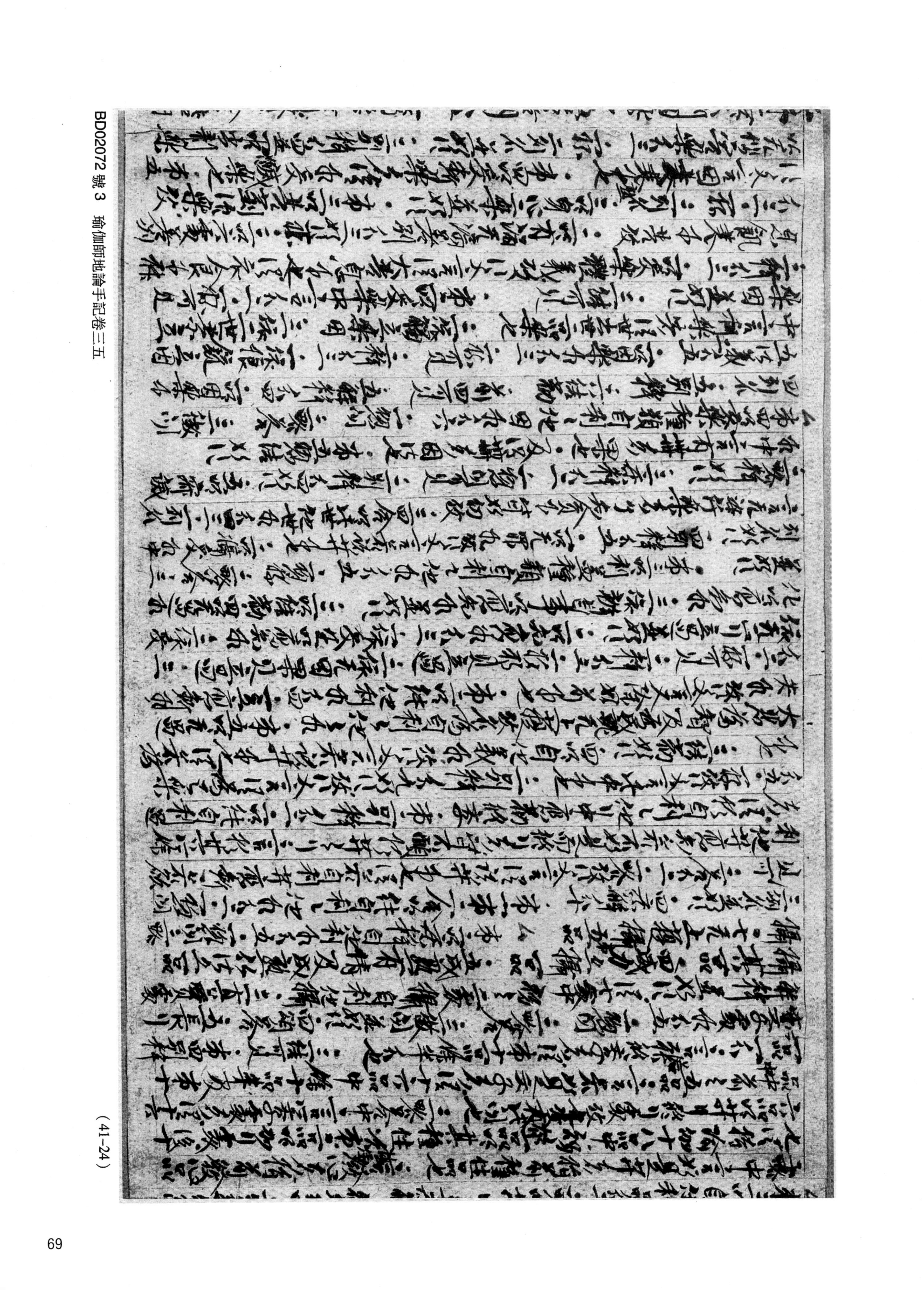

BD02072號 3　瑜伽師地論手記卷三五

（41–24）

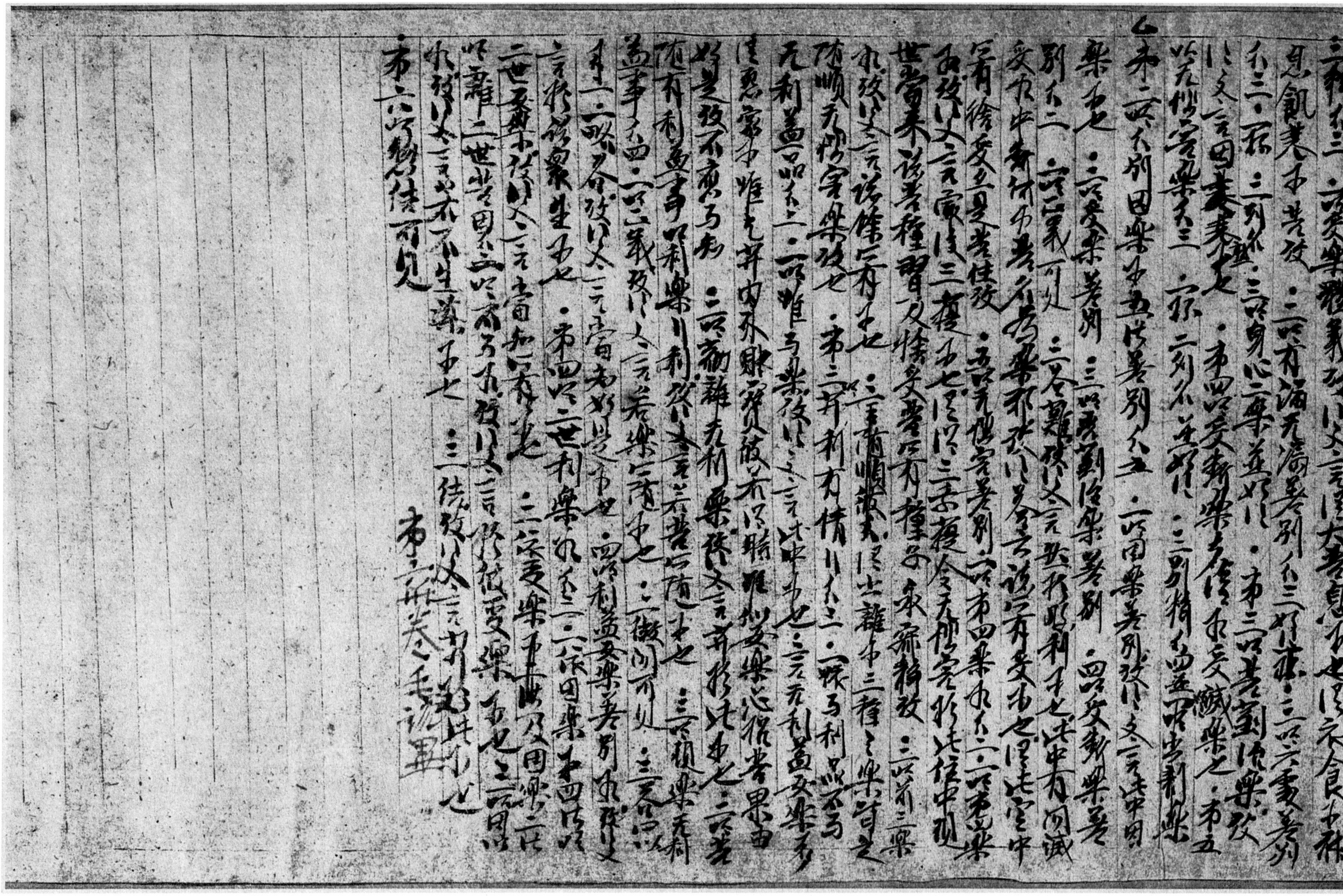

BD02072號3　瑜伽師地論手記卷三五　　（41–25）

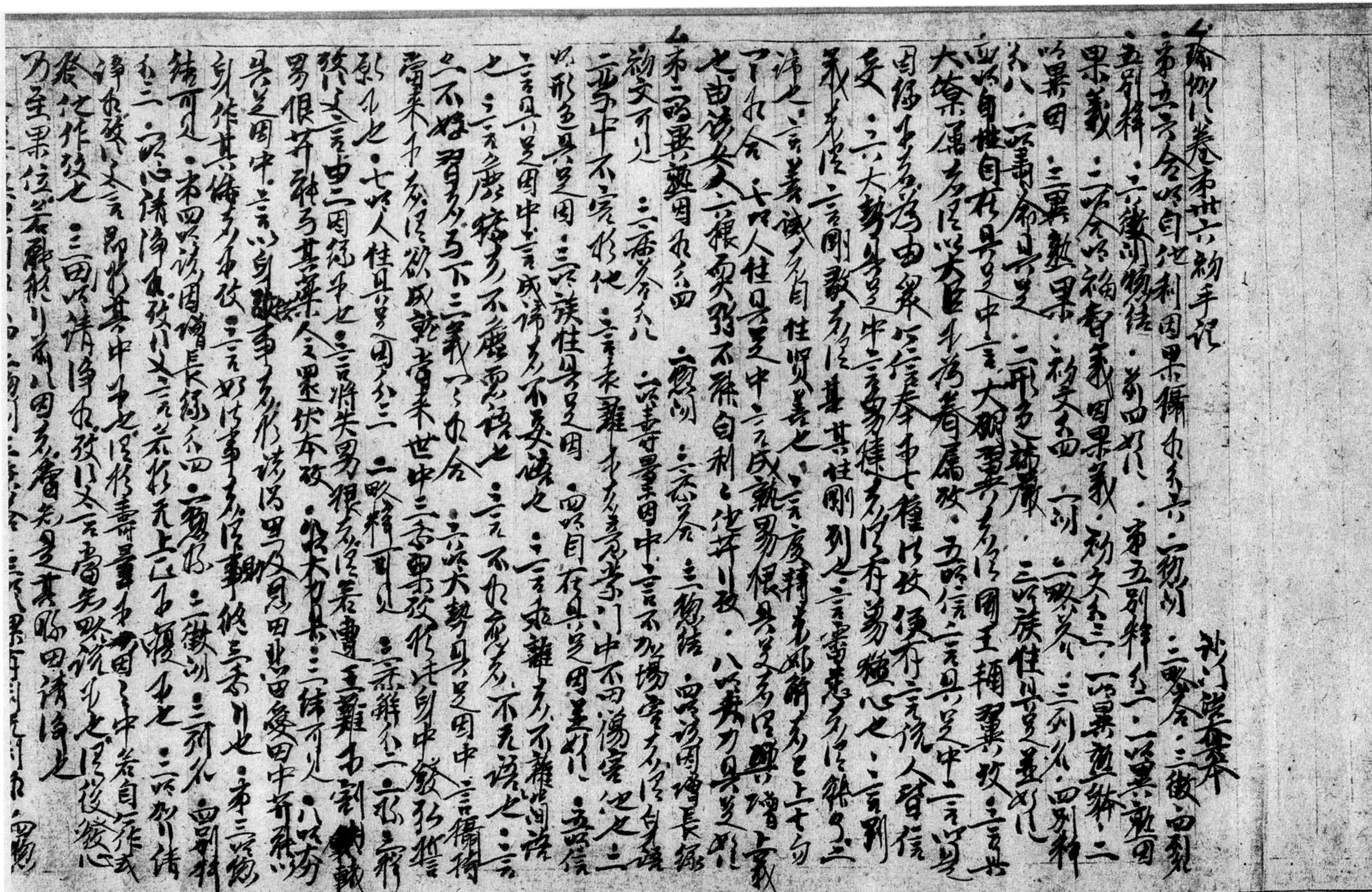

BD02072 號 4　瑜伽師地論手記卷三六

（41–26）

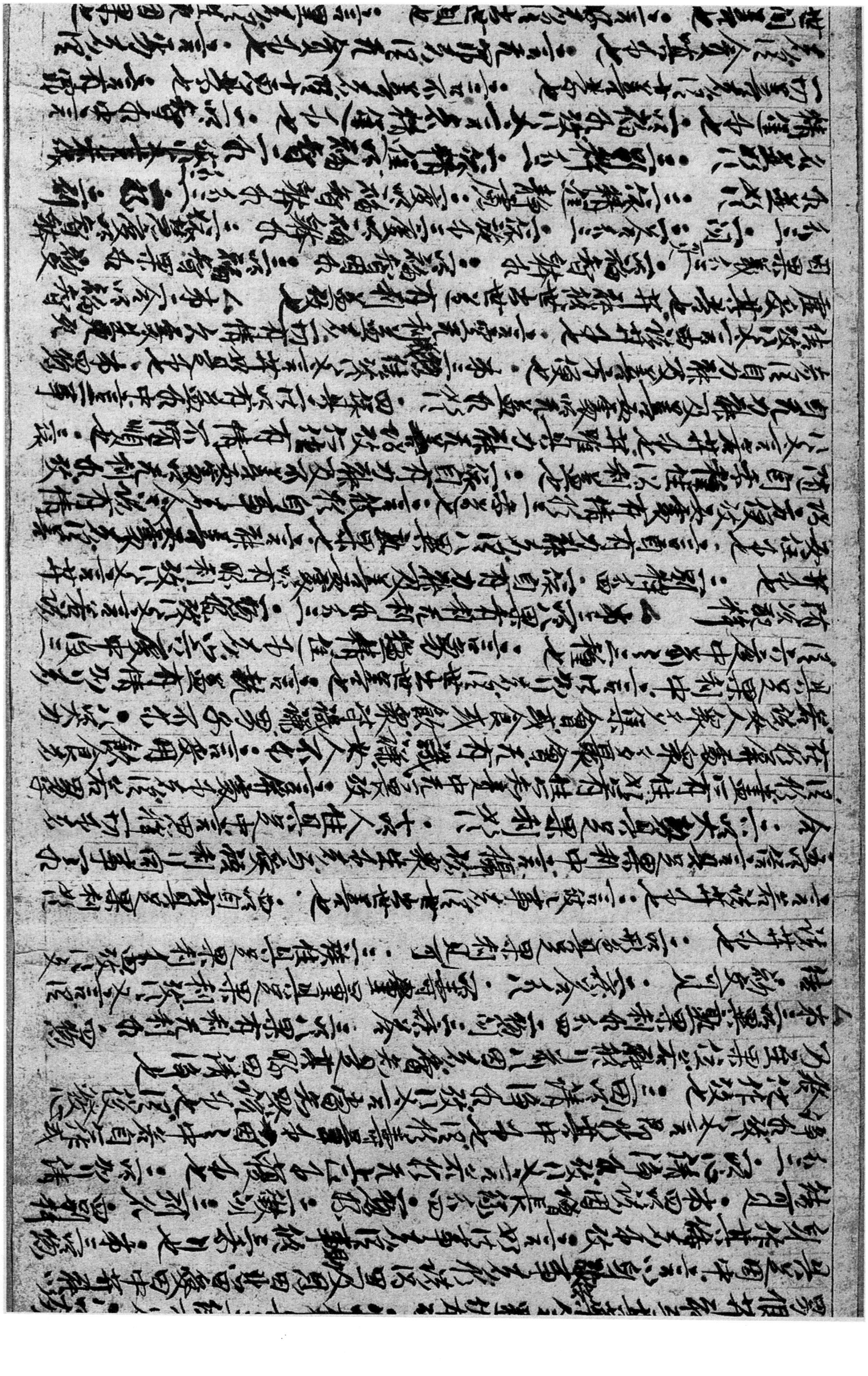

BD02072號4　瑜伽師地論手記卷三六　（41–27）

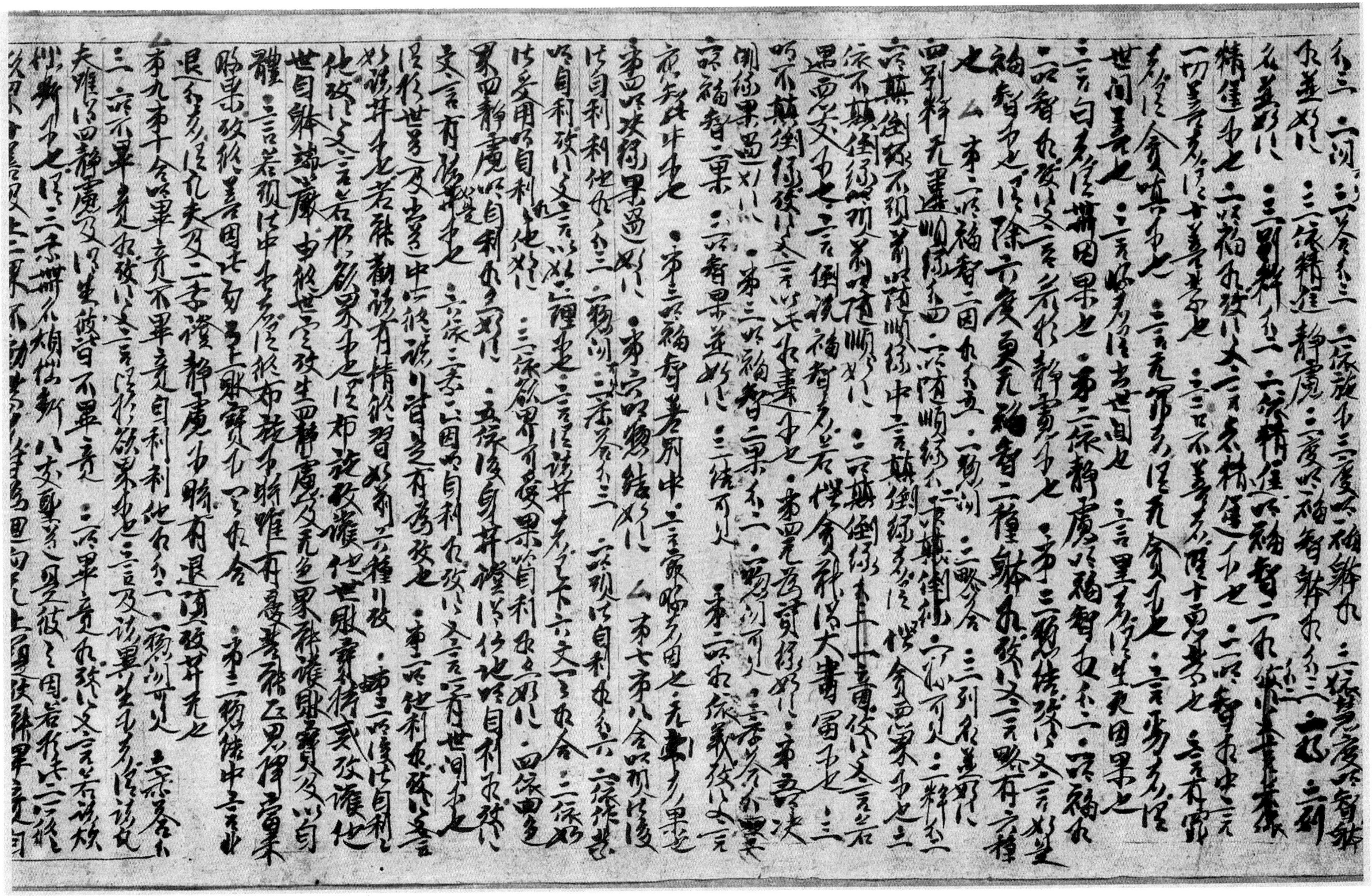

BD02072號 4　瑜伽師地論手記卷三六

（41–28）

BD02072 號 4　瑜伽師地論手記卷二六

（41–29）

BD02072號4　瑜伽師地論手記卷三六　（41–30）

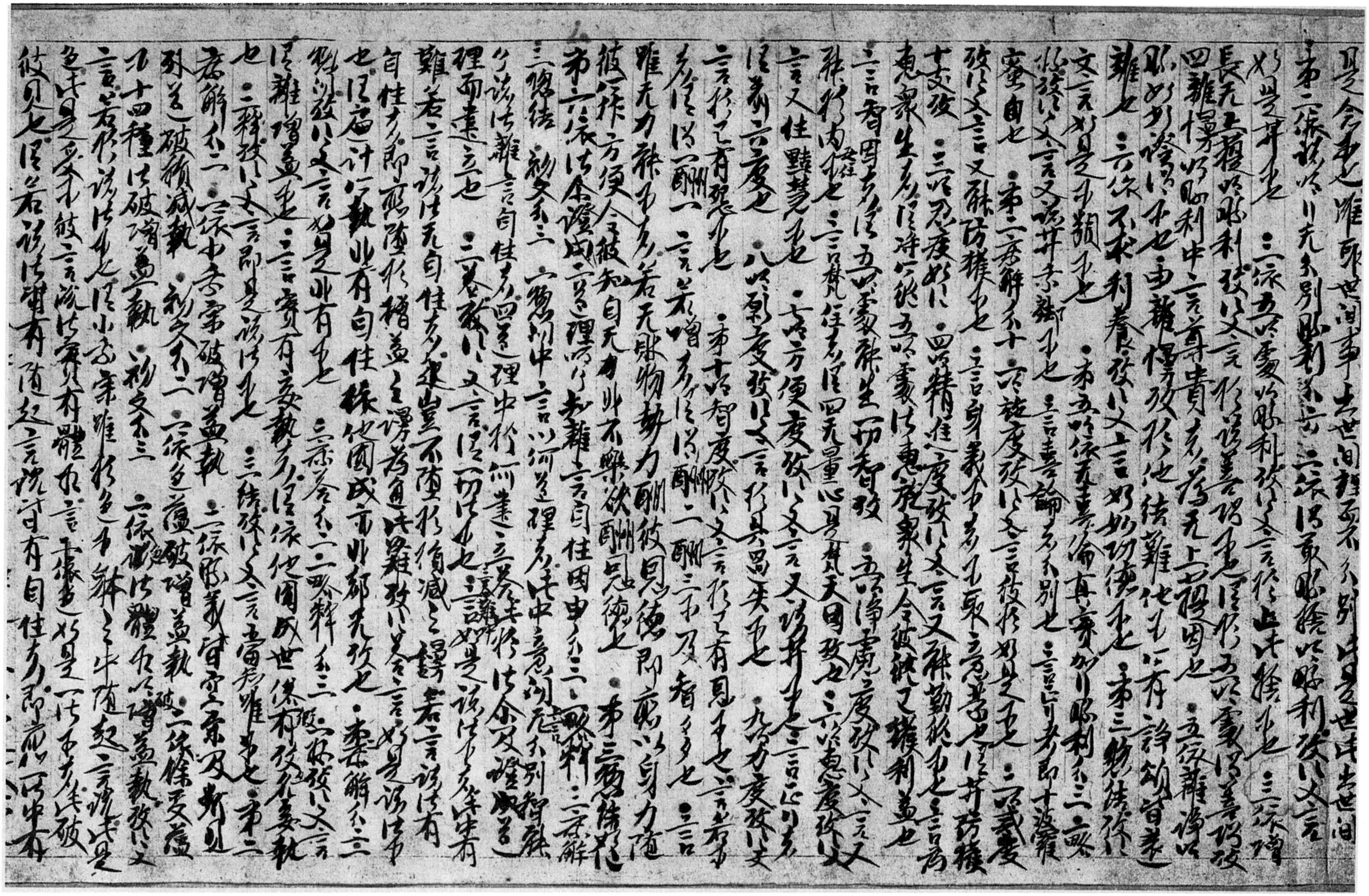

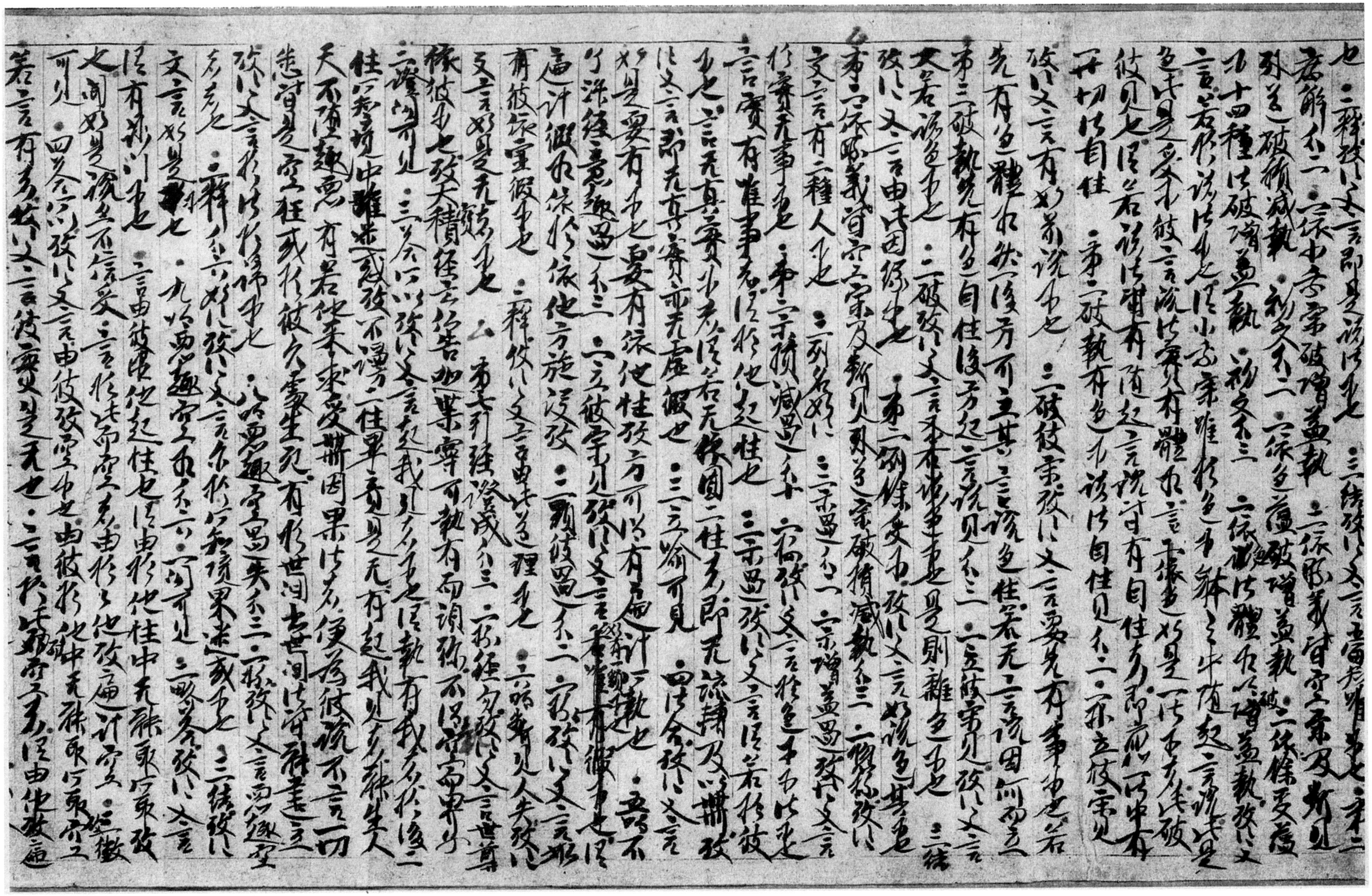

BD02072 號 4　瑜伽師地論手記卷三六　　（41–32）

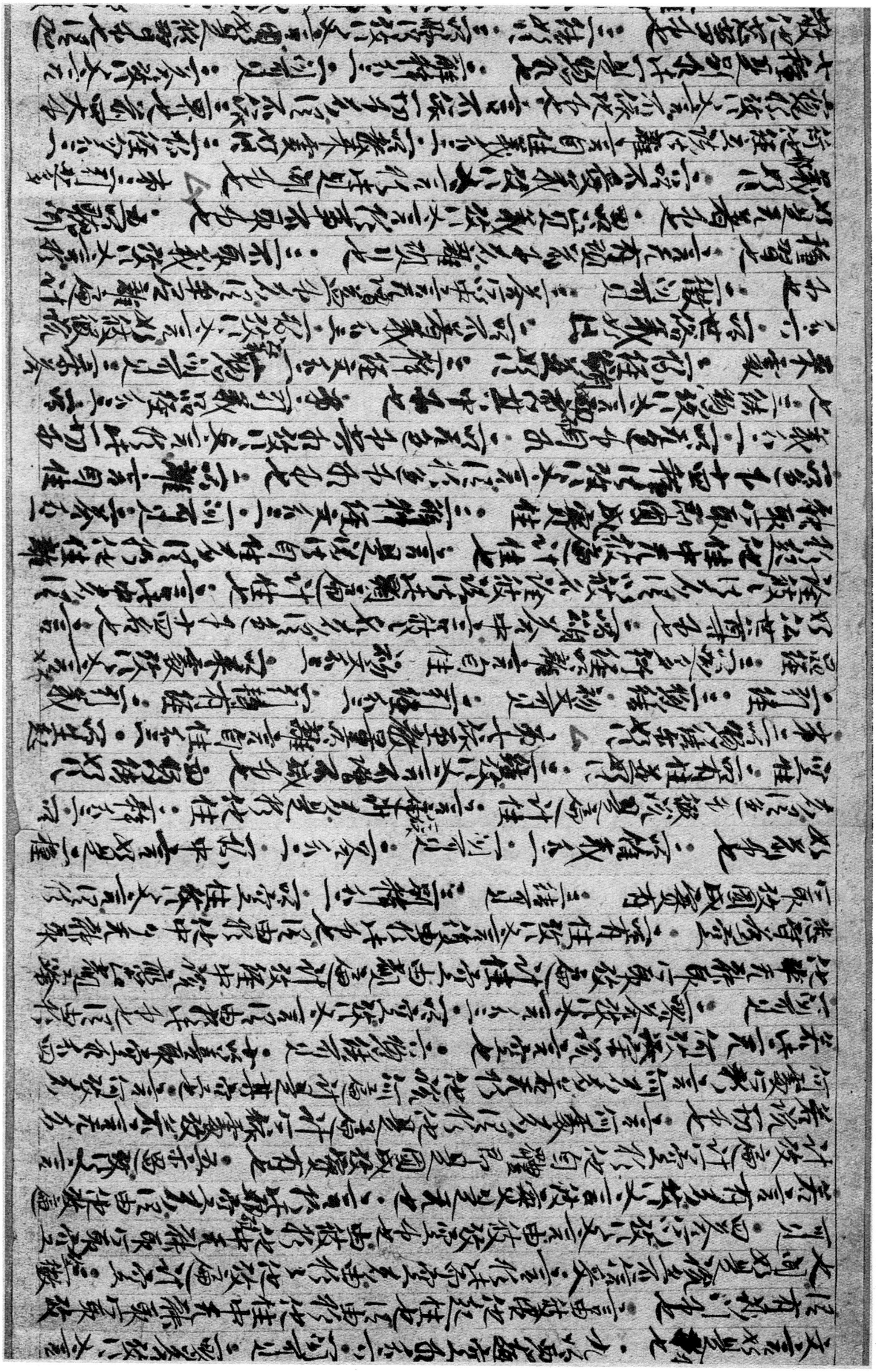

BD02072號4　瑜伽師地論手記卷三六

（41–33）

BD02072號 4　瑜伽師地論手記卷三六

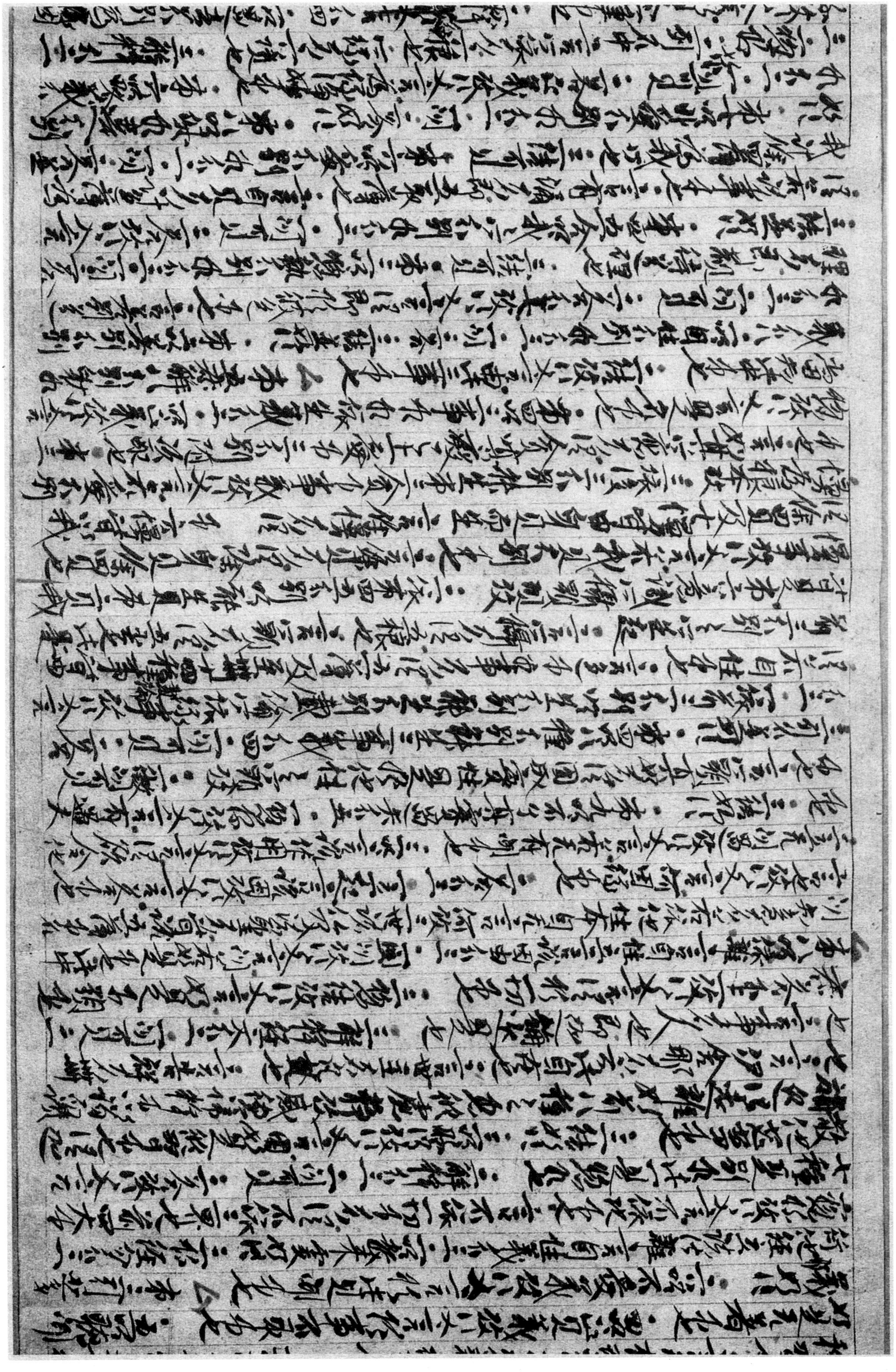

（41–34）

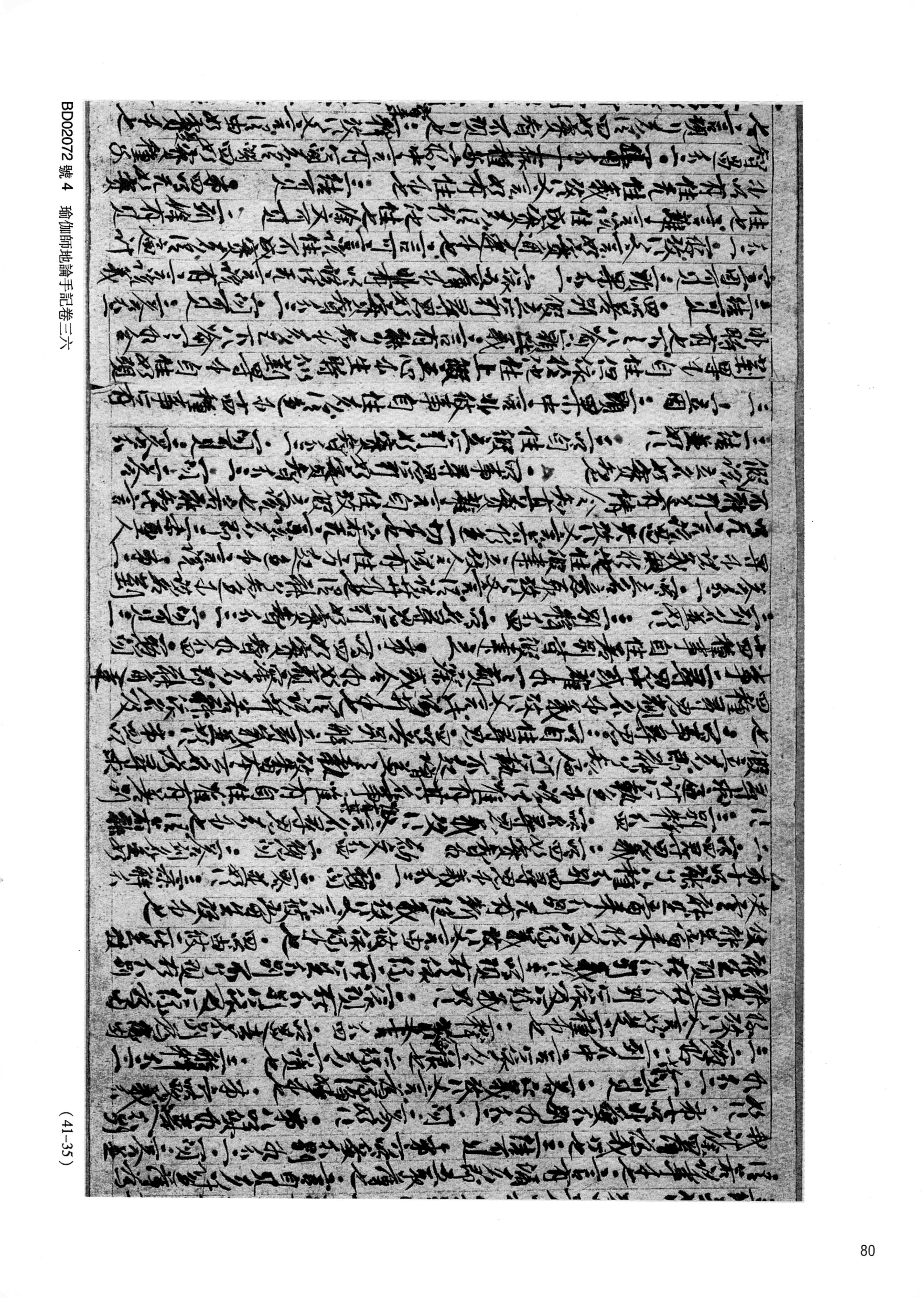

BD02072 號 4　瑜伽師地論手記卷三六　（41–35）

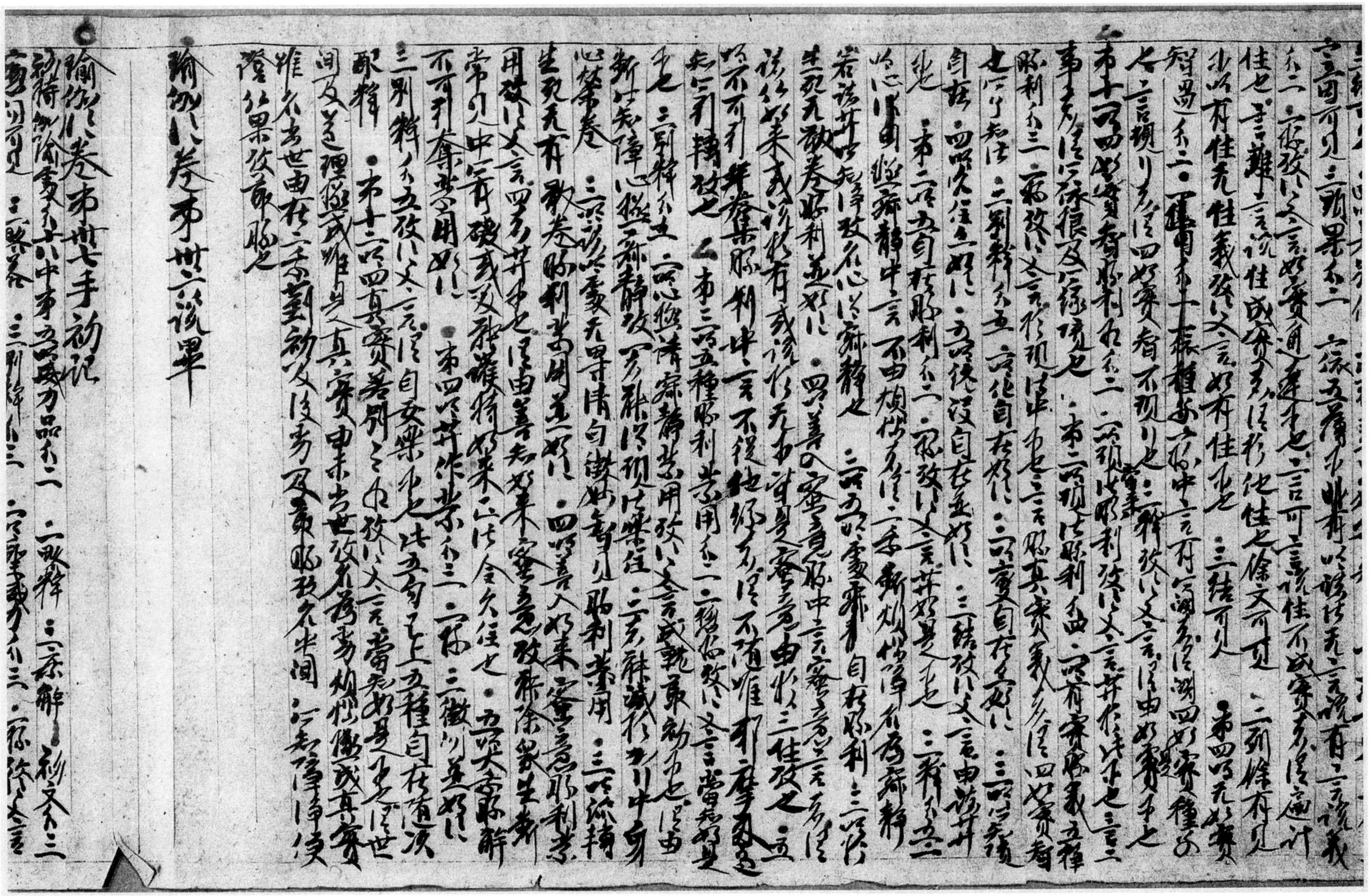

BD02072 號 4　瑜伽師地論手記卷三六　　（41–36）

瑜伽論卷第卅六說畢

瑜伽論卷第卅七手記

初釋瑜伽論處文分十六中第五威力品分二 一總釋 二示解 初文分三
初問可見 二略答 三別釋分三 一明聖威力分三 一標依文言
二釋中言心調柔者[illegible] 三言善修心者[illegible]說第七 三結可見
二明法威力中言[illegible]大果[illegible]六度[illegible]成就三身四智[illegible]
三言大威利多[illegible]力无果[illegible] 三明俱生威力中言希奇[illegible]
如來生已便能於十方面各行七步[illegible]不思議事也 第[illegible]
解分三 一總標可見 二列名並如[illegible] 第五[illegible]初神境[illegible]即是
三中初聖威力 第二第三可判无別 第四第五即說前三有
共不共也 三別釋分四 一明神通威力 二明法威力 三明俱生威力 四明共
共不共威力 初文分五 一總問 二略答 三列名 四總結並如
五別釋分六 一明神境通分二 一略釋分四 一總問 二略答 三列
名 四總結並如 [illegible] 二明能變通 三明能化通[illegible]
一總問 二略答 三列名 四總結並如 五別釋分十八 一明振動[illegible]一標
可見 二釋中言依空自在普能振動者[illegible]寺館等一三千大千世界
謂依菩薩化利一類[illegible]以自神力振動寺舍令彼覺悟復能
修行出世世善[illegible]住此說 三言祖父者謂彼界中有大賢者
修行諸業[illegible]多聞[illegible]至是一切鐵器[illegible]依處故亦名祖
父 三結可見 二明熾然變分三 一標可見 二釋中言依自在者
此依火光三昧而變於[illegible]於一切身中能現火大於遠近事故名熾然也
言火界定者即七賢[illegible]定中火光定也 三明流布變分三 一問 二答
三結[illegible] 四明示現[illegible]分三 一標可見 二釋中言如其所樂示者
謂欲化彼犯戒沙門[illegible]故化三惡趣或化人天令生厭厭修習諸善
言諸眾會者即沙門等諸眾也 言齊彼至此者謂現從[illegible]至
世界中間遠近由自由理數山河人皆令見故 三結可見

第五[illegible]轉變[illegible]分三 一標 二釋 三結並如[illegible] 六[illegible]往來[illegible]分三 一標
二釋 三結並如[illegible] 七令[illegible]卷舒[illegible]分三 一標 二釋 三結並如 九
明眾像入身分三 一標 二釋 三結並如 十[illegible] 十一明同類往
趣分三 一[illegible] 二[illegible]文言[illegible]往趣[illegible]欲化彼
剎帝利[illegible]彼同類[illegible]顯彩量[illegible]言音[illegible]世[illegible]及[illegible]終從
令彼發心也[illegible]例條卅七眾並如 第十[illegible]十二令[illegible]顯分三 一
標 二釋 三結並如[illegible] 十三明[illegible]作自在分二 一標可見 二釋中言自
在轉者[illegible]神有力令有情起來隨[illegible]精

BD02072 號 5　瑜伽師地論手記卷三七

（41–37）

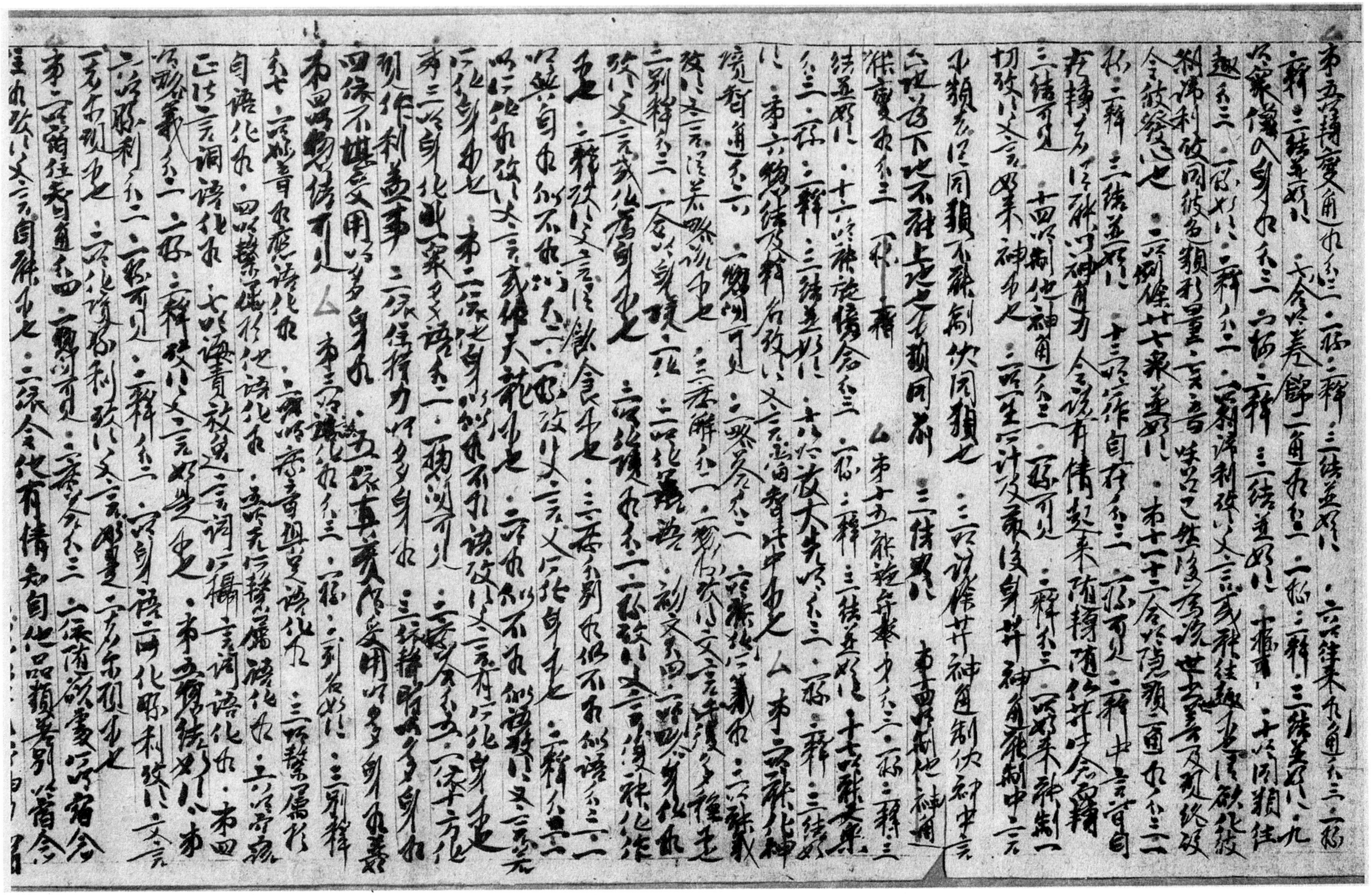

BD02072 號 5　瑜伽師地論手記卷三七　　（41–38）

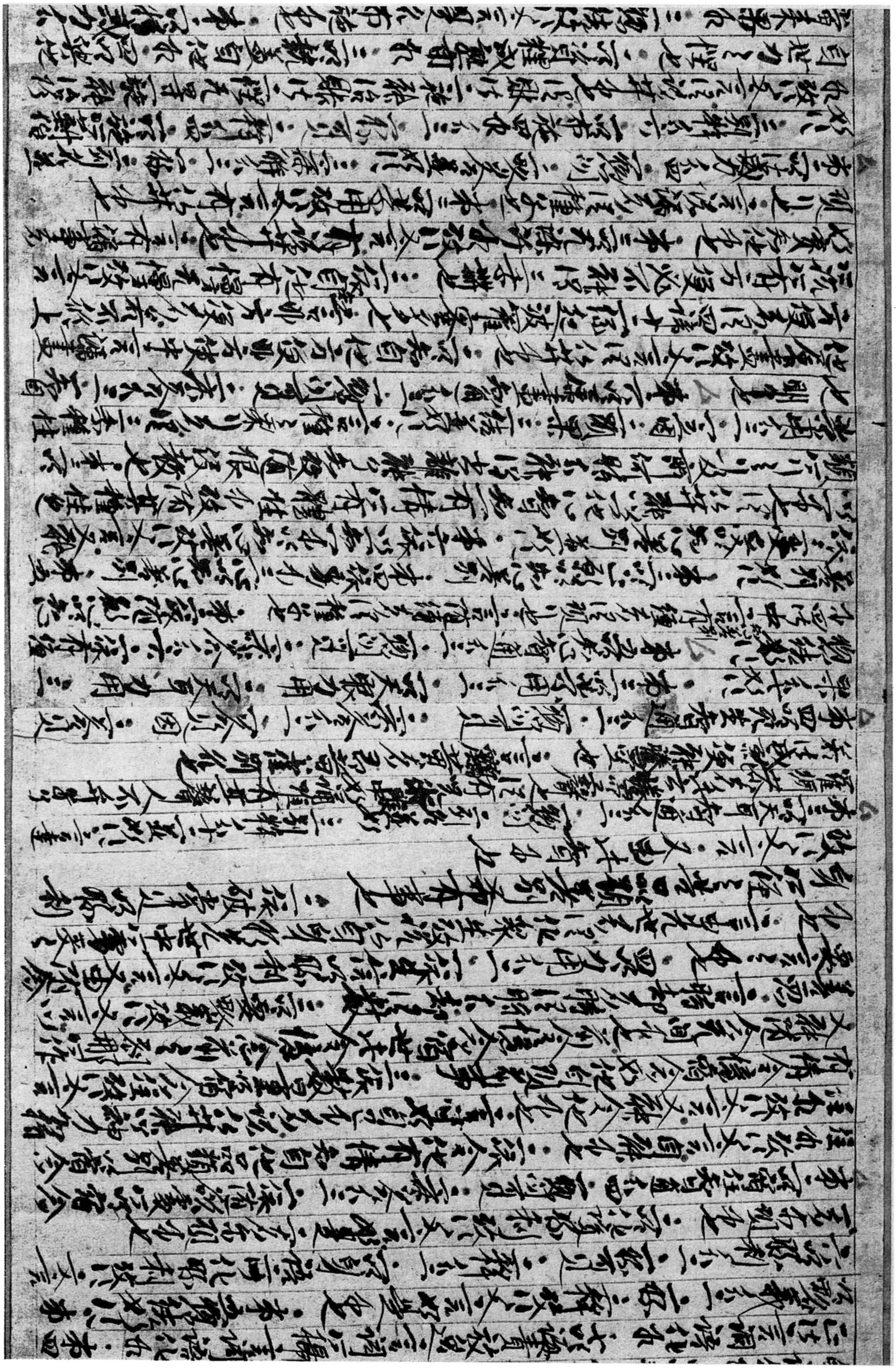

BD02072號 5　瑜伽師地論手記卷三七

（41–39）

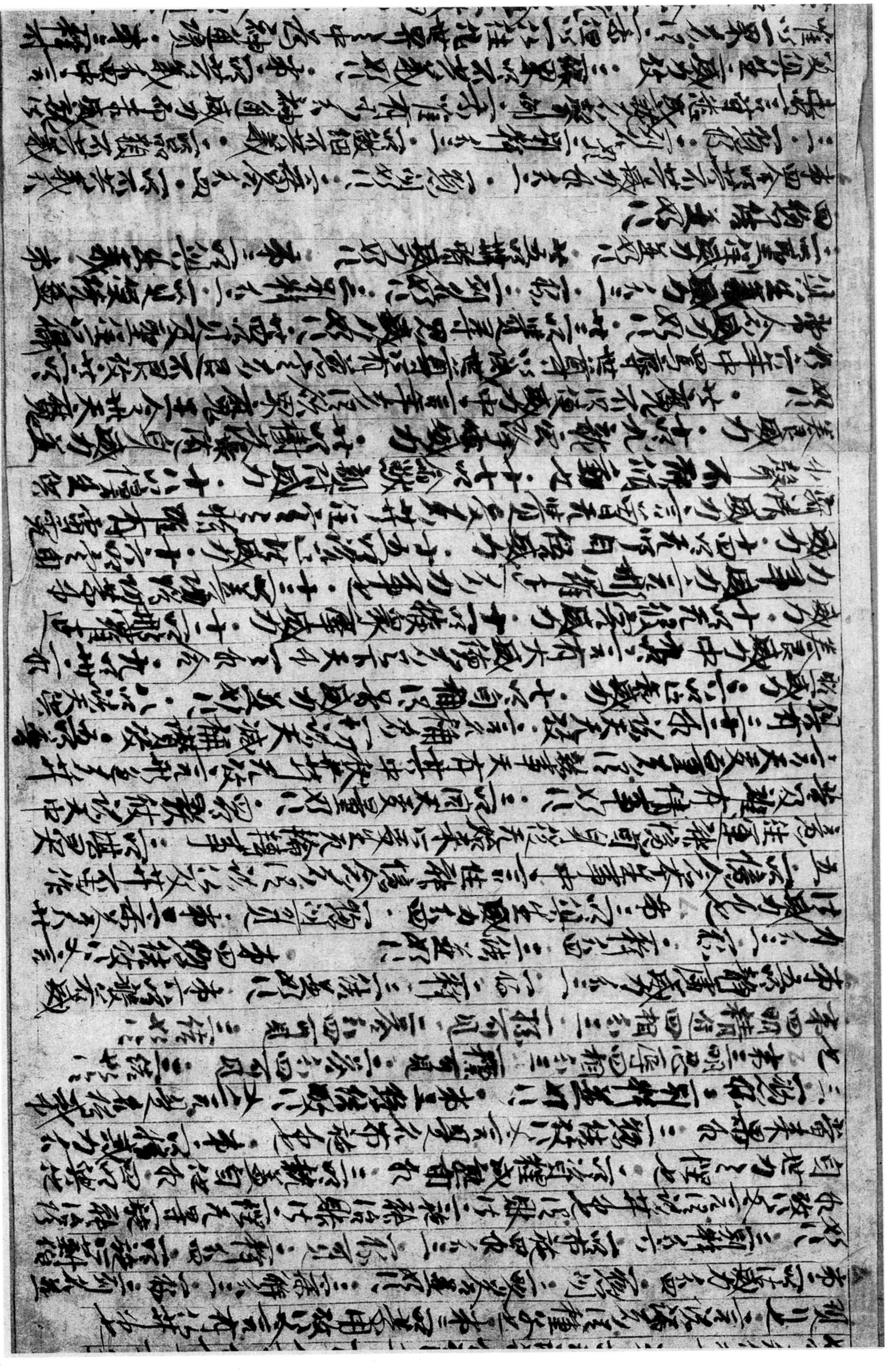

BD02072號5 瑜伽師地論手記卷三七

(41-40)

BD02072號5　瑜伽師地論手記卷三七

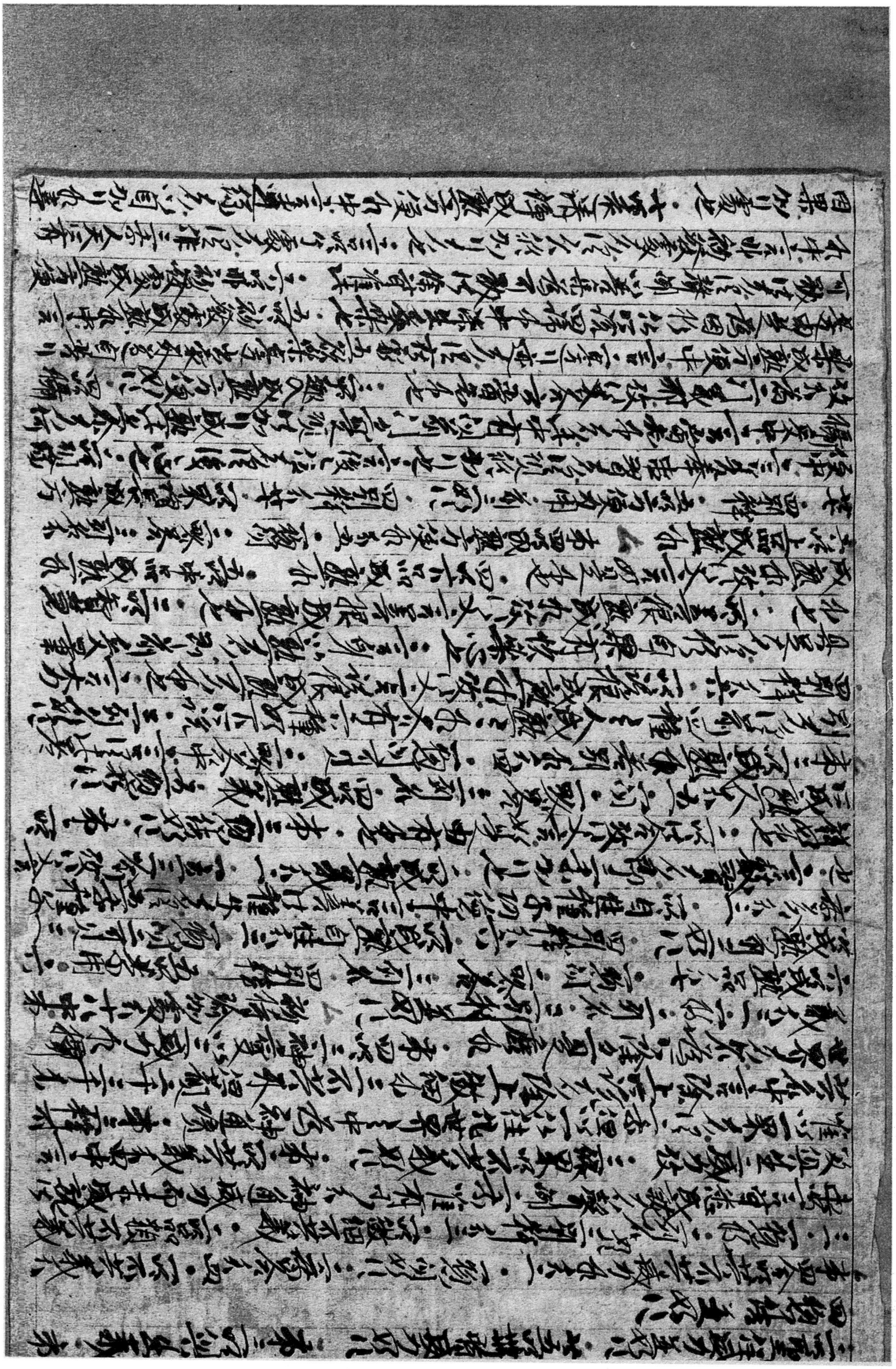

（41–41）

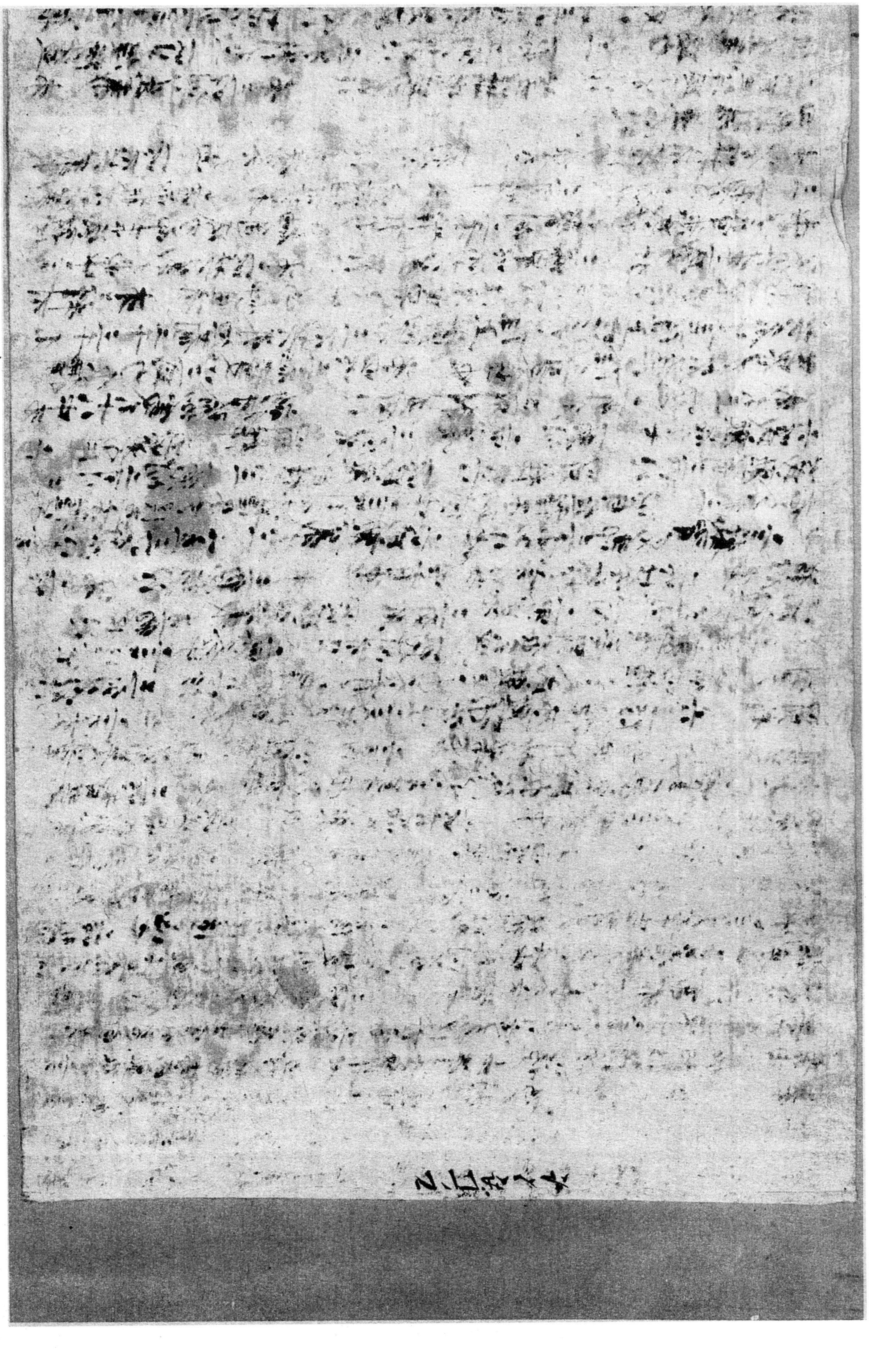

（30–1）

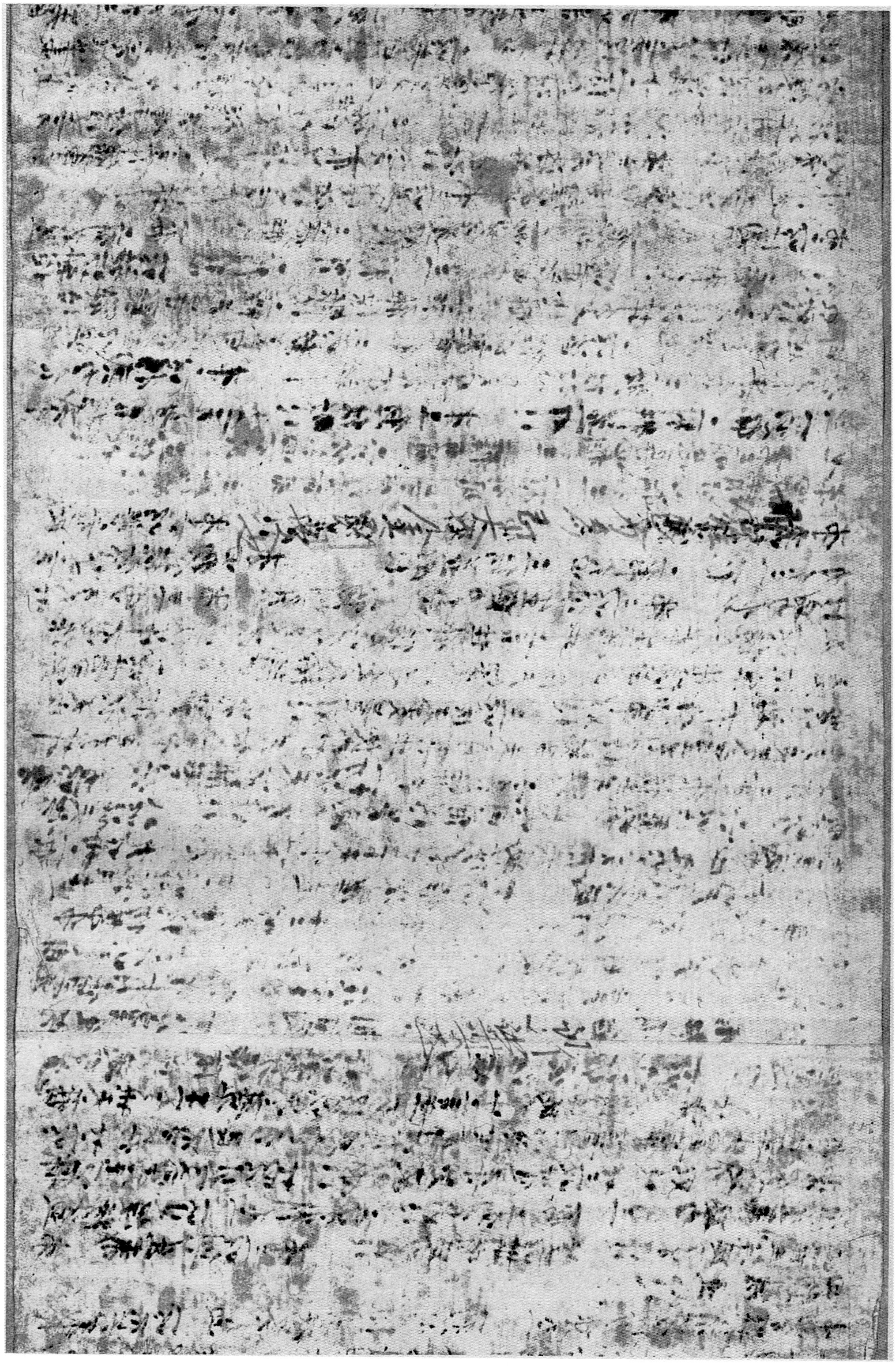

（30–2）

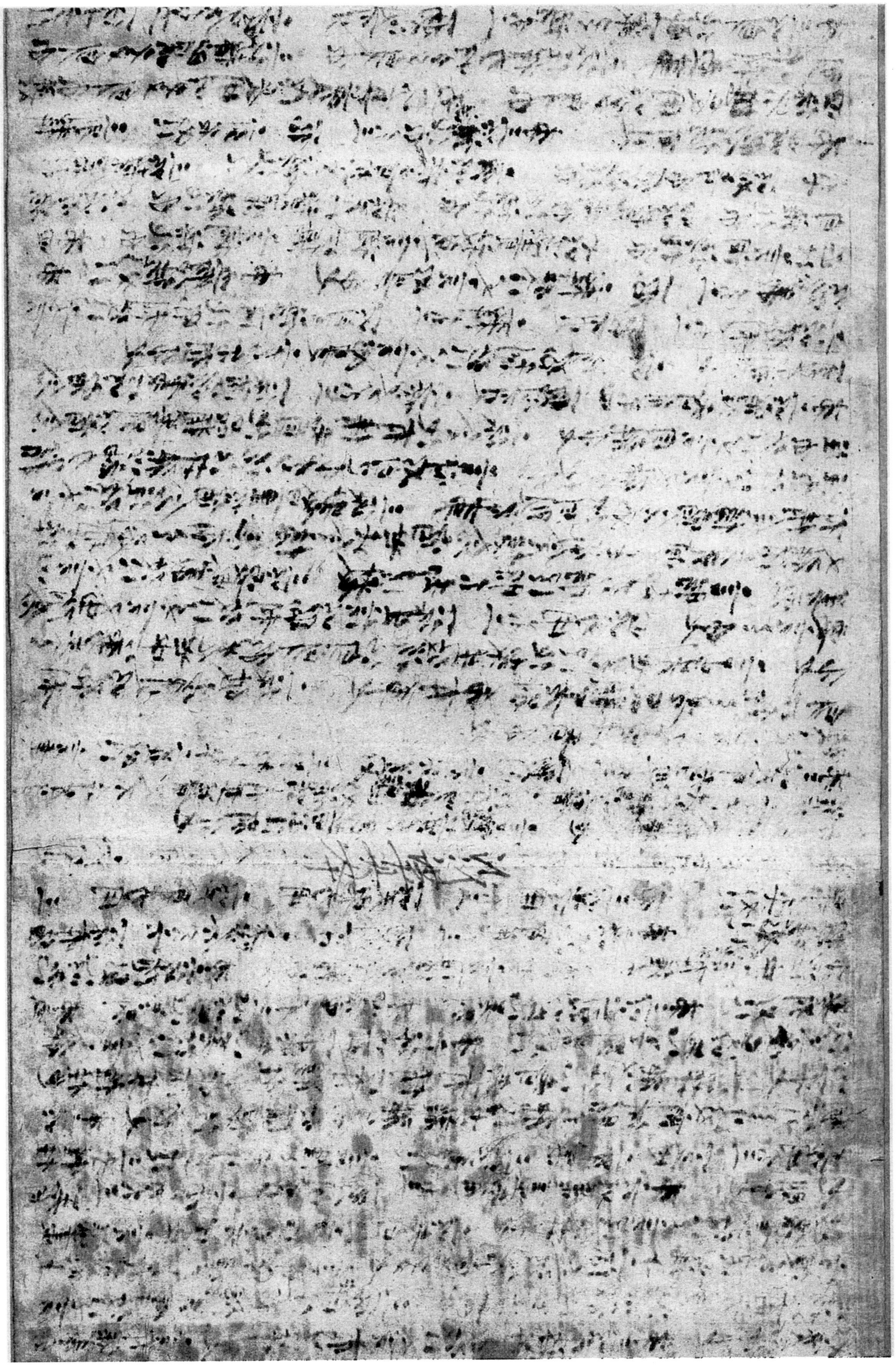

BD02072號背　題名、補充註釋

（30–3）

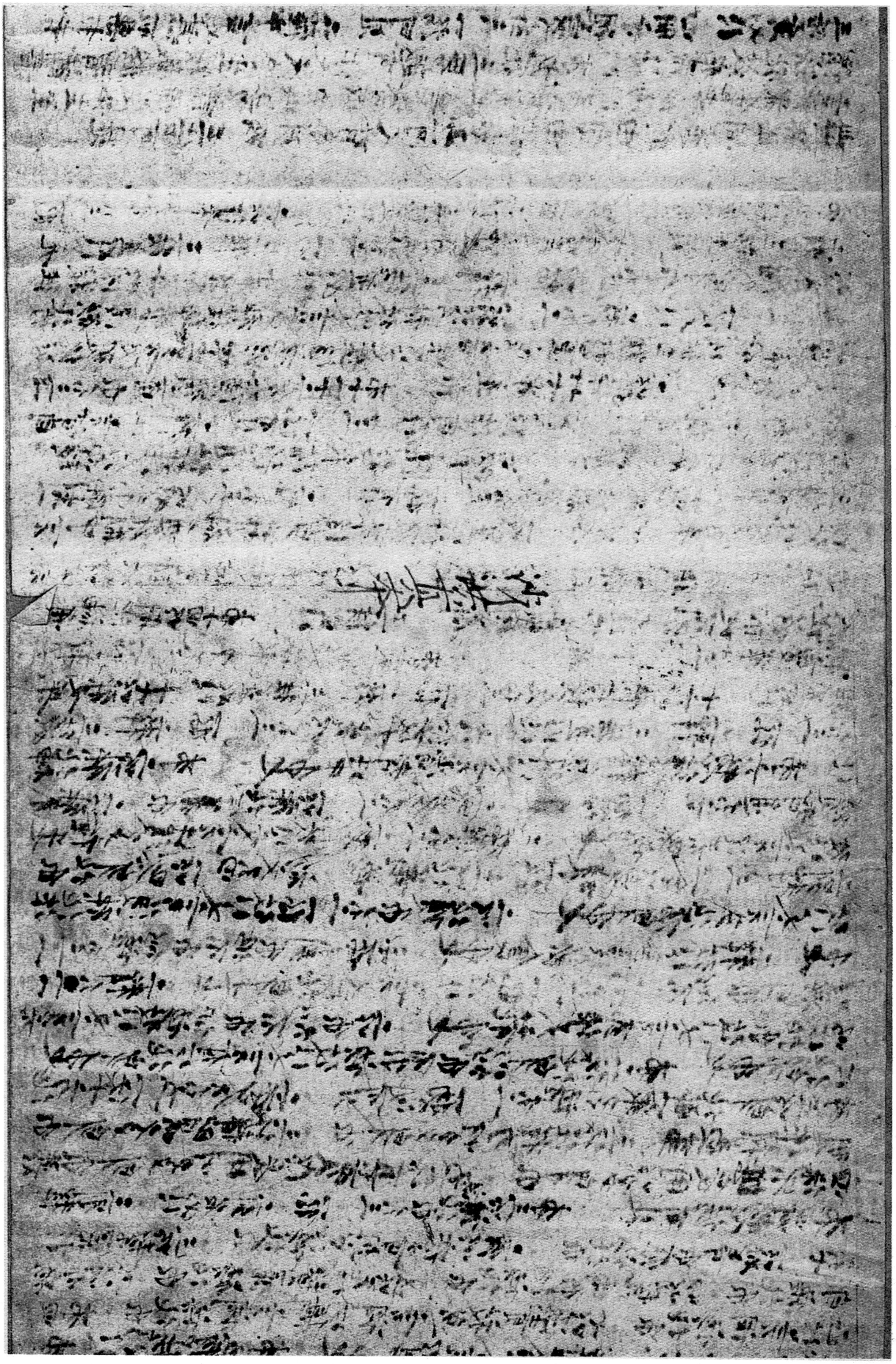

（30–4）

BD02072號背　題名、補充註釋

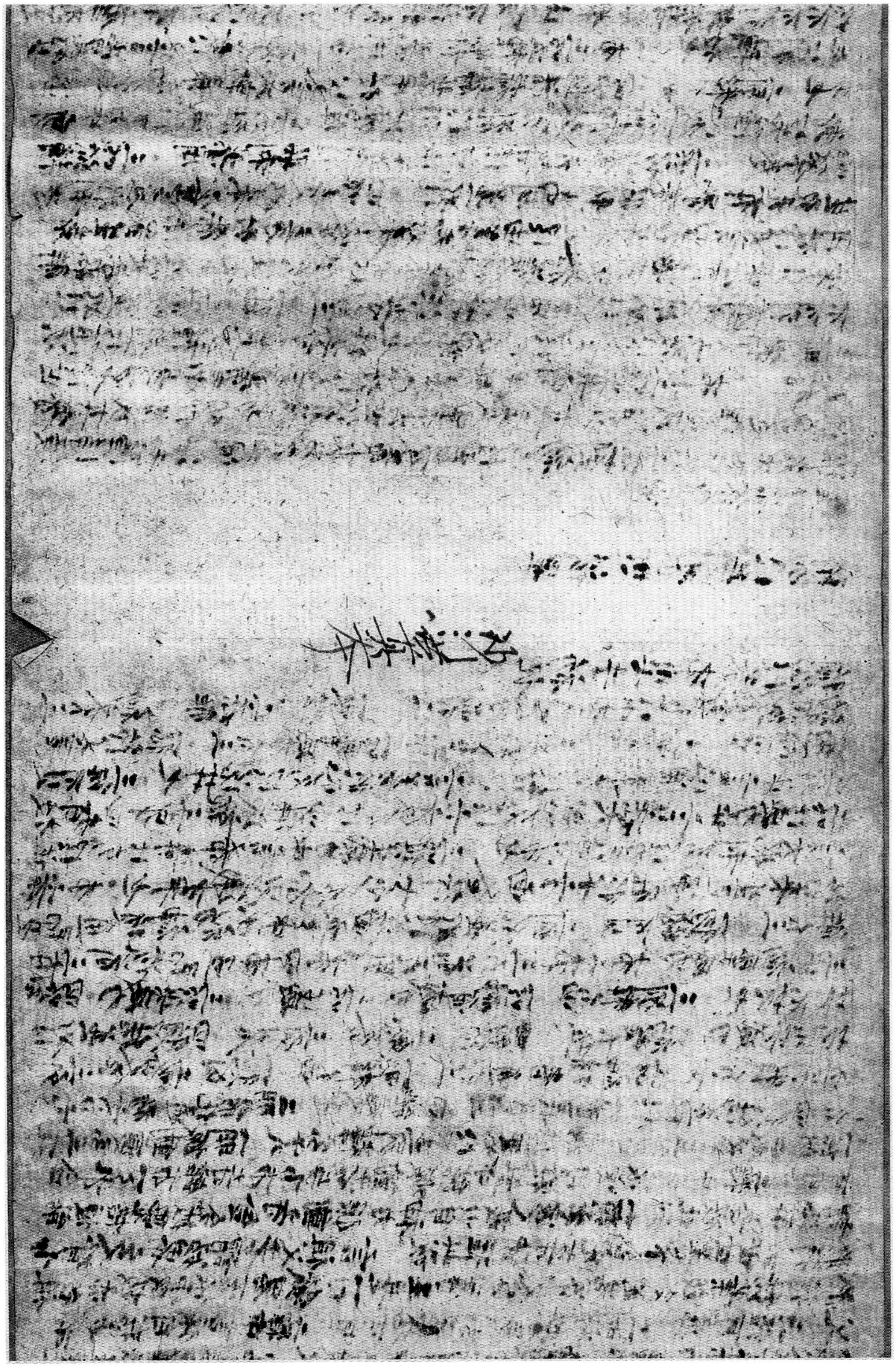

（30–5）

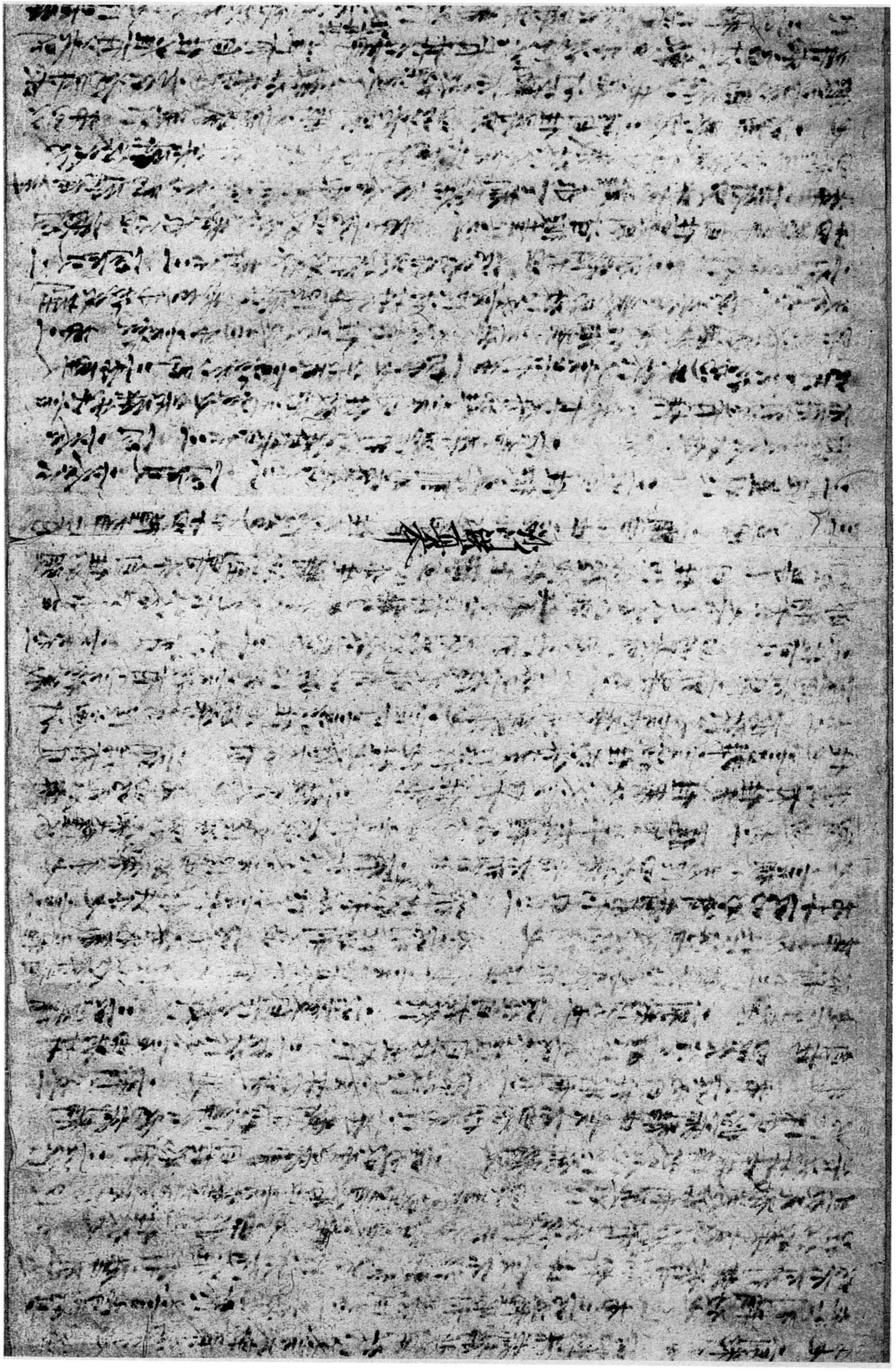

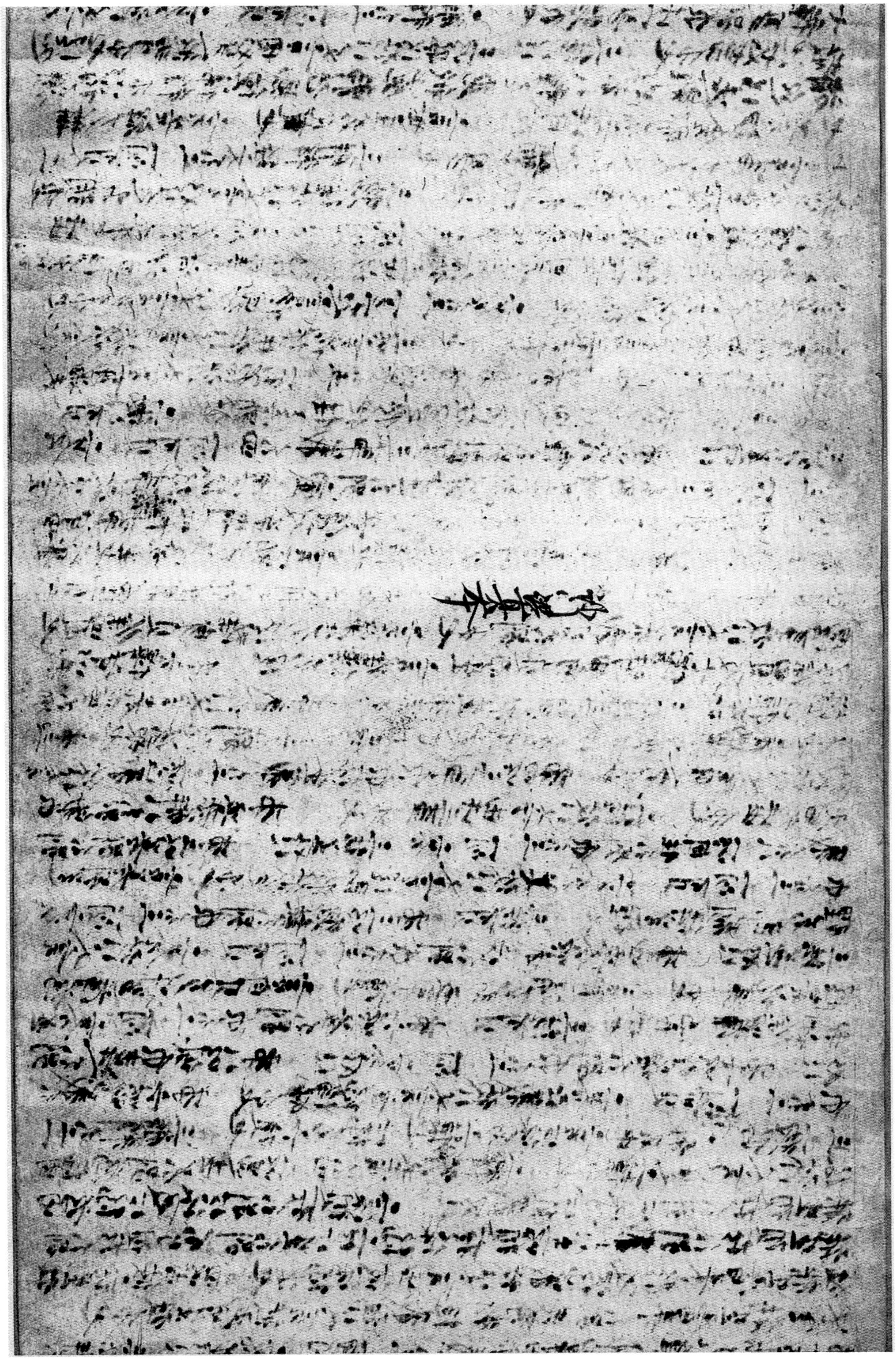

BD02072號背　題名、補充註釋

（30–7）

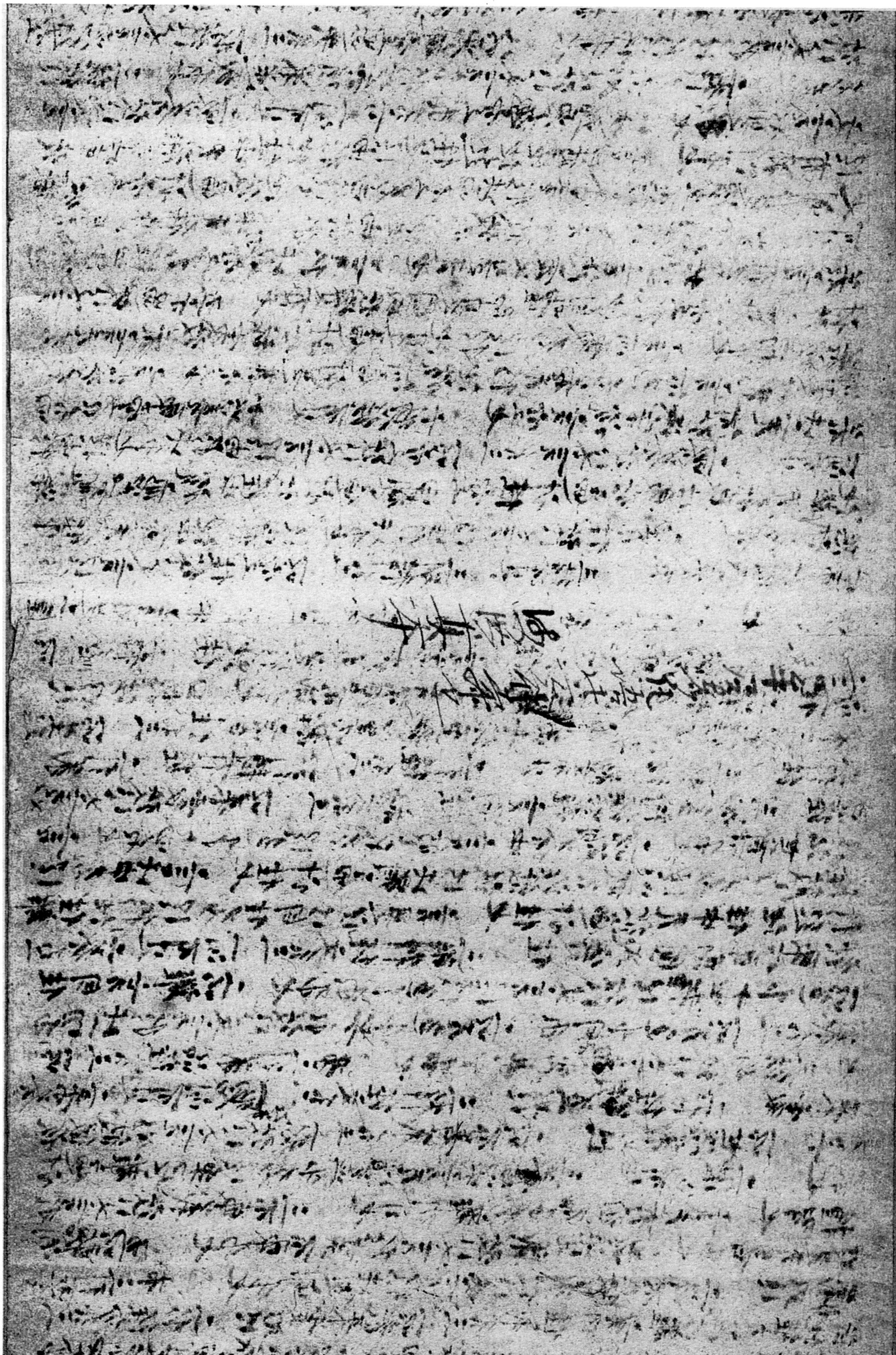

（30–8）

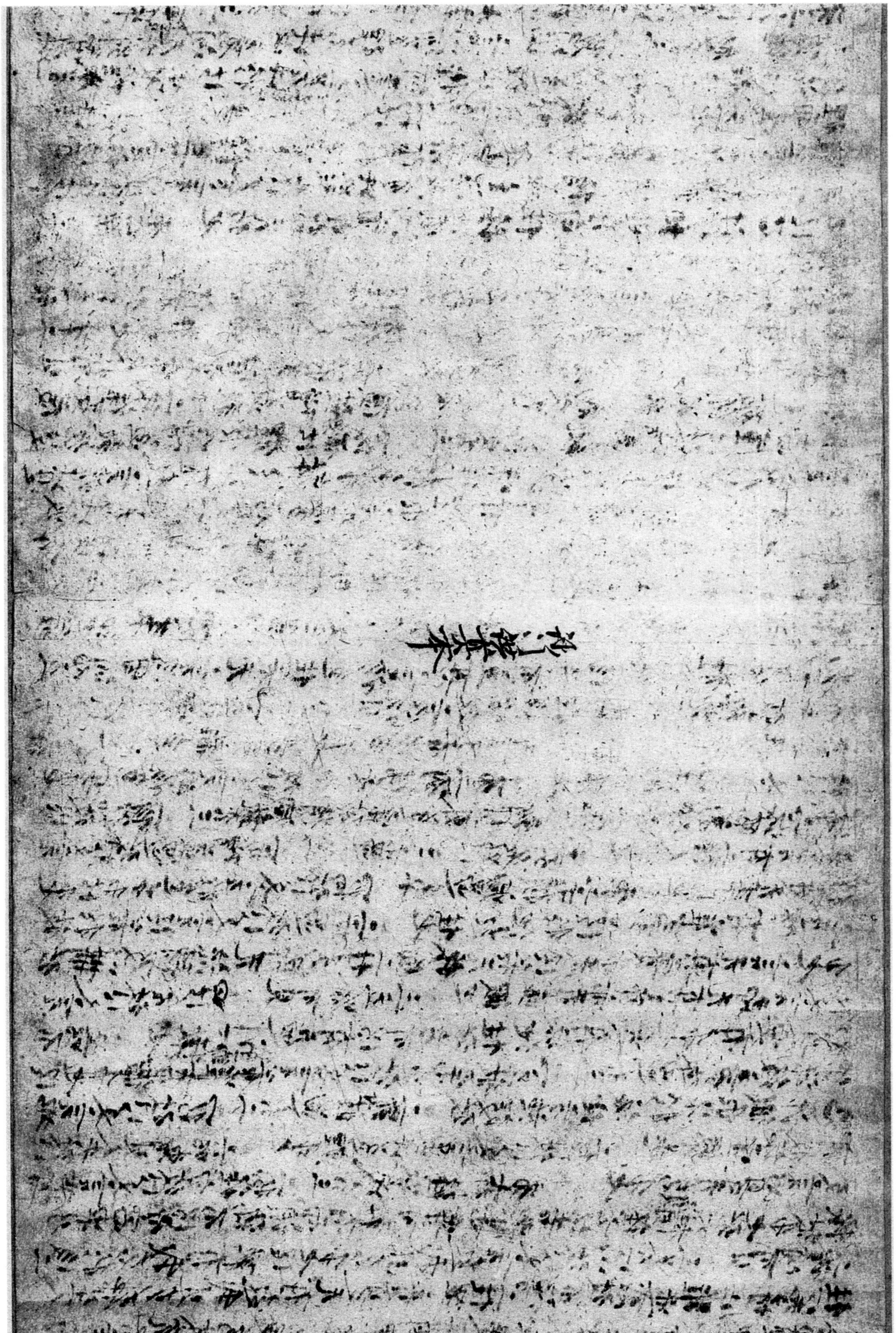

（30–9）

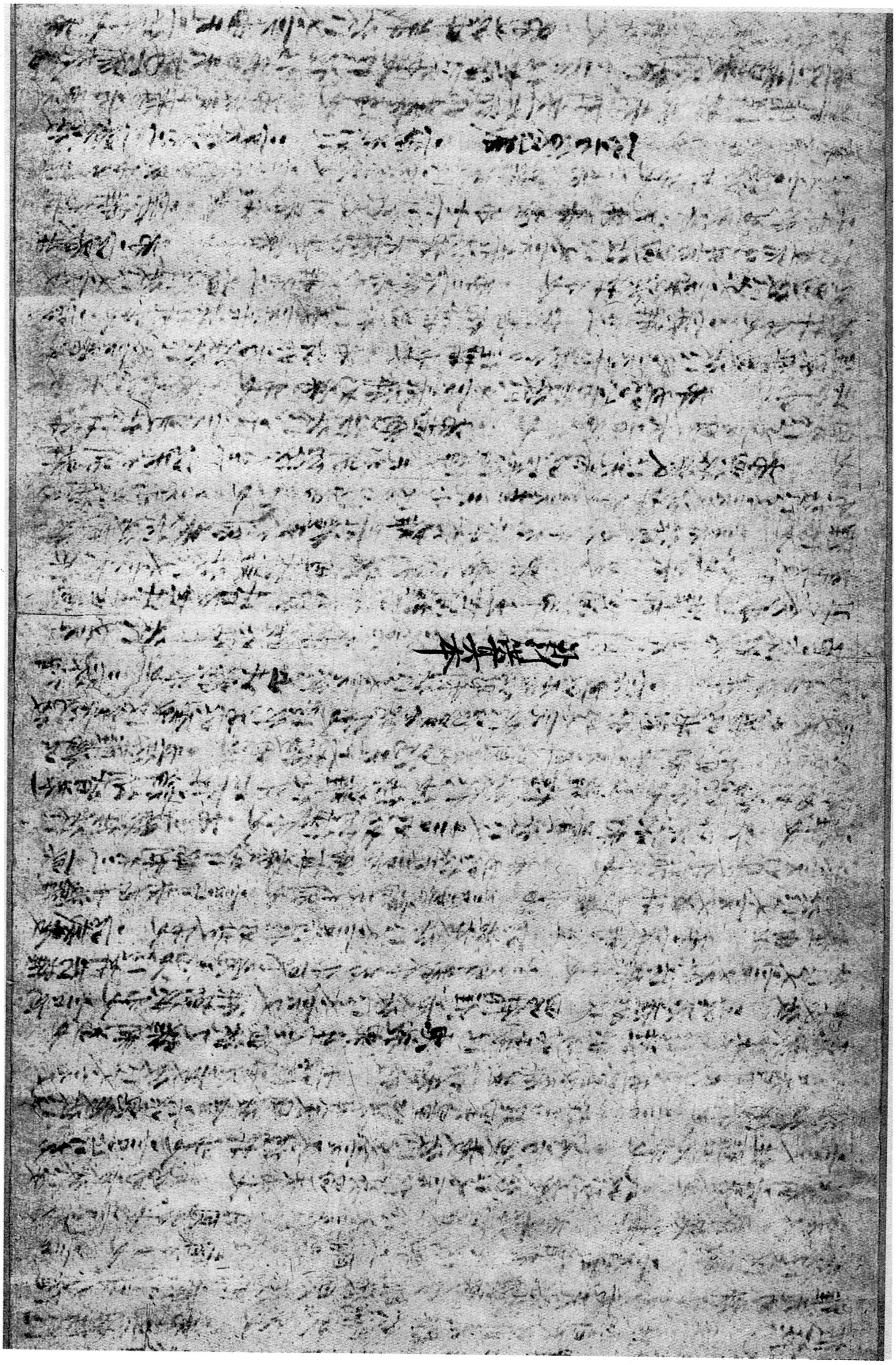

BD02072號背　題名、補充註釋

（30–10）

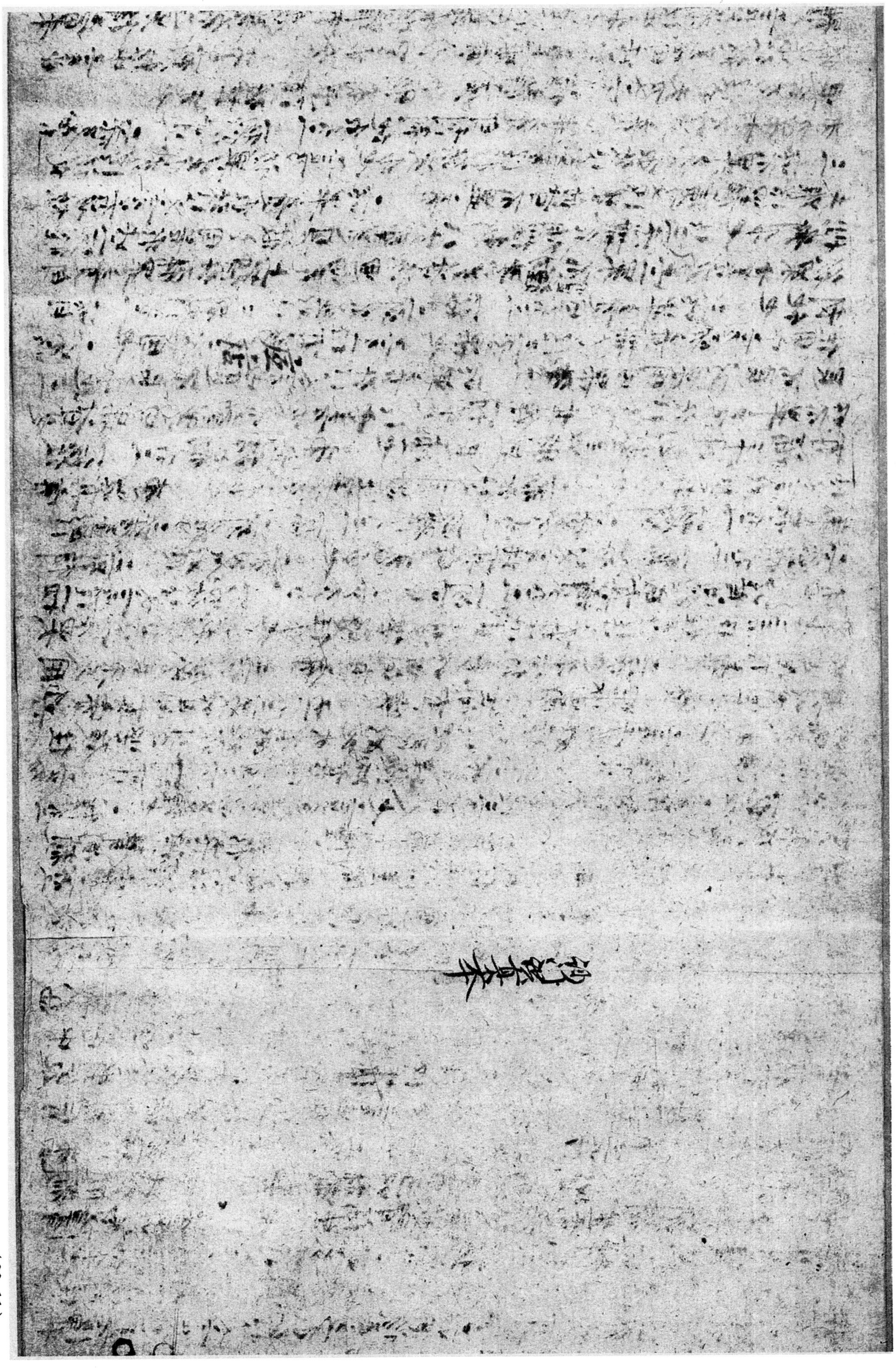

BD02072號背　題名、補充註釋

（30–11）

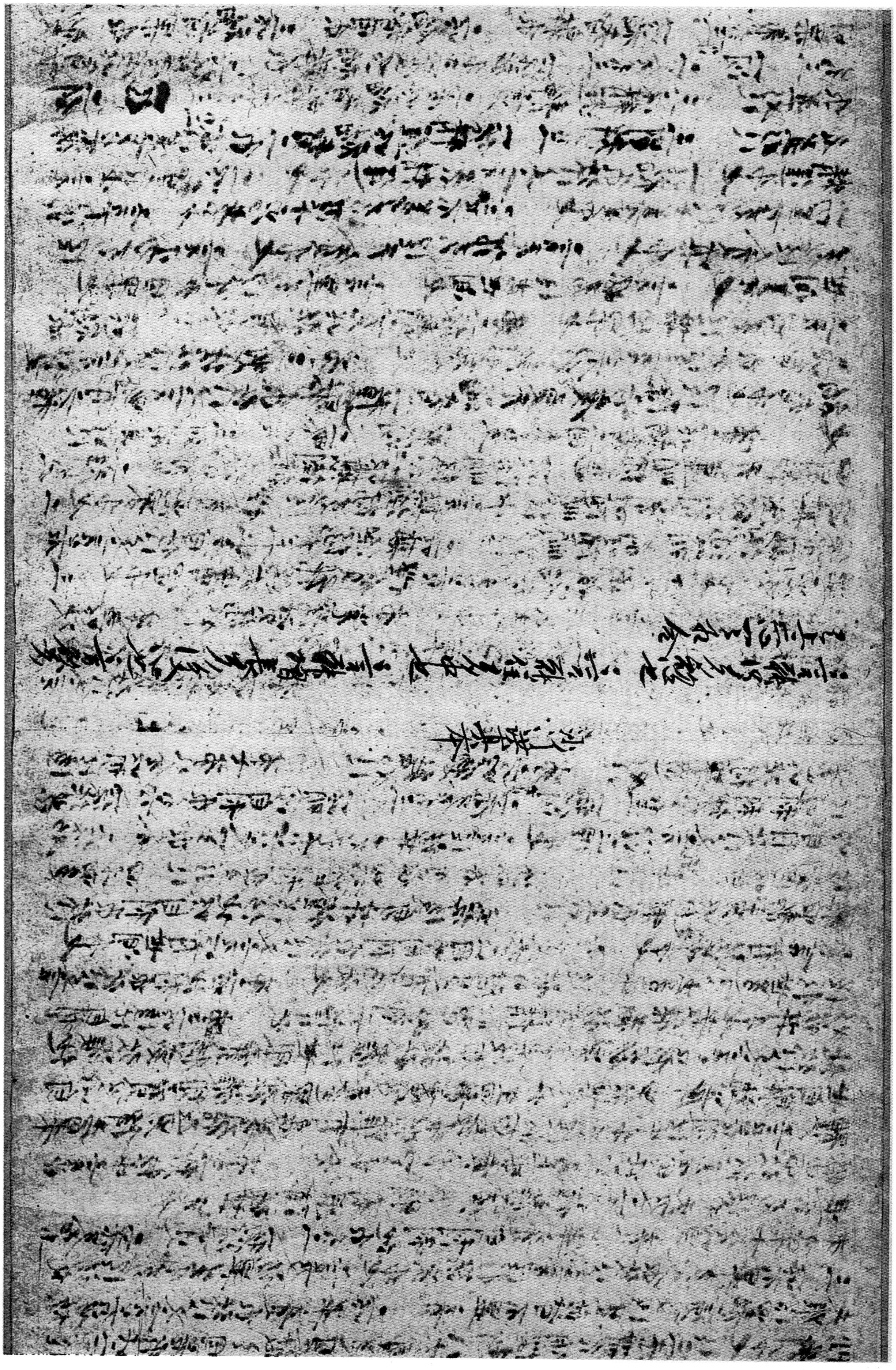

BD02072號背　題名、補充註釋

（30–12）

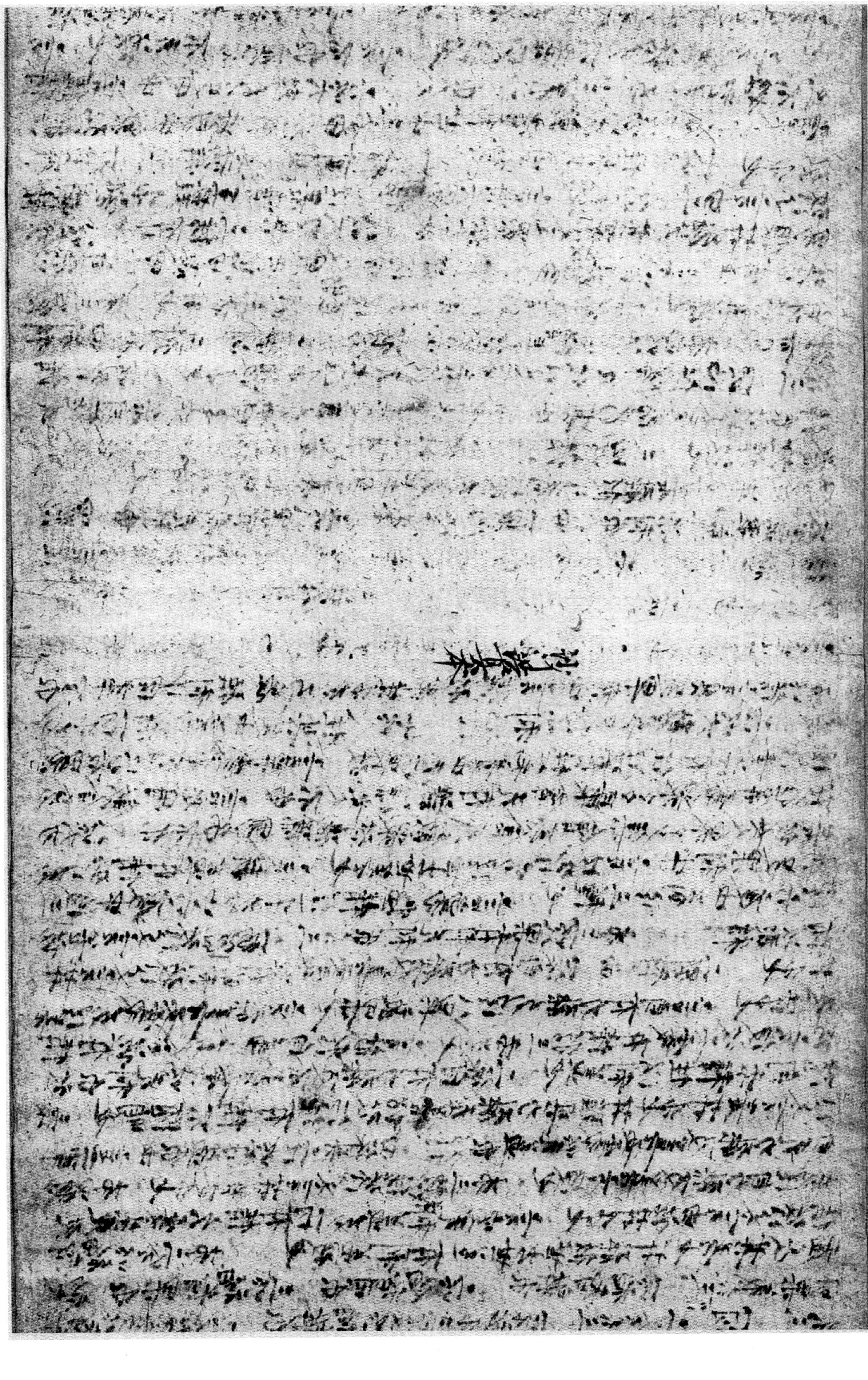

（30–13）

（30–14）

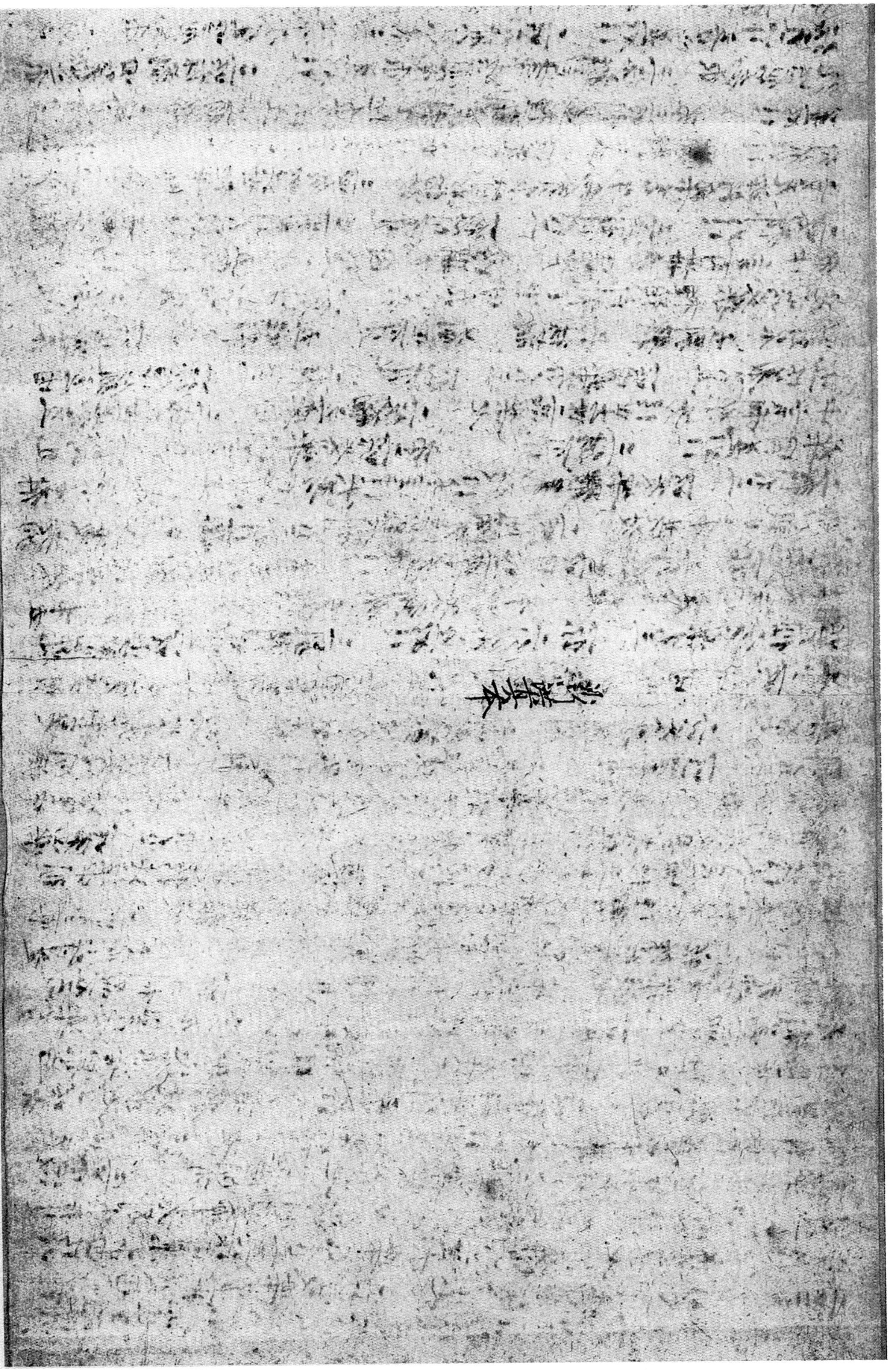

（30–15）

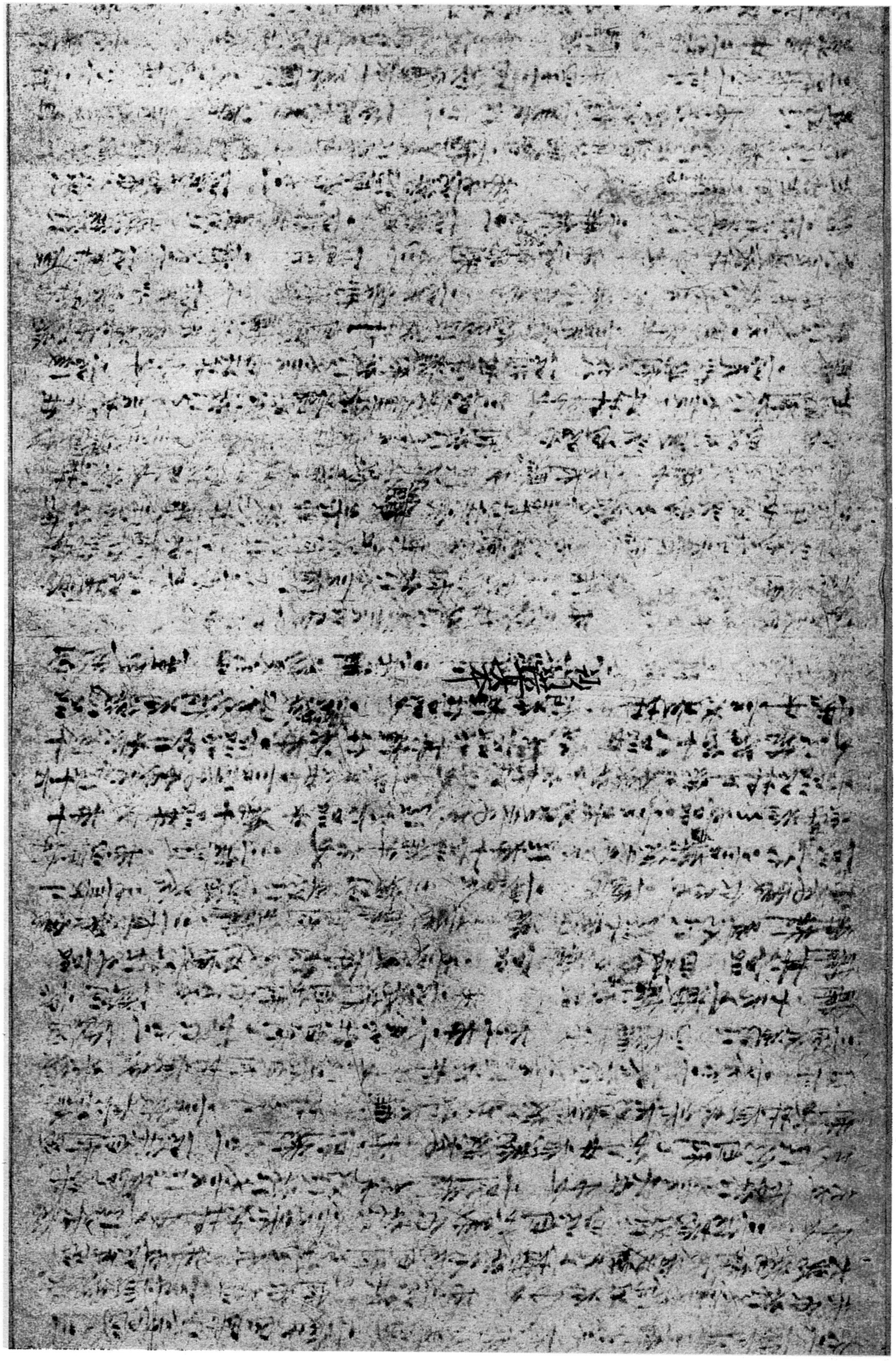

BD02072號背　題名、補充註釋

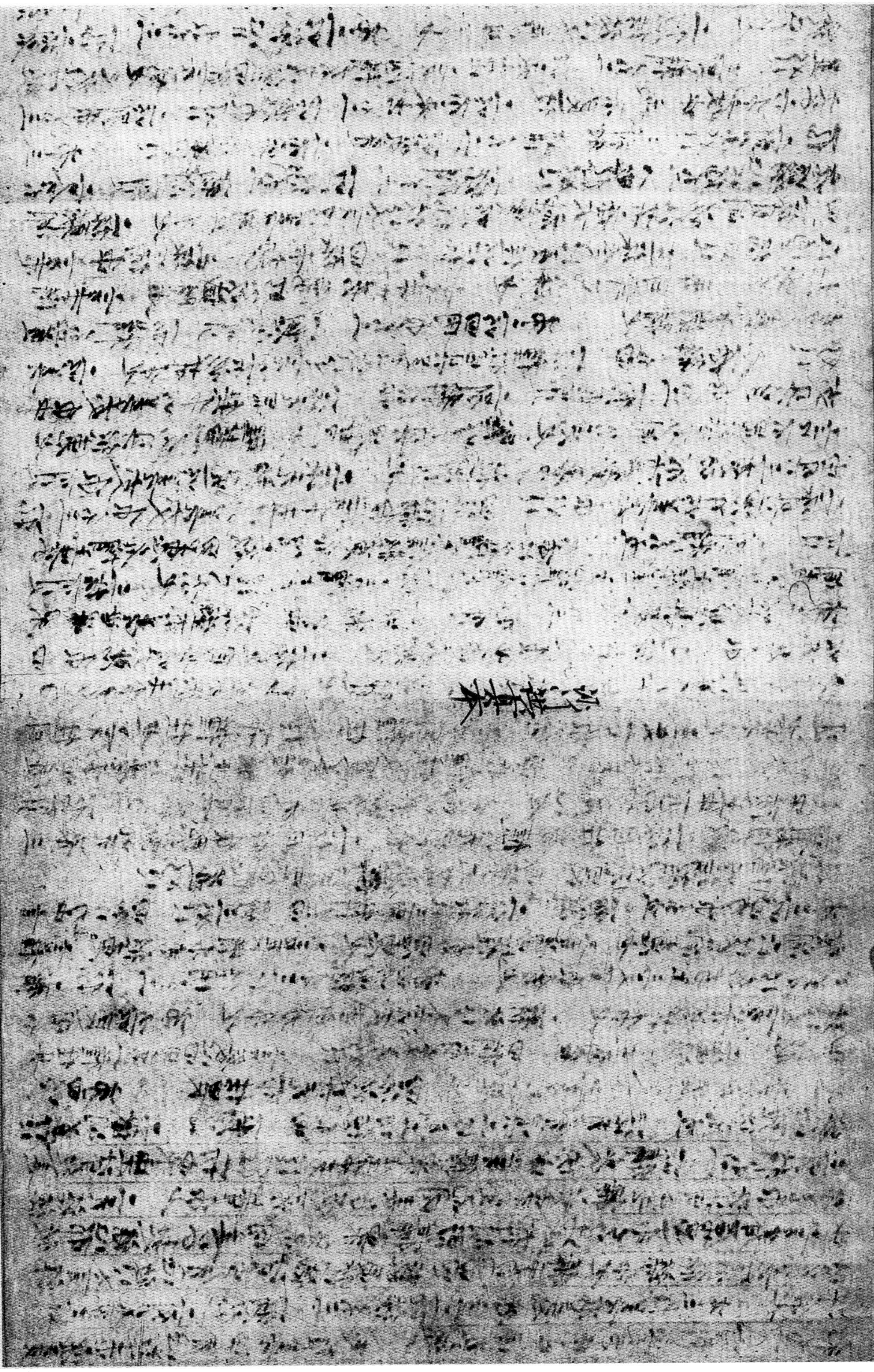

（30–17）

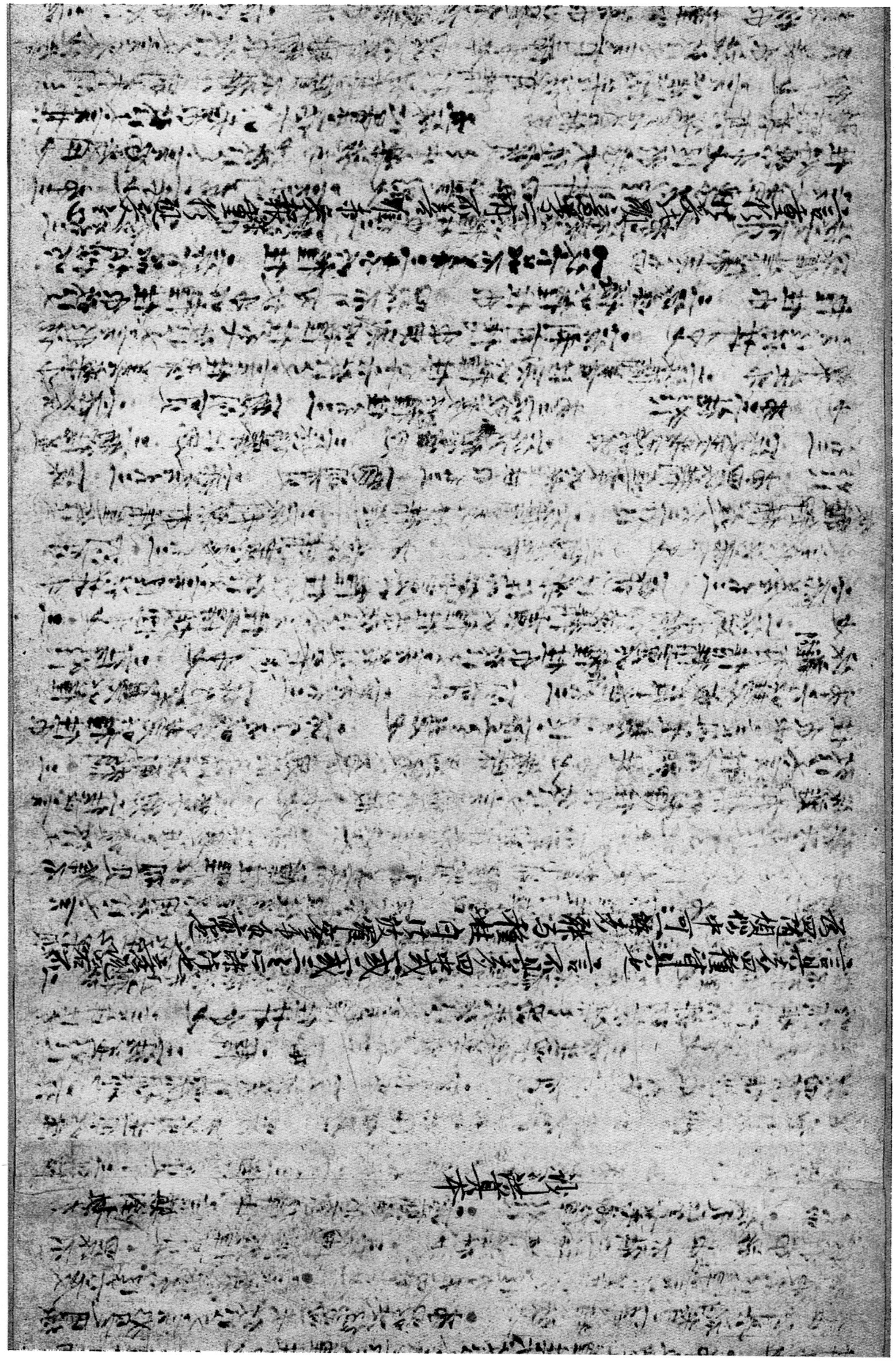

BD02072號背　題名、補充註釋

（30–18）

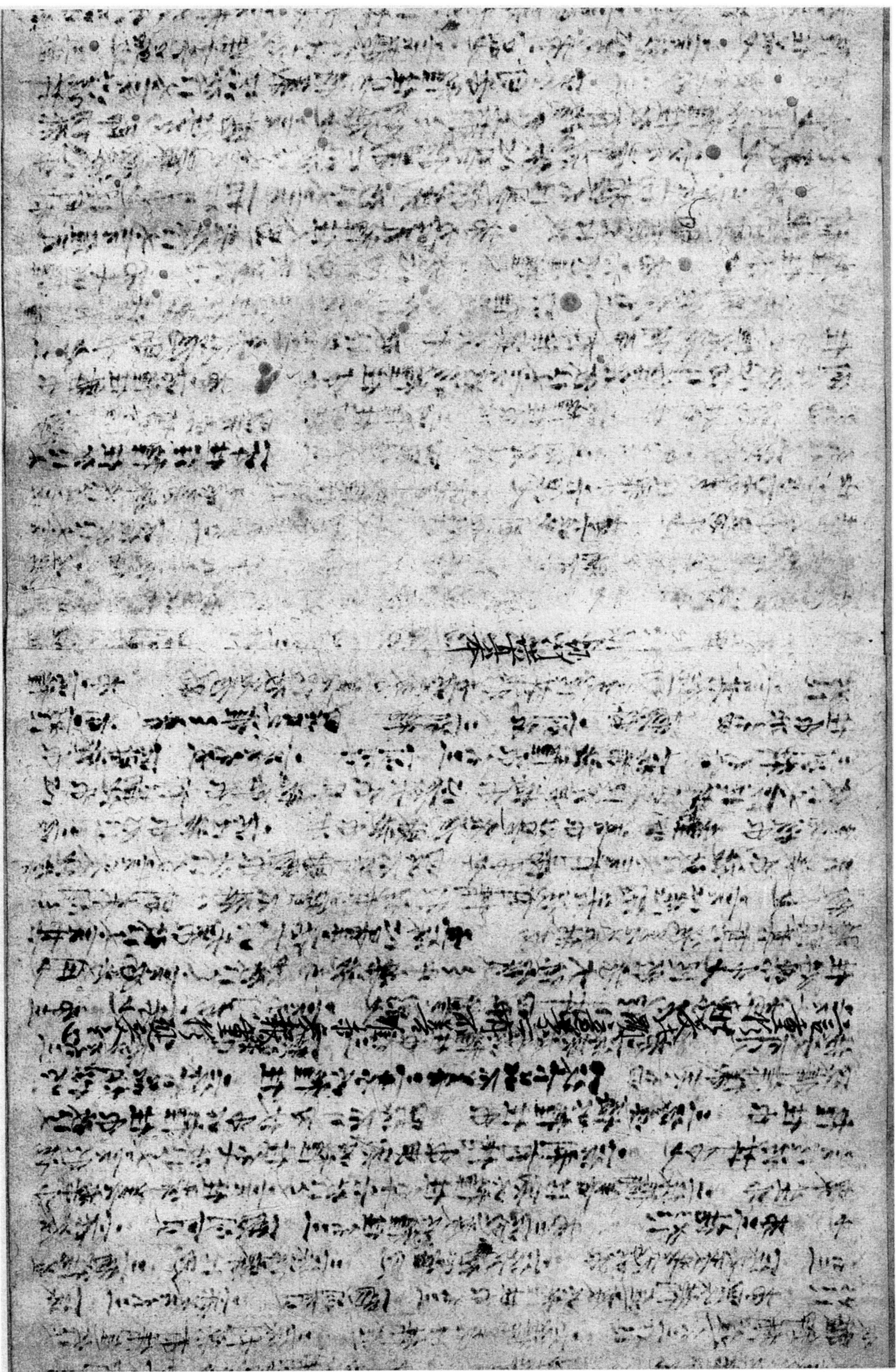

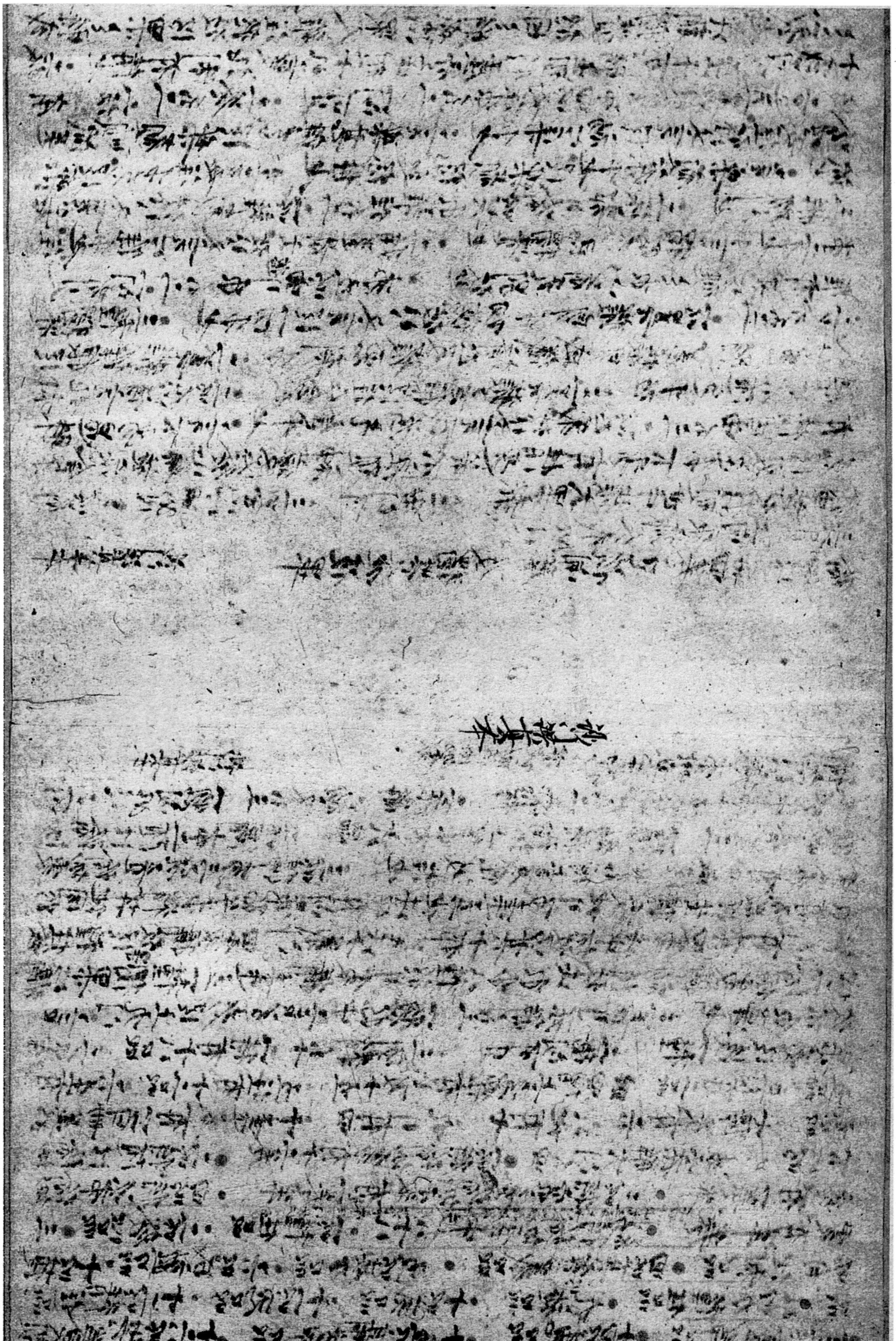

(30–20)

BD02072號背　題名、補充註釋

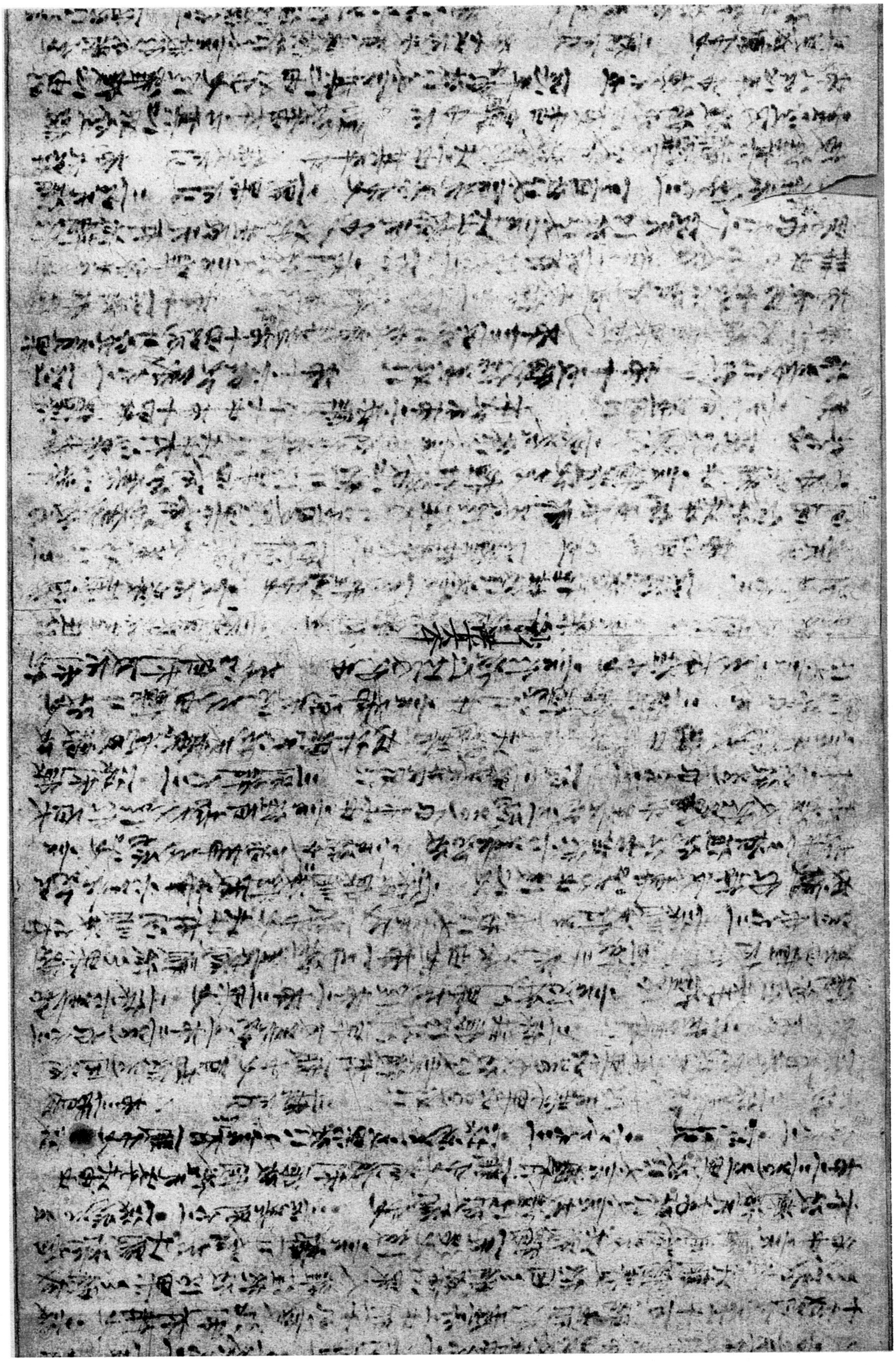

（30–21）

BD02072號背　題名、補充註釋

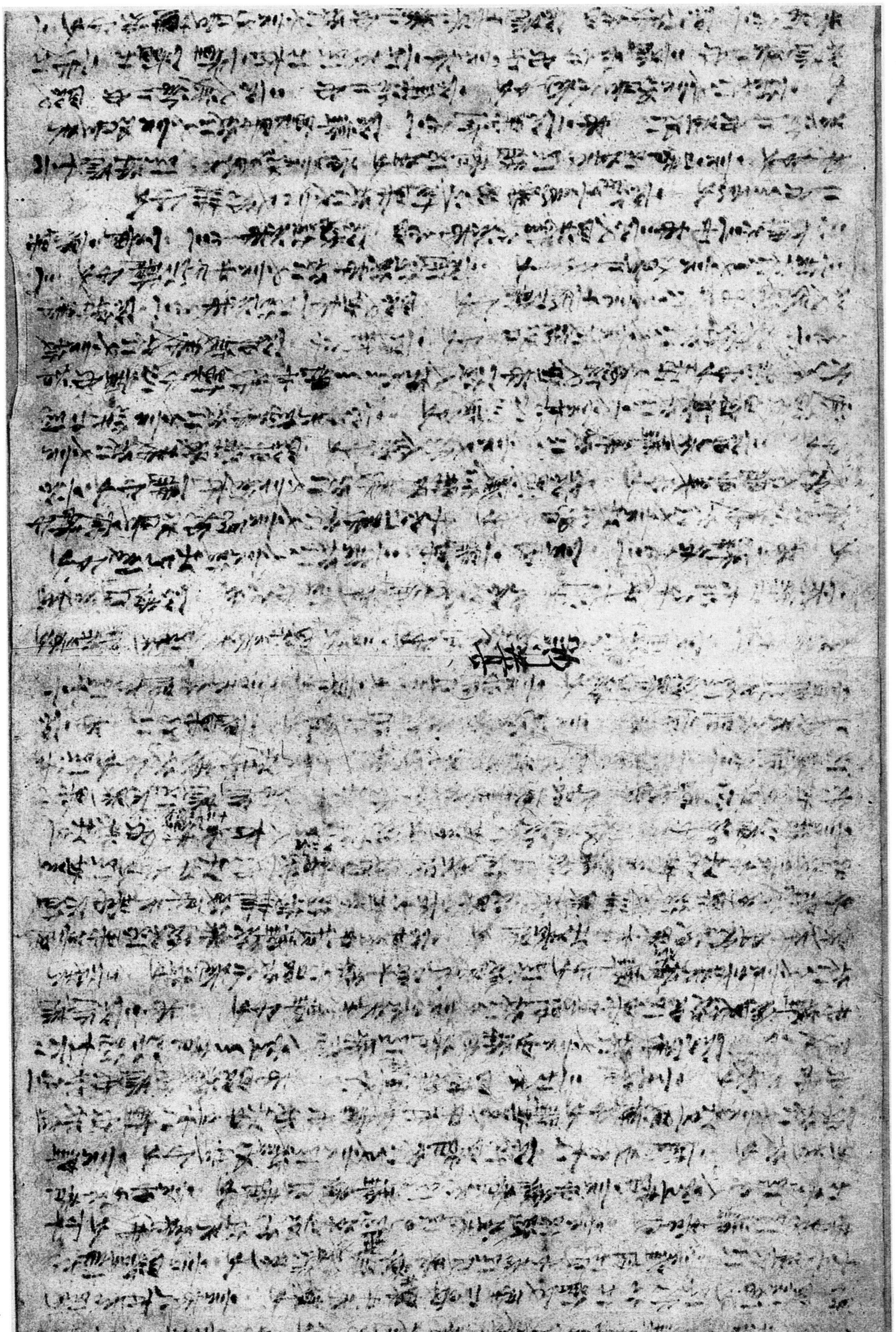

（30–23）

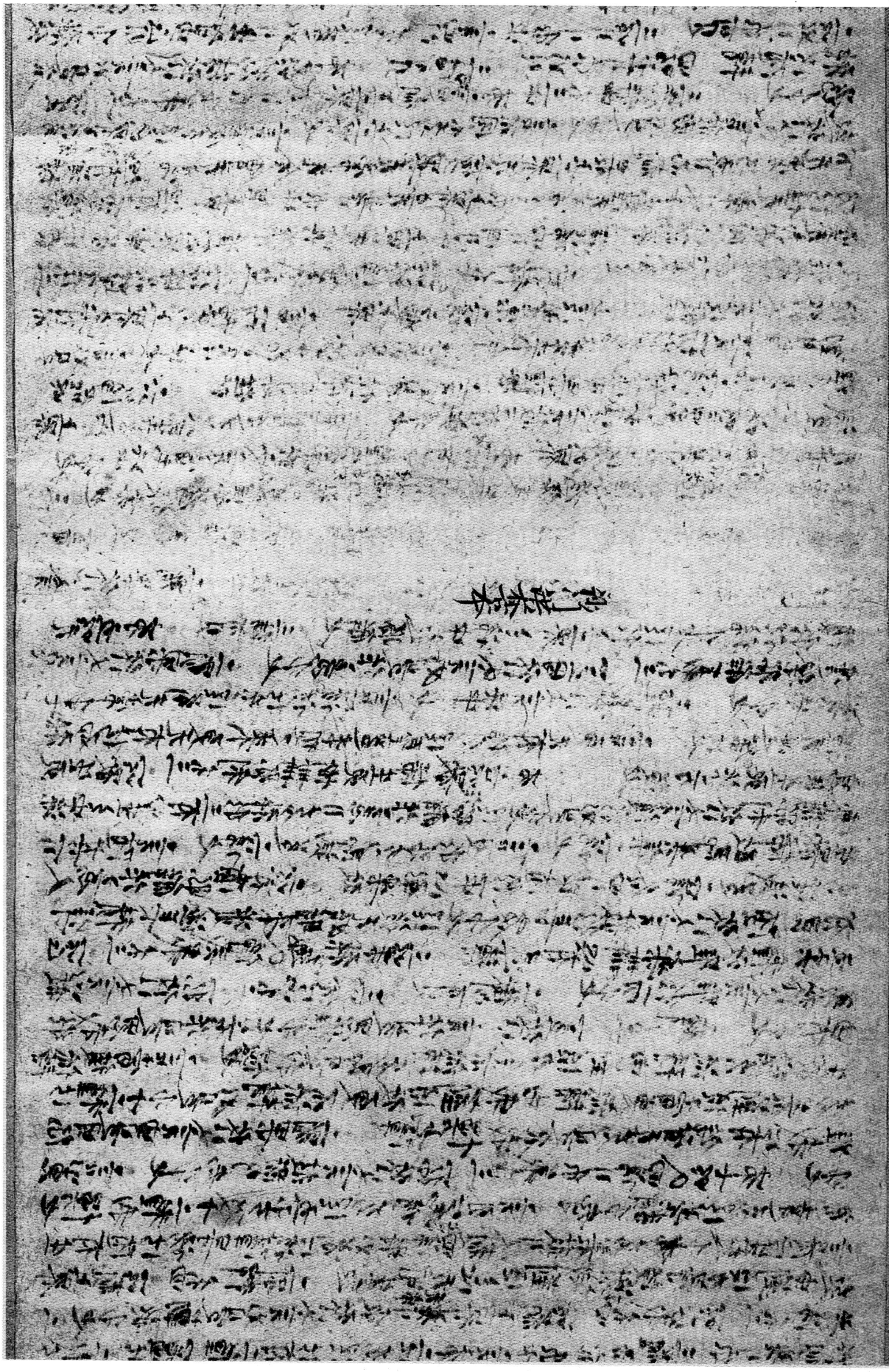

（30–24）

BD02072號背　題名、補充註釋

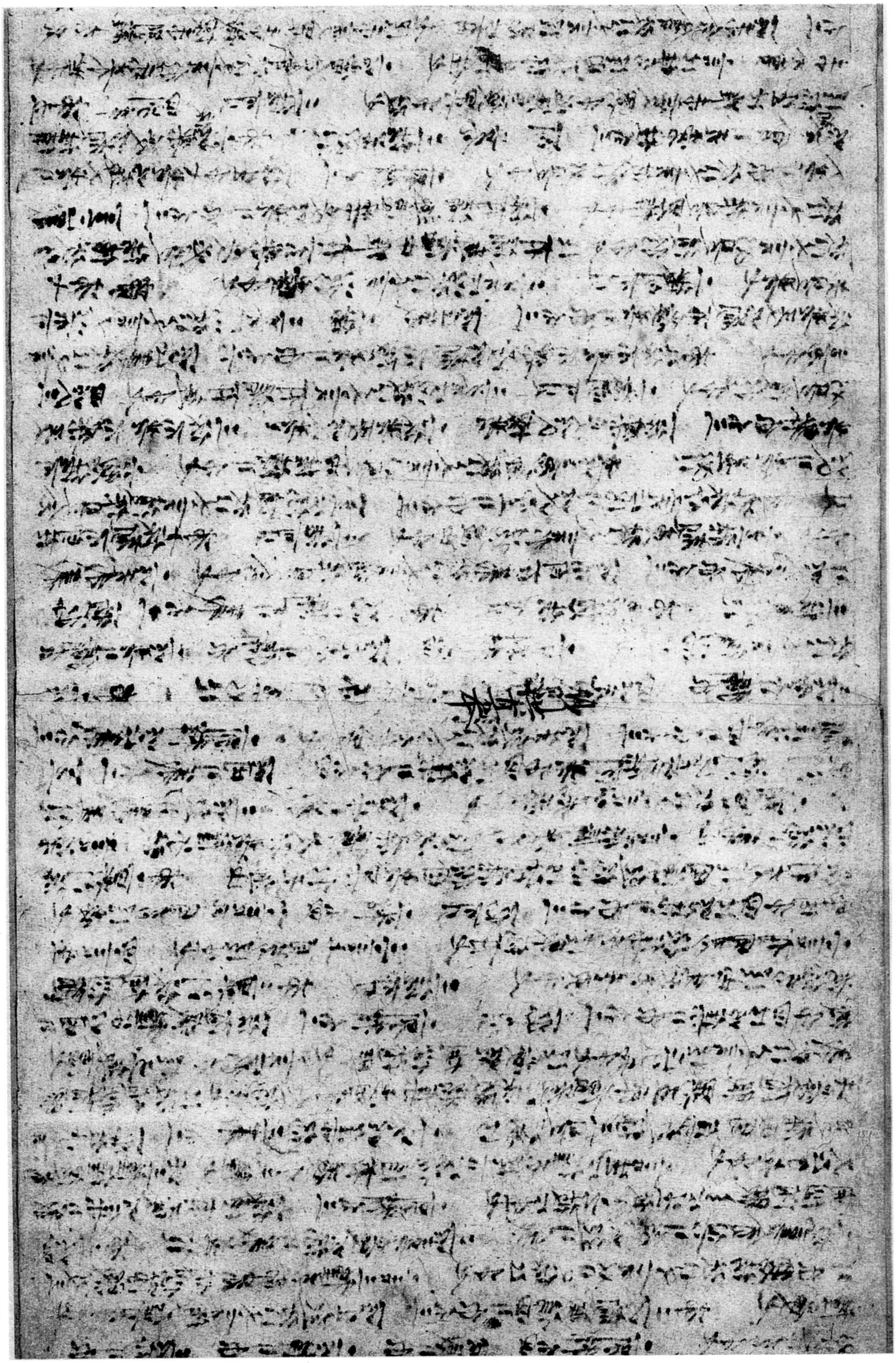

（30–25）

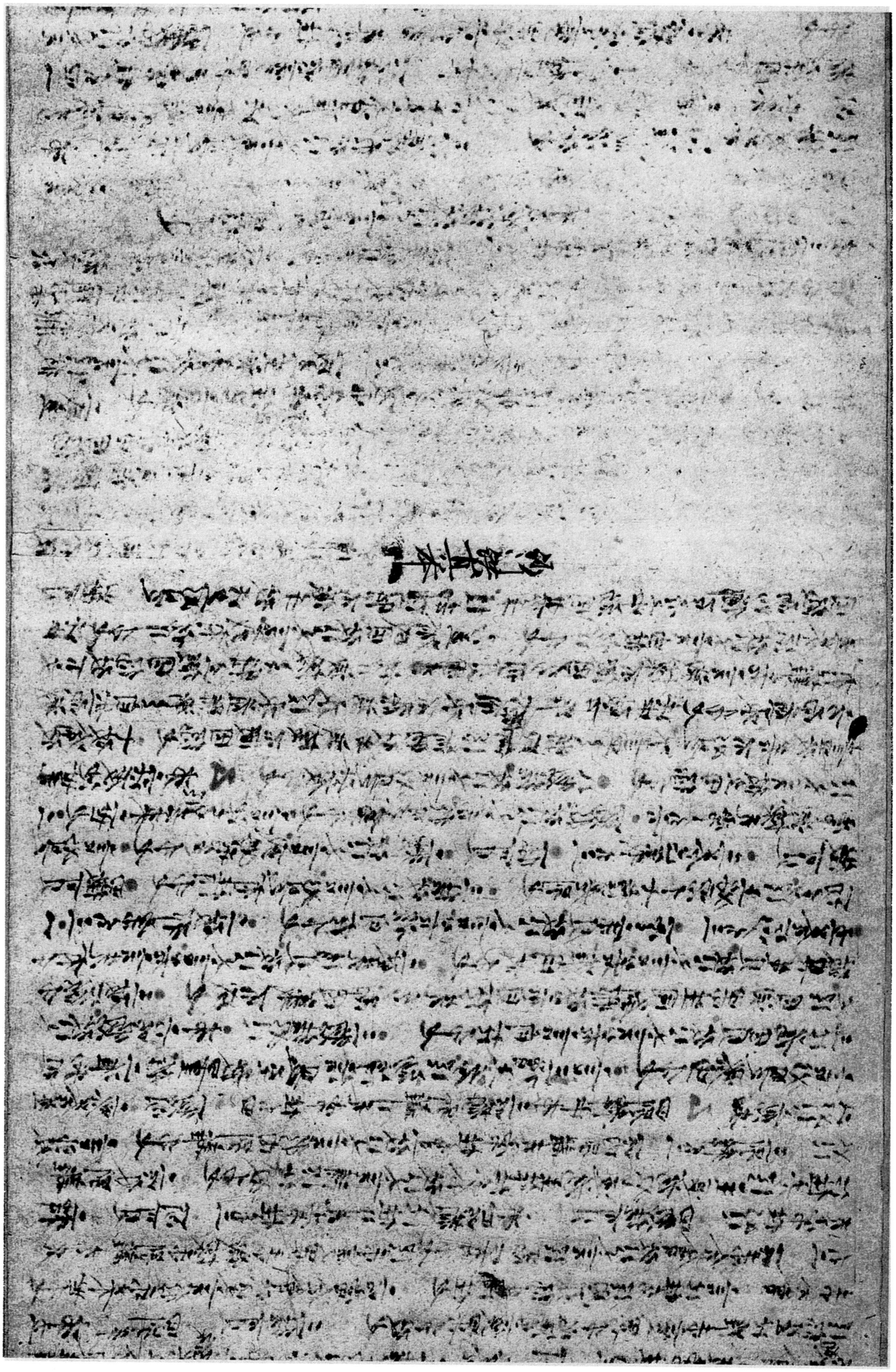

(30–26)

BD02072號背　題名、補充註釋

（30–27）

BD02072號背　題名、補充註釋　　（30–28）

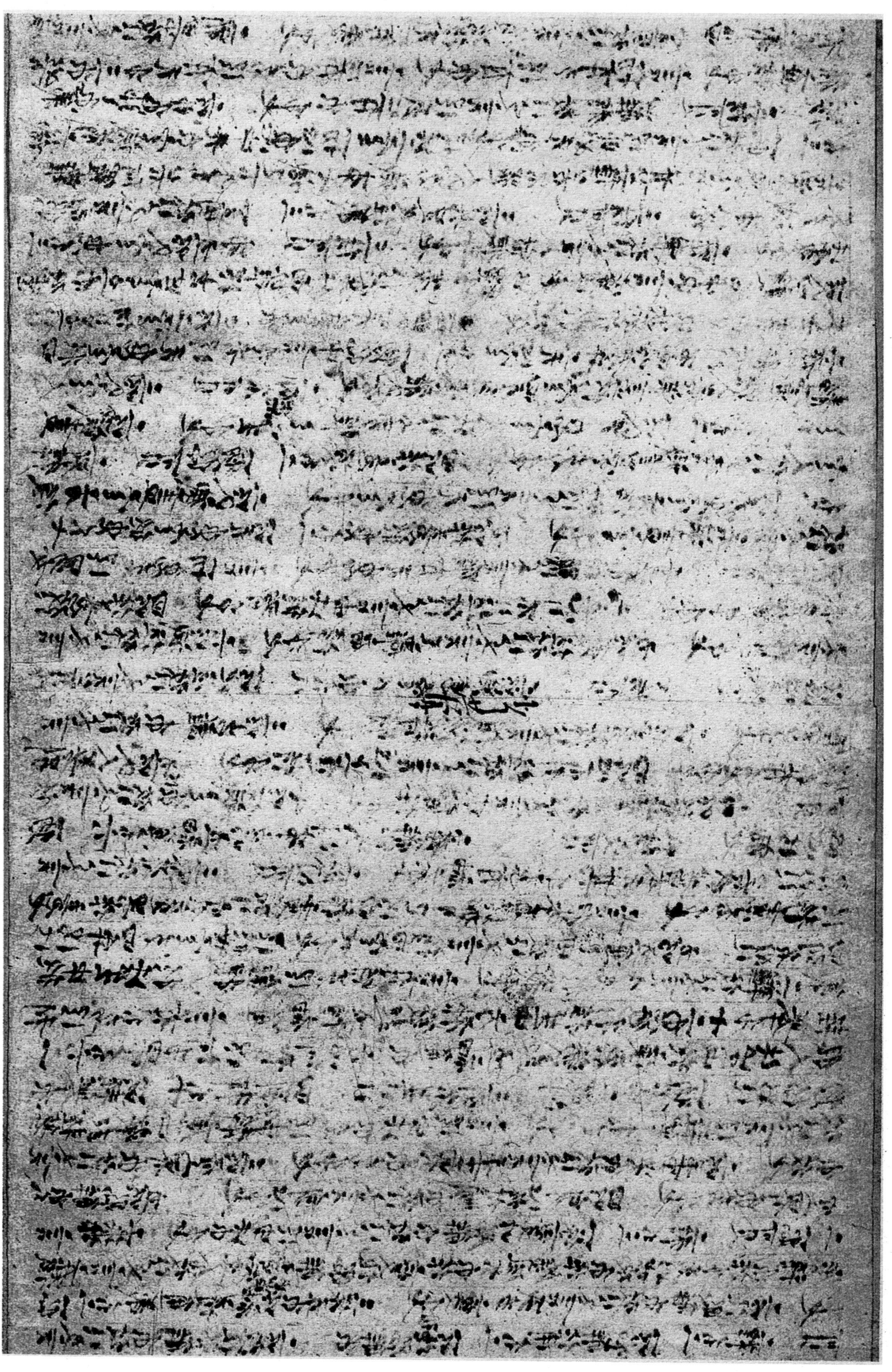

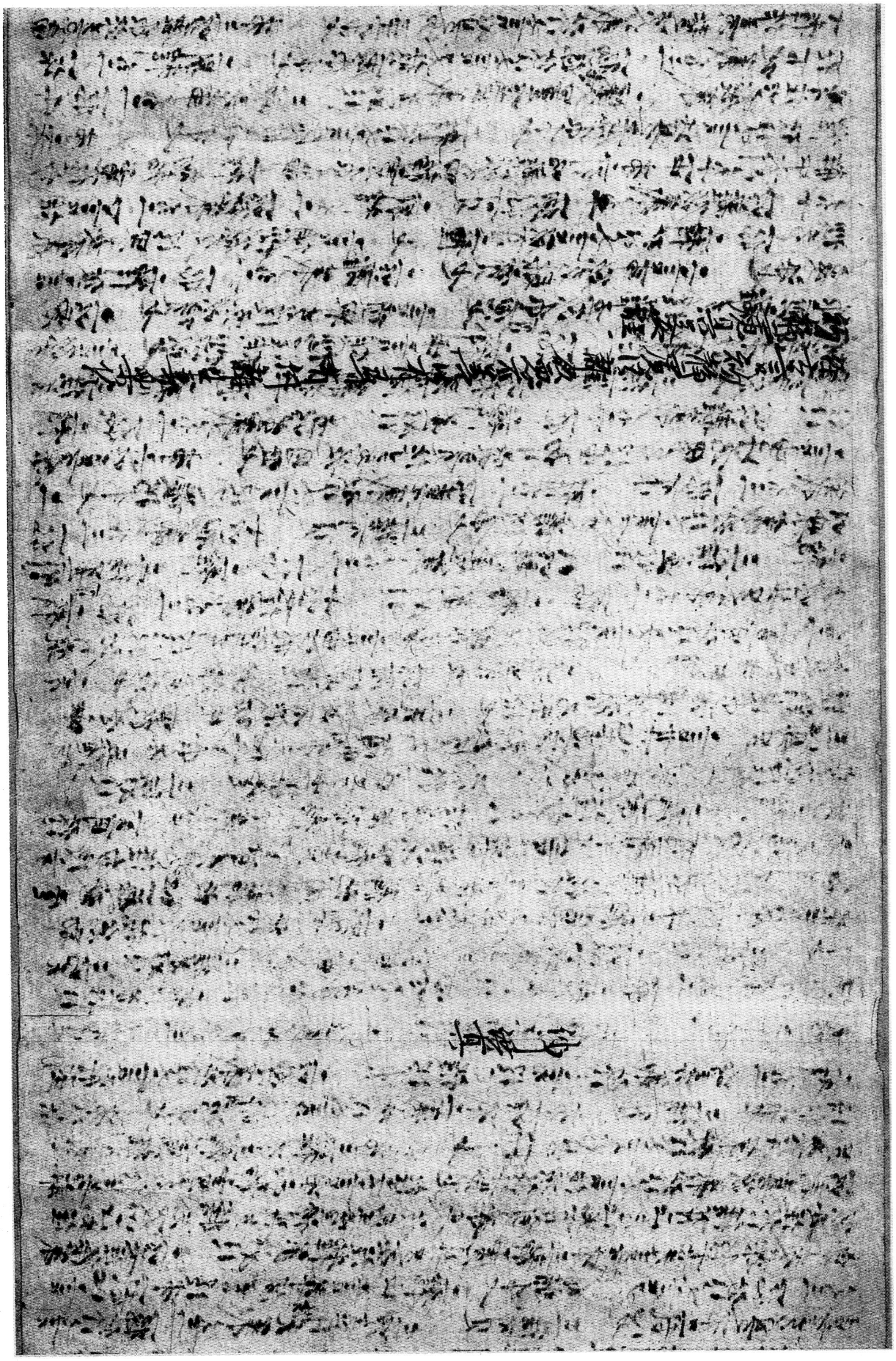

BD02072號背　題名、補充註釋

（30–29）

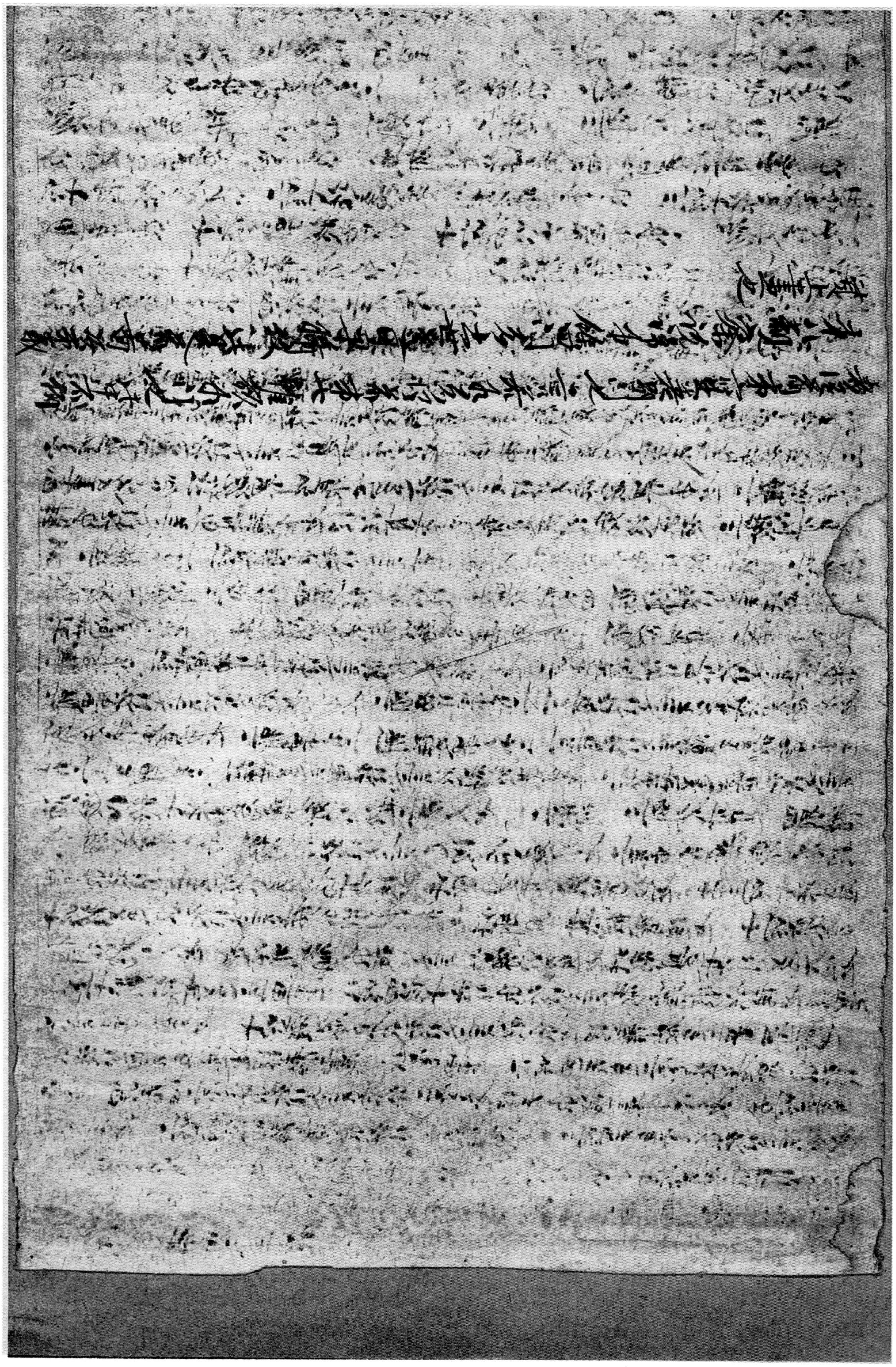

（30–30）

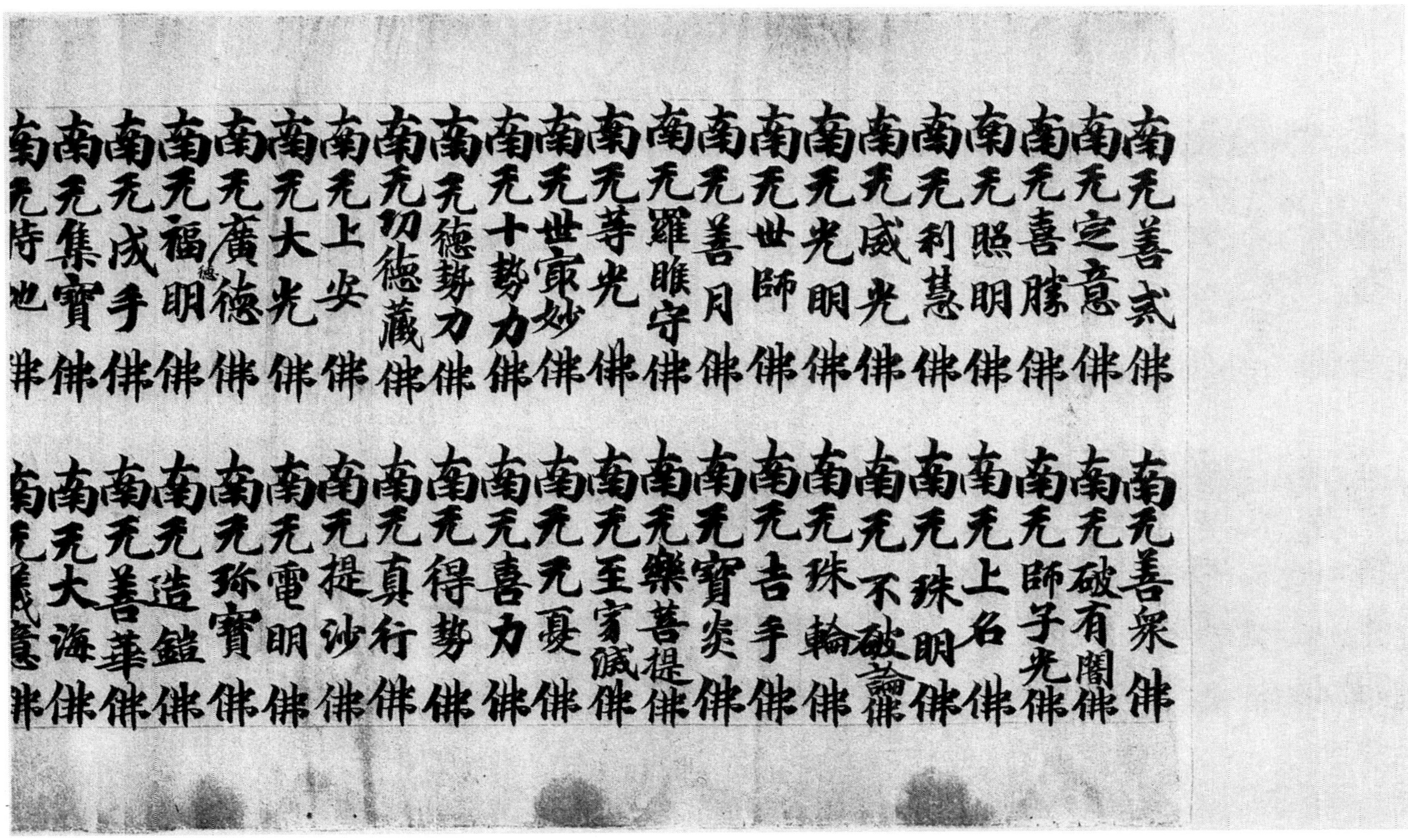
南无善哉佛　南无善眾佛
南无定意佛　南无破有闇佛
南无喜勝佛　南无師子光佛
南无照明佛　南无上名佛
南无利慧佛　南无珠明佛
南无威光佛　南无不破論佛
南无光明佛　南无珠輪佛
南无世師佛　南无吉手佛
南无善月佛　南无寶炎佛
南无羅睺守佛　南无樂菩提佛
南无等光佛　南无至寂滅佛
南无世最妙佛　南无无憂佛
南无十勢力佛　南无喜力佛
南无德勢力佛　南无得勢佛
南无功德藏佛　南无真行佛
南无上安佛　南无提沙佛
南无大光佛　南无電明佛
南无廣德佛　南无弥寶佛
南无福德明佛　南无造鎧佛
南无成手佛　南无善華佛
南无集寶佛　南无大海佛
南无持地佛　南无義意佛

BD02073號　現在賢劫千佛名經（宮本）　（16–1）

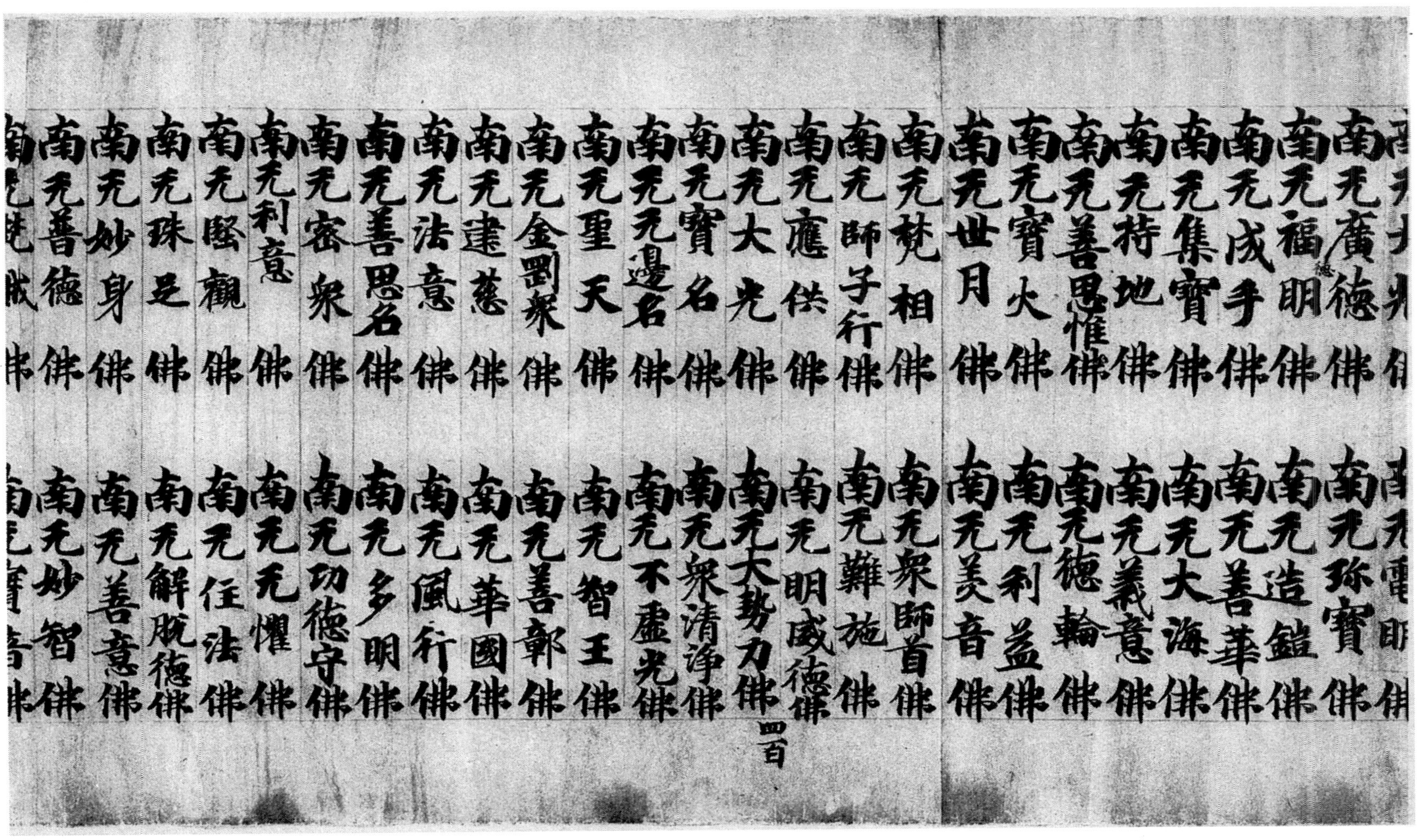
南无大光佛　南无電明佛
南无廣德佛　南无弥寶佛
南无福德明佛　南无造鎧佛
南无成手佛　南无善華佛
南无集寶佛　南无大海佛
南无持地佛　南无義意佛
南无善思惟佛　南无德輪佛
南无寶火佛　南无利益佛
南无世月佛　南无美音佛
南无梵相佛　南无眾師首佛
南无師子行佛　南无難施佛
南无應供佛　南无明威德佛
南无大光佛　南无大勢力佛 四百
南无寶名佛　南无眾清淨佛
南无无邊名佛　南无不虛光佛
南无聖天佛　南无智王佛
南无金剛眾佛　南无善郭佛
南无建慈佛　南无華國佛
南无法意佛　南无風行佛
南无善思名佛　南无多明佛
南无容眾佛　南无功德守佛
南无利意佛　南无无懼佛
南无堅觀佛　南无任法佛
南无珠足佛　南无解脫德佛
南无妙身佛　南无善意佛
南无普德佛　南无妙智佛
南无[illegible]佛　南无寶音佛

BD02073號　現在賢劫千佛名經（宮本）　（16–2）

南无[illegible]佛　南无住法佛
南无珠足佛　南无解脫德佛
南无妙身佛　南无善意佛
南无普德佛　南无妙智佛
南无梵賦佛　南无寶音佛
南无匠智佛　南无力得佛
南无師子意佛　南无華相佛
南无智積佛　南无華齒佛
南无功德藏佛　南无名寶佛
南无希有名佛　南无上式佛
南无无畏佛　南无日明佛
南无梵壽佛　南无一切天佛
南无樂智佛　南无寶天佛
南无珠藏佛　南无德流布佛
南无智王佛　南无无縛佛
南无堅法佛　南无天德佛
南无梵牟尼佛　南无安祥行佛
南无懃精進佛　南无炎肩佛
南无大威德佛　南无瞻蔔華佛
南无歡喜佛　南无善衆佛
南无帝幢佛　南无大愛佛
南无須蔓色佛　南无衆妙佛
南无可樂佛　南无勢力行佛
南无善定義佛　南无牛王佛
南无妙辟佛　南无大車佛
南无滿願佛　南无德光佛
南[illegible]佛　南[illegible]佛

BD02073號　現在賢劫千佛名經（宮本）　　（16–3）

南无善定義佛　南无牛王佛
南无妙辟佛　南无大車佛
南无滿願佛　南无德光佛
南无寶音佛　南无金剛軍佛
南无富貴佛　南无師子力佛
南无淨目佛　南无迦葉佛
南无淨意佛　南无智次第佛
南无猛威德佛　南无大光明佛
南无日光曜佛　南无淨藏佛
南无分別威佛　南无无損佛
南无寂口佛　南无月光佛
南无特明佛　南无善寂行佛
南无不動佛　南无大請佛
南无德法佛　南无嚴土佛
南无莊嚴王佛　南无高出佛
南无炎熾佛　南无華德佛
南无寶嚴佛　南无上善佛
南无寶上佛　南无利慧佛
音
南无海得佛　南无梵相佛
南无月蓋佛　南无多炎佛
南无違藍王佛　南无智稱佛
南无覺想佛　南无功德光佛
南无讚流布佛　南无滿月佛
南无華光佛　南无善成王佛
南无燈王佛　南无電光佛
南无光王佛　南无光明佛

BD02073號　現在賢劫千佛名經（宮本）　　（16–4）

南无聲流布佛　南无滿月佛
南无華光佛　南无善成王佛
南无燈王佛　南无電光佛
南无光王佛　南无光明佛
南无具足讚佛　南无華藏佛
南无弗沙佛　南无身端嚴佛
南无淨義佛　南无威猛軍佛
南无福威德佛　南无力行佛
南无羅睺天佛　南无智聚佛
南无調御佛　南无如王佛
南无華相佛　南无羅睺羅佛
南无大藥佛　南无宿王佛
南无藥王佛　南无德手佛
南无得叉伽佛　南无流布王佛
南无日光佛　南无法藏佛
南无妙意佛　南无德主佛
南无金剛衆佛　南无慧頂佛
南无善任佛　南无意行佛
南无梵音佛　南无師子佛
南无雷音佛　南无通相佛
南无慧陰佛　南无尖隱佛
南无梵王佛　南无牛王佛
南无梨陀目佛　南无龍德佛
南无寶相佛　南无莊嚴佛
南无不沒音佛　南无華持佛
南无音得佛　南无師子佛

BD02073號　現在賢劫千佛名經（宮本）　（16–5）

南无梨陀目佛　南无龍德佛
南无寶相佛　南无莊嚴佛
南无不沒音佛　南无華持佛
南无音得佛　南无師子佛
南无莊嚴辟佛　南无勇智佛
南无華積佛　南无華開佛
南无力行佛　南无得積佛
南无上形色佛　南无明曜佛
南无月燈佛　南无威德王佛
南无菩提王佛　南无无盡佛
南无菩提眼佛　南无身充滿佛
南无慧國佛　南无最上佛
南无清涼照佛　南无慧德佛
南无妙音聲佛　南无導師佛
南无无导藏佛　南无上施佛
南无大尊佛　南无智力勢佛
南无大炎佛　南无帝王佛
南无劇力佛　南无威德佛
南无善明佛　南无名聞佛
南无端嚴佛　南无无塵垢佛
南无威儀佛　南无師子軍佛
南无天王佛　南无名聲佛
南无殊勝佛　南无大藏佛
南无福德光佛　南无梵聲佛　六百
南无燈王佛　南无智頂佛
南无上…佛　南无…王佛

BD02073號　現在賢劫千佛名經（宮本）　（16–6）

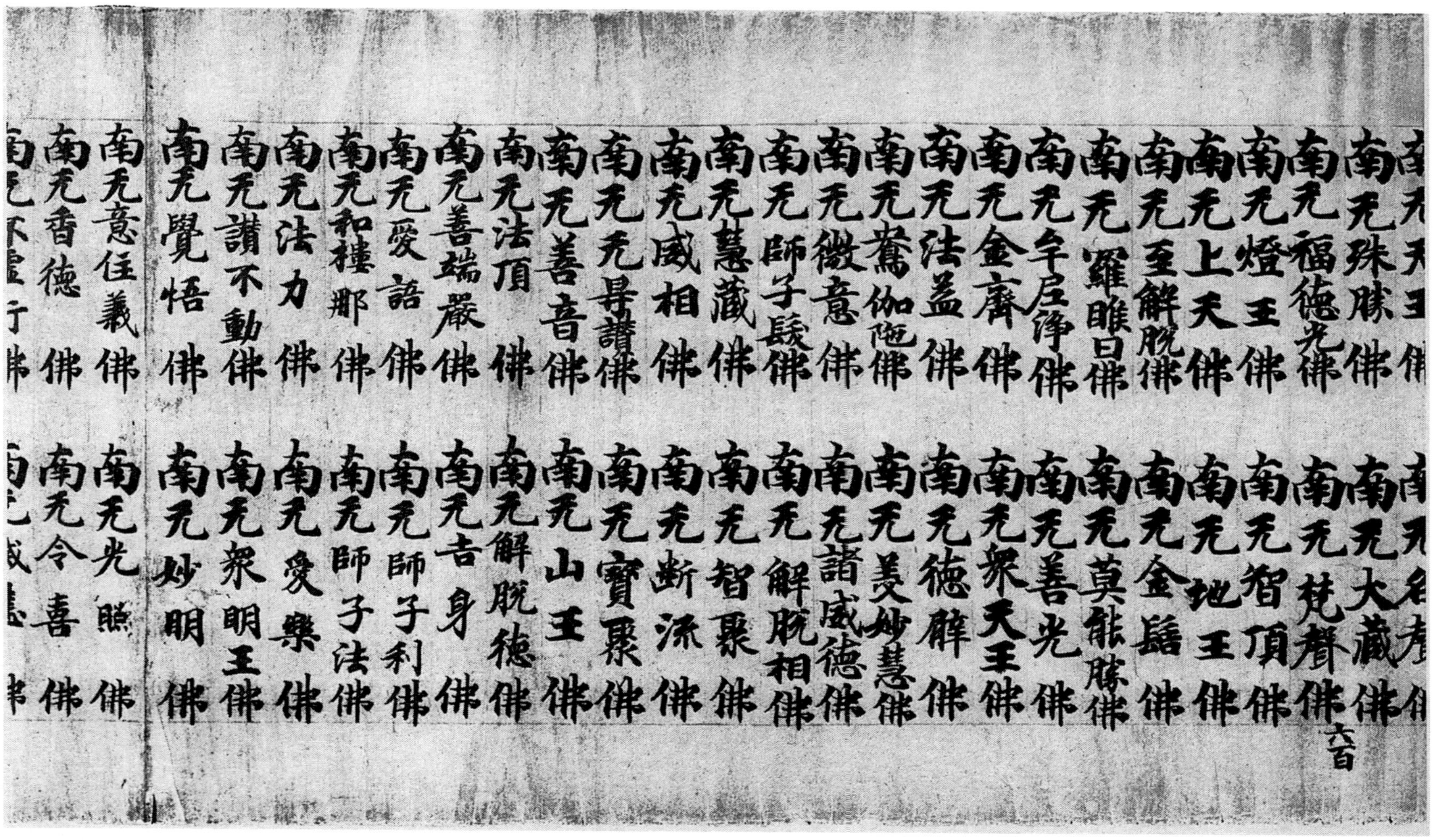

南无天王佛　南无名[illegible]佛
南无殊勝佛　南无大藏佛
南无福德光佛　南无梵聲佛 六百
南无燈王佛　南无智頂佛
南无上天佛　南无地王佛
南无至解脫佛　南无金髻佛
南无羅睺日佛　南无莫能勝佛
南无牟尼淨佛　南无善光佛
南无金齊佛　南无衆天王佛
南无法益佛　南无德辟佛
南无鷲伽陁佛　南无美妙慧佛
南无微意佛　南无諸威德佛
南无師子髮佛　南无解脫相佛
南无慧藏佛　南无智聚佛
南无威相佛　南无斷流佛
南无无㝵讚佛　南无寶聚佛
南无善音佛　南无山王佛
南无法頂佛　南无解脫德佛
南无善端嚴佛　南无吉身佛
南无愛語佛　南无師子利佛
南无和樓那佛　南无師子法佛
南无法力佛　南无愛樂佛
南无讚不動佛　南无衆明王佛
南无覺悟佛　南无妙明佛
南无意任義佛　南无光照佛
南无香德佛　南无令喜佛
南无不虛行佛　南无滅恚佛

BD02073 號　現在賢劫千佛名經（宮本）　（16–7）

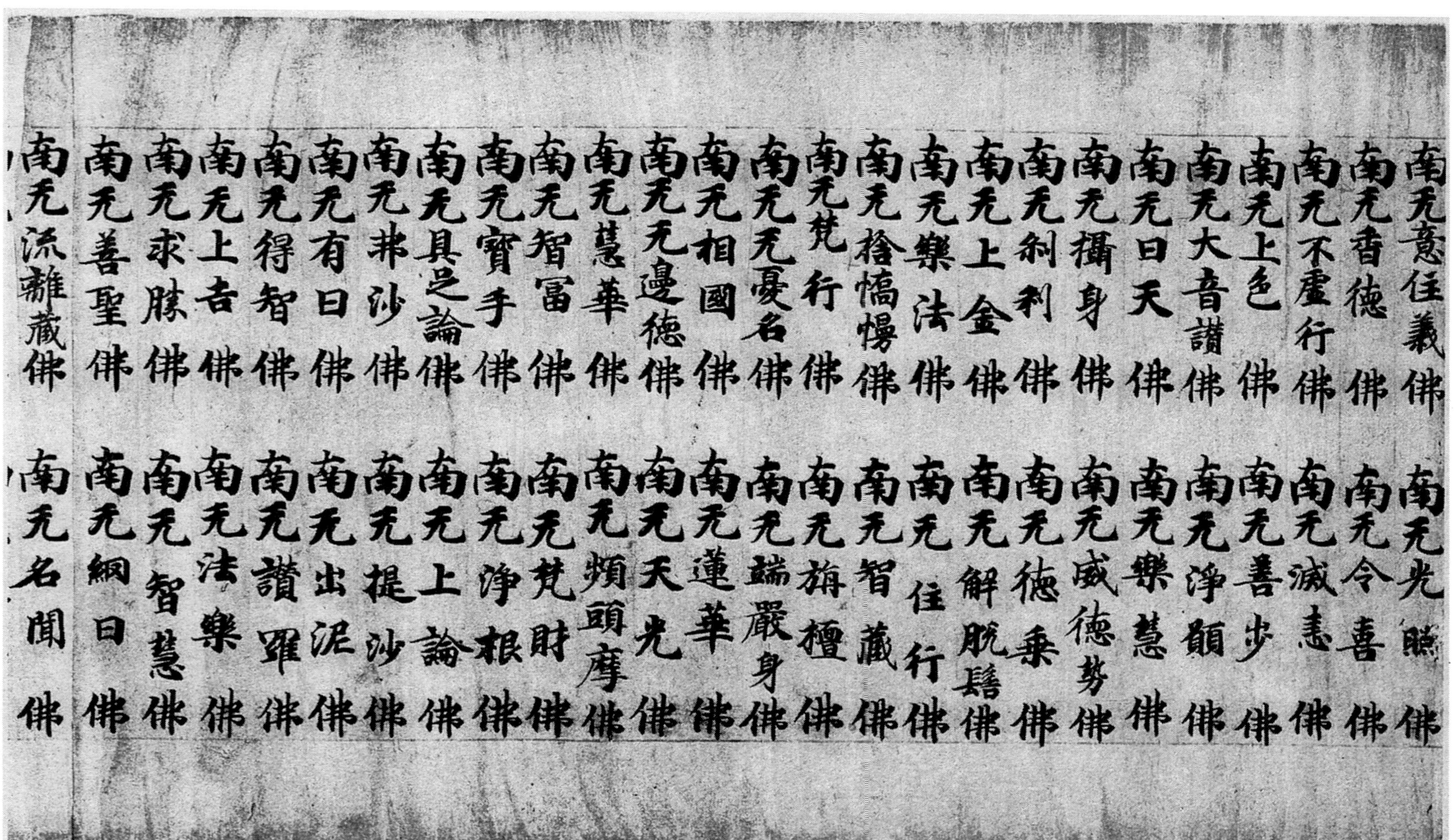

南无意任義佛　南无光照佛
南无香德佛　南无令喜佛
南无不虛行佛　南无滅恚佛
南无上色佛　南无善步佛
南无大音讚佛　南无淨願佛
南无日天佛　南无樂慧佛
南无攝身佛　南无威德勢佛
南无刹利佛　南无德乘佛
南无上金佛　南无解脫髻佛
南无樂法佛　南无住行佛
南无捨憍慢佛　南无智藏佛
南无梵行佛　南无旃檀佛
南无无憂名佛　南无端嚴身佛
南无相國佛　南无蓮華佛
南无无邊德佛　南无天光佛
南无慧華佛　南无頻頭摩佛
南无智富佛　南无梵財佛
南无寶手佛　南无淨根佛
南无具足論佛　南无上論佛
南无非沙佛　南无提沙佛
南无有日佛　南无出泥佛
南无得智佛　南无讚羅佛
南无上吉佛　南无法樂佛
南无求勝佛　南无智慧佛
南无善聖佛　南无網日佛
南无流離藏佛　南无名聞佛

BD02073 號　現在賢劫千佛名經（宮本）　（16–8）

南无求勝佛　南无智慧佛
南无善聖佛　南无網日佛
南无流離藏佛　南无名聞佛
南无利穿佛　南无教化佛
南无日明佛　南无善明佛
南无衆德上明佛　南无寶德佛
南无人月佛　南无羅睺佛
南无甘露明佛　南无妙意佛
南无大明佛　南无一切生佛
南无樂智佛　南无山王佛
南无穿滅佛　南无德聚力佛
南无天王佛　南无妙音聲佛
南无妙華佛　南无任義佛
南无切德聚佛　南无智无㝵佛
南无甘雲音佛　南无善手佛
南无利慧佛　南无思解脱義佛
南无勝音佛　南无梨陁行佛
南无善義佛　南无无過佛
南无行善佛　南无華藏佛
南无妙光佛　南无樂說佛
南无善濟佛　南无衆王佛
南无離畏佛　南无樂智佛
南无辯才日佛　南无名聞佛
南无寶月明佛　南无上意佛
南无无畏佛　南无大見佛
南无梵音佛　南无善音佛

BD02073號　現在賢劫千佛名經（宮本）　（16-9）

南无辯才日佛　南无名聞佛
南无寶月明佛　南无上意佛
南无无畏佛　南无大見佛
南无梵音佛　南无善音佛
南无慧濟佛　南无无等意佛
南无金剛軍佛　南无善提意佛
南无樹王佛　南无樂陁音佛
南无福德力佛　南无勢德佛
南无聖愛佛　南无勢行佛
南无琥珀佛　南无雷音雲佛
南无善愛日佛　南无善智佛
南无具足佛　南无无德積佛
南无大音佛　南无法相佛
南无智意佛　南无虛空佛
南无祠音佛　南无慧音差別佛
南无切德光佛　南无聖王佛
南无衆意佛　南无辯才輪佛
南无善穿佛　南无月面佛
南无日名佛　南无无垢佛
南无切德集佛　南无華德相佛
南无辯才國佛　南无寶施佛
南无愛月佛　南无不高佛
南无師子力佛　南无自在王佛
南无无量淨佛　南无等定佛
南无不壞佛　南无滅垢佛
南无不失方佛　南无无嬈佛

BD02073號　現在賢劫千佛名經（宮本）　（16-10）

南无量淨佛　南无等定佛
南无不壞佛　南无滅垢佛
南无不失方佛　南无无嬈佛
南无妙面佛　南无智制住佛
南无法師王佛　南无大天佛
南无深意佛　南无无量佛
南无法力佛　南无世供養佛
南无華光佛　南无三世供佛
南无應日藏佛　南无天供養佛
南无上智人佛　南无真髻佛
南无信甘露佛　南无金剛佛
南无堅固佛　八百　南无寶肩明佛
南无梨陁步佛　南无隨日佛
南无清淨佛　南无明力佛
南无德聚佛　南无具足德佛
南无功德聚佛　南无具足德佛
南无師子行佛　南无高出佛
南无華施佛　南无珠明佛
南无蓮華佛　南无愛智佛
南无槃陁嚴佛　南无不虛行佛
南无生法佛　南无相相佛
南无思惟樂佛　南无樂解脫佛
南无知道理佛　南无多聞海佛
南无持華佛　南无不隨世佛
南无喜衆佛　南无孔雀音佛
南无不退沒佛　南无斷有愛佛

BD02073 號　現在賢劫千佛名經（宮本）　（16–11）

南无喜衆佛　南无孔雀音佛
南无不退沒佛　南无斷有愛佛
南无威儀濟佛　南无諸天流布佛
南无寶步佛　南无華手佛
南无威德佛　南无破惡賊佛
南无富多聞佛　南无妙國佛
南无華明佛　南无師子智佛
南无月出佛　南无滅闇佛
南无動佛　南无次第行佛
南无福燈佛　南无音聲治佛
南无橋曇佛　南无勢力佛
南无身心住佛　南无善月佛
南无覺意華佛　南无上吉佛
南无善威德佛　南无智力德佛
南无善燈佛　南无堅行佛
南无天音佛　南无樂安佛
南无日面佛　南无樂解脫佛
南无戒明佛　南无住戒佛
南无无垢佛　南无堅出佛
南无安闍那佛　南无增益佛
南无香明佛　南无違藍明佛
南无念王佛　南无寂鉢佛
南无无㝵相佛　南无信戒佛
南无至妙道佛　南无樂實佛
南无明法佛　南无具威德佛
南无大慈佛　南无上慈佛

BD02073 號　現在賢劫千佛名經（宮本）　（16–12）

南无至妙道佛　南无樂實佛
南无明法佛　南无具威德佛
南无大慈佛　南无上慈佛
南无至寂滅佛　南无甘露王佛
南无弥樓明佛　南无聖讚佛
南无廣照佛　南无威德佛
南无見明佛　南无善行報佛
南无善喜佛　南无无憂佛
南无寶明佛　南无威儀佛
南无樂福德佛　南无功德海佛
南无畫相佛　南无斷魔佛
南无畫魔佛　南无過衰道佛
南无不壞意佛　南无水王佛
南无淨魔佛　南无衆上王佛
南无愛明佛　南无菩提相佛
南无智音佛 九百　南无善滅佛
南无梵命佛　南无智喜佛
南无神相佛　南无如衆王佛
南无持地佛　南无愛日佛
南无羅睺月佛　南无華明佛
南无藥師上佛　南无持勢力佛
南无福德明佛　南无喜明佛
南无好音佛　南无法自在佛
南无梵音佛　南无善業佛
南无音无錯佛　南无大施佛
南无名讚佛　南无衆相佛

BD02073號　現在賢劫千佛名經（宮本）　（16–13）

南无福德明佛　南无喜明[illegible]
南无好音佛　南无法自在佛
南无梵音佛　南无善業佛
南无音无錯佛　南无大施佛
南无名讚佛　南无衆相佛
南无德流布佛　南无世自在佛
南无德樹佛　南无滅癡佛
南无无量佛　南无善月佛
南无无邊辯相佛　南无梨陁法佛
南无應供養佛　南无度憂佛
南无樂安佛　南无世意佛
南无愛身佛　南无妙足佛
南无憂鉢羅佛　南无華纓佛
南无无邊辯光佛　南无信聖佛
南无德精進佛　南无真實佛
南无天主佛　南无樂高音佛
南无信淨佛　南无婆耆羅陁佛
南无福德意佛　南无炎熾佛
南无无邊德佛　南无聚成佛
南无師子遊佛　南无不動佛
南无信清淨佛　南无行明佛
南无龍音佛　南无持輪佛
南无財成佛　南无世愛佛
南无法名佛　南无无量寶名佛
南无雲相佛　南无慧道佛
南无妙香佛　南无虛空音佛
[illegible]

BD02073號　現在賢劫千佛名經（宮本）　（16–14）

南无財成佛　南无世愛佛
南无法名佛　南无无量寶名佛
南无雲相佛　南无慧道佛
南无妙香佛　南无虛空音佛
南无虛空佛　南无天王佛
南无珠淨佛　南无善財佛
南无燈炎佛　南无寶音聲佛
南无人主王佛　南无羅睺守佛
南无安隱佛　南无師子意佛
南无寶名聞佛　南无得利佛
南无遍見佛　南无世華佛
南无高頂佛　南无无偏辯才佛
南无差別知見佛　南无師子牙佛
南无梨陁步佛　南无福德佛
南无法燈蓋佛　南无目揵連佛
南无无憂國佛　南无意思佛
南无樂菩提佛　南无法天敬佛
南无斷勢力佛　南无極勢力佛
南无慧華佛　南无堅音佛
南无安樂佛　南无妙義佛
南无受淨佛　南无慚愧顏佛
南无妙髻佛　南无欲樂佛
南无樓至佛

賢劫千佛名一卷

BD02073號　現在賢劫千佛名經（宮本）　（16–15）

南无无憂國佛　南无意思佛
南无樂菩提佛　南无法天敬佛
南无斷勢力佛　南无極勢力佛
南无慧華佛　南无堅音佛
南无安樂佛　南无妙義佛
南无受淨佛　南无慚愧顏佛
南无妙髻佛　南无欲樂佛
南无樓至佛

賢劫千佛名一卷

BD02073號　現在賢劫千佛名經（宮本）　（16–16）

BD02073 號背　背面褙補紙文字　（1–1）

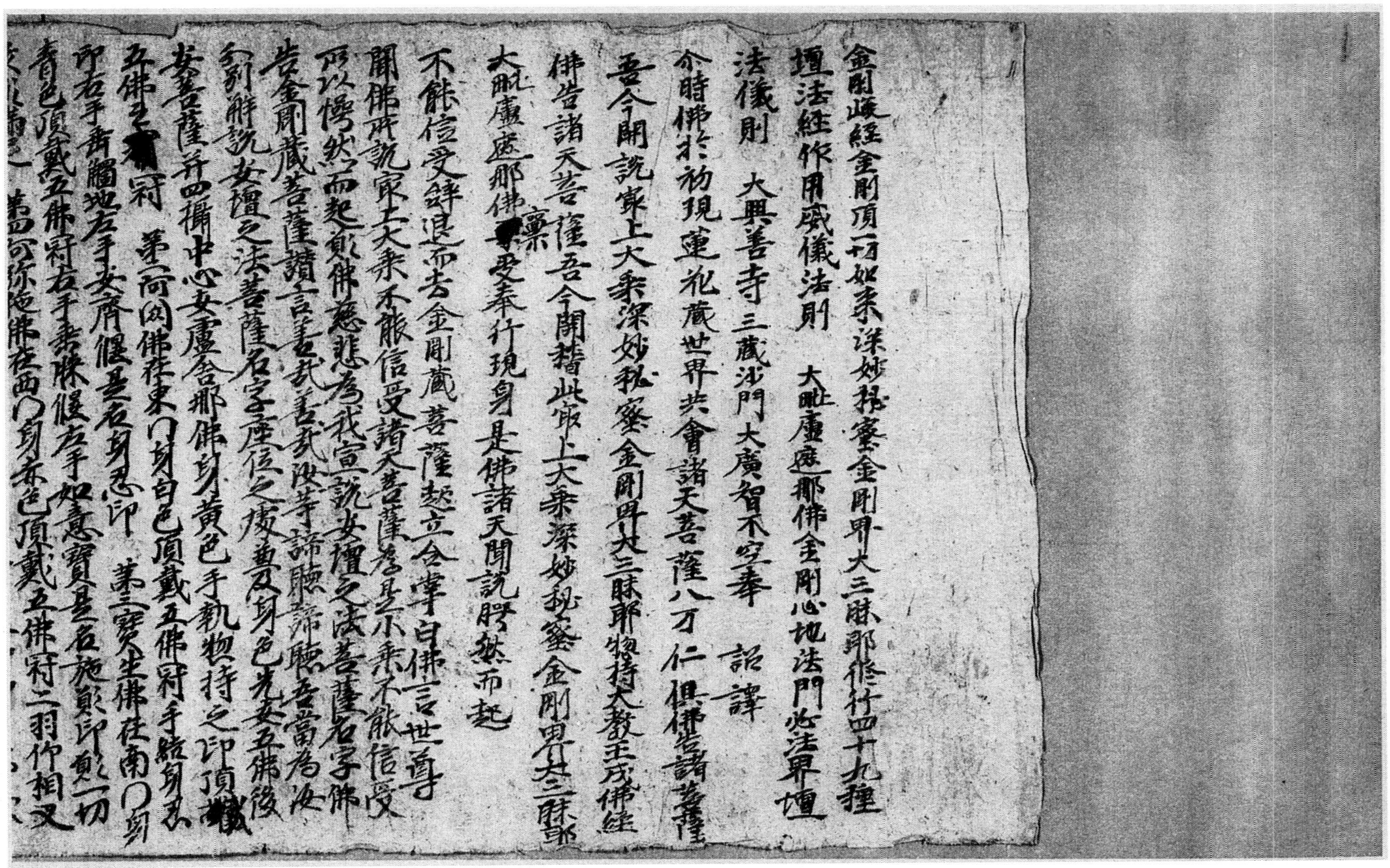

金剛峻經金剛頂一切如來深妙祕密金剛界大三昧耶修行四十九種
壇法經作用威儀法則　大毗盧遮那佛金剛心地法門祕法界壇
法儀則　大興善寺三藏沙門大廣智不空奉　詔譯
尒時佛於初現蓮花藏世界共會諸天菩薩八万仁俱佛告諸菩薩
吾今開說最上大乘深妙祕密金剛界大三昧耶惣持大教王成佛經
佛告諸天菩薩吾今開揚此最上大乘深妙祕密金剛界大三昧耶
大毗盧遮那佛稟受奉行現身是佛諸天聞說肸然而起
不能信受辭退而去金剛藏菩薩起立合掌白佛言世尊
聞佛所說最上大乘不能信受諸天菩薩為是小乘不能信受
所以慘然而起願佛慈悲為我宣說安壇之法菩薩名字佛
告金剛藏菩薩諸言善哉善哉汝等諦聽諦聽吾當為汝
分別解說安壇之法菩薩名字座位之處並及身色并安五佛後
安菩薩并四攝中心安盧舍那佛身黃色手執物持之印頂戴
五佛之冠　第一阿閦佛在東門身白色頂戴五佛冠手結身表
印右手垂觸地左手安臍偃是名身忍印　第二寶生佛在南門身
青色頂戴五佛冠右手垂膝偃左手如意寶是名施願印頂戴一切
第三阿彌陀佛在西門身赤色頂戴五佛冠二羽作相叉

BD02074 號　金剛峻經金剛頂一切如來深妙秘密金剛界大三昧耶修行四十九種壇法經作用威儀法則，
大毗盧遮那佛金剛心地法門法界壇法儀則　（25–1）

五佛之寶冠　第一阿閦佛在東門身白色頂戴五佛冠手結身
印右手垂觸地左手安齊偃是名身忍印　第二寶生佛在南門身
青色頂戴五佛冠右手垂掌偃左手如意寶是名施願印願一切
衆願滿之　第三阿彌陀佛在西門身赤色頂戴五佛冠二羽仰相叉
進力豎相背禪智横其端等心青蓮花是名長壽印　第四不
空成就佛在北門身是綠頂戴五佛冠左手安惣持右手施无畏
願一切衆生速正無畏法　第一金剛薩埵王菩薩在東門身白色
左脇安呼臍右耳羯摩杵是名誓地印願一切衆生速成勝地
第二金剛王菩薩在南門身青色二羽安定惠名為心定之
印願一切衆生速得无畏定　第三金剛愛菩薩在南門身
青色二羽安素怛藍名為惠之印願一切衆生速正惠之身
第四金剛寶菩薩在西門身赤色二羽安懷中寶劍執當心
名為寶身印願一切衆生惠寶滿其身　第五金剛光菩薩
在西門身赤色二羽舒進力當心向下垂名為身光印願一切衆生
光明遍身　第六金剛幢菩薩在北門身綠色二羽在右邊
手執大法幢名為法幢印願一切衆生速正法寶身　第七金剛
笑菩薩在北門身綠色二羽口偃　名為法喜印願一切衆生
速成法喜身　第八金剛法菩薩在東門身白色左蓮右開
敷名為開法印願一切衆生蓮開正法身　第九金剛利菩薩在
東門身白色左蓮右利劍是名法利印願一切衆生斷諸煩惱
得正法王身　第十金剛因菩薩在南門身青色覆拳進力
柱於齊而平轉名為因法印願一切衆生因緣會遇時果滿正
菩提　第十一金剛語菩薩在南門身青色先從禪智節
旋舞心兩頰右手執利劍左手安左脇名為法語印願一切衆生
菩提法語利衆生　第十二金剛業菩薩在西門身赤色二羽
金剛執於劍掌於頂印飛法羯摩願一切衆生速成羯摩身
第十三金剛護菩薩在西門身赤色二拳被甲冑為護法

BD02074 號　金剛峻經金剛頂一切如來深妙秘密金剛界大三昧耶修行四十九種壇法經作用威儀法則，大毗盧遮那佛金剛心地法門法界壇法儀則　（25–2）

旋舞心兩頰右手執利劍左手安左脇名為法語印願一切衆生
菩提法語利衆生　第十二金剛業菩薩在西門身赤色二羽
金剛執於劍掌於頂印飛法羯摩願一切衆生速成羯摩身
第十三金剛護菩薩在西門身赤色二拳被甲冑為護法
印願一切衆生速正法王身　第十四金剛藥叉菩薩在北門身綠
色二羽安兩頰四牙熾盛身是名藥叉印願一切衆生速成護法身
第十五金剛拳菩薩在北門身綠色身端二羽安惣持是名
惣持印願一切衆生速正惣持身　十六大士印内外八供養并
及於四護印相今當說　第一金剛心印菩薩在東門身白
色二羽安腰側端心供養佛是名心族印願一切衆生心心見佛
第二金剛鏁菩薩在東門身白色二羽當心如棒鏁奉獻諸
聖尊身是名嚴身印願一切衆生速正菩提身　第三金剛
持法菩薩在南門身青色二羽側相合十度相叉豎是名持法
願一切衆生護持法王身　第四金剛極喜菩薩在南門身青色二
拳如舞儀解諸煩惱惟喜供養佛是名極喜印願一切衆生
斷除諸煩惱得正法喜身燒香普此印以降三世印　第五金剛
結淨印菩薩在西門身赤色二羽並拳向下散稱除一切惡是名
結淨印願一切衆生斷除煩惱頂正取淨法身　第六金剛寶菩
薩在西門身赤色二羽仰掬如捧花是名戒定印願一切衆生速正
戒定身　第七金剛戒惠菩薩在北門身綠色二拳禪智豎如
針是名戒惠印願一切衆生惠燈照十方　第八金剛解脫菩薩
在北門身綠色左羽安呼臍右羽安降魔是名解脫印願一
切衆生救攝解脫身　東門大威金剛身白色右羽執大劍左拳
安腰側是名降三世　南門大悲金剛身青色二羽執於索是名
金剛縛　西門大喜金剛身赤色二羽執鏁是名收攝印　北門大捨
金剛身綠色左羽安呼臍右羽執降魔是名救攝印
觀行五如來呪毗盧遮那佛唵　阿閦佛唵吽　寶生佛唵怛洛　阿彌陀佛
唵纈哩　不空成就佛唵惡　脩行之人入大乘之者觀此身印即是佛身

BD02074 號　金剛峻經金剛頂一切如來深妙秘密金剛界大三昧耶修行四十九種壇法經作用威儀法則，大毗盧遮那佛金剛心地法門法界壇法儀則　（25–3）

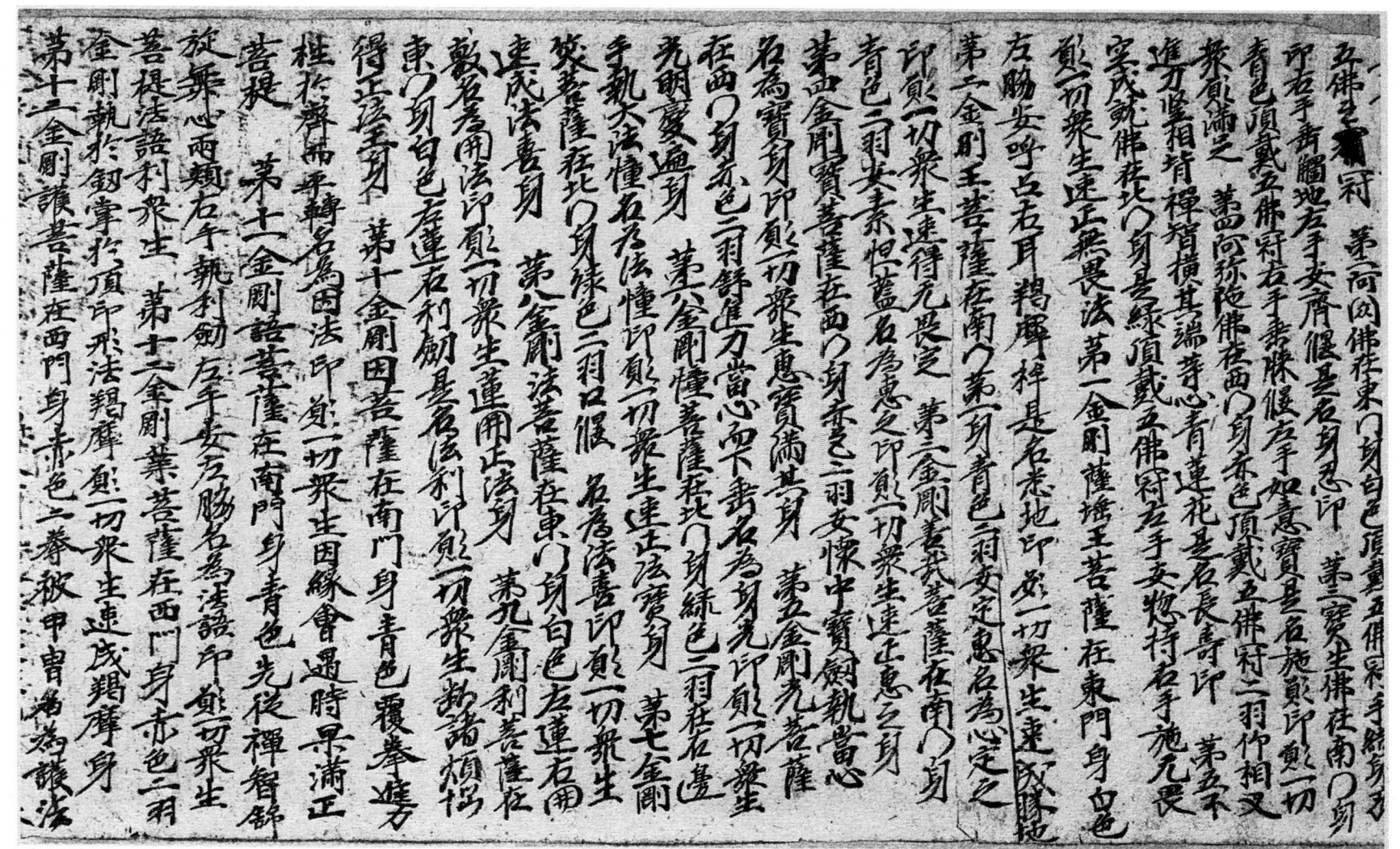

金剛縛 西門大喜金剛[illegible]
金剛身綠色左羽安呼心右羽執降魔是名物攝印
觀行五如來呪毗盧遮那佛唵 阿閦佛唵吽 寶生佛唵哩洛 阿彌陀佛
唵纈哩 不空成就佛唵惡 修行之人入天來之者觀此身印即是佛身
更莫異緣速得成佛 頂上毗盧遮那佛白色 額上阿閦佛青色
右邊寶生佛黃色 後面阿彌陀佛赤色 左邊不空成就佛綠色 右額角上虛空藏菩薩
左鬢地藏菩薩 左額角上虛空藏菩薩 後面右邊[illegible]婆羅縛米
後右邊哆羅弥尼 眼是嚕波縛御哩 耳是設湨郁縛御哩
鼻是哭陁縛御哩 舌是羅忠縛御哩 身是薩鉢羅眉縛御哩
意是遠里摩他都縛湛御哩 東門[illegible] 南門
大悲鉢羅若哆歌 西門鉢特摩哆歌 [illegible]
哆歌 身上二持能不得異緣安之於來觀想見端身正坐
心莫異緣右佇上吳量念彈指三下念淨三業真言三遍
然後想念盡虛空遍法界盡是諸佛菩薩心念禮拜
至仰處心不得異緣至心受持深妙秘密金剛界大三昧耶
總持夫教五成佛經票受奉行現身是佛佛說五佛壇菩薩
名位坐位之處　部第一
爾時釋迦牟尼佛化身作穢迹金剛降伏三千大千世界一切惡賊
天魔外道將及首護國界大除魔將巖峻撞燈湛獸降伏一切
毒惡夜叉羅剎鬼神猛烈根本大降魔將穢迹金剛立壇法
佛告金藏菩薩此金剛之法若是自身欲作金剛降伏一切
惡賊天魔外道夜叉羅剎一切鬼神秘密受持當結此金剛
壇 其壇四方闊二十四肘高三肘用淨土七寶香泥四寶合成
用四種金剛界內安四十八尖叉輪大金剛中心安八角火輪火輪
外地黃色安八佛頂火輪內白色安八總持中心安須弥山山上安
[illegible]

BD02074號　金剛峻經金剛頂一切如來深妙秘密金剛界大三昧耶修行四十九種壇法經作用威儀法則，
大毗盧遮那佛金剛心地法門法界壇法儀則　（25–4）

[illegible]
用四種金剛界內安四十八尖叉輪大金剛中心安八角火輪火輪
外地黃色安八佛頂火輪內白色安八總持中心安須弥山山上安
大穢迹金剛身 青色本身一百八臂身金色壇內供養
安八臂身青色八臂四面正面青色 右面白色 左面綠色 頂
上面黃頭上安九條龍黃 二羽檀惠相鉤結進力二指豎身
相忿怒王八臂而四面笑怒怒怖形四角藏威身是名總持
印輪錫並遶是名是壇光界印壇四角安四天王東角安
提頭賴吒天王身白色南角安毗樓勒叉天王身青色西
角安毗樓博叉天王身赤色執劍北角安毗沙門天王身
綠色右羽執長叉左羽本師壇搭每門安獅子口輪三巾
并其箭十二寶鈴十二於第一院金剛界安十六大金剛三
頭四臂身軸[illegible]色左羽執劍右羽執[illegible]輪或在心輪
或在頂輪是名大降魔攝[illegible]第二院金剛界
前安十六大金剛三眼四臂身軸[illegible]生死或執叉刃
拜或執輪及劍大金剛變化種種身示各軸門色或於四臂或執髓
或執輪劍或執輪杵是毗盧遮那毗那夜迦是名總持之印四十八大金剛總
攝身印降魔三千大千世界所有一切毒惡一切狂賊徒一切不祥之事
但請三藏法主開建此金剛之壇浴請聖衆悍燒安膝香大潔郁來
仍須潔欲冷淨著新淨衣身被七寶瓔珞七寶坐具方叉檀
迎請聖衆莫生嗔怒至心啓告秘密受持一切惡魔當下消滅
壇外安大鐵圍山小鐵圍山金山黑山七寶金山佛說穢迹金剛
畫像安壇名錄　部第二
爾時佛住靈鷲山中共會諸天菩薩万二千人俱說天王護國壇
法若是南閻浮提諸大國王諸小國王共相侵害天魔外道
[illegible]

BD02074號　金剛峻經金剛頂一切如來深妙秘密金剛界大三昧耶修行四十九種壇法經作用威儀法則，
大毗盧遮那佛金剛心地法門法界壇法儀則　（25–5）

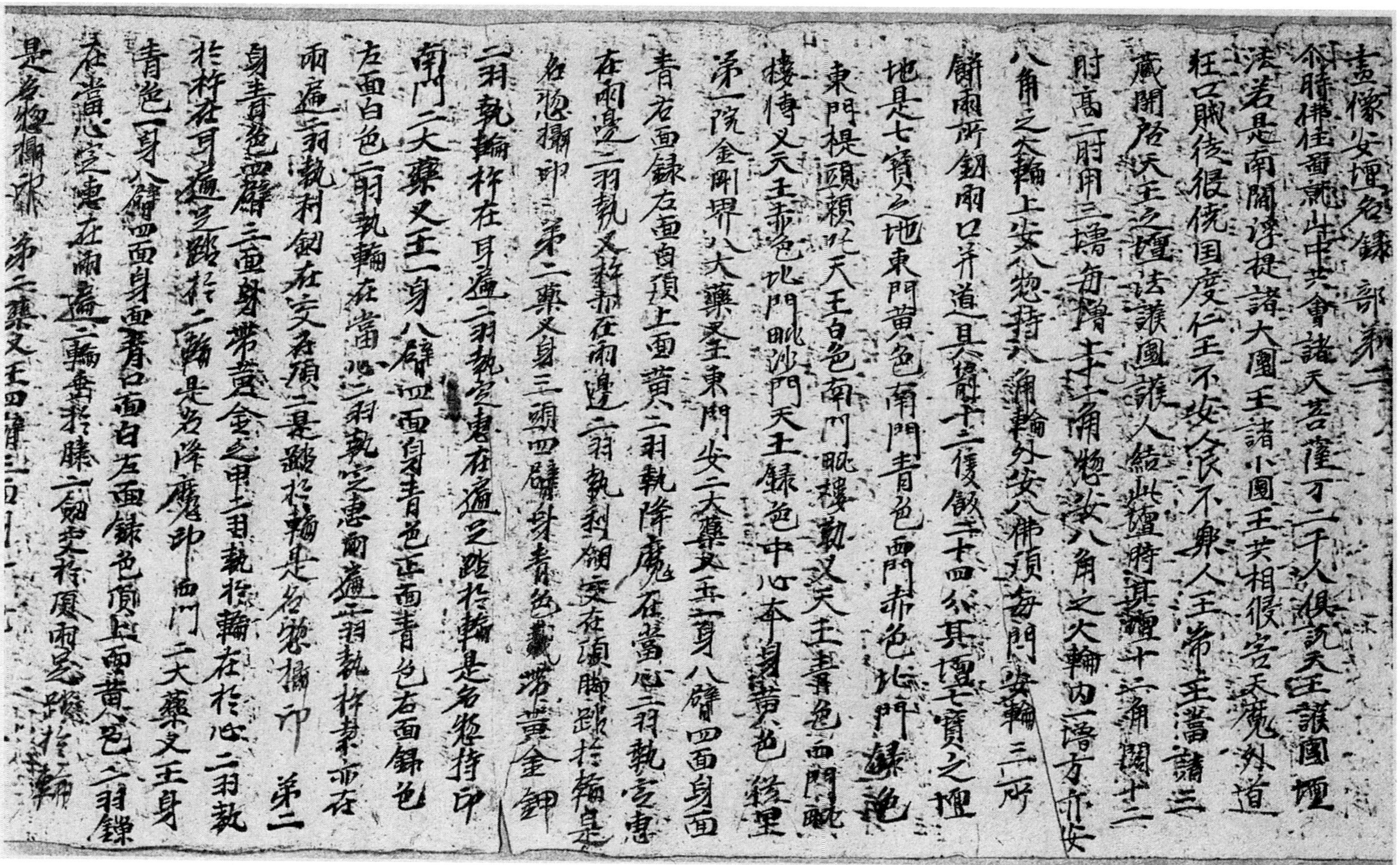

盡像安壇名錄 部義一
介時佛住西訶山中共會諸天菩薩万二千人俱說天王護國壇
法若是南閻浮提諸大國王諸小國王共相侵害天魔外道
狂亂賊從佷戾國度仁王不安令良不樂人王常王當請三
藏開啓天王之壇法護國護人結此壇時其壇十二角闊十二
肘高二肘用三擣安階十二角總安八角之火輪內一層方亦安
八角之火輪上安八總持八角輪外安八佛頂每門安輪三層
餅兩所劍兩口并道具餅十二條飯二十四分其壇七寶之壇
地是七寶之地東門黃色南門青色西門赤色北門綠色
東門提頭賴吒天王白色南門毗樓勒叉天王青色西門毗
樓博叉天王赤色北門毗沙門天王綠色中心本身黃色
弟一院金剛界八大藥叉王東門安二大藥叉王一身八臂四面身面
青右面綠左面白頂上面黃二羽執降魔在當心二羽執定惠
在兩邊二羽執叉杵在兩邊二羽執利劍交在頂腳踏於輪是
名總攝印 弟二藥叉身三頭四臂身青色執帶黃金鉀
二羽執輪杵在耳邊二羽執定惠在邊之踏於輪是名總持印
南門二大藥叉王一身八臂四面身青色正面青色右面綠色
左面白色二羽執輪在當心二羽執定惠兩邊二羽執杵棒亦在
兩邊二羽執利劍在交在頂二足踏於輪是名總攝印 弟二
身青色四臂三面身帶黃金之甲上目執杵輪在於心二羽執
於杵在耳邊足踏於二輪是名降魔印 西門二大藥叉王身
青色一身八臂四面身面青右面白左面綠色頂上面黃色二羽執
在當心定惠在兩邊二輪垂於膝二劍交於頂兩足蹋於輪
是名總攝印 弟二藥叉王四臂三面

BD02074 號　金剛峻經金剛頂一切如來深妙秘密金剛界大三昧耶修行四十九種壇法經作用威儀法則，
大毗盧遮那佛金剛心地法門法界壇法儀則　（25–6）

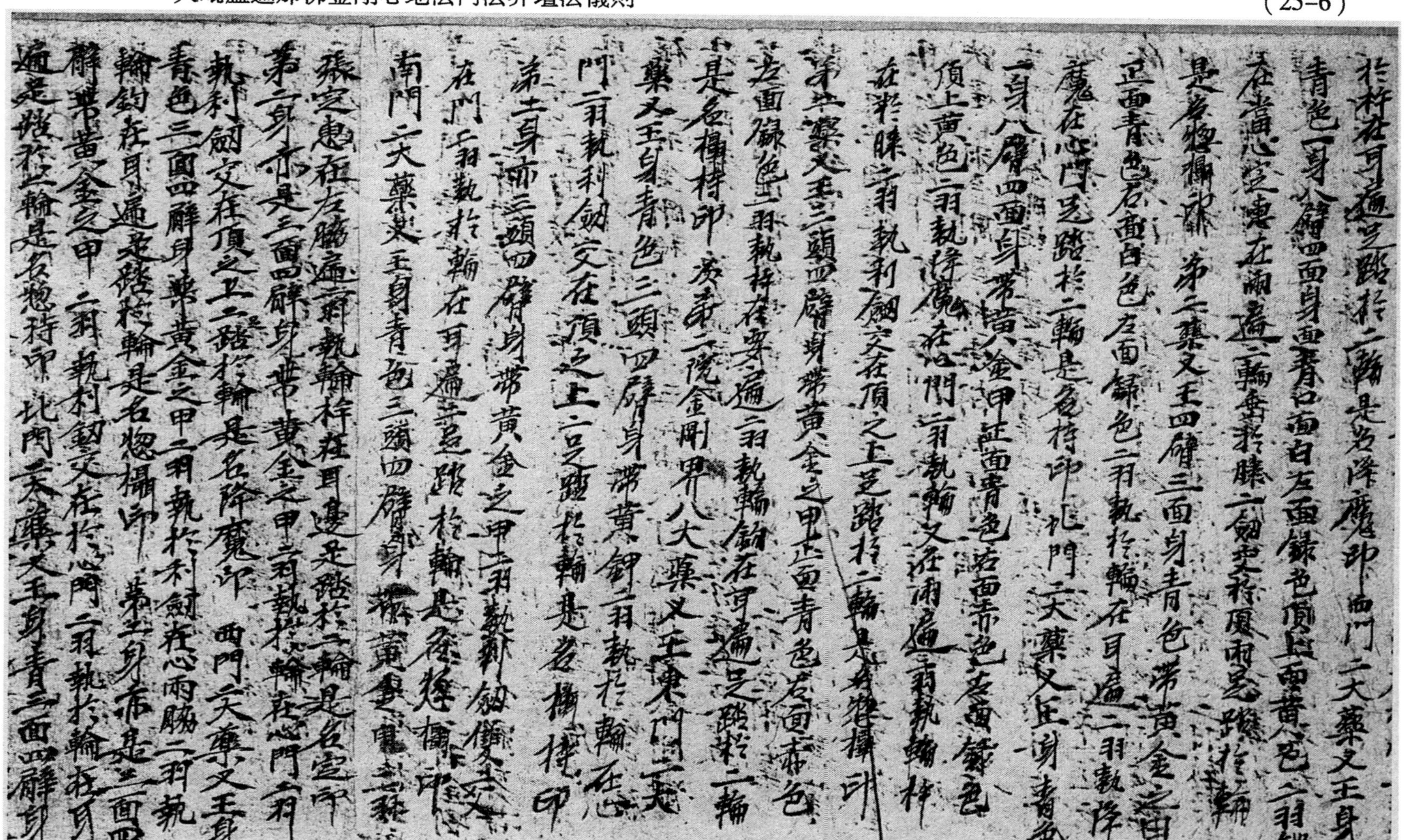

於杵在耳邊足踏於二輪是名降魔印 西門二大藥叉王身
青色一身八臂四面身面青右面白左面綠色頂上面黃色二羽執
在當心定惠在兩邊二輪垂於膝二劍交於頂兩足蹋於輪
是名總攝印 弟二藥叉王四臂三面身青色帶黃金之甲
正面青色右面白色左面綠色二羽執於輪在耳邊二羽執降
魔在心門足踏於二輪是名總持印 北門二大藥叉王身青色
一身八臂四面身帶黃金甲正面青色右面赤色左面綠色
頂上黃色二羽執降魔在心門二羽執輪交在兩邊二羽執輪杵
在於膝二羽執利劍交在頂之上足踏於二輪是名總攝印
弟二藥叉王三頭四臂身帶黃金之甲正面青色左面赤色
右面綠色二羽執杵在耳邊二羽執輪鉤在耳邊足踏於二輪
是名攝持印 弟二院金剛界八大藥叉王東門二天
藥叉王身青色三頭四臂身帶黃鉀二羽執於輪在心
門二羽執利劍交在頂之上二足踏於輪是名攝持印
弟二身亦三頭四臂身帶黃金之甲二羽執利劍交
在門二羽執於輪在耳邊二足踏於輪是降
南門二天藥叉王身青色三頭四臂身帶黃金
孫定惠在左腋邊二羽執輪杵在耳邊足踏於二輪是名定印
弟二身亦是三面四臂身帶黃金之甲二羽執於輪在心門二羽
執利劍交在頂之上二踏於輪是名降魔印 西門二天藥叉王身
青色三面四臂身帶黃金之甲二羽執於利劍在心兩腋二羽執
輪鉤在耳邊足踏於輪是名總攝印 弟二身亦是三面四
臂帶黃金之甲 二羽執利劍交在於心門二羽執於輪在耳
邊是踏於二輪是名總持印 北門二天藥叉王身青三面四臂身

BD02074 號　金剛峻經金剛頂一切如來深妙秘密金剛界大三昧耶修行四十九種壇法經作用威儀法則，
大毗盧遮那佛金剛心地法門法界壇法儀則　（25–7）

青色三面四臂身帶黃金之甲二羽執於□□心兩股二羽執
輪鉤在身遍是踏於輪是名惣攝印　第二身亦是三面四
臂帶黃金之甲　二羽執利劍交在於心門二羽執於輪在身
遍是踏於二輪是名惣持印　北門一天尊又王身青三面四臂身
帶黃金之甲二羽執利劍鉞在於兩腸二羽執輪在身遍是踏於二輪是
名攝持印　第二身亦是三面四臂身帶黃金甲二羽執於輪相交
在北門　二羽執利劍交叉在於頂是踏於二輪是名惣攝印　次第三
金剛界院八大尊又王身青色四面八臂帶黃金之甲合執於氣具
東門一天尊又王四面八臂身帶黃金之甲二羽執降魔在當心
二羽執定惠在兩膝二羽執輪鉤應在身兩遍二羽執利劍相交在
頂上二足踏於輪是名降魔印　第二尊又身四面六臂帶黃
在兩遍二足踏於輪是名攝持印南門一天尊又王身青色八臂四面
金甲二羽執利劍相交在心門二羽執輪杵在身兩遍二羽執於輪應
身帶黃金之甲二羽執於輪應在於心門二羽執定惠垂在於兩
膝二羽執杵索應在於兩遍二羽執利鉤相交於頂上二足踏於輪是
名降魔印　第二天尊又王身六臂四面身青色帶黃金之甲二羽
執於輪相交在心門二羽執定惠在身於兩遍二羽執利鉤相交在頂
上二足踏於輪是名惣攝印　西門一天尊又王身青色一身八臂兩
四面帶黃金之甲二羽執於鏁應在於心門二羽執於輪垂在兩
膝遍二羽執定惠應身兩遍二羽執利鉤相交頂上二足踏於
輪是名降魔印　第二天尊又王六臂而四面身帶黃
金甲二羽執輪杵垂在兩膝邊二羽執定惠應在身兩遍二羽
執利鉤相交頂輪上二足踏於輪是名惣攝印北門一天尊又
王亦是身青色　第一身八臂而四面身帶黃金甲二羽執
降魔　魔應在於心門二羽執定惠垂在兩膝遍二羽輪杵
應在身遍二羽利鉤相交於頂上足踏於二輪是名降魔印
第二身四面六臂身帶黃金之甲二羽執於輪相交在心門二羽
執定惠應在身兩遍二羽執利劍相交在頂上二足踏於輪是
名惣攝印次第四院金剛界八大結護尊又王亦是身青色
六臂而四面身帶黃金之甲二羽執於輪相交在心門二羽執定惠

BD02074 號　金剛峻經金剛頂一切如來深妙秘密金剛界大三昧耶修行四十九種壇法經作用威儀法則，
大毗盧遮那佛金剛心地法門法界壇法儀則　　（25–8）

應在身遍二羽……
第二身四面六臂身帶黃金之甲二羽執於輪相交在心門二羽
執定惠應在身兩遍二羽執利劍相交在頂上二足踏於輪是
名惣攝印次第四院金剛界八大結護尊又王亦是身青色
六臂而四面身帶黃金之甲二羽執於輪相交在心門二羽執定惠
應在身兩遍二羽利劍又於頂上二足踏於輪是名結護降魔印
第二大尊又身六臂而四面身帶黃金之甲二羽執輪杵垂在兩膝遍
二羽執定惠應在身兩遍二羽執輪鉤應在兩耳遍二足踏於輪是名
惣持印　南門一天尊又王亦是身青色六臂而四面身帶黃金
甲二羽執利劍交叉在當心二羽執定惠應在身兩遍二羽執於輪應
在兩遍二足踏於輪是名降魔印　第二天尊又王六臂而四面身帶
黃金甲二羽執輪杵垂在要兩遍二羽執定惠應在身兩遍左
輪右執劍各在耳兩遍二足踏於輪是名惣攝印西門一天尊
又王亦是身青色六臂而面身戴黃金甲二羽執利劍交叉在心門二羽執
定惠應在身兩遍二羽執於輪各在耳兩遍足踏於二輪是名結護印
第二尊又王六臂而四面身戴黃甲二羽執利劍交把在當心二羽定惠
應在身兩遍二羽執輪杵各在耳兩遍二足踏於輪是名護界印
北門一天尊又王身青色六臂而四面身戴黃金甲二羽交叉劍應在於當心
二羽執定惠應在身兩遍左杵右執輪應在於兩耳二足踏於輪是名護界印
第二尊又王六臂而四面身戴黃金甲二羽執利劍直豎在兩腸二羽執
定惠應在身兩遍右輪右執杵足踏於二輪是名惣攝印
此三十二天尊又王惣是身青色八臂六臂大尊又王頂上面黃色金
四天王身相似金剛身各輸方色
佛告諸天菩薩此天王之法甚深不可思議天王修行發大心願
至重不論凡聖有請來赴為護衆生惣令度脫悉得安隱
吾今告汝諸大菩薩此天王之法至心受持於南閻浮提廣興供養
贊興此法廣令流布莫令斷絕吾今付汝至心受持莫生輕易
佛說大王護國三□部卷上

BD02074 號　金剛峻經金剛頂一切如來深妙秘密金剛界大三昧耶修行四十九種壇法經作用威儀法則，
大毗盧遮那佛金剛心地法門法界壇法儀則　　（25–9）

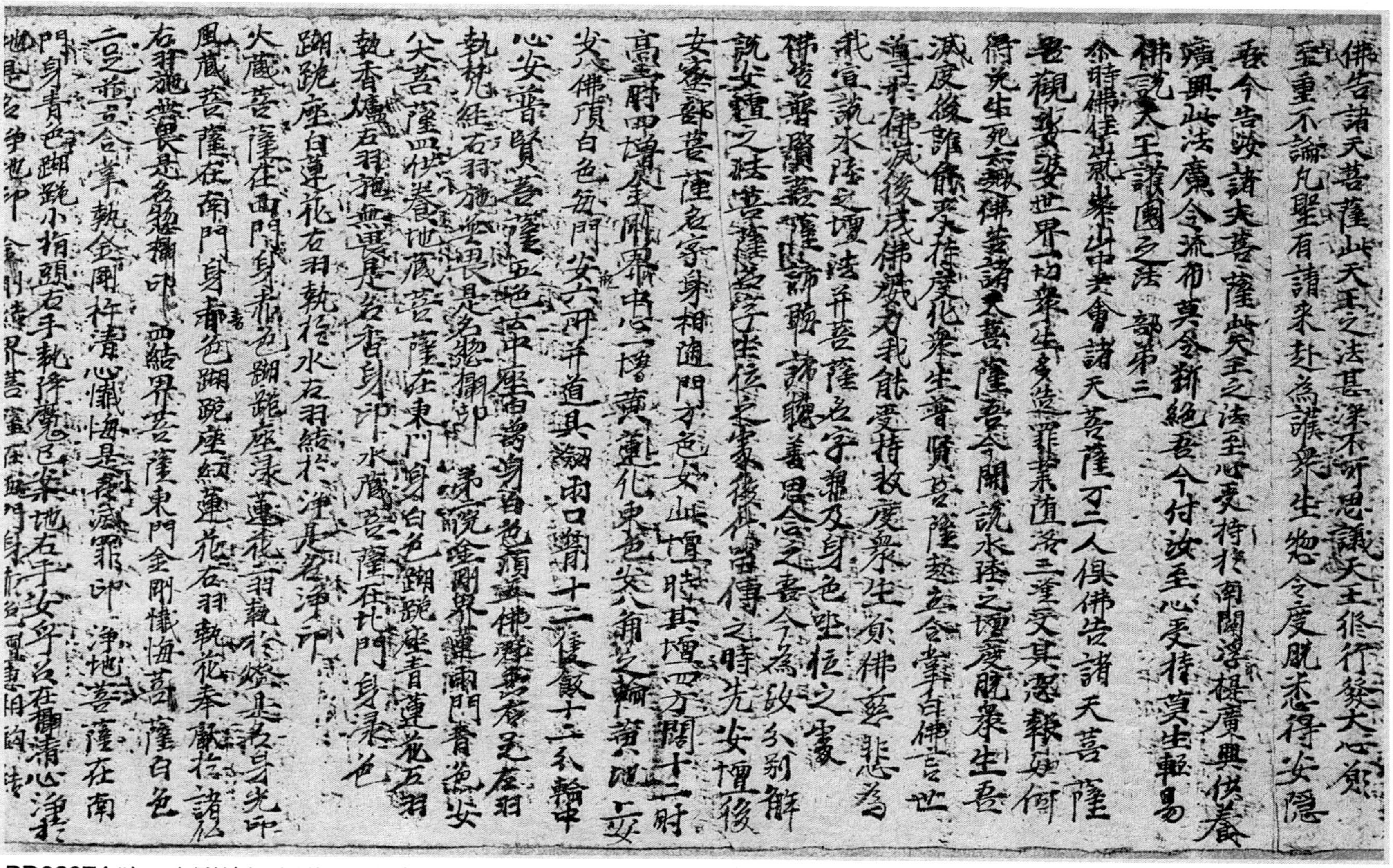

佛告諸天菩薩此天王之法甚深不可思議天王修行發大心願
至重不論凡聖有請來赴為護衆生怨令度脫未得安隱
吾今告汝諸天菩薩此天王之法至心受持於南閻浮提廣興供養
廣興此法廣令流布莫令斷絶吾今付汝至心受持莫生輕易
佛說天王護國之法 部第三
尒時佛住靈鷲山中共會諸天菩薩百二人俱佛告諸天菩薩
吾觀娑婆世界一切衆生多造罪業直落三塗受其惡報無御
得免生死之苦佛菩薩諸大菩薩吾今開說水陸之壇度脫衆生吾
滅度後誰能於未來佛法化衆生普賢菩薩起立合掌白佛言世
尊我於佛滅後於末法佛滅我能受持救度衆生負佛慈悲為
我宣說水陸之壇法并菩薩名字形及身色坐位之處
佛告普賢菩薩汝諦聽諦聽善思念之吾今為汝分別解
說安壇之法菩薩名字坐位之處後代留傳之時先安壇後
安座部菩薩名字身相隨門方色安此壇時其壇四方闊十二肘
高一肘四增金剛界中心一增黄蓮花東色安八角之輪黄地安
安八佛質白色每門安六丹并道具幡雨口幡十二條飯十二分輪中
心安普賢菩薩五色地中座普賢白色頂戴佛身香足在羽
執梵經右羽施無畏是名總攝印 第一院金剛界兩門青色安
父菩薩四供養地藏菩薩在東門身白色蹋跪座青蓮花左羽
執香爐右羽施無畏是名香身印 水藏菩薩在北門身緑色
蹋跪座白蓮花右羽執於水右羽結於淨是名淨印
火藏菩薩在西門身赤色蹋跪座緑蓮花二羽執於燈是名身光印
風藏菩薩在南門身青色蹋跪座紅蓮花右羽執花奉獻於諸佛
右羽施普畏是名總攝印 西結界菩薩東門金剛懺悔菩薩白色
言之並且合掌執金剛杵清心懺悔是名滅罪印 淨地菩薩在南
門身青色蹋跪小指頭右手執降魔已安地右手安乎在胸清心淨於
地是名淨地印 金剛結界菩薩在西門身赤色檀惠相鉤結

BD02074 號　金剛峻經金剛頂一切如來深妙秘密金剛界大三昧耶修行四十九種壇法經作用威儀法則，
大毗盧遮那佛金剛心地法門法界壇法儀則　（25–10）

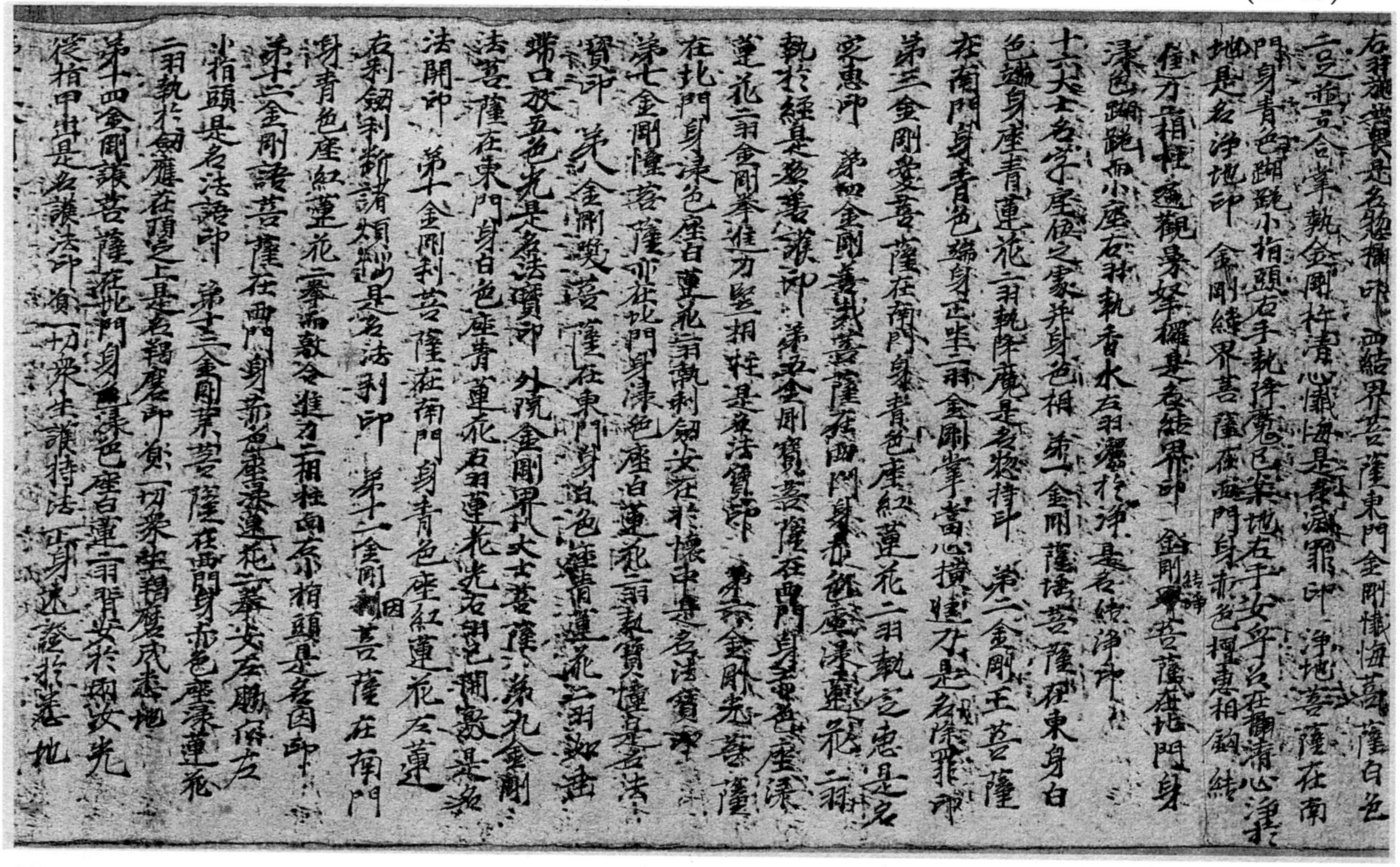

右羽施普畏是名總攝印 西結界菩薩東門金剛懺悔菩薩白色
言之並且合掌執金剛杵清心懺悔是名滅罪印 淨地菩薩在南
門身青色蹋跪小指頭右手執降魔已安地右手安乎在胸清心淨於
地是名淨地印 金剛結界菩薩在西門身赤色檀惠相鉤結
進力相柱遍觀身外羅是名結界印 金剛結淨菩薩在北門身
緑色蹋跪而小座右羽執香水左羽灑於淨是名結淨印
十六大士名字座位之處并身色相 第一金剛薩埵菩薩在東身白
色端身座青蓮花二羽執降魔是名總持印 第二金剛王菩薩
在南門身青色端身正坐二羽金剛掌當心攢進力是名除罪印
第三金剛愛菩薩在南門身青色座紅蓮花二羽執之惠是名
密惠印 第四金剛喜菩薩在西門身赤色座緑蓮花二羽
執於經是名善護印 第五金剛寶菩薩在西門身黄色座淥
蓮花二羽金剛拳進力豎相柱是名法寶印 第六金剛光菩薩
在北門身緑色座白蓮花二羽執利劍安在於懷中是名法寶印
第七金剛幢菩薩在北門身緑色座白蓮花二羽執寶幢是名法
寶印 第八金剛笑菩薩在東門身白色座青蓮花二羽如笑
帶口放五色光是名法寶印 外院金剛界八大士菩薩 第九金剛
法菩薩在東門身白色座青蓮花右羽蓮花光右羽已開敷是名
法開印 第十金剛利菩薩在南門身青色座紅蓮花左蓮
右羽劍利斷諸煩惱是名法利印 第十一金剛因菩薩在南門
身青色座紅蓮花二拳兩敷令進力二相柱而示小指頭是名因印
第十二金剛語菩薩在西門身赤色座緑蓮花二拳安左膝傍左
小指頭是名法語印 第十三金剛業菩薩在西門身赤色座緑蓮花
二羽執於劍攤在頂之上是名羯磨印 負一切衆生羯磨成就地
第十四金剛護菩薩在北門身緑色座白蓮二羽背安於兩安光
從指甲出是名護法印 負一切衆生護持法王身速證於菩提地

BD02074 號　金剛峻經金剛頂一切如來深妙秘密金剛界大三昧耶修行四十九種壇法經作用威儀法則，
大毗盧遮那佛金剛心地法門法界壇法儀則　（25–11）

二羽執於劍雁在頂之上是名羯磨印 願一切衆生得磨成悉地
第十四金剛讓菩薩在北門身綠色座白蓮 二羽背安於兩腋光
從指中出是名讓法印 願一切衆生讓持法 正身速證於悉地
第十五金剛藥叉菩薩在北門身綠色座蓮花 左輪右執叉開口
除三世是名藥叉印 願一切衆生受持於此法得正王身
第十六金剛拳菩薩在東門身白色座青蓮花 二拳作相拄當心餘
進力是名拳擲印 願一切衆生拳擲於此法速正菩提身
東門大慈金剛身白色 三眼四臂 二羽執降魔 雁在於兩腋
左輪右執叉雁在兩邊 二足之踏於輪 是名擲持印 南門大悲
金剛身青色 三眼四臂 二羽執於索 等印在兩邊 左定右執索
等在二并膝 二足踏於輪 是名讓法印
西門大喜金剛身赤色 二羽執於鎖 雁在於心 二羽執花索
等持在身邊 二足踏於輪 是名擲讓印 北門大捨金剛身綠色
二羽執降魔安在於兩腋 二羽執鉢劍交在頂之上 二足踏於輪
是名擲印 佛說普賢菩薩安壇之法 菩薩名字
并及身色生於之處 第四
娑婆水陸壇 四大金剛四大菩薩字名并及身與坐位之處
東門二大金剛 第一尊名青除灾金剛身白色 三面四臂 左
羽安要側 右羽執於輪 左羽執於杵 雁在身邊 右執叉當 二
足踏於輪 是名除灾印 第二尊名辟毒金剛身黃色 三
面四臂 左羽安要側 右羽執於杵 右手五色光直於上
右羽執叉當雁在身之邊 二足踏於輪 是名辟毒印
南門二大金剛身色名字 第一尊名隨求金剛

BD02074 號　金剛峻經金剛頂一切如來深妙秘密金剛界大三昧耶修行四十九種壇法經作用威儀法則，
大毗盧遮那佛金剛心地法門法界壇法儀則　（25–12）

右羽執叉當雁在身之邊 二足踏於輪 是名辟毒印
南門二大金剛身色名字 第一尊名隨求金剛身青
色 二羽執定惠 雁在左脇邊 左羽安要側 右羽執叉當
二足踏於輪 是名隨求印
第二尊金剛名白淨水金剛身白色 三頭四臂 左羽安要側
右羽執於輪 左羽放五色光在於上 右執叉當 雁在於身邊 二
足踏於輪 是名淨除印 西門二大金剛身色名字
第一尊身赤色 三頭四臂 右羽安要側 右羽執於杵
右羽執於輪 雁在於身邊 左手執叉當 亦在於身邊 二
足踏於輪 是名法聲印 第二尊名定除灾金剛 三頭四
臂 身白色 右羽安要側 右羽執利劍 亦安於要側 左羽
放五色光在直上 右羽執叉當 雁在於身邊 二足踏於輪
是名除灾印 北門二大金剛身色名字 第一尊名紫賢
金剛 三頭四臂 身綠色 右羽安要側 右羽執於杵 亦安於
要側 右羽放五色光 右羽執叉當 二足踏於輪 是名賢劫印
第二大金剛名大神金剛 亦是三頭四臂 身是綠色 左拳
左執杵各安於要側 右手放五色光 左手執叉當 二足踏於
輪 是名大神印 次安四大菩薩名字及身色
東門金剛拳菩薩身白色 左羽執香爐 右羽施無畏
願一切衆生得正無畏身 南門是金剛索菩薩身青
色 二羽執花果 願一切衆生菩提果正身 西門安北門

BD02074 號　金剛峻經金剛頂一切如來深妙秘密金剛界大三昧耶修行四十九種壇法經作用威儀法則，
大毗盧遮那佛金剛心地法門法界壇法儀則　（25–13）

東方金剛拳菩薩身白色左羽執香爐右羽施無畏
願一切衆生惣正無畏身 南方是金剛索菩薩身青
色二羽執花果爲一切衆生菩提果正身 西方安北方
身綠色名金剛愛菩薩右羽執淨水左羽結於淨是名結淨印
北門安西門身相名金剛語菩薩身赤色二羽執於燈是名真光
印大燈輪四門四大金剛東門安大慈金剛身白色右羽安鬼女
側左羽執叉鉤是名惣持印 南方大悲金剛身青色二羽
執於索是名降魔印 西方大喜金剛身赤色二羽執
於鏁是名攝印 北方大捨金剛身綠色二羽執降魔是名
惣持印 於小燈輪各有八方善神惣攝在大輪四角名爲
色次第安排不令交錯佛說燈輪安排八金剛四菩薩身
相名字座位之處次是五方之壇普賢之壇文殊五佛
之壇八方水陸之壇次結文殊菩薩之壇其壇外兩壇方
安八金剛每門安兩口劍兩口輪一所并道具內兩重負是當敷
十六角輪角上安蓮花內隨方安八角之輪輪心安八蓮花
輪外安八佛頂四供養四惣持壇外安兩十二度敘十二分壇
心安文殊菩薩身白色五色雲中座金毛師子二羽執如意說
法義相安此壇時闊十二肘高二肘用七寶香泥七寶金剛界七
寶末塗用五色綫結成次安菩薩身相名字及座位之處
先安四結界後安四供養次安十六尊四結界者從東方布起先安
懺悔菩薩在東方身白色二羽金剛拳執降魔杵是名降罪印
第二南方淨地菩薩身青色蹲踞座上左手執降魔以安
地右手執於鈴安在於脇邊是名淨地印 西門結界菩薩身赤

BD02074 號 金剛峻經金剛頂一切如來深妙秘密金剛界大三昧耶修行四十九種壇法經作用威儀法則，
大毗盧遮那佛金剛心地法門法界壇法儀則 （25–14）

寶末塗用五色綫結成次安菩薩身相名字及座位之處
先安四結界後安四供養次安十六尊四結界者從東方布起先安
懺悔菩薩在東方身白色二羽金剛拳執降魔杵是名降罪印
第二南方淨地菩薩身青色蹲踞座上左手執降魔以安
地右手執於鈴安在於脇邊是名淨地印 西門結界菩薩身赤
色二羽金剛拳壇邊相鉤綵進力二相拄是名結界印 北門淨戒菩薩
身綠色右羽執水右羽結於淨是名淨戒印 次安四供養身色及名
字并座之處先安施藏菩薩在東門身黃色蹲踞座手執爐是
名戒香印 北門水藏菩薩身綠色右羽執於水左羽施無畏是名
定香印 西門火藏菩薩身赤色二羽執於燈是名惠香印
南門風藏菩薩身青色二羽執於果是名解脫香之印
次安十六尊大士菩薩身名字座位之處先從東門二大𦬇
身色第一金剛薩埵菩薩座紅蓮花作三昧耶印契 忍願堅如針
是名菩提印願一切衆生速正菩提果法身 第二金剛王菩薩座
紅蓮花二羽金剛縛小大開而豎是名法王印願一切衆生速正法王
身 次南二天菩薩身赤色 第三金剛愛菩薩坐黃蓮花
二羽金剛縛進力屈如鉤向右小指頭是名愛印 第四金剛善哉
菩薩座於黃蓮花二羽金剛縛不縛獨指是名善哉印願一切
衆生速正菩提善惠身 西門二天菩薩身黃色 第五金剛
寶菩薩座青蓮花端身跏趺座二羽大豎次又屈是名
讓身法寶印願一切衆生法寶滿其身 第六金剛光
菩薩亦座青蓮花二羽金剛掌舒六而旋轉是名法光印
發切衆生光明滿其身 北門二天菩薩身青色座於綠蓮花
第七金剛幢菩薩二羽金剛掌中縛下四幢是名法幢 印
願一切衆生速正法幢身 第八金剛笑菩薩亦座綠蓮花

BD02074 號 金剛峻經金剛頂一切如來深妙秘密金剛界大三昧耶修行四十九種壇法經作用威儀法則，
大毗盧遮那佛金剛心地法門法界壇法儀則 （25–15）

是名法光印
爲一切衆生光明滿其身　北門二天菩薩身青色座於錄蓮花
第七金剛幢菩薩二羽金剛掌中縛下四幢是名法幢印
爲一切衆生速正法幢身　第八金剛笑菩薩亦座錄蓮花
二羽金剛掌反開散於口是名極喜印　爲一切衆生速正法
喜身　却從南門起到北門　北門到東門　東門到西門結核
南門二天菩薩身赤色座黄蓮花　第九金剛法菩薩二羽
金剛縛進力屈如蓮安在於當心是名法語印　爲一切衆生速
正法王身　第十金剛利菩薩亦座黄蓮花已二羽金剛縛竪
忍願安在右耳邊是名法利印　爲一切衆生速開法利身
次北門二天菩薩身青色　第十一金剛因菩薩座錄蓮花
忍願復入縛四竪五股是文是名因法印　爲一切因圓果滿正法身
身　次第十二金剛語菩薩亦座淥蓮花已二羽金剛縛進力屈
如蓮安在右口邊名是法語印　次東門二天菩薩身淥色
座紅蓮花　次第十三金剛業菩薩已二羽禪智開偃仰
是名業護印　次第十四金剛護菩薩已二羽金剛縛六度反而覆
是名護法印　爲一切衆生形正菩提護法身　次安西門二天并
身黄色座青蓮花　次第十五金剛藥叉菩薩已二羽金剛
縛進力釘當心是名金剛印　爲一切衆生正金剛身　次安第十六
尊金剛拳菩薩已二羽纏身結跏趺座二羽金剛縛是名物攝印
爲一切衆生速正總持身　次安四無量　第一東門大慈金剛
身白色左羽安腰側右羽執於鈎鏖在耳邊是名降魔印
次安南門大悲金剛身青色二羽執於索是名淑攝印
次安西門大喜金剛身赤色二羽執於鍊是名定心印

BD02074 號　金剛峻經金剛頂一切如來深妙秘密金剛界大三昧耶修行四十九種壇法經作用威儀法則，
大毗盧遮那佛金剛心地法門法界壇法儀則　（25–16）

次安南門大悲金剛身青色二羽執於索是名淑攝印
次安西門大喜金剛身赤色二羽執於鍊是名定心印
次安北門大捨金剛身錄色名字印相桂相實二羽執降魔
是名物攝印　次安外四天金剛身色名字印相桂處光後
東門安總持金剛身黄色三頭四臂二羽執降魔魔在於心門
右手執輪右手執又首是名總持印　次安南門定除災金剛身
色三頭四臂已二執定惠在左邊右手執於杵在要邊　右手
執蓋魔在於耳邊是名定除印　次安西門降毒金剛身
赤色是三頭四臂二羽執利劒橫在於心上左杵右執又
是名降毒印　次安北門總攝金剛身青色是三頭四臂
二羽執花索魔在於雨邊右手執於輪右手執又杏
是名物攝印　八吉祥者是八佛頂是八灌頂
佛說水陸去殊菩薩之壇安大悲金剛菩薩名字身色及
位之處　部第四　尒時佛住王舍城金剛座供會諸天菩薩
万二千人俱請佛世尊灌頂授記爲佛慈与我授記
佛告諸天菩薩汝亦受持吾爲汝等開登受記
金剛藏菩薩起立合掌白佛言世尊我於往昔諸佛盡
授灌頂之記令立无上菩提爲佛慈悲爲我宣說安壇
之法菩薩名字及於身色座位之處
佛告金剛藏菩薩讚言善哉善哉諦聽諦聽吾今
爲汝分別解說受法八吉祥壇法及菩薩名字身色坐位之處
佛告金剛菩薩凡欲度化衆生莫問凡聖但行平等
莫生分別普行平等凡欲安八吉祥之壇時須開清淨之
處如法建立其壇闊十二肘高三肘用淨土香泥七寶金

BD02074 號　金剛峻經金剛頂一切如來深妙秘密金剛界大三昧耶修行四十九種壇法經作用威儀法則，
大毗盧遮那佛金剛心地法門法界壇法儀則　（25–17）

為汝分別解說受法八吉祥壇法及菩薩名字身色之象
佛告金剛菩薩凡欲度化衆生莫問凡聖但行平等
莫生分別普行平等凡欲安八吉祥之壇時須閑清淨之
處如法建立其壇闊十二肘高二肘用淨土香泥七寶金
剛界七寶塗壇心內安九貪四圍五色安八瓶須中心
五色雲內安金剛藏菩薩座紅蓮右羽執降魔應在於
汝邊左羽執於鈴安在於要側邊次安外四角黃色安
五佛蓮上金剛界內錄色蓮花門色是第二增金剛界蓮
請色四角安四物持次安東門懺悔菩薩身白色並立
二羽金剛掌上二拼懺悔是名業障除罪印次安南方淨地菩
薩身青色踊跪坐小指頭右鈴左執杵次色安於地是名淨
戒印次安西門結界菩薩身錄色左羽執於水右羽植金長
是名淨戒印次安四大供養菩薩先安東門地藏菩薩
身黃色二羽執香爐是名戒香印次安北門木藏菩薩身錄
色安執於木右羽施無畏是名定香印次安西門火藏菩
身赤色二羽執燈是名慧香印次安南門風藏菩
身綠色左羽執於花右羽散於花是名解脫印
先安八大金剛後安八大菩薩八大金剛青次在第五院
金剛界地蓮花門錄色第一先安東門二大金剛
身白色第一名結界金剛二羽金剛拳各安於要側是名
結界印第二名物持金剛二羽金剛掌十度初分交名為
物持印次安南門二大金剛身青色第一名縛金剛二羽十度
結為拳名金剛縛之印第二名解金剛二羽金剛拳交

BD02074號　金剛峻經金剛頂一切如來深妙秘密金剛界大三昧耶修行四十九種壇法經作用威儀法則，
大毗盧遮那佛金剛心地法門法界壇法儀則　（25–18）

身白色第一名結界金剛二羽金剛拳各安於要側是名
結界印第二名物持金剛二羽金剛掌十度初分交名為
物持印次安南門二大金剛身青色第一名縛金剛二羽十度
結為拳名金剛縛之印第二名解金剛二羽金剛拳交
安於兩次是名解縛印次安西門二大金剛身赤色第一名無
漏金剛二羽金剛縛禪智度入掌檀惠戒方開相合無
漏智是名無漏印第二無漏智金剛二羽金剛掌進力柱禪
智以附於心間是名堅固印次安北門二大金剛身綠色
第一是大悲金剛二羽金剛縛檀惠禪智豎忍願交乘掌
指面令相合以二羽刻心名為大悲觸是名定惠發覺大悲印
第二大熾威金剛八臂四面二羽忿怒拳檀惠相鉤豎進力
安在於當心左鈴右執杵安在於要側二羽執輪杵旋身兩
遍二羽執利劍交在頂之上旋轉於十方左轉為辟除右轉成結界
是名物持降魔印次安八大菩薩身色名字及座位之次第
先從東門起金剛蓮花部轉菩薩身白色二羽金剛縛
檀惠禪智豎應在右耳邊是名轉輪印次安南門法輪菩薩
身青色二羽金剛縛檀惠而交豎是名決定印次安南門
第二尊金剛菩提滿分菩薩亦是青色二羽金剛縛禪智入虎口
隨誦而出入是名大欲印次安東門第二大薩菩身赤白色是名
不空菩薩二羽金剛縛禪智入虎口是名不空印
次安西門二大菩薩身赤色第一尊名除罪印菩薩二羽金
剛縛忍願申如針進力如鉤是名除罪印次安北門二大
菩薩身綠色第一尊名摧罪菩薩二羽金剛縛
頂上八度內相叉忍願二皆豎念誦而二拍是名摧罪印

BD02074號　金剛峻經金剛頂一切如來深妙秘密金剛界大三昧耶修行四十九種壇法經作用威儀法則，
大毗盧遮那佛金剛心地法門法界壇法儀則　（25–19）

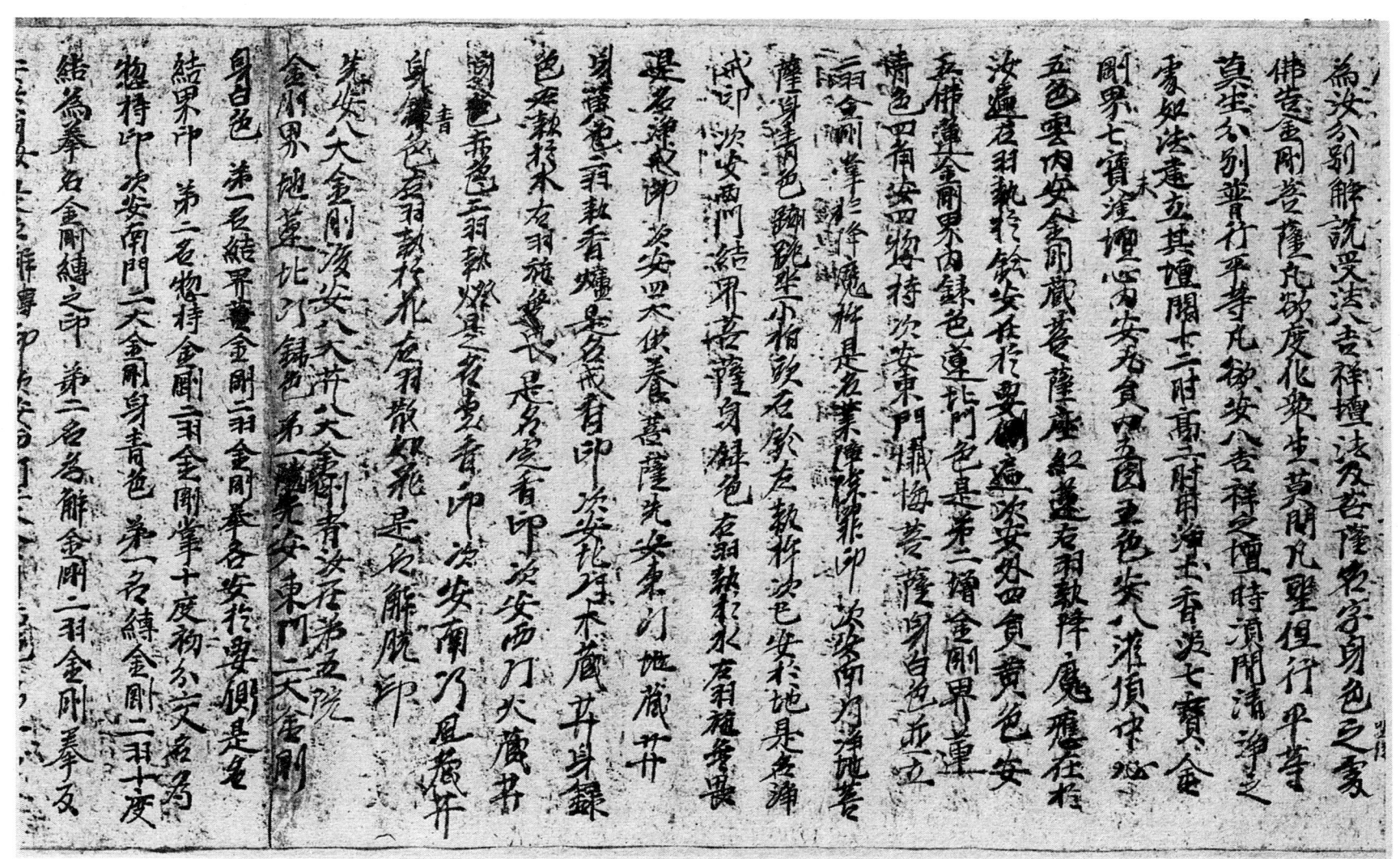

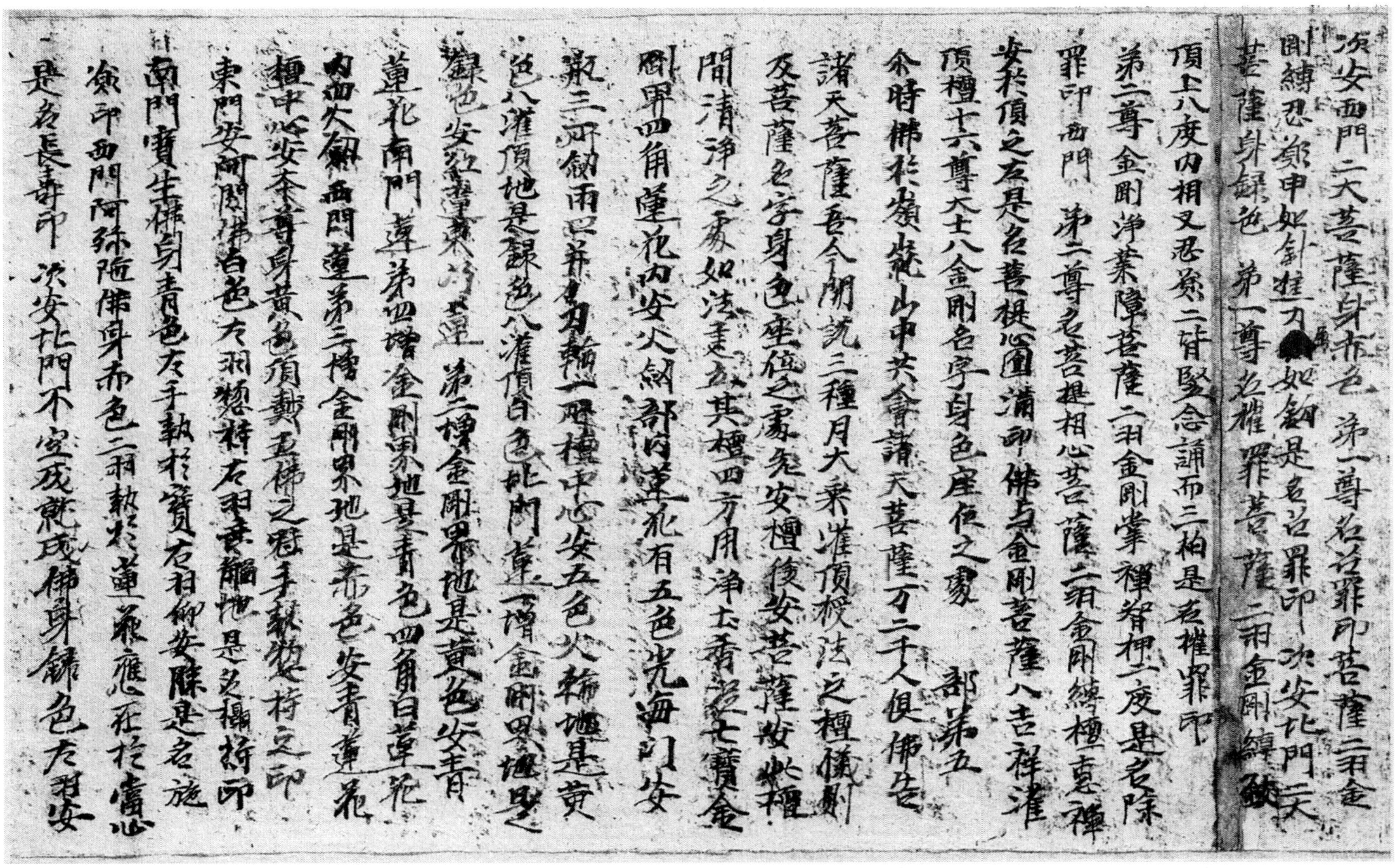
次安西門二大菩薩身赤色 弟一尊名迁罪印菩薩二羽金
剛縛忍㦖申如針挂刀如鉤是名迁罪印 次安北門二大
菩薩身綠色 弟一尊名權罪菩薩二羽金剛縛
頂上八度内相叉忍㦖二皆竪念誦而三柏是名權罪印
弟二尊金剛淨業障菩薩二羽金剛掌禪智押二度是名除
罪印西門 弟二尊名菩提相心菩薩二羽金剛縛檀惠禪
安於頂之左是名菩提心圓滿印 佛与金剛菩薩八吉祥灌
頂檀十六尊大士八金剛名字身色座位之處 部弟五
今時佛於鷲峯山中共會諸天菩薩万二千人俱佛告
諸天菩薩吾今開說二種月大乘灌頂授法之檀儀則
及菩薩名字身色座位之處先安檀後安菩薩安此檀
聞清淨之處如法建立其檀四方用淨土香泥七寶金
剛界四角蓮花内安火紋部內蓮花有五色光焰門安
綠色安紅蓮葉外達 弟二檀金剛界地是黃色安青
紋三所紋而四并各刀輪一所檀中心安五色火輪地是黃
色八灌頂地是綠色八灌頂白色北門蓮花檀金剛界地是
蓮花南門蓮弟四檀金剛界地是青色四角白蓮花
内西大紋西門蓮第三檀金剛界地是赤色安青蓮花
檀中心安本尊身黃色頂戴五佛之冠手執如意持定印
東門安阿閦佛白色右羽怒持右羽無觸地是名攝持印
南門寶生佛身青色左手執於寶右羽仰安膝是名施
願印西門阿弥陁佛身赤色二羽執於蓮花應心在於膺心
是名長壽印 次安北門不空成就佛身綠色左羽安

BD02074號 金剛峻經金剛頂一切如來深妙秘密金剛界大三昧耶修行四十九種壇法經作用威儀法則，大毗盧遮那佛金剛心地法門法界壇法儀則 （25–20）

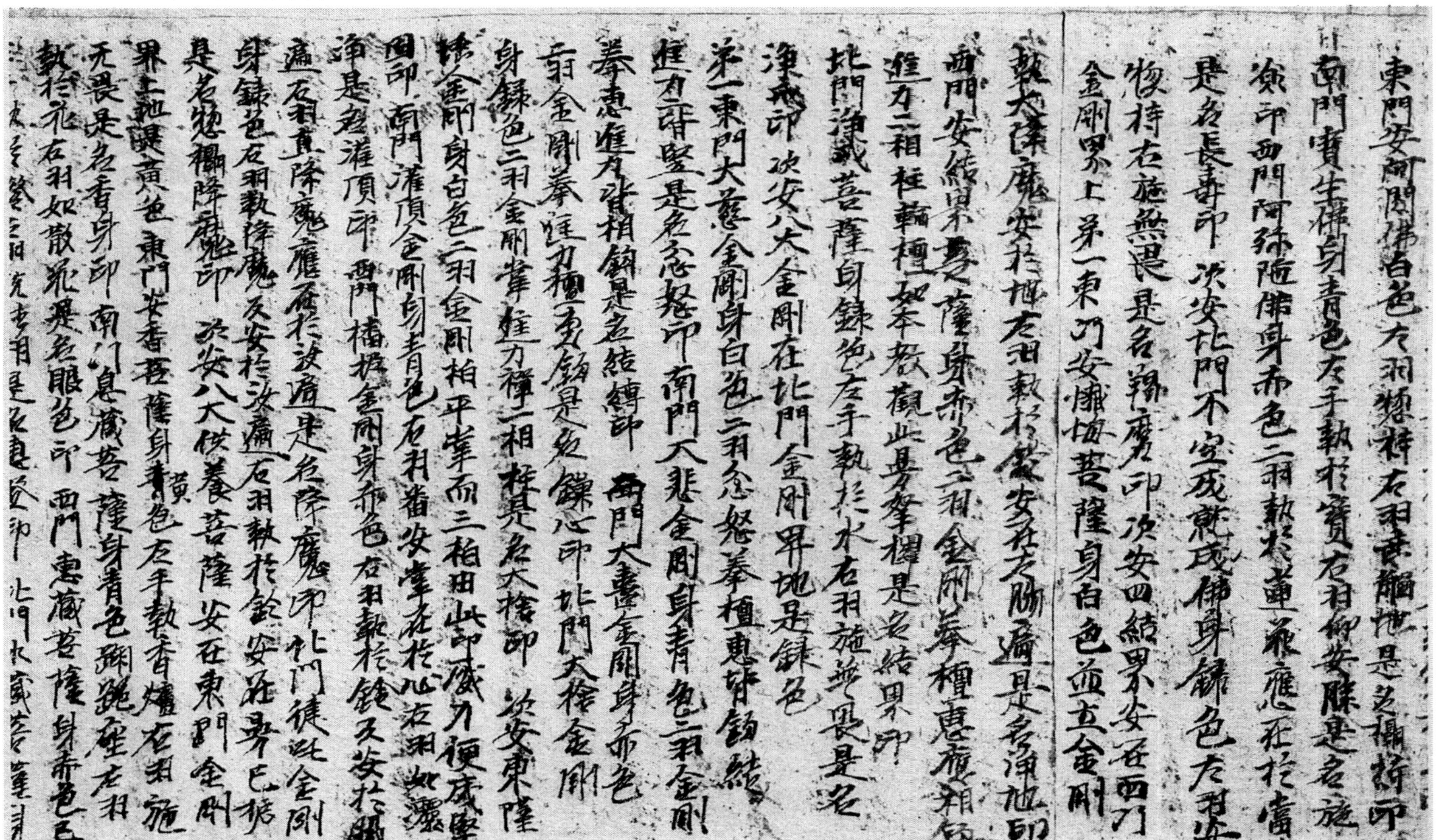
東門安阿閦佛白色右羽怒持右羽無觸地是名攝持印
南門寶生佛身青色左手執於寶右羽仰安膝是名施
願印西門阿弥陁佛身赤色二羽執於蓮花應心在於膺心
是名長壽印 次安北門不空成就佛身綠色左羽安
腹持右施無畏是名雜廣印次安四結界安在西門
金剛界上弟一東門安慚愧菩薩身白色面五金剛
執大慈庶安於腰右羽執於寶安於左膝遍是名淨地印
西門安結界菩薩身赤色二羽金剛拳檀惠庶相鉤
進力二相柱輪檀如本教觀此是拳押是名結界印
北門淨識菩薩身綠色左手執於水右羽施無畏是名
淨水印 次安八大金剛在北門金剛界地是綠色
弟一東門大慈金剛身白色二羽忿怒拳檀惠皆鉤結
進力皆竪是名不忿怒印南門大悲金剛身青色二羽金剛
拳惠進力皆相鉤是名結縛印 西門大喜金剛身赤色
翁金剛拳進力檀惠鉤是名鎖心印北門大捨金剛
身綠色二羽金剛掌進力禪一相柱是名大捨印 次安東陛
綠金剛身白色二羽金剛柏平掌而三柏曲此印成力梗成堅
固印 南門灌頂金剛身青色左羽旛安掌在於心右羽如灑
淨是名灌頂印 西門播旗金剛身赤色右羽執於鐘又安於
遍左羽直降魔應在於汝遍是名降魔印北門錢此金剛
身綠色右羽執降魔及安於汝遍右羽執於鈴安在身已振
是名懸攝降魔印 次安八大供養菩薩安在東門金剛
界上地黃色 東門安香菩薩身黃色 左手執香爐右羽施
无畏是名香身印 南門息藏菩薩身青色掬跪座右羽
執於花右羽如散花是名眼色印 西門惠藏菩薩身赤色已

BD02074號 金剛峻經金剛頂一切如來深妙秘密金剛界大三昧耶修行四十九種壇法經作用威儀法則，大毗盧遮那佛金剛心地法門法界壇法儀則 （25–21）

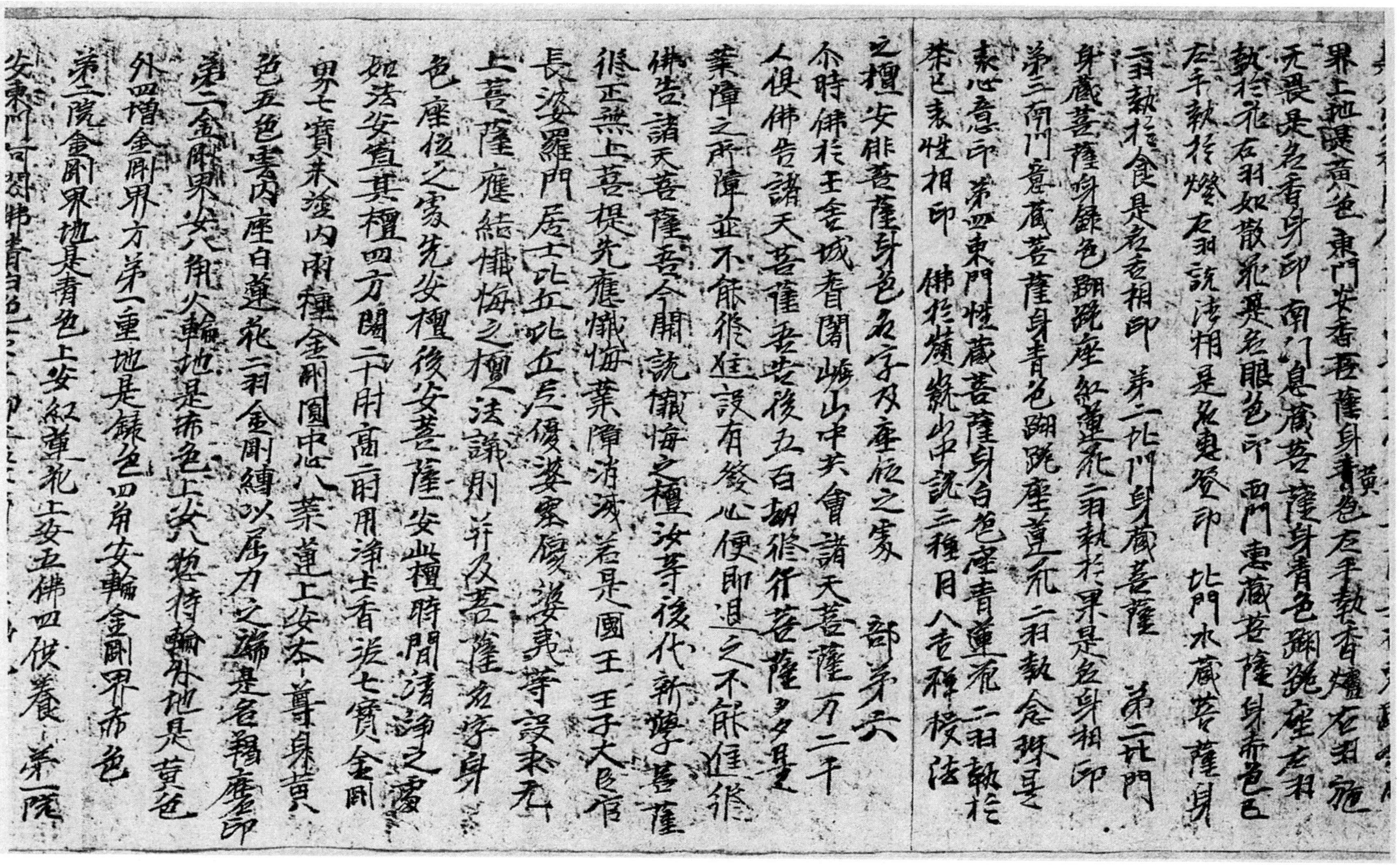

界上地現黃色　東門安香菩薩身青黃色　左手執香爐　右羽施
无畏是名香身印　南門息藏菩薩身青色　蹋跪座　右羽
執於花　右羽如散花　是名眼色印　西門惠藏菩薩身赤色已
左手執於燈　右羽說法相　是名惠燈印　北門水藏菩薩身
二羽執於食　是名舌相印　第二北門身藏菩薩　第二北門
身藏菩薩身綠色　蹋跪座　紅蓮花　二羽執於果　是名身相印
第三南門意藏菩薩身青色　蹋跪座　蓮花　二羽執念珠　是
表心意印　第四東門性藏菩薩身白色　座青蓮花　二羽執於
榮已　表性相印　佛於鷲山中說三種月八壹稱授法

之壇安排菩薩身色名字及座位之處　　部第六
尒時佛於王舍城耆闍崛山中共會諸天菩薩万二千
人俱　佛告諸天菩薩　吾去後五百劫後行菩薩多多是
業障之所障　並不能修進　設有發心　便即退之　不能進修
佛告諸天菩薩　吾今開說懺悔之壇　汝等後代新學菩薩
修正無上菩提　先應懺悔業障消滅　若是國王　王子　大臣　宰
長　婆羅門　居士　比丘　比丘尼　優婆塞　優婆夷等　設來求
上菩薩　應結懺悔之壇法　識別　并及菩薩名字身
色　座位之處　先安壇　後安菩薩　安此壇時　聞清淨之處
如法安置其壇　四方闊二十肘　高前用淨土香泥七寶　金剛
界七寶末塗　內兩種金剛圍　中心八葉蓮上安本尊　身黃
色　五色雲內　座白蓮花　二羽金剛縛　以屈力之端　是名稱應印
第二金剛界安六角火輪　地是赤色　上安八輻持輪　外地是黃色
外四增金剛界方　第一重地是綠色　四角安輪　金剛界赤色
第二院金剛界地是青色　上安紅蓮花　上安五佛四供養　第一院
安東門阿閦佛青白色……

BD02074 號　金剛峻經金剛頂一切如來深妙秘密金剛界大三昧耶修行四十九種壇法經作用威儀法則，
大毗盧遮那佛金剛心地法門法界壇法儀則　（25–22）

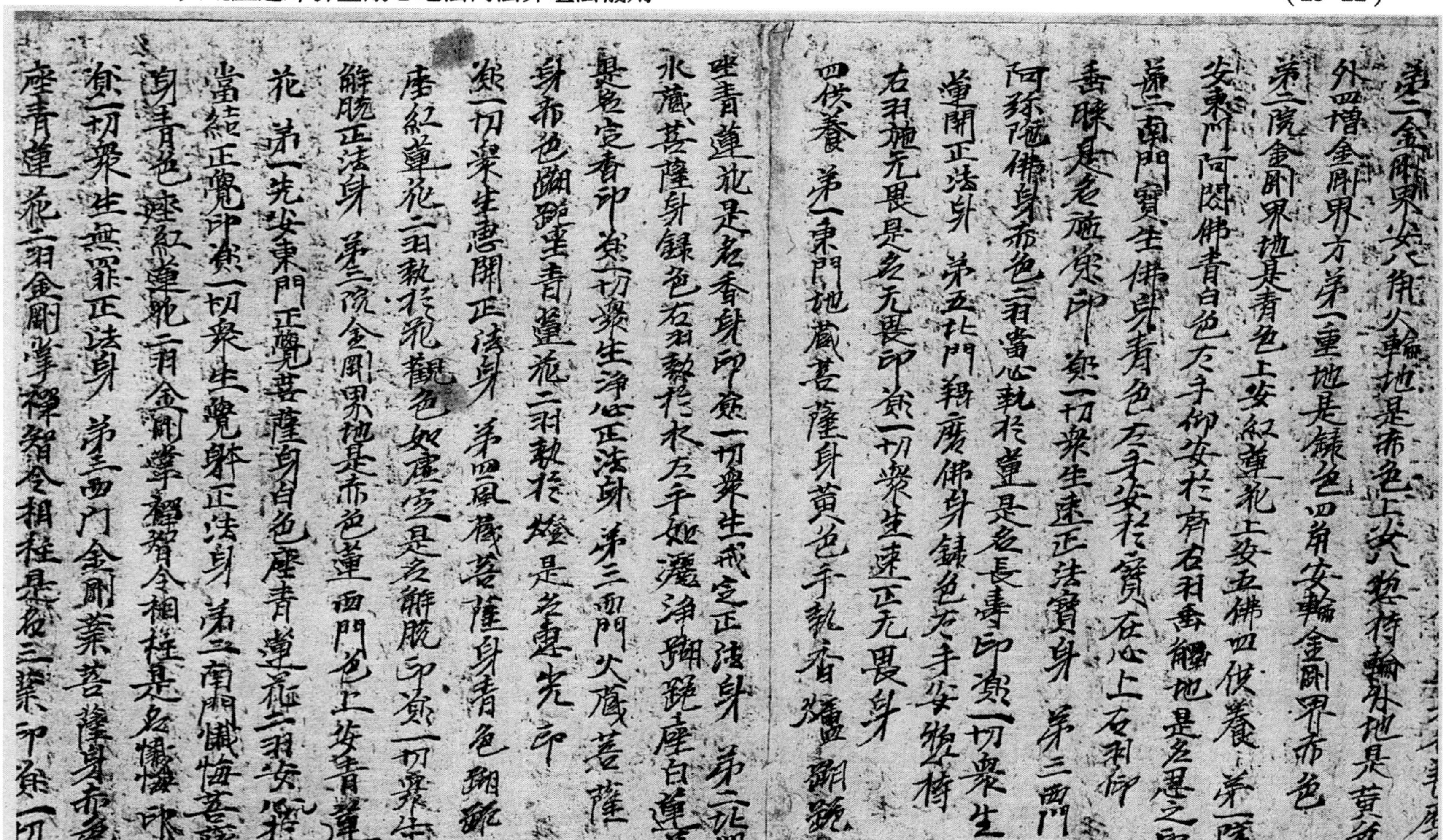

第二金剛界安六角火輪　地是赤色　上安八輻持輪　外地是黃色
外四增金剛界方　第一重地是綠色　四角安輪　金剛界赤色
第二院金剛界地是青色　上安紅蓮花　上安五佛四供養　第一院
安東門阿閦佛青白色　左手仰安於臍　右羽垂觸地　是名恩之印
第二南門寶生佛身青色　左手安於臍　在心上　右羽仰
垂脥　是名施願印　與一切衆生速正法寶身　第三西門
阿彌陀佛身赤色　二羽當心執於蓮　是名長壽印　與一切衆生
蓮開正法身　第五北門釋迦佛身綠色　右手安膝椅
右羽施无畏　是名无畏印　與一切衆生速正无畏身
四供養　第一東門地藏菩薩身黃色　手執香爐　蹋跪
坐青蓮花　是名香身印　與一切衆生戒定正法身　第二北門
水藏菩薩身綠色　右羽執於衣　左手如灑淨　蹋跪座白蓮花
是名定香印　與一切衆生淨心正法身　第三西門火藏菩薩
身赤色　蹋跪坐青蓮花　二羽執於燈　是名惠光印
與一切衆生惠開正法身　第四風藏菩薩身青色　蹋跪
座紅蓮花　二羽執於花　觀色如虛空　是名解脫印　與一切衆生
解脫正法身　第三院金剛界地是赤色蓮　西門色上安青蓮
花　第一先安東門正覺菩薩身白色　座青蓮花　二羽安於
當結正覺印　與一切衆生覺解正法身　第二南門懺悔菩薩
身青色　座紅蓮花　二羽金剛掌　稱賀合相　柱是名懺悔印
與一切衆生無罪正法身　第三西門金剛業菩薩身赤色
座青蓮花　二羽金剛掌　禪智合相　柱是名三業印　與一切

BD02074 號　金剛峻經金剛頂一切如來深妙秘密金剛界大三昧耶修行四十九種壇法經作用威儀法則，
大毗盧遮那佛金剛心地法門法界壇法儀則　（25–23）

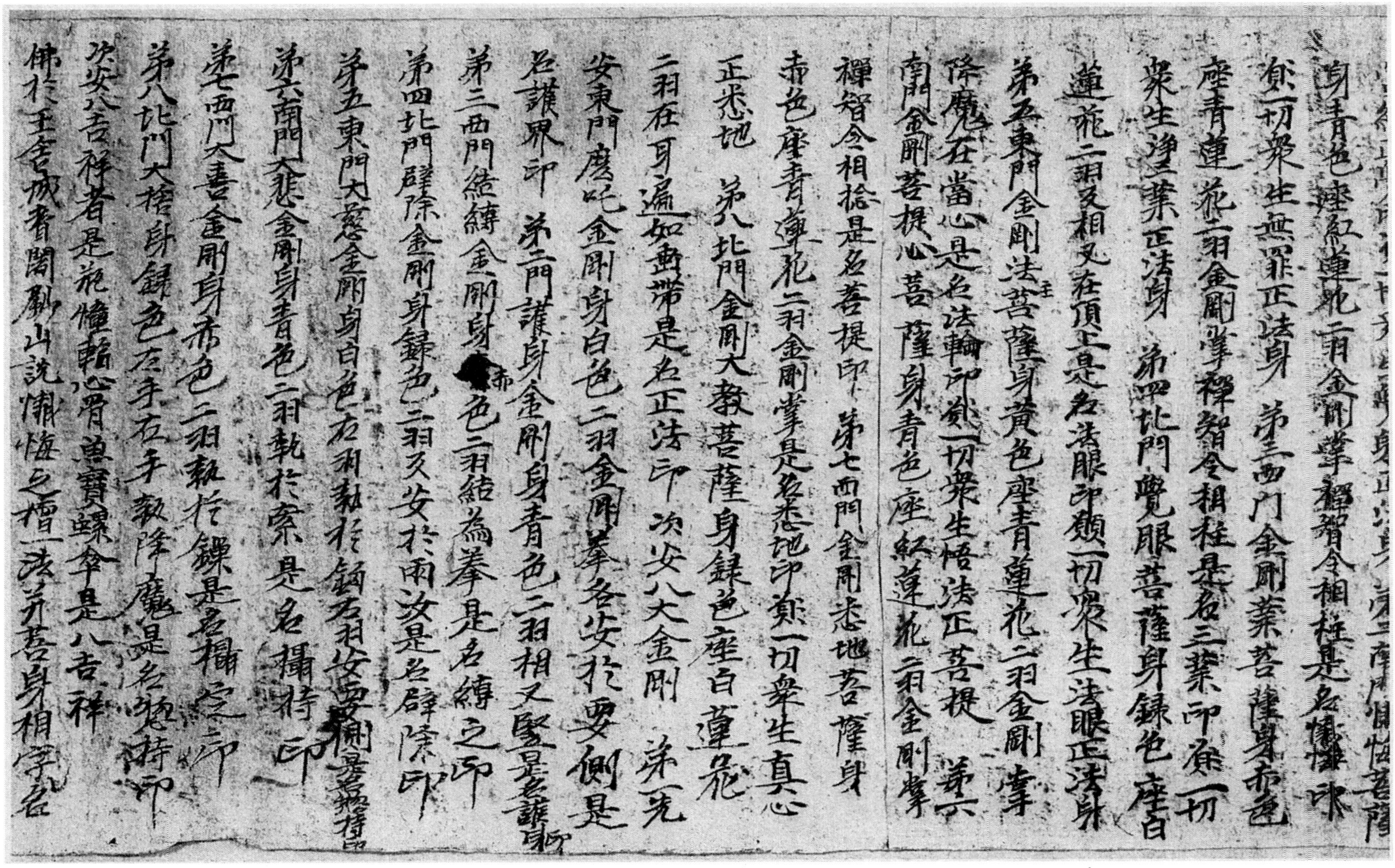

BD02074 號　金剛峻經金剛頂一切如來深妙秘密金剛界大三昧耶修行四十九種壇法經作用威儀法則，大毗盧遮那佛金剛心地法門法界壇法儀則　（25–24）

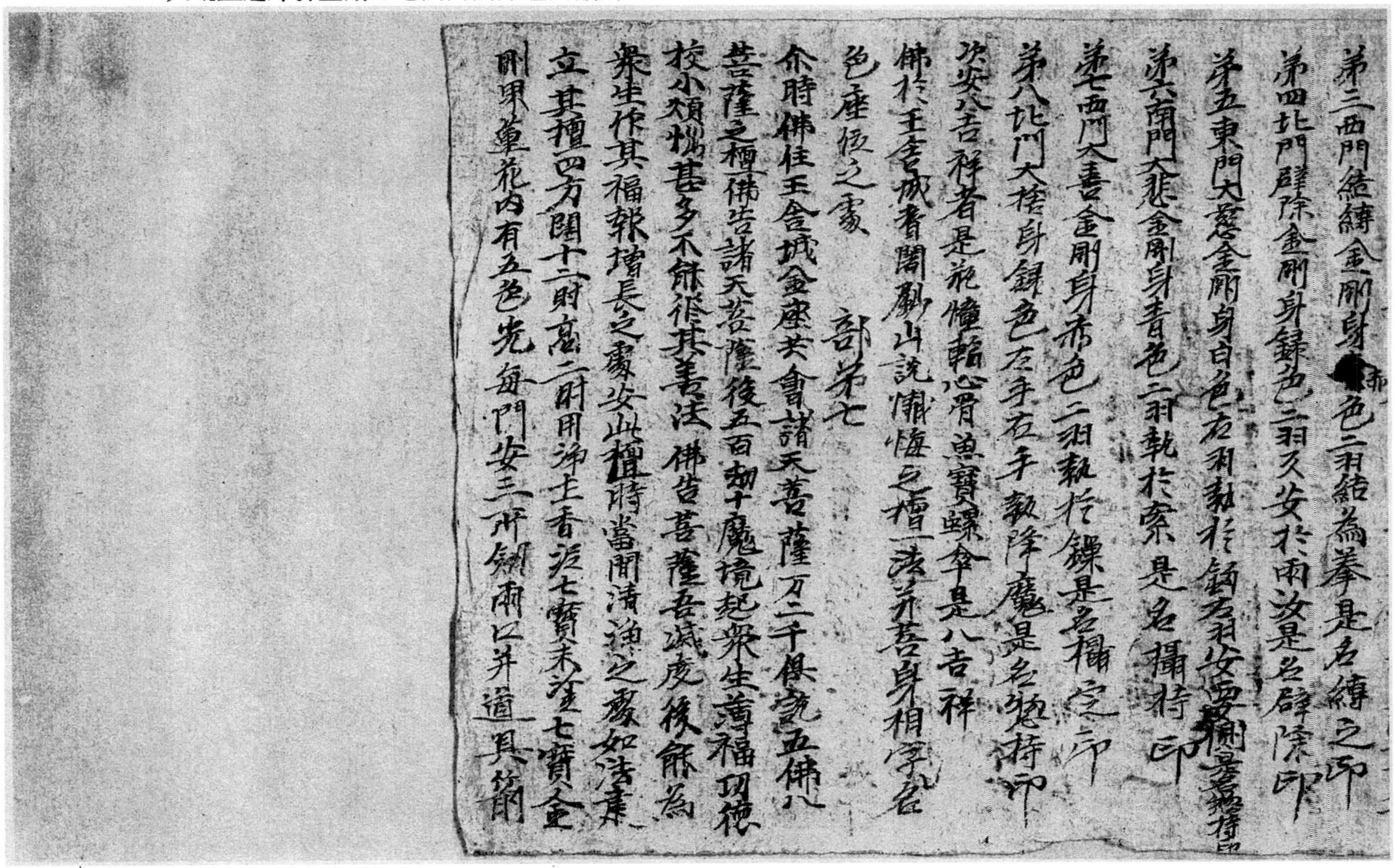

BD02074 號　金剛峻經金剛頂一切如來深妙秘密金剛界大三昧耶修行四十九種壇法經作用威儀法則，大毗盧遮那佛金剛心地法門法界壇法儀則　（25–25）

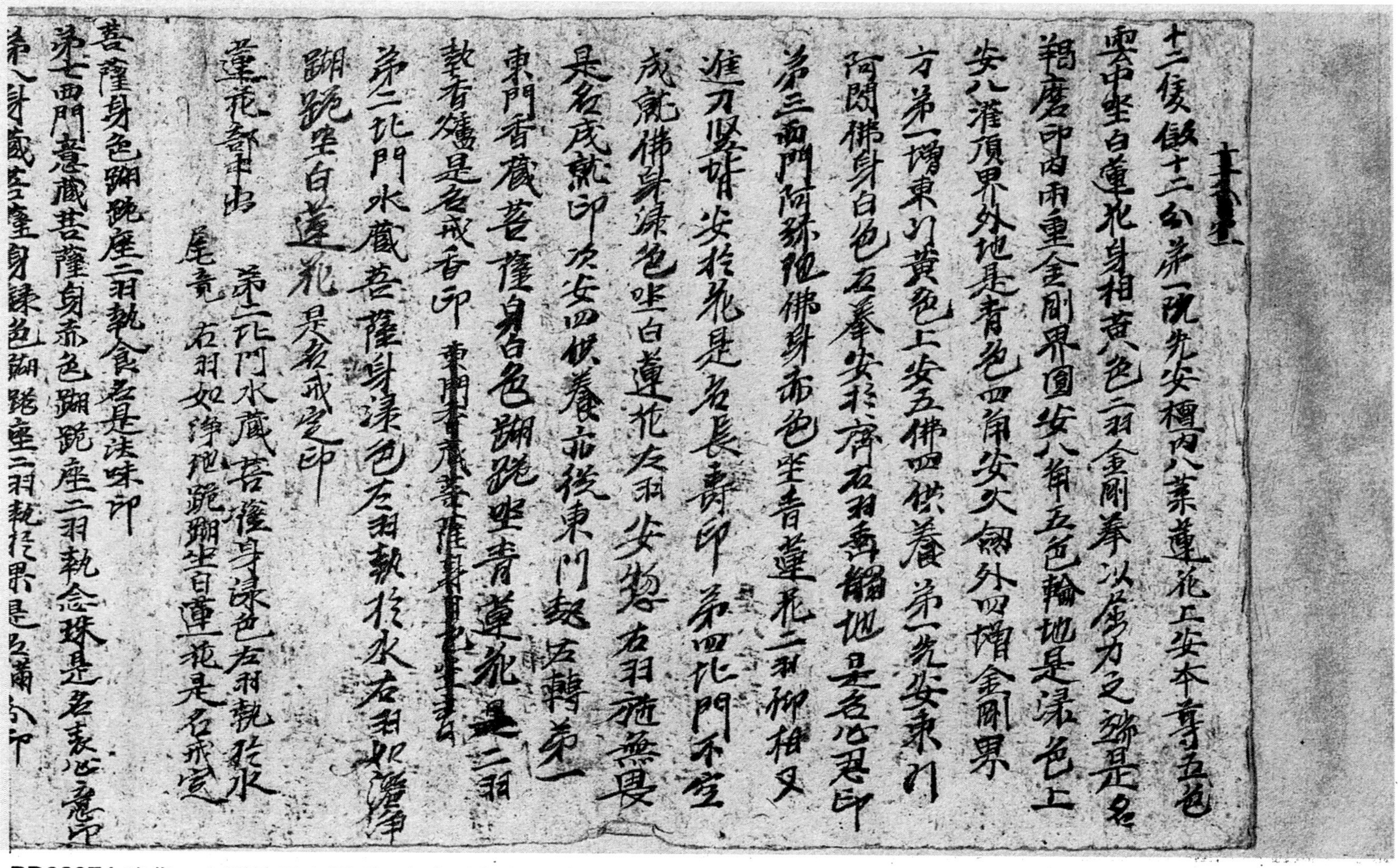

十二佚斂十二公弟一院先安檀內八葉蓮花上安本尊五色
雲中坐白蓮花身相黃色二羽金剛拳以屈力之踃是名
羯磨印內兩重金剛界圓安八角五色輪地是綠色上
安八維頂界外地是青色四角安火燄外四增金剛界
方弟一增東門黃色上安五佛四供養弟一先安東門
阿閦佛身白色左拳安於齊右羽垂觸地是名心君印
弟三西門阿弥陁佛身赤色坐青蓮花二羽仰相叉
進力竪頭安於花是名長壽印　弟四北門不空
成就佛身綠色坐白蓮花左羽安臍右羽施無畏
是名成就印　次安四供養亦從東門起右轉弟一
東門香藏菩薩身白色蹲跪坐青蓮花是二羽
執香爐是名戒香印　~~東門香藏菩薩身~~[illegible]
弟二北門水藏菩薩身綠色左羽執於水右羽如淨
蹲跪坐白蓮花是名戒定印
蓮花部中出　弟二北門水藏菩薩身綠色右羽執於水
尾竟　右羽如淨瓶跪蹲坐白蓮花是名戒定
菩薩身色蹲跪座二羽執食器是法味印
弟七西門意藏菩薩身赤色蹲跪座二羽執念珠是名表心意印
弟八身藏菩薩身綠色蹲跪座二羽執於果是名滿分印

BD02074 號背　金剛峻經金剛頂一切如來深妙秘密金剛界大三昧耶修行四十九種壇法經作用威儀法則，大毗盧遮那佛金剛心地法門法界壇法儀則　（23–1）

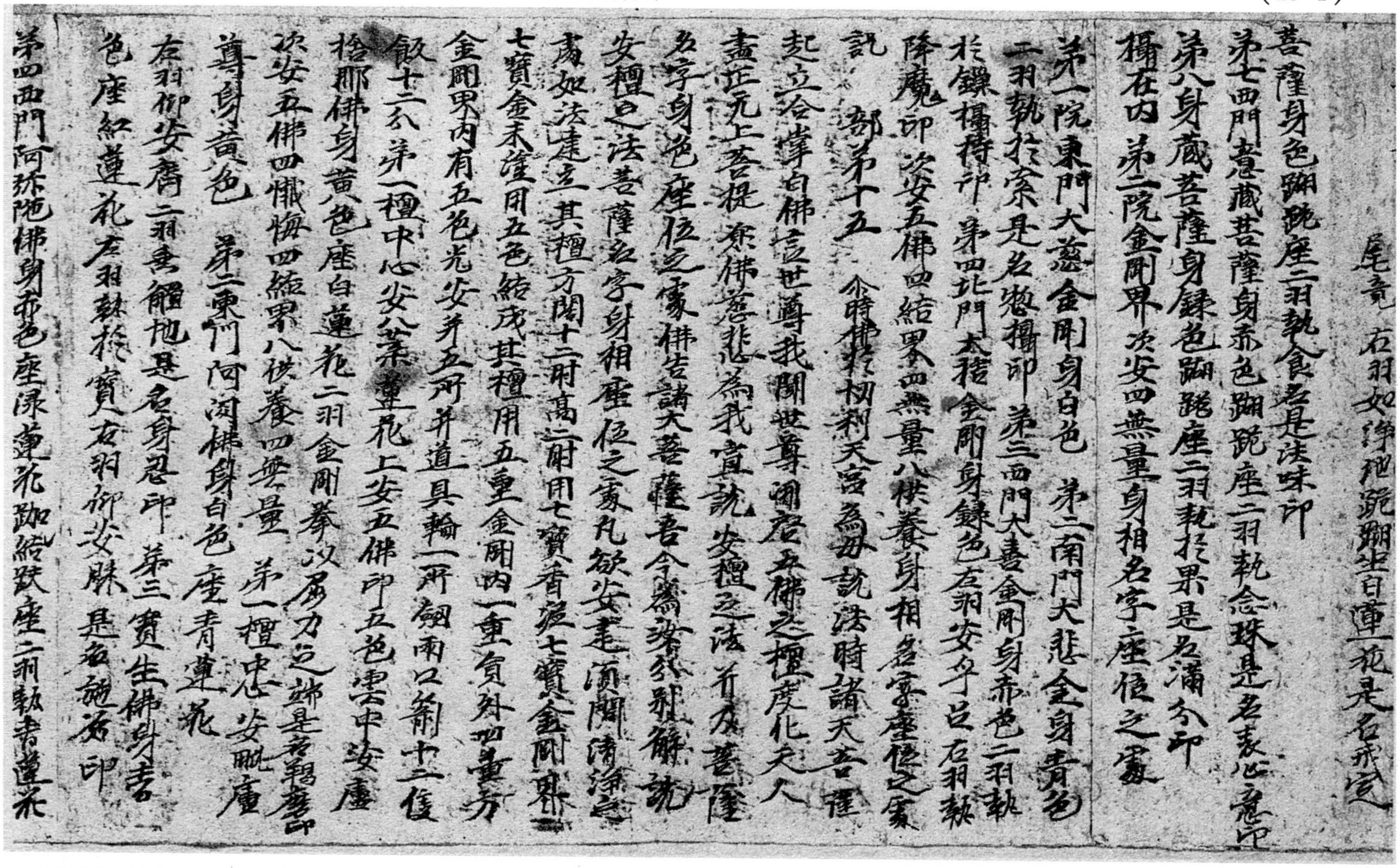

尾竟　右羽如淨瓶跪蹲坐白蓮花是名戒定
菩薩身色蹲跪座二羽執食器是法味印
弟七西門意藏菩薩身赤色蹲跪座二羽執念珠是名表心意印
弟八身藏菩薩身綠色蹲跪座二羽執於果是名滿分印
攝在內　弟二院金剛界　次安四無量身相名字座位之處
弟一院東門大慈金剛身白色　弟二南門大悲金剛身青色
二羽執於索是名鉤攝印　弟三西門大喜金剛身赤色二羽執
於鏁攝持印　弟四北門大捨金剛身綠色左羽安孚臼　右羽執
降魔印　次安五佛四結界四無量八供養身相名字座位之處
說　部第十五　爾時佛於忉利天宮為母說法時諸天合掌
起立合掌白佛言世尊我聞世尊開居五佛之壇度化天人
盡證无上菩提　願佛慈悲為我宣說安壇之法并及菩薩
名字身色座位之處　佛告諸大菩薩言今為汝等分別解說
安壇之法菩薩名字身相座位之處凡欲安壇先須開清淨之
處如法建立其壇方闊十二肘高二肘用七寶香泥七寶金剛界
七寶金末塗用五色結成其壇用五重金剛內一重負外四重方
金剛界內有五色光安并五所并道具輪一所鋼兩口箭十二隻
斂十二公弟一檀中心安八葉蓮花上安五佛印五色雲中安盧
舍那佛身黃色座白蓮花二羽金剛拳以屈力之踃是名羯磨印
次安五佛四懺悔四結界八供養四無量　弟一檀中心安毗盧
尊身黃色　弟二東門阿閦佛身白色座青蓮花
左羽仰安臍二羽垂觸地是名身君印　弟三寶生佛身青
色座紅蓮花左羽執於寶右羽仰安膝是名施願印
弟四西門阿弥陁佛身赤色座綠蓮花跏結趺座二羽執青蓮花

BD02074 號背　金剛峻經金剛頂一切如來深妙秘密金剛界大三昧耶修行四十九種壇法經作用威儀法則，大毗盧遮那佛金剛心地法門法界壇法儀則　（23–2）

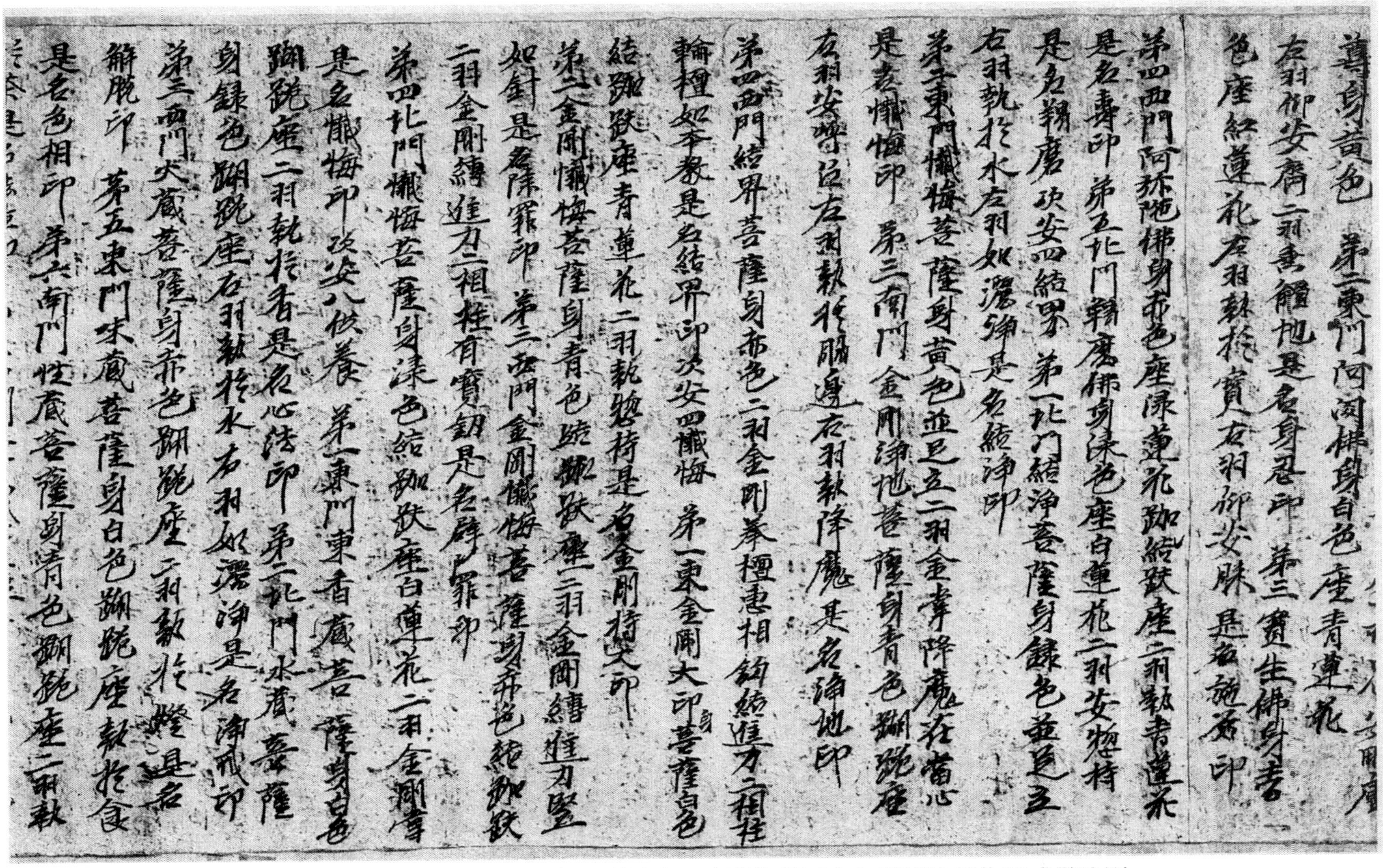
尊身黄色 第二東門阿閦佛身白色 座青蓮花
左羽仰安臍二羽垂觸地是名身恐印 第三寶生佛身青
色座紅蓮花右羽執於寶 右羽仰安臍 是名施願印
第四西門阿弥陀佛身赤色座淥蓮花跏結趺座二羽執青蓮花
是名壽印 第五北門釋迦佛身淥色座白蓮花二羽安想持
是名釋迦 次安四結界 第一北門結淨菩薩身緑色並足立
左羽執於水右羽如灑淨是名結淨印
第二東門懺悔菩薩身黄色並足立二羽金拳降魔在當心
是名懺悔印 第三南門金剛淨地菩薩身青色蹲踞座
左羽安腰 右羽執於腦邊右羽執降魔是名淨地印
第四西門結界菩薩身赤色二羽金剛拳檀惠相鉤結進力二相柱
輪檀如拳狀是名結界印 次安四懺悔 第一東金剛大印菩薩白色
結跏趺座青蓮花二羽執驗持是名金剛持大印
第二金剛懺悔菩薩身青色跪跏趺座二羽金剛縛進力豎
如針是名降魔印 第三西門金剛懺悔菩薩身赤色結跏趺
二羽金剛縛進力二相柱有寶鈎是名辟除印
第四北門懺悔菩薩身淥色結跏趺座白蓮花二羽金剛縛
是名懺悔印 次安八供養 第一東門東香藏菩薩身白色
蹲踞座二羽執於香是名心法印 第二北門水藏菩薩
身緑色蹲踞座左羽執於水右羽如灑淨是名淨戒印
第三西門火藏菩薩身赤色蹲踞座二羽執於燈是名
解脱印 第五東門味藏菩薩身白色蹲踞座執於食
是名色相印 第六南門性藏菩薩身青色蹲踞座二羽執

BD02074 號背　金剛峻經金剛頂一切如來深妙秘密金剛界大三昧耶修行四十九種壇法經作用威儀法則，
大毗盧遮那佛金剛心地法門法界壇法儀則　（23–3）

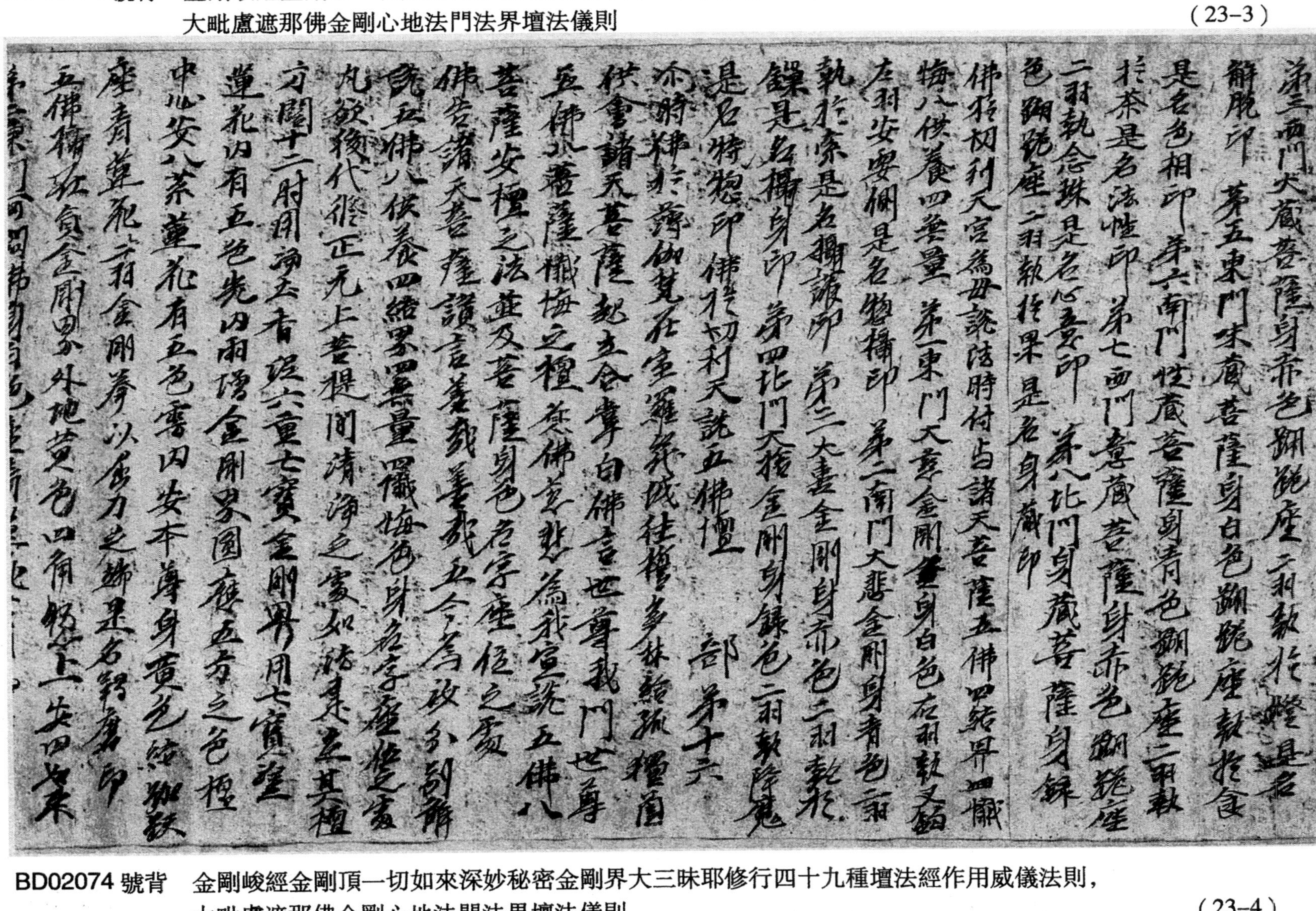
第三西門火藏菩薩身赤色蹲踞座二羽執於燈是名
解脱印 第五東門味藏菩薩身白色蹲踞座執於食
是名色相印 第六南門性藏菩薩身青色蹲踞座二羽執
於茶是名法性印 第七西門意藏菩薩身赤色蹲踞座
二羽執念珠是名心意印 第八北門身藏菩薩身緑
色蹲踞座二羽執於果是名身藏印
佛於忉利天宫為母説法時付占諸天菩薩五佛四結界四懺
悔八供養四無量 第一東門大喜金剛菩薩身白色左羽執叉鈷
左羽安腰側是名總攝印 第二南門大悲金剛身青色二羽
執於索是名攝諸印 第三大喜金剛身赤色二羽執於
鎖是名攝身印 第四北門大捨金剛身緑色二羽執降魔
是名持總印 佛於忉利天説五佛壇 部 第十六
爾時如來於摩伽梵在室羅筏城住樹多林給孤獨園
供會諸天菩薩起立合掌白佛言世尊我門世尊
五佛八菩薩安檀之法並及菩薩身色名字座位之處
佛告諸天菩薩讃言善哉善哉五今為汝分别解
説五佛八供養四結界四無量四懺悔色身名字座位之處
九叙從代邪正无上菩提聞清淨之處如諸來是其檀
方闊十二肘用泥五香泥六重七寶金剛界用七寶蓮
蓮花内有五色光内雨增金剛界圓應五方之色檀
中心安八葉蓮花有五色雲内安本尊身黄色結跏趺
座青蓮花二羽金剛拳以應力足拄是名智拳印
五佛檀紅色金剛界外地黄色四角畫五失四色來

BD02074 號背　金剛峻經金剛頂一切如來深妙秘密金剛界大三昧耶修行四十九種壇法經作用威儀法則，
大毗盧遮那佛金剛心地法門法界壇法儀則　（23–4）

中心安八葉蓮花有五色雲因安本尊身黄色結跏趺
座青蓮花二羽金剛拳以爲刀之勢是名釋魔印
五佛儀在頂金剛界外地黄色四角頭上安四如來
第二東門阿閦佛身白色座青蓮花右羽仰安摩
右羽膝觸地是名身召印 第三南門寶生身青色
座紅蓮花右羽安於寶右羽施无畏於是名施願印
第四西門阿弥陀佛身赤色座緑蓮花二羽仰安又上
安青蓮花是名壽印 第五北門不空成就佛身緑
色座白蓮花二羽安膝持是名根本持印 次安四結界
在從內 第二重金剛界上安第一東門懺悔菩薩身白色
二羽並立二羽金剛掌降魔在當心是名淨心印 第二
南門金剛淨地菩薩身青色獅子座右羽安等召右
羽執降魔是名淨地印 第三西門金剛結界菩薩
身赤色座緑蓮花二羽金剛拳檀慧相鉤縱立刀二拄
輪檀二如本教是名結界印 第四北門金剛結淨菩薩
次安四大懺悔菩薩亦攝在第二重金剛界蓮西門
色 第一東門金剛大部菩薩身白色座青蓮花檀慧
禪智反相叉蓮花二羽金剛掌降魔在當心是名密印
第三南門懺悔菩薩身青色左羽安等召右羽把杵攝是
名降魔印 第四北門懺悔菩薩身緑色座白蓮花
左羽執降魔安於波遮左羽執等召座在於自邊
是名降召印 次安八供養攝在第四重金剛界地蓮
南門青色 第一東門香藏菩薩身白色獅子座二羽執香
是名戒定印 第二北門水藏菩薩身緑色獅子座□□□

BD02074號背 金剛峻經金剛頂一切如來深妙秘密金剛界大三昧耶修行四十九種壇法經作用威儀法則，
大毗盧遮那佛金剛心地法門法界壇法儀則 （23–5）

左羽執降魔安於波遮左羽執等召座在於自邊
是名降召印 次安八供養攝在第四重金剛界地蓮
南門青色 第一東門香藏菩薩身白色獅子座二羽執香
是名戒定印 第二北門水藏菩薩身緑色獅子座右羽執
於水右羽如灌淨是名結淨印 第三西門大藏菩薩
身赤色獅子座二羽執於燈是名心燈印 第四南門風
藏菩薩身青色獅子座二羽執於花是名諸風印
第五東門咪菩薩身白色獅子座二羽執於食是名香相印
第六南門性相菩薩身青色獅子座二羽執於本譽蓮花
第七西門意相菩薩身赤色獅子座二羽執念珠是名心要
印 第八北門身藏菩薩身緑色獅子座二羽執於果
是名滿足印 次安四無量攝在第五重金剛界第一東門大慈金
剛身白色右羽執叉鉤左羽安愛側是名慈攝印 第二南門大悲
金剛身青色二羽執於索是名攝護印 第三西門大喜金剛身赤
色二羽執於鎖是名攝印 第四北門大捨金剛身緑色左羽安等召
右羽執降魔是名總持印 此種安時東門黄色南門青色
西門赤色北門緑色每門安瓶三所輪一所并道具鈴雨口□十二
隻飯十二分安門兩伴用五色結成淨心供養如法受持佛說
八菩薩四結界四懺悔四無量具足之壇法 部第十七
爾時佛住王舍城金剛座共會諸天菩薩万二千人俱佛觀二乘
護身之壇法諸天菩薩起立合掌白佛言世尊我聞世尊護身
之壇法貪佛慈悲爲我宣說護身安壇之法并及尊像身相
名字座位之處佛告諸天菩薩讚言善哉善哉汝等諦聽
善思念之吾今爲汝分別解說五佛八菩薩四結界四無量見

BD02074號背 金剛峻經金剛頂一切如來深妙秘密金剛界大三昧耶修行四十九種壇法經作用威儀法則，
大毗盧遮那佛金剛心地法門法界壇法儀則 （23–6）

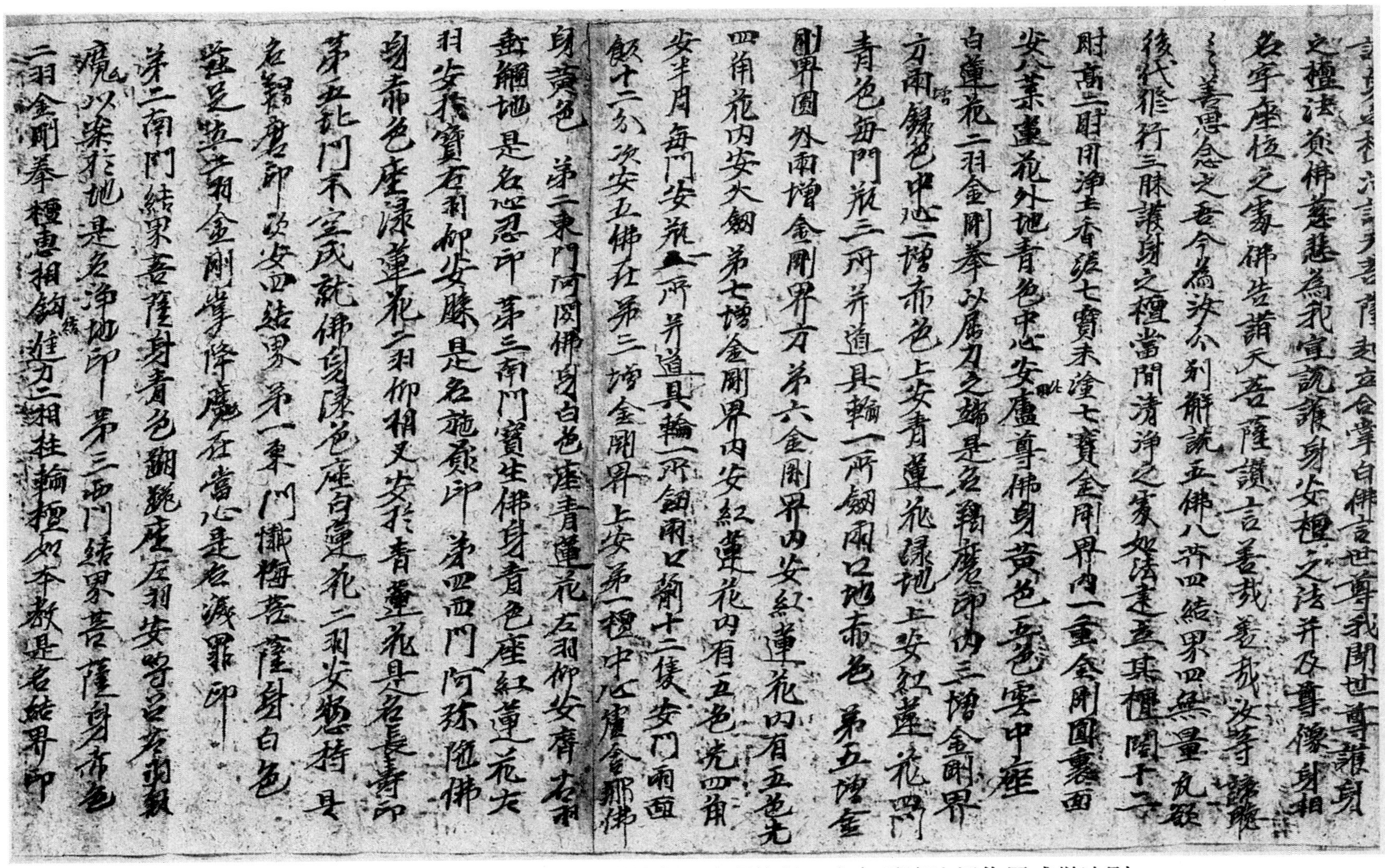

BD02074 號背　金剛峻經金剛頂一切如來深妙秘密金剛界大三昧耶修行四十九種壇法經作用威儀法則，大毗盧遮那佛金剛心地法門法界壇法儀則　（23–7）

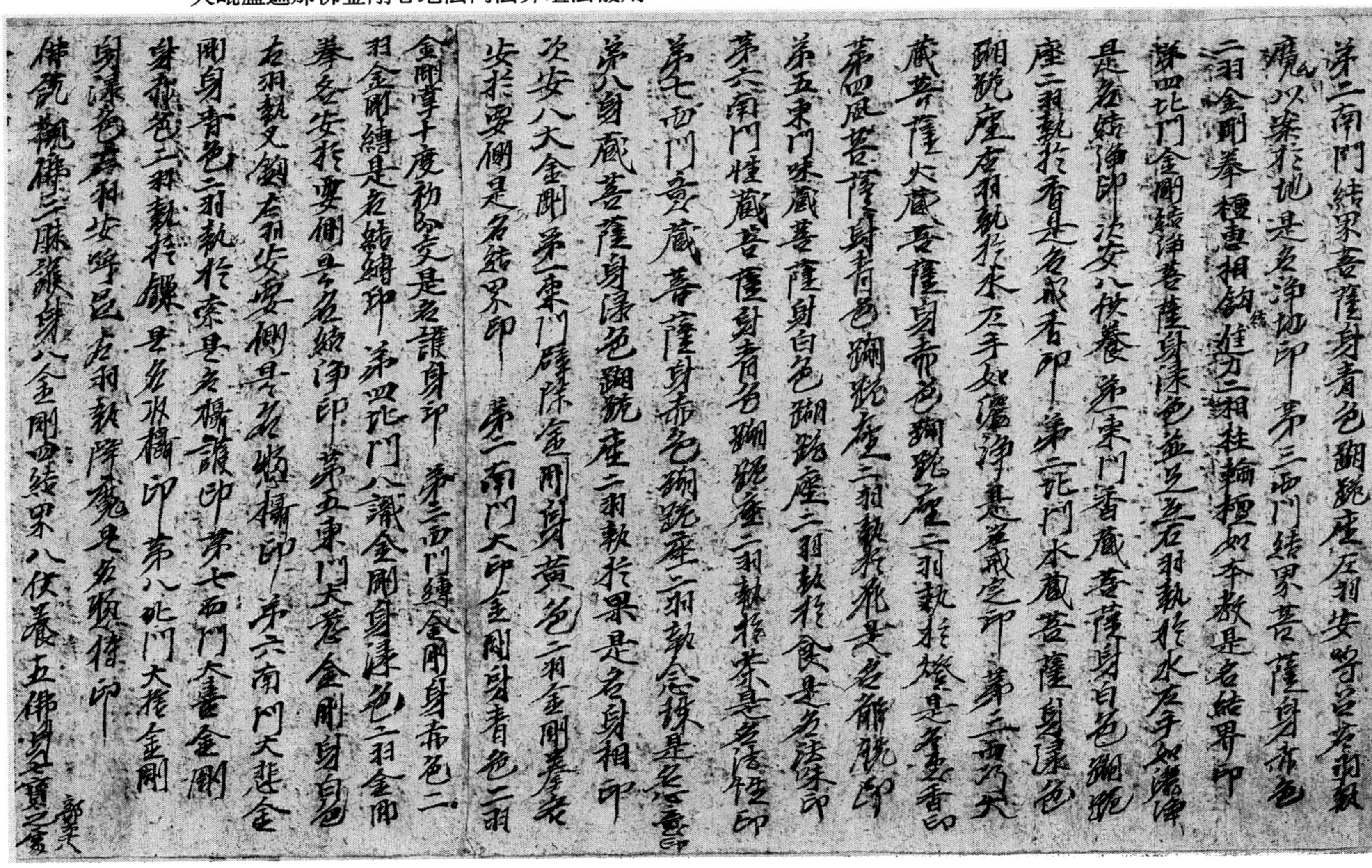

BD02074 號背　金剛峻經金剛頂一切如來深妙秘密金剛界大三昧耶修行四十九種壇法經作用威儀法則，大毗盧遮那佛金剛心地法門法界壇法儀則　（23–8）

剛身青色二羽執於索是名檑護印第七西門大喜金剛
身赤色二羽執於鏁是名小檑印第八北門大捨金剛
身綠色左羽安胸右羽執摩尼是名頂持印
佛説觀佛三昧讃身八金剛四結界八供養五佛身五寶之處 讃美
金剛佛座伽維那國共會諸天菩薩万二千人俱普賢菩薩
起立合掌白佛言世尊我聞世尊三昧之壇及佛菩薩
為我宣説三昧安壇之法并及尊像身色座位之處
佛告普賢菩薩吾今為汝分別解説三昧安壇之法
凡欲安此壇時須清淨之處如法建立先安壇後安尊
其壇方闊十二肘高一肘用淨土香泥七寶末塗七寶金剛界
壇中心安八葉蓮白蓮花上安盧捨那身黄色五色雲中
座青蓮花二羽金剛拳以為力之端是名釋磨印
第二壇金剛圍内有八葉蓮花地是綠色第二壇金剛
界方地是七寶地上安青蓮花内安五佛身第一壇中心
安盧捨那佛身黄色第二東門阿閦佛身白色第三
寶生佛身青色第四西門阿彌陀佛身赤色第五北門
不空成就佛身綠色次安四結界在第三壇金剛界上安
第一東門捕梅菩薩身黄色並足立二羽金剛掌降
魔在於心是名除障印 第二南門掃地菩
身青色座蹲跪座左羽安胸右羽執掃魔以帚於地
是名淨地印第三西門金剛界菩薩身赤色二羽金剛拳
檀慧相鉤結進力二相柱輪檀如本教是名羯界印
第四北門金剛結淨菩薩身綠色並足立右羽執於水
左羽如灑淨是名結淨印次安八供養第一東門香藏

BD02074號背　金剛峻經金剛頂一切如來深妙秘密金剛界大三昧耶修行四十九種壇法經作用威儀法則，
大毗盧遮那佛金剛心地法門法界壇法儀則

（23–9）

是名淨地印第三西門金剛界菩薩身赤色二羽金剛拳
檀慧相鉤結進力二相柱輪檀如本教是名羯界印
第四北門金剛結淨菩薩身綠色並足立右羽執於水
左羽如灑淨是名結淨印次安八供養第一東門香藏
菩薩身白色蹲跪座二羽執於香是名戒香印
第二北門水藏菩薩身綠色蹲跪座右羽執於水左羽如
灑淨是名定香印第三西門惠藏菩薩身赤色蹲跪
座二羽執於燈是名惠香印第四南門解脱菩薩身
青色蹲跪座二羽執於花是名解脱印第五西門
味藏菩薩身赤色蹲跪座二羽執於食是名味戒印
第六東門性藏菩薩身白色蹲跪座二羽執於幡是名性戒印
第七北門意藏菩薩身綠色蹲跪座二羽執八寶珠是名意戒印
第八南門身戒菩薩身青色蹲跪座二羽執於菓是名身戒印
次安八大金剛身色名字座位之處第一東門無漏金剛身
黄色二羽金剛縛禪智屈二於掌是名無漏印第二南門
堅固金剛身青色二羽金剛掌進力柱禪智是名固堅印
第三西門大輪金剛身赤色八臂赤四面忿怒形四牙熾盛
二羽金剛拳檀惠背鉤結禪柱力二背豎是名結界印
二羽執輪杵是名降魔印二羽執利劍交在頂之處是名
二羽執降魔是名懲持印右足直左直跪大天在后是
名大輪印 第四北門蓮花部大輪金剛身綠色二羽金剛縛
檀惠禪智豎是名轉輪印 第五東門大笑金剛身白色右羽
執叉鉤左羽安腰側是名懲攝印 第六南門大悲金剛身青色

BD02074號背　金剛峻經金剛頂一切如來深妙秘密金剛界大三昧耶修行四十九種壇法經作用威儀法則，
大毗盧遮那佛金剛心地法門法界壇法儀則

（23–10）

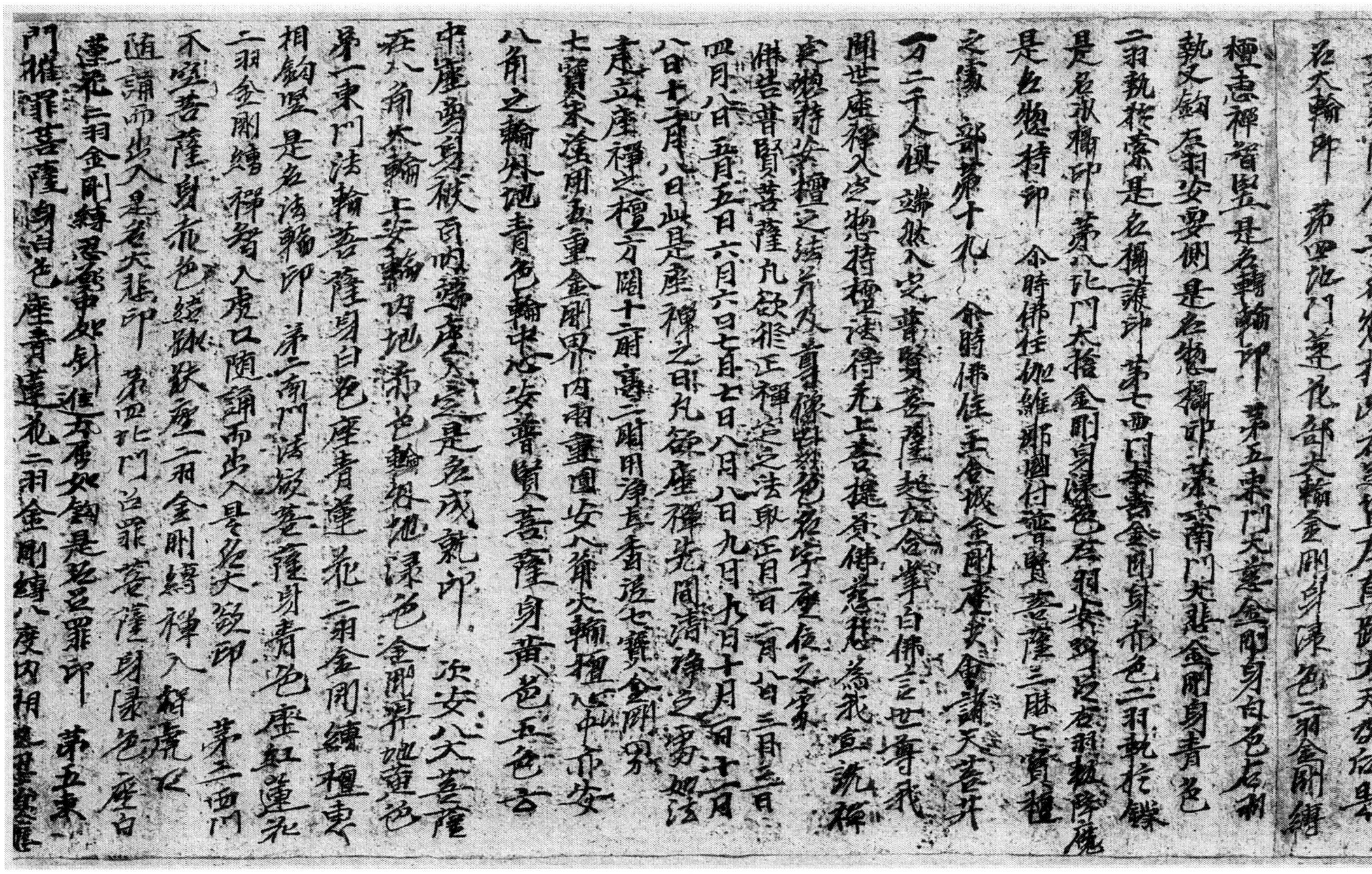

BD02074 號背　金剛峻經金剛頂一切如來深妙秘密金剛界大三昧耶修行四十九種壇法經作用威儀法則，大毗盧遮那佛金剛心地法門法界壇法儀則　（23–11）

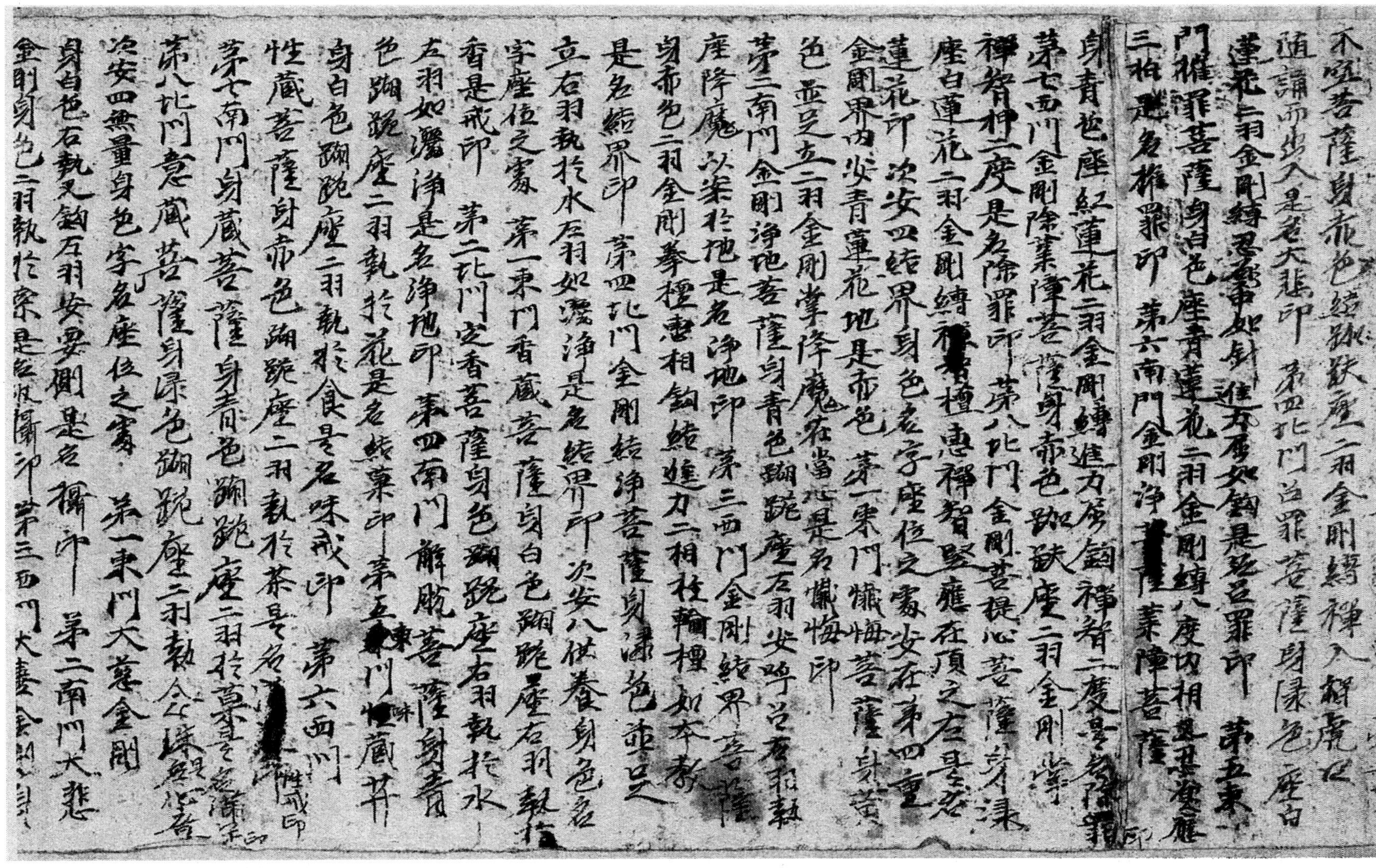

BD02074 號背　金剛峻經金剛頂一切如來深妙秘密金剛界大三昧耶修行四十九種壇法經作用威儀法則，大毗盧遮那佛金剛心地法門法界壇法儀則　（23–12）

性藏菩薩身赤色師子座二羽執於蓮是名[illegible]性成印
第七南門身藏菩薩身青色師子座二羽於草[illegible]名清淨印
第八北門意藏菩薩身綠色師子座二羽執合蓮[illegible]
次安四無量身色字名座位之處　第一東門大慈金剛
身白色右執召鉤右羽安界側是名攝印　第二南門大悲
金剛身色二羽執於索是名攝印　第三西門大喜金剛身
赤色二羽執於鑠是名攝護印　第四北門大捨金剛身
綠色左羽安界右羽執降魔是名總持印
佛於金剛座付與普賢菩薩座禪禮其禮四方用五
重金剛界內兩標圍外三標方東門黃色南門青蓮心
西門蓮第四重金剛界地赤色北門蓮第五重金剛界地
綠色每門安瓶三所輪一所并道具鈴兩口繖十二幡十二
於周五色線繞成特百寶七珠如法供養莫退心
佛說成就座禪種之處　許來世
爾時佛住王舍城耆闍崛山中與大菩薩衆有二千人俱
說座禪入定開禪修行之種佛告諸大菩薩等諦聽
受持度脫衆生普賢菩薩起立合掌白佛言世尊
我能受持不取妄失願佛慈悲爲我宣說開禪修
行安種之法并乃尊像身色名字座位之處
佛告普賢菩薩汝等後代修行座禪入定開禪修行
先安此種其前闊丈七尺高二尺用淨土泥七寶香泥七
寶金剛界七寶末塗用七重金剛界界四地輪用色外
增四門總綠色　第一中種心安八角火輪地是黃色上安
普賢菩薩身白色五色雲中座右傍左羽安膝右
羽執降魔是名總持印　次安四結界身色名字座位
之處安在後內第三層金剛界上安第一東門摧悔
菩薩身翁色蓮花座二羽金剛掌降魔在當心是名
淨心印　第二南門淨地菩薩身青色[illegible]

BD02074 號背　金剛峻經金剛頂一切如來深妙秘密金剛界大三昧耶修行四十九種壇法經作用威儀法則，
大毗盧遮那佛金剛心地法門法界壇法儀則　（23–13）

羽執降魔是名總持印　次安四結界身色名字座位
之處安在後內第三層金剛界上安第一東門摧悔
菩薩身翁色蓮花座二羽金剛掌降魔在當心是名
淨心印　第二南門淨地菩薩身青色獅子座左羽
安膝右羽執降魔以菜於地是名淨地印
第三西門結界菩薩身色金剛拳種惠相鉤堅進刀二相拄
輪種如本數是名結界印　第四北門結界菩薩身綠色
並足立左羽執於水左羽如灑淨是名淨戒印
次安八大菩薩觀心菩薩相菩薩身色名字座位
之處　第一東門菩提心菩薩身綠色師子座左羽安膝
右羽執降是名開除印
第三菩提堅固金剛蓮花部菩薩身赤色結跏趺座
一羽執利劍是名金剛鋒　二羽執於蓮是名蓮法印
第四北門金剛薩埵菩薩身綠色結跏趺座二羽執利劍金剛印
第五東門三教菩薩身白色獅子座二羽執定忍是名一教印
第六南門成本尊花身黃菩薩身綠色結跏趺座二羽金
剛掌是名總持印　第七西門慈悲觀世菩薩身綠色
結跏趺座二羽金剛掌降魔慈悲心是名成就印
第八北門金剛婆頻羅菩薩身綠色結跏趺座二羽金剛縛
進力屈如鉤忍願申如劍是名持法印
次安八供養身色名字座位之處
第一東門香藏菩薩身白色獅子座二羽執於香是名燒香印
第二北門水藏菩薩身綠色獅子座右羽執於水右羽灑淨
第三西門惠香菩薩身赤色獅子座二羽執於爐是名燒香印
第四南門解脫菩薩身青色獅子座二羽執於解脫香印
第五東門金剛味菩薩身白色獅子座二羽執於食是名食印

BD02074 號背　金剛峻經金剛頂一切如來深妙秘密金剛界大三昧耶修行四十九種壇法經作用威儀法則，
大毗盧遮那佛金剛心地法門法界壇法儀則　（23–14）

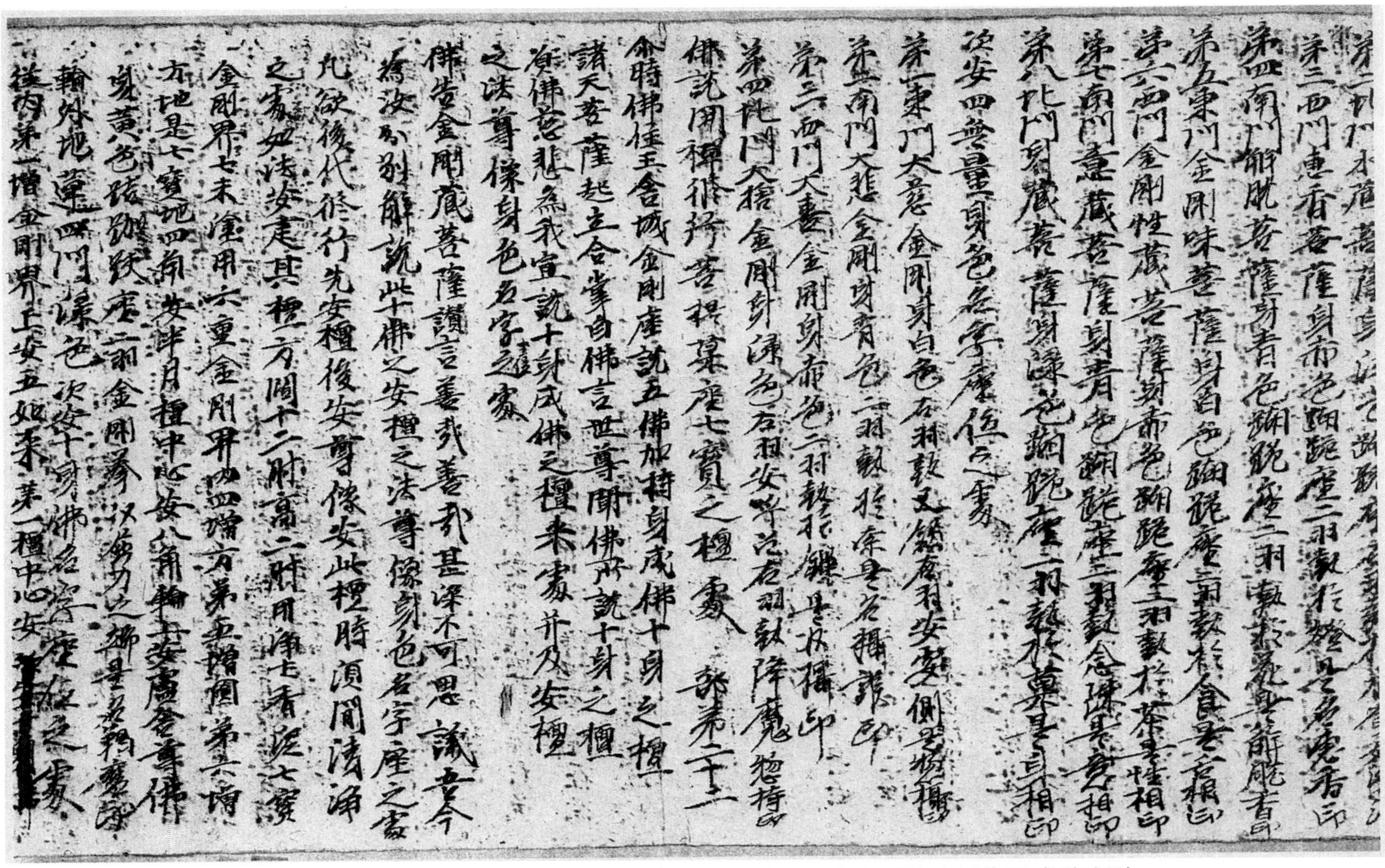

第二北門……燈……
第三西門惠香菩薩身赤色蹲踞座二羽執於燈是名惠香印
第四南門解脫香菩薩身青色蹲踞座二羽執於香是解脫香印
第五東門金剛味菩薩身白色蹲踞座二羽執於食是金剛味印
第六西門金剛性藏菩薩身赤色蹲踞座二羽執於蓮華是性相印
第七南門虛藏菩薩身青色蹲踞座二羽執金剛是虛藏印
第八北門財藏菩薩身綠色蹲踞座二羽執於寶是財相印
次安四無量身色名字座位之處
第一東門大慈金剛身白色右羽執於索是名攝罪印
第二南門大悲金剛身青色二羽執於……是……印
第三西門大喜金剛身赤色二羽執於鏁是次攝印
第四北門大捨金剛身綠色右羽安腰左羽執降魔抱持印
佛說閉禪徐掃菩提樹法座七寶之種處　次第二十二
爾時佛住王舍城金剛座說五佛加持身成佛十身之種
諸天菩薩起立合掌白佛言世尊聞佛所說十身之種
唯佛慈悲為我宣說十對成佛之種未審並及安種
之法尊像身色五字座處
佛告金剛藏菩薩言善哉善哉我甚深不可思議今
為汝分別解說此十佛之安種之法尊像身色名字座之處
凡欲後代修行先安種後安尊像安此種時須聞清淨
之處如法安建其種方闊十二肘高二肘用淨土香泥七寶
金剛界七末塗用六重金剛界四四增方第五增圓第六……
方地是七寶地四角安十月種中心安八角輪上安盧舍尊佛
身黃色跏趺座二羽金剛拳次安十身佛名字座位之處
輪外地蓮四門綠色次安十身佛名字座位之處
徙內第一增金剛界上安五如來第一種中心安

BD02074 號背　金剛峻經金剛頂一切如來深妙秘密金剛界大三昧耶修行四十九種壇法經作用威儀法則，
大毗盧遮那佛金剛心地法門法界壇法儀則　（23–15）

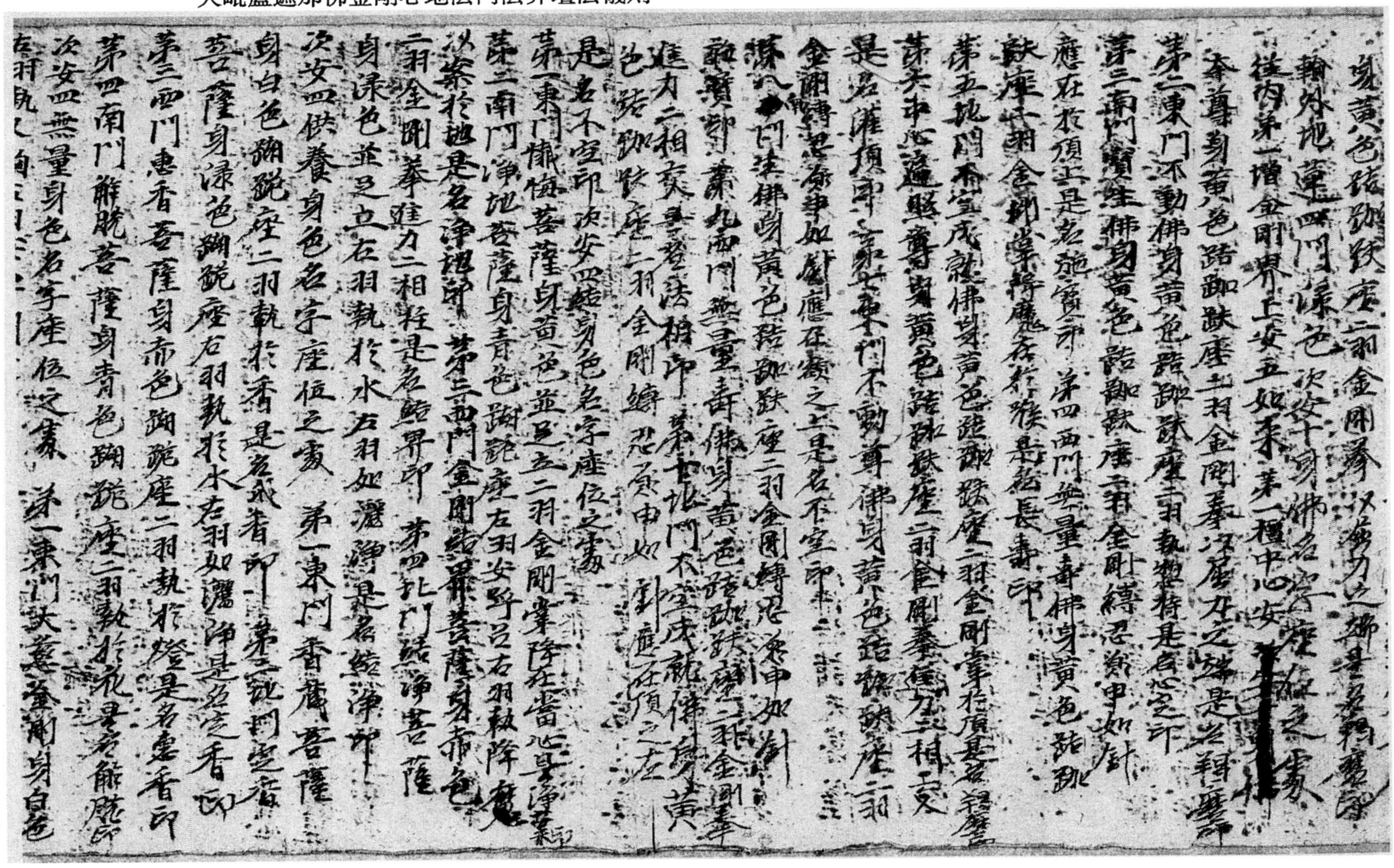

身黃色跏趺座二羽金剛拳次安十身佛名字座位之處
輪外地蓮四門綠色次安十身佛名字座位之處
徙內第一增金剛界上安五如來第一種中心安
本尊身黃色跏趺座二羽金剛拳……是……印
第一東門不動佛身黃色跏趺座二羽金剛拳……
第二南門寶生佛身黃色跏趺座二羽金剛縛忍願申如針
應在於頂上是名施寶印　第四西門無量壽佛身黃色跏趺
趺座二羽金剛掌……長壽印
第五北門不空成就佛身黃色跏趺座二羽金剛掌在頂上……
……黃色跏趺座二羽金剛拳……相交
是名灌頂印……不動尊佛身黃色跏趺座二羽
金剛縛忍願申如針應在頂之上是名不空印……
第八西門法佛身黃色跏趺座二羽金剛縛忍願申如針
……
進力二相交……
色跏趺座二羽金剛縛忍願申如針在頂之左
是名不空印　次安四攝身色名字座位之處
第一東門懺悔菩薩身黃色並足立二羽金剛掌降在當心是淨……印
第二南門淨地菩薩身青色蹲踞座左羽安腰右羽執降魔
次安於地是名淨地印　第三西門金剛結界菩薩身赤色
二羽金剛拳進力二相柱是名結界印　第四北門結淨菩薩
身綠色並足立右羽執於水左羽如灑淨是名結淨印
次安四供養身色名字座位之處　第一東門香戒菩薩
身白色蹲踞座二羽執於香是名戒香者印　第二南門定香
菩薩身綠色蹲踞座右羽執於水右羽如灑淨是名定香印
第三西門惠香菩薩身赤色蹲踞座二羽執於燈是名惠香印
第四南門解脫菩薩身青色蹲踞座二羽執於花是名解脫印
次安四無量身色名字座位之處　第一東門大慈金剛身白色
……

BD02074 號背　金剛峻經金剛頂一切如來深妙秘密金剛界大三昧耶修行四十九種壇法經作用威儀法則，
大毗盧遮那佛金剛心地法門法界壇法儀則　（23–16）

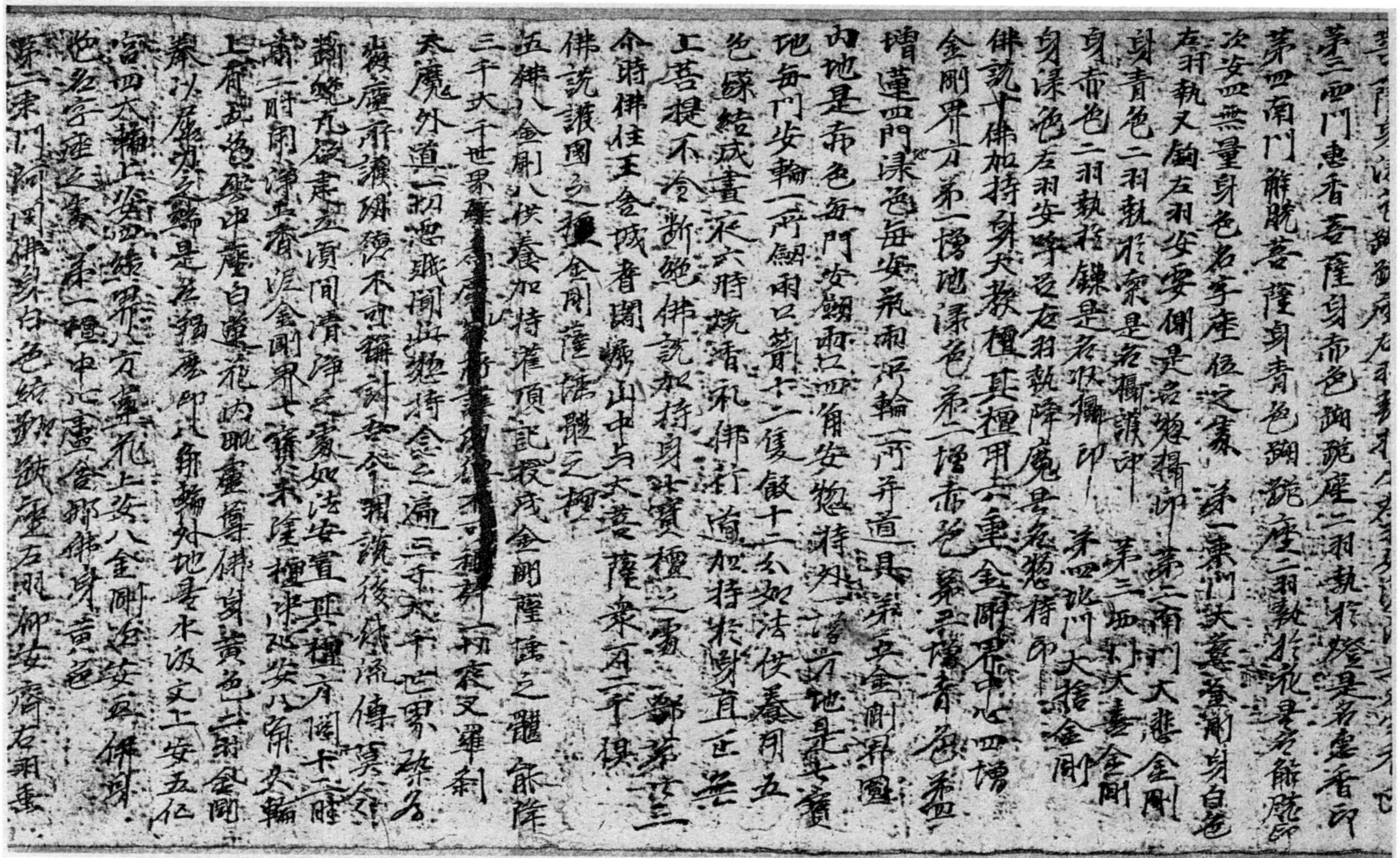

BD02074 號背　金剛峻經金剛頂一切如來深妙秘密金剛界大三昧耶修行四十九種壇法經作用威儀法則，大毗盧遮那佛金剛心地法門法界壇法儀則　（23–17）

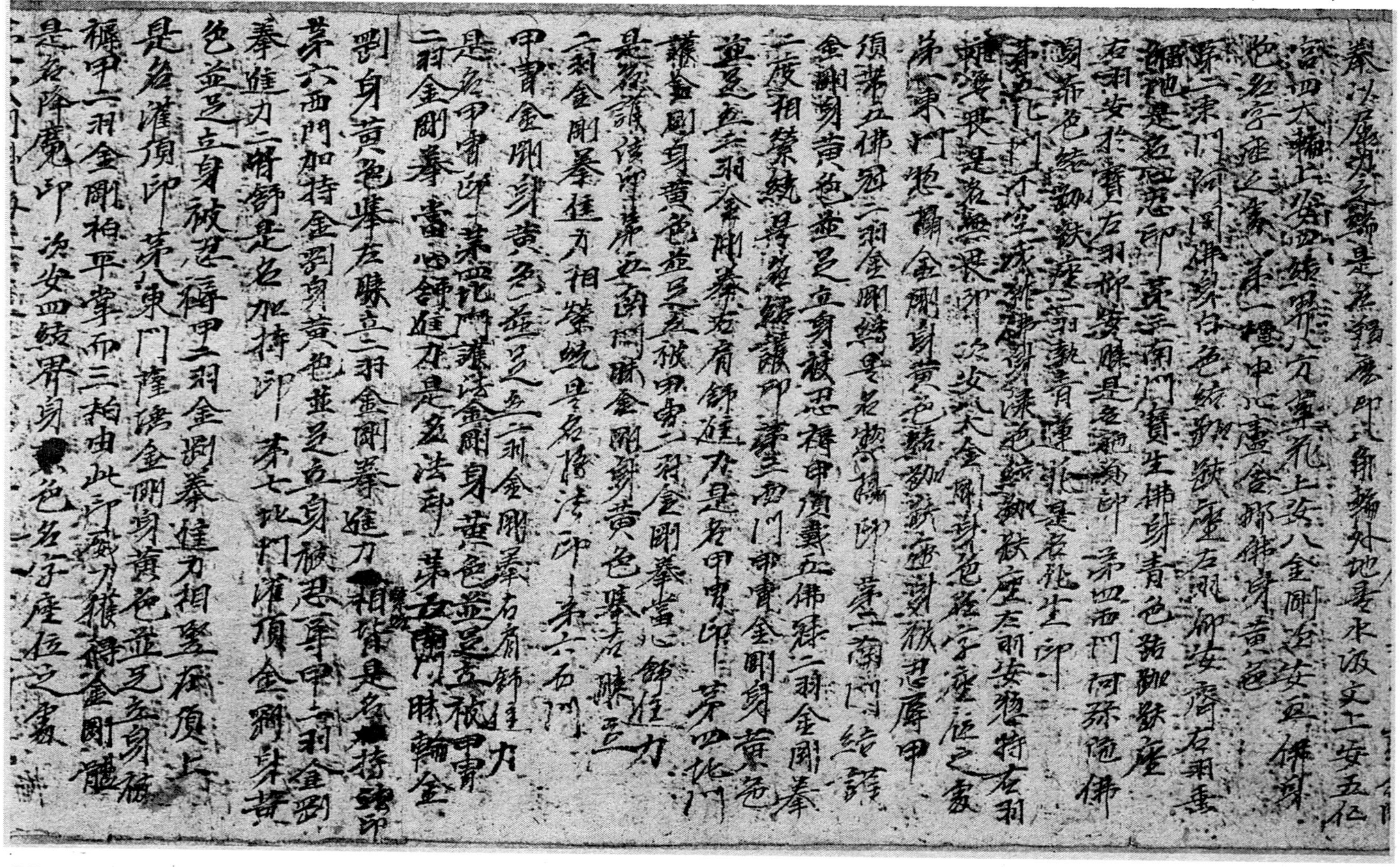

BD02074 號背　金剛峻經金剛頂一切如來深妙秘密金剛界大三昧耶修行四十九種壇法經作用威儀法則，大毗盧遮那佛金剛心地法門法界壇法儀則　（23–18）

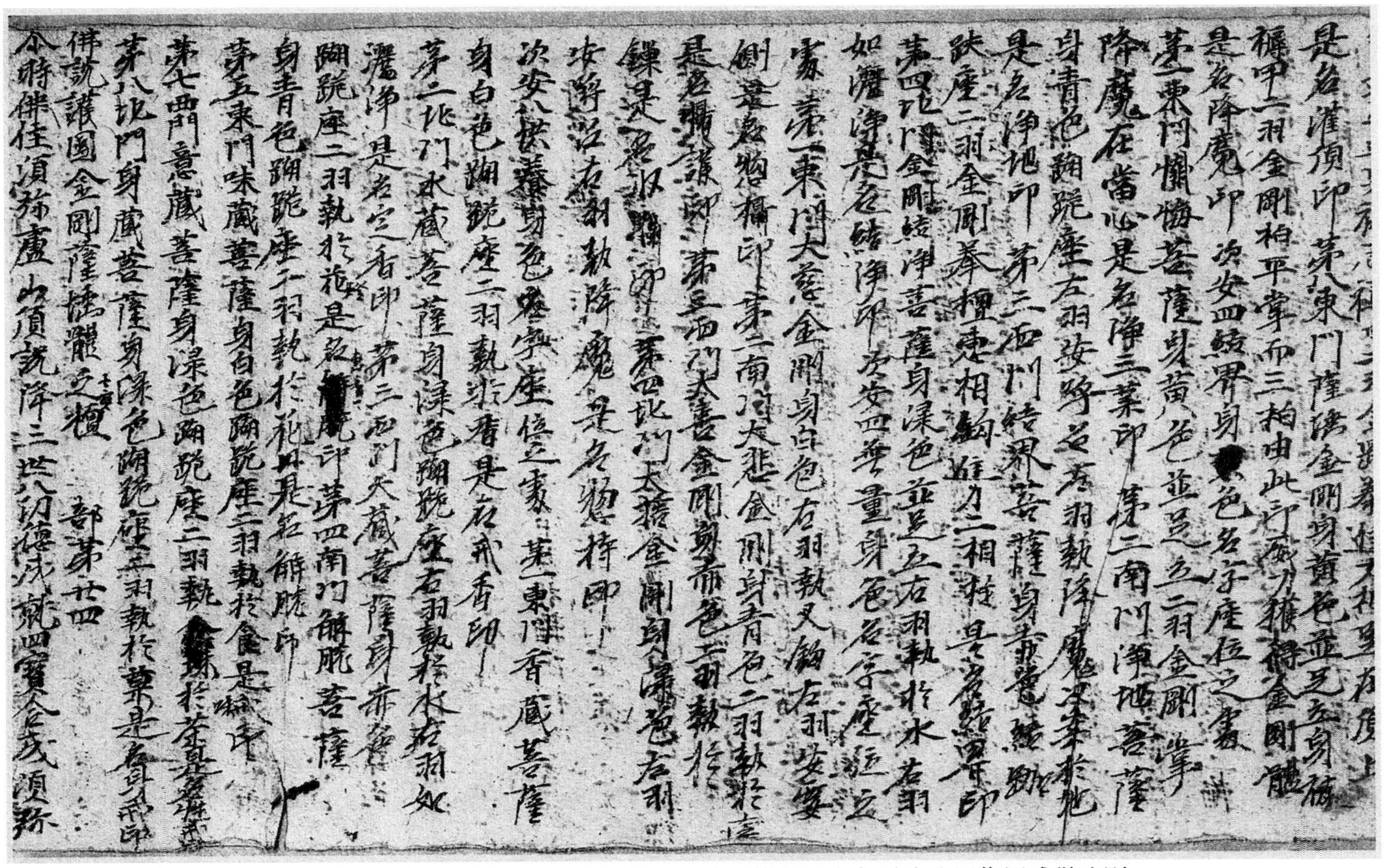

是名灌頂印 第八東門薩埵金剛身黄色並足立身
櫳甲二羽金剛柏平掌而三拍由此印威力擁護金剛體
是名降魔印 次安四結界身[redacted]色名字座位之處
第一東門懺悔菩薩身黄色並足立二羽金剛掌
降魔在當心是名淨三業印 第二南門澡地菩薩
身青色蹲跪座左羽按膝右羽執降魔杵於地
是名淨地印 第三西門結界菩薩身赤色蹲
跌座二羽金剛拳檀惠相鈎進力二相柱是名結界印
第四北門金剛結淨菩薩身綠色並足立右羽執於水右羽
如灑淨是名結淨印 次安四攝菩薩身色名字座位之處
第一東門大慈金剛身白色右羽執叉鈎左羽安腰
側是名鈎攝印 第二南門大悲金剛身青色二羽執於索
是名攝讓印 第三西門大喜金剛身赤色二羽執於
鎖是名縛印 第四北門大捨金剛身綠色右羽
安膝左羽執降魔是名總持印
次安八供養身色名字座位之處 第一東門香藏菩薩
身白色蹲跪座二羽執於香是名戒香印
第二北門水藏菩薩身綠色蹲跪座右羽執於水右羽如
灑淨是名定香印 第三西門火藏菩薩身赤色蹲
蹲跪座二羽執於花是名[redacted]花印 第四南門解脫菩薩
身青色蹲跪座二羽執於花是名解脫印
第五東門味藏菩薩身白色蹲跪座二羽執於食是味印
第七西門意藏菩薩身綠色蹲跪座二羽執[redacted]於茶是意印
第八北門身藏菩薩身綠色蹲跪座二羽執於菓是身印
佛說護國金剛薩埵擁護之壇 鄔第廿四
尒時佛住須弥盧山頂說降三世八功德成就四寶合成須弥

BD02074 號背　金剛峻經金剛頂一切如來深妙秘密金剛界大三昧耶修行四十九種壇法經作用威儀法則，大毗盧遮那佛金剛心地法門法界壇法儀則　（23–19）

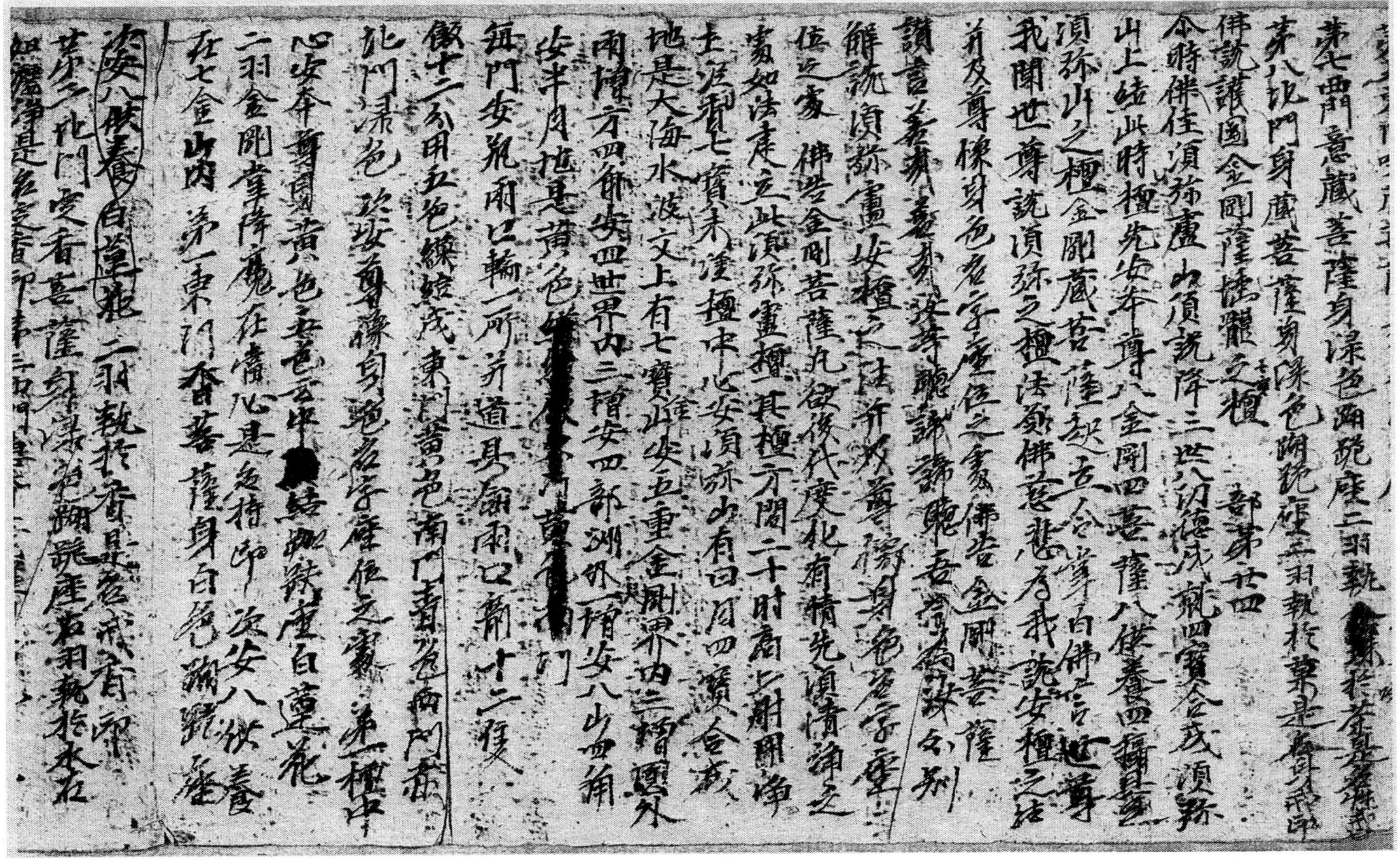

第七西門意藏菩薩身綠色蹲跪座二羽執[redacted]於茶是意印
第八北門身藏菩薩身綠色蹲跪座二羽執於菓是身印
佛說護國金剛薩埵擁護之壇 鄔第廿四
尒時佛住須弥盧山頂說降三世八功德成就四寶合成須弥
山上結此時極先安本尊八金剛四菩薩八供養四攝是
須弥山之壇金剛藏菩薩起立合掌白佛言世尊
我聞世尊說須弥之壇法願佛慈悲為我說安壇之法
并及尊像身色名字座位之處 佛告金剛菩薩
諦聽善哉善哉汝諦聽諦聽吾當為汝分別
解說須弥盧安壇之法并及尊像身色名字座
位之處 佛告金剛菩薩凡欲後代度化有情先須清淨之
處如法建立此須弥盧壇其壇方闊二十肘高七肘用淨
土泥和七寶末塗壇中心安須弥山有四層四寶合成
地是大海水波文上有七寶山安五重金剛界內三層壇外
兩層方四角安四世界內三層安四部洲外層安八山四角
安半月壇是黄色[redacted]門
每門安瓶兩口輪一所並道具瓶兩口翕十二種
飯十二分用五色線結成東門黄色南門青色西門赤
北門綠色 次安尊像身色名字座位之處 第一壇中
心安本尊身黄色[redacted]結跏趺座白蓮花
二羽金剛掌降魔在當心是名持印 次安八供養
在七金山內 第一東門香藏菩薩身白色蹲跪座
次安八供養白蓮花二羽執於香是戒香印
第二北門定香菩薩身綠色蹲跪座右羽執於水右
如灑淨是名定香印

BD02074 號背　金剛峻經金剛頂一切如來深妙秘密金剛界大三昧耶修行四十九種壇法經作用威儀法則，大毗盧遮那佛金剛心地法門法界壇法儀則　（23–20）

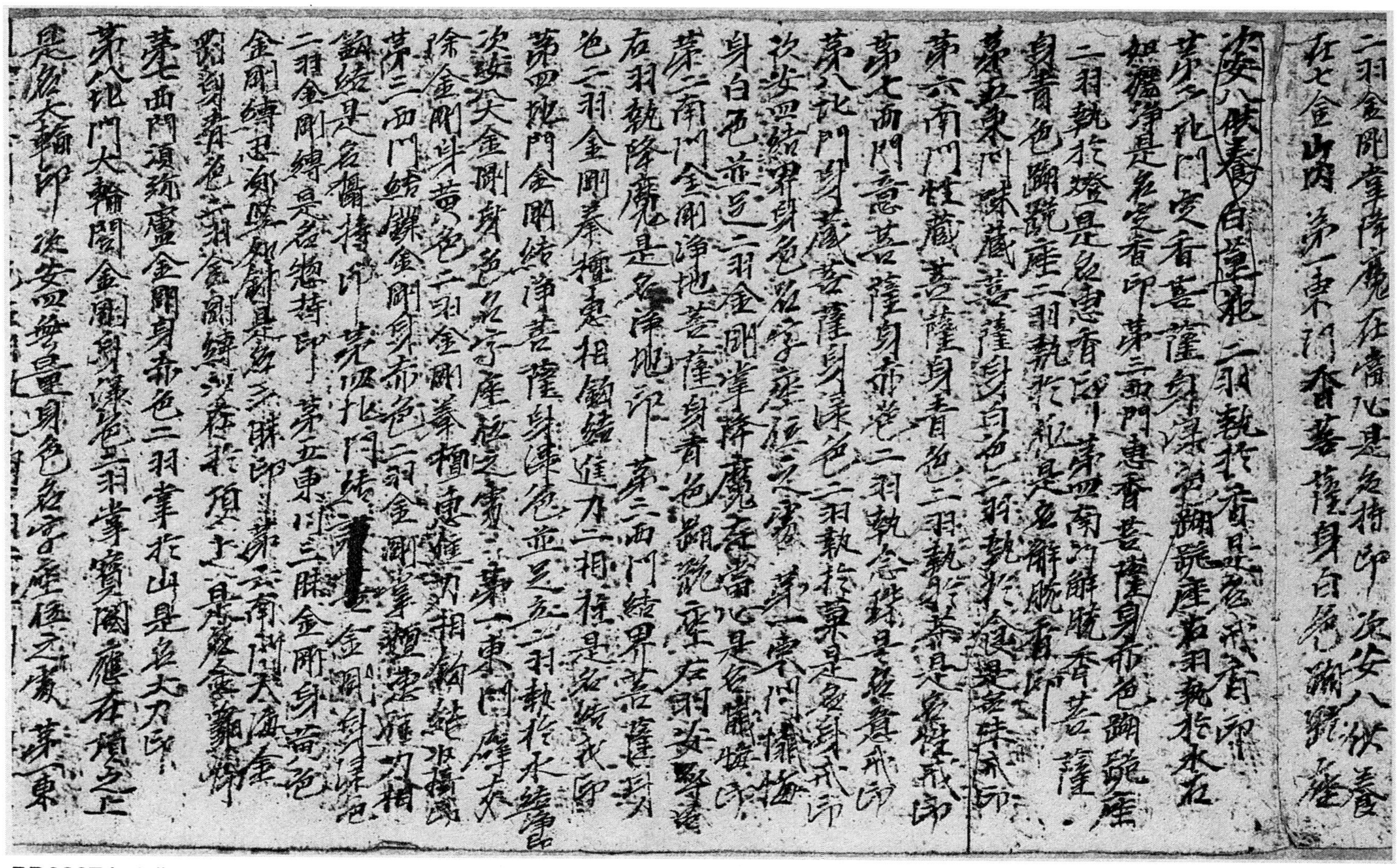

BD02074 號背　金剛峻經金剛頂一切如來深妙秘密金剛界大三昧耶修行四十九種壇法經作用威儀法則，大毗盧遮那佛金剛心地法門法界壇法儀則　（23–21）

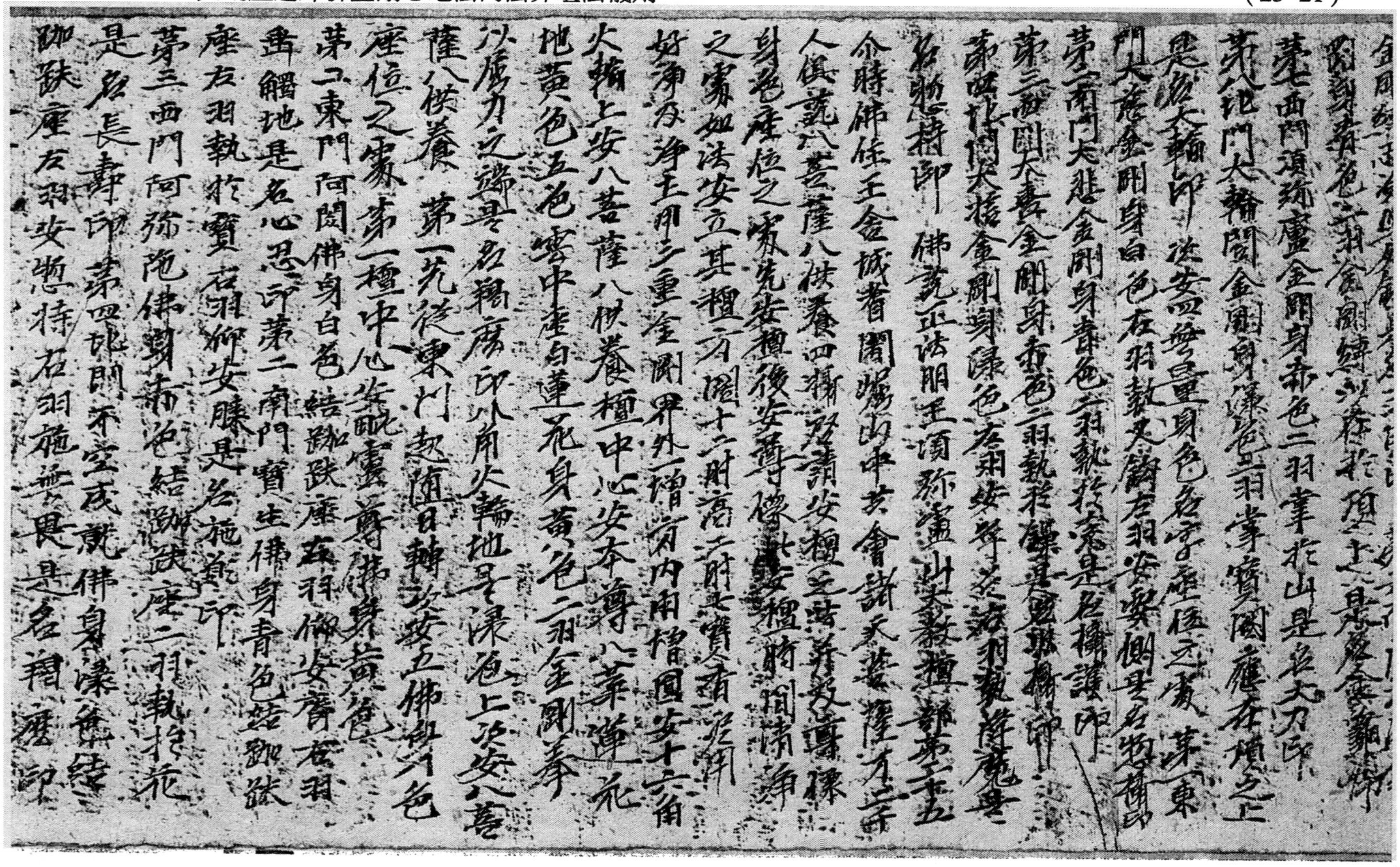

BD02074 號背　金剛峻經金剛頂一切如來深妙秘密金剛界大三昧耶修行四十九種壇法經作用威儀法則，大毗盧遮那佛金剛心地法門法界壇法儀則　（23–22）

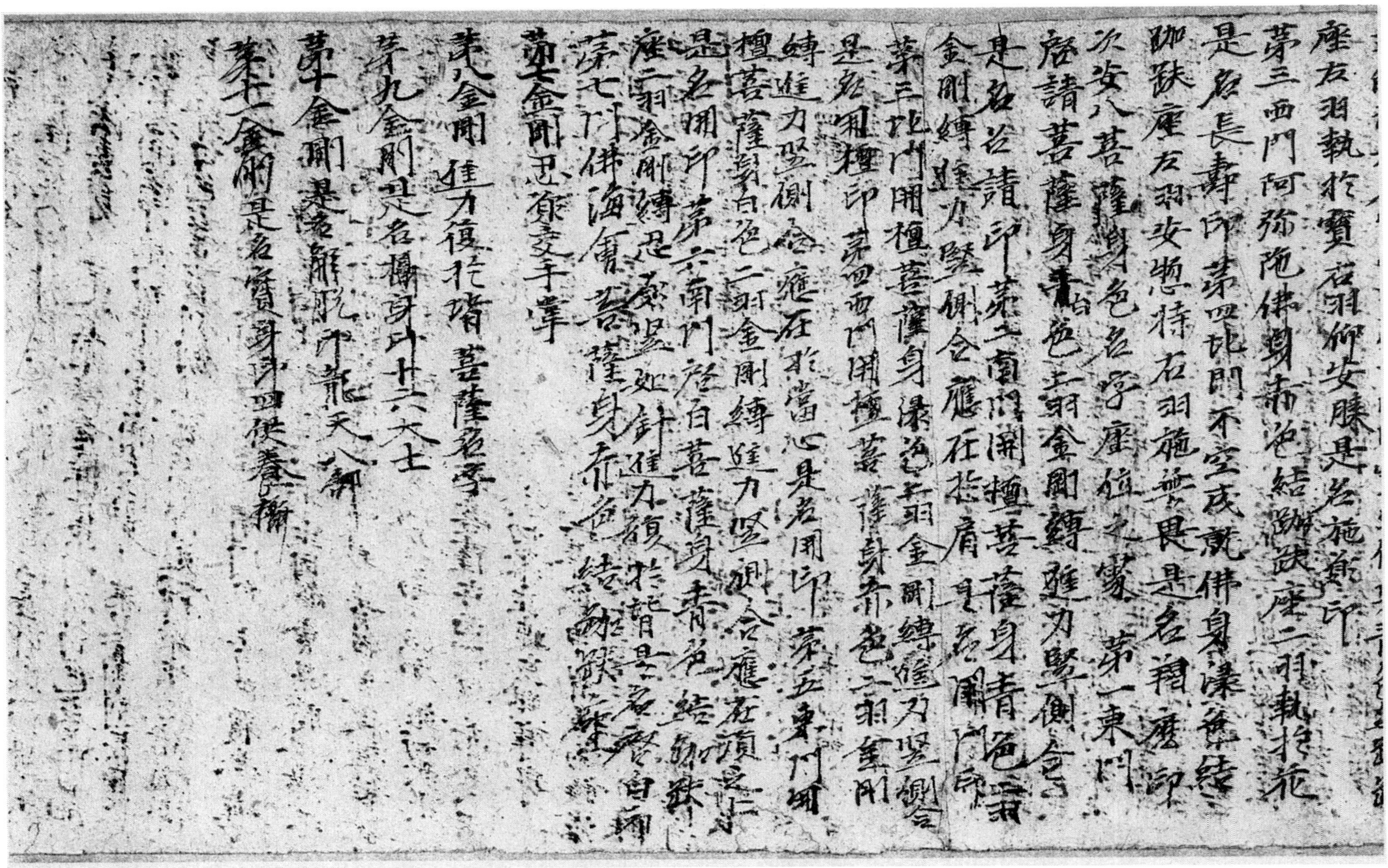
座左羽執於寶 右羽仰安膝 是名施願印
第三西門阿弥陁佛身赤色 結跏趺座 二羽執持花
是名長壽印 第四北門不空成就佛身緑色 結
跏趺座 左羽安懸持 右羽施無畏 是名羯磨印
次安八菩薩身色名字座位之像 第一東門
啓請菩薩身青色 二羽金剛縛 進力竪側合
是名啓請印 第二南門開權菩薩身青色 二羽
金剛縛 進力竪側合 應在於肩 是名開門印
第三北門開權菩薩身緑色 二羽金剛縛 進力竪側合
是名開權印 第四西門開權菩薩身赤色 二羽金剛
縛 進力竪側合 應在於當心 是名開印 第五東門開
權菩薩身白色 二羽金剛縛 進力竪側合 應在頂 是名
是名開印 第六南門啓白菩薩身青色 結跏趺
座 二羽金剛縛 忍願竪如針 進力復於背
第七北門佛海會菩薩身赤色 結跏趺
第七金剛忍願交手掌
第八金剛 進力復於背 菩薩名字
第九金剛 是名攝身印 十六大士
第十金剛 是名解脫印 龍天八部
第十一金剛 是名賢身印 四使眷屬

BD02074 號背　金剛峻經金剛頂一切如來深妙秘密金剛界大三昧耶修行四十九種壇法經作用威儀法則，大毗盧遮那佛金剛心地法門法界壇法儀則　（23–23）

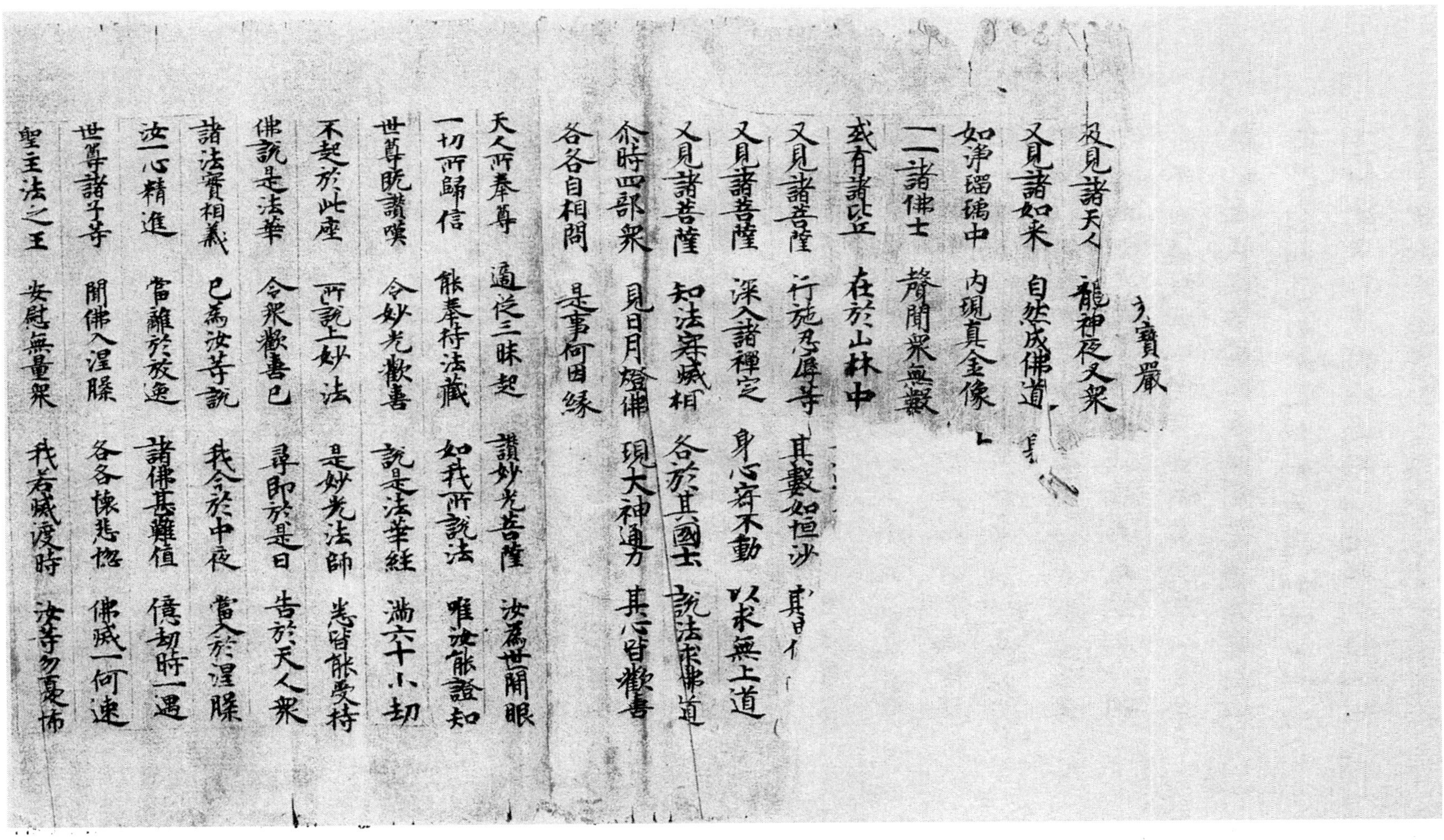
寶嚴
及見諸天人　龍神夜叉衆
又見諸如来　自然成佛道
如淨瑠璃中　内現真金像
一一諸佛土　聲聞衆無數
或有諸比丘　在於山林中
又見諸菩薩　行施忍辱等　其數如恒沙
又見諸菩薩　深入諸禪定　身心寂不動　以求無上道
又見諸菩薩　知法寂滅相　各於其國土　說法求佛道
尒時四部衆　見日月燈佛　現大神通力　其心皆歡喜
各各自相問　是事何因緣
天人所奉尊　適從三昧起　讚妙光菩薩　汝為世間眼
一切所歸信　能奉持法藏　如我所說法　唯汝能證知
世尊既讚歎　令妙光歡喜　說是法華經　滿六十小劫
不起於此座　所說上妙法　是妙光法師　悉皆能受持
佛說是法華　令衆歡喜已　尋即於是日　告於天人衆
諸法實相義　已為汝等說　我今於中夜　當入於涅槃
汝一心精進　當離於放逸　諸佛甚難值　億劫時一遇
世尊諸子等　聞佛入涅槃　各各懷悲惱　佛滅一何速
聖主法之王　安慰無量衆　我若滅度時　汝等勿憂怖

BD02075 號　妙法蓮華經卷一　（17–1）

不起於此座　所說上妙法　是妙光法師　悉皆能受持
佛說是法華　令眾歡喜已　尋即於是日　告於天人眾
諸法實相義　已為汝等說　我今於中夜　當入於涅槃
汝一心精進　當離於放逸　諸佛甚難值　億劫時一遇
世尊諸子等　聞佛入涅槃　各各懷悲惱　佛滅一何速
聖主法之王　安慰無量眾　我若滅度時　汝等勿憂怖
是德藏菩薩　於無漏實相　心已得通達　其次當作佛
号曰為淨身　亦度無量眾
佛此夜滅度　如薪盡火滅　分布諸舍利　而起無量塔
比丘比丘尼　其數如恒沙　倍復加精進　以求無上道
是妙光法師　奉持佛法藏　八十小劫中　廣宣法華經
是諸八王子　妙光所開化　堅固無上道　當見無數佛
供養諸佛已　隨順行大道　相繼得成佛　轉次而授記
最後天中天　号曰燃燈佛　諸仙之導師　度脫無量眾
是妙光法師　時有一弟子　心常懷懈怠　貪著於名利
求名利無厭　多遊族姓家　棄捨所習誦　廢忘不通利
以是因緣故　号之為求名　亦行眾善業　得見無數佛
供養於諸佛　隨順行大道　具六波羅蜜　今見釋師子
其後當作佛　号名曰彌勒　廣度諸眾生　其數無有量
彼佛滅度後　懈怠者汝是　妙光法師者　今則我身是
我見燈明佛　本光瑞如此　以是知今佛　欲說法華經
今相如本瑞　是諸佛方便　今佛放光明　助發實相義
諸人今當知　合掌一心待　佛當雨法雨　充足求道者
諸求三乘人　若有疑悔者　佛當為除斷　令盡無有餘

BD02075號　妙法蓮華經卷一　（17–2）

彼佛滅度後　懈怠者汝是　妙光法師者　今則我身是
我見燈明佛　本光瑞如此　以是知今佛　欲說法華經
今相如本瑞　是諸佛方便　今佛放光明　助發實相義
諸人今當知　合掌一心待　佛當雨法雨　充足求道者
諸求三乘人　若有疑悔者　佛當為除斷　令盡無有餘

妙法蓮華經方便品第二

尒時世尊從三昧安詳而起告舍利弗諸佛
智慧甚深無量其智慧門難解難入一切聲
聞辟支佛所不能知所以者何佛曾親近百
千万億無數諸佛盡行諸佛無量道法勇猛
精進名稱普聞成就甚深未曾有法隨宜所
說意趣難解舍利弗吾從成佛已來種種因
緣種種譬喻廣演言教無數方便引導眾生
令離諸著所以者何如來方便知見波羅蜜
皆已具足舍利弗如來知見廣大深遠無量
無閡力無所畏禪定解脫三昧深入無際成
就一切未曾有法舍利弗如來能種種分別
巧說諸法言辭柔軟悅可眾心舍利弗取要
言之無量無邊未曾有法佛悉成就止舍利
弗不須復說所以者何佛所成就第一希有
難解之法唯佛與佛乃能究盡諸法實相所
謂諸法如是相如是性如是體如是力如是
作如是因如是緣如是果如是報如是本末
究竟等尒時世尊欲重宣此義而說偈言

BD02075號　妙法蓮華經卷一　（17–3）

言之無量无邊未曾有法佛悉成就止舍利
弗不須復說所以者何佛所成就第一希有
難解之法唯佛與佛乃能究盡諸法實相所
謂諸法如是相如是性如是體如是力如是
作如是因如是緣如是果如是報如是本末
究竟等尒時世尊欲重宣此義而說偈言
世雄不可量　諸天及世人　一切衆生類　無能知佛者
佛力無所畏　解脫諸三昧　及佛諸餘法　無能測量者
本從無數佛　具足行諸道　甚深微妙法　難見難可了
於無量億劫　行此諸道已　道場得成果　我已悉知見
如是大果報　種種性相義　我及十方佛　乃能知是事
是法不可示　言辞相寂滅
諸餘衆生類　無有能得解　除諸菩薩衆　信力堅固者
諸佛弟子衆　曾供養諸佛　一切漏已盡　住是最後身
如是諸人等　其力所不堪
假使滿世間　皆如舍利弗　盡思共度量　不能測佛智
政使滿十方　皆如舍利弗　及餘諸弟子　亦滿十方刹
盡思共度量　亦復不能知
辟支佛利智　無漏最後身　亦滿十方界　其數如竹林
斯等共一心　於億無量劫　欲思佛實智　莫能知少分
新發意菩薩　供養無數佛　了達諸義趣　又能善說法
如稻麻竹葦　充滿十方刹　一心以妙智　於恒河沙劫
咸皆共思量　不能知佛智
不退諸菩薩　其數如恒沙　一心共思求　亦復不能知

BD02075號　妙法蓮華經卷一　（17–4）

新發意菩薩　供養無數佛　了達諸義趣　又能善說法
如稻麻竹葦　充滿十方刹　一心以妙智　於恒河沙劫
咸皆共思量　不能知佛智
不退諸菩薩　其數如恒沙　一心共思求　亦復不能知
又告舍利弗　無漏不思議　甚深微妙法　我今已具得
唯我知是相　十方佛亦然
舍利弗當知　諸佛語無異　於佛所說法　當生大信力
世尊法久後　要當說真實
告諸聲聞衆　及求緣覺乘　我令脫苦縛　逮得涅槃者
佛以方便力　示以三乘教　衆生處處著　引之令得出
尒時大衆中有諸聲聞漏盡阿羅漢阿若憍
陳如等千二百人及發聲聞辟支佛心比丘
比丘尼優婆塞優婆夷各作是念今者世尊
何故慇懃稱歎方便而作是言佛所得法甚
深難解有所言說意趣難知一切聲聞辟支
佛所不能及佛說一解脫義我等亦得此法
到於涅槃而今不知是義所趣尒時舍利弗
知四衆心疑自亦未了而白佛言世尊何因
何緣慇懃稱歎諸佛第一方便甚深微妙難
解之法我自昔來未曾從佛聞如是說今者
四衆咸皆有疑唯願世尊敷演斯事世尊何
故慇懃稱歎甚深微妙難解之法尒時舍利
弗欲重宣此義而說偈言
慧日大聖尊　久乃說是法　自說得如是　力無畏三昧

BD02075號　妙法蓮華經卷一　（17–5）

故慇懃稱歎甚深微妙難解之法尒時舍利
弗欲重宣此義而說偈言
慧日大聖尊　久乃說是法　自說得如是　力無畏三昧
禪定解脫等　不可思議法　道場所得法　無能發問者
我意難可測　亦無能問者
無問而自說　稱歎所行道　智慧甚深妙　諸佛之所得
無漏諸羅漢　及求涅槃者　今皆墮疑網　佛何故說是
其求緣覺者　比丘比丘尼　諸天龍鬼神　及乾闥婆等
相視懷猶豫　瞻仰兩足尊　是事為云何　願佛為解說
於諸聲聞眾　佛說我第一　我今自於智　疑惑不能了
為是究竟法　為是所行道
佛口所生子　合掌瞻仰待　願出微妙音　時為如實說
諸天龍神等　其數如恒沙　求佛諸菩薩　大數有八万
又諸万億國　轉輪聖王至　合掌以敬心　欲聞具足道
尒時佛告舍利弗止止不須復說若說是事
一切世間諸天及人皆當驚疑
舍利弗重白佛言世尊唯願說之唯願說之
所以者何是會無數百千万億阿僧祇眾生
曾見諸佛諸根猛利智慧明了聞佛所說則
能敬信尒時舍利弗欲重宣此義而說偈言
法王無上尊　唯說願勿慮　是會無量眾　有能敬信者
佛復止舍利弗若說是事一切世間天人阿
脩羅皆當驚疑增上慢比丘將墜於大坑尒
時世尊重說偈言

BD02075 號　妙法蓮華經卷一　（17–6）

佛復止舍利弗若說是事一切世間天人阿
脩羅皆當驚疑增上慢比丘將墜於大坑尒
時世尊重說偈言
止止不須說　我法妙難思　諸增上慢者　聞必不敬信
尒時舍利弗重白佛言世尊唯願說之唯願
說之今此會中如我等比百千万億世世已
曾從佛受化如此人等必能敬信長夜安隱
多所饒益尒時舍利弗欲重宣此義而說偈
言
無上兩足尊　願說第一法　我為佛長子　唯垂分別說
是會無量眾　能敬信此法　佛已曾世世　教化如是等
皆一心合掌　欲聽受佛語　我等千二百　及餘求佛者
願為此眾故　唯垂分別說　是等聞此法　則生大歡喜
尒時世尊告舍利弗汝已慇懃三請豈得不
說汝今諦聽善思念之吾當為汝分別解說
說此語時會中有比丘比丘尼優婆塞優婆
夷五千人等即從座起禮佛而退所以者何
此輩罪根深重及增上慢未得謂得未證謂
證有如此失是以不住世尊默然而不制止
尒時佛告舍利弗我今此眾無復枝葉純有
貞實舍利弗如是增上慢人退亦佳矣汝今
善聽當為汝說舍利弗言唯然世尊願樂欲
聞佛告舍利弗如是妙法諸佛如來時乃說
之如優曇鉢華時一現耳舍利弗汝等當信

BD02075 號　妙法蓮華經卷一　（17–7）

尒時佛告舍利弗我今此衆無復枝葉淳有
貞實舍利弗如是增上慢人退亦佳矣汝今
善聽當爲汝說舍利弗言唯然世尊願樂欲
聞佛告舍利弗如是妙法諸佛如来時乃說
之如優曇鉢華時一現耳舍利弗汝等當信
佛之所說言不虛妄舍利弗諸佛隨宜說法
意趣難解所以者何我以無數方便種種因
緣譬喻言辭演說諸法是法非思量分別之
所能解唯有諸佛乃能知之所以者何諸佛
世尊唯以一大事因緣故出現於世舍利弗
云何名諸佛世尊唯以一大事因緣故出現
於世諸佛世尊欲令衆生開佛知見使淂清
淨故出現於世欲示衆生佛知見故出現於
世欲令衆生悟佛知見故出現於世欲令衆
生入佛知見道故出現於世舍利弗是爲諸
佛以一大事因緣故出現於世佛告舍利弗
諸佛如来但教化菩薩諸有所作常爲一事
唯以佛之知見示悟衆生舍利弗如来但以
一佛乘故爲衆生說法無有餘乘若二若三
舍利弗一切十方諸佛法亦如是舍利弗過
去諸佛以無量無數方便種種因緣譬喻言
辭而爲衆生演說諸法是法皆爲一佛乘故
是諸衆生從佛聞法究竟皆淂一切種智舍
利弗未来諸佛當出於世亦以無量無數方

BD02075 號　妙法蓮華經卷一　（17–8）

辭而爲衆生演說諸法是法皆爲一佛乘故
是諸衆生從佛聞法究竟皆淂一切種智舍
利弗未来諸佛當出於世亦以無量無數方
便種種因緣譬喻言辭而爲衆生演說諸法
是法皆爲一佛乘故是諸衆生從佛聞法究
竟皆淂一切種智舍利弗現在十方無量百
千万億佛土中諸佛世尊多所饒益安樂衆
生是諸佛亦以無量無數方便種種因緣譬
喻言辭而爲衆生演說諸法是法皆爲一佛
乘故是諸衆生從佛聞法究竟皆淂一切種
智舍利弗是諸佛但教化菩薩欲以佛之知
見示衆生故欲以佛之知見悟衆生故欲令
衆生入佛知見故舍利弗我今亦復如是知
諸衆生有種種欲深心所著隨其本性以種
種因緣譬喻言辭方便力而爲說法舍利弗
如此皆爲淂一佛乘一切種智故舍利弗十
方世界中尚無二乘何况有三舍利弗諸佛
出於五濁惡世所謂刧濁煩惱濁衆生濁見
濁命濁如是舍利弗刧濁亂時衆生垢重慳
貪嫉妬成就諸不善根故諸佛以方便力於
一佛乘分別說三舍利弗若我弟子自謂阿
羅漢辟支佛者不聞不知諸佛如来但教化
菩薩事此非佛弟子非阿羅漢非辟支佛又
舍利弗是諸比丘比丘尼自謂已淂阿羅漢

BD02075 號　妙法蓮華經卷一　（17–9）

羅漢辟支佛者不聞不知諸佛如來但教化
菩薩事此非佛弟子非阿羅漢非辟支佛又
舍利弗是諸比丘比丘尼自謂已得阿羅漢
是㝡後身究竟涅槃便不復志求阿耨多羅
三藐三菩提當知此輩皆是增上慢人所以
者何若有比丘實得阿羅漢若不信此法無
有是處除佛滅度後現前無佛所以者何佛
滅度後如是等經受持讀誦解義者是人難
得若遇餘佛於此法中便得決了舍利弗汝
等當一心信解受持佛語諸佛如來言無虗
妄無有餘乘唯一佛乘尒時世尊欲重宣此
義而說偈言
比丘比丘尼　有懷增上慢　優婆塞我慢　優婆夷不信
如是四衆等　其數有五千
不自見其過　於戒有缺漏　護惜其瑕疵　是小智已出
衆中之糟糠　佛威德故去　斯人尠福德　不堪受是法
此衆無枝葉　唯有諸貞實
舍利弗善聽　諸佛所得法　無量方便力　而為衆生說
衆生心所念　種種所行道　若干諸欲性　先世善惡業
佛悉知是已　以諸緣譬喻　言辭方便力　令一切歡喜
或說脩多羅　伽陀及本事　本生未曾有　亦說於因緣
譬喻并祇夜　優波提舍經
鈍根樂小法　貪著於生死　於諸無量佛　不行深妙道
衆苦所惱亂　為是說涅槃

BD02075號　妙法蓮華經卷一　（17–10）

譬喻并祇夜　優波提舍經
鈍根樂小法　貪著於生死　於諸無量佛　不行深妙道
衆苦所惱亂　為是說涅槃
我設是方便　令得入佛慧　未曾說汝等　當得成佛道
所以未曾說　說時未至故　今正是其時　決定說大乘
我此九部法　隨順衆生說　入大乘為本　以故說是經
有佛子心淨　柔軟亦利根　無量諸佛所　而行深妙道
為此諸佛子　說是大乘經
我記如是人　來世成佛道　以深心念佛　脩持淨戒故
此等聞得佛　大喜充遍身　佛知彼心行　故為說大乘
聲聞若菩薩　聞我所說法　乃至於一偈　皆成佛無疑
十方佛土中　唯有一乘法　無二亦無三　除佛方便說
但以假名字　引導於衆生
說佛智慧故　諸佛出於世　唯此一事實　餘二則非真
終不以小乘　濟度於衆生
佛自住大乘　如其所得法　定慧力莊嚴　以此度衆生
自證無上道　大乘平等法　若以小乘化　乃至於一人
我則墮慳貪　此事為不可
若人信歸佛　如來不欺誑　亦無貪嫉意　斷諸法中惡
故佛於十方　而獨無所畏
我以相嚴身　光明照世間　無量衆所尊　為說實相印
舍利弗當知　我本立誓願　欲令一切衆　如我等無異
如我昔所願　今者已滿足　化一切衆生　皆令入佛道
若我遇衆生　盡教以佛道　無智者錯亂　迷惑不受教

BD02075號　妙法蓮華經卷一　（17–11）

我以相嚴身　光明照世間　無量衆所尊　為說實相印
舍利弗當知　我本立誓願　欲令一切衆　如我等無異
如我昔所願　今者已滿足　化一切衆生　皆令入佛道
若我遇衆生　盡教以佛道　無智者錯亂　迷惑不受教
我知此衆生　未曾脩善本　堅著於五欲　癡愛故生惱
以諸欲因緣　墜墮三惡道　輪迴六趣中　備受諸苦毒
受胎之微形　世世常增長　薄德少福人　衆苦所逼迫
入邪見稠林　若有若無等　依止此諸見　具足六十二
深著虛妄法　堅受不可捨　我慢自矜高　諂曲心不實
於千万億劫　不聞佛名字　亦不聞正法　如是人難度
是故舍利弗　我為設方便　說諸盡苦道　示之以涅槃
我雖說涅槃　是亦非真滅　諸法從本來　常自寂滅相
佛子行道已　來世得作佛
我有方便力　開示三乘法　一切諸世尊　皆說一乘道
今此諸大衆　皆應除疑惑　諸佛語無異　唯一無二乘
過去無數劫　無量滅度佛　百千万億種　其數不可量
如是諸世尊　種種緣譬喻　無數方便力　演說諸法相
是諸世尊等　皆說一乘法　化無量衆生　令入於佛道
又諸大聖主　知一切世間　天人群生類　深心之所欲
更以異方便　助顯第一義
若有衆生類　值諸過去佛　若聞法布施　或持戒忍辱
精進禪智等　種種脩福德　如是諸人等　皆已成佛道
諸佛滅度已　若人善軟心　如是諸衆生　皆已成佛道
諸佛滅度已　供養舍利者　起万億種塔　金銀及頗梨

BD02075號　妙法蓮華經卷一　（17–12）

精進禪智等　種種脩福德　如是諸人等　皆已成佛道
諸佛滅度已　若人善軟心　如是諸衆生　皆已成佛道
諸佛滅度已　供養舍利者　起万億種塔　金銀及頗梨
車磲與馬瑙　玫瑰琉璃珠　清淨廣嚴飾　莊校於諸塔
或有起石廟　栴檀及沉水　木櫁并餘材　塼瓦泥土等
若於曠野中　積土成佛廟　乃至童子戲　聚沙為佛塔
如是諸人等　皆已成佛道
若人為佛故　建立諸形像　刻彫成衆相　皆已成佛道
或以七寶成　鍮石赤白銅　白鑞及鉛錫　鐵木及與泥
或以膠漆布　嚴飾作佛像　如是諸人等　皆已成佛道
綵畫作佛像　百福莊嚴相　自作若使人　皆已成佛道
乃至童子戲　若草木及筆　或以指爪甲　而畫作佛像
如是諸人等　漸漸積功德　具足大悲心　皆已成佛道
但化諸菩薩　度脫無量衆
若人於塔廟　寶像及畫像　以華香幡蓋　敬心而供養
若使人作樂　擊鼓吹角貝　簫笛琴箜篌　琵琶鐃銅鈸
如是衆妙音　盡持以供養
或以歡喜心　歌唄頌佛德　乃至一小音　皆已成佛道
若人散亂心　乃至以一華　供養於畫像　漸見無數佛
或有人禮拜　或復但合掌　乃至舉一手　或復小低頭
以此供養像　漸見無量佛　自成無上道　廣度無數衆
入無餘涅槃　如薪盡火滅
若人散亂心　入於塔廟中　一稱南無佛　皆已成佛道
於諸過去佛　現在或滅度　若有聞是法　皆已成佛道

BD02075號　妙法蓮華經卷一　（17–13）

至有人礼拜　或復但合掌　乃至舉一手　或復小低頭
以此供養像　漸見無量佛　自成無上道　廣度無數衆
入無餘涅槃　如薪盡火滅
若人散亂心　入於塔廟中　一稱南無佛　皆已成佛道
於諸過去佛　現在或滅度　若有聞是法　皆已成佛道
未來諸世尊　其數無有量　是諸如來等　亦方便說法
一切諸如來　以無量方便　度脫諸衆生　入佛無漏智
若有聞法者　無一不成佛
諸佛本誓願　我所行佛道　普欲令衆生　亦同得此道
未來世諸佛　雖說百千億　無數諸法門　其實為一乘
諸佛兩足尊　知法常無性　佛種從緣起　是故說一乘
是法住法位　世間相常住　於道場知已　導師方便說
天人所供養　現在十方佛　其數如恒沙　出現於世間
安隱衆生故　亦說如是法
知第一寂滅　以方便力故　雖示種種道　其實為佛乘
知衆生諸行　深心之所念　過去所習業　欲性精進力
及諸根利鈍　以種種因緣　譬喻亦言辭　隨應方便說
今我亦如是　安隱衆生故　以種種法門　宣示於佛道
我以智慧力　知衆生性欲　方便說諸法　皆令得歡喜
舍利弗當知　我以佛眼觀　見六道衆生　貧窮無福慧
入生死險道　相續苦不斷　深著於五欲　如犛牛愛尾
以貪愛自蔽　盲瞑無所見　不求大勢佛　及與斷苦法
深入諸邪見　以苦欲捨苦　為是衆生故　而起大悲心
我始坐道場　觀樹亦經行　於三七日中　思惟如是事
我所得智慧　微妙最第一

BD02075號　妙法蓮華經卷一　（17–14）

以貪愛自蔽　盲瞑無所見　不求大勢佛　及與斷苦法
深入諸邪見　以苦欲捨苦　為是衆生故　而起大悲心
我始坐道場　觀樹亦經行　於三七日中　思惟如是事
我所得智慧　微妙最第一
衆生諸根鈍　著樂癡所盲　如斯之等類　云何而可度
尒時諸梵王　及諸天帝釋　護世四天王　及大自在天
并餘諸天衆　眷屬百千万　恭敬合掌礼　請我轉法輪
我即自思惟　若但讚佛乘　衆生沒在苦　不能信是法
破法不信故　墜於三惡道　我寧不說法　疾入於涅槃
尋念過去佛　所行方便力　我今所得道　亦應說三乘
作是思惟時　十方佛皆現　梵音慰喻我　善哉釋迦文
第一之導師　得是無上法　隨諸一切佛　而用方便力
我等亦皆得　最妙第一法　為諸衆生類　分別說三乘
少智樂小法　不自信作佛　是故以方便　分別說諸果
雖復說三乘　但為教菩薩
舍利弗當知　我聞聖師子　深淨微妙音　稱南無諸佛
復作如是念　我出濁惡世　如諸佛所說　我亦隨順行
思惟是事已　即趣波羅㮈　諸法寂滅相　不可以言宣
以方便力故　為五比丘說
是名轉法輪　便有涅槃音　及以阿羅漢　法僧差別名
從久遠劫來　讚示涅槃法　生死苦永盡　我常如是說
舍利弗當知　我見佛子等　志求佛道者　無量千万億
咸以恭敬心　皆來至佛所　曾從諸佛聞　方便所說法
我即作是念　如來所以出　為說佛慧故　今正是其時

BD02075號　妙法蓮華經卷一　（17–15）

[illegible] 法僧差別名
從久遠劫来 讃示涅槃法 生死苦永盡 我常如是說
舍利弗當知 我見佛子等 志求佛道者 無量千万億
咸以恭敬心 皆来至佛所 曾從諸佛聞 方便所說法
我即作是念 如来所以出 為說佛慧故 今正是其時
舍利弗當知 鈍根小智人 著相憍慢者 不能信是法
今我喜無畏 於諸菩薩中 正直捨方便 但說無上道
菩薩聞是法 疑網皆已除 千二百羅漢 悉亦當作佛
如三世諸佛 說法之儀式 我今亦如是 說無分別法
諸佛興出世 懸遠值遇難 正使出于世 說是法復難
無量無數劫 聞是法亦難 能聽是法者 斯人亦復難
譬如優曇華 一切皆愛樂 天人所希有 時時乃一出
聞法歡喜讚 乃至發一言 則為已供養 一切三世佛
是人甚希有 過於優曇華
汝等勿有疑 我為諸法王 普告諸大衆 但以一乘道
教化諸菩薩 無聲聞弟子
汝等舍利弗 聲聞及菩薩 當知是妙法 諸佛之秘要
以五濁惡世 但樂著諸欲 如是等衆生 終不求佛道
當来世惡人 聞佛說一乘 迷惑不信受 破法墮惡道
有慚愧清淨 志求佛道者 當為如是等 廣讚一乘道
舍利弗當知 諸佛法如是 以万億方便 隨宜而說法
其不習學者 不能曉了此
汝等既已知 諸佛世之師 隨宜方便事 無復諸疑惑
心生大歡喜 自知當作佛

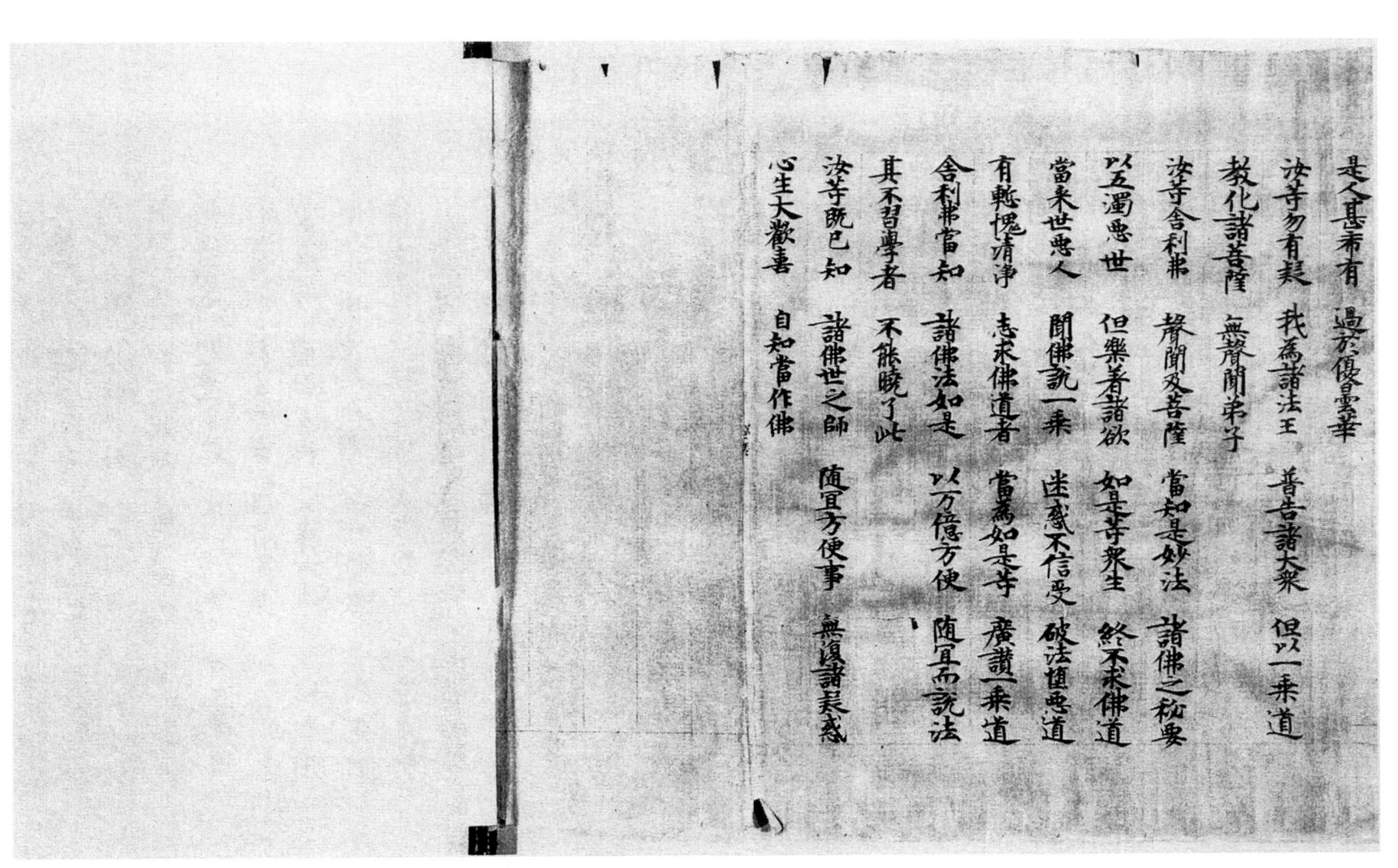

BD02075 號　妙法蓮華經卷一　　（17–16）

是人甚希有 過於優曇華
汝等勿有疑 我為諸法王 普告諸大衆 但以一乘道
教化諸菩薩 無聲聞弟子
汝等舍利弗 聲聞及菩薩 當知是妙法 諸佛之秘要
以五濁惡世 但樂著諸欲 如是等衆生 終不求佛道
當来世惡人 聞佛說一乘 迷惑不信受 破法墮惡道
有慚愧清淨 志求佛道者 當為如是等 廣讚一乘道
舍利弗當知 諸佛法如是 以万億方便 隨宜而說法
其不習學者 不能曉了此
汝等既已知 諸佛世之師 隨宜方便事 無復諸疑惑
心生大歡喜 自知當作佛

BD02075 號　妙法蓮華經卷一　　（17–17）

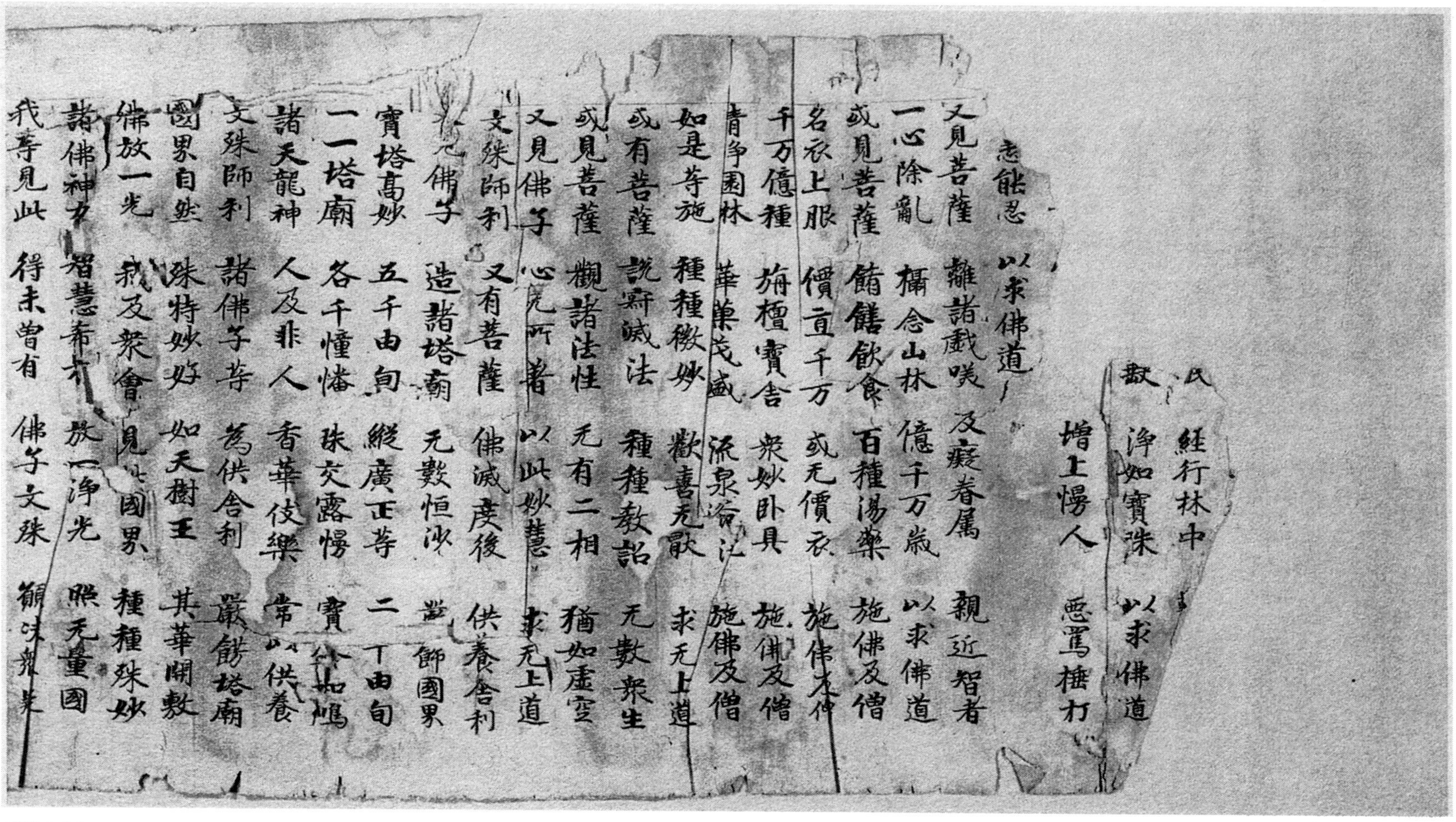

……以求佛道
……淨如寶珠 以求佛道
增上慢人 惡罵捶打
……悉能忍 以求佛道
又見菩薩 離諸戲笑 及癡眷屬 親近智者
一心除亂 攝念山林 億千万歲 以求佛道
或見菩薩 餚饍飲食 百種湯藥 施佛及僧
名衣上服 價直千万 或无價衣 施佛及僧
千万億種 旃檀寶舍 衆妙臥具 施佛及僧
清淨園林 華菓茂盛 流泉浴池 施佛及僧
如是等施 種種微妙 歡喜无猒 求无上道
或有菩薩 說寂滅法 種種教詔 无數衆生
或見菩薩 觀諸法性 无有二相 猶如虛空
又見佛子 心无所著 以此妙慧 求无上道
文殊師利 又有菩薩 佛滅度後 供養舍利
又見佛子 造諸塔廟 无數恒沙 嚴飾國界
寶塔高妙 五千由旬 縱廣正等 二千由旬
一一塔廟 各千幢幡 珠交露幔 寶鈴和鳴
諸天龍神 人及非人 香華伎樂 常以供養
文殊師利 諸佛子等 為供舍利 嚴飾塔廟
國界自然 殊特妙好 如天樹王 其華開敷
佛放一光 我及衆會 見此國界 種種殊妙
諸佛神力 智慧希有 放一淨光 照无量國
我等見此 得未曾有 佛子文殊 願決衆疑

BD02076號　妙法蓮華經卷一　（19–1）

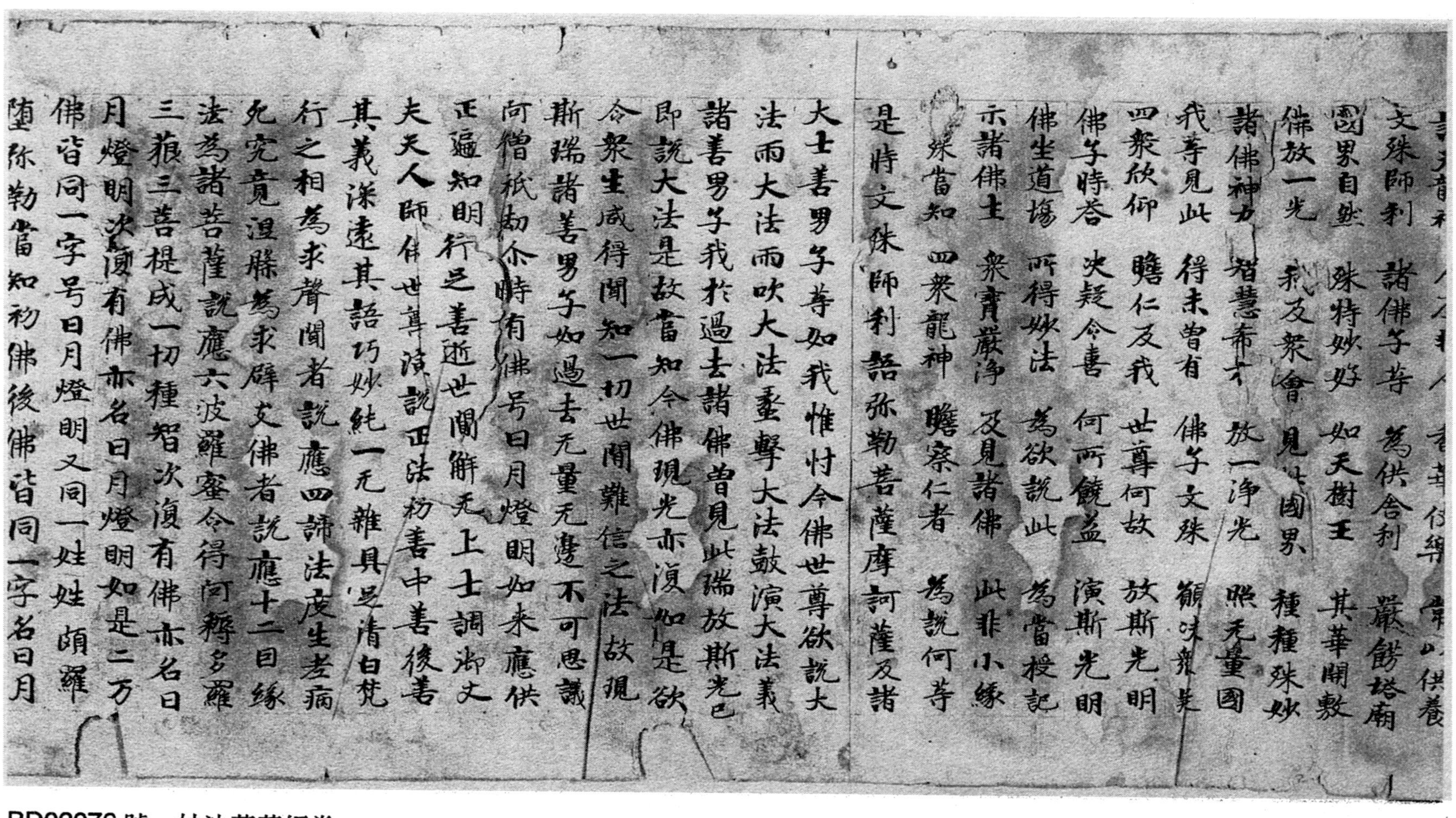

諸天龍神 人及非人 香華伎樂 常以供養
文殊師利 諸佛子等 為供舍利 嚴飾塔廟
國界自然 殊特妙好 如天樹王 其華開敷
佛放一光 我及衆會 見此國界 種種殊妙
諸佛神力 智慧希有 放一淨光 照无量國
我等見此 得未曾有 佛子文殊 願決衆疑
四衆欣仰 瞻仁及我 世尊何故 放斯光明
佛子時答 決疑令喜 何所饒益 演斯光明
佛坐道場 所得妙法 為欲說此 為當授記
示諸佛土 衆寶嚴淨 及見諸佛 此非小緣
文殊當知 四衆龍神 瞻察仁者 為說何等
是時文殊師利語弥勒菩薩摩訶薩及諸
大士善男子等如我惟忖今佛世尊欲說大
法雨大法雨吹大法螺擊大法鼓演大法義
諸善男子我於過去諸佛曾見此瑞放斯光已
即說大法是故當知今佛現光亦復如是欲
令衆生咸得聞知一切世間難信之法故現
斯瑞諸善男子如過去无量无邊不可思議
阿僧祇劫尒時有佛号日月燈明如來應供
正遍知明行足善逝世間解无上士調御丈
夫天人師佛世尊演說正法初善中善後善
其義深遠其語巧妙純一无雜具足清白梵
行之相為求聲聞者說應四諦法度生老病
死究竟涅槃為求辟支佛者說應十二因緣
法為諸菩薩說應六波羅蜜令得阿耨多羅
三藐三菩提成一切種智次復有佛亦名日
月燈明次復有佛亦名日月燈明如是二万
佛皆同一字号日月燈明又同一姓姓頗羅
墮弥勒當知初佛後佛皆同一字名日月

BD02076號　妙法蓮華經卷一　（19–2）

法為諸菩薩說應六波羅蜜令得阿耨多羅
三藐三菩提成一切種智次復有佛亦名日
月燈明次復有佛亦名日月燈明如是二万
佛皆同一字号日月燈明又同一姓姓頗羅
墮弥勒當知初佛後佛皆同一字名日月
燈明十号具足所可說法初中後善其最後
佛未出家時有八子一名有意二名善意三
名无量意四名寶意五名增意六名除疑意
七名嚮意八名法意是八王子威德自在各領
四天下是諸王子聞父出家得阿耨多羅三
藐三菩提悉捨王位亦隨出家發大乘意
常脩梵行皆為法師已於千万佛所殖諸善
本是時日月燈明佛說大乘經名无量義教
菩薩法佛所護念說是經已即於大衆中結跏
趺坐入於无量義處三昧身心不動是時天
雨曼陁羅華摩訶曼陁羅華曼殊沙華摩
訶曼殊沙華而散佛上及諸大衆普佛世界
六種震動尒時會中比丘比丘尼優婆塞優婆
夷天龍夜叉揵闥婆阿脩羅迦樓羅緊那羅
摩睺羅伽人非人及諸小王轉輪聖王等是
諸大衆得未曾有歡喜合掌一心觀佛尒時
如來放眉間白毫相光照東方万八千佛土靡
不周遍如今所見是諸佛土弥勒當知尒時
會中有廿億菩薩樂欲聽法是諸菩薩見此
光明普照佛土得未曾有欲知此光所為因
緣時有菩薩名日妙光有八百弟子是時日
月燈明佛從三昧起因妙光菩薩說大乘經
名妙法蓮華教菩薩法佛所護念六十小劫
不起于坐[illegible]

BD02076號　妙法蓮華經卷一　（19–3）

會中有廿億菩薩樂欲聽法是諸菩薩見此
光明普照佛土得未曾有欲知此光所為因
緣時有菩薩名日妙光有八百弟子是時日
月燈明佛從三昧起因妙光菩薩說大乘經
名妙法蓮華教菩薩法佛所護念六十小劫
不起于坐時會聽者亦坐一處六十小劫身
心不動聽佛所說謂如食頃是時衆中无
有一人若身若心而生懈惓日月燈明佛於
六十小劫說是經已即於梵魔沙門婆羅門
及天人阿脩羅衆中而宣此言如來於今日中
夜當入无餘涅槃時有菩薩名日德藏日月
燈明佛即授其記告諸比丘是德藏菩薩次
當作佛号日淨身多陁阿伽度阿羅訶三藐
三佛陁佛授記已便於中夜入无餘涅槃佛
滅度後妙光菩薩持妙法蓮華經滿八十小
劫為人演說日月燈明佛八子皆師妙光妙光
教化令其堅固阿耨多羅三藐三菩提是
諸王子供養无量百千万億佛已皆成佛道
其最後成佛者名日燃燈八百弟子中有一人
号日求名貪著利養雖復讀誦衆經而不通
利多所忘失故号求名是人亦以種諸善根
因緣故得值无量百千万億諸佛供養恭敬
尊重讚嘆弥勒當知尒時妙光菩薩豈異
人乎我身是也求名菩薩汝身是也今見此
瑞與本无異是故惟忖今日如來當說大乘經
名妙法蓮華教菩薩法佛所護念尒時文殊
師利於大衆中欲重宣此義而說偈言
我念過去世　无量无數劫　有佛人中尊　号日月燈明

BD02076號　妙法蓮華經卷一　（19–4）

瑞與本无異是故惟忖今日如來當說大乘經
名妙法蓮華教菩薩法佛所護念尒時文殊
師利於大衆中欲重宣此義而說偈言
我念過去世 无量无數劫 有佛人中尊 号日月燈明
世尊演說法 度无量衆生 无數億菩薩 令入佛智慧
佛未出家時 所生八王子 見大聖出家 亦隨脩梵行
時佛說大乘 經名无量義 於諸大衆中 而為廣分別
佛說此經已 即於法坐上 跏趺坐三昧 名无量義處
天雨曼陁華 天鼓自然鳴 諸天龍鬼神 供養人中尊
一切諸佛土 即時大震動 佛放眉間光 現諸希有事
此光照東方 万八千佛土 示一切衆生 生死業報處
又見諸佛土 以衆寶莊嚴 瑠璃頗梨色 斯由佛光照
及見諸天人 龍神夜叉衆 揵闥緊那羅 各供養其佛
又見諸如來 自然成佛道 身色如金山 端嚴甚微妙
如淨瑠璃中 内現真金像 世尊在大衆 敷演深法義
一一諸佛土 聲聞衆无數 因佛光所照 悉見彼大衆
或有諸比丘 在於山林中 精進持淨戒 猶如護明珠
又見諸菩薩 行施忍辱等 其數如恒沙 斯由佛光照
又見諸菩薩 深入諸禪定 身心寂不動 以求无上道
又見諸菩薩 知法寂滅相 各於其國土 說法求佛道
尒時四部衆 見日月燈佛 現大神通力 其心皆歡喜
各各自相問 是事何因緣
天人所奉尊 適從三昧起 讚妙光菩薩 汝為世間眼
一切所歸信 能奉持法藏 如我所說法 唯汝能證知
世尊既讚歎 令妙光歡喜 說是法華經 滿六十小劫
不起於此坐 所說上妙法 是妙光法師 悉皆能受持
佛說是法華 令衆歡喜已 尋即於是日 告於天人衆
諸法實相義 已為汝等說 我今於中夜 當入於涅槃

BD02076 號　妙法蓮華經卷一　（19–5）

世尊既讚歎 令妙光歡喜 說是法華經 滿六十小劫
不起於此坐 所說上妙法 是妙光法師 悉皆能受持
佛說是法華 令衆歡喜已 尋即於是日 告於天人衆
諸法實相義 已為汝等說 我今於中夜 當入於涅槃
汝一心精進 當離於放逸 諸佛甚難值 億劫時一遇
世尊諸子等 聞佛入涅槃 各各懷悲惱 佛滅一何速
聖主法之王 安慰无量衆 我若滅度時 汝等勿憂怖
是德藏菩薩 於无漏實相 心已得通達 其次當作佛
号日為淨身 亦度无量衆
佛此夜滅度 如薪盡火滅 分布諸舍利 而起无量塔
比丘比丘尼 其數如恒沙 倍復加精進 以求无上道
是妙光法師 奉持佛法藏 八十小劫中 廣宣法華經
是諸八王子 妙光所開化 堅固无上道 當見无數佛
供養諸佛已 隨順行大道 相繼得成佛 轉次而授記
最後天中天 号曰燃燈佛 諸仙之導師 度脫无量衆
是妙光法師 時有一弟子 心常懷懈怠 貪著於名利
求名利无猒 多遊族姓家 棄捨所習誦 廢忘不通利
以是因緣故 号之為求名 亦行衆善業 得見无數佛
供養於諸佛 隨順行大道 具六波羅蜜 今見釋師子
其後當作佛 号名曰弥勒 廣度諸衆生 其數无有量
彼佛滅度後 懈怠者汝是 妙光法師者 今則我身是
我見燈明佛 本光瑞如此 以是知今佛 欲說法華經
今相如本瑞 是諸佛方便 今佛放光明 助發實相義
諸人今當知 合掌一心待 佛當雨法雨 充足求道者
諸求三乘人 若有疑悔者 佛當為除斷 令盡无有餘
妙法蓮華經方便品第二
尒時世尊從三昧安詳而起告舍利弗諸佛
智慧甚深无量其智慧門難解難入一切聲

BD02076 號　妙法蓮華經卷一　（19–6）

諸人今當知　合掌一心待　佛當雨法雨　充足求道者
諸求三乘人　若有疑悔者　佛當為除斷　令盡无有餘

妙法蓮華經方便品第二

尒時世尊從三昧安詳而起告舍利弗諸佛
智慧甚深无量其智慧門難解難入一切聲
聞辟支佛所不能知所以者何佛曾親近百
千万億无數諸佛盡行諸佛无量道法勇猛
精進名稱普聞成就甚深未曾有法隨宜所
說意趣難解舍利弗吾從成佛以來種種因
緣種種譬喻廣演言教无數方便引導衆
生令離諸著所以者何如來方便知見波羅蜜
皆已具足舍利弗如來知見廣大深遠无量
无礙力无所畏禪定解脫三昧深入无際成
就一切未曾有法舍利弗如來能種種分別
巧說諸法言辭柔濡悅可衆心舍利弗取要
言之无量无邊未曾有法佛悉成就止舍利
弗不須復說所以者何佛所成就第一希有
難解之法唯佛與佛乃能究盡諸法實相所
謂諸法如是相如是性如是體如是力如是
作如是因如是緣如是果如是報如是本末
究竟等尒時世尊欲重宣此義而說偈言

世雄不可量　諸天及世人　一切衆生類　无能知佛者
佛力无所畏　解脫諸三昧　及佛諸餘法　无能測量者
本從无數佛　具足行諸道　甚深微妙法　難見難可了
於无量億劫　行此諸道已　道場得成佛　我已悉知見
如是大果報　種種性相義　我及十方佛　乃能知是事
是法不可示　言辭相寂滅　諸餘衆生類　无有能得解
除諸菩薩衆　信力堅固者

BD02076號　妙法蓮華經卷一　（19–7）

於无量億劫　行此諸道已　道場得成佛　我已悉知見
如是大果報　種種性相義　我及十方佛　乃能知是事
是法不可示　言辭相寂滅　諸餘衆生類　无有能得解
除諸菩薩衆　信力堅固者
諸佛弟子衆　曾供養諸佛　一切漏已盡　住是最後身
如是諸人等　其力所不堪
假使滿世間　皆如舍利弗　盡思共度量　不能測佛智
正使滿十方　皆如舍利弗　及餘諸弟子　亦滿十方剎
盡思共度量　亦復不能知
辟支佛利智　无漏最後身　亦滿十方界　其數如竹林
斯等共一心　於億无量劫　欲思佛實智　莫能知少分
新發意菩薩　供養无數佛　了達諸義趣　又能善說法
如稻麻竹葦　充滿十方剎　一心以妙智　於恒河沙劫
咸皆共思量　不能知佛智　不退諸菩薩　其數如恒沙
一心共思求　亦復不能知　又告舍利弗　无漏不思議
甚深微妙法　我今已具得　唯我知是相　十方佛亦然
舍利弗當知　諸佛語无異　於佛所說法　當生大信力
世尊法久後　要當說真實　告諸聲聞衆　及求緣覺乘
我令脫苦縛　逮得涅槃者　佛以方便力　示以三乘教
衆生處處著　引之令得出

尒時大衆中有諸聲聞漏盡阿羅漢阿若憍
陳如等千二百人及發聲聞辟支佛心比丘比
丘尼優婆塞優婆夷各作是念今者世尊
何故慇懃稱歎方便而作是言佛所得法甚
深難解有所言說意趣難知一切聲聞辟支
佛所不能及佛說一解脫義我等亦得此法
到於涅槃而今不知是義所趣尒時舍利弗
知四衆心疑自亦未了而白佛言世尊何因

BD02076號　妙法蓮華經卷一　（19–8）

深難解有所言說意趣難知一切聲聞辟支
佛所不能及佛說一解脫義我等亦得此法
到於涅槃而今不知是義所趣尒時舍利弗
知四衆心疑自亦未了而白佛言世尊何因
何緣慇懃稱嘆諸佛第一方便甚深微妙難
解之法我自昔来未曾從佛聞如是說今者
四衆咸皆有疑唯願世尊敷演斯事世尊何
故慇懃稱嘆甚深微妙難解之法尒時舍利
弗欲重宣此義而說偈言
慧日大聖尊　久乃說是法　自說得如是　力无畏三昧
禪定解脫等　不可思議法　道場所得法　无能發問者
我意難可測　亦无能問者　无問而自說　稱嘆所行道
智慧甚深妙　諸佛之所得　无漏諸羅漢　及求涅槃者
今皆墮疑網　佛何故說是　其求緣覺者　比丘比丘尼
諸天龍鬼神　及揵闥婆等　相視懷猶豫　瞻仰兩足尊
是事為云何　願佛為解說　於諸聲聞衆　佛說我第一
我今自於智　疑惑不能了　為是究竟法　為是所行道
佛口所生子　合掌瞻仰待　願出微妙音　時為如實說
諸天龍神等　其數如恒沙　求佛諸菩薩　大數有八万
又諸万億國　轉輪聖王至　合掌以敬心　欲聞具足道
尒時佛告舍利弗止止不須復說若說是事
一切世間諸天及人皆當驚疑舍利弗重白
佛言世尊唯願說之唯願說之所以者何是
會无數百千万億阿僧祇衆生曾見諸佛諸
根猛利智慧明了聞佛所說則能敬信尒時
舍利弗欲重宣此義而說偈言
法王无上尊　唯說願勿慮　是會无量衆　有能敬信者

佛言世尊唯願說之唯願說之所以者何是
會无數百千万億阿僧祇衆生曾見諸佛諸
根猛利智慧明了聞佛所說則能敬信尒時
舍利弗欲重宣此義而說偈言
法王无上尊　唯說願勿慮　是會无量衆　有能敬信者
佛復止舍利弗若說是事一切世間天人阿脩
羅等皆當驚疑增上慢比丘將墜於大坑尒
時世尊重說偈言
止止不須說　我法妙難思　諸增上慢者　聞必不敬信
尒時舍利弗重白佛言世尊唯願說之唯願
說之今此會中如我等比百千万億世世已
曾從佛受化如此人等必能敬信長夜安隱
多所饒益尒時舍利弗欲重宣此義而說偈
言
无上兩足尊　願說第一法　我為佛長子　唯垂分別說
是會无量衆　能敬信此法　佛已曾世世　教化如是等
皆一心合掌　欲聽受佛語　我等千二百　及餘求佛者
願為此衆故　唯垂分別說　是等聞此法　則生大歡喜
尒時世尊告舍利弗汝已慇懃三請豈得不
說汝今諦聽善思念之吾當為汝分別解說
說此語時會中有比丘比丘尼優婆塞優婆
夷五千人等即從坐起礼佛而退所以者何
此輩罪根深重及增上慢未得謂得未證謂
證有如此失是以不住世尊嘿然而不制止
尒時佛告舍利弗我今此衆无復枝葉純有
貞實舍利弗如是增上慢人退亦佳矣汝今
善聽當為汝說舍利弗言唯然世尊願樂欲
聞佛告舍利弗如是妙法諸佛如来時乃說

證有如此失是以不住世尊嘿然而不制止
尒時佛告舍利弗我今此衆无復枝葉純有
貞實舍利弗如是增上慢人退亦佳矣汝今
善聽當為汝說舍利弗言唯然世尊願樂欲
聞佛告舍利弗如是妙法諸佛如來時乃說
之如優曇鉢華時一現耳舍利弗汝等當信
佛之所說言不虛妄舍利弗諸佛隨宜說法
意趣難解所以者何我以无數方便種種因
緣譬喻言辭演說諸法是法非思量分別之
所能解唯有諸佛乃能知之所以者何諸佛
世尊唯以一大事因緣故出現於世舍利弗
云何名諸佛世尊唯以一大事因緣故出現
於世諸佛世尊欲令衆生開佛知見使得清
淨故出現於世欲示衆生佛知見故出現於
世欲令衆生悟佛知見故出現於世欲令衆
生入佛知見道故出現於世舍利弗是為諸
佛唯以一大事因緣故出現於世佛告舍利
弗諸佛如來但教化菩薩諸有所作常為一
事唯以佛之知見示悟衆生舍利弗如來但以
一佛乘故為衆生說法无有餘乘若二若三
舍利弗一切十方諸佛法亦如是舍利弗過
去諸佛以无量无數方便種種因緣譬喻言
辭而為衆生演說諸法是法皆為一佛乘故
是諸衆生從諸佛聞法究竟皆得一切種智
舍利弗未來諸佛當出於世亦以无量无數
方便種種因緣譬喻言辭而為衆生演說
諸法是法皆為一佛乘故是諸衆生從佛聞
法究竟皆得一切種智舍利弗現在十方无量

BD02076號　妙法蓮華經卷一　（19–11）

方便種種因緣譬喻言辭而為衆生演說
諸法是法皆為一佛乘故是諸衆生從佛聞
法究竟皆得一切種智舍利弗現在十方无量
百千萬億佛土中諸佛世尊多所饒益安樂
衆生是諸佛亦以无量无數方便種種因緣
譬喻言辭而為衆生演說諸法是法皆為一
佛乘故是諸衆生從佛聞法究竟皆得一切
種智舍利弗是諸佛但教化菩薩欲以佛之
知見示衆生故欲以佛之知見悟衆生故欲
令衆生入佛知見故舍利弗我今亦復如是
知諸衆生有種種欲深心所著隨其本性以
種種因緣譬喻言辭以方便力而為說法舍
利弗如此皆為得一佛乘一切種智故舍利
弗十方世界中尚无二乘何況有三舍利弗
諸佛出於五濁惡世所謂劫濁煩惱濁衆生
濁見濁命濁如是舍利弗劫濁亂時衆生垢
重慳貪嫉妬成就諸不善根故諸佛以方便
力於一佛乘分別說三舍利弗若我弟子自
謂阿羅漢辟支佛者不聞不知諸佛如來但
教化菩薩事此非佛弟子非阿羅漢非辟支佛
又舍利弗是諸比丘比丘尼自謂已得阿羅
漢是最後身究竟涅槃便不復志求阿耨
多羅三藐三菩提當知此輩皆是增上慢人
所以者何若有比丘實得阿羅漢若不信此
法无有是處除佛滅度後現前无佛所以者
何佛滅度後如是等經受持讀誦解義者是
人難得若遇餘佛於此法中便得決了舍利
弗汝等當一心信解受持佛語諸佛如來言

BD02076號　妙法蓮華經卷一　（19–12）

[illegible]實得阿羅漢若不信此
法无有是處除佛滅度後現前无佛所以者
何佛滅度後如是等經受持讀誦解義者是
人難得若遇餘佛於此法中便得決了舍利
弗汝等當一心信解受持佛語諸佛如來言
无虛妄无有餘乘唯一佛乘尒時世尊欲重
宣此義而說偈言
比丘比丘尼　有懷增上慢　優婆塞我慢　優婆夷不信
如是四衆等　其數有五千　不自見其過
於戒有缺漏　護惜其瑕疵　是小智已出
衆中之糟糠　佛威德故去　斯人尠福德　不堪受是法
此衆无枝葉　唯有諸貞實
舍利弗善聽　諸佛所得法　无量方便力　而為衆生說
衆生心所念　種種所行道　若干諸欲性　先世善惡業
佛悉知是已　以諸緣譬喻　言辭方便力　令一切歡喜
或說脩多羅　伽陁及本事　本生未曾有　亦說於因緣
譬喻并祇夜　優波提舍經
鈍根樂小法　貪着於生死　於諸无量佛　不行深妙道
衆苦所惱亂　為是說涅槃
我設諸方便　令得入佛慧　未曾說汝等　當得成佛道
所以未曾說　說時未至故　今正是其時　決定說大乘
我此九部法　隨順衆生說　入大乘為本　以故說是經
有佛子心淨　柔軟亦利根　无量諸佛所　而行深妙道
為此諸佛子　說是大乘經
我記如是人　來世成佛道　以深心念佛　脩持淨戒故
此等聞得佛　大喜充遍身　佛知彼心行　故為說大乘
聲聞若菩薩　聞我所說法　乃至於一偈　皆成佛无疑
十方佛土中　唯有一乘法　无二亦无三　除佛方便說

為此諸佛子　說是大乘經
我記如是人　來世成佛道　以深心念佛　脩持淨戒故
此等聞得佛　大喜充遍身　佛知彼心行　故為說大乘
聲聞若菩薩　聞我所說法　乃至於一偈　皆成佛无疑
十方佛土中　唯有一乘法　无二亦无三　除佛方便說
但以假名字　引導於衆生　說佛智慧故　諸佛出於世
唯此一事實　餘二則非真　終不以小乘　濟度於衆生
佛自住大乘　如其所得法　定慧力莊嚴　以此度衆生
自證无上道　大乘平等法　若以小乘化　乃至於一人
我則墮慳貪　此事為不可　若人信歸佛　如來不欺誑
亦无貪嫉意　斷諸法中惡　故佛於十方　而獨无所畏
我以相嚴身　光明照世間　无量衆所尊　為說實相印
舍利弗當知　我本立誓願　欲令一切衆　如我等无異
如我昔所願　今者已滿足　化一切衆生　皆令入佛道
若我遇衆生　盡教以佛道　无智者錯亂　迷惑不受教
我知此衆生　未曾脩善本　堅着於五欲　癡愛故生惱
以諸欲因緣　墜墮三惡道　輪迴六趣中　備受諸苦毒
受胎之微形　世世常增長　薄德少福人　衆苦所逼迫
入耶見稠林　若有若无等　依止此諸見　具足六十二
深着虛妄法　堅受不可捨　我慢自矜高　諂曲心不實
於千万億劫　不聞佛名字　亦不聞正法　如是人難度
是故舍利弗　我為設方便　說諸盡苦道　示之以涅槃
我雖說涅槃　是亦非真滅　諸法從本來　常自寂滅相
佛子行道已　來世得作佛
我有方便力　開示三乘法　一切諸世尊　皆說一乘道
今此諸大衆　皆應除疑惑　諸佛語无異　唯一无二乘
過去无數劫　无量滅度佛　百千万億種　其數不可量
如是諸世尊　種種緣譬喻　无數方便力　演說諸法相

我有方便力　開示三乘法　一切諸世尊　皆說一乘道
今此諸大衆　皆應除疑惑　諸佛語无異　唯一无二乘
過去无數劫　无量滅度佛　百千万億種　其數不可量
如是諸世尊　種種緣譬喻　无數方便力　演說諸法相
是諸世尊等　皆說一乘法　化无量衆生　令入於佛道
又諸大聖主　知一切世間　天人群生類　深心之所欲
更以異方便　助顯第一義
若有衆生類　值諸過去佛　若聞法布施　或持戒忍辱
精進禪智等　種種脩福德　如是諸人等　皆已成佛道
諸佛滅度後　若人善軟心　如是諸衆生　皆已成佛道
諸佛滅度已　供養舍利者　起万億種塔　金銀及頗梨
車𤦲與馬瑙　玫瑰瑠璃珠　清淨廣嚴飾　莊挍於諸塔
或有起石廟　栴檀及沈水　木櫁并餘材　塼瓦泥土等
若於曠野中　積土成佛廟　乃至童子戲　聚沙為佛塔
如是諸人等　皆已成佛道
若人為佛故　建立諸形像　刻彫成衆相　皆已成佛道
或以七寶成　鍮石赤白銅　白鑞及鈆錫　鐵木及與泥
或以膠漆布　嚴飾作佛像　如是諸人等　皆已成佛道
綵畫作佛像　百福莊嚴相　自作若使人　皆已成佛道
乃至童子戲　若草木及筆　或以指爪甲　而畫作佛像
如是諸人等　漸漸積功德　具足大悲心　皆已成佛道
但化諸菩薩　度脫无量衆　若人於塔廟　寶像及畫像
以華香幡蓋　敬心而供養　若使人作樂　擊鼓吹角貝
簫笛琴箜篌　琵琶鐃銅鈸　如是衆妙音　盡持以供養
或以歡喜心　歌唄頌佛德　乃至一小音　皆已成佛道
若人散亂心　乃至以一華　供養於畫像　漸見无數佛
或有人禮拜　或復但合掌　乃至舉一手　或復小低頭

BD02076號　妙法蓮華經卷一　（19–15）

以華香幡蓋　敬心而供養　若使人作樂　擊鼓吹角貝
簫笛琴箜篌　琵琶鐃銅鈸　如是衆妙音　盡持以供養
或以歡喜心　歌唄頌佛德　乃至一小音　皆已成佛道
若人散亂心　乃至以一華　供養於畫像　漸見无數佛
或有人禮拜　或復但合掌　乃至舉一手　或復小低頭
以此供養像　漸見无量佛　自成无上道　廣度无數衆
入无餘涅槃　如薪盡火滅
若人散亂心　入於塔廟中　一稱南无佛　皆已成佛道
於諸過去佛　在世或滅後　若有聞是法　皆已成佛道
未來諸世尊　其數无有量　是諸如來等　亦方便說法
一切諸如來　以无異方便　度脫諸衆生　入佛无漏智
若有聞法者　无一不成佛
諸佛本誓願　我所行佛道　普欲令衆生　亦同得此道
未來世諸佛　雖說百千億　无數諸法門　其實為一乘
諸佛兩足尊　知法常无性　佛種從緣起　是故說一乘
是法住法位　世間相常住　於道場知已　導師方便說
天人所供養　現在十方佛　其數如恒沙　出現於世間
安隱衆生故　亦說如是法
知第一寂滅　以方便力故　雖示種種道　其實為佛乘
知衆生諸行　深心之所念　過去所習業　欲性精進力
及諸根利鈍　以種種因緣　譬喻亦言辭　隨應方便說
今我亦如是　安隱衆生故　以種種法門　宣示於佛道
我以智慧力　知衆生性欲　方便說諸法　皆令得歡喜
舍利弗當知　我以佛眼觀　見六道衆生　貧窮无福慧
入生死險道　相續苦不斷　深著於五欲　如犛牛愛尾
以貪愛自蔽　盲瞑无所見　不求大勢佛　及與斷苦法
深入諸邪見　以苦欲捨苦　為是衆生故　而起大悲心
我始坐道場　觀樹亦經行　於三七日中　思惟如是事

BD02076號　妙法蓮華經卷一　（19–16）

舍利弗當知 我以佛眼觀 見六道衆生 貧窮无福慧
入生死險道 相續苦不斷 深著於五欲 如犛牛愛尾
以貪愛自蔽 盲瞑无所見 不求大勢佛 及與斷苦法
深入諸邪見 以苦欲捨苦 為是衆生故 而起大悲心
我始坐道場 觀樹亦經行 於三七日中 思惟如是事
我所得智慧 微妙最第一 衆生諸根鈍 著樂癡所盲
如斯之等類 云何而可度
尒時諸梵王 及諸天帝釋 護世四天王 及大自在天
并餘諸天衆 眷屬百千万 恭敬合掌礼 請我轉法輪
我即自思惟 若但讚佛乘 衆生沒在苦 不能信是法
破法不信故 墜於三惡道 我寧不說法 疾入於涅槃
尋念過去佛 所行方便力 我今所得道 亦應說三乘
作是思惟時 十方佛皆現 梵音慰喻我 善哉釋迦文
第一之導師 得是无上法 隨諸一切佛 而用方便力
我等亦皆得 最妙第一法 為諸衆生類 分別說三乘
少智樂小法 不自信作佛 是故以方便 分別說諸果
雖復說三乘 但為教菩薩
舍利弗當知 我聞聖師子 深淨微妙音 稱南无諸佛
復作如是念 我出濁惡世 如諸佛所說 我亦隨順行
思惟是事已 即趣波羅柰 諸法寂滅相 不可以言宣
以方便力故 為五比丘說 是名轉法輪 便有涅槃音
及以阿羅漢 法僧差別名 從久遠劫來 讚示涅槃法
生死苦永盡 我常如是說 舍利弗當知 我見佛子等
志求佛道者 无量千万億 咸以恭敬心 皆來至佛所
曾從諸佛聞 方便所說法 我即作是念 所以出於世
為說佛慧故 今正是其時 舍利弗當知 鈍根小智人
著相憍慢者 不能信是法 今我喜无畏 於諸菩薩中

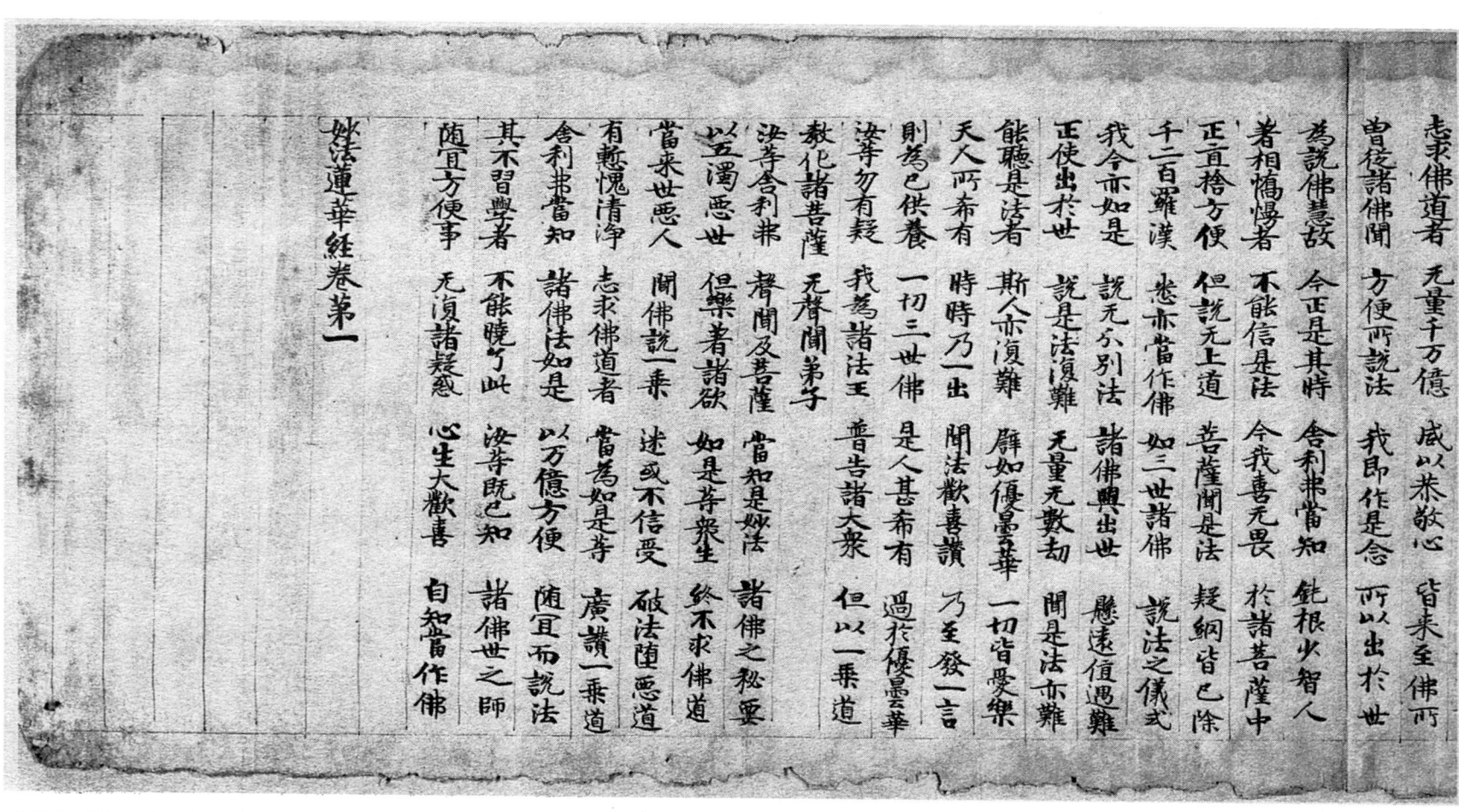

BD02076號　妙法蓮華經卷一

(19-17)

志求佛道者 无量千万億 咸以恭敬心 皆來至佛所
曾從諸佛聞 方便所說法 我即作是念 所以出於世
為說佛慧故 今正是其時 舍利弗當知 鈍根小智人
著相憍慢者 不能信是法 今我喜无畏 於諸菩薩中
正直捨方便 但說无上道 菩薩聞是法 疑網皆已除
千二百羅漢 悉亦當作佛 如三世諸佛 說法之儀式
我今亦如是 說无分別法 諸佛興出世 懸遠值遇難
正使出於世 說是法復難 无量无數劫 聞是法亦難
能聽是法者 斯人亦復難 譬如優曇華 一切皆愛樂
天人所希有 時時乃一出 聞法歡喜讚 乃至發一言
則為已供養 一切三世佛 是人甚希有 過於優曇華
汝等勿有疑 我為諸法王 普告諸大衆 但以一乘道
教化諸菩薩 无聲聞弟子
汝等舍利弗 聲聞及菩薩 當知是妙法 諸佛之秘要
以五濁惡世 但樂著諸欲 如是等衆生 終不求佛道
當來世惡人 聞佛說一乘 迷惑不信受 破法墮惡道
有慚愧清淨 志求佛道者 當為如是等 廣讚一乘道
舍利弗當知 諸佛法如是 以万億方便 隨宜而說法
其不習學者 不能曉了此 汝等既已知 諸佛世之師
隨宜方便事 无復諸疑惑 心生大歡喜 自知當作佛

妙法蓮華經卷第一

BD02076號　妙法蓮華經卷一

(19-18)

□□諸大衆　但以一乘道
教化諸菩薩　无聲聞弟子
汝等舍利弗　聲聞及菩薩　當知是妙法　諸佛之秘要
以五濁惡世　但樂著諸欲　如是等衆生　終不求佛道
當来世惡人　聞佛說一乘　迷惑不信受　破法墮惡道
有慚愧清淨　志求佛道者　當為如是等　廣讚一乘道
舍利弗當知　諸佛法如是　以万億方便　隨宜而說法
其不習學者　不能曉了此　汝等既已知　諸佛世之師
隨宜方便事　无復諸疑惑　心生大歡喜　自知當作佛

妙法蓮華經卷第一

BD02076 號　妙法蓮華經卷一　　　　　（19–19）

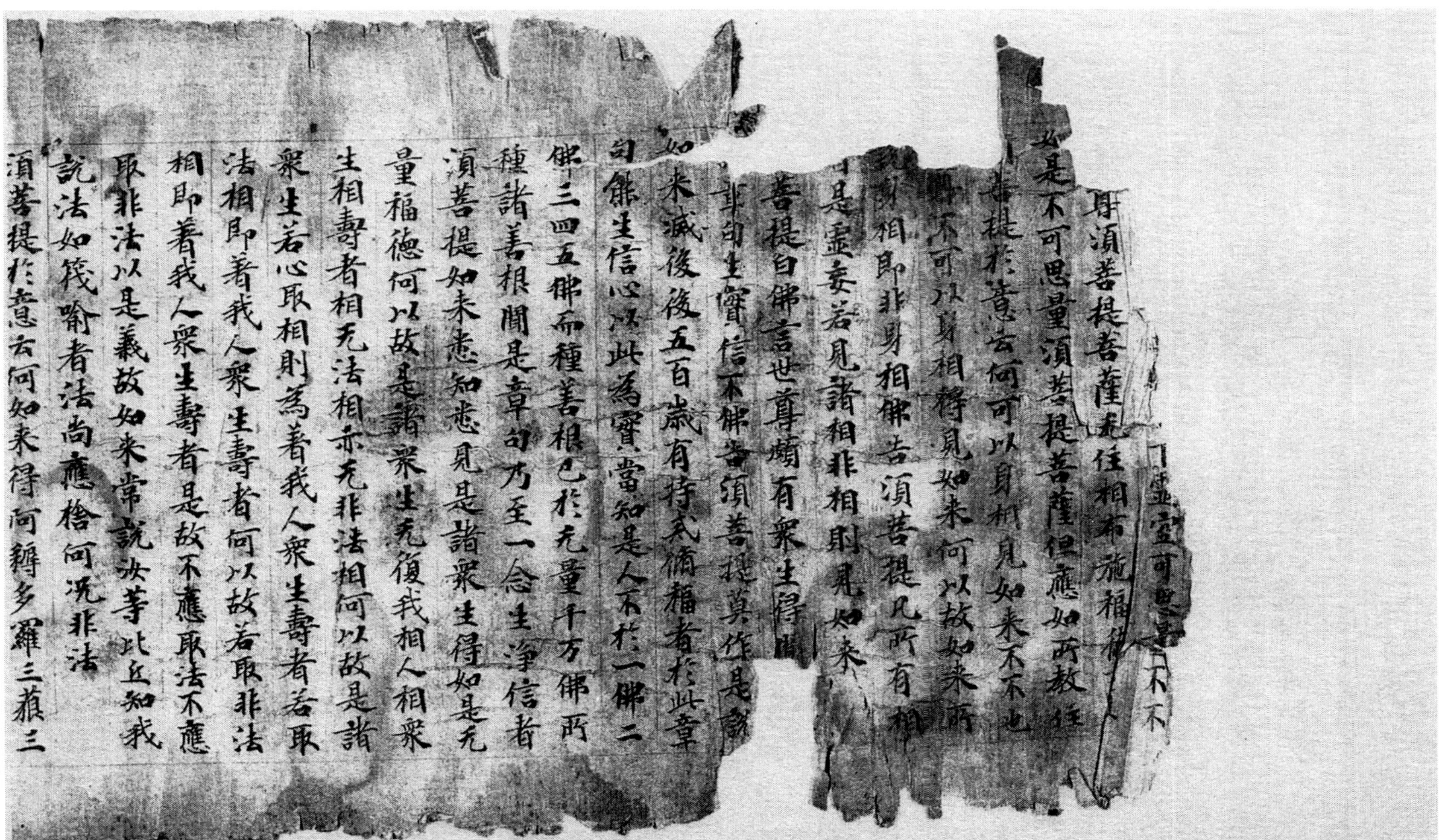

□空可思量不　不
身須菩提菩薩无住相布施福德
如是不可思量須菩提菩薩但應如所教住
須菩提於意云何可以身相見如来不不也
□不可以身相得見如来何以故如来所
□說身相即非身相佛告須菩提凡所有相
□是虛妄若見諸相非相則見如来
菩提白佛言世尊頗有衆生得聞
□句生實信不佛告須菩提莫作是說
如来滅後後五百歲有持戒脩福者於此章
句能生信心以此為實當知是人不於一佛二
佛三四五佛而種善根已於无量千万佛所
種諸善根聞是章句乃至一念生淨信者
須菩提如来悉知悉見是諸衆生得如是无
量福德何以故是諸衆生无復我相人相衆
生相壽者相无法相亦无非法相何以故是諸
衆生若心取相則為著我人衆生壽者若取
法相即著我人衆生壽者何以故若取非法
相即著我人衆生壽者是故不應取法不應
取非法以是義故如来常說汝等比丘知我
說法如筏喻者法尚應捨何况非法
須菩提於意云何如来得阿耨多羅三藐三

BD02077 號　金剛般若波羅蜜經　　　　　（13–1）

法相即著我人衆生壽者何以故若取非法
相即著我人衆生壽者是故不應取法不應
取非法以是義故如来常説汝等比丘知我
説法如筏喻者法尚應捨何況非法
須菩提於意云何如来得阿耨多羅三藐三
菩提耶如来有所説法耶須菩提言如我解
佛所説義无有定法名阿耨多羅三藐三菩
提亦无有定法如来可説何以故如来所説
法皆不可取不可説非法非非法所以者何
一切賢聖皆以无為法而有差別
須菩提於意云何若人滿三千大千世界七
寶以用布施是人所得福德寧為多不須菩
提言甚多世尊何以故是福德即非福德性
是故如来説福德多若復有人於此經中受
持乃至四句偈等為他人説其福勝彼何以故
須菩提一切諸佛及諸佛阿耨多羅三藐三菩
提法皆從此經出須菩提所謂佛法者即非佛法
須菩提於意云何須陁洹能作是念我得
須陁洹果不須菩提言不也世尊何以故須
陁洹名為入流而无所入不入色聲香味觸法
是名須陁洹須菩提於意云何斯陁含能作
是念我得斯陁含果不須菩提言不也世
尊何以故斯陁含名一往来而實无往来是
名斯陁含須菩提於意云何阿那含能作是
念我得阿那含果不須菩提言不也世尊何
以故阿那含名為不来而實无来是故名阿

BD02077 號　金剛般若波羅蜜經　（13–2）

名斯陁含須菩提於意云何阿那含能作是
念我得阿那含果不須菩提言不也世尊何
以故阿那含名為不来而實无来是故名阿
那含須菩提於意云何阿羅漢能作是念
我得阿羅漢道不須菩提言不也世尊何以
故實无有法名阿羅漢世尊若阿羅漢作
是念我得阿羅漢道即為著我人衆生壽
者世尊佛説我得无諍三昧人中最為第
一是第一離欲阿羅漢世尊我不作是念我是離
欲阿羅漢世尊我若作是念我得阿羅漢
道世尊則不説須菩提是樂阿蘭那行者
以須菩提實无所行而名須菩提是樂阿蘭
那行
佛告須菩提於意云何如来昔在然燈佛所
於法有所得不世尊如来在然燈佛所於法
實无所得須菩提於意云何菩薩莊嚴佛土
不不也世尊何以故莊嚴佛土者則非莊嚴
是名莊嚴是故須菩提諸菩薩摩訶薩應
如是生清淨心不應住色生心不應住聲香味
觸法生心應无所住而生其心須菩提譬如有
人身如須彌山王於意云何是身為大不須菩
提言甚大世尊何以故佛説非身是名大身
須菩提如恒河中所有沙數如是沙等恒河
於意云何是諸恒河沙寧為多不須菩提
言甚多世尊但諸恒河尚多无數何況其沙

BD02077 號　金剛般若波羅蜜經　（13–3）

提言甚大世尊何以故佛說非身是名大身
須菩提如恒河中所有沙數如是沙等恒河
於意云何是諸恒河沙寧為多不須菩提
言甚多世尊但諸恒河尚多无數何況其沙
須菩提我今實言告汝若有善男子善女
人以七寶滿尒所恒河沙數三千大千世界以
用布施得福多不須菩提言甚多世尊佛告
須菩提若善男子善女人於此經中乃至受
持四句偈等為他人說而此福德勝前福德
復次須菩提隨說是經乃至四句偈等當知
此處一切世間天人阿脩羅皆應供養如佛
塔廟何況有人盡能受持讀誦須菩提當
知是人成就最上第一希有之法若是經典
所在之處則為有佛若尊重弟子
尒時須菩提白佛言世尊當何名此經我等
云何奉持佛告須菩提是經名為金剛般若
波羅蜜以是名字汝當奉持所以者何須菩
提佛說般若波羅蜜則非般若波羅蜜須
菩提於意云何如來有所說法不須菩提白
佛言世尊如來无所說須菩提於意云何三
千大千世界所有微塵是為多不須菩提言
甚多世尊須菩提諸微塵如來說非微塵
是名微塵如來說世界非世界是名世界須
菩提於意云何可以卅二相見如來不不也世尊
不可以卅二相得見如來何以故如來說卅二相
即是非相是名卅二相須菩提若有善男子善

BD02077號　金剛般若波羅蜜經　（13–4）

是名微塵如來說世界非世界是名世界須
菩提於意云何可以卅二相見如來不不也世尊
不可以卅二相得見如來何以故如來說卅二相
即是非相是名卅二相須菩提若有善男子善
女人以恒河沙等身命布施若復有人於此經中
乃至受持四句偈等為他人說其福甚多
尒時須菩提聞說是經深解義趣涕淚悲
泣而白佛言希有世尊佛說如是甚深經典
我從昔來所得慧眼未曾得聞如是之經
世尊若復有人得聞是經信心清淨則生實
相當知是人成就第一希有功德世尊是實
相者則是非相是故如來說名實相世尊我
今得聞如是經典信解受持不足為難若當
來世後五百歲其有眾生得聞是經信解受
持是人則為第一希有何以故此人无我相人相
眾生相壽者相所以者何我相即是非相人相
眾生相壽者相即是非相離一切諸相則名諸佛
佛告須菩提如是如是若復有人得聞是經
不驚不怖不畏當知是人甚為希有何以故
須菩提如來說第一波羅蜜非第一波羅蜜
是名第一波羅蜜須菩提忍辱波羅蜜如來
說非忍辱波羅蜜何以故須菩提如我昔為
歌利王割截身體我於尒時无我相无人相
无眾生相无壽者相何以故我往昔節節
支解時若有我相人相眾生相壽者相應生
瞋恨須菩提又念過去於五百世作忍辱仙
人於尒所世无我相无人相无眾生相无壽者

BD02077號　金剛般若波羅蜜經　（13–5）

人於尒所世无我相无人相无衆生相无壽者
相是故須菩提菩薩應離一切相發阿耨多羅
三藐三菩提心不應住色生心不應住聲香
味觸法生心應生无所住心若心有住則為
非住是故佛說菩薩心不應住色布施須菩
提菩薩為利益一切衆生應如是布施如
來說一切諸相即是非相又說一切衆生則
非衆生須菩提如來是真語者實語者如
語者不誑語者不異語者須菩提如來所
得法此法无實无虛須菩提若菩薩心住
於法而行布施如人入闇則无所見若菩薩心
不住色而行布施如人有目日光明照見種種
色須菩提當來之世若有善男子善女人能
於此經受持讀誦則為如來以佛智慧悉知
是人悉見是人皆得成就无量无邊功德
須菩提若有善男子善女人初日分以恒河
沙等身命布施中日分復以恒河沙等身布
施後日分亦以恒河沙等身布施如是无量
百千万億劫以身布施若復有人聞此經典
信心不逆其福勝彼何况書寫受持讀誦
為人解說須菩提以要言之是經有不可思
議不可稱量无邊功德如來為發大乘者說
為發冣上乘者說若有人能受持讀誦廣
為人說如來悉知是人悉見是人皆得成就
不可量不可稱无有邊不可思議功德如是人
等則為荷擔如來阿耨多羅三藐三菩提何以

BD02077號　金剛般若波羅蜜經

（13–6）

為發冣上乘者說若有人能受持讀誦廣
為人說如來悉知是人悉見是人皆得成就
不可量不可稱无有邊不可思議功德如是人
等則為荷擔如來阿耨多羅三藐三菩提何以
故須菩提若樂小法者著我見人見衆生見
壽者見則於此經不能聽受讀誦為人解說
須菩提在在處處若有此經一切世間天人
阿脩羅所應供養當知此處則為是塔皆
應恭敬作礼圍繞以諸華香而散其處
復次須菩提善男子善女人受持讀誦此經
若為人輕賤是人先世罪業應墮惡道以今
世人輕賤故先世罪業則為消滅當得阿
耨多羅三藐三菩提須菩提我念過去无量
阿僧祇劫於然燈佛前得值八百四千万億那
由他諸佛悉皆供養承事无空過者若復有
人於後末世能受持讀誦此經所得功德於
我所供養諸佛功德百分不及一千万億分
乃至筭數譬喻所不能及須菩提若善男子
善女人於後末世有受持讀誦此經所得功
德我若具說者或有人聞心則狂亂狐疑不
信須菩提當知是經義不可思議果報亦
不可思議
尒時須菩提白佛言世尊善男子善女人發
阿耨多羅三藐三菩提心云何應住云何降
伏其心佛告須菩提善男子善女人發阿耨
多羅三藐三菩提者當生如是心我應滅度

BD02077號　金剛般若波羅蜜經

（13–7）

尒時須菩提白佛言世尊善男子善女人發
阿耨多羅三藐三菩提心云何應住云何降
伏其心佛告須菩提善男子善女人發阿耨
多羅三藐三菩提者當生如是心我應滅度
一切衆生滅度一切衆生已而无有一衆生
實滅度者何以故若菩薩有我相人相衆生
相壽者相則非菩薩所以者何須菩提實
无法發阿耨多羅三藐三菩提者須菩提於
意云何如來於然燈佛所有法得阿耨多羅
三藐三菩提不不也世尊如我解佛所說義
佛於然燈佛所无有法得阿耨多羅三藐三
菩提佛言如是如是須菩提實无有法如來
得阿耨多羅三藐三菩提須菩提若有法如
來得阿耨多羅三藐三菩提者然燈佛則不
與我受記汝於來世當得作佛号釋迦牟尼
以實无有法得阿耨多羅三藐三菩提是故
然燈佛與我受記作是言汝於來世當得作
佛号釋迦牟尼何以故如來者即諸法如義
若有人言如來得阿耨多羅三藐三菩提須
菩提實无有法佛得阿耨多羅三藐三菩提
須菩提如來所得阿耨多羅三藐三菩提於
是中无實无虛是故如來說一切法皆是佛
法須菩提所言一切法者即非一切法是故
名一切法須菩提譬如人身長大須菩提言
世尊如來說人身長大則為非大身是名大
身須菩提菩薩亦如是若作是言我當滅度

BD02077號　金剛般若波羅蜜經　（13–8）

法須菩提所言一切法者即非一切法是故
名一切法須菩提譬如人身長大須菩提言
世尊如來說人身長大則為非大身是名大
身須菩提菩薩亦如是若作是言我當滅度
无量衆生則不名菩薩何以故須菩提實无
有法名為菩薩是故佛說一切法无我无人
无衆生无壽者須菩提若菩薩作是言我
當莊嚴佛土是不名菩薩何以故如來說莊
嚴佛土者即非莊嚴是名莊嚴須菩提若菩
薩通達无我法者如來說名真是菩薩
須菩提於意云何如來有肉眼不如是世尊
如來有肉眼須菩提於意云何如來有天眼
不如是世尊如來有天眼須菩提於意云何
如來有慧眼不如是世尊如來有慧眼須菩
提於意云何如來有法眼不如是世尊如來
有法眼須菩提於意云何如來有佛眼不如
是世尊如來有佛眼須菩提於意云何恒河
中所有沙佛說是沙不如是世尊如來說是
沙須菩提於意云何如一恒河中所有沙有
如是等恒河是諸恒河所有沙數佛世界如
是寧為多不甚多世尊佛告須菩提尒所國
土中所有衆生若干種心如來悉知何以故如
來說諸心皆為非心是名為心所以者何須
菩提過去心不可得現在心不可得未來心
不可得須菩提於意云何若有人滿三千大
千世界七寶以用布施是人以是因緣得福

BD02077號　金剛般若波羅蜜經　（13–9）

来說諸心皆為非心是名為心所以者何須
菩提過去心不可得現在心不可得未来心
不可得須菩提於意云何若有人滿三千大
千世界七寶以用布施是人以是因緣得福
多不如是世尊此人以是因緣得福甚多須
菩提若福德有實如来不說得福德多以福
德无故如来說得福德多
須菩提於意云何佛可以具足色身見不不
也世尊如来不應以色身見何以故如来說
具足色身即非具足色身是名具足色身須
菩提於意云何如来可以具足諸相見不不
也世尊如来不應以具足諸相見何以故如
来說諸相具足即非具足是名諸相具足須
菩提汝勿謂如来作是念我當有所說法莫
作是念何以故若人言如来有所說法即為
謗佛不能解我所說故須菩提說法者无法
可說是名說法須菩提白佛言世尊佛得阿
耨多羅三藐三菩提為无所得耶如是如是
須菩提我於阿耨多羅三藐三菩提乃至无
有少法可得是名阿耨多羅三藐三菩提復
次須菩提是法平等无有高下是名阿耨多
羅三藐三菩提以无我无人无衆生无壽者
脩一切善法則得阿耨多羅三藐三菩提須
菩提所言善法者如来說非善法是名善法
須菩提若三千大千世界中所有諸須弥山
王如是等七寶聚有人持用布施若人以此

BD02077 號　金剛般若波羅蜜經　(13–10)

脩一切善法則得阿耨多羅三藐三菩提須
菩提所言善法者如来說非善法是名善法
須菩提若三千大千世界中所有諸須弥山
王如是等七寶聚有人持用布施若人以此
般若波羅蜜經乃至四句偈等受持為他人
說於前福德百分不及一百千万億分乃至
筭數譬喻所不能及
須菩提於意云何汝等勿謂如来作是念我
當度衆生須菩提莫作是念何以故實无有
衆生如来度者若有衆生如来度者如来則
有我人衆生壽者須菩提如来說有我者則
非有我而凡夫之人以為有我須菩提凡夫
者如来說則非凡夫須菩提於意云何可以
三十二相觀如来不須菩提言如是如是以三
十二相觀如来佛言須菩提若以三十二相
觀如来者轉輪聖王則是如来須菩提白
佛言世尊如我解佛所說義不應以三十二
相觀如来尒時世尊而說偈言
若以色見我 以音聲求我 是人行邪道 不能見如来
須菩提汝若作是念如来不以具足相故得阿
耨多羅三藐三菩提須菩提莫作是念如
来不以具足相故得阿耨多羅三藐三菩提
須菩提汝若作是念發阿耨多羅三藐三菩
提者說諸法斷滅相莫作是念何以故發阿
耨多羅三藐三菩提者於法不說斷滅相須
菩提若菩薩以滿恒河沙等世界七寶布施

BD02077 號　金剛般若波羅蜜經　(13–11)

須菩提汝若作是念發阿耨多羅三藐三菩
提者說諸法斷滅相莫作是念何以故發阿
耨多羅三藐三菩提者於法不說斷滅相須
菩提若菩薩以滿恒河沙等世界七寶布施
若復有人知一切法无我得成於忍此菩薩
勝前菩薩所得功德須菩提以諸菩薩不受
福德故須菩提白佛言世尊云何菩薩不受
福德須菩提菩薩所作福德不應貪著是故
佛說不受福德須菩提若有人言如來若來若
去若坐若卧是人不解我所說義何以故如
來者无所從來亦无所去故名如來
須菩提若善男子善女人以三千大千世界碎
為微塵於意云何是微塵衆寧為多不甚
多世尊何以故若是微塵衆實有者佛則不
說是微塵衆所以者何佛說微塵衆則非微
塵衆是名微塵衆世尊如來所說三千大千
世界則非世界是名世界何以故若世界實
有者則是一合相如來說一合相則非一合
相是名一合相須菩提一合相者則是不可
說但凡夫之人貪著其事須菩提若人言佛
說我見人見衆生見壽者見須菩提於意云
何是人解我所說義不世尊是人不解如來
所說義何以故世尊說我見人見衆生見壽
者見即非我見人見衆生見壽者見是名我
見人見衆生見壽者見須菩提發阿耨多羅
三藐三菩提心者於一切法應如是知如是見

BD02077號　金剛般若波羅蜜經　（13–12）

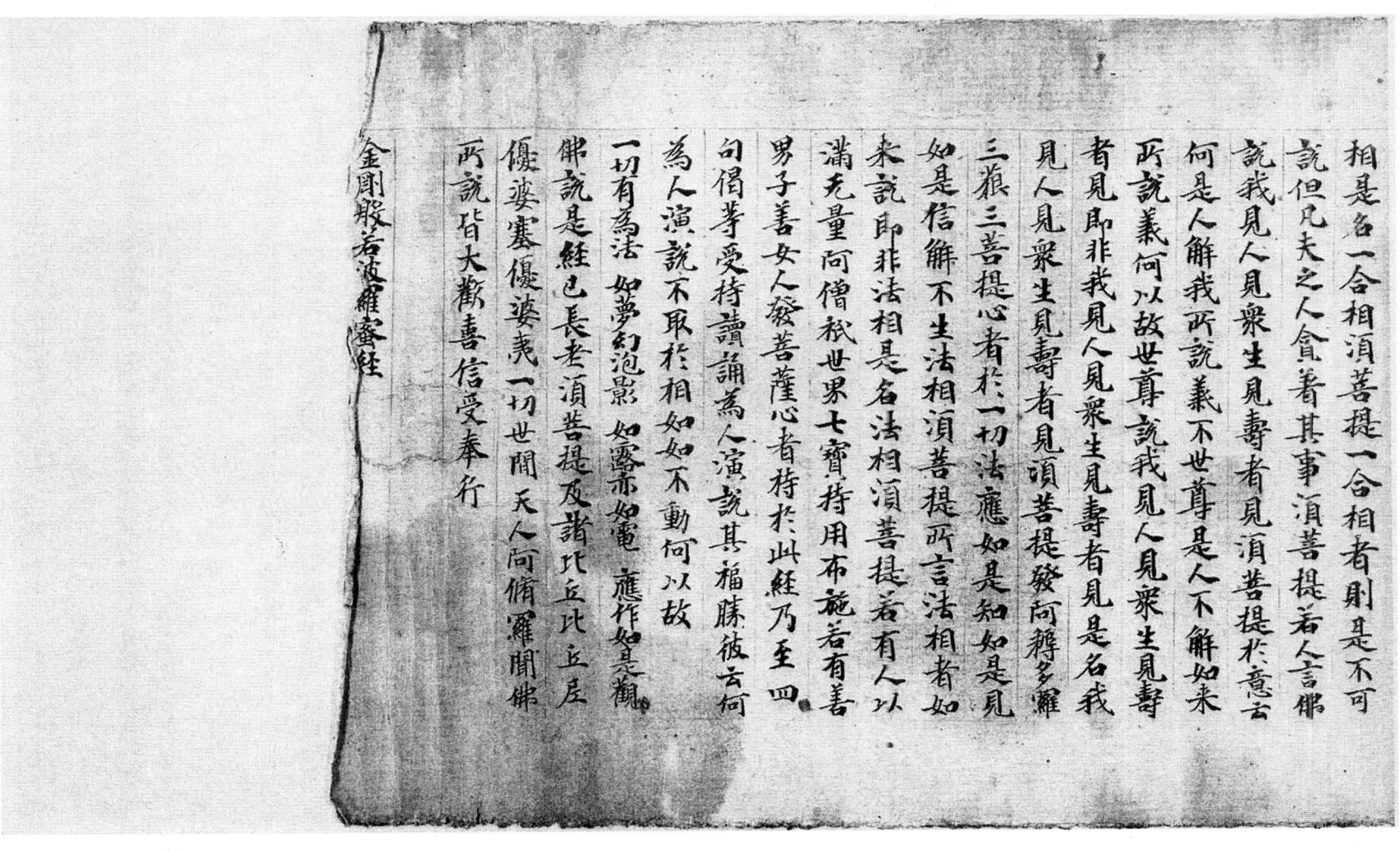

相是名一合相須菩提一合相者則是不可
說但凡夫之人貪著其事須菩提若人言佛
說我見人見衆生見壽者見須菩提於意云
何是人解我所說義不世尊是人不解如來
所說義何以故世尊說我見人見衆生見壽
者見即非我見人見衆生見壽者見是名我
見人見衆生見壽者見須菩提發阿耨多羅
三藐三菩提心者於一切法應如是知如是見
如是信解不生法相須菩提所言法相者如
來說即非法相是名法相須菩提若有人以
滿无量阿僧祇世界七寶持用布施若有善
男子善女人發菩薩心者持於此經乃至四
句偈等受持讀誦為人演說其福勝彼云何
為人演說不取於相如如不動何以故
一切有為法　如夢幻泡影　如露亦如電　應作如是觀
佛說是經已長老須菩提及諸比丘比丘尼
優婆塞優婆夷一切世間天人阿脩羅聞佛
所說皆大歡喜信受奉行
金剛般若波羅蜜經

BD02077號　金剛般若波羅蜜經　（13–13）

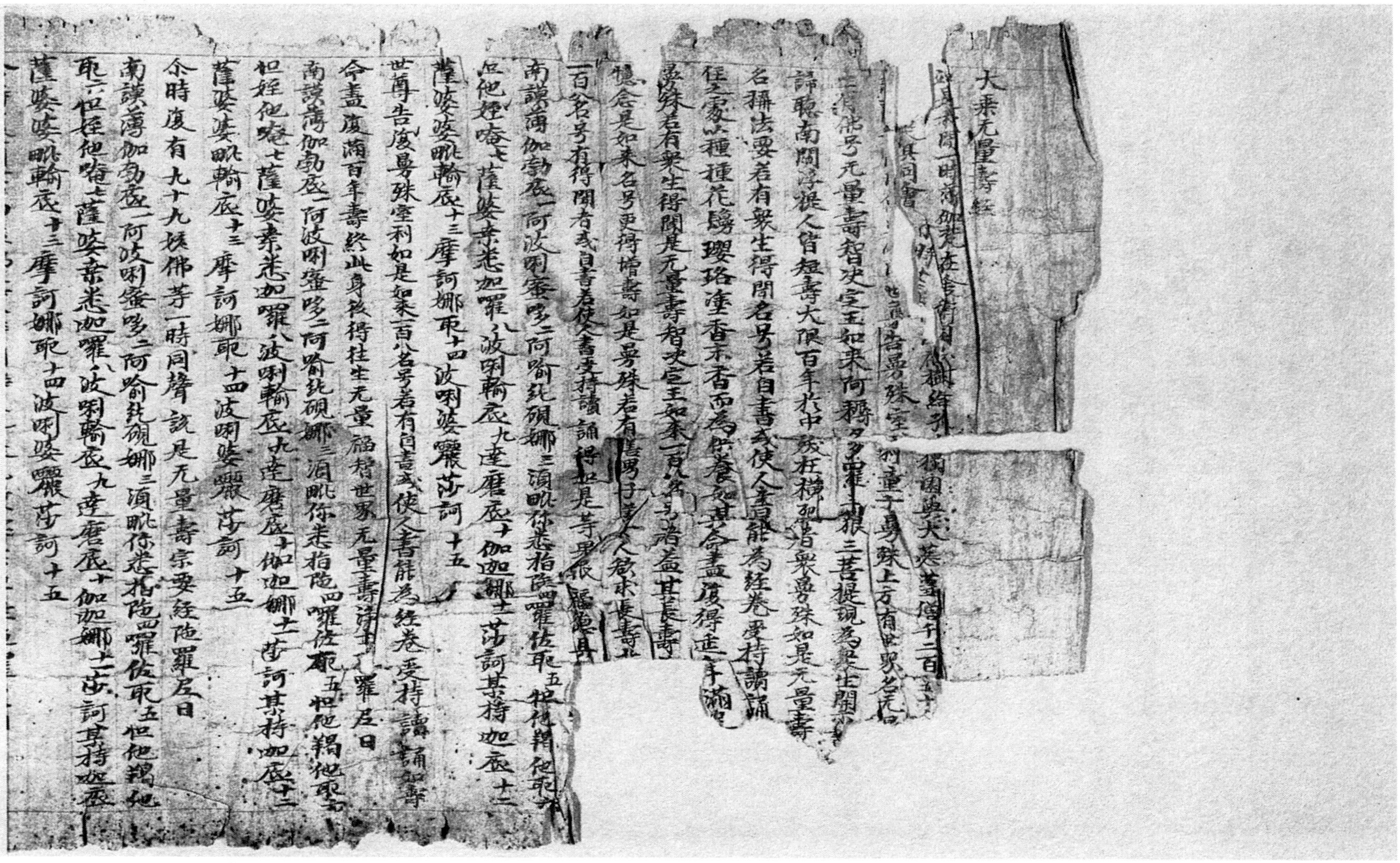

大乘无量壽經

[illegible]聞一時薄伽梵在[illegible]樹給孤獨園與大苾芻僧千二百五[illegible]

[illegible]曼殊室利童子曼殊上方有世界名无[illegible]

[illegible]佛号无量壽智决定王如來[illegible]三菩提現為衆生開示

諦聽南閻浮提人皆短壽大限百年於中夭枉横死者衆曼殊如是无量壽

名稱法要若有衆生得聞名号若自書或使人書能為經卷受持讀誦

住之處以種種花鬘瓔珞塗香末香而為供養如其命盡復得延年滿足

曼殊若有衆生得聞是无量壽智决定王如來一百八名号者益其長壽

憶念是如來名号更得增壽如是曼殊若有善男子善女人欲求長壽

一百名号有得聞者或自書或使人書受持讀誦得如是等果報福德具

南謨薄伽勃底一阿波唎蜜哆二阿喻紇硯娜三須毗你悉指陀四囉佐耶五怛他羯他耶六

怛姪他唵七薩婆桑悉迦囉八波唎輸底九達磨底十伽迦娜十一莎訶某持伽底十二

薩婆娑毗輸底十三摩訶娜耶十四波唎婆囉莎訶十五

世尊告曼殊室利如是如來一百八名号若有自書或使人書能為經卷受持讀誦壽

命盡復滿百年壽終此身後得往生无量福智世界无量壽[illegible]羅尼曰

南謨薄伽勃底一阿波唎蜜哆二阿喻紇硯娜三須毗你悉指陀四囉佐耶五怛他羯他耶六

怛姪他唵七薩婆桑悉迦囉八波唎輸底九達磨底十伽迦娜十一莎訶某持伽底十二

薩婆娑毗輸底十三摩訶娜耶十四波唎婆囉莎訶十五

尒時復有九十九姟佛等一時同聲說是无量壽宗要經陀羅尼曰

南謨薄伽勃底一阿波唎蜜哆二阿喻紇硯娜三須毗你悉指陀四囉佐耶五怛他羯他

耶六怛姪他唵七薩婆桑悉迦囉八波唎輸底九達磨底十伽迦娜十一莎訶某持伽底

薩婆娑毗輸底十三摩訶娜耶十四波唎婆囉莎訶十五

BD02078號　無量壽宗要經　（6–1）

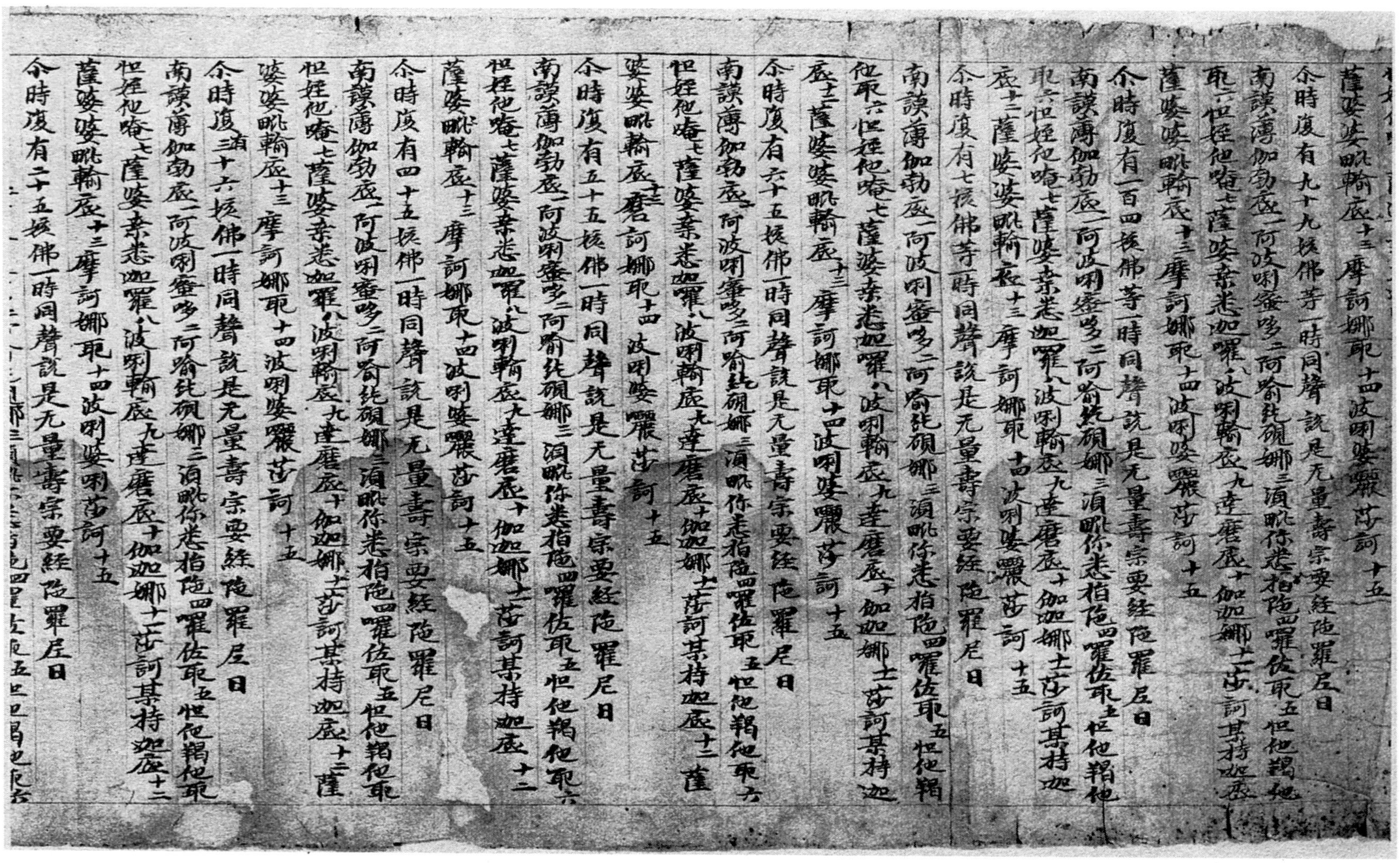

薩婆娑毗輸底十三摩訶娜耶十四波唎婆囉莎訶十五

尒時復有九十九姟佛等一時同聲說是无量壽宗要經陀羅尼曰

南謨薄伽勃底一阿波唎蜜哆二阿喻紇硯娜三須毗你悉指陀四囉佐耶五怛他羯他

耶六怛姪他唵七薩婆桑悉迦囉八波唎輸底九達磨底十伽迦娜十一莎訶某持伽底

薩婆娑毗輸底十三摩訶娜耶十四波唎婆囉莎訶十五

尒時復有一百四姟佛等一時同聲說是无量壽宗要經陀羅尼曰

南謨薄伽勃底一阿波唎蜜哆二阿喻紇硯娜三須毗你悉指陀四囉佐耶五怛他羯他

耶六怛姪他唵七薩婆桑悉迦囉八波唎輸底九達磨底十伽迦娜十一莎訶某持伽

底十二薩婆娑毗輸底十三摩訶娜耶十四波唎婆囉莎訶十五

尒時復有七姟佛等一時同聲說是无量壽宗要經陀羅尼曰

南謨薄伽勃底一阿波唎蜜哆二阿喻紇硯娜三須毗你悉指陀四囉佐耶五怛他羯

他耶六怛姪他唵七薩婆桑悉迦囉八波唎輸底九達磨底十伽迦娜十一莎訶某持迦

底十二薩婆娑毗輸底十三摩訶娜耶十四波唎婆囉莎訶十五

尒時復有六十五姟佛一時同聲說是无量壽宗要經陀羅尼曰

南謨薄伽勃底一阿波唎蜜哆二阿喻紇硯娜三須毗你悉指陀四囉佐耶五怛他羯他耶六

怛姪他唵七薩婆桑悉迦囉八波唎輸底九達磨底十伽迦娜十一莎訶某持迦底十二薩

婆娑毗輸底十三摩訶娜耶十四波唎婆囉莎訶十五

尒時復有五十五姟佛一時同聲說是无量壽宗要經陀羅尼曰

南謨薄伽勃底一阿波唎蜜哆二阿喻紇硯娜三須毗你悉指陀四囉佐耶五怛他羯他耶六

怛姪他唵七薩婆桑悉迦囉八波唎輸底九達磨底十伽迦娜十一莎訶某持迦底十二

薩婆娑毗輸底十三摩訶娜耶十四波唎婆囉莎訶十五

尒時復有四十五姟佛一時同聲說是无量壽宗要經陀羅尼曰

南謨薄伽勃底一阿波唎蜜哆二阿喻紇硯娜三須毗你悉指陀四囉佐耶五怛他羯他耶

怛姪他唵七薩婆桑悉迦囉八波唎輸底九達磨底十伽迦娜十一莎訶某持迦底十二薩

婆娑毗輸底十三摩訶娜耶十四波唎婆囉莎訶十五

尒時復滿三十六姟佛一時同聲說是无量壽宗要經陀羅尼曰

南謨薄伽勃底一阿波唎蜜哆二阿喻紇硯娜三須毗你悉指陀四囉佐耶五怛他羯他耶

怛姪他唵七薩婆桑悉迦囉八波唎輸底九達磨底十伽迦娜十一莎訶某持迦底十二

薩婆娑毗輸底十三摩訶娜耶十四波唎婆囉莎訶十五

尒時復有二十五姟佛一時同聲說是无量壽宗要經陀羅尼曰

BD02078號　無量壽宗要經　（6–2）

怛姪他唵七薩婆桒悉迦囉八波唎輸底九達磨底十伽迦娜十一莎訶某持迦底
薩婆婆毗輸底十三摩訶娜耶十四波唎婆唎莎訶十五
尒時復有二十五姟佛一時同聲說是无量壽宗要經陁羅尼曰
南謨薄伽勃底一阿波唎蜜哆二阿喻紇硯娜三須毗你悉指陁四囉佐耶五怛他羯他耶六
怛姪他唵七薩婆桒悉迦囉八波唎輸底九達磨底十伽迦娜十一莎訶某持迦底十二
薩婆婆毗輸底十三摩訶娜耶十四波唎婆囉莎訶十五
尒時復有恒河沙姟佛一時同聲說是无量壽宗要經陁羅尼曰
南謨薄伽勃底一阿波唎蜜哆二阿喻紇硯娜三須毗你悉指陁四囉佐耶五怛他羯他耶六
怛姪他唵七薩婆桒悉迦囉八波唎輸底九達磨底十伽迦娜十一莎訶某持迦底十二
薩婆婆毗輸底十三摩訶娜耶十四波唎婆囉莎訶十五
善男子若有自書寫教人書寫是无量壽宗要經如其命盡復得長壽而滿年陁羅尼曰
南謨薄伽勃底一阿波唎蜜哆二阿喻紇硯娜三須毗你悉指陁四囉佐耶五怛他羯他耶六
怛姪他唵七薩婆桒悉迦囉八波唎輸底九達磨底十伽迦娜十一莎訶某持迦底十二 薩
婆婆毗輸底十三摩訶娜耶十四波唎婆囉莎訶十五
若有自書寫教人書寫是无量壽宗要經讀誦受持畢竟不墮地獄在
在所生得宿命智陁羅尼曰
南謨薄伽勃底一阿波唎蜜哆二阿喻紇硯娜三須毗你悉指陁四囉佐耶五怛他羯他耶六
怛姪他唵七薩婆桒悉迦囉八波唎輸底九達磨底十伽迦娜十一莎訶某持迦底十二 薩
婆婆毗輸底十三摩訶娜耶十四波唎婆囉莎訶十五
若有自書寫教人書寫是无量壽宗要經受持讀誦如同書寫八万四千一切經典陁羅尼曰
南謨薄伽勃底一阿波唎蜜哆二阿喻紇硯娜三須毗你悉指陁四囉佐耶五怛他羯他耶六
怛姪他唵七薩婆桒悉迦囉八波唎輸底九達磨底十伽迦娜十一莎訶某持迦底十二
薩婆婆毗輸底十三摩訶娜耶十四波唎婆囉莎訶十五
若有自書寫教人書寫是无量壽宗要經受持讀誦即是書寫八万四千部建立塔廟陁羅尼曰
南謨薄伽勃底一阿波唎蜜哆二阿喻紇硯娜三須毗你悉指陁四囉佐耶五怛他羯他耶六
怛姪他唵七薩婆桒悉迦囉八波唎輸底九達磨底十伽迦娜十一莎訶某持迦底十二
薩婆婆毗輸底十三摩訶娜耶十四波唎婆囉莎訶十五
若有自書寫教人書寫是无量壽宗要經能消五无間等一切重罪陁羅尼曰
南謨薄伽勃底一阿波唎蜜哆二阿喻紇硯娜三須毗你悉指陁四囉佐耶五怛他羯他耶
怛姪他唵七薩婆桒悉迦囉八波唎輸底九達磨底十伽迦娜十一莎訶某持迦底廿
薩婆婆毗輸底十三摩訶娜耶十四波唎婆囉莎訶十五

BD02078 號　無量壽宗要經　（6–3）

薩婆婆毗輸底十三摩訶娜耶十四波唎婆囉莎訶十五
若有自書寫教人書寫是无量壽宗要經能消五无間等一切重罪陁羅尼曰
南謨薄伽勃底一阿波唎蜜哆二阿喻紇硯娜三須毗你悉指陁四囉佐耶五怛他羯他耶
怛姪他唵七薩婆桒悉迦囉八波唎輸底九達磨底十伽迦娜十一莎訶某持迦底廿
薩婆婆毗輸底十三摩訶娜耶十四波唎婆囉莎訶十五
若有自書寫教人書寫是无量壽宗要經受持讀誦設有重罪猶如須弥盡能除滅陁羅尼曰
南謨薄伽勃底一阿波唎蜜哆二阿喻紇硯娜三須毗你悉指陁四囉佐耶五怛他羯他耶
怛姪他唵七薩婆桒悉迦囉八波唎輸底九達磨底十伽迦娜十一莎訶某持迦底十二
薩婆婆毗輸底十三摩訶娜耶十四波唎婆囉莎訶十五
若有自書寫教人書寫是无量壽宗要經受持讀誦若魔魔之眷屬
夜叉羅刹不得其便終无枉死陁羅尼曰
南謨薄伽勃底一阿波唎蜜哆二阿喻紇硯娜三須毗你悉指陁四囉佐耶五怛他羯他
耶六怛姪他唵七薩婆桒悉迦囉八波唎輸底九達磨底十伽迦娜十一莎訶某持迦底廿
薩婆婆毗輸底十三摩訶娜耶十四波唎婆囉莎訶十五
若有自書寫教人書寫是无量壽宗要經受持讀誦當命終時有九十九姟
佛現其人前萬千佛授手能遊一切佛刹莫於此經生於疑惑陁羅尼曰
南謨薄伽勃底一阿波唎蜜哆二阿喻紇硯娜三須毗你悉指陁四囉佐耶五怛他羯他耶
怛姪他唵七薩婆桒悉迦囉八波唎輸底九達磨底十伽迦娜十一莎訶某持迦底十二
薩婆婆毗輸底十三摩訶娜耶十四波唎婆囉莎訶十五
若有自書寫教人書寫是无量壽宗要經受持讀誦常得四天大王隨其衛護陁羅尼曰
南謨薄伽勃底一阿波唎蜜哆二阿喻紇硯娜三須毗你悉指陁四囉佐耶五怛他羯他耶
怛姪他唵七薩婆桒悉迦囉八波唎輸底九達磨底十伽迦娜十一莎訶某持迦底十二
薩婆婆毗輸底十三摩訶娜耶十四波唎婆囉莎訶十五
若有自書寫教人書寫是无量壽宗要經受持讀誦當得往生西
方極樂世界阿弥陁淨土陁羅尼曰
南謨薄伽勃底一阿波唎蜜哆二阿喻紇硯娜三須毗你悉指陁四囉佐耶五怛他羯他
耶六怛姪他唵七薩婆桒悉迦囉八波唎輸底九達磨底十伽迦娜十一莎訶某持迦底
薩婆婆毗輸底十三摩訶娜耶十四波唎婆囉莎訶十五
若有方所自書寫使人書寫是无量壽經典之處則為是塔皆應恭敬作礼若
是畜生或為鳥獸得聞是經如是等類皆當不久得成一切種智陁羅尼曰
南謨薄伽勃底一阿波唎蜜哆二阿喻紇硯娜三須毗你悉指陁四囉佐耶五怛他羯他耶

BD02078 號　無量壽宗要經　（6–4）

耶六怛姪他唵七薩婆桒悲迦嚩八波唎輸底九達磨底十伽迦娜十一莎訶其持迦底
薩婆婆毗輸底十三摩訶娜耶十四波唎婆囉莎訶十五
若有方所自書寫使人書寫是无量壽經典之處則為是塔皆應恭敬作礼若
是畜生或為鳥獸得聞是經如是等類皆當不久得成一切種智陁羅尼日
南謨薄伽勃底一阿波唎蜜哆二阿喻紇硯娜三須毗你悲指陁四囉佐耶五怛他羯他耶
怛姪他唵七薩婆桒悲迦羅八波唎輸底九達磨底十伽迦娜十一莎訶其持迦底十二
薩婆婆毗輸底十三摩訶娜耶十四波唎婆囉莎訶十五
若有於是无量壽經自書寫使人書畢竟不受女人之身陁羅尼日
南謨薄伽勃底一阿波唎蜜哆二阿喻紇硯娜三須毗你悲指陁四囉佐耶五怛他羯他耶六
怛姪他唵七薩婆桒悲迦囉八波唎輸底九達磨底十伽迦娜十一莎訶其持迦底十二
薩婆婆毗輸底十三摩訶娜耶十四波唎婆囉莎訶十五
若有能於是經少分能惠施者等於三千大千世界滿中七寶布施陁羅尼日
南謨薄伽勃底一阿波唎蜜哆二阿喻紇硯娜三須毗你悲指陁四羅佐耶五怛他羯他耶
怛姪他唵七薩婆桒悲迦羅八波唎輸底九達磨底十伽迦娜十一莎訶其持迦底二十薩
婆婆毗輸底十三摩訶娜耶十四波唎婆囉莎訶十五
若有能供養是經者則是供養一切諸經等无有異陁羅尼日
南謨薄伽勃底一阿波唎蜜哆二阿喻紇硯耶三須毗你悲指陁四囉佐耶五怛他羯他耶
怛姪他唵七薩婆桒悲迦囉八波唎輸底九達磨底十伽迦娜十一莎訶其持迦底十二
薩婆婆毗輸底十三摩訶娜耶十四波唎婆囉莎訶十五
如是毗婆尸佛　尸弃佛　毗舍浮佛　俱留孫佛　俱那含牟尼佛　迦葉佛　釋迦牟尼佛
若有人以七寶供養如是七佛其福有限書寫受持是无量壽經典所有功德不可數量陁羅尼日
南謨薄伽勃底一阿波唎蜜哆二阿喻紇硯娜三須毗你悲指陁四囉佐耶五怛他羯他
耶六怛姪他唵七薩婆桒悲迦羅八波唎輸底九達磨底十伽迦娜十一莎訶其持
薩婆婆毗輸底十三摩訶娜耶十四波唎婆囉莎訶十五
若有七寶等於須弥山布施其福上能知其限量是无量壽經典其福不可知數陁羅尼日
南謨薄伽勃底一阿波唎蜜哆二阿喻紇硯娜三須毗你悲指陁四囉佐耶五怛他羯
他耶六怛姪他唵七薩婆桒悲迦囉八波唎輸底九達磨底十伽迦娜十一莎訶其持迦底二十
薩婆婆毗輸底十三摩訶娜耶十四波唎婆囉莎訶十五
如是四大海水可知渧數无是量壽經典所生果報不可數量陁羅尼日
南謨薄伽勃底一阿波唎蜜哆二阿喻紇硯娜三須毗你悲指陁四囉佐耶五怛他羯他耶六
怛姪他唵七薩婆桒悲迦囉八波唎輸底九達磨底十伽迦娜十一莎訶其持迦底二十薩

BD02078號　無量壽宗要經

（6–5）

薩婆婆毗輸底十三摩訶娜耶十四波唎婆囉莎訶十五
如是四大海水可知渧數无是量壽經典所生果報不可數量陁羅尼日
南謨薄伽勃底一阿波唎蜜哆二阿喻紇硯娜三須毗你悲指陁四囉佐耶五怛他羯他耶六
怛姪他唵七薩婆桒悲迦囉八波唎輸底九達磨底十伽迦娜十一莎訶其持迦底二十薩
婆婆毗輸底十三摩訶娜耶十四波唎婆囉莎訶十五
若有自書寫使人書寫是无量壽經典又能護持供養即如恭敬供
養一切十方佛土如來无有別異陁羅尼日
南謨薄伽勃底一阿波唎蜜哆二阿喻紇硯娜三須毗你悲指陁四囉佐耶五怛他羯他
耶六怛姪他唵七薩婆桒悲迦囉八波唎輸底九達磨底十伽迦娜十一莎訶其持迦底二十
薩婆婆毗輸底十三摩訶娜耶十四波唎婆囉莎訶十五
布施力能成正覺　悟布施力人師子　布施力能聲普聞　慈悲階漸冣能入
持戒力能成正覺　悟持戒力人師子　持戒力能聲普聞　慈悲階漸冣能入
忍辱力能成正覺　悟忍辱力人師子　忍辱力能聲普聞　慈悲階漸冣能入
精進力能成正覺　悟精進力人師子　精進力能聲普聞　慈悲階漸冣能入
禪定力能成正覺　悟禪定力人師子　禪定力能聲普聞　慈悲階漸冣能入
智慧力能成正覺　悟智慧力人師子　智慧力能聲普聞　慈悲階漸冣能入
尒時如來說是經已一切世間天人阿脩羅揵闥婆等聞佛所說皆
大歡喜信受奉行

佛說无量壽宗要經

田廣談

BD02078號　無量壽宗要經

（6–6）

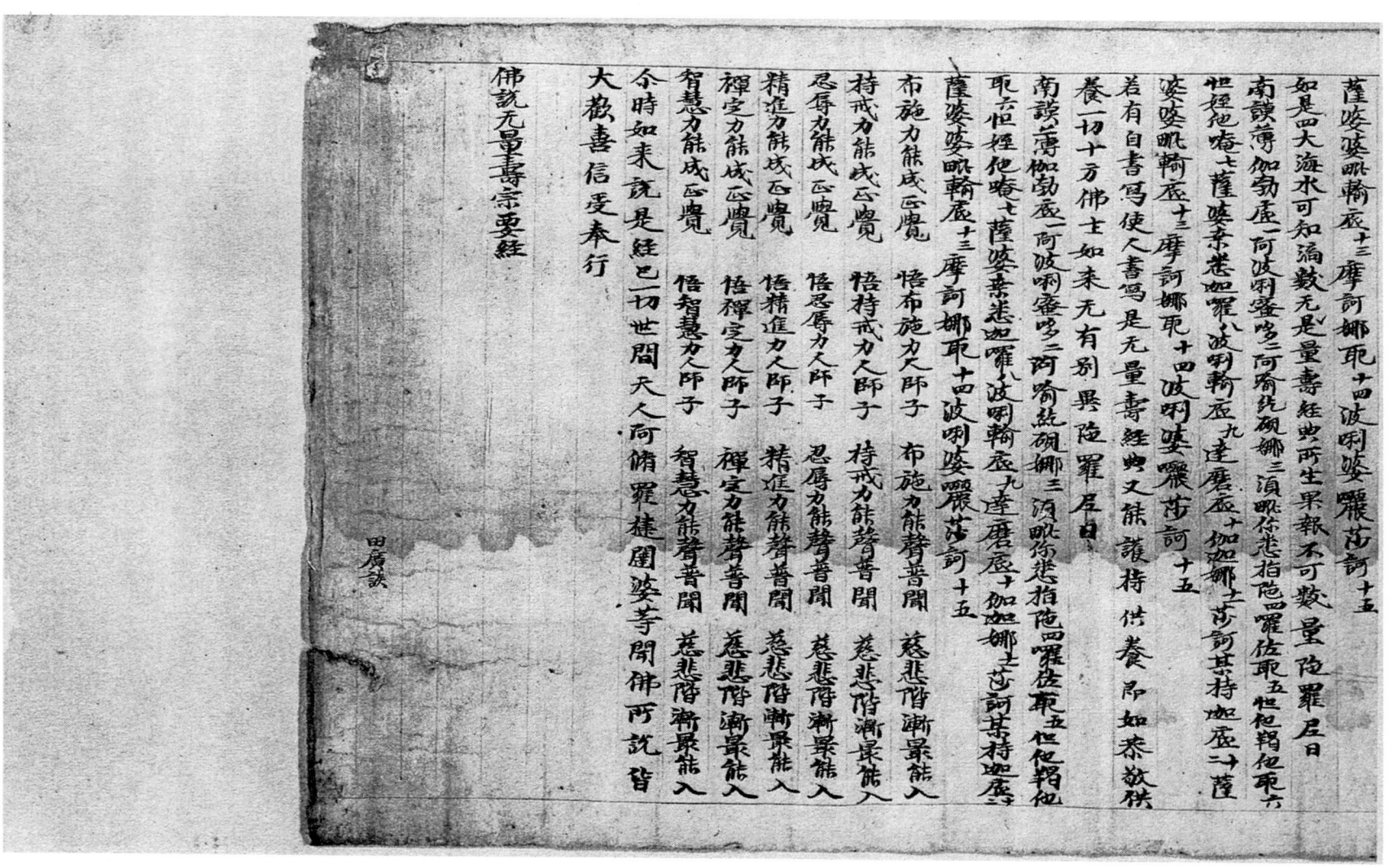

食泥土虫偷僧物者今
僧乞貸者今作白鴿
作牛領中虫食衆僧菜茹
生僧□者今作蚰蜒虫用僧
今作飛蛾投火虫揺骨押入寺者今作
長口□著烟炙胡粉朱脣入寺者今作赤
嘴鳥著綵色衣服入寺者今作黄鰻鱧虫夫
婦在寺中宿者今作青頭曇虫背坐佛塔者
今作駱駝身著□靴入寺當精舍中者今作
蝦蟇虫聽法乱語者今作百舌鳥汙淨行僧
足者死墮鐵窟地獄中百万刀輪一時來下
斬截其身
尒時阿難白佛言世尊如佛所說犯衆僧物
寶是大重若如是者四輩擅越云何得詣寺
中恭敬礼拜
佛言往僧伽藍中有二種心一者善心二者惡
心云何名為善心若至僧中見佛礼拜見
僧恭敬請經問義受戒懺悔捨於財物經
營三寶不惜身命護持大法如是之人舉
足一步天堂自至未來受果如樹提伽是
則名為最上善人也
云何名為惡心若有衆生入寺之時唯從衆
僧乞索借貸或求僧長短專欲破壞或噉僧

BD02079號　善惡因果經

（10–1）

佛言往僧伽藍中有二種心一者善心二者惡
心云何名為善心若至僧中見佛礼拜見
僧恭敬請經問義受戒懺悔捨於財物經
營三寶不惜身命護持大法如是之人舉
足一步天堂自至未來受果如樹提伽是
則名為最上善人也
云何名為惡心若有衆生入寺之時唯從衆
僧乞索借貸或求僧長短專欲破壞或噉僧
食都无愧心餅菓菜茹懷挾歸家如是之人
死墮鐵丸地獄鑊湯爐炭刀山劍樹靡所
不經是則名為最下惡心人
佛語阿難誠語來世是我弟子者於三寶所
謹慎莫犯努力崇戒勿生退心用佛語者弥
勒出世得度無疑
佛言今身劫剝人衣者死墮寒氷地獄又生
蚕中為他煮剥今身不喜然燈照經像者死
墮鐵圍山間黑闇地獄中今身屠煞斬截衆
生者死墮刀山劍樹地獄中今身飛鷹走狗
喜獵射者死墮鐵鋸地獄中今身多邪行者
死墮銅柱鐵床地獄中今身畜多婦者死墮
鐵碓地獄中今身畜多夫主者死墮毒虵地
獄中今身燒煮鷄子者死墮灰河地獄中今
身樴賭鷄者死墮鑊湯地獄中今身犍猪狗
者死墮尖石地獄中今身飲酒醉乱者死墮
飲銅地獄中今身斬截衆生者死墮鐵輪地

BD02079號　善惡因果經

（10–2）

鐵碓地獄中今身畜多夫主者死墮毒虵地
獄中今身燒煑鷄子者死墮灰河地獄中今
身撒睹鷄者死墮鑊湯地獄中今身犍睹猗
者死墮尖石地獄中今身飲酒醉乱者死墮
飲銅地獄中今身斬截衆生者死墮鐵輪地
獄中今身偷衆僧菓子者死墮鐵丸地獄中今
身食猪獨腸肉者死墮糞屎地獄中今身作生魚
食者死墮刀林劍樹地獄中今身作後母諫魁
前母兒者死墮火車地獄中今身兩舌鬪乱者
死墮鐵犁地獄中今身惡口罵人者死墮拔舌
地獄中今身多妄語者死墮鐵釘地獄中
今身煞生祠祀邪神者死墮鐵碓地獄中今
身作師母鬼語誑他取物者死墮肉山地獄中
今身作師母合眼眼地誑他上天取你魂神者
死墮斬腰地獄中今身作師母教他煞生求其
大神或祠五道土地社公阿魔女郎諸如是等
皆是誑惑愚人死墮斧斫地獄中為諸獄卒莝
斬其身鐵嘴之鳥啄兩眼精今身作師公或
墓埋死人占宅吉凶五姓便利安宅謝竈厭鎮
裹禍誑其痴人多取財物妄作吉凶之語者如
此之徒死墮鐵網地獄中無量惡鳥集在其
身食噉肉盡啄其觔骨受苦无窮今身作醫
師不能差病誑他取物死墮針灸地獄中舉
身火然今身破塔壞寺及慶師僧不孝父母
者死墮阿鼻大地獄中備經八大地獄復入

BD02079 號　善惡因果經　（10–3）

身食噉肉盡啄其觔骨受苦无窮今身作醫
師不能差病誑他取物死墮針灸地獄中舉
身火然今身破塔壞寺及慶師僧不孝父母
者死墮阿鼻大地獄中備經八大地獄復入
諸小地獄一百三十六所悉皆入中或經一
劫乃至五劫然後得出値善知識發菩提心
若不値遇還墮地獄
佛言為人身大鼻橫健瞋難解者從駱駞中
来為人喜行健食不避嶮難者從馬中来為
人堪履寒熱無記録心者從牛中来為人高
聲無愧多所愛念不列是非者從驢中来為
人恒貪肉食所作无畏者從師子中来為人
身長眼圓多遊曠野憎嫉妻子者從虎中来
為人毛長眼小不樂一處者從飛鳥中来為
人性無返復喜煞害者從野狐中来為人勇
健少於婬慾不愛妻子者從狼中来為人不
好妙服伺捕奸非少眠多怒者從猫中来為
人好婬喜談衆人所愛者從鸚鵡中来為人
樂人衆中言語多煩者從鸜鵒中来為人
體小好婬意不專定見色心惑者從雀中来
為人眼赤齒短語便唾沫卧則纏身者從虵
蚖中来為人語則瞋恚不察来義口出火毒
者從蝎中来為人獨處貪食夜則少睡者從
狸中来為人穿墻竊盜貪財健惡无有親踈
者從鼠中来

BD02079 號　善惡因果經　（10–4）

蚢中来爲人語則瞋恚不察来義口出火去
者從蠋中来爲人獨處貪食夜則少睡者從
狸中来爲人穿墻竊盜貪財健惡无有親踈
者從鼠中来

佛言爲人破塔壞寺隱蔵三寶物住已用者
死墮阿鼻大地獄中從地獄出受畜生身所
謂鴿雀鴦鴦鵝鵲青雀魚鱉㹸猴麞鹿
若得人身受黄門形女人二根無根婬女爲人
喜瞋恚者死墮毒虵師子虎狼熊羆猫狸
鷹鷂之屬若得人身喜養雞睹屠兒獵師
網捕獄卒

爲人愚癡不辯道理者死墮象腊牛羊水牛
蚤虱蚊𧏙蟻子等形若得人身聾盲瘖瘂
癃殘背瘻諸根不具不能受法
爲人憍慢者死墮糞虫駞驢犬馬若生人中
受奴婢身貧窮乞匃衆所輕賤
爲人因官形勢貪取民物者死墮肉山地獄
中百千万人割肉而噉
今身喜立他人者死墮白鵠中脚直不得眠
卧
今身破齋夜食者死墮餓鬼中百千万歲不
得飲食若行之時節頭火出
今身喜露形坐者死作蚤蝨虫
今身懷俠齋殘飲食者死墮熱鐵地獄中
又生人間著咽塞病短命而死

得飲食若行之時節頭火出
今身喜露形坐者死作蚤蝨虫
今身懷俠齋殘飲食者死墮熱鐵地獄中
又生人間著咽塞病短命而死
今身礼佛頭不至地者死墮倒懸地獄又生
人間多爲欺誑
今身礼佛不合掌者死墮邊地多用功力無
所収獲
今身聞鍾聲不起者死墮蟒虵中其身長
大爲諸小虫之所唼食
今身挾手礼佛者死墮反縛地獄又生人中
橫遭惡事
今身合掌五體授地至心礼佛者常處
尊貴恒受快樂
今身健瞋懊食者從蟚在中来
今身眼目瞷睞者從耶看他婦女中来
今身譏婦罵父母者死墮斬舌地獄中
今身加水著酒中沽與人者死作水中虫又
生人間水腫斷氣而死
佛告阿難如向所說種種衆苦皆由十惡之
業上者地獄因緣中者畜生因緣下者
餓鬼因緣
於中煞生之罪能令衆生墮於地獄畜生餓
鬼若生人中得二種果報一者短命二者多病
劫盜之罪亦令衆生墮於地獄畜生餓鬼若

餓鬼因緣
於中煞生之罪能令衆生墮於地獄畜生餓
鬼若生人中得二種果報一者短命二者多病
劫盜之罪亦令衆生墮於地獄畜生餓鬼若
生人中得二種果報一者貧窮二者共財不
得自在
耶婬之罪亦令衆生墮於地獄畜生餓鬼若
生人中得二種果報一者婦不貞良二者二
妻相諍不隨己心
妄語之罪亦令衆生墮於地獄畜生餓鬼若
生人中得二種果報一者多被誹謗二者恒
為多人所誑
兩舌之罪亦令衆生墮於地獄畜生餓鬼若
生人中得二種果報一者得破壞眷屬二者
得弊惡眷屬
惡口之罪亦令衆生墮於地獄畜生餓鬼若
生人間得二種果報一者常聞惡聲二者所有
言說恒有諍訟
綺語之罪亦令衆生墮於地獄畜生餓鬼若
生人間有二種果報一者說正語人不信受
者所有言說不能辯了
貪慾之罪亦令衆生墮於地獄畜生餓鬼若
生人中得二種果報一者貪財無有厭足二者
多求恒無從意
瞋恚之罪亦令衆生墮於地獄畜生餓鬼若

BD02079 號　善惡因果經　（10–7）

者所有言說不能辯了
貪慾之罪亦令衆生墮於地獄畜生餓鬼若
生人中得二種果報一者貪財無有厭足二者
多求恒無從意
瞋恚之罪亦令衆生墮於地獄畜生餓鬼若
生人中得二種果報一者常為他人求其長
短二者常為他所惱害
耶見之罪亦令衆生墮於地獄畜生餓鬼若生
人間得二種果報一者常生耶見家二者心恒
諂曲
諸佛子如是十惡業道皆是衆苦大聚因緣
尒時大衆之中有作十惡業者聞佛說斯地
獄苦報皆大號哭而白佛言世尊弟子作何
善行得免斯苦
佛言當復教化一切衆生共同福業云何脩
福若有衆生今身作大化主造立浮圖寺舍
者未來必作國王統領萬民無往不伏
今身作邑主中正維那輪主者未來必作
王臣輔相州郡令長衣馬具足所須自恣
今身讚化諸人作諸功德者未來世中必
作豪富長者衆人敬仰四道開通所向諧
偶
今身好喜然燈續明者生在日月天中光明
自照
今身喜布施慈心養命者生處大富衣
衣食自然

BD02079 號　善惡因果經　（10–8）

佛
今身好喜然燈續明者生在日月天中光明
自照
今身喜布施慈心養命者生處大富衣
衣食自然
今身好喜施人飲食者所生之處天厨自至色
力具足聦明辯才壽命長遠若施畜生得百
倍報施一闡提得千倍報施持戒比丘得万倍
報若施法師流通大乘讚宣如來秘密之藏
今使大衆開其心眼者得無量報若施菩
薩諸佛受報無窮
又復施三種人果報無盡一者諸佛二者父
母三者病人一食之施尚獲無量之報况能
常施何可窮盡
今身洗浴衆僧者所生之處面目端正自然
衣裳衆人敬仰
今身喜讚歎讀誦經法者所生之處音聲
雅妙聞者歡欣
今身喜持戒者所生端政人中最勝
今身好喜造作義井菓苑在道種樹蔭蓋
諸人者所生之處常作人王百味飲食隨念
即至
今身喜抄寫經法施人讀者所生之處口辯
多才所學之法一聞領悟諸佛菩薩常加擁
護人中最勝恒為上首

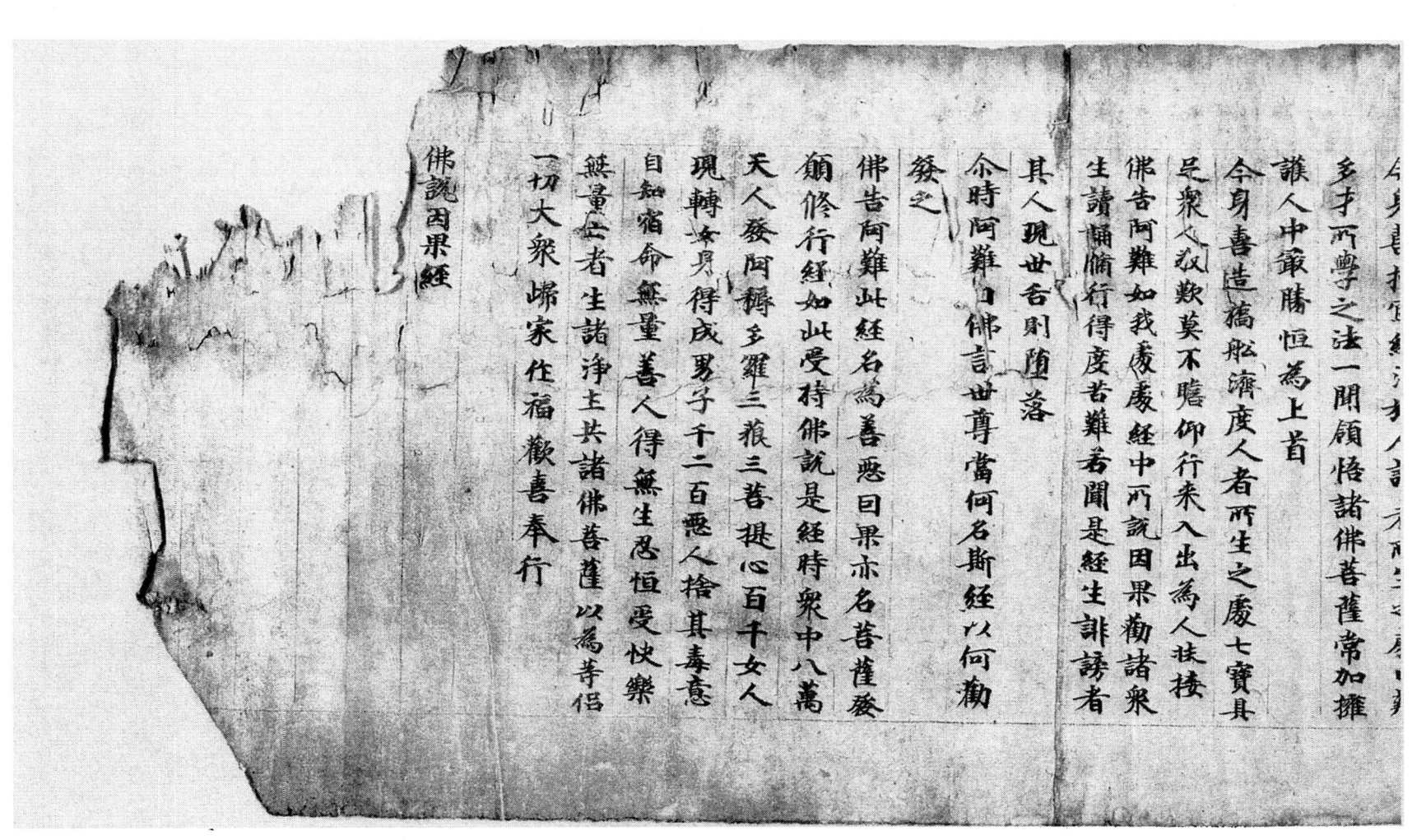

BD02079號　善惡因果經　（10–9）

今身喜抄寫經法施人讀者所生之處口辯
多才所學之法一聞領悟諸佛菩薩常加擁
護人中最勝恒為上首
今身喜造橋船濟度人者所生之處七寶具
足衆人叙歎莫不瞻仰行來入出為人扶接
佛告阿難如我處處經中所說因果勸諸衆
生讀誦脩行得度苦難若聞是經生誹謗者
其人現世舌則墮落
尒時阿難白佛言世尊當何名斯經以何勸
發之
佛告阿難此經名為善惡因果亦名菩薩發
願修行經如此受持佛說是經時衆中八萬
天人發阿耨多羅三藐三菩提心百千女人
現轉女身得成男子千二百惡人捨其毒意
自知宿命無量善人得無生忍恒受快樂
無量仙者生諸淨土共諸佛菩薩以為等侶
一切大衆歸家作福歡喜奉行
佛說因果經

BD02079號　善惡因果經　（10–10）

正覺菩提若成未
離衆生佛子，設有人
沙等心於一一心
念能化作恒河沙如來无色无形如是恒河沙
等劫常化不絶於意云何彼化如來寧爲多
不荅曰我知仁意若化不化等无有異善哉
善哉佛子誠如所言佛子設使一切衆生於
一念中悉成正覺若成未成皆悉平等何
以故菩提无性故无增无減如來菩提皆悉
一性所謂无性佛子是爲菩薩摩訶薩知見
如來應供等正覺菩提佛子如來應供等正
覺成正覺已正受三昧名曰善覺正受三昧
已得菩提身數与一切衆生身等如一三昧
一切三昧一切法門亦復如是佛子是爲菩
薩摩訶薩知見如來應供等正覺菩提身復
次佛子菩薩摩訶薩於一毛道悉知一切衆
生等如來之身如一毛道一切毛道一切法
界處亦復如是何以故如來菩提身无處不至无
處有故如來應供等正覺本來菩提勤脩精進

次佛子菩薩摩訶薩於一毛道悉知一切衆
生等如來之身如一毛道一切毛道一切法
界處亦復如是何以故如來菩提身无處不至无
處有故如來應供等正覺本來菩提勤脩精進
住諸道場菩提樹下處師子坐成最正覺究
竟菩提復次佛子此菩薩摩訶薩自知身中
悉有一切諸佛菩提何以故彼菩薩心不離
一切如來菩提故如自心中一切衆生心中
亦復如是无量无邊无處不有有不可破壞不
可思議佛子菩薩摩訶薩以如是等无量无
邊不可思議方便法門知見如來應供等正
覺菩提尒時普賢菩薩欲重明此義以偈頌曰
菩提非二法　遠離於二邊　除滅一切惡　平等覺諸法
了達一切法　皆悉如虛空　非我非无我　等覺一切法
譬如諸大海　一切衆生類　色像悉顯現　故說一切印
十方世界中　一切衆生類　无上菩提海　无法而不現
譬如虛空性　世界成壞時　若成若未成　虛空无增減
最勝亦如是　无上菩提道　若覺若未覺　一性亦无性
譬如无量劫　念念化諸佛　若化若不化　皆悉等无量
說一切衆生　一時成正覺　若成若未成　菩提无增減
最勝有三昧　名曰爲善覺　道場成菩提　逮得三此昧
普放无量光　一切衆生等　除滅一切闇　開悟諸群生
三世一切劫　佛刹及諸法　諸根心心法　一切虛空法
於一佛身中　此法皆悉現　是故說菩提　无量无有邊
佛子云何菩薩摩訶薩知見如來應供等正
覺轉法輪此菩薩摩訶薩知見如來一切願

三世一切劫　佛刹及諸法　諸根心心法　一切虛空法
於一佛身中　此法皆悉現　是故說菩提　无量无有邊

佛子云何菩薩摩訶薩知見如來應供等正
覺轉法輪此菩薩摩訶薩知見如來一切顯
一切法輪无所轉本无所起三轉圓滿皆悉
清淨悉能遠離一切耶見離欲際非際一切
諸法如虛空際不可言說一切法寂滅涅槃
性故菩薩摩訶薩知見一切文字一切語言
法悉轉法輪如來音聲无所不至故知見法
輪如嚮真實法性故知見一切音聲皆是一
聲如來以此而轉法輪佛轉法輪无有主故
知見轉法輪无漏无盡内外无所有故佛子
譬如文字於无量无所劫說不可盡如來應
供等正覺轉正法輪亦復如是一切文字一
切語言說不可盡如來法輪悉入一切語言
文字而无所住佛子譬如字章悉入一切字
數一切事數一切語言數一切算數一切世
間出世間而无所住如來音聲亦復如是於
一切處无所不入於一切衆生一切法一切
業一切報一切心亦无所住一切衆生諸語
言法皆爲法輪音聲所攝何以故一切音聲
不離法輪音聲故復次佛子此菩薩摩訶薩
知見如來應供等正覺出生法門轉法輪何
等爲如來出生法門轉法輪如來以一切衆
生念〻心〻行等音聲爲一切衆生而轉法
輪何以故佛子如來應供等正覺有三昧名

知見如來應供等正覺出生法門轉法輪何
等爲如來出生法門轉法輪如來以一切衆
生念〻心〻行等音聲爲一切衆生而轉法
輪何以故佛子如來應供等正覺有三昧名
曰究竟无㝵无畏如來正受三昧而轉法輪
如來入此三昧已出生一切衆生等音於一
一音中復生一切衆生等音而轉法輪悉令
衆生皆大歡喜佛子若如是知轉法輪者當
知是人則爲隨順一切佛家不如是知則不
隨順諸如來家佛子是爲菩薩摩訶薩知見
如來應供等正覺轉法輪尒時普賢菩薩欲
重明此義以偈頌曰

如來轉法輪　三世无不至　所轉无所轉　求之不可得
譬如諸文字　說之不可盡　十力亦如是　轉法輪无盡
譬如章文字　悉入一切數　无入无所入　法輪亦如是
普入一切音　所入无所入　彼亦无自性　能令一切喜
出過一切數　究竟處菩提　欲說真實義　是故入三昧
以彼三昧力　出生妙音聲　悉与衆生等　而轉淨法輪
又復悉於彼　一一諸音聲　出生无量音　衆生語言法
大自在无念　飛出彼衆音　隨其應化者　一切无不聞
譬如諸文字　不内亦不外　无漏不可盡　亦復无積聚
十力亦如是　轉清淨法輪　无漏不可盡　諸佛大神力

佛子云何菩薩摩訶薩知見如來應供等正
覺大般涅槃此菩薩摩訶薩欲知如來應
供等正覺大般涅槃者當如是知如〻般涅
槃如來大般涅槃亦復如是如實際如法界

佛子云何菩薩摩訶薩知見如来應供等正
覺大般涅槃此菩薩摩訶薩欲知如来應
供等正覺大般涅槃者當如是知如〻般涅
槃如来大般涅槃亦復如是如實際如法界
如虛空界如實性如離欲際如无相際如我
性際如一切法性際如真實際般涅槃如来
大般涅槃亦復如是何以故涅槃非生滅法
若法不生當知不滅去无所至佛子如来應
供等正覺不為菩薩演說顯現如来究竟涅
槃何以故欲令諸菩薩於一念中普見三世
一切諸佛慧現前故出生一切如来妙色亦
復不起二不二相何以故菩薩摩訶薩遠離
諸想无染着故佛子但如来欲令衆生歡喜
故出現於世欲令衆生憂悲感慕故亦現涅
槃其實如来无有出世亦无涅槃何以故如
来常住如法界故為化衆生示現涅槃佛子
設有日出照現世間圓滿明淨与法界等於
一切世界淨器水中影无不現日无是念我
能普現一切淨水佛子彼時或有一水器破
日影不現於意云何彼影不現豈日過耶答
曰不也水器破故日影不現佛子如来智慧
圓滿淨日一念出現悉能照明一切世界一
切法界一切衆生滅除垢濁淨心水器影无
不顯常現在前但破器濁心衆生不現如来
法身影像應見涅槃而得度者是故如来現
般涅槃其實如来不生不滅永无滅度佛子

圓滿淨日一念出現悉能照明一切世界一
切法界一切衆生滅除垢濁淨心水器影无
不顯常現在前但破器濁心衆生不現如来
法身影像應見涅槃而得度者是故如来現
般涅槃其實如来不生不滅永无滅度佛子
譬如大火於一切世界能為火事燒草木
无不盡者有時彼火至无草木城邑聚落自
然而滅於意云何一切世間大火悉滅不答曰不
也如来應供等正覺亦復如是於一切世界
施作佛事或一佛刹化度已周示現涅槃於意
云何一切世界如来悉滅度耶答曰不也佛
子是為菩薩摩訶薩知見如来應供等正覺
大般涅槃復次佛子如大幻師善知幻術安
住此術於三千大千世界一切城邑聚落大
王之都普現幻身住持幻身壽命无盡時此
幻師於彼城邑聚落大王之都隨事說處便
捨幻身於意云何為三千大千世界幻身悉
捨滅耶答曰不也如来應供等正覺亦復如
是善知大慧幻術具足出生巧方便慧於一
切法界普能示現如来幻身常住如法界究
竟如虛空隨諸佛刹教化度脫已周說處示
現涅槃當知不以一刹示現涅槃故如来究
竟永滅度也佛子是為菩薩摩訶薩知見如来
大般涅槃復次佛子如来示現般涅槃時先
入不動三昧入三昧已於一一身各放无量
億千那由他大光一一光明各出无量阿僧

大般涅槃復次佛子如來示現般涅槃時先
入不動三昧入三昧已於一一身各放无量
億千那由他大光一一光明各出无量阿僧
祇妙寶蓮華一一蓮華各有不可說不可
說妙寶華蘂一一華蘂各有寶師子坐一一
坐上各有如來結跏趺坐放時所現諸如來
身悉與一切衆生數等功德具足相好莊嚴
究竟本願時有衆生善根熟者見如來身心
調伏柔𣗥道化彼如來身究竟安住盡未來
際隨一切衆生所應受化未曾失時彼如
來身无有處所非實非虛如來但以究竟過
去諸大願故欲令衆生長養諸善根故應現
其身常住不滅佛子是爲菩薩摩訶薩知見
如來應供等正覺大般涅槃復次佛子此菩
薩摩訶薩知見如來涅槃无量无邊究竟法
界无所郭导不生不滅淨如虛空安住實際
隨其所應而示現之本願所持不捨一切衆
生一切佛刹一切諸法尒時普賢菩薩欲重
明此義以偈頌曰

譬如圓滿日　一切法界等　影現一切水　唯除諸破器
最勝亦如是　普現一切世　衆生无信心　謂佛入涅槃
譬如猛盛火　焚燒一切物　无草木聚落　火則自然滅
最勝亦如是　充滿於法界　究竟諸佛事　示現入涅槃
譬如大幻師　示現无量身　如來亦如是　普現一切身
究竟諸事佛　亦現般涅槃　隨應受化者　以此而示現
最勝有三昧　名曰不可動　究竟佛事已　然後入此定

BD02080號　大方廣佛華嚴經（晉譯五十卷本）卷三〇　（14-7）

最勝亦如是　充滿於法界　究竟諸佛事　示現入涅槃
譬如大幻師　示現无量身　如來亦如是　普現一切身
究竟諸事佛　亦現般涅槃　隨應受化者　以此而示現
最勝有三昧　名曰不可動　究竟佛事已　然後入此定
念出无數佛　又放无量光　光有无量華　華有无量佛
最勝无量身　充滿諸法界　積集功德者　一切无不見
善逝淨法身　无量法界等　壽命淨莊嚴　一切悉具足
猶如无生性　如來興亦然　猶如无生性　涅槃亦如是
悉離諸言道　不可爲譬喻　天中天難勝　具足一切德

佛子云何菩薩摩訶薩知見於如來應供等
正覺所見聞恭敬供養所種善根此菩薩摩
訶薩知見於如來所見聞恭敬供養所種善
根皆悉不虛功德无盡離一切處究竟解脫
果報不虛滿足諸願於一切有爲法中不可
窮盡而能隨順无爲智慧起諸佛智究竟未
來際具足一切諸如來地佛子譬如丈夫食
少金剛終竟不消要從身過至金剛輪際然
後乃住所以者何以彼金剛不可消故如是佛
子於如來所少殖善根能壞一切有爲煩惱
乃至究竟如來涅槃智慧然後乃住所以者
何於如來所殖諸善根不可盡故佛子譬如
須弥山等大乾草聚若有人持如芥子火悉
能燒盡何以故火性悉能燒故佛子於如來
所種少善根亦復如是悉能燒滅一切煩惱
无有遺餘究竟涅槃何以故於如來所種諸
善根性究竟故佛子譬如雪山有大藥王名

BD02080號　大方廣佛華嚴經（晉譯五十卷本）卷三〇　（14-8）

能燒[illegible]何以故火悉能燒故佛子於如来
所種少善根亦復如是悉能燒滅一切煩惱
无有遺餘究竟涅槃何以故於如来所種諸
善根性究竟故佛子譬如雪山有大藥王名
曰善現若有見者眼得清淨若有聞者耳得清
淨若聞香者鼻得清淨若嘗味者舌得清
淨若有觸者身得清淨若取彼地土悉能除
滅无量眾生病苦安隱快樂如来應供等正覺无
上藥王亦復如是常以一切諸方便行饒益
眾生若有得見如来色身眼得清淨若有得
聞如来名號耳得清淨若有得聞如来戒香
鼻得清淨若有得味如来法味舌得清淨得
金剛廣長清淨舌根悉能演說一切言音若
有得觸如来光者放人身得清淨色身究竟
逮得无上法身若有念如来者得念佛三昧
心念不亂若有得經行地如来塔廟亦恭敬供
養彼眾生等具足善根滅煩惱患得賢聖樂
佛子乃至不信邪見眾生見聞佛者彼諸眾
生於見聞中所種善根果報不虛乃至究竟
涅槃斷一切惡諸不善根具足善根佛子於
如来所見聞供養恭敬所種善根不可言說
不可為喻何以故如来不可思議過思議故
但隨所應佛為作喻佛子是為菩薩摩訶薩
知見於如来所見聞恭敬供養種諸善根尒
時諸菩薩摩訶薩白普賢菩薩言佛子當何名
此經云何名奉持佛子此經名為一切諸佛
微密法藏一切世間不能思議如来所作大

BD02080號　大方廣佛華嚴經（晉譯五十卷本）卷三〇　（14–9）

但隨所應佛為作喻佛子是為菩薩摩訶薩
知見於如来所見聞恭敬供養種諸善根尒
時諸菩薩摩訶薩白普賢菩薩言佛子當何名
此經云何名奉持佛子此經名為一切諸佛
微密法藏一切世間不能思議如来所作大
智光明開發示現如来種性長養一切菩薩
功德一切世間无能破壞隨順一切如来境
界令一切眾生皆悉清淨分別演說佛究竟
法佛子如是經典但為乘不可思議乘菩薩
摩訶薩一向專心求菩提者分別解說不為
餘人何以故此經不入一切眾生之手唯除
菩薩佛子譬如轉輪聖王所有七寶因此寶
故行轉輪聖王法聖王七寶无堪持者唯除第
一夫人所生太子具足成就聖王相者佛子
若轉輪王无此太子具眾德者王命終後此
諸寶等自然散滅佛子此經如来是不入一切
眾生之手唯除如来法王真子從諸如来種
性家生種如来相諸善根者若无此等佛之真
子斯經則滅何以故一切聲聞緣覺不聞此
經何況受持書寫解說无有是處唯除菩薩
摩訶薩能自誦持書寫經卷佛子是故菩薩
摩訶薩聞此經者歡喜恭敬頂戴受持何以
故菩薩摩訶薩信樂此經少作方便必定
得无上菩提佛子菩薩摩訶薩雖无量億那
由他劫行六波羅蜜脩習道品善根未聞此
經雖聞不信受持隨順是等猶為假名菩薩

BD02080號　大方廣佛華嚴經（晉譯五十卷本）卷三〇　（14–10）

歎菩薩摩訶薩信樂此經方便易決定
得无上菩提佛子菩薩摩訶薩雖无量億那
由他劫行六波羅蜜修習道品善根未聞此
經雖聞不信受持隨順是等猶為假名菩薩
不生如來種性家生佛子若菩薩摩訶薩得
聞此經聞已信向受持隨順當知此等為真
佛子從佛家生隨順一切如來境界具足一
切菩薩正法安住一切種智境界遠離一切
世間諸法出生長養如來所行到一切菩薩
諸法放圻於如來自在正法心无疑惑究竟
安住无師之地深入一切如來覺界佛子菩
薩摩訶薩聞此經已應當發平等意行无量
心遠離一切虛妄之想究竟直心面對正念
一切如來修習平等清淨猶如虛空分別觀
察一切菩薩行業与法界等具足成就一切智
遠離一切世間諂濁發清淨心充滿一切十
方世界深入一切菩薩法門平等觀察三世
諸佛具足善根功德智慧深入此等一切諸
法而无所入不念一法不念二法悉平等觀
无量諸法佛子菩薩摩訶薩成就如是等功
德少作方便得无師智尒時普賢菩薩欲重
明此義以偈頌曰
若見聞如來　恭敬及供養　所種諸善根　无量不可稱
一切有為中　不可得窮盡　尋滅諸煩惱　離苦得涅槃
譬如有一人　吞服小金剛　究竟不可消　下至金剛際
如是十力所　見聞供養福　具足金剛智　煩惱滅无餘

BD02080號　大方廣佛華嚴經（晉譯五十卷本）卷三〇　（14-11）

一切有為中　不可得窮盡　尋滅諸煩惱　離苦得涅槃
譬如有一人　吞服小金剛　究竟不可消　下至金剛際
如是十力所　見聞供養福　具足金剛智　煩惱滅无餘
譬如乾積草　等彼須彌山　投火如芥子　燒盡悉无餘
如是善逝所　若種少功德　燒滅諸煩惱　正趣到涅槃
譬如雪山中　有大藥王樹　見聞嗅味等　除滅一切患
十力亦如是　若有見聞者　修習勝功德　究竟成菩提
尒時十方不可說不可說百千億那由他佛
剎微塵等世界六種震動東踊西沒西涌
東沒南踊北沒北踊南沒邊涌中沒中踊邊沒
及十八相動所謂動遍動等遍動起遍起等
遍起覺遍覺等遍覺震遍震等遍震吼遍吼
等遍吼踊遍踊等遍踊尒時佛神力故法如
是故雨衆華雲勝過諸天雨寶衣雲蓋雲幢
雲幡雲香塗香雲騎雲莊嚴雲衆寶雲菩
薩讚歎雲菩薩身雲三藐三菩提雲普令不
可思議世界皆悉清淨雨如來妙音聲雲充
滿无量无邊法界如此四天下佛神力故令
諸菩薩皆大歡喜一切十方亦復如是尒時
十方各過八十不可說百千億那由他剎
佛微塵等世界之外若有八十不可說百千億
那由他世界微塵等如來悉現其身若近對
面同号普賢現已咸作是言善〻哉〻佛子
乃能承佛神力隨順深法解說不可思議如
來性起正法佛子我等諸佛亦說此法十方
一切諸佛及諸菩薩亦復如是說此經時百

BD02080號　大方廣佛華嚴經（晉譯五十卷本）卷三〇　（14-12）

刹由他世界微塵等如來悉現其身若近對
面同号普賢現已咸作是言善哉善哉佛子
乃能承佛神力隨順深法解說不可思議如
來性起正法佛子我等諸佛亦說此法十方
一切諸佛及諸菩薩亦復如是說此經時百
千佛剎微塵等菩薩得菩薩一切明一切三
昧更一生記當成阿耨多羅三藐三菩提一
佛剎微塵等衆生發菩提心我等悉与授記
於未來世當成佛道悉同一号号佛勝境界
是故我等普為未來諸菩薩故護持此經令
久住世如此四天下所度衆生十方无量阿
僧祇不可思議不可稱不可量不可說法界
虛空界等一切世界所度衆生亦復如是盧
舍那佛本願力故法如是故善根力故如來
无盡智故如來不失時故隨其所應化菩薩
故廣行普賢菩薩行故示現一切種智故尒
時十方各過十不可說百千億那由他佛剎
微塵等世界之外各有十不可說百千億那
由他佛剎微塵等菩薩來詣此土充滿一切
法界示現菩薩大妙莊嚴放大光明網震動
一切世界壞散一切諸魔宮殿除滅一切惡
道諸難照明一切如來功德讚歎一切如來
功德讚歎一切如來正法普雨无量无邊供
養雲示現无量種種異身示現已身是无量
諸佛法門之器時彼諸菩薩承佛神力各作
作是言善哉善哉佛子乃能說是如來可不
壞法佛子我等一切悉以普賢於普光明世

BD02080號　大方廣佛華嚴經（晉譯五十卷本）卷三〇　（14–13）

道諸難照明一切如來功德讚歎一切如來
功德讚歎一切如來正法普雨无量无邊供
養雲示現无量種種異身示現已身是无量
諸佛法門之器時彼諸菩薩承佛神力各作
作是言善哉善哉佛子乃能說是如來可不
壞法佛子我等一切悉以普賢於普光明世
界普勝如來所淨脩梵行彼諸佛所亦說是經
如是句如是味如是行如是相狠佛子我
承神力故法如是故於彼世界來詣此土
為汝作證一切十方盡法界虛空
界等一切世界亦復如是尒時普賢菩薩承
佛神力觀察一切諸菩薩衆欲重明如來性
起正法欲說如來无量功德欲明如來正法
不可俎壞欲生一切菩薩无量智慧法明欲
說一切具足佛法欲觀察一切群生願心欲
隨所應化不失時欲分別一切无量无邊菩
薩正法欲顯現一切如來變化自在莊嚴欲
明一切如來一身无異欲出生一切菩薩无
量[illegible]

BD02080號　大方廣佛華嚴經（晉譯五十卷本）卷三〇　（14–14）

故如來說福
持乃至四句偈等為
須菩提一切諸佛及諸
菩提法皆從此經出須
非佛法
須菩提於意云何須陀
陀洹果不須菩提言不
洹名為入流而无所入
名須陀洹須菩提
是念我得斯陀含果不須菩
何以故斯陀含名一往來而實
斯陀含須菩提於意云何
我得阿那含果不須菩提言
故阿那含名為不來而實无來
含須菩提於意云何阿羅漢能作
阿羅漢道不須菩提言不也世尊
无有法名阿羅漢世尊若阿羅漢
得阿羅漢道即為著我人衆生壽者世尊佛
說我得无諍三昧人中最為第一是第一離
欲阿羅漢我不作是念我是離欲阿羅漢
世尊我若作是念我得阿羅漢道世尊則不
說須菩提是樂阿蘭那行者以須菩提實无

BD02081 號　金剛般若波羅蜜經　　（8–1）

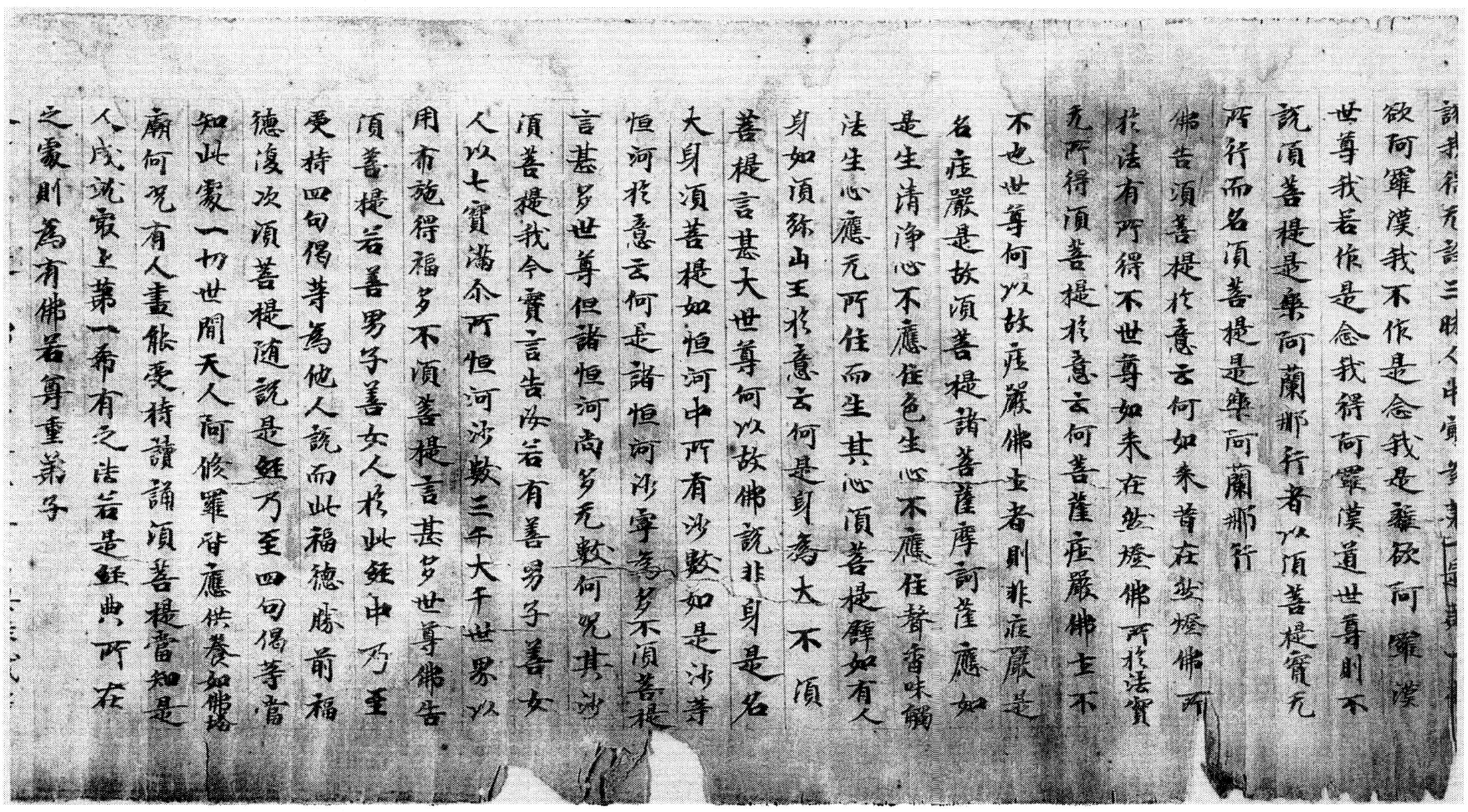

說我得无諍三昧人中最為第一是第一
欲阿羅漢我不作是念我是離欲阿羅漢
世尊我若作是念我得阿羅漢道世尊則不
說須菩提是樂阿蘭那行者以須菩提實无
所行而名須菩提是樂阿蘭那行
佛告須菩提於意云何如來昔在然燈佛所
於法有所得不世尊如來在然燈佛所於法實
无所得須菩提於意云何菩薩莊嚴佛土不
不也世尊何以故莊嚴佛土者則非莊嚴是
名莊嚴是故須菩提諸菩薩摩訶薩應如
是生清淨心不應住色生心不應住聲香味觸
法生心應无所住而生其心須菩提譬如有人
身如須彌山王於意云何是身為大不須
菩提言甚大世尊何以故佛說非身是名
大身須菩提如恒河中所有沙數如是沙等
恒河於意云何是諸恒河沙寧為多不須菩提
言甚多世尊但諸恒河尚多无數何況其沙
須菩提我今實言告汝若有善男子善女
人以七寶滿尒所恒河沙數三千大千世界以
用布施得福多不須菩提言甚多世尊佛告
須菩提若善男子善女人於此經中乃至
受持四句偈等為他人說而此福德勝前福
德復次須菩提隨說是經乃至四句偈等當
知此處一切世間天人阿脩羅皆應供養如佛塔
廟何況有人盡能受持讀誦須菩提當知是
人成就最上第一希有之法若是經典所在
之處則為有佛若尊重弟子

BD02081 號　金剛般若波羅蜜經　　（8–2）

知此處一切世間天人阿修羅皆應供養如佛塔
廟何况有人盡能受持讀誦須菩提當知是
人成就最上第一希有之法若是經典所在
之處則為有佛若尊重弟子
尒時須菩提白佛言世尊當何名此經我等
云何奉持佛告須菩提是經名為金剛般若
波羅蜜以是名字汝當奉持所以者何須菩
提佛說般若波羅蜜則非般若波羅蜜須菩
提於意云何如來有所說法不須菩提白佛
言世尊如來无所說須菩提於意云何三千大
千世界所有微塵是為多不須菩提言甚多
世尊須菩提諸微塵如來說非微塵是名微
塵如來說世界非世界是名世界須菩提
於意云何可以三十二相見如來不不也世尊
何以故如來說三十二相即是非相是名三十
二相須菩提若有善男子善女人以恒河
沙等身命布施若復有人於此經中乃至受
持四句偈等為他人說其福甚多
尒時須菩提聞說是經深解義趣涕淚悲泣
而白佛言希有世尊佛說如是甚深經典我
從昔來所得慧眼未曾得聞如是之經世尊
若復有人得聞是經信心清淨則生實相當
知是人成就第一希有功德世尊是實相者
則是非相是故如來說名實相世尊我今得
聞如是經典信解受持不足為難若當來世
後五百歲其有衆生得聞是經信解受持是
人則為第一希有何以故此人无我相人相衆

BD02081號　金剛般若波羅蜜經　（8–3）

知是人成就第一希有功德世尊是實相者
則是非相是故如來說名實相世尊我今得
聞如是經典信解受持不足為難若當來世
後五百歲其有衆生得聞是經信解受持是
人則為第一希有何以故此人无我相人相衆
生相壽者相所以者何我相即是非相人相
衆生相壽者相即是非相何以故離一切諸
相則名諸佛
佛告須菩提如是如是若復有人得聞是經
不驚不怖不畏當知是人甚為希有何以故
須菩提如來說第一波羅蜜非第一波羅蜜
是名第一波羅蜜
須菩提忍辱波羅蜜如來說非忍辱波羅
蜜何以故須菩提如我昔為歌利王割截身
體我於尒時无我相无人相无衆生相无壽者
相何以故我於往昔節節支解時若有我相人
相衆生相壽者相應生瞋恨須菩提又念
過去於五百世作忍辱仙人於尒所世无我相
无人相无衆生相无壽者相是故須菩提菩
薩應離一切相發阿耨多羅三藐三菩提心
不應住色生心不應住聲香味觸法生心應生
无所住心若心有住則為非住是故佛說菩薩
心不應住色布施須菩提菩薩為利益一切
衆生應如是布施如來說一切諸相即是
非相又說一切衆生則非衆生須菩提如來
是真語者實語者如語者不誑語者不異
語者須菩提如來所得法此法无實无虛

BD02081號　金剛般若波羅蜜經　（8–4）

衆生應如是布施如來說一切諸相即是
非相又說一切衆生則非衆生須菩提如來
是真語者實語者如語者不誑語者不異
語者須菩提如來所得法此法无實无虛
須菩提若菩薩心住於法而行布施如人入
闇則无所見若菩薩心不住法而行布施如人
有目日光明照見種種色須菩提當來之
世若有善男子善女人能於此經受持讀誦
則為如來以佛智慧悉知是人悉見是人皆
得成就无量无邊功德
須菩提若有善男子善女人初日分以恒河沙
等身布施中日分復以恒河沙等身布施後
日分亦以恒河沙等身布施如是无量百千万
億劫以身布施若復有人聞此經典信心不
逆其福勝彼何況書寫受持讀誦為人解
說須菩提以要言之是經有不可思議不可
稱量无邊功德如來為發大乘者說為發最
上乘者說若有人能受持讀誦廣為人說如
來悉知是人悉見是人皆得成就不可量不
可稱无有邊不可思議功德如是人等則為
荷擔如來阿耨多羅三藐三菩提何以故須
菩提若樂小法者著我見人見衆生見壽
者見則於此經不能聽受讀誦為人解說須
菩提在在處處若有此經一切世間天人阿
修羅所應供養當知此處則為是塔皆應恭
敬作禮圍繞以諸花香而散其處
復次須菩提善男子善女人受持讀誦此經

BD02081 號　金剛般若波羅蜜經　（8–5）

菩提在在處處若有此經一切世間天人阿
修羅所應供養當知此處則為是塔皆應恭
敬作禮圍繞以諸花香而散其處
復次須菩提善男子善女人受持讀誦此經
若為人輕賤是人先世罪業應墮惡道以今
世人輕賤故先世罪業則為消滅當得阿耨
多羅三藐三菩提須菩提我念過去无量阿
僧祇劫於然燈佛前得值八百四千万億那
由他諸佛悉皆供養承事无空過者若復有
人於後末世能受持讀誦此經所得功德於
我所供養諸佛功德百分不及一千万億分
乃至筭數譬喻所不能及須菩提若善男子
善女人於後末世有受持讀誦此經所得功德
我若具說者或有人聞心則狂亂狐疑不信
須菩提當知是經義不可思議果報亦不可
思議
尒時須菩提白佛言世尊善男子善女人發
阿耨多羅三藐三菩提心云何應住云何降
伏其心佛告須菩提善男子善女人發阿耨多
羅三藐三菩提者當生如是心我應滅度一切
衆生滅度一切衆生已而无有一衆生實滅
度者何以故若菩薩有我相人相衆生相
壽者相則非菩薩所以者何須菩提實无
有法發阿耨多羅三藐三菩提者須菩提於
意云何如來於然燈佛所有法得阿耨多羅三
藐三菩提不不也世尊如我解佛所說義佛於
然燈佛所无有法得阿耨多羅三藐三菩提

BD02081 號　金剛般若波羅蜜經　（8–6）

壽者相即非菩薩所以者何須菩提實无
有法發阿耨多羅三藐三菩提者須菩提於
意云何如来於然燈佛所有法得阿耨多羅三
藐三菩提不不也世尊如我解佛所說義佛於
然燈佛所无有法得阿耨多羅三藐三菩提
佛言如是如是須菩提實无有法如来得阿
耨多羅三藐三菩提須菩提若有法如来得
阿耨多羅三藐三菩提者然燈佛則不與我
受記汝於来世當得作佛号釋迦牟尼以實
无有法得阿耨多羅三藐三菩提是故然
燈佛與我受記作是言汝於来世當得作佛
号釋迦牟尼何以故如来者即諸法如義若
有人言如来得阿耨多羅三藐三菩提須菩
提實无有法佛得阿耨多羅三藐三菩提
須菩提如来所得阿耨多羅三藐三菩提於
是中无實无虛是故如来說一切法皆是佛
法須菩提所言一切法者即非一切法是故名
一切法須菩提譬如人身長大須菩提言世
尊如来說人身長大則為非大身是名大身
須菩提菩薩亦如是若作是言我當滅度
无量衆生則不名菩薩何以故須菩提實
无有法名為菩薩是故佛說一切法无我无
人无衆生无壽者須菩提若菩薩作是言我
當莊嚴佛土是不名菩薩何以故如来說莊
嚴佛土者即非莊嚴是名莊嚴須菩提若菩
薩通達无我法者如来說名真是菩薩
須菩提於意云何如来有肉眼不如是世尊

BD02081 號　金剛般若波羅蜜經　（8–7）

須菩提菩薩亦如是若作是言我當滅度
无量衆生則不名菩薩何以故須菩提實
无有法名為菩薩是故佛說一切法无我无
人无衆生无壽者須菩提若菩薩作是言我
當莊嚴佛土是不名菩薩何以故如来說莊
嚴佛土者即非莊嚴是名莊嚴須菩提若菩
薩通達无我法者如来說名真是菩薩
須菩提於意云何如来有肉眼不如是世尊
如来有肉眼須菩提於意云何如来有天眼
不如是世尊如来有天眼須菩提於意云何如
来有慧眼不如是世尊如来有慧眼須菩提
於意云何如来有法眼不如是世尊如来有
法眼須菩提於意云何如来有佛眼不如是
世尊如来有佛眼須菩提於意云何恒河中
所有沙佛說是沙不如是世尊如来說是沙
須菩提於意云何如一恒河中所有沙有如是
等恒河是諸恒河所有沙數佛
為多不甚多世尊佛告須菩

BD02081 號　金剛般若波羅蜜經　（8–8）

吾滅後惡世　能持是經者　當合掌礼敬　如供養世尊
上饌衆甘美　及種種衣服　供養是佛子　兾得須臾聞
若能於後世　受持是經者　我遣在人中　行於如來事
若於一劫中　常懷不善心　作色而罵佛　獲無量重罪
其有讀誦持　是法華經者　須臾加惡言　其罪復過彼
有人求佛道　而於一劫中　合掌在我前　以無數偈讚
由是讚佛故　得無量功德　歎美持經者　其福復過彼
於八十億劫　以最妙色聲　及與香味觸　供養持經者
如是供養已　若得須臾聞　則應自欣慶　我今獲大利
藥王今告汝　我所說諸經　而於此經中　法華最第一
尒時佛復告藥王菩薩摩訶薩我所說經典
無量千万億已說今說當說而於其中此法
華經最為難信難解藥王此經是諸佛秘要
之藏不可分布妄授與人諸佛世尊之所守
護從昔已来未曾顯說而此經者如来現在
猶多怨嫉况滅度後藥王當知如来滅後其
能書持讀誦供養為他人說者如来則為以
衣覆之又為他方現在諸佛之所護念是人
有大信力及志願力諸善根力當知是人與
如来共宿則為如来手摩其頭藥王在在處

BD02082 號　妙法蓮華經（八卷本）卷四　（12–1）

猶多怨嫉况滅度後藥王當知如来滅後其
能書持讀誦供養為他人說者如来則為以
衣覆之又為他方現在諸佛之所護念是人
有大信力及志願力諸善根力當知是人與
如来共宿則為如来手摩其頭藥王在在處
處若說若讀若誦若書若經卷所住處皆應
起七寶塔極令高廣嚴飾不須復安舍利所
以者何此中已有如来全身此塔應以一切華
香瓔珞繒蓋幢幡伎樂歌頌供養恭敬尊重
讚歎若有人得見此塔礼拜供養當知是等
皆近阿耨多羅三藐三菩提藥王多有人在
家出家行菩薩道若不能得見聞讀誦書持
供養是法華經者當知是人未善行菩薩道
若有得聞是經典者乃能善行菩薩之道其
有衆生求佛道者若見若聞是法華經聞已
信解受持者當知是人得近阿耨多羅三藐
三菩提藥王譬如有人渇乏須水於彼高原
穿鑿求之猶見乾土知水尚遠施功不已轉
見濕土遂漸至泥其心決定知水必近菩薩
亦復如是若未聞未解未能修習是法華經
當知是人去阿耨多羅三藐三菩提尚遠若
得聞解思惟修習必知得近阿耨多羅三藐
三菩提所以者何一切菩薩阿耨多羅三藐
三菩提皆屬此經此經開方便門示真實相
是法華經藏深固幽遠無人能到今佛教化
成就菩薩而為開示藥王若有菩薩聞是法

BD02082 號　妙法蓮華經（八卷本）卷四　（12–2）

三菩提所以者何一切菩薩阿耨多羅三藐
三菩提皆屬此經此經開方便門示真實相
是法華經藏深固幽遠無人能到今佛教化
成就菩薩而為開示藥王若有菩薩聞是法
華經驚疑怖畏當知是為新發意菩薩若聲
聞人聞是經驚疑怖畏當知是為增上慢者
藥王若有善男子善女人如來滅後欲為四
衆說是法花經者云何應說是善男子善女
人入如來室著如來衣坐如來座尒乃應為
四衆廣說斯經如來室者一切衆生中大慈
悲心是如來衣者柔和忍辱心是如來座者
一切法空是安住是中然後以不懈怠心為
諸菩薩及四衆廣說是法華經藥王我於餘
國遣化人為其集聽法衆亦遣化比丘比丘
尼優婆塞優婆夷聽其說法是諸化人聞法
信受隨順不逆若說法者在空閑處我時廣
遣天龍鬼神乾闥婆阿脩羅等聽其說法我
雖在異國時時令說法者得見我身若於此
經忘失句逗我還為說令得具足尒時世尊
欲重宣此義而說偈言
欲捨諸懈怠　應當聽此經　是經難得聞　信受者亦難
如人渴須水　穿鑿於高原　猶見乾燥土　知去水尚遠
漸見濕土泥　決定知近水
藥王汝當知　如是諸人等　不聞法華經　去佛智甚遠
若聞是深經　決了聲聞法　是諸經之王　聞已諦思惟

BD02082號　妙法蓮華經（八卷本）卷四　（12–3）

欲捨諸懈怠　應當聽此經　是經難得聞　信受者亦難
如人渴須水　穿鑿於高原　猶見乾燥土　知去水尚遠
漸見濕土泥　決定知近水
藥王汝當知　如是諸人等　不聞法華經　去佛智甚遠
若聞是深經　決了聲聞法　是諸經之王　聞已諦思惟
當知此人等　近於佛智慧　若人說此經　應入如來室
著於如來衣　而坐如來座　處衆無所畏　廣為分別說
大慈悲為室　柔和忍辱衣　諸法空為座　處此為說法
若說此經時　有人惡口罵　加刀杖瓦石　念佛故應忍
我千万億土　現淨堅固身　於無量億劫　為衆生說法
若我滅度後　能說此經者　我遣化四衆　比丘比丘尼
及清信士女　供養於法師　引導諸衆生　集之令聽法
若人欲加惡　刀杖及瓦石　則遣變化人　為之作衛護
若說法之人　獨在空閑處　寂寞無人聲　讀誦此經典
我尒時為現　清淨光明身　若忘失章句　為說令通利
若人具是德　或為四衆說　空處讀誦經　皆得見我身
若人在空閑　我遣天龍王　夜叉鬼神等　為作聽法衆
是人樂說法　分別無罣礙　諸佛護念故　能令大衆喜
若親近法師　速得菩薩道　隨順是師學　得見恒沙佛
妙法蓮華經見寶塔品第十一
尒時佛前有七寶塔高五百由旬縱廣二百
五十由旬從地踊出住在空中種種寶物而
莊校之五千欄楯龕室千万無數幢幡以為
嚴飾垂寶瓔珞寶鈴万億而懸其上四面皆
出多摩羅䟦栴檀之香充遍世界其諸幡蓋
以金銀琉璃車𤦲馬瑙真珠玫瑰七寶合成

BD02082號　妙法蓮華經（八卷本）卷四　（12–4）

五十由旬從地踊出住在空中種種寶物而
莊挍之五千欄楯龕室千万無數幢幡以爲
嚴飾垂寶瓔珞寶鈴万億而懸其上四面皆
出多摩羅跋栴檀之香充遍世界其諸幡蓋
以金銀琉璃車𤦲馬瑙真珠玫瑰七寶合成
高至四天王宮三十三天雨天曼陁羅華供
養寶塔餘諸天龍夜叉乾闥婆阿脩羅迦樓
羅緊那羅摩睺羅伽人非人等千万億衆以
一切華香瓔珞幡蓋伎樂供養寶塔恭敬尊
重讚歎
尒時寶塔中出大音聲歎言善哉善哉釋
迦牟尼世尊能以平等大慧教菩薩法佛所
護念妙法華經爲大衆說如是如是釋迦牟
尼世尊如所說者皆是真實尒時四衆見大
寶塔住在空中又聞塔中所出音聲皆得法
喜怪未曾有從坐而起恭敬合掌却住一面尒
時有菩薩摩訶薩名大樂說知一切世間天
人阿脩羅等心之所疑而白佛言世尊以何
因緣有此寶塔從地踊出又於其中發是音
聲尒時佛告大樂說菩薩此寶塔中有如來
全身乃往過去東方無量千万億阿僧祇世
界國名寶淨彼中有佛号曰多寶其佛行菩
薩道時作大誓願若我成佛滅度之後於十
方國土有說法華經處我之塔廟爲聽是經
故踊現其前爲作證明讚言善哉彼佛成道

全身乃往過去東方無量千万億阿僧祇世
界國名寶淨彼中有佛号曰多寶其佛行菩
薩道時作大誓願若我成佛滅度之後於十
方國土有說法華經處我之塔廟爲聽是經
故踊現其前爲作證明讚言善哉彼佛成道
已臨滅度時於天人大衆中告諸比丘我滅
度後欲供養我全身者應起一大塔其佛神
通願力十方世界在在處處若有說法華經
者彼之寶塔皆踊出其前全身在於塔中讚
言善哉善哉大樂說今多寶如來塔聞說法
華經故從地踊出讚言善哉善哉是時大樂
說菩薩以如來神力故白佛言世尊我等願
欲見此佛身佛告大樂說菩薩摩訶薩是多
寶佛有深重願若我寶塔爲聽法華經故出
於諸佛前時其有欲以我身示四衆者彼佛
分身諸佛在於十方世界說法盡還集一處
然後我身乃出現耳大樂說我分身諸佛在
於十方世界說法者今應當集大樂說白佛
言世尊我等亦願欲見世尊分身諸佛禮拜
供養尒時佛放白豪一光即見東方五百万億
那由他恒河沙等國土諸佛彼諸國土皆以
頗梨爲地寶樹寶衣以爲莊嚴無數千万億
菩薩充滿其中遍張寶幔寶網羅上彼國諸
佛以大妙音而說諸法及見無量千万億菩
薩遍滿諸國爲衆說法南西北方四維上下
白豪相光所照之處亦復如是尒時十方諸

菩薩充滿其中遍張寶幔寶網羅上彼國諸
佛以大妙音而說諸法及見無量千万億菩
薩遍滿諸國為衆說法南西北方四維上下
白豪相光所照之處亦復如是尒時十方諸
佛各告衆菩薩言善男子我今應往娑婆世
界釋迦牟尼佛所并供養多寶如來寶塔時
娑婆世界即變清淨琉璃為地寶樹莊嚴黃
金為繩以界八道無諸聚落村營城邑大海
江河山川林藪燒大寶香曼陁羅華遍布其
地以寶網幔羅覆其上懸諸寶鈴唯留此會衆
移諸天人置於他土是時諸佛各將一大
菩薩以為侍者至娑婆世界各到寶樹下一
一寶樹高五百由旬枝葉華菓次第莊嚴諸
寶樹下皆有師子之坐高五由旬亦以大寶
而挍飾之尒時諸佛各於此坐結跏趺坐如
是展轉遍滿三千大千世界而於釋迦牟尼
佛一方所分之身猶故未盡時釋迦牟尼佛
欲容受分身諸佛故八方各更變二百万億
那由他國皆令清淨無有地獄餓鬼畜生
及阿脩羅又移諸天人置於他土所化之國
亦以琉璃為地寶樹莊嚴樹高五百由旬枝
葉華菓次第嚴飾樹下皆有寶師子座高五
由旬種種諸寶以為莊挍亦無大海江河及
目真隣陁山摩訶目真隣陁山鐵圍山大鐵
圍山須弥山等諸山王通為一佛國土寶地

BD02082號　妙法蓮華經（八卷本）卷四　（12–7）

亦以琉璃為地寶樹莊嚴樹高五百由旬枝
葉華菓次第嚴飾樹下皆有寶師子座高五
由旬種種諸寶以為莊挍亦無大海江河及
目真隣陁山摩訶目真隣陁山鐵圍山大鐵
圍山須弥山等諸山王通為一佛國土寶地
平正寶交露幔遍覆其上懸諸幡蓋燒大寶
香諸天寶華遍布其地釋迦牟尼佛為諸佛
當來坐故復於八方各更變二百万億那由
他國皆令清淨無有地獄餓鬼畜生及阿脩
羅又移諸天人置於他土所化之國亦以琉
璃為地寶樹莊嚴樹高五百由旬枝葉華菓
次第莊嚴樹下皆有寶師子座高五由旬亦
以大寶而挍飾之亦無大海江河及目真隣
陁山摩訶目真隣陁山鐵圍山大鐵圍山須
弥山等諸山王通為一佛國土寶地平正寶
交露幔遍覆其上懸諸幡蓋燒大寶香諸天
寶華遍布其地尒時東方釋迦牟尼所分之
身百千万億那由他恒河沙等國土中諸佛
各各說法來集於此如是次第十方諸佛皆
悉來集坐於八方尒時一一方四百万億那
由他國土諸佛如來遍滿其中是時諸佛各
在寶樹下坐師子坐皆遣侍者問訊釋迦牟
尼佛各賫寶華滿掬而告之言善男子汝往
諸耆闍崛山釋迦牟尼佛所如我辭曰少病
少惱氣力安樂及菩薩聲聞衆悉安隱不以
此寶華散佛供養而作是言彼某甲佛與欲

BD02082號　妙法蓮華經（八卷本）卷四　（12–8）

居佛各賫寶華滿掬而告之言善男子汝往
諸耆闍崛山釋迦牟尼佛所如我辭曰少病
少惱氣力安樂及菩薩聲聞衆悉安隱不以
此寶華散佛供養而作是言彼某甲佛與欲
開此寶塔諸佛遣使亦復如是
尒時釋迦牟尼佛見所分身佛悉已來集各
各坐於師子之坐皆聞諸佛與欲同開寶塔
即從座起住虛空中一切四衆起立合掌一
心觀佛於是釋迦牟尼佛以右指開七寶塔
戶出大音聲如却關鑰開大城門即時一切
衆會皆見多寶如來於寶塔中坐師子坐
全身不散如入禪定又聞其言善哉善哉
釋迦牟尼佛快說是法華經我為聽是經故
而來至此尒時四衆等見過去無量千万億
劫滅度佛說如是言歎未曾有以天寶華
聚散多寶佛及釋迦牟尼佛上尒時多寶佛
於寶塔中分半座與釋迦牟尼佛而作是言
釋迦牟尼佛可就此座即時釋迦牟尼佛入
其塔中坐其半座結跏趺坐尒時大衆見二
如來在七寶塔中師子座上結跏趺坐各作
是念佛坐高遠唯願如來以神通力令我等
輩俱處虛空即時釋迦牟尼佛以神通力接
諸大衆皆在虛空以大音聲普告四衆誰能
於此娑婆國土廣說妙法華經今正是時如
來不久當入涅槃佛欲以此妙法華經付囑

BD02082號　妙法蓮華經（八卷本）卷四　（12–9）

輩俱處虛空即時釋迦牟尼佛以神通力接
諸大衆皆在虛空以大音聲普告四衆誰能
於此娑婆國土廣說妙法華經今正是時如
來不久當入涅槃佛欲以此妙法華經付囑
有在尒時世尊欲重宣此義而說偈言
聖主世尊　雖久滅度　在寶塔中　尚為法來
諸人云何　不勤為法　此佛滅度　無央數劫
處處聽法　以難遇故　彼佛本願　我滅度後
在在所往　常為聽法　又我分身　無量諸佛
如恒沙等　來欲聽法　及見滅度　多寶如來
各捨妙土　及弟子衆　天人龍神　諸供養事
令法久住　故來至此　為坐諸佛　以神通力
移無量衆　令國清淨　諸佛各各　詣寶樹下
如清淨池　蓮華莊嚴　其寶樹下　諸師子座
佛坐其上　光明嚴飾　如夜闇中　然大炬火
身出妙香　遍十方國　衆生蒙薰　喜不自勝
譬如大風　吹小樹枝　以是方便　令法久住
告諸大衆　我滅度後　誰能護持　讀說斯經
今於佛前　自說誓言　其多寶佛　雖久滅度
以大誓願　而師子吼　多寶如來　及與我身
所集化佛　當知此意　諸佛子等　誰能護法
當發大願　令得久住　其有能護　此經法者
則為供養　我及多寶　此多寶佛　處於寶塔
常遊十方　為是經故　亦復供養　諸來化佛
莊嚴光飾　諸世界者
若說此經　則為見我　多寶如來　及諸化佛

BD02082號　妙法蓮華經（八卷本）卷四　（12–10）

則爲供養 我及多寶 此多寶佛 處於寶塔
常遊十方 爲是經故 亦復供養 諸來化佛
莊嚴光飾 諸世界者
若說此經 則爲見我 多寶如來 及諸化佛
諸善男子 各諦思惟 此爲難事 宜發大願
諸餘經典 數如恒沙 雖說此等 未足爲難
若接須弥 擲置他方 無數佛土 亦未爲難
若以足指 動大千界 遠擲他國 亦未爲難
若立有頂 爲衆演說 無量餘經 亦未爲難
若佛滅後 於惡世中 能說此經 是則爲難
假使有人 手把虛空 而以遊行 亦未爲難
於我滅後 若自書持 若使人書 是則爲難
若以大地 置足甲上 昇於梵天 亦未爲難
佛滅度後 於惡世中 暫讀此經 是則爲難
假使劫燒 擔負乾草 入中不燒 亦未爲難
我滅度後 若持此經 爲一人說 是則爲難
若持八万 四千法藏 十二部經 爲人演說
令諸聽者 得六神通 雖能如是 亦未爲難
於我滅後 聽受此經 問其義趣 是則爲難
若人說法 令千万億 無量無數 恒沙衆生
得阿羅漢 具六神通 雖有是益 亦未爲難
於我滅後 若能奉持 如斯經典 是則爲難
我爲佛道 能無量土 從始至今 廣說諸經
而於其中 此經第一 若有能持 則持佛身
諸善男子 於我滅後 誰能護持 讀誦此經
[illegible]

BD02082號 妙法蓮華經（八卷本）卷四 （12–11）

我爲佛道 能無量土 從始至今 廣說諸經
而於其中 此經第一 若有能持 則持佛身
諸善男子 於我滅後 誰能護持 讀誦此經
今於佛前 自說誓言 此經難持 若暫持者
我則歡喜 諸佛亦然 如是之人 諸佛所歎
是則勇猛 是則精進 是名持戒 行頭陀者
則爲疾得 無上佛道 能於來世 讀持此經
是真佛子 住淳善地 佛滅度後 能解其義
是諸天人 世間之眼 於恐畏世 能須臾說
一切天人 皆應供養

妙法蓮華經卷第四

BD02082號 妙法蓮華經（八卷本）卷四 （12–12）

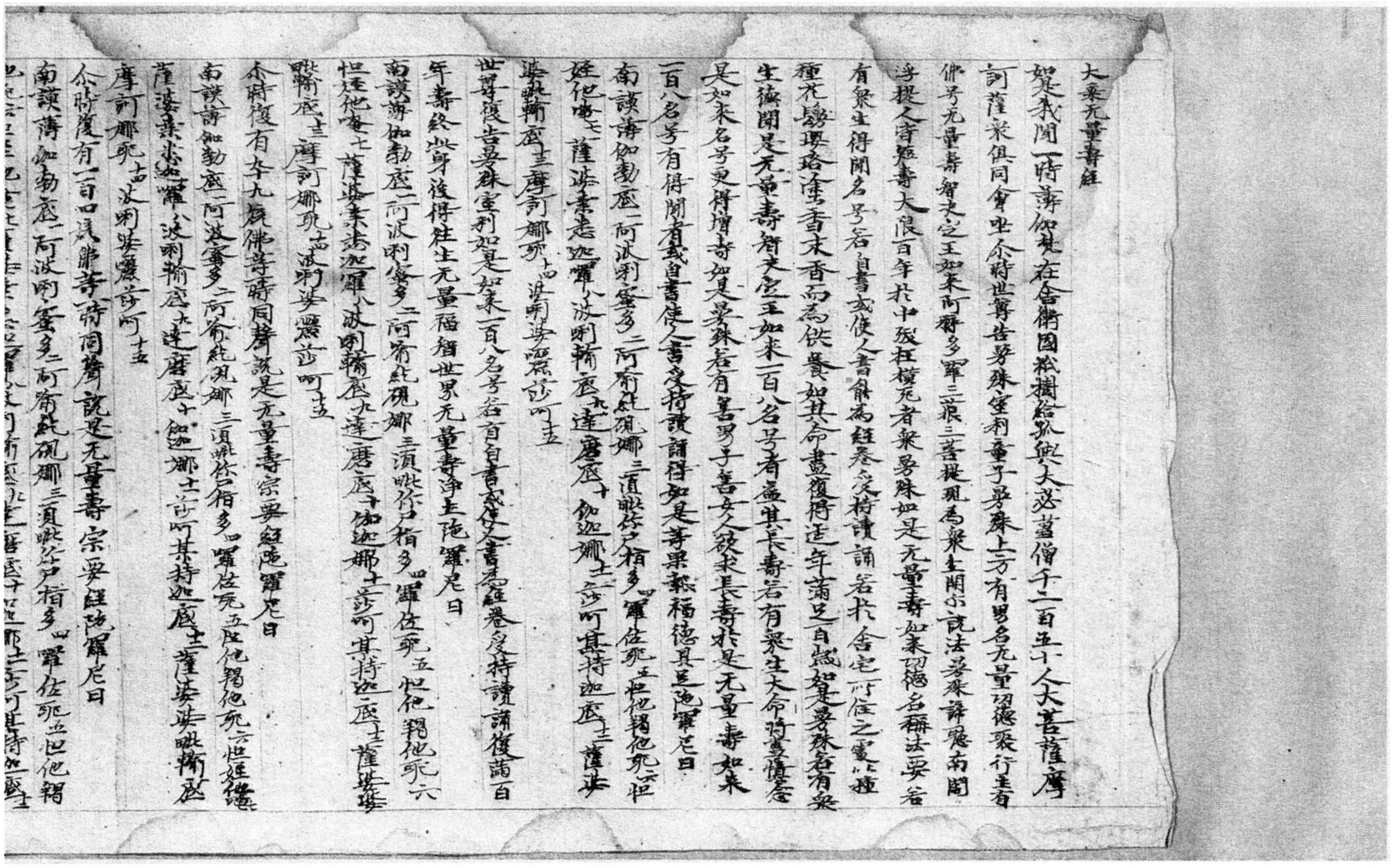
大乘无量壽經
如是我聞一時薄伽梵在舍衛國祇樹給孤獨與大苾蒭僧千二百五十人大菩薩摩
訶薩衆俱同會坐尒時世尊告曼殊室利童子曼殊上方有界名无量功德聚彼土有
佛号无量壽智決定王如來阿羅訶三藐三菩提現爲衆生開示說法曼殊諦聽南閻
浮提人壽命短壽大限百年於中夭枉橫死者衆曼殊如是无量壽如來功德名稱法要若
有衆生得聞名号若自書或使人書能爲經卷受持讀誦若於舍宅所住之處以種
種花鬘瓔珞塗香末香而爲供養如其命盡復得延年滿足百歲如是曼殊若有衆
生得聞是无量壽智決定王如來一百八名号者益其長壽若有衆生大命將盡憶念
是如來名号更得增壽如是曼殊若有善男子善女人欲求長壽於是无量壽如來
一百八名号有得聞者或自書使人書受持讀誦得如是等果報福德具足陀羅尼曰
南謨薄伽勃底一阿波唎蜜多二阿喻紇硯娜三須毗你失指多四囉佐耶五怛他羯他耶六怛
姪他唵七薩婆桑悉迦囉八波唎輸底九達磨底十伽迦娜十一莎訶其持迦底十二薩婆
婆毗輸底十三摩訶娜耶十四波唎婆囉莎訶十五
世尊復告曼殊室利如是如來一百八名号若有自書或使人書爲經卷受持讀誦復滿百
年壽終之身後得往生无量福智世界无量壽淨土陀羅尼曰
南謨薄伽勃底一阿波唎蜜多二阿喻紇硯娜三須毗你失指多四囉佐耶五怛他羯他耶六
怛姪他唵七薩婆桑悉迦囉八波唎輸底九達磨底十伽迦娜十一莎訶其持迦底十二薩婆婆
毗輸底十三摩訶娜耶十四波唎婆囉莎訶十五
尒時復有九十九俱胝佛一時同聲說是无量壽宗要經陀羅尼曰
南謨薄伽勃底一阿波唎蜜多二阿喻紇硯娜三須毗你失指多四囉佐耶五怛他羯他耶六怛姪他唵
薩婆桑悉迦囉八波唎輸底九達磨底十伽迦娜十一莎訶其持迦底十二薩婆婆毗輸底
摩訶娜耶十四波唎婆囉莎訶十五
尒時復有八十四俱胝佛一時同聲說是无量壽宗要經陀羅尼曰
南謨薄伽勃底一阿波唎蜜多二阿喻紇硯娜三須毗你失指多四囉佐耶五怛他羯
他耶六怛姪他唵七薩婆桑悉迦囉八波唎輸底九達磨底十伽迦娜十一莎訶其持迦底十二

BD02083號　無量壽宗要經　（6–1）

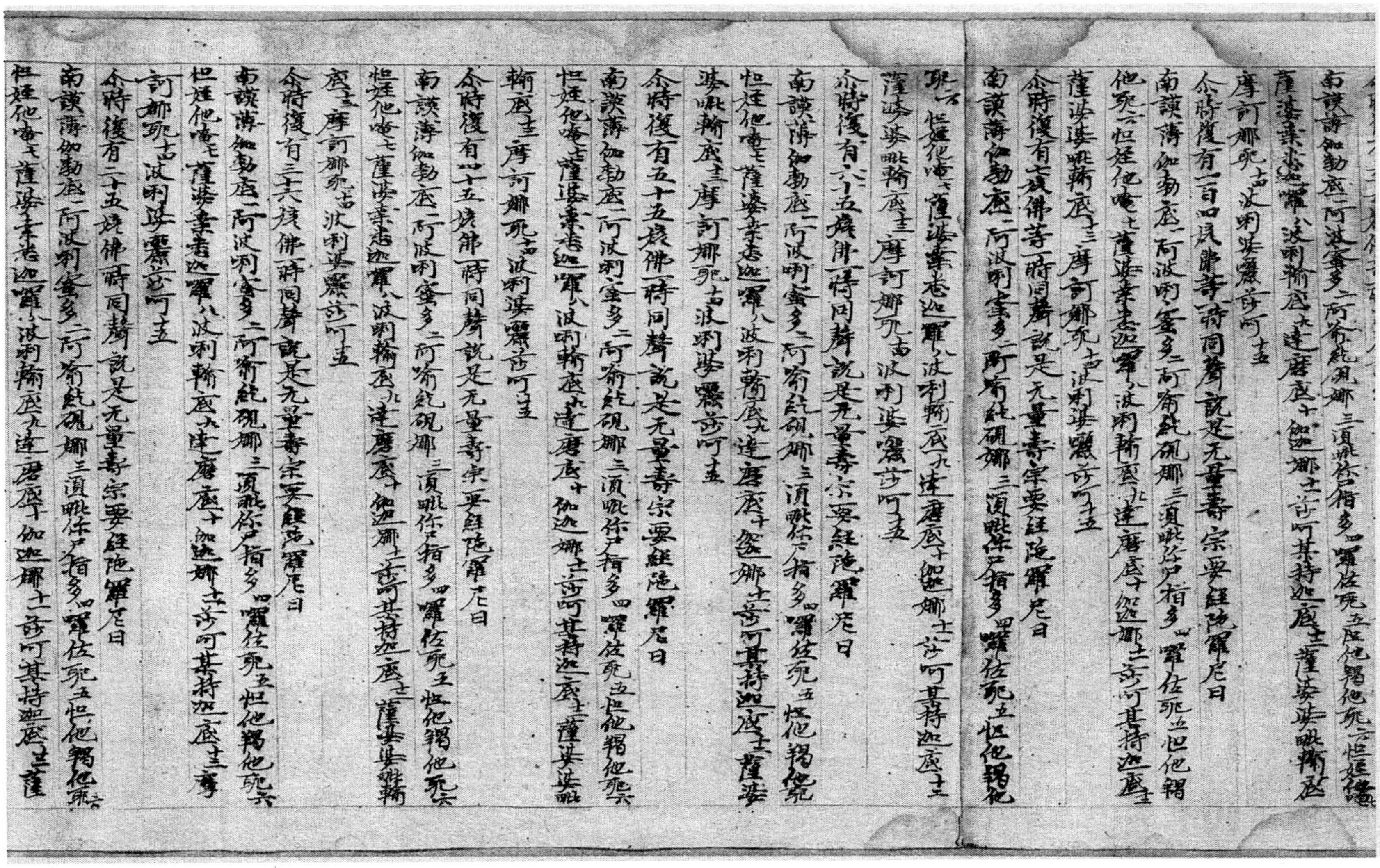
南謨薄伽勃底一阿波唎蜜多二阿喻紇硯娜三須毗你失指多四囉佐耶五怛他羯他耶六怛姪他唵
薩婆桑悉迦囉八波唎輸底九達磨底十伽迦娜十一莎訶其持迦底十二薩婆婆毗輸底
摩訶娜耶十四波唎婆囉莎訶十五
尒時復有一百四俱胝佛一時同聲說是无量壽宗要經陀羅尼曰
南謨薄伽勃底一阿波唎蜜多二阿喻紇硯娜三須毗你失指多四囉佐耶五怛他羯
他耶六怛姪他唵七薩婆桑悉迦囉八波唎輸底九達磨底十伽迦娜十一莎訶其持迦底十二
薩婆婆毗輸底十三摩訶娜耶十四波唎婆囉莎訶十五
尒時復有七俱胝佛一時同聲說是无量壽宗要經陀羅尼曰
南謨薄伽勃底一阿波唎蜜多二阿喻紇硯娜三須毗你失指多四囉佐耶五怛他羯他
耶六怛姪他唵七薩婆桑悉迦囉八波唎輸底九達磨底十伽迦娜十一莎訶其持迦底十二
薩婆婆毗輸底十三摩訶娜耶十四波唎婆囉莎訶十五
尒時復有六十五俱胝佛一時同聲說是无量壽宗要經陀羅尼曰
南謨薄伽勃底一阿波唎蜜多二阿喻紇硯娜三須毗你失指多四囉佐耶五怛他羯他耶六
怛姪他唵七薩婆桑悉迦囉八波唎輸底九達磨底十伽迦娜十一莎訶其持迦底十二薩婆
婆毗輸底十三摩訶娜耶十四波唎婆囉莎訶十五
尒時復有五十五俱胝佛一時同聲說是无量壽宗要經陀羅尼曰
南謨薄伽勃底一阿波唎蜜多二阿喻紇硯娜三須毗你失指多四囉佐耶五怛他羯他耶六
怛姪他唵七薩婆桑悉迦囉八波唎輸底九達磨底十伽迦娜十一莎訶其持迦底十二薩婆婆毗輸
底十三摩訶娜耶十四波唎婆囉莎訶十五
尒時復有四十五俱胝佛一時同聲說是无量壽宗要經陀羅尼曰
南謨薄伽勃底一阿波唎蜜多二阿喻紇硯娜三須毗你失指多四囉佐耶五怛他羯他耶六
怛姪他唵七薩婆桑悉迦囉八波唎輸底九達磨底十伽迦娜十一莎訶其持迦底十二薩婆婆毗輸
底十三摩訶娜耶十四波唎婆囉莎訶十五
尒時復有三十六俱胝佛一時同聲說是无量壽宗要經陀羅尼曰
南謨薄伽勃底一阿波唎蜜多二阿喻紇硯娜三須毗你失指多四囉佐耶五怛他羯他耶六
怛姪他唵七薩婆桑悉迦囉八波唎輸底九達磨底十伽迦娜十一莎訶其持迦底十三摩
訶娜耶十四波唎婆囉莎訶十五
尒時復有二十五俱胝佛一時同聲說是无量壽宗要經陀羅尼曰
南謨薄伽勃底一阿波唎蜜多二阿喻紇硯娜三須毗你失指多四囉佐耶五怛他羯他耶六
怛姪他唵七薩婆桑悉迦囉八波唎輸底九達磨底十伽迦娜十一莎訶其持迦底十二薩

BD02083號　無量壽宗要經　（6–2）

怛姪他唵七薩婆桑悉迦囉八波唎輸底九達磨底十伽迦那十一莎呵莫持迦底十二摩
訶娜耶十四波唎婆嚟莎呵十五
尒時復有二十五姟佛時同聲說是无量壽宗要經陁羅尼曰
南謨薄伽勃底一阿波唎蜜多二阿喻紇硯那三須毗你尸指多四囉佐耶五怛他羯他耶六
怛姪他唵七薩婆桑悉迦囉八波唎輸底九達磨底十伽迦那十一莎呵莫持迦底十二薩
婆婆毗輸底十三摩訶娜耶十四波唎婆嚟莎呵十五
尒時復有恒河沙姟佛一時同聲說是无量壽宗要經陁羅尼曰
南謨薄伽勃底一阿波唎蜜多二阿喻紇硯那三須毗你尸指多四囉佐耶五怛他羯他耶六
怛姪他唵七薩婆桑悉迦囉八波唎輸底九達磨底十伽迦那十一莎呵莫持迦底十二薩
婆婆毗輸底十三摩訶娜耶十四波唎婆嚟莎呵十五
善男子若有自書寫教人書寫是无量壽宗要經如其命盡復得長壽滿年陁羅尼曰
南謨薄伽勃底一阿波唎蜜多二阿喻紇硯那三須毗你尸指多四囉佐耶五怛他羯他耶六怛
姪他唵七薩婆桑悉迦囉八波唎輸底九達磨底十伽迦那十一莎呵莫持迦底十二薩婆
婆毗輸底十三摩訶娜耶十四波唎婆嚟莎呵十五
若有自書寫教人書寫是无量壽宗要經讀誦受持畢竟不墮地獄在在所生得宿
命智陁羅尼曰　南謨薄伽勃底一阿波唎蜜多二阿喻紇硯那三須毗你尸指多四囉
佐耶五怛他羯他耶六怛姪他唵七薩婆桑悉迦囉八波唎輸底九達磨底十伽迦那十一
莎呵莫持迦底十二薩婆婆毗輸底十三摩訶娜耶十四波唎婆嚟莎呵十五
若有自書寫教人書寫是无量壽宗要經受持讀誦如同書寫八万四千一切經典陁羅尼曰
南謨薄伽勃底一阿波唎蜜多二阿喻紇硯那三須毗你尸指多四囉佐耶五怛他羯他耶六
怛姪他唵七薩婆桑悉迦囉八波唎輸底九達磨底十伽迦那十一莎呵莫持迦底十二薩
婆婆毗輸底十三摩訶娜耶十四波唎婆嚟莎呵十五
若有自書寫教人書寫是无量壽宗要經受持讀誦即是書寫八万四千部建立塔廟陁羅尼曰
南謨薄伽勃底一阿波唎蜜多二阿喻紇硯那三須毗你尸指多四囉佐耶五怛他羯他耶六
怛姪他唵七薩婆桑悉迦囉八波唎輸底九達磨底十伽迦那十一莎呵莫持迦底十二薩婆
婆毗輸底十三摩訶娜耶十四波唎婆嚟莎呵十五
若有自書寫是无量壽宗要經能清五无間等一切重罪陁羅尼曰
南謨伽勃底一阿波唎蜜多二阿喻紇硯那三須毗你尸指多四囉佐耶五怛他羯他耶六怛
姪他唵七薩婆桑悉迦囉八波唎輸底九達磨底十伽迦那十一莎呵莫持迦底十二薩婆婆
毗輸底十三摩訶娜耶十四波唎婆嚟莎呵十五

BD02083 號　無量壽宗要經

（6–3）

婆毗輸底十三摩訶娜耶十四波唎婆嚟莎呵十五
若有自書寫教人書寫是无量壽宗要經能清五无間等一切重罪陁羅尼曰
南謨伽勃底一阿波唎蜜多二阿喻紇硯那三須毗你尸指多四囉佐耶五怛他羯他耶六怛
姪他唵七薩婆桑悉迦囉八波唎輸底九達磨底十伽迦那十一莎呵莫持迦底十二薩婆婆
毗輸底十三摩訶娜耶十四波唎婆嚟莎呵十五
若有自書寫教人書寫是无量壽宗要經受持讀誦設有重罪猶如須弥盡能除滅陁羅尼曰
南謨薄伽勃底一阿波唎蜜多二阿喻紇硯那三須毗你尸指多四囉佐耶五怛他羯他耶六
怛姪他唵七薩婆桑悉迦囉八波唎輸底九達磨底十伽迦那十一莎呵莫持迦底十二薩婆
婆毗輸底十三摩訶娜耶十四波唎婆嚟莎呵十五
若有自書寫教人書寫是无量壽宗要經受持讀誦若魔魔之眷屬夜叉羅刹不得其便
終無枉死陁羅尼曰　南謨薄伽勃底一阿波唎蜜多二阿喻紇硯那三須毗你尸指多四囉
佐耶五怛他羯他耶六怛姪他唵七薩婆桑悉迦囉八波唎輸底九達磨底十伽迦那十一莎呵莫
持迦底十二薩婆婆毗輸底十三摩訶娜耶十四波唎婆嚟莎呵十五
若有自書寫教人書寫是无量壽宗要經受持讀誦當命終時有九十九姟佛現其人前來
千佛授手能遊一切佛剎莫於此經生疑惑陁羅尼曰
南謨薄伽勃底一阿波唎蜜多二阿喻紇硯那三須毗你尸指多四囉佐耶五怛他羯他
耶六怛姪他唵七薩婆桑悉迦囉八波唎輸底九達磨底十伽迦那十一莎呵莫持迦底十二
薩婆婆毗輸底十三摩訶娜耶十四波唎婆嚟莎呵十五
若有自書寫教人書寫是无量壽宗要經受持讀誦常得四天大王隨其衛護陁羅尼曰
南謨薄伽勃底一阿波唎蜜多二阿喻紇硯那三須毗你尸指多四囉佐耶五怛他羯他耶六
怛姪他唵七薩婆桑悉迦囉八波唎輸底九達磨底十伽迦那十一莎呵莫持迦底十二薩
婆婆毗輸底十三摩訶娜耶十四波唎婆嚟莎呵十五
若有自書寫教人書寫是无量壽宗要經受持讀誦當得往生西方極樂世界阿弥陁淨土
陁羅尼曰　南謨薄伽勃底一阿波唎蜜多二阿喻紇硯那三須毗你尸指多四囉佐耶五
怛他羯他耶六怛姪他唵七薩婆桑悉迦囉八波唎輸底九達磨底十伽迦那十一莎呵莫
持迦底十二薩婆婆毗輸底十三摩訶娜耶十四波唎婆嚟莎呵十五
若有方所自書寫使人書寫是无量壽經典之處則為是塔皆應恭敬作礼若是畜
生或為鳥獸得聞是經如是等類皆當不久得成一切種智陁羅尼曰
南謨薄伽勃底一阿波唎蜜多二阿喻紇硯那三須毗你尸指多四囉佐耶五怛他羯
他耶六怛姪他唵七薩婆桑悉迦囉八波唎輸底九達磨底十伽迦那十一莎呵莫持迦底十二
薩婆婆毗輸底十三摩訶娜耶十四波唎婆嚟莎呵十五

BD02083 號　無量壽宗要經

（6–4）

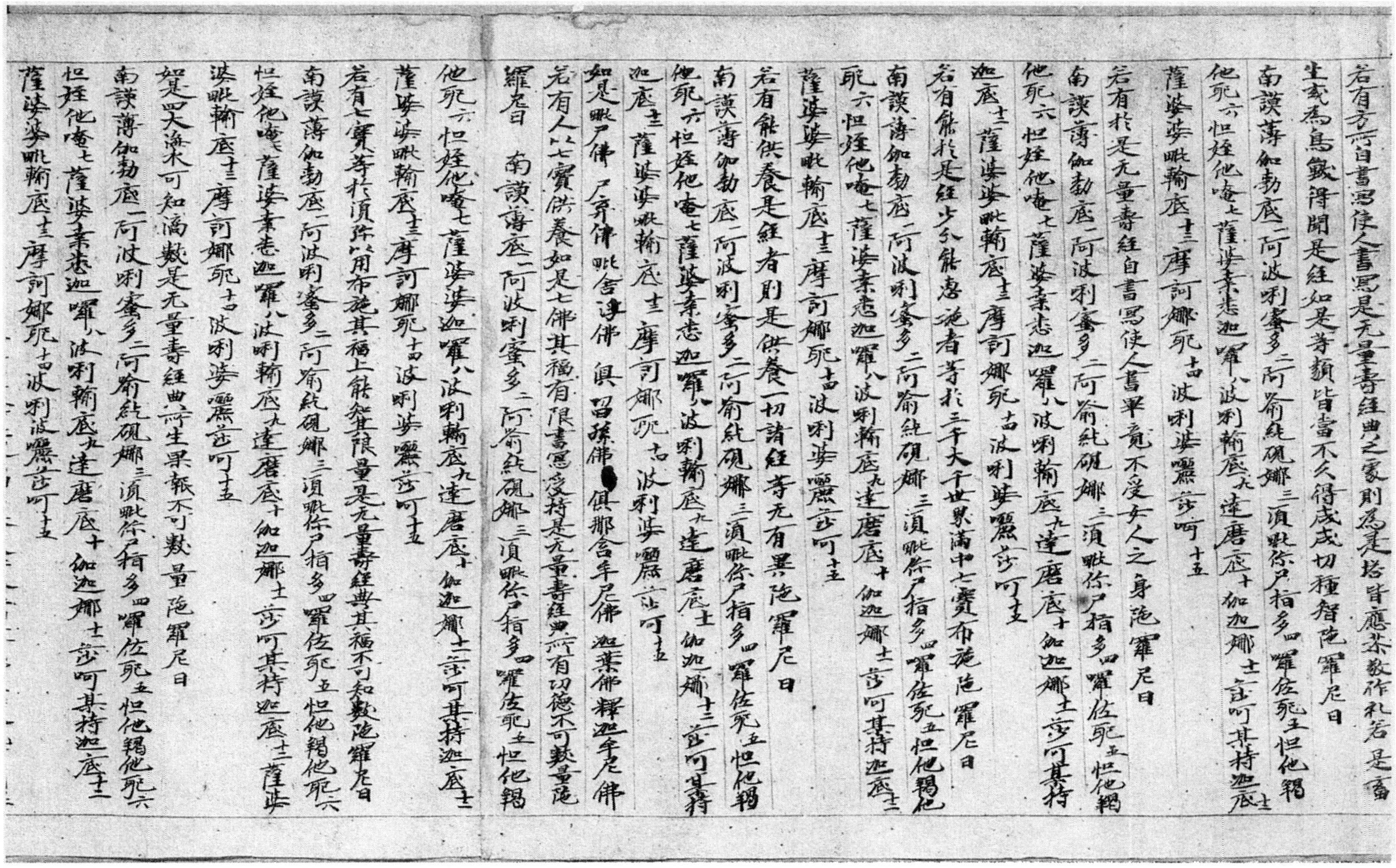
若有方所自書寫使人書寫是无量壽經典之處則為是塔皆應恭敬作礼若是畜
生或為鳥獸得聞是經如是等類皆當不久得成一切種智陁羅尼曰
南謨薄伽勃底一阿波唎蜜多二阿喻紇硯娜三須毗你尸指多四囉佐耶五怛他羯
他耶六怛姪他唵七薩婆桑悉迦囉八波唎輸底九達磨底十伽迦娜十一莎呵其持迦底十二
薩婆娑毗輸底十三摩訶娜耶十四波唎婆曬莎呵十五
若有於是无量壽經自書寫使人書畢竟不受女人之身陁羅尼曰
南謨薄伽勃底一阿波唎蜜多二阿喻紇硯娜三須毗你尸指多四囉佐耶五怛他羯
他耶六怛姪他唵七薩婆桑悉迦囉八波唎輸底九達磨底十伽迦娜十一莎呵其持
迦底十二薩婆娑毗輸底十三摩訶娜耶十四波唎婆曬莎呵十五
若有能於是經少分能惠施者等於三千大千世界滿中七寶布施陁羅尼曰
南謨薄伽勃底一阿波唎蜜多二阿喻紇硯娜三須毗你尸指多四囉佐耶五怛他羯他
耶六怛姪他唵七薩婆桑悉迦囉八波唎輸底九達磨底十伽迦娜十一莎呵其持迦底十二
薩婆娑毗輸底十三摩訶娜耶十四波唎婆曬莎呵十五
若有能供養是經者則是供養一切諸經等无有異陁羅尼曰
南謨薄伽勃底一阿波唎蜜多二阿喻紇硯娜三須毗你尸指多四囉佐耶五怛他羯
他耶六怛姪他唵七薩婆桑悉迦囉八波唎輸底九達磨底十伽迦娜十一莎呵其持
迦底十二薩婆娑毗輸底十三摩訶娜耶十四波唎婆曬莎呵十五
如是毗尸佛　尸弃佛　毗舍浮佛　俱留孫佛　俱那含牟尼佛　迦葉佛　釋迦牟尼佛
若有人以七寶供養如是七佛其福有限書寫受持是无量壽經典所有功德不可數量陁
羅尼曰　南謨薄伽勃底一阿波唎蜜多二阿喻紇硯娜三須毗你尸指多四囉佐耶五怛他羯
他耶六怛姪他唵七薩婆桑悉迦囉八波唎輸底九達磨底十伽迦娜十一莎呵其持迦底十二
薩婆娑毗輸底十三摩訶娜耶十四波唎婆曬莎呵十五
若有七寶等於須弥以用布施其福上能知其限量是无量壽經典其福不可知數陁羅尼曰
南謨薄伽勃底一阿波唎蜜多二阿喻紇硯娜三須毗你尸指多四囉佐耶五怛他羯他耶六
怛姪他唵七薩婆桑悉迦囉八波唎輸底九達磨底十伽迦娜十一莎呵其持迦底十二薩婆
娑毗輸底十三摩訶娜耶十四波唎婆曬莎呵十五
如是四大海水可知滴數是无量壽經典所生果報不可數量陁羅尼曰
南謨薄伽勃底一阿波唎蜜多二阿喻紇硯娜三須毗你尸指多四囉佐耶五怛他羯他耶六
怛姪他唵七薩婆桑悉迦囉八波唎輸底九達磨底十伽迦娜十一莎呵其持迦底十二
薩婆娑毗輸底十三摩訶娜耶十四波唎婆曬莎呵十五

BD02083 號　無量壽宗要經　（6–5）

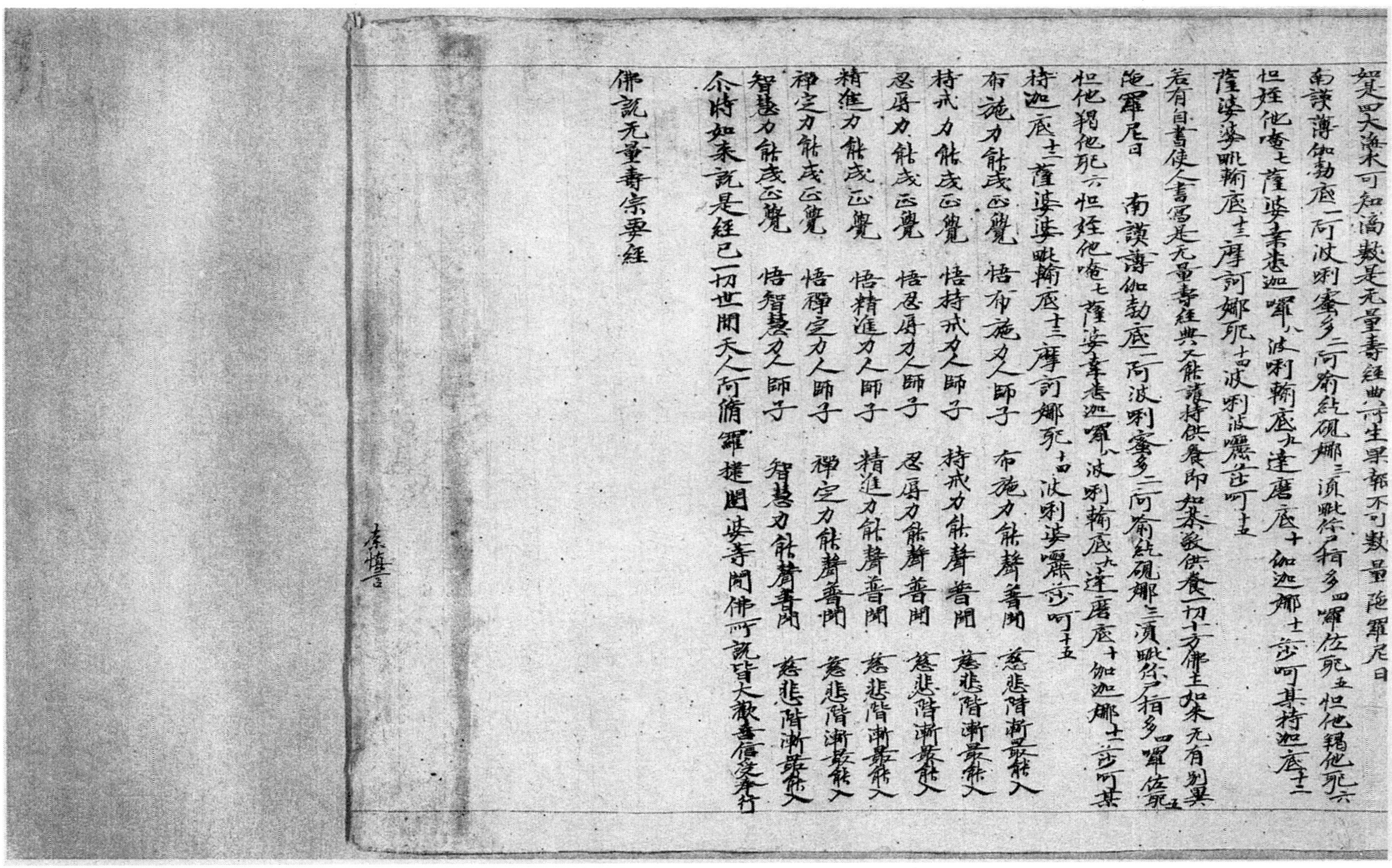
如是四大海水可知滴數是无量壽經典所生果報不可數量陁羅尼曰
南謨薄伽勃底一阿波唎蜜多二阿喻紇硯娜三須毗你尸指多四囉佐耶五怛他羯他耶六
怛姪他唵七薩婆桑悉迦囉八波唎輸底九達磨底十伽迦娜十一莎呵其持迦底十二
薩婆娑毗輸底十三摩訶娜耶十四波唎婆曬莎呵十五
若有自書使人書寫是无量壽經典又能讀持供養即如來敬供養一切十方佛土如來无有別異
陁羅尼曰　南謨薄伽勃底一阿波唎蜜多二阿喻紇硯娜三須毗你尸指多四囉佐耶五
怛他羯他耶六怛姪他唵七薩婆桑悉迦囉八波唎輸底九達磨底十伽迦娜十一莎呵其
持迦底十二薩婆娑毗輸底十三摩訶娜耶十四波唎婆曬莎呵十五
布施力能成正覺　悟布施力人師子　布施力能聲普聞　慈悲階漸最能入
持戒力能成正覺　悟持戒力人師子　持戒力能聲普聞　慈悲階漸最能入
忍辱力能成正覺　悟忍辱力人師子　忍辱力能聲普聞　慈悲階漸最能入
精進力能成正覺　悟精進力人師子　精進力能聲普聞　慈悲階漸最能入
禪定力能成正覺　悟禪定力人師子　禪定力能聲普聞　慈悲階漸最能入
智慧力能成正覺　悟智慧力人師子　智慧力能聲普聞　慈悲階漸最能入
尒時如來說是經已一切世間天人阿脩羅揵闥婆等聞佛所說皆大歡喜信受奉行
佛說无量壽宗要經
索慎言

BD02083 號　無量壽宗要經　（6–6）

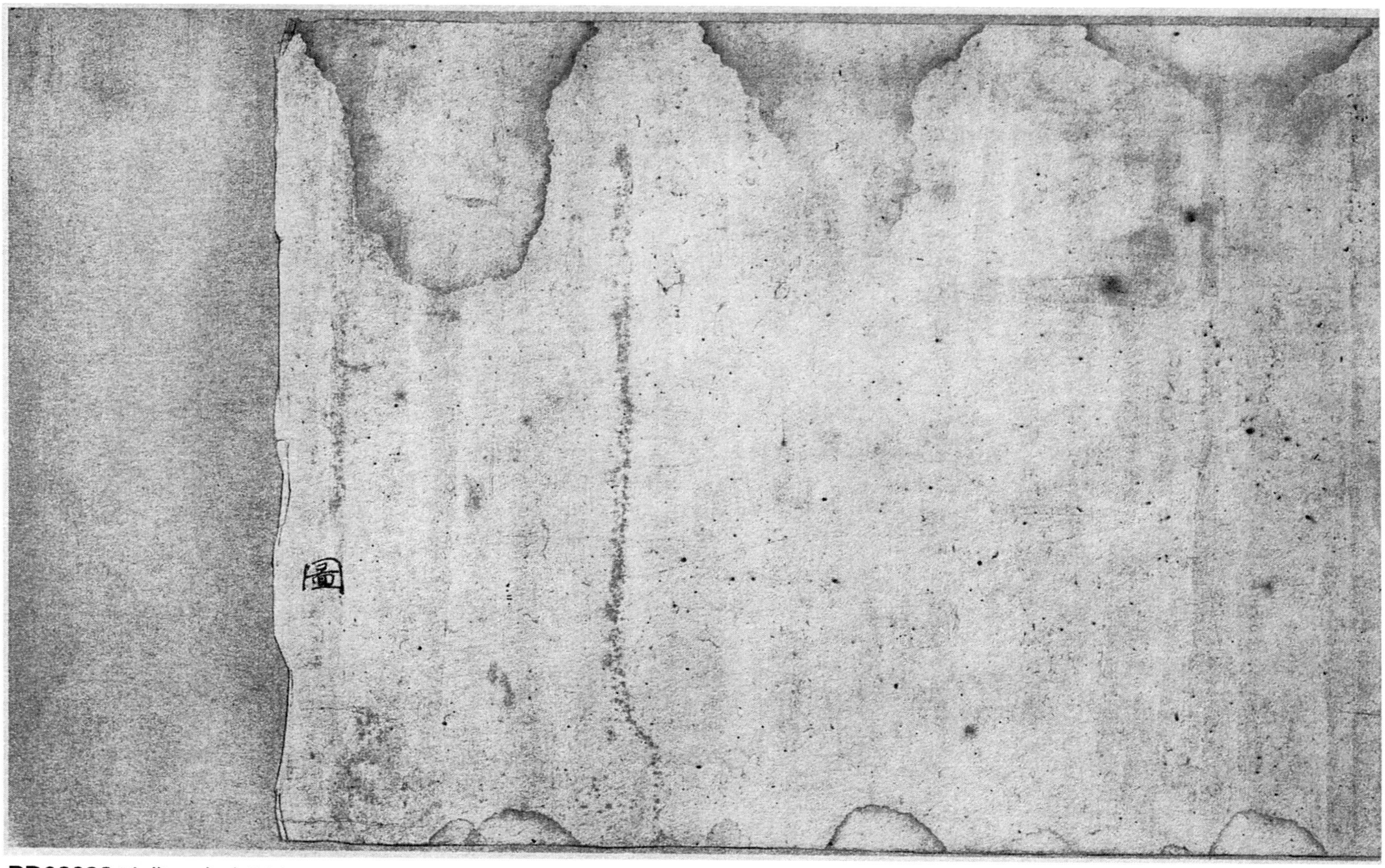

BD02083 號背　寺院題名　（1–1）

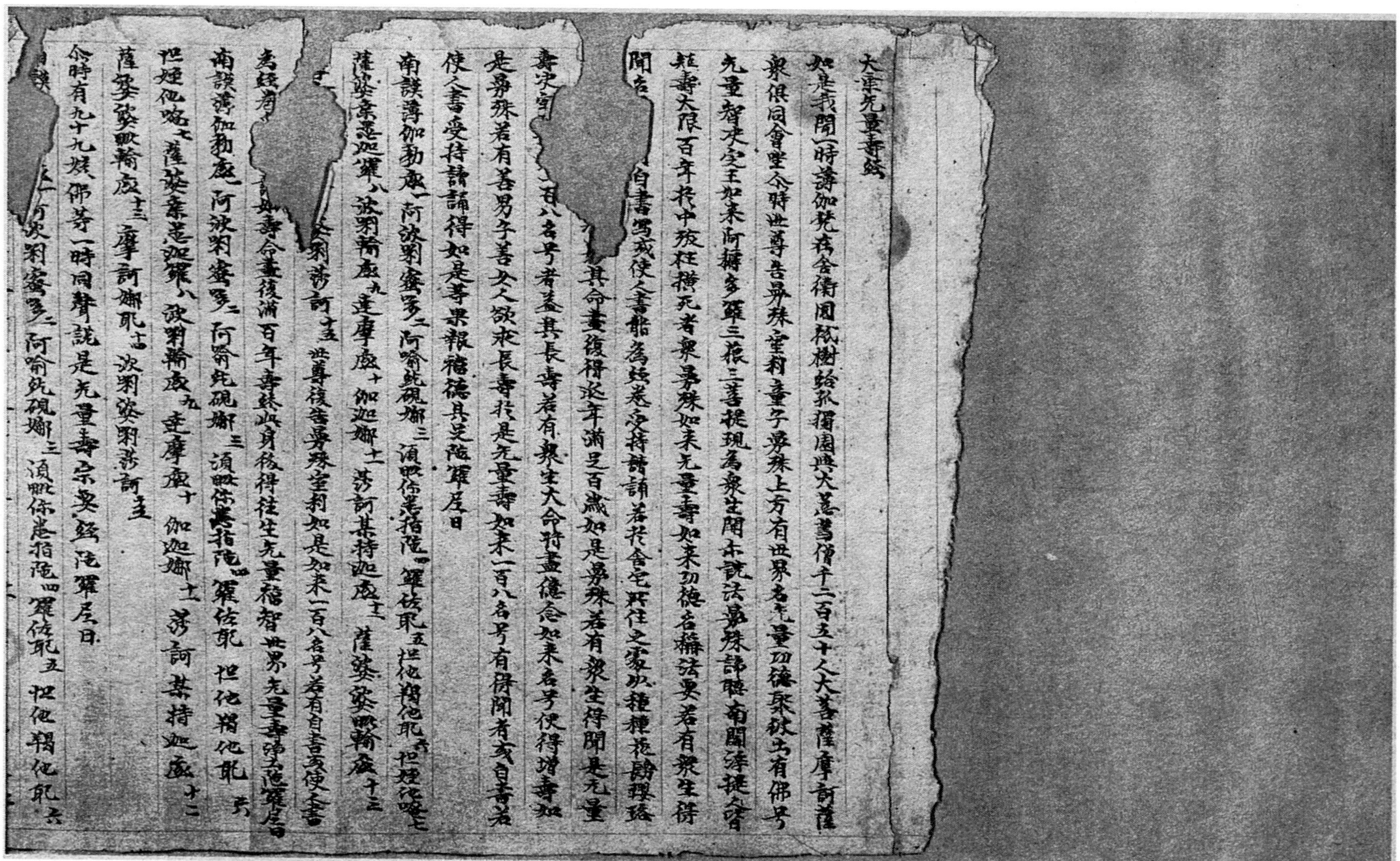

大乘無量壽經
如是我聞一時薄伽梵在舍衛國祇樹給孤獨園與大苾芻僧千二百五十人大菩薩摩訶薩
衆俱同會坐尒時世尊告曼殊室利童子曼殊上方有世界名無量功德聚彼土有佛号
無量智決定王如來阿耨多羅三藐三菩提現爲衆生開示說法曼殊諦聽南閻浮提之人
短壽大限百年於中夭枉横死者衆曼殊如來無量壽如來功德名稱法要若有衆生得
聞名[illegible]自書寫或使人書能爲經卷受持讀誦若於舍宅所住之處以種種花鬘瓔珞
[illegible]其命盡復得延年滿足百歲如是曼殊若有衆生得聞是無量
壽決定[illegible]百八名号者益其長壽若有衆生大命將盡憶念如來名号便得增壽如
是曼殊若有善男子善女人欲求長壽於是無量壽如來一百八名号有得聞者或自書若
使人書受持讀誦得如是等果報福德具足陁羅尼曰
南謨薄伽勃底一阿波唎蜜多二阿喻紇硯娜三須毗你悉指陁四囉佐耶五怛他揭他耶六怛姪他唵七
薩婆桑悉迦囉八波唎輸底九達摩底十伽迦娜十一莎訶某持迦底十二薩婆婆毗輸底十三
[illegible]波唎莎訶十五　世尊復告曼殊室利如是如來一百八名号若有自書或使人書
爲經[illegible]如壽命盡復滿百年壽終此身後得往生無量福智世界無量壽淨土陁羅尼曰
南謨薄伽勃底一阿波唎蜜多二阿喻紇硯娜三須毗你悉指陁四囉佐耶　怛他揭他耶六
怛姪他唵七薩婆桑悉迦囉八波唎輸底九達摩底十伽迦娜十一莎訶某持迦底十二
薩婆婆毗輸底十三摩訶娜耶十四波唎婆唎莎訶十五
尒時有九十九俱胝佛等一時同聲說是無量壽宗要經陁羅尼曰
[illegible]謨[illegible]一阿波唎蜜多二阿喻紇硯娜三須毗你悉指陁四囉佐耶五怛他揭他耶六

BD02084 號　無量壽宗要經　（6–1）

怛姪他唵七 薩婆桑悉迦羅八 波唎輸底九 達摩底十 伽迦娜十一 莎訶娑持迦底十二
薩婆婆毗輸底十三 摩訶娜耶十四 波唎婆唎莎訶十五
爾時有九十九姟佛等一時同聲說是無量壽宗要經陀羅尼曰
南謨[illegible]底一 阿波唎蜜多二 阿喻紇硯娜三 須毗你悉指陀四 羅佐耶五 怛他羯他耶六
怛姪他[illegible]婆桑悉迦羅八 波唎輸底九 達摩底十 伽迦娜十一 莎訶娑持迦底十二
薩婆婆毗輸底十三 摩訶娜耶十四 波唎婆唎莎訶十五
爾時復有一百四姟佛一時同聲說是無量壽宗要經陀羅尼曰
南謨薄伽勃底一 阿波唎蜜多二 阿喻紇硯娜三 須毗你悉指陀四 羅佐耶五 怛他羯他耶六
怛姪他唵七 薩婆桑悉迦羅八 波唎輸底九 達摩底十 伽迦娜十一 莎訶娑持迦底十二 薩婆
婆毗輸[illegible] 摩訶娜耶十四 波唎婆唎莎訶十五
爾時復有七[illegible]姟佛一時同聲說是無量壽宗要經陀羅尼曰
南謨薄伽勃底一 阿波唎蜜多二 阿喻紇硯娜三 須毗你悉指陀四 羅佐耶五 怛他羯他耶六
怛姪他唵七 薩婆桑悉迦羅八 波唎輸底九 達摩底十 伽迦娜十一 莎訶娑持迦底十二
薩婆婆毗輸底十三 摩訶娜耶十四 波唎婆唎莎訶十五
爾時復有六十五姟佛一時同聲說是無量壽宗要經陀羅尼曰
南謨[illegible]底一 阿波唎蜜多二 阿喻紇硯娜三 須毗你悉指陀四 羅佐耶五 怛他羯他耶六
怛姪他唵七 [illegible]桑悉迦羅八 波唎輸底九 達摩底十 伽迦娜十一 莎訶娑持迦底十二
薩婆婆毗輸底十三 摩訶娜耶十四 波唎婆唎莎訶十五
爾時復有五十五姟佛一時同聲說是無量壽宗要經陀羅尼曰
南謨薄伽勃底一 阿波唎蜜多二 阿喻紇硯娜三 須毗你悉指陀四 羅佐耶五 怛他羯他耶六
怛姪他唵七 薩婆桑悉迦羅八 波唎輸底九 達摩底十 伽迦娜十一 莎訶娑持迦底十二
薩婆[illegible]底十三 摩訶娜耶十四 波唎婆唎莎訶十五
爾時復有四十五姟佛一時同聲說是無量壽宗要經陀羅尼曰
南謨薄伽勃底一 阿波唎蜜多二 阿喻紇硯娜三 須毗你悉指陀四 羅佐耶五 怛他羯他耶六
怛姪他唵七 薩婆桑悉迦羅八 波唎輸底九 達摩底十 伽迦娜十一 莎訶娑持迦底十二
薩婆婆毗輸底十三 摩訶娜耶十四 波唎婆唎莎訶十五
爾時復[illegible]三十六姟佛一時同聲說是無量壽宗要經陀羅尼曰
南謨薄伽勃底一 阿波唎蜜多二 阿喻紇硯娜三 須毗你悉指陀四 羅佐耶五 怛他羯他耶六
怛姪他唵七 薩婆桑悉迦羅八 波唎輸底九 達摩底十 伽迦娜十一 莎訶娑持迦底十二
薩婆婆毗輸底十三 摩訶娜耶十四 波唎婆唎莎訶十五

BD02084 號　無量壽宗要經　（6–2）

薩婆婆毗輸底十三 摩訶娜耶十四 波唎婆唎莎訶十五
爾時復有三十六姟佛一時同聲說是無量壽宗要經陀羅尼曰
南謨薄伽勃底一 阿波唎蜜多二 阿喻紇硯娜三 須毗你悉指陀四 羅佐耶五 怛他羯他耶六
怛姪他唵七 薩婆桑悉迦羅八 波唎輸底九 達摩底十 伽迦娜十一 莎訶娑持迦底十二
薩婆婆毗輸底十三 摩訶娜耶十四 波唎婆唎莎訶十五
爾時復有二十五姟佛一時同聲說是無量壽宗要經陀羅尼曰
南謨薄伽勃底一 阿波唎蜜多二 阿喻紇硯娜三 須毗你悉指陀四 羅佐耶五 怛他羯他耶六
怛姪他唵七 薩婆桑悉迦羅八 波唎輸底九 達摩底十 伽迦娜十一 莎訶娑持迦底十二
薩婆婆毗輸底十三 摩訶娜耶十四 波唎婆唎莎訶十五
爾時復有恒河沙姟佛一時同聲說是無量壽宗要經陀羅尼曰 南謨薄伽勃底一 阿波
唎蜜多二 阿喻紇硯娜三 須毗你悉指陀四 羅佐耶五 怛他羯他耶六 怛姪他唵七 薩婆桑悉迦羅八 波唎
輸底九 達摩底十 伽迦娜十一 莎訶娑持迦底十二 薩婆婆毗輸底十三 摩訶娜耶十四 波唎婆唎
莎訶十五 善男子若有自書寫教人書寫是無量壽宗要經如其命盡復得長壽滿年陀羅尼曰
南謨薄伽勃底一 阿波唎蜜多二 阿喻紇硯娜三 須毗你悉指陀四 怛他羯他耶六 羅佐耶五 薩婆桑
悉迦羅八 波唎輸底九 達摩底十 伽迦娜十一 莎訶娑持迦底十二 薩婆婆毗輸底十三 摩訶娜耶十四 波
唎婆唎莎訶十五
若有自書寫教人書是無量壽宗要經諸誦受持畢竟不墮地獄在在所生得宿命智陀羅尼曰
南謨薄伽勃底一 阿波唎蜜多二 阿喻紇硯娜三 須毗你悉指陀四 羅佐耶五 怛他羯他耶六 怛姪他唵
薩婆桑悉迦羅八 波唎輸底九 達摩底十 伽迦娜十一 莎訶娑持迦底十二 薩婆婆毗輸底十三
摩訶娜耶十四 波唎婆唎莎訶十五 若有自書寫教人書寫是無量壽宗要經受持讀誦如同書
寫八万四千部一切經典陀羅尼曰 南謨薄伽勃底一 阿波唎蜜多二 阿喻紇硯娜三 須毗你悉指陀四
羅佐耶五 怛他羯他耶六 怛姪他唵七 薩婆桑悉迦羅八 波唎輸底九 達摩底十 莎訶娑持迦底十二
薩婆婆毗輸底十三 摩訶娜耶十四 波唎婆唎莎訶十五 若有自書寫教人書寫是無量壽宗要
經即是書寫八万四千部建立塔廟陀羅尼曰 南謨薄伽勃底一 阿波唎蜜多二 阿喻紇硯娜三 須
毗你悉指陀四 羅佐耶五 怛他羯他耶六 怛姪他唵七 薩婆桑悉迦羅八 波唎輸底九 達摩底十 伽迦娜十一
莎訶娑持迦底十二 薩婆婆毗輸底十三 摩訶娜耶十四 波唎婆唎莎訶十五
若有自書寫教人書寫是無量壽宗要經能消五無間等一切重罪陀羅尼曰 南謨薄伽勃底
阿波唎蜜多二 阿喻紇硯娜三 須毗你悉指陀四 羅佐耶五 怛他羯他耶六 怛姪他唵七 莎訶娑持迦底
薩婆婆毗輸底十三 摩訶娜耶十四 波唎婆唎莎訶十五
若有自書寫教人書寫是無量壽宗要經受持讀誦設有重罪猶如須彌盡能除滅陀羅尼曰

BD02084 號　無量壽宗要經　（6–3）

莎訶某持迦底十二 薩婆婆毗輸底十三 摩訶娜耶十四 波唎婆唎莎訶十五
若有自書寫教人書寫是无量壽宗要經能消五无間等一切重罪陀羅尼曰 南謨薄伽勃底一
阿波唎蜜多二 阿喻紇硯娜三 須毗你悉指陀四 囉佐耶五 怛他羯他耶六 怛姪他唵七 莎訶某持迦底
薩婆婆毗輸底十三 摩訶娜耶十四 波唎婆唎莎訶十五
若有自書寫教人書寫是无量壽宗要經受持讀誦設有重罪猶如須弥盡能除滅陀羅尼曰
南謨薄伽勃底一 阿波唎蜜多二 阿喻紇硯娜三 須毗你悉指陀四 囉佐耶五 怛他羯他耶六
怛姪他唵七 薩婆桑悉迦囉八 波唎輸底九 達摩底十 伽迦娜十一 莎訶某持迦底十二 薩婆
婆毗輸底十三 摩訶娜耶十四 波唎婆唎莎訶十五
若有自書寫教人書寫是无量壽宗要經受持讀誦若魔魔之眷屬夜叉羅剎不得其便
終无枉死陀羅尼曰 南謨薄伽勃底一 阿波唎蜜多二 阿喻紇硯娜三 須毗你悉指陀四 囉佐耶五
怛他羯他耶六 怛姪他唵七 薩婆桑悉迦囉八 波唎輸底九 達摩底十 伽迦娜十一 莎訶某持迦底
薩婆婆毗輸底十三 摩訶娜耶十四 波唎婆唎莎訶十五 若有自書寫教人書寫是无量
壽宗要經受持讀誦當命終時有九十九殑伽佛現其人前來千佛授手能遊一切佛剎莫於此
疑生於疑惑陀羅尼曰 南謨薄伽勃底一 阿波唎蜜多二 阿喻紇硯娜三 須毗你悉指陀四 囉佐耶五
怛他羯他耶六 怛姪他唵七 薩婆桑悉迦囉八 波唎輸底九 達摩底十 伽迦娜十一 莎訶某持迦
底十二 薩婆婆毗輸底十三 摩訶娜耶十四 波唎婆唎莎訶十五
若有自書寫教人書寫是无量壽宗要經受持讀誦常得四天大王隨其衛護陀羅尼曰
南謨薄伽勃底一 阿波唎蜜多二 阿喻紇硯娜三 須毗你悉指陀四 囉佐耶五 怛他羯他耶六
怛姪他唵七 薩婆桑悉迦囉八 波唎輸底九 達摩底十 伽迦娜十一 莎訶某持迦底十二
薩婆婆毗輸底十三 摩訶娜耶十四 波唎婆唎莎訶十五
若有自書寫教人書寫是无量壽宗要經受持讀誦當往生西方極樂世界阿弥陀淨土
陀羅尼曰 南謨薄伽勃底一 阿波唎蜜多二 阿喻紇硯娜三 須毗你悉指陀四 囉佐耶五 怛他羯他耶
怛姪他唵七 薩婆桑悉迦囉八 波唎輸底九 達摩底十 伽迦娜十一 莎訶某持迦底十二
薩婆婆毗輸底十三 摩訶娜耶十四 波唎婆唎莎訶十五
若有方所自書使人書寫是无量壽經典之處則為是塔皆應恭敬作禮若畜生或為
鳥獸得聞是經如是等類皆當不久得成一切種智陀羅尼曰
南謨薄伽勃底一 阿波唎蜜多二 阿喻紇硯娜三 須毗你悉指陀四 囉佐耶五 怛他羯他耶六
怛姪他唵七 薩婆桑悉迦囉八 波唎輸底九 達摩底十 伽迦娜十一 莎訶某持迦底十二
薩婆婆毗輸底十三 摩訶娜耶十四 波唎婆唎莎訶十五

BD02084號　無量壽宗要經　（6–4）

若有方所自書使人書寫是无量壽經典之處則為是塔皆應恭敬作禮若畜生或為
鳥獸得聞是經如是等類皆當不久得成一切種智陀羅尼曰
南謨薄伽勃底一 阿波唎蜜多二 阿喻紇硯娜三 須毗你悉指陀四 囉佐耶五 怛他羯他耶六
怛姪他唵七 薩婆桑悉迦囉八 波唎輸底九 達摩底十 伽迦娜十一 莎訶某持迦底十二
薩婆婆毗輸底十三 摩訶娜耶十四 波唎婆唎莎訶十五
若有於是无量壽經自書寫若使人書寫畢竟不受女身之陀羅尼曰
南謨薄伽勃底一 阿波唎蜜多二 阿喻紇硯娜三 須毗你悉指陀四 囉佐耶五 怛他羯他耶
怛姪他唵七 薩婆桑悉迦囉八 波唎輸底九 達摩底十 伽迦娜十一 莎訶某持迦底十二
薩婆婆毗輸底十三 摩訶娜耶十四 波唎婆唎莎訶十五
若有能於是經少分能惠施者等於三千大千世界滿中七寶布施陀羅尼曰
南謨薄伽勃底一 阿波唎蜜多二 阿喻紇硯娜三 須毗你悉指陀四 囉佐耶五 怛他羯他耶
怛姪他唵七 薩婆桑悉迦囉八 波唎輸底九 達摩底十 伽迦娜十一 莎訶某持迦底十二
薩婆婆毗輸底十三 摩訶娜耶十四 波唎婆唎莎訶十五
若有供養是經者則是供養一切諸經等无有別異陀羅尼曰
南謨薄伽勃底一 阿波唎蜜多二 阿喻紇硯娜三 須毗你悉指陀四 囉佐耶五 怛他羯他耶六
怛姪他唵七 薩婆桑悉迦囉八 波唎輸底九 達摩底十 伽迦娜十一 莎訶某持迦底十二
薩婆婆毗輸底十三 摩訶娜耶十四 波唎婆唎莎訶十五
如是毗婆尸佛 尸弃佛 毗舍浮佛 俱那含牟尼佛 加葉佛 釋加牟尼佛
若有人以寶供養如是七佛其福有限書寫受持是无量壽經所有功德不可限量陀羅尼曰
南謨薄伽勃底一 阿波唎蜜多二 阿喻紇硯娜三 須毗你悉指陀四 囉佐耶五 怛他羯他耶六
怛姪他唵七 薩婆桑悉迦囉八 波唎輸底九 達摩底十 伽迦娜十一 莎訶某持迦底十二
薩婆婆毗輸底十三 摩訶娜耶十四 波唎婆唎莎訶十五
若有七寶等於須弥山用布施其福上能知其限量是无量壽經典其福不可知數陀羅尼曰
南謨薄伽勃底一 阿波唎蜜多二 阿喻紇硯娜三 須毗你悉指陀四 囉佐耶五 怛他羯他耶六
怛姪他唵七 薩婆桑悉迦囉八 波唎輸底九 達摩底十 伽迦娜十一 莎訶某持迦底十二
薩婆婆毗輸底十三 摩訶娜耶十四 波唎婆唎莎訶十五
如是四大海水可知滴數是无量壽經典可生果報不可數量陀羅尼曰
南謨薄伽勃底一 阿波唎蜜多二 阿喻紇硯娜三 須毗你悉指陀四 囉佐耶五 怛他羯他耶六
怛姪他唵七 薩婆桑悉迦囉八 波唎輸底九 達摩底十 伽迦娜十一 莎訶某持迦底十二
薩婆婆毗輸底十三 摩訶娜耶十四 波唎婆唎莎訶十五
若有人自書寫使人書寫是无量壽經典又能讀持供養即如恭敬供養一切十方佛

BD02084號　無量壽宗要經　（6–5）

薩婆婆數輸底十三 摩訶娜耶十四 波唎婆唎莎訶十五
如是四大海水可知滴數是无量壽經典所生果報不可數量陀羅尼曰
南謨薄伽勒底一 阿波唎蜜多二 阿喻紇硯娜三 須毗你失指陀四 羅佐耶五 怛他揭他耶六
怛姪他唵七 薩婆桑悉迦羅八 波唎輸底九 達磨底十 伽迦娜十一 莎訶某特迦底十二
薩婆婆數輸底十三 摩訶娜耶十四 波唎婆唎莎訶十五
若有人自書寫使人書寫是无量壽經典又能讀持供養即如恭敬供養一切十方佛
与如來无有別異陀羅尼曰
南謨薄伽勒底一 阿波唎蜜多二 阿喻紇硯娜三 須毗你失指陀四 羅佐耶五 怛他揭他耶六
怛姪他唵七 薩婆桑悉迦羅八 波唎輸底九 達磨底十 伽迦娜十一 莎訶某特迦底十二
薩婆婆數輸底十三 摩訶娜耶十四 波唎婆唎莎訶十五
布施力能成正覺 悟布施力之師子 布施力能聲善聞 慈悲階漸家能之
持戒力能成正覺 悟持戒力之師子 持戒力能聲善聞 慈悲階漸家能入
忍辱力能成正覺 悟忍辱力之師子 忍辱力能聲善聞 慈悲階漸家能入
精進力能成正覺 悟精進力之師子 精進力能聲善聞 慈悲階漸家能入
禪定力能成正覺 悟禪定力之師子 禪定力能聲善聞 慈悲階漸家能入
智慧力能成正覺 悟智慧力之師子 智慧力能聲善聞 慈悲階漸家能入
尒時如來說是經已一切世間天人阿脩羅聞佛所說皆大歡喜信受奉
行

佛說无量壽宗要經

BD02084 號　無量壽宗要經　（6–6）

……婆蹉薄拘
陀羅難陀富樓那弥多……
羅睺羅如是衆所知……
无學二千人摩訶波闍
六千人俱羅睺羅母耶輸
屬俱菩薩摩訶薩八万人
藐三菩提不退轉皆得
不退轉法輪供養无量百千諸佛於諸佛所
殖衆德本常為諸佛之所稱嘆以慈脩身善
入佛慧通達大智到於彼岸名稱普聞无量
世界能度无數百千衆生其名曰文殊師利
菩薩觀世音菩薩得大勢菩薩常精進菩薩
不休息菩薩寶掌菩薩藥王菩薩勇施菩薩
寶月菩薩月光菩薩滿月菩薩大力菩薩无
量力菩薩越三界菩薩颰陀婆羅菩薩弥勒菩
薩寶積菩薩導師菩薩如是等菩薩摩訶
薩八万人俱
尒時釋提桓因與其眷屬二万天子俱復有名
月天子普香天子寶光天子四大天王與其眷
屬万天子俱自在天子大自在天子與其眷
屬三万天子俱娑婆世界主梵天王尸棄大
梵光明大梵等與其眷屬万二千天子俱有
八龍王難陀龍王跋難陀龍王娑伽羅龍王

BD02085 號　妙法蓮華經卷一　（2–1）

屬三万天子俱娑婆世界主梵天王尸棄大
梵光明大梵等與其眷屬万二千天子俱有
八龍王難陀龍王跋難陀龍王娑伽羅龍王
和脩吉龍王德叉迦龍王阿那婆達多龍王摩
那斯龍王優鉢羅龍王等各與若干百千
眷屬俱有四緊那羅王法緊那羅王妙法緊
那羅王大法緊那羅王持法緊那羅王各與
若干百千眷屬俱有四乾闥婆王樂乾闥
婆王樂音乾闥婆王美乾闥婆王美音乾闥
婆王各與若干百千眷屬俱有四阿脩羅王
婆稚阿脩羅王佉羅騫䭾阿脩羅王毗摩
質多羅阿脩羅王羅睺阿脩羅王各與若
干百千眷屬俱有四迦樓羅王大威德迦樓羅
王大身迦樓羅王大滿迦樓羅王如意迦樓
羅王各與若干百千眷屬俱韋提希子阿
闍世王與若干百千眷屬俱各礼佛足退坐一
面
尒時世尊四衆圍繞供養恭敬尊重讚歎為
諸菩薩說大乘經名无量義教菩薩法佛所
護念佛說此經已結加趺坐入於无量義處
三昧身心不動是時天雨曼陁羅華摩訶曼
陁羅華曼殊沙華摩訶曼殊沙華而散佛上
及諸大衆普佛世界六種震動尒時會中比丘
比丘尼優婆塞優婆夷天龍夜叉乾闥婆阿
脩羅迦樓羅緊那羅摩睺羅伽人非人及諸小
王轉輪聖王　是諸大衆得未曾有歡喜
合掌一心觀佛尒時佛放眉間白豪相光照

BD02085號　妙法蓮華經卷一　（2–2）

于東方万八千世界靡不周遍下至阿鼻地
獄上至阿迦膩吒天於此世界盡見彼土六
趣衆生又見彼土現在諸佛及聞諸佛所
說經法并見彼諸比丘比丘尼優婆塞優
婆夷諸脩行得道者復見諸菩薩摩訶薩
種種因緣種種信解種種相貌行菩薩道復
見諸佛般涅槃者復見諸佛般涅槃後以
佛舍利起七寶塔
尒時弥勒菩薩作是念今者世尊現神變相
以何因緣而有此瑞今佛世尊入于三昧是不
可思議現希有事當以問誰誰能荅者復
作此念是文殊師利法王之子已曾親近供養
過去无量諸佛必應見此希有之相我今當
問尒時比丘比丘尼優婆塞優婆夷及諸天
龍鬼神等咸作此念是佛光明神通之相今
當問誰尒時弥勒菩薩欲自決疑又觀四衆
比丘比丘尼優婆塞優婆夷及諸天龍鬼
神等衆會之心而問文殊師利言以何因緣而
有此瑞神通之相放大光明照于東方万八千
土悉見彼佛國界莊嚴於是弥勒菩薩欲重
宣此義以偈問曰
文殊師利　導師何故　眉間白豪　大光普照
雨曼陁羅　曼殊沙華　栴檀香風　悅可衆心

BD02086號　妙法蓮華經卷一　（20–1）

有此瑞神通之相放大光明照于東方万八千
土悉見彼佛國界莊嚴於是彌勒菩薩欲重
宣此義以偈問曰
文殊師利 導師何故 眉間白毫 大光普照
雨曼陁羅 曼殊沙華 栴檀香風 悅可衆心
以是因緣 地皆嚴淨 而此世界 六種震動
時四部衆 咸皆歡喜 身意快然 得未曾有
眉間光明 照于東方 万八千土 皆如金色
從阿鼻獄 上至有頂 諸世界中 六道衆生
生死所趣 善惡業緣 受報好醜 於此悉見
又覩諸佛 聖主師子 演說經典 微妙第一
其聲清淨 出柔軟音 教諸菩薩 无數億万
梵音深妙 令人樂聞 各於世界 講說正法
種種因緣 以无量喻 照明佛法 開悟衆生
若人遭苦 猒老病死 為說涅槃 盡諸苦際
若人有福 曾供養佛 志求勝法 為說緣覺
若有佛子 脩種種行 求无上慧 為說淨道
文殊師利 我住於此 見聞若斯 及千億事
如是衆多 今當略說
我見彼土 恒沙菩薩 種種因緣 而求佛道
或有行施 金銀珊瑚 真珠摩尼 車𤦲馬瑙
金剛諸珎 奴婢車乘 寶飾輦輿 歡喜布施
迴向佛道 願得是乘 三界第一 諸佛所歎
或有菩薩 駟馬寶車 欄楯華蓋 軒飾布施
復見菩薩 身肉手足 及妻子施 求无上道
又見菩薩 頭目身體 欣樂施與 求佛智慧
文殊師利 我見諸王 往詣佛所 問无上道
便捨樂土 宮殿臣妾 剃除鬚髮 而披法服

BD02086號 妙法蓮華經卷一 (20–2)

又見菩薩 頭目身體 欣樂施與 求佛智慧
文殊師利 我見諸王 往詣佛所 問无上道
便捨樂土 宮殿臣妾 剃除鬚髮 而披法服
或見菩薩 而作比丘 獨處閑靜 樂誦經典
又見菩薩 勇猛精進 入於深山 思惟佛道
又見離欲 常處空閑 深脩禪定 得五神通
又見菩薩 安禪合掌 以千万偈 讚諸法王
復見菩薩 智深志固 能問諸佛 聞悉受持
又見佛子 定慧具足 以无量喻 為衆講法
欣樂說法 化諸菩薩 破魔兵衆 而擊法鼓
又見菩薩 寂然宴默 天龍恭敬 不以為喜
又見菩薩 處林放光 濟地獄苦 令入佛道
又見佛子 未嘗睡眠 經行林中 懃求佛道
又見具戒 威儀无缺 淨如寶珠 以求佛道
又見佛子 住忍辱力 增上慢人 惡罵捶打
皆悉能忍 以求佛道
又見菩薩 離諸戲咲 及癡眷屬 親近智者
一心除亂 攝念山林 億千万歲 以求佛道
或見菩薩 餚饍飲食 百種湯藥 施佛及僧
名衣上服 價直千万 或无價衣 施佛及僧
千万億種 栴檀寶舍 衆妙卧具 施佛及僧
清淨園林 華菓茂盛 流泉浴池 施佛及僧
如是等施 種種微妙 歡喜无猒 求无上道
或有菩薩 說寂滅法 種種教詔 无數衆生
或見菩薩 觀諸法性 无有二相 猶如虛空
又見佛子 心无所著 以此妙慧 求无上道
文殊師利 又見菩薩 佛滅度後 供養舍利

BD02086號 妙法蓮華經卷一 (20–3)

如是等施種種微妙歡喜无猒求无上道
或有菩薩說寂滅法種種教詔无數眾生
又見佛子心无所著以此妙慧求无上道
文殊師利又見菩薩佛滅度後供養舍利
又見佛子造諸塔廟无數恒沙嚴飾國界
寶塔高妙五千由旬縱廣正等二千由旬
一一塔廟各千幢幡珠交露幔寶鈴和鳴
諸天龍神人及非人香華伎樂常以供養
文殊師利諸佛子等為供舍利嚴飾塔廟
國界自然殊特妙好如天樹王其華開敷
佛放一光我及眾會見此國界種種殊妙
諸佛神力智慧希有放一淨光照无量國
我等見此得未曾有佛子文殊願決眾疑
四眾欣仰瞻仁及我世尊何故放斯光明
佛子時荅決疑令喜何所饒益演斯光明
佛坐道場所得妙法為欲說此為當授記
示諸佛土眾寶嚴淨及見諸佛此非小緣
文殊當知四眾龍神瞻察仁者為說何等
尒時文殊師利語彌勒菩薩摩訶薩及諸大
士善男子等如我惟忖今佛世尊欲說大法
雨大法雨吹大法螺擊大法鼓演大法義諸
善男子我於過去諸佛曾見此瑞放斯光已
即說大法是故當知今佛現光亦復如是欲
令眾生咸得聞知一切世間難信之法故現斯
瑞諸善男子如過去无量无邊不可思議阿僧
祇劫尒時有佛号日月燈明如來應供
正遍知明行足善逝世間解无上士調御

BD02086號　妙法蓮華經卷一

（20–4）

即說大法是故當知今佛現光亦復如是欲
令眾生咸得聞知一切世間難信之法故現斯
瑞諸善男子如過去无量无邊不可思議阿僧
祇劫尒時有佛号日月燈明如來應供
正遍知明行足善逝世間解无上士調御
丈夫天人師佛世尊演說正法初善中善
後善其義深遠其語巧妙純一无雜具足清
白梵行之相為求聲聞者說應四諦法度生
老病死究竟涅槃為求辟支佛者說應十二因
緣法為諸菩薩說應六波羅蜜令得阿耨多羅
三藐三菩提成一切種智次復有佛亦名日月
燈明次復有佛亦名日月燈明如是二万佛皆
同一字号日月燈明又同一姓姓頗羅墮彌
勒當知初佛後佛皆同一字名日月燈明
十号具足所可說法初中後善其最後佛未
出家時有八王子一名有意二名善意三名
无量意四名寶意五名增意六名除疑意七
名響意八名法意是八王子威德自在各領
四天下是諸王子聞父出家得阿耨多羅三
藐三菩提悉捨王位亦隨出家發大乘意常
脩梵行皆為法師已於千万佛所殖諸善本
是時日月燈明佛說大乘經名无量義教菩
薩法佛所護念說是經已即於大眾中結加
趺坐入於无量義處三昧身心不動是時天
雨曼陁羅華摩訶曼陁羅華曼殊沙華摩
訶曼殊沙華而散佛上及諸大眾普佛世界
六種震動尒時會中比丘比丘尼優婆塞優
婆夷天龍夜叉乾闥婆阿脩羅迦樓羅緊那

BD02086號　妙法蓮華經卷一

（20–5）

而雨曼陀羅華摩訶曼陀羅華曼殊沙華摩
訶曼殊沙華而散佛上及諸大衆普佛世界
六種震動尒時會中比丘比丘尼優婆塞優
婆夷天龍夜叉乾闥婆阿脩羅迦樓羅緊那
羅摩睺羅伽人非人及諸小王轉輪聖王等
是諸大衆得未曾有歡喜合掌一心觀佛
尒時如來放眉間白豪相光照于東方万八
千佛土靡不周遍如今所見是諸佛土弥勒當
知尒時會中有二十億菩薩樂欲聽法是諸
菩薩見此光明普照佛土得未曾有欲知此
光所為因緣時有菩薩名曰妙光有八百弟
子是時日月燈明佛從三昧起因妙光菩薩
說大乘經名妙法蓮華教菩薩法佛所護念
六十小劫不起于座時會聽者亦坐一處六十
小劫身心不動聽佛所說謂如食頃是時衆
中无有一人若身若心而生懈惓日月燈明
佛於六十小劫說是經已即於梵魔沙門
婆羅門及天人阿脩羅衆中而宣此言如來
於今日中夜當入无餘涅槃時有菩薩名曰
德藏日月燈明佛即授其記告諸比丘是德
藏菩薩次當作佛号曰淨身多陀阿伽度
阿羅訶三藐三佛陀佛授記已便於中夜入
无餘涅槃佛滅度後妙光菩薩持妙法蓮
華經八十小劫為人演說日月燈明佛八子皆
師妙光妙光教化令其堅固阿耨多羅三藐
三菩提是諸王子供養无量百千万億佛已
皆成佛道其最後成佛者名曰然燈八百
弟子中有一人号曰求名貪著利養雖復讀誦

BD02086號　妙法蓮華經卷一　（20–6）

師妙光妙光教化令其堅固阿耨多羅三藐
三菩提是諸王子供養无量百千万億佛已
皆成佛道其最後成佛者名曰然燈八百
弟子中有一人号曰求名貪著利養雖復讀誦
衆經而不通利多所忘失故号求名是人亦以種
諸善根因緣故得值无量百千万億諸佛供
養恭敬尊重讚歎弥勒當知尒時妙光菩薩
豈異人乎我身是也求名菩薩汝身是也今
見此瑞與本无異是故惟忖今日如來當說大
乘經名妙法蓮華教菩薩法佛所護念尒時
文殊師利於大衆中欲重宣此義而說偈言
我念過去世　无量无數劫　有佛人中尊　号日月燈明
世尊演說法　度无量衆生　无數億菩薩　令入佛智慧
佛未出家時　所生八王子　見大聖出家　亦隨脩梵行
時佛說大乘　經名无量義　於諸大衆中　而為廣分別
佛說此經已　即於法座上　加趺坐三昧　名无量義處
天雨曼陀華　天鼓自然鳴　諸天龍鬼神　供養人中尊
一切諸佛土　即時大震動　佛放眉間光　現諸希有事
此光照東方　万八千佛土　示一切衆生　生死業報處
又見諸佛土　以衆寶莊嚴　琉璃頗梨色　斯由佛光照
及見諸天人　龍神夜叉衆　乾闥緊那羅　各供養其佛
又見諸如來　自然成佛道　身色如金山　端嚴甚微妙
如淨琉璃中　內現真金像　世尊在大衆　敷演深法義
一一諸佛土　聲聞衆无數　因佛光所照　悉見彼大衆
或有諸比丘　在於山林中　精進持淨戒　猶如護明珠
又見諸菩薩　行施忍辱等　其數如恒沙　斯由佛光照
又見諸菩薩　深入諸禪定　身心寂不動　以求无上道
又見諸菩薩　知法寂滅相　各於其國土　說法求佛道

BD02086號　妙法蓮華經卷一　（20–7）

一一諸佛土　聲聞衆无數　因佛光所照　悉見彼大衆
或有諸比丘　在於山林中　精進持淨戒　猶如護明珠
又見諸菩薩　行施忍辱等　其數如恒沙　斯由佛光照
又見諸菩薩　深入諸禪定　身心寂不動　以求无上道
又見諸菩薩　知法寂滅相　各於其國土　說法求佛道
尒時四部衆　見日月燈佛　現大神通力　其心皆歡喜
各各自相問　是事何因緣
天人所奉尊　適從三昧起　讃妙光菩薩　汝為世間眼
一切所歸信　能奉持法藏　如我所說法　唯汝能證知
世尊既讃歎　令妙光歡喜　說是法華經　滿六十小劫
不起於此座　所說上妙法　是妙光法師　悉皆能受持
佛說是法華　令衆歡喜已　尋即於是日　告於天人衆
諸法實相義　已為汝等說　我今於中夜　當入於涅槃
汝一心精進　當離於放逸　諸佛甚難值　億劫時一遇
世尊諸子等　聞佛入涅槃　各各懷悲惱　佛滅一何速
聖主法之王　安慰无量衆　我若滅度時　汝等勿憂怖
是德藏菩薩　於无漏實相　心已得通達　其次當作佛
号曰為淨身　亦度无量衆
佛此夜滅度　如薪盡火滅　分布諸舍利　而起无量塔
比丘比丘尼　其數如恒沙　倍復加精進　以求无上道
是妙光法師　奉持佛法藏　八十小劫中　廣宣法華經
是諸八王子　妙光所開化　堅固无上道　當見无數佛
供養諸佛已　隨順行大道　相繼得成佛　轉次而授記
最後天中天　号曰燃燈佛　諸仙之導師　度脫无量衆
是妙光法師　時有一弟子　心常懷懈怠　貪著於名利
求名利无猒　多遊族姓家　棄捨所習誦　廢忘不通利
以是因緣故　号之為求名　亦行衆善業　得見无數佛
供養於諸佛　隨順行大道　具六波羅蜜　今見釋師子

是妙光法師　時有一弟子　心常懷懈怠　貪著於名利
求名利无猒　多遊族姓家　棄捨所習誦　廢忘不通利
以是因緣故　号之為求名　亦行衆善業　得見无數佛
供養於諸佛　隨順行大道　具六波羅蜜　今見釋師子
其後當作佛　号名曰弥勒　廣度諸衆生　其數无有量
彼佛滅度後　懈怠者汝是　妙光法師者　今則我身是
我見燈明佛　本光瑞如此　以是知今佛　欲說法華經
今相如本瑞　是諸佛方便　今佛放光明　助發實相義
諸人今當知　合掌一心待　佛當雨法雨　充足求道者
諸求三乘人　若有疑悔者　佛當為除斷　令盡无有餘

妙法蓮華經方便品第二

尒時世尊從三昧安詳而起告舍利弗諸佛智慧甚深无量其智慧門難解難入一切聲聞辟支佛所不能知所以者何佛曾親近百千万億无數諸佛盡行諸佛无量道法勇猛精進名稱普聞成就甚深未曾有法隨宜所說意趣難解舍利弗吾從成佛已來種種因緣種種譬喻廣演言教无數方便引導衆生令離諸著所以者何如來方便知見波羅蜜皆已具足舍利弗如來知見廣大深遠无量无礙力无所畏禪定解脫三昧深入无際成就一切未曾有法舍利弗如來能種種分別巧說諸法言辭柔軟悅可衆心舍利弗取要言之无量无邊未曾有法佛悉成就止舍利弗不須復說所以者何佛所成就第一希有難解之法唯佛與佛乃能究盡諸法實相所謂諸法如是相如是性如是體如是力如是作如是因如是緣如是果如是報如是本末究

无量无邊未曾有法佛悉成就止舍利弗
不須復說所以者何佛所成就第一希有難解
之法唯佛與佛乃能究盡諸法實相所謂
諸法如是相如是性如是體如是力如是作
如是因如是緣如是果如是報如是本末究
竟等尒時世尊欲重宣此義而說偈言
世雄不可量　諸天及世人　一切衆生類　无能知佛者
佛力无所畏　解脫諸三昧　及佛諸餘法　无能測量者
本從无數佛　具足行諸道　甚深微妙法　難見難可了
於无量億劫　行此諸道已　道場得成果　我已悉知見
如是大果報　種種性相義　我及十方佛　乃能知是事
是法不可示　言辭相寂滅　諸餘衆生類　无有能得解
除諸菩薩衆　信力堅固者　諸佛弟子衆　曾供養諸佛
一切漏已盡　住是最後身　如是諸人等　其力所不堪
假使滿世間　皆如舍利弗　盡思共度量　不能測佛智
正使滿十方　皆如舍利弗　及餘諸弟子　亦滿十方刹
盡思共度量　亦復不能知　辟支佛利智　无漏最後身
亦滿十方界　其數如竹林　斯等共一心　於億无量劫
欲思佛實智　莫能知少分　新發意菩薩　供養无數佛
了達諸義趣　又能善說法　如稻麻竹葦　充滿十方刹
一心以妙智　於恒河沙劫　咸皆共思量　不能知佛智
不退諸菩薩　其數如恒沙　一心共思求　亦復不能知
又告舍利弗　无漏不思議　甚深微妙法　我今已具得
唯我知是相　十方佛亦然　舍利弗當知　諸佛語无異
於佛所說法　當生大信力　世尊法久後　要當說真實
告諸聲聞衆　及求緣覺乘　我令脫苦縛　逮得涅槃者
佛以方便力　示以三乘教　衆生處處著　引之令得出
尒時大衆中有諸聲聞漏盡阿羅漢阿若憍

BD02086號　妙法蓮華經卷一　（20–10）

於佛所說法　當生大信力　世尊法久後　要當說真實
告諸聲聞衆　及求緣覺乘　我令脫苦縛　逮得涅槃者
佛以方便力　示以三乘教　衆生處處著　引之令得出
尒時大衆中有諸聲聞漏盡阿羅漢阿若憍
陳如等千二百人及發聲聞辟支佛心比丘
比丘尼優婆塞優婆夷各作是念今者世尊
何故慇懃稱歎方便而作是言佛所得法甚
深難解有所言說意趣難知一切聲聞辟支
佛所不能及佛說一解脫義我等亦得此法
到於涅槃而今不知是義所趣尒時舍利弗
知四衆心疑自亦未了而白佛言世尊何因
何緣慇懃稱歎諸佛第一方便甚深微妙難
解之法我自昔來未曾從佛聞如是說今者
四衆咸皆有疑唯願世尊敷演斯事世尊何
故慇懃稱歎甚深微妙難解之法尒時舍利
弗欲重宣此義而說偈言
慧日大聖尊　久乃說是法　自說得如是　力无畏三昧
禪定解脫等　不可思議法　道場所得法　无能發問者
我意難可測　亦无能問者　无問而自說　稱歎所行道
智慧甚微妙　諸佛之所得　无漏諸羅漢　及求涅槃者
今皆墮疑網　佛何故說是　其求緣覺者　比丘比丘尼
諸天龍鬼神　及乾闥婆等　相視懷猶豫　瞻仰兩足尊
是事為云何　願佛為解說　於諸聲聞衆　佛說我第一
我今自於智　疑惑不能了　為是究竟法　為是所行道
佛口所生子　合掌瞻仰待　願出微妙音　時為如實說
諸天龍神等　其數如恒沙　求佛諸菩薩　大數有八万
又諸万億國　轉輪聖王至　合掌以敬心　欲聞具足道
尒時佛告舍利弗止止不須復說若說是事

BD02086號　妙法蓮華經卷一　（20–11）

我今自於智 疑惑不能了 為是究竟法 為是所行道
佛口所生子 合掌瞻仰待 願出微妙音 時為如實說
諸天龍神等 其數如恒沙 求佛諸菩薩 大數有八万
又諸万億國 轉輪聖王至 合掌以敬心 欲聞具足道
尒時佛告舍利弗止止不須復說若說是事
一切世間諸天及人皆當驚疑舍利弗重白
佛言世尊唯願說之唯願說之所以者何是會
无數百千万億阿僧祇眾生曾見諸佛諸根
猛利智慧明了聞佛所說則能敬信尒時舍
利弗欲重宣此義而說偈言
法王无上尊 唯說願勿慮 是會无量眾 有能敬信者
佛復止舍利弗若說是事一切世間天人阿脩
羅皆當驚疑增上慢比丘將墜於大坑尒
時世尊重說偈言
止止不須說 我法妙難思 諸增上慢者 聞必不敬信
尒時舍利弗重白佛言世尊唯願說之唯願
說之今此會中如我等比百千万億世世已曾
從佛受化如此人等必能敬信長夜安隱多所
饒益尒時舍利弗欲重宣此義而說偈言
无上兩足尊 願說第一法 我為佛長子 唯垂分別說
是會无量眾 能敬信此法 佛已曾世世 教化如是等
皆一心合掌 欲聽受佛語 我等千二百 及餘求佛者
願為此眾故 唯垂分別說 是等聞此法 則生大歡喜
尒時世尊告舍利弗汝已慇懃三請豈得不
說汝今諦聽善思念之吾當為汝分別解說說
此語時會中有比丘比丘尼優婆塞優婆夷
五千人等即從座起礼佛而退所以者何此輩
罪根深重及增上慢未得謂得未證謂證

BD02086號　妙法蓮華經卷一　（20–12）

五千人等即從座起礼佛而退所以者何此輩
罪根深重及增上慢未得謂得未證謂證
有如此失是以不住世尊嘿然而不制止尒時
佛告舍利弗我今此眾无復枝葉純有貞
實舍利弗如是增上慢人退亦佳矣汝今善
聽當為汝說舍利弗言唯然世尊願樂欲聞
佛告舍利弗如是妙法諸佛如來時乃說之
如優曇鉢華時一現耳舍利弗汝等當信佛
之所說言不虛妄舍利弗諸佛隨宜說法意
趣難解所以者何我以无數方便種種因緣
譬喻言辭演說諸法是法非思量分別之所
能解唯有諸佛乃能知之所以者何諸佛世
尊唯以一大事因緣故出現於世舍利弗云
何名諸佛世尊唯以一大事因緣故出現於
世諸佛世尊欲令眾生開佛知見使得清淨
故出現於世欲示眾生佛之知見故出現於
世欲令眾生悟佛知見故出現於世欲令眾
生入佛知見道故出現於世舍利弗是為諸
佛以一大事因緣故出現於世佛告舍利弗諸
佛如來但教化菩薩諸有所作常為一事唯
以佛之知見示悟眾生舍利弗如來但以一
佛乘故為眾生說法无有餘乘若二若三
舍利弗一切十方諸佛法亦如是舍利弗過
去諸佛以无量无數方便種種因緣譬喻言
辭而為眾生演說諸法是法皆為一佛乘故
是諸眾生從諸佛聞法究竟皆得一切種智
舍利弗未來諸佛當出於世亦以无量无數

BD02086號　妙法蓮華經卷一　（20–13）

辭而爲衆生演說諸法是法皆爲一佛乘故
是諸衆生從諸佛聞法究竟皆得一切種智
舍利弗未來諸佛當出於世亦以无量无數
方便種種因緣譬喻言辭而爲衆生演說諸
法是法皆爲一佛乘故是諸衆生從佛聞法
究竟皆得一切種智舍利弗現在十方无量
百千万億佛土中諸佛世尊多所饒益安樂
衆生是諸佛亦以无量无數方便種種因緣
譬喻言辭而爲衆生演說諸法是法皆爲一
佛乘故是諸衆生從佛聞法究竟皆得一切
種智舍利弗是諸佛但教化菩薩欲以佛之
知見示衆生故欲以佛之知見悟衆生故欲令
衆生入佛之知見故舍利弗我今亦復如是
知諸衆生有種種欲深心所著隨其本性以
種種因緣譬喻言辭以方便力而爲說法
舍利弗如此皆爲得一佛乘一切種智故舍利
弗十方世界中尚无二乘何況有三舍利弗
諸佛出於五濁惡世所謂劫濁煩惱濁衆
生濁見濁命濁如是舍利弗劫濁亂時衆
生垢重慳貪嫉妬成就諸不善根故諸佛以
方便力於一佛乘分別說三舍利弗若我弟子
自謂阿羅漢辟支佛者不聞不知諸佛如來
但教化菩薩事此非佛弟子非阿羅漢非辟支
佛又舍利弗是諸比丘比丘尼自謂已得阿羅
漢是最後身究竟涅槃便不復志求阿耨
多羅三藐三菩提當知此輩皆是增上慢人
所以者何若有比丘實得阿羅漢若不信此
法无有是處除佛滅度後現前无佛所以者

BD02086號　妙法蓮華經卷一　（20–14）

佛又舍利弗是諸比丘比丘尼自謂已得阿羅
漢是最後身究竟涅槃便不復志求阿耨
多羅三藐三菩提當知此輩皆是增上慢人
所以者何若有比丘實得阿羅漢若不信此
法无有是處除佛滅度後現前无佛所以者
何佛滅度後如是等經受持讀誦解義者是
人難得若遇餘佛於此法中便得決了舍利
弗汝等當一心信解受持佛語諸佛如來言
无虛妄无有餘乘唯一佛乘尒時世尊欲重宣
此義而說偈言
比丘比丘尼　有懷增上慢　優婆塞我慢　優婆夷不信
如是四衆等　其數有五千　不自見其過　於戒有缺漏
護惜其瑕疵　是小智已出　衆中之糟糠　佛威德故去
斯人尠福德　不堪受是法　此衆无枝葉　唯有諸貞實
舍利弗善聽　諸佛所得法　无量方便力　而爲衆生說
衆生心所念　種種所行道　若干諸欲性　先世善惡業
佛悉知是已　以諸緣譬喻　言辭方便力　令一切歡喜
或說脩多羅　伽陁及本事　本生未曾有　亦說於因緣
譬喻并祇夜　優波提舍經　鈍根樂小法　貪著於生死
於諸无量佛　不行深妙道　衆苦所惱亂　爲是說涅槃
我設是方便　令得入佛慧　未曾說汝等　當得成佛道
所以未曾說　說時未至故　今正是其時　決定說大乘
我此九部法　隨順衆生說　入大乘爲本　以故說是經
有佛子心淨　柔軟亦利根　无量諸佛所　而行深妙道
爲此諸佛子　說是大乘經　我記如是人　來世成佛道
以深心念佛　脩持淨戒故　此等聞得佛　大喜充遍身
佛知彼心行　故爲說大乘　聲聞若菩薩　聞我所說法
乃至於一偈　皆成佛无疑　十方佛土中　唯有一乘法

BD02086號　妙法蓮華經卷一　（20–15）

柔軟亦利根 无量諸佛所 而行深妙道
為此諸佛子 說是大乘經 我記如是人 來世成佛道
以深心念佛 脩持淨戒故 此等聞得佛 大喜充遍身
佛知彼心行 故為說大乘 聲聞若菩薩 聞我所說法
乃至於一偈 皆成佛无疑 十方佛土中 唯有一乘法
无二亦无三 除佛方便說 但以假名字 引導於眾生
說佛智慧故 諸佛出於世 唯此一事實 餘二則非真
終不以小乘 濟度於眾生 佛自住大乘 如其所得法
定慧力莊嚴 以此度眾生 自證无上道 大乘平等法
若以小乘化 乃至於一人 我則墮慳貪 此事為不可
若人信歸佛 如來不欺誑 亦无貪嫉意 斷諸法中惡
故佛於十方 而獨无所畏
我以相嚴身 光明照世間 无量眾所尊 為說實相印
舍利弗當知 我本立誓願 欲令一切眾 如我等无異
如我昔所願 今者已滿足 化一切眾生 皆令入佛道
若我遇眾生 盡教以佛道 无智者錯亂 迷惑不受教
我知此眾生 未曾脩善本 堅著於五欲 癡愛故生惱
以諸欲因緣 墜墮三惡道 輪迴六趣中 備受諸苦毒
受胎之微形 世世常增長 薄德少福人 眾苦所逼迫
入邪見稠林 若有若无等 依止此諸見 具足六十二
深著虛妄法 堅受不可捨 我慢自矜高 諂曲心不實
於千万億劫 不聞佛名字 亦不聞正法 如是人難度
是故舍利弗 我為設方便 說諸盡苦道 示之以涅槃
我雖說涅槃 是亦非真滅 諸法從本來 常自寂滅相
佛子行道已 來世得作佛 我有方便力 開示三乘法
一切諸世尊 皆說一乘道 今此諸大眾 皆應除疑惑
諸佛語无異 唯一无二乘 過去无數劫 无量滅度佛
百千万億種 其數不可量 如是諸世尊 種種緣譬喻
无數方便力 演說諸法相 皆說一乘法

BD02086號　妙法蓮華經卷一　（20–16）

諸佛語无異 唯一无二乘 過去无數劫 无量滅度佛
百千万億種 其數不可量 如是諸世尊 種種緣譬喻
无數方便力 演說諸法相 是諸世尊等 皆說一乘法
化无量眾生 令入於佛道 又諸大聖主 知一切世間
天人群生類 深心之所欲 更以異方便 助顯第一義
若有眾生類 值諸過去佛 若聞法布施 或持戒忍辱
精進禪智等 種種脩福慧 如是諸人等 皆已成佛道
諸佛滅度已 若人善軟心 如是諸眾生 皆已成佛道
諸佛滅度已 供養舍利者 起万億種塔 金銀及頗梨
車璖與馬瑙 玫瑰瑠璃珠 清淨廣嚴飾 莊校於諸塔
或有起石廟 栴檀及沈水 木櫁并餘材 塼瓦泥土等
若於曠野中 積土成佛廟 乃至童子戲 聚沙為佛塔
如是諸人等 皆已成佛道 若人為佛故 建立諸形像
刻彫成眾相 皆已成佛道 或以七寶成 鍮石赤白銅
白鑞及鉛錫 鐵木及與泥 或以膠漆布 嚴飾作佛像
如是諸人等 皆已成佛道 綵畫作佛像 百福莊嚴相
自作若使人 皆已成佛道 乃至童子戲 若草木及筆
或以指爪甲 而畫作佛像 如是諸人等 漸漸積功德
具足大悲心 皆已成佛道 但化諸菩薩 度脫无量眾
若人於塔廟 寶像及畫像 以華香幡蓋 敬心而供養
若使人作樂 擊鼓吹角貝 簫笛琴箜篌 琵琶鐃銅鈸
如是眾妙音 盡持以供養 或以歡喜心 歌唄頌佛德
乃至一小音 皆以成佛道 若人散亂心 乃至以一華
供養於畫像 漸見无數佛 或有人禮拜 或復但合掌
乃至舉一手 或復小低頭 以此供養像 漸見无量佛
自成无上道 廣度无數眾 入无餘涅槃 如薪盡火滅
若人散亂心 入於塔廟中 一稱南无佛 皆已成佛道

BD02086號　妙法蓮華經卷一　（20–17）

乃至舉一手 或復小低頭 以此供養像 漸見无量佛
自成无上道 廣度无數衆 入无餘涅槃 如薪盡火滅
若人散亂心 入於塔廟中 一稱南无佛 皆已成佛道
於諸過去佛 在世或滅後 若有聞是法 皆已成佛道
未來諸世尊 其數无有量 是諸如來等 亦方便說法
一切諸如來 以无量方便 度脫諸衆生 入佛无漏智
若有聞法者 无一不成佛 諸佛本誓願 我所行佛道
普欲令衆生 亦同得此道 未來世諸佛 雖說百千億
无數諸法門 其實爲一乘 諸佛兩足尊 知法常无性
佛種從緣起 是故說一乘 是法住法位 世間相常住
於道場知已 導師方便說 天人所供養 現在十方佛
其數如恒沙 出現於世間 安隱衆生故 亦說如是法
知第一寂滅 以方便力故 雖示種種道 其實爲佛乘
知衆生諸行 深心之所念 過去所習業 欲性精進力
及諸根利鈍 以種種因緣 譬喻亦言辭 隨應方便說
今我亦如是 安隱衆生故 以種種法門 宣示於佛道
我以智慧力 知衆生性欲 方便說諸法 皆令得歡喜
舍利弗當知 我以佛眼觀 見六道衆生 貧窮无福慧
入生死險道 相續苦不斷 深著於五欲 如犛牛愛尾
以貪愛自蔽 盲瞑无所見 不求大勢佛 及與斷苦法
深入諸邪見 以苦欲捨苦 爲是衆生故 而起大悲心
我始坐道場 觀樹亦經行 於三七日中 思惟如是事
我所得智慧 微妙最第一 衆生諸根鈍 著樂癡所盲
如斯之等類 云何而可度
尒時諸梵王 及諸天帝釋 護世四天王 及大自在天
并餘諸天衆 眷屬百千万 恭敬合掌礼 請我轉法輪
我即自思惟 若但讚佛乘 衆生沒在苦 不能信是法
破法不信故 墜於三惡道 我寧不說法 疾入於涅槃

BD02086號　妙法蓮華經卷一　（20–18）

并餘諸天衆 眷屬百千万 恭敬合掌礼 請我轉法輪
我即自思惟 若但讚佛乘 衆生沒在苦 不能信是法
破法不信故 墜於三惡道 我寧不說法 疾入於涅槃
尋念過去佛 所行方便力 我今所得道 亦應說三乘
作是思惟時 十方佛皆現 梵音慰喻我 善哉釋迦文
第一之導師 得是无上法 隨諸一切佛 而用方便力
我等亦皆得 最妙第一法 爲諸衆生類 分別說三乘
少智樂小法 不自信作佛 是故以方便 分別說諸果
雖復說三乘 但爲教菩薩
舍利弗當知 我聞聖師子 深淨微妙音 稱南无諸佛
復作如是念 我出濁惡世 如諸佛所說 我亦隨順行
思惟是事已 即趣波羅柰 諸法寂滅相 不可以言宣
以方便力故 爲五比丘說 是名轉法輪 便有涅槃音
及以阿羅漢 法僧差別名 從久遠劫來 讚示涅槃法
生死苦永盡 我常如是說
舍利弗當知 我見佛子等 志求佛道者 无量千万億
咸以恭敬心 皆來至佛所 曾從諸佛聞 方便所說法
我即作是念 如來所以出 爲說佛慧故 今正是其時
舍利弗當知 鈍根小智人 著相憍慢者 不能信是法
今我喜无畏 於諸菩薩中 正直捨方便 但說无上道
菩薩聞是法 疑網皆已除 千二百羅漢 悉亦當作佛
如三世諸佛 說法之儀式 我今亦如是 說无分別法
諸佛興出世 懸遠值遇難 政使出于世 說是法復難
无量无數劫 聞是法亦難 能聽是法者 斯人亦復難
譬如優曇華 一切皆愛樂 天人所希有 時時乃一出
聞法歡喜讚 乃至發一言 則爲已供養 一切三世佛
是人甚希有 過於優曇華 汝等勿有疑 我爲諸法王

BD02086號　妙法蓮華經卷一　（20–19）

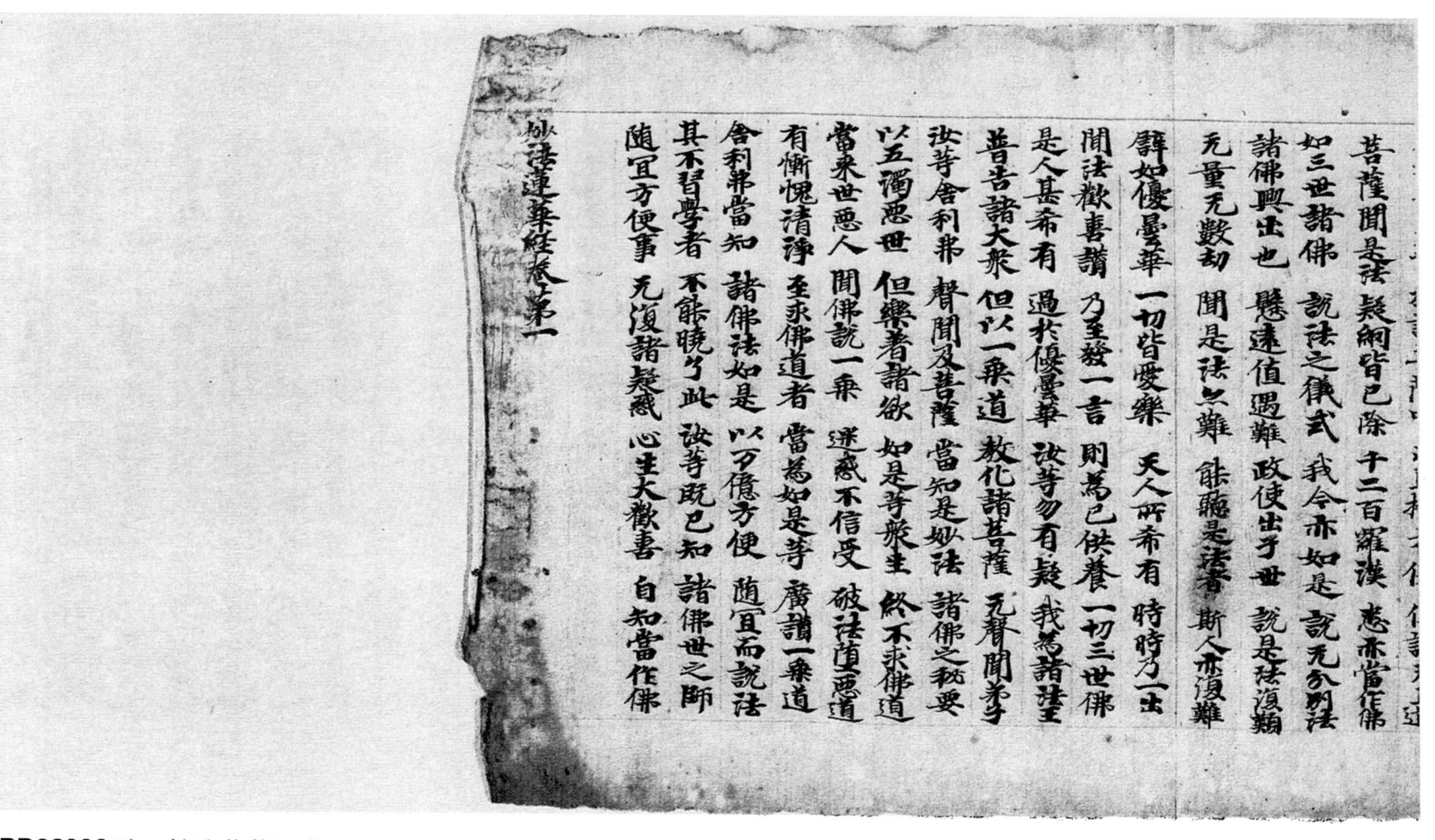

菩薩聞是法 疑網皆已除 千二百羅漢 悉亦當作佛
如三世諸佛 說法之儀式 我今亦如是 說无分別法
諸佛興出世 懸遠值遇難 正使出于世 說是法復難
无量无數劫 聞是法亦難 能聽是法者 斯人亦復難
譬如優曇華 一切皆愛樂 天人所希有 時時乃一出
聞法歡喜讚 乃至發一言 則為已供養 一切三世佛
是人甚希有 過於優曇華 汝等勿有疑 我為諸法王
普告諸大衆 但以一乘道 教化諸菩薩 无聲聞弟子
汝等舍利弗 聲聞及菩薩 當知是妙法 諸佛之秘要
以五濁惡世 但樂著諸欲 如是等衆生 終不求佛道
當來世惡人 聞佛說一乘 迷惑不信受 破法墮惡道
有慚愧清淨 志求佛道者 當為如是等 廣讚一乘道
舍利弗當知 諸佛法如是 以万億方便 隨宜而說法
其不習學者 不能曉了此 汝等既已知 諸佛世之師
隨宜方便事 无復諸疑惑 心生大歡喜 自知當作佛

妙法蓮華經卷第一

BD02086 號　妙法蓮華經卷一　　（20–20）

自從无始以來 今日有此心識常
懷惨毒无慈愍心 或貪起煞因瞋因癡及
以慢煞 或興惡方便 誓煞願煞及以呪煞 或破
決湖池 焚燒山野 田獵□捕 或因風放火 飛
鷹放犬 惱害一切 如是等罪 今悉懺悔 至心歸
命常住三寶
或以檻穽坑撥 扠戟弓弩 彈射飛鳥走獸之
類 或以罛網罾釣 撩漉水性魚鼈黿鼉 蝦
蜆螺蚌溼居之屬 使水陸空行藏竄无
地 或畜養雞豬牛羊犬豕鵝鴨之屬 自
庖厨 或貨他宰煞 使哀聲未盡 毛羽脫落 鱗
甲傷毀 身首分離 骨肉銷碎 剝裂屠割 炮燒
煮炙 楚毒酸切 横加无辜 但取一時之快 口得
味甚寡 不過三寸舌根而已 然其罪報 殃
累劫 如是等罪 今日至誠 皆悉懺悔 至心歸
命常住三寶 又復无始以來至於今日 或
復興師相伐 疆場交諍 兩陣相向 更相殺
害 或自煞教煞 聞煞歡喜 或習屠膾 倩為刑
戮 烹宰他命 行於不忍 或恣忿怒 揮戈舞刃
或斬或剌 或推著坑壍 或以水沈溺 或塞穴
壞巢 土石磓碑 或以車馬雷轢 踐蹋一切衆
生 如是等罪 无量无邊 今日發露 皆悉懺悔
至心歸命常住三寶 又復无始以來 或
墮胎破卵 毒藥蠱道 傷煞衆生 墾土掘地 種
殖田園 養蠶煑繭 傷煞滋甚 或打撲蚊蚋

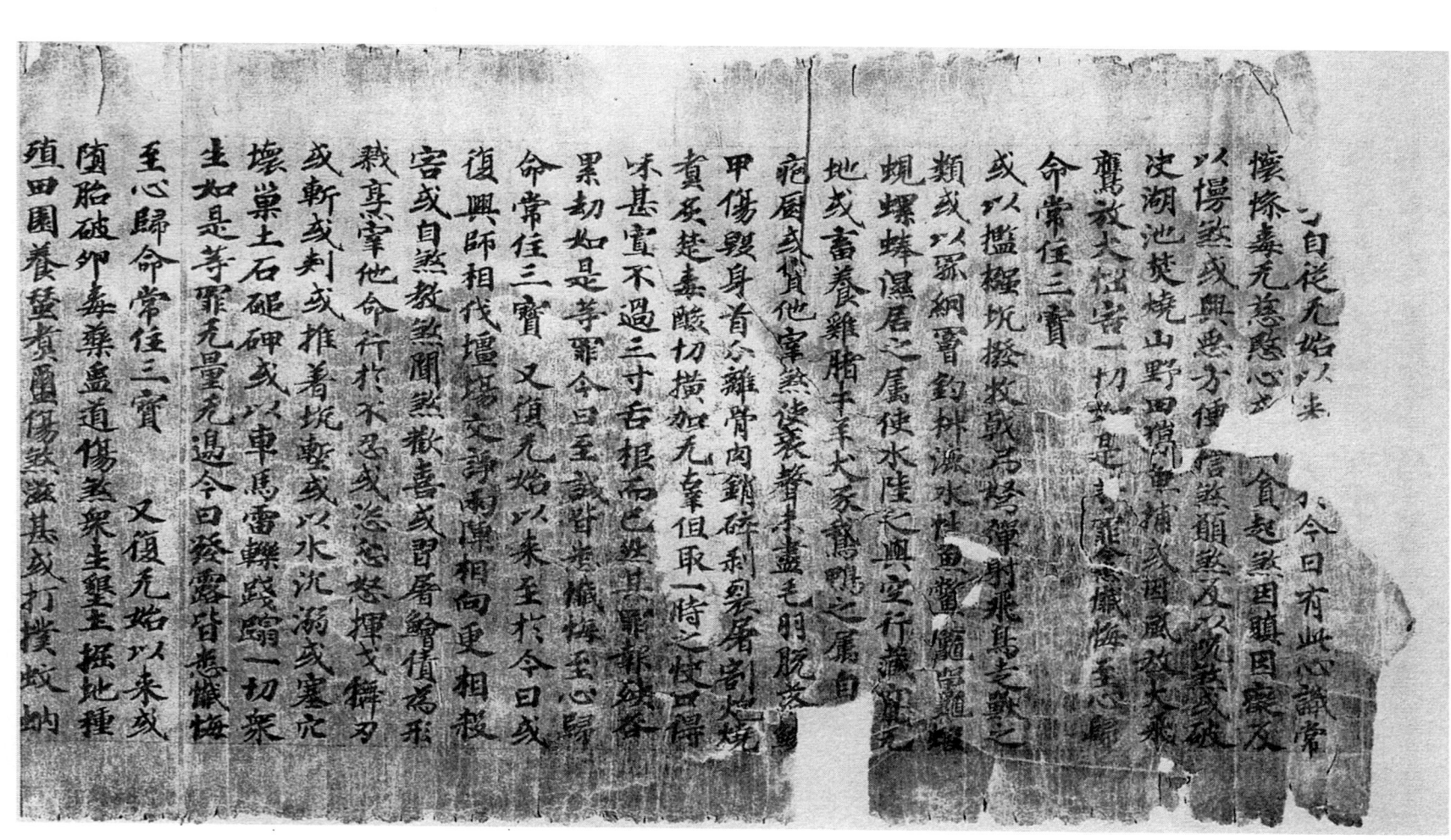

BD02087 號　佛名經（十六卷本）卷一六　　（17–1）

壞巢土石硙砰或以車馬雷轢踐蹹一切衆
生如是等罪无量无邊今日發露皆悉懺悔
至心歸命常住三寶　又復无始以来或
墮胎破卵毒藥蠱道傷煞衆生墾土掘地種
殖田園養蠶煑繭傷煞滋甚或打撲蚊蚋
掐齧蚤虱或燒除糞掃開决溝渠枉害一切
或噉菓實或用穀米或水或菜橫煞衆生或
然燋薪或露燈燭燒諸虫類或食醬醋不肯
搖動或寫湯水澆煞虫蟻如是乃至行住坐
卧四威儀中恒常傷煞飛空著地細微衆生
弟子以凡夫識暗不覺不知今日發露皆悉
懺悔至心歸命常住三寶
又復弟子无始以来至於今日或以鞭杖枷
鎖桁械壓柆拷掠打擲手脚蹵蹋拘縛籠繫
斷絶水穀如是種種諸惡方便苦惱衆生今
日至誠向十方佛尊法聖衆皆悉懺悔至心
歸命常住三寶
願弟子等承是懺悔煞害等罪所生功德生
生世世得金剛身壽命无窮永離怨憎无煞
害想於諸衆生得一子地若見危難急厄
之者不惜身命方便救解令得解脫然後
為說微妙正法使諸衆生覩形見影皆蒙安
樂聞名聽聲怨怖悉除至心歸命常住三寶
佛說罪業報應化教地獄經
復有衆生五根不具何罪所致佛言以前世
時飛鷹走狗彈射鳥獸或破其頭或斷其足

BD02087號　佛名經（十六卷本）卷一六　（17–2）

樂聞名聽聲怨怖悉除至心歸命常住三寶
佛說罪業報應化教地獄經
復有衆生五根不具何罪所致佛言以前世
時飛鷹走狗彈射鳥獸或破其頭或斷其足
生滅頂戴故獲斯罪
復有衆生攣躄背僂腰髖不随踟跛手折不
能行步何罪所致佛言以前世時為人道剋
行道安鏘或施射弋陷墜衆生前後非一故
獲斯罪
復有衆生為諸獄卒執繫其身枷械苦厄不
能得免何罪所致佛言以前世時網捕衆生
籠繫六畜或為宰主令長貪取民物枉繫良
善怨訴无所故獲斯罪
復有衆生或顛或癡或狂或騃不别好醜何
罪所致佛言以前世時飲酒醉亂犯卅六失
後得癡身如似醉人不别尊卑故獲斯罪
南无見寶佛　南无智弥留佛
南无龍德佛　南无勝智佛
南无星宿佛　南无大莊嚴佛
南无光明王佛　南无能人佛
南无自在山佛　南无日面佛
南无善意佛　南无龍勝佛
南无弗沙佛　南无藥王佛
從此以上一万二千七百佛十二部經一切賢聖
南无師子山佛　南无住持勝功德佛
南无飲甘露佛　南无放炎佛
南无妙山佛　南无護世間供養佛

BD02087號　佛名經（十六卷本）卷一六　（17–3）

從此以上二万二千七百佛十二部經一切賢聖
南无師子山佛　南无住持勝功德佛
南无飲甘露佛　南无放炎佛
南无妙山佛　南无護世間供養佛
南无多伽羅尸棄佛　南无難勝佛
南无大燈佛　南无波頭摩上佛
南无法幢佛　南无能然燈佛
南无難勝佛　南无難可意佛
南无真聲佛　南无妙聲佛
南无娑羅步佛　南无寶炎佛
南无愛見佛　南无須弥劫佛
南无旃檀光佛　南无日光佛
南无藥樹勝佛　南无淨覺佛
南无記莂佛　南无愛作佛
南无作无畏佛　南无波頭摩寶香佛
南无勝德佛　南无无垢佛
南无淨照佛　南无无煩惱佛
南无善来佛　南无善光佛
南无金色佛　南无能作光明佛
南无清淨佛　南无得脫佛
南无迦陵頻伽聲佛　南无能興法佛
南无善護諸門佛　南无得意佛
南无離愛佛　南无未生寶佛
南无善護諸根佛　南无梵聲佛
南无勝聲佛　南无妙聲佛
南无大慧佛　南无无諸濁佛

BD02087 號　佛名經（十六卷本）卷一六

（17–4）

南无離愛佛　南无未生寶佛
南无善護諸根佛　南无梵聲佛
南无勝聲佛　南无妙聲佛
南无大慧佛　南无无諸濁佛
南无不可動佛　南无樂解脫佛
南无勝二足佛　南无相莊嚴佛
南无具足一切功德莊嚴佛
南无拘牟陀語佛　南无不可降伏語佛
南无常相應語佛　南无娑羅華佛
南无梵聲安隱衆生佛
南无金枝華佛　南无拘牟陀相佛
南无妙頂佛　南无大牟尼佛
南无一切法剎彼岸佛　南无无染佛
南无不散心佛　南无荷吒色佛
南无善寂成就佛　南无睬頭羅步佛
南无清淨手佛　南无常来佛
南无畢竟成就大悲佛　南无成就堅佛
南无常行成佛　南无離諍濁佛
南无清淨功德相佛　南无不泣千尼羅佛
南无勝藏佛　南无般若齊佛
南无般若寶畢竟佛　南无滿足意佛
南无世間自在王佛　南无无量命佛
南无大炎積佛　南无无邊寶佛
南无淨勝天佛　南无內外淨佛
南无寂諸根佛　南无東燈佛
南无成就不思惟頭娑羅王佛
南无師子意佛　南无降伏力佛

BD02087 號　佛名經（十六卷本）卷一六

（17–5）

南无淨勝天佛
南无内外淨佛
南无寶諸根佛
南无東燈佛
南无成就不思惟頭婆羅王佛
南无師子意佛
南无降伏力佛
南无住持速行佛
南无放光明王佛
南无毗頭奚吼佛
南无无念覺法王佛
南无國王莊嚴身佛
南无智根本華幢佛
南无化稱佛

從此以上一万二千八百佛十二部經一切賢聖

南无一切色摩尼藏佛
南无法藏自在佛
南无法獻波婆羅佛
南无无邊寶功德藏佛
南无淨華聲佛
南无一切无盡藏佛
南无大法王拘儞摩勝佛
南无功德山藏佛
南无星宿山藏佛
南无虛空智山佛
南无智力天王佛
南无无障㝵海隨順智佛
南无邊覺海藏佛
南无智王无盡稱佛
南无心意奮迅王佛
南无自性清淨智佛
南无智自在法王佛
南无差別去佛
南无自在見佛
南无隨順香見法滿佛
南无龍月佛
南无智燈佛
南无因陁羅波婆羅无障礙王佛
南无智難勝佛
南无大光明照佛
南无不可勝佛
南无照境佛
南无銀難勝幢蓋佛
南无威德自在王佛
南无覺王佛
南无寶藏佛
南无大婆伽羅佛
南无十力差佛

BD02087號　佛名經（十六卷本）卷一六　（17–6）

南无不可勝佛
南无照境佛
南无銀難勝幢蓋佛
南无威德自在王佛
南无覺王佛
南无寶藏佛
南无大婆伽羅佛
南无十力差佛
南无降伏魔佛
南无降伏貪佛
南无降伏瞋佛
南无降伏癡佛
南无无憍慢佛
南无降伏瞋恨垢佛
南无法清淨佛
南无業勝得名佛
南无如意清淨得名佛
南无得施起名佛
南无得清淨戒名佛
南无起忍辱成就佛
南无得起精進名佛
南无得起禪名佛
南无得起般若名佛
南无成就施不可思議佛
南无成就戒不可思議佛
南无成就禪不可思議佛
南无成就般若不可思議佛
南无行成就得名佛
南无成就陁羅尼清淨得名佛
南无陁羅尼色清淨得名佛
南无陁羅尼施清淨得名佛
南无空无我自在得名佛
南无眼陁羅尼自在佛
南无耳陁羅尼自在佛
南无鼻陁羅尼自在佛
南无舌陁羅尼自在佛
南无身陁羅尼自在佛
南无意陁羅尼自在佛
南无色陁羅尼自在佛
南无聲陁羅尼自在佛
南无香陁羅尼自在佛
南无味陁羅尼自在佛
南无觸陁羅尼自在佛

BD02087號　佛名經（十六卷本）卷一六　（17–7）

南无意陁羅尼自在佛　南无色陁羅尼自在佛
南无聲陁羅尼自在佛　南无香陁羅尼自在佛
南无味陁羅尼自在佛　南无觸陁羅尼自在佛
南无法陁羅尼自在佛　南无地陁羅尼自在佛
南无水陁羅尼自在佛　南无火陁羅尼自在佛
南无風陁羅尼自在佛　南无苦自在佛
南无集自在佛　南无滅自在佛
南无道自在佛　南无陰自在佛
南无界自在佛　南无入自在佛
南无三世自在佛　南无陁羅尼華自在佛
南无吉光明佛　南无法幢佛
南无香燈衣自在光明佛
南无師子聲佛　南无照藏佛
南无法明數身佛　南无一切通光佛
南无月智佛　南无妙勝佛
南无賢勝佛　南无普滿佛
南无普賢佛　南无那羅延王佛
南无成就一切義佛　南无住持威德佛
南无畏觀佛
從此以上一万二千九百佛十二部經一切賢聖
南无如是等現在過去未來无量无邊佛
南无十千同名迦葉佛　南无三万同名秌聖佛
南无二千同名拘隣佛　南无十八億同名實體法佛
南无十八億同名日月燈佛　南无三千五百同名大威德佛
南无一万五千同名歡喜佛　南无八万四千九百同名龍王佛
南无一万五千同名日佛　南无一万八千同名娑羅王佛
南无一万八千同名因陁羅幢王佛

BD02087號　佛名經（十六卷本）卷一六

（17–8）

南无一万五千同名歡喜佛　南无八万四千九百同名龍王佛
南无一万五千同名日佛　南无一万八千同名娑羅王佛
南无一万八千同名因陁羅幢王佛
南无八千同名善光佛　南无八百同名寂滅佛
南无卅六億十一万九千五百同名淨王佛
此諸佛名百千万劫不可得聞如優曇鉢華
若人受持讀誦此諸佛名畢竟遠離諸煩
惱舍利弗應當敬礼波頭摩勝佛
南无寂王佛　南无燈作佛
南无天光佛　南无德山佛
南无勝上佛　南无婆羅王佛
南无淨王佛　南无大慧梁佛
南无須弥佛　南无大智慧須弥佛
南无寶作佛　南无寶藏佛
南无破金剛佛　南无賢智不動佛
南无香普佛　南无甘露命佛
南无難勝佛　南无月光佛
南无日照佛　南无智雞兜佛
南无大師子佛　南无弥留山佛
南无香光佛　南无德山佛
南无大通佛　南无阿摩羅藏佛
南无寶園佛　南无金剛藏佛
南无優波羅藏佛　南无大日佛
南无橋梁截佛　南无月勝佛
南无樂堅固佛　南无不可思議法身佛
南无勝藏佛　南无不空王佛

BD02087號　佛名經（十六卷本）卷一六

（17–9）

南无橋梁戴佛　南无月勝佛
南无樂堅固佛　南无不可思議法身佛
南无勝藏佛　南无不空王佛
南无金剛无畏智佛　南无寶炎佛
南无除施燈佛　南无降伏一切怨佛
南无自在佛　南无大智真聲佛
南无般若香烏佛　南无天王佛

舍利弗若善男子善女人聞此諸佛名受持
讀誦不生疑者是人八千億劫不入地獄不
入畜生不入鬼道不生邊地不生貧窮家不
生下賤家常生天人豪貴之處常得歡喜
適樂无畏常得一切世間尊重供養乃至得
大涅槃

舍利弗汝等應當敬礼不可燃身佛

南无稱聲佛　南无稱威德佛
南无稱名佛　南无葉陁佛
南无聲炎佛　南无聲分勇猛佛
南无智勝佛　南无善智佛
南无智聚佛　南无智勇猛佛
南无梵勝佛　南无淨婆藪佛
南无淨心佛　南无淨天佛
南无淨聲佛　南无梵自在佛
南无威德佛　南无毗摩勝佛
南无毗摩意佛　南无毗摩面佛
南无毗摩上佛　南无无邊聲佛
南无寶見佛　南无善眼月佛
南无滐聲佛　南无放聲佛

BD02087號　佛名經（十六卷本）卷一六　（17-10）

南无毗摩上佛　南无无邊聲佛
南无寶見佛　南无善眼月佛
南无滐聲佛　南无放聲佛
南无驚怖魔力聲佛　南无淨眼佛
南无无邊眼佛　南无普眼佛
南无勝眼佛　南无不可行佛
南无𡧍勝佛　南无善𡧍心佛
南无善𡧍根佛　南无善𡧍意佛
南无善𡧍德佛　南无善住佛
南无衆自在王佛　南无大衆自在佛
南无衆解脫佛　南无法幢佛

從此以上一万三千佛十二部經一切賢聖

南无法山佛　南无法勝佛
南无法體佛　南无法力佛
南无法勇猛佛　南无法體決定佛
南无第二劫八十億同名法體決定佛

舍利弗若善男子善女人受持是佛名畢竟
不入地獄速得三昧

舍利弗過是佛名无量无邊阿僧祇劫有佛
名人自在聲汝當歸命彼人自在聲佛
壽命七十千万劫住世初會三億聲聞衆集
八十那由他千万菩薩衆集皆得諸神通具
四无畏通達一切空到彼岸我若无量劫住
世説彼佛大會國土莊嚴如大海水中一渧
之分

次礼十二部尊經大藏法輪

南无文殊師利五體論海經　南无閑居經

BD02087號　佛名經（十六卷本）卷一六　（17-11）

世説彼佛大會國土莊嚴如大海水中一渧
之分
次礼十二部尊經大藏法輪
南无文殊師利五體悔過經　南无閑居經
南无大愛道受戒經　南无文陁竭經
南无分和檀王經　南无度世經
南无解无常經　南无大善權經
南无要真經　南无八念經
南无大本藏經　南无照明三昧經
南无八正道經　南无大六向拜經
南无胡般泥洹經　南无諸神呪經
南无大愛道泥洹經　南无本相猗致經
南无六淨經　南无十思惟經
南无流攝經　南无六十二見經
次礼十方諸大菩薩
南无淨世界陁羅尼自在王菩薩
南无善見世界堅固莊嚴菩薩
南无淨世界功德山王菩薩
南无淨世界法慧菩薩
南无淨光世界山王菩薩
南无淨光世界師子吼菩薩
南无淨光世界孫勒菩薩
南无淨光世界功德聚菩薩
南无好成世界智積菩薩
南无寂靜世界進淨菩薩
南无喜信淨菩薩
見在西北方菩薩名

南无寂靜世界進淨菩薩
南无喜信淨菩薩
現在西北方菩薩名
南无栴檀香世界普明菩薩
南无旃檀香世界大光菩薩
南无金剛世界法首菩薩
南无思惟樹世界善首菩薩
南无離闇冥世界光曜內菩薩
南无日慧世界福德王菩薩
南无星宿世界然燈菩薩
南无旃檀香世界海菩薩
南无意入世界无量華照垂髮菩薩
南无金色世界文殊師利菩薩
南无樂色世界覺首菩薩
南无華色世界財首菩薩
南无瞻蔔華色世界寶首菩薩
次礼聲聞緣覺一切賢聖
南无脩行不著辟支佛　南无難捨辟支佛
南无寶辟支佛　南无不可比辟支佛
南无歡喜辟支佛　南无喜辟支佛
南无隨喜辟支佛　南无大波羅隨辟支佛
南无大國名婆羅辟支佛　南无大身辟支佛
南无同菩提辟支佛　南无摩訶男辟支佛
南无心上辟支佛　南无髮淨辟支佛
南无善杖辟支佛　南无圍陁辟支佛
南无吉沙辟支佛　南无優波吉沙辟支佛

南无心上辟支佛　南无最淨辟支佛
南无善伎辟支佛　南无圓陁辟支佛
南无吉沙辟支佛　南无優波吉沙辟支佛
南无斷有辟支佛　南无優波支羅辟支佛
礼三寳已次復懺悔
次懺劫盗之業經中說言若物屬他他所守
護於此物中一草一葉不與不取何況盗竊
但自衆生唯見現在利故以種種非道而取
致使未来受此殃累是故經言劫盗之罪能
令衆生墮於地獄餓鬼受苦若在畜生則受
牛馬驢騾駱駝等形以其所有身力血肉償
他宿債若生人中為他奴婢衣不蔽形食不
充命貧寒困苦人理殆盡劫盗既有如是苦
報是故弟子今日至到稽首歸依佛
南无東方壞諸煩惱佛　南无南方妙音自在佛
南无西方大雲光佛　南无北方雲自在王佛
南无東南方无縁莊嚴佛　南无西南方過諸魔界佛
南无西北方見无恐懼佛　南无東北方一切德嚴佛
南无下方妙善住王佛　南无上方蓮華藏光佛
如是十方盡虛空界一切三寳至心歸命常
住三寳
弟子自從无始以来至於今日或盗他財寳
興力强奪或自恃逼迫而取或恃公威或
假勢力高桁大械枉押良善呑納姦貨考直
為曲為此因縁身羅憲網或任耶治或領他
財物侵公益私侵私益公損彼利此損此利
彼割他自饒口與心恡或竊没租估偷度關

為曲為此因縁身羅憲網或任耶治或領他
財物侵公益私侵私益公損彼利此損此利
彼割他自饒口與心恡或竊没租估偷度關
稅匿公課輸藏隱使役如是等罪今悉懺悔
至心歸命常住三寳
或是佛法僧物不與而取或經像物或治營
塔寺物或供養常住僧物或擬招提僧物或
盗取悞用恃勢不還或自借或貸人或復換
貿漏忘或三寳无分混亂雜用或以衆物穀
米蘘薪壜瓩醬酢菜茹菓實錢帛竹木繒綵
幡蓋香花油燭隨情逐意或自用或與人或
摘佛華菓用僧鬘物因三寳財私自利已如
是等罪无量无邊今日慚愧皆悉懺悔至心
歸命常住三寳
又復无始以来至于今日或作周遊朋友師
僧同學父母兄弟六親眷屬共住同止百一所
須更相欺罔或於鄉隣比近觀離移墻侵他
地宅改撫易相虜略田園因公託私奪人邸
店及以毛野如是等罪今悉懺悔至心歸命
常住三寳
又復无始以来或攻城破邑燒村壞柴偷賣
良民誘他奴婢或復枉押无罪之人使其形
嶇血刃身被徒鏁家業破散骨肉生離分張
異域生死隔絶如是等罪无量无邊今悉至
到皆盡懺悔至心歸命常住三寳
又復无始以来至於今日或商估博貨邸店
市易輕秤小升減割尺寸盗竊分銖欺罔圭

到皆盡懺悔至心歸命常住三寶
又復无始以來至於今日或商佀博貨邪諂
市易輕稱小斗減割尺寸盜竊分銖欺罔圭
合以麤易好以短換長巧欺百端希望豪利
如是等罪今悉懺悔至心歸命常住三寶又
復无始以來至於今日穿踰墻壁斷道抄掠
抵捍債息負情違要面欺心口或非道陵奪
鬼神禽獸四生之物或假託卜相取人財寶
如是乃至以利求利惡求多求无猒无足如
是等罪无量无邊不可說盡今日向十方佛
尊法聖衆皆悉懺悔至心歸命常住三寶
願弟子等承是懺悔劫盜等罪所生功德生
生世世得如意寶常雨七珎上妙衣服百味
甘露種種湯藥隨意所須應命即至一切衆
生无偷奪想一切皆能少欲知足不躭不染
常樂惠施行急濟道頭目髓腦捨如棄涕唾
迴向滿足檀波羅蜜至心歸命常住三寶
佛說罪業報應教化地獄經
復有衆生其短小陰藏甚大挽之身皮復皆
進引行步坐卧以之爲妙何罪所致佛言以
前世時於市販賣自譽己物毀辱他財斜
升抖外蹋稱前後故獲斯罪
復有衆生其形甚醜身黑如漆兩目復青高
頰俱埠面平鼻兩眼黄赤牙齒踈缺口氣
腥臭矬短癃腫大腹𨄔髖脚復了戾腰脊
傴勒背衣健食惡瘡膿血水腫乾消疥癩癕
疽種種諸惡集在其身雖親附人人不在意若

BD02087號　佛名經（十六卷本）卷一六　（17-16）

復有衆生其形甚醜身黑如漆兩目復青高
頰俱埠面平鼻兩眼黄赤牙齒踈缺口氣
腥臭矬短癃腫大腹𨄔髖脚復了戾腰脊
傴勒背衣健食惡瘡膿血水腫乾消疥癩癕
疽種種諸惡集在其身雖親附人人不在意若
他作罪橫羅其殃永不見佛永不聞法永不
識僧何罪所致佛言以前世時坐爲子不孝
父母爲臣不忠其君爲上不接其下爲下不
敬其上朋友不實其信鄉黨不以其齒朝廷
不以其爵心意顛到无有期度不信三尊煞
君害師伐國掠民攻城破塢偷竊過盜惡業
非一美以惡人侵陵孤老誣謗賢善輕慢尊
長欺誑下賤一切罪報集俱犯之衆生業報
故獲斯罪

佛名經卷第十六

BD02087號　佛名經（十六卷本）卷一六　（17-17）

……一
内空等淨故道相智清
智清淨若内空清淨若道相
一无二分无别无断故一切智智
一空内外空空空大空勝義空有為
為空畢竟空无際空散空无變異空本
性空自相空共相空一切法空不可得空无
性空自性空无性自性空清淨外空乃至无
性自性空清淨故道相智清淨何以故若一
切智智清淨若外空乃至无性自性空清淨
若道相智清淨无二无二分无别无断故善現
一切智智清淨故真如清淨真如清淨故道
相智清淨何以故若一切智智清淨若真如
清淨若道相智清淨无二无二分无别无断
故一切智智清淨故法界法性不虚妄性不
變異性平等性離生性法定法住實際虚空
界不思議界清淨法界乃至不思議界清淨
故道相智清淨何以故若一切智智清淨若
法界乃至不思議界清淨若道相智清淨无
二无二分无别无断故善現一切智智清淨
故苦聖諦清淨苦聖諦清淨故道相智清

BD02088號　大般若波羅蜜多經卷二八〇　（16–1）

變異性平等性離生性法定法住實際虚空
界不思議界清淨法界乃至不思議界清淨
故道相智清淨何以故若一切智智清淨若
法界乃至不思議界清淨若道相智清淨无
二无二分无别无断故善現一切智智清淨
故苦聖諦清淨苦聖諦清淨故道相智清
淨何以故若一切智智清淨若苦聖諦清淨
若道相智清淨无二无二分无别无断故一
切智智清淨故集滅道聖諦清淨集滅道聖
諦清淨故道相智清淨何以故若一切智智
清淨若集滅道聖諦清淨若道相智清淨无
二无二分无别无断故
善現一切智智清淨故四靜慮清淨四靜慮
清淨故道相智清淨何以故若一切智智清
淨若四靜慮清淨若道相智清淨无二无二
分无别无断故一切智智清淨故四无量四无
色定清淨四无量四无色定清淨故道相
智清淨何以故若一切智智清淨若四无量
四无色定清淨若道相智清淨无二无二分
无别无断故善現一切智智清淨故八解脱
清淨八解脱清淨故道相智清淨何以故若
一切智智清淨若八解脱清淨若道相智清淨
无二无二分无别无断故一切智智清淨故八
勝處九次第定十遍處清淨八勝處九次
第定十遍處清淨故道相智清淨何以故若
一切智智清淨若八勝處九次第定十遍處

BD02088號　大般若波羅蜜多經卷二八〇　（16–2）

无二无二分无别无断故一切智智清淨故八
勝處九次第定十遍處清淨八勝處九次
第定十遍處清淨故道相智清淨何以故若
一切智智清淨若八勝處九次第定十遍處
清淨若道相智清淨无二无二分无别无断
故善現一切智智清淨故四念住清淨四
念住清淨故道相智清淨何以故若一切智
智清淨若四念住清淨若道相智清淨无二
无二分无别无断故一切智智清淨故四正
断四神足五根五力七等覺支八聖道支清
淨四正断乃至八聖道支清淨故道相智清
淨何以故若一切智智清淨若四正断乃至
八聖道支清淨若道相智清淨无二无二分
无别无断故善現一切智智清淨故空解脫
門清淨空解脫門清淨故道相智清淨何以
故若一切智智清淨若空解脫門清淨若道
相智清淨无二无二分无别无断故一切智
智清淨故无相无願解脫門清淨无相无願
解脫門清淨故道相智清淨何以故若一切
智智清淨若无相无願解脫門清淨若道相
智清淨无二无二分无别无断故善現一切
智智清淨故菩薩十地清淨菩薩十地清淨
故道相智清淨何以故若一切智智清淨若
菩薩十地清淨若道相智清淨无二无二分
无别无断故善現一切智智清淨故五眼清
淨五眼清淨故道相智清淨何以故若一切

BD02088號　大般若波羅蜜多經卷二八〇　（16–3）

菩薩十地清淨若道相智清淨无二无二分
无别无断故善現一切智智清淨故五眼清
淨五眼清淨故道相智清淨何以故若一切
智智清淨若五眼清淨若道相智清淨无二
无二分无别无断故一切智智清淨故六神
通清淨六神通清淨故道相智清淨何以
故若一切智智清淨若六神通清淨若道
相智清淨无二无二分无别无断故善現一
切智智清淨故佛十力清淨佛十力清淨故
道相智清淨何以故若一切智智清淨若佛
十力清淨若道相智清淨无二无二分无别
无断故一切智智清淨故四无所畏四无礙
解大慈大悲大喜大捨十八佛不共法清淨
四无所畏乃至十八佛不共法清淨故道相
智清淨何以故若一切智智清淨若四无所
畏乃至十八佛不共法清淨若道相智清淨
无二无二分无别无断故善現一切智智清
淨故无忘失法清淨无忘失法清淨故道相
智清淨何以故若一切智智清淨若无忘失
法清淨若道相智清淨无二无二分无别无
断故一切智智清淨故恒住捨性清淨恒住
捨性清淨故道相智清淨何以故若一切智
智清淨若恒住捨性清淨若道相智清淨无
二无二分无别无断故善現一切智智清淨
故一切智清淨一切智清淨故道相智清淨
何以故若一切智智清淨若一切智清淨若

BD02088號　大般若波羅蜜多經卷二八〇　（16–4）

智清淨若恒住捨性清淨若道相智清淨无
二无二分无別无斷故善現一切智智清淨
故一切智清淨一切智清淨故道相智清淨
何以故若一切智智清淨若一切智清淨若
道相智清淨无二无二分无別无斷故一切
智智清淨故一切智清淨一切相智清淨
故道相智清淨何以故若一切智智清淨若
一切相智清淨若道相智清淨无二无二分
无別无斷故善現一切智智清淨故一切陁
羅尼門清淨一切陁羅尼門清淨故道相智
清淨何以故若一切智智清淨若一切陁羅
尼門清淨若道相智清淨无二无二分无別
无斷故一切智智清淨故一切三摩地門清
淨一切三摩地門清淨故道相智清淨何以故
若一切智智清淨若一切三摩地門清淨若
道相智清淨无二无二分无別无斷故
善現一切智智清淨故預流果清淨預流果
清淨故道相智清淨何以故若一切智智清
淨若預流果清淨若道相智清淨无二无二
分无別无斷故一切智智清淨故一來不還
阿羅漢果清淨一來不還阿羅漢果清淨故道
相智清淨何以故若一切智智清淨若一來
不還阿羅漢果清淨若道相智清淨无二无
二分无別无斷故善現一切智智清淨故獨
覺菩提清淨獨覺菩提清淨故道相智清
淨何以故若一切智智清淨若獨覺菩提清

BD02088號　大般若波羅蜜多經卷二八〇　（16–5）

相智清淨何以故若一切智智清淨若一來
不還阿羅漢果清淨若道相智清淨无二无
二分无別无斷故善現一切智智清淨故獨
覺菩提清淨獨覺菩提清淨故道相智清
淨何以故若一切智智清淨若獨覺菩提清
淨若道相智清淨无二无二分无別无斷故
善現一切智智清淨故一切菩薩摩訶薩行
清淨一切菩薩摩訶薩行清淨故道相智清
淨何以故若一切智智清淨若一切菩薩摩訶
訶薩行清淨若道相智清淨无二无二分无
別无斷故善現一切智智清淨故諸佛无上
正等菩提清淨諸佛无上正等菩提清淨故
道相智清淨何以故若一切智智清淨若諸
佛无上正等菩提清淨若道相智清淨无二
无二分无別无斷故
復次善現一切智智清淨故色清淨色清淨
故一切相智清淨何以故若一切智智清淨
若色清淨若一切相智清淨无二无二分无
別无斷故一切智智清淨故受想行識清淨
受想行識清淨故一切相智清淨何以故若
一切智智清淨若受想行識清淨若一切相智
清淨无二无二分无別无斷故善現一切智
智清淨故眼處清淨眼處清淨故一切相智
清淨何以故若一切智智清淨若眼處清淨
若一切相智清淨无二无二分无別无斷
故一切智智清淨故耳鼻舌身意處清淨耳

BD02088號　大般若波羅蜜多經卷二八〇　（16–6）

智清淨故眼處清淨眼處清淨故一切相智
清淨何以故若一切智智清淨若眼處清淨
若一切相智清淨无二无二分无別无斷
故一切智智清淨故耳鼻舌身意處清淨耳
鼻舌身意處清淨故一切相智清淨何以故
若一切智智清淨若耳鼻舌身意處清淨若
一切相智清淨无二无二分无別无斷故
善現一切智智清淨故色處清淨色處清淨
故一切相智清淨何以故若一切智智清淨
若色處清淨若一切相智清淨无二无二分
无別无斷故一切智智清淨故聲香味觸法
處清淨聲香味觸法處清淨故一切相智清
淨何以故若一切智智清淨若聲香味觸法處
清淨若一切相智清淨无二无二分无別无
斷故善現一切智智清淨故眼界清淨眼界
清淨故一切相智清淨何以故若一切智智
清淨若眼界清淨若一切相智清淨无二无
二分无別无斷故一切智智清淨故色界眼
識界及眼觸眼觸為緣所生諸受清淨色界
乃至眼觸為緣所生諸受清淨故一切相智
清淨何以故若一切智智清淨若色界乃至眼
觸為緣所生諸受清淨若一切相智清淨无
二无二分无別无斷故善現一切智智清淨
故耳界清淨耳界清淨故一切相智清淨何
以故若一切智智清淨若耳界清淨若一切相
智清淨无二无二分无別无斷故一切智智

故耳界清淨耳界清淨故一切相智清淨何
以故若一切智智清淨若耳界清淨若一切相
智清淨无二无二分无別无斷故一切智智
清淨故聲界耳識界及耳觸耳觸為緣所生
諸受清淨聲界乃至耳觸為緣所生諸受
清淨故一切相智清淨何以故若一切智智
清淨若聲界乃至耳觸為緣所生諸受清淨
若一切相智清淨无二无二分无別无斷故
善現一切智智清淨故鼻界清淨鼻界清淨
故一切相智清淨何以故若一切智智清淨若
鼻界清淨若一切相智清淨无二无二分无
別无斷故一切智智清淨故香界鼻識界及
鼻觸鼻觸為緣所生諸受清淨香界乃至鼻
觸為緣所生諸受清淨故一切相智清淨何
以故若一切智智清淨若香界乃至鼻觸為
緣所生諸受清淨若一切相智清淨无二无
二分无別无斷故善現一切智智清淨故舌
界清淨舌界清淨故一切相智清淨何以故
若一切智智清淨若舌界清淨若一切相智
清淨无二无二分无別无斷故一切智智清
淨故味界舌識界及舌觸舌觸為緣所生諸
受清淨味界乃至舌觸為緣所生諸受清淨
故一切相智清淨何以故若一切智智清淨
若味界乃至舌觸為緣所生諸受清淨若一
切相智清淨无二无二分无別无斷故善現

若味界乃至舌觸為緣所生諸受清淨若一
切相智清淨无二无二分无別无斷故善現
一切智智清淨故身界清淨身界清淨故一
切相智清淨何以故若一切智智清淨若身
界清淨若一切相智清淨无二无二分无別
无斷故一切智智清淨故觸界身識界及身
觸身觸為緣所生諸受清淨觸界乃至身觸
為緣所生諸受清淨故一切相智清淨何以
故若一切智智清淨若觸界乃至身觸為緣
所生諸受清淨若一切相智清淨无二无二
分无別无斷故善現一切智智清淨故意界
清淨意界清淨故一切相智清淨何以故若
一切智智清淨若意界清淨若一切相智清
淨无二无二分无別无斷故一切智智清淨
故法界意識界及意觸意觸為緣所生諸受
清淨法界乃至意觸為緣所生諸受清淨故
一切相智清淨何以故若一切智智清淨若
法界乃至意觸為緣所生諸受清淨若一切
相智清淨无二无二分无別无斷故善現一
切智智清淨故地界清淨地界清淨故一切
相智清淨何以故若一切智智清淨若地界
清淨若一切相智清淨无二无二分无別无
斷故一切智智清淨故水火風空識界清淨
水火風空識界清淨故一切相智清淨何以
故若一切智智清淨若水火風空識界清淨

BD02088號　大般若波羅蜜多經卷二八〇　（16–9）

清淨若一切相智清淨无二无二分无別无
斷故一切智智清淨故水火風空識界清淨
水火風空識界清淨故一切相智清淨何以
故若一切智智清淨若水火風空識界清淨
若一切相智清淨无二无二分无別无斷故
善現一切智智清淨故无明清淨无明清淨
故一切相智清淨何以故若一切智智清淨
若无明清淨若一切相智清淨无二无二分
无別无斷故一切智智清淨故行識名色六
處觸受愛取有生老死愁歎苦憂惱清淨行
乃至老死愁歎苦憂惱清淨故一切相智清
淨何以故若一切智智清淨若行乃至老死
愁歎苦憂惱清淨若一切相智清淨无二无
二分无別无斷故
善現一切智智清淨故布施波羅蜜多清淨
布施波羅蜜多清淨故一切相智清淨何以
故若一切智智清淨若布施波羅蜜多清淨
若一切相智清淨无二无二分无別无斷故
一切智智清淨故淨戒安忍精進靜慮般若
波羅蜜多清淨淨戒乃至般若波羅蜜多清
淨故一切相智清淨何以故若一切智智清
淨若淨戒乃至般若波羅蜜多清淨若一切
相智清淨无二无二分无別无斷故善現一
切智智清淨故內空清淨內空清淨故一切
相智清淨何以故若一切智智清淨若內空
清淨若一切相智清淨无二无二分无別无

BD02088號　大般若波羅蜜多經卷二八〇　（16–10）

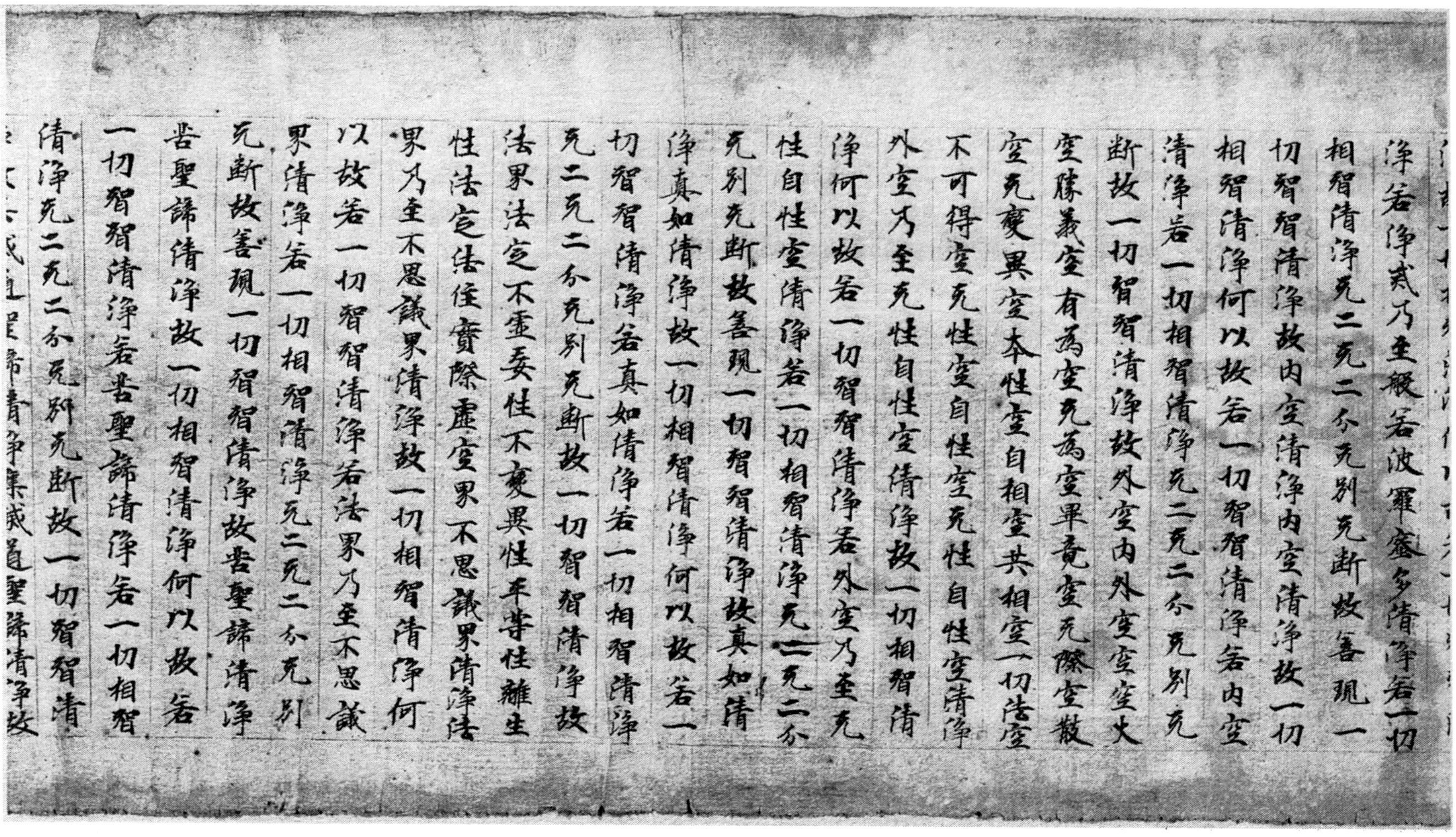

淨若淨貳乃至般若波羅蜜多清淨若一切
相智清淨无二无二分无別无斷故善現一
切智智清淨故內空清淨內空清淨故一切
相智清淨何以故若一切智智清淨若內空
清淨若一切相智清淨无二无二分无別无
斷故一切智智清淨故外空內外空空空大
空勝義空有為空无為空畢竟空无際空散
空无變異空本性空自相空共相空一切法空
不可得空无性空自性空无性自性空清淨
外空乃至无性自性空清淨故一切相智清
淨何以故若一切智智清淨若外空乃至无
性自性空清淨若一切相智清淨无二无二分
无別无斷故善現一切智智清淨故真如清
淨真如清淨故一切相智清淨何以故若一
切智智清淨若真如清淨若一切相智清淨
无二无二分无別无斷故一切智智清淨故
法界法性不虛妄性不變異性平等性離生
性法定法住實際虛空界不思議界清淨法
界乃至不思議界清淨故一切相智清淨何
以故若一切智智清淨若法界乃至不思議
界清淨若一切相智清淨无二无二分无別
无斷故善現一切智智清淨故苦聖諦清淨
苦聖諦清淨故一切相智清淨何以故若
一切智智清淨若苦聖諦清淨若一切相智
清淨无二无二分无別无斷故一切智智清

BD02088號　大般若波羅蜜多經卷二八〇　（16–11）

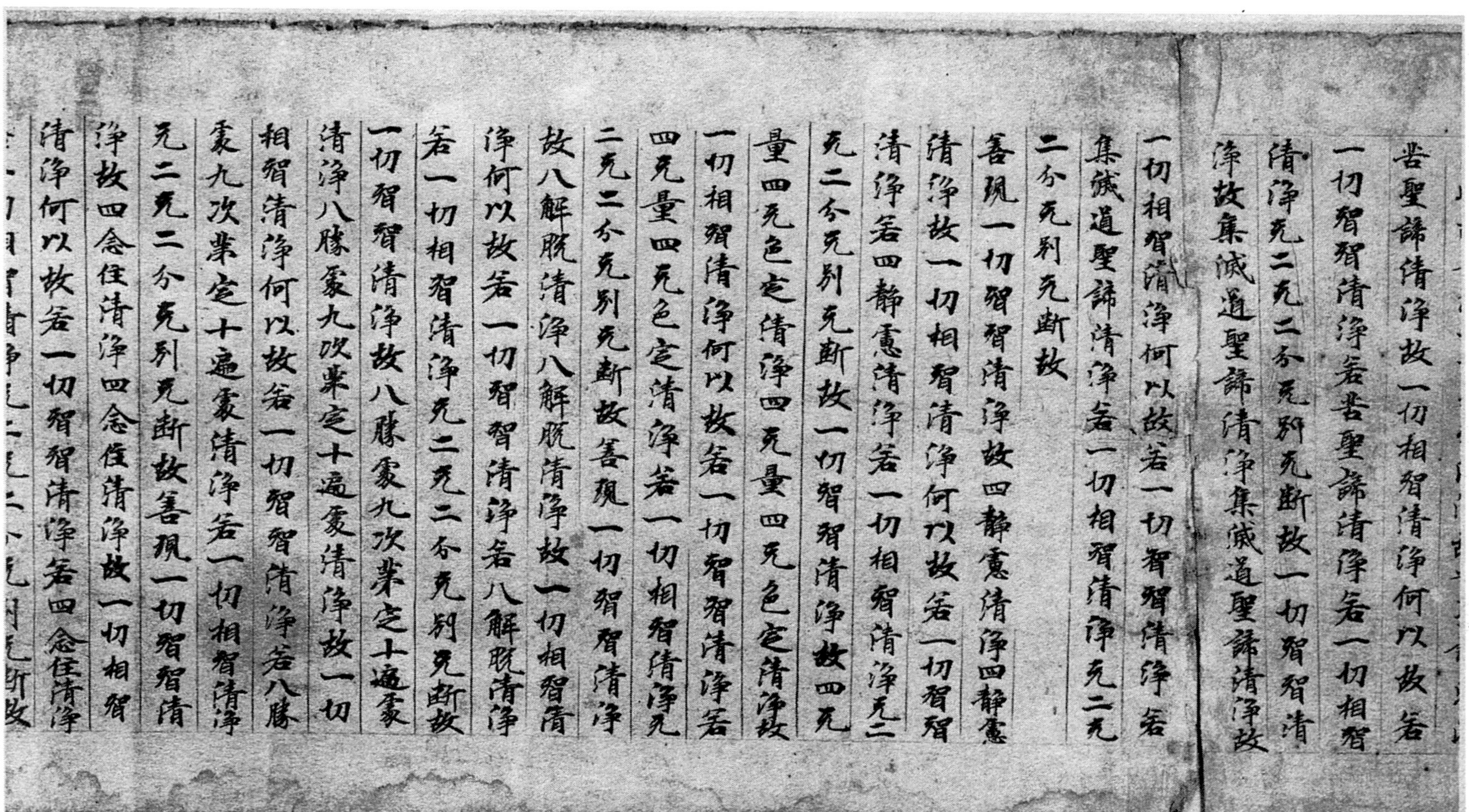

苦聖諦清淨故一切相智清淨何以故若
一切智智清淨若苦聖諦清淨若一切相智
清淨无二无二分无別无斷故一切智智清
淨故集滅道聖諦清淨集滅道聖諦清淨故
一切相智清淨何以故若一切智智清淨若
集滅道聖諦清淨若一切相智清淨无二无
二分无別无斷故
善現一切智智清淨故四靜慮清淨四靜慮
清淨故一切相智清淨何以故若一切智智
清淨若四靜慮清淨若一切相智清淨无二
无二分无別无斷故一切智智清淨故四无
量四无色定清淨四无量四无色定清淨故
一切相智清淨何以故若一切智智清淨若
四无量四无色定清淨若一切相智清淨无
二无二分无別无斷故善現一切智智清淨
故八解脫清淨八解脫清淨故一切相智清
淨何以故若一切智智清淨若八解脫清淨
若一切相智清淨无二无二分无別无斷故
一切智智清淨故八勝處九次第定十遍處
清淨八勝處九次第定十遍處清淨故一切
相智清淨何以故若一切智智清淨若八勝
處九次第定十遍處清淨若一切相智清淨
无二无二分无別无斷故善現一切智智清
淨故四念住清淨四念住清淨故一切相智
清淨何以故若一切智智清淨若四念住清淨

BD02088號　大般若波羅蜜多經卷二八〇　（16–12）

處九次第定十遍處清淨若一切相智清淨
无二无二分无別无斷故善現一切智智清
淨故四念住清淨四念住清淨故一切相智
清淨何以故若一切智智清淨若四念住清淨
若一切相智清淨无二无二分无別无斷故
一切智智清淨故四正斷四神足五根五力
七等覺支八聖道支清淨四正斷乃至八聖
道支清淨故一切相智清淨何以故若一切
智智清淨若四正斷乃至八聖道支清淨若
一切相智清淨无二无二分无別无斷故善
現一切智智清淨故空解脫門清淨空解脫
門清淨故一切相智清淨何以故若一切智
智清淨若空解脫門清淨若一切相智清淨
无二无二分无別无斷故一切智智清淨故
无相无願解脫門清淨无相无願解脫門清
淨故一切相智清淨何以故若一切智智清
淨若无相无願解脫門清淨若一切相智清
淨无二无二分无別无斷故善現一切智智
清淨故菩薩十地清淨菩薩十地清淨故一
切相智清淨何以故若一切智智清淨若菩
薩十地清淨若一切相智清淨无二无二分
无別无斷故
善現一切智智清淨故五眼清淨五眼清淨
故一切相智清淨何以故若一切智智清淨
若五眼清淨若一切相智清淨无二无二分
无別无斷故一切智智清淨故六神通清淨

善現一切智智清淨故五眼清淨
故一切相智清淨何以故若一切智智清淨
若五眼清淨若一切相智清淨无二无二分
无別无斷故一切智智清淨故六神通清淨
六神通清淨故一切相智清淨何以故若一
切智智清淨若六神通清淨若一切相智清
淨无二无二分无別无斷故善現一切智
智清淨故佛十力清淨佛十力清淨故一切相
智清淨何以故若一切智智清淨若佛十力
清淨若一切相智清淨无二无二分无別无
斷故一切智智清淨故四无所畏四无礙解
大慈大悲大喜大捨十八佛不共法清淨四
无所畏乃至十八佛不共法清淨故一切相
智清淨何以故若一切智智清淨若四无所
畏乃至十八佛不共法清淨若一切相智清
淨无二无二分无別无斷故善現一切智智
清淨故无忘失法清淨无忘失法清淨故一
切相智清淨何以故若一切智智清淨若无
忘失法清淨若一切相智清淨无二无二分
无別无斷故一切智智清淨故恒住捨性清淨
恒住捨性清淨故一切相智清淨何以故若
一切智智清淨若恒住捨性清淨若一切相
智清淨无二无二分无別无斷故善現一切
智智清淨故一切智清淨一切智清淨故一
切相智清淨何以故若一切智智清淨若一
切智清淨若一切相智清淨无二无二分无

智智清淨故一切智清淨一切智清淨故一
切相智清淨何以故若一切智清淨若一
切智清淨若一切相智清淨无二无二分无
別无斷故道相智清淨故道相智清淨道
相智清淨故一切智智清淨何以故若一切
智智清淨若道相智清淨若一切相智清淨
无二无二分无別无斷故善現一切智智清
淨故一切陁羅尼門清淨一切陁羅尼門清
淨故一切相智清淨何以故若一切智智清
淨若一切陁羅尼門清淨若一切相智清淨
无二无二分无別无斷故一切智智清淨故
一切三摩地門清淨一切三摩地門清淨故
一切相智清淨何以故若一切智智清淨若
一切三摩地門清淨若一切相智清淨无二
无二无分无別无斷故
善現一切智智清淨故預流果清淨預流果
清淨故一切相智清淨何以故若一切智智
清淨若預流果清淨若一切相智清淨无二
无二分无別无斷故一切智智清淨故一來
不還阿羅漢果清淨一來不還阿羅漢果清
淨故一切相智清淨何以故若一切智智清
淨若一來不還阿羅漢果清淨若一切相智
清淨无二无二分无別无斷故善現一切智
智清淨故獨覺菩提清淨獨覺菩提清淨故
一切相智清淨何以故若一切智智清淨若
獨覺菩提清淨若一切相智清淨无二无二

BD02088號　大般若波羅蜜多經卷二八〇　（16–15）

不還阿羅漢果清淨一來不還阿羅漢果清
淨故一切相智清淨何以故若一切智智清
淨若一來不還阿羅漢果清淨若一切相智
清淨无二无二分无別无斷故善現一切智
智清淨故獨覺菩提清淨獨覺菩提清淨故
一切相智清淨何以故若一切智智清淨若
獨覺菩提清淨若一切相智清淨无二无二
分无別无斷故善現一切智智清淨故一切
菩薩摩訶薩行清淨一切菩薩摩訶薩行清
淨故一切相智清淨何以故若一切智智清
淨若一切菩薩摩訶薩行清淨若一切相智
清淨无二无二分无別无斷故善現一切智
智清淨故諸佛无上正等菩提清淨諸佛无
上正等菩提清淨故一切相智清淨何以
故若一切智智清淨若諸佛无上正等菩提
清淨若一切相智清淨无二无二分无別无
斷故

大般若波羅蜜多經卷第二百八十

BD02088號　大般若波羅蜜多經卷二八〇　（16–16）

以是於日夜　籌量如此事　今聞
无漏難思議　令衆至道場　我本
世尊知我心　拔耶說涅槃　我悉除
尒時心自謂　得至於滅度　而今乃自
若得作佛時　具三十二相　天人夜叉衆　龍
是時乃可謂　永盡滅无餘　佛於大衆中　說我當
聞如是法音　疑悔悉已除　初聞佛所說　心中大驚疑
將非魔作佛　惱亂我心耶　佛以種種緣　譬喻巧言說
其心安如海　我聞疑網斷　佛說過去世　无量滅度佛
安住方便中　亦皆說是法　現在未來佛　其數无有量
亦以諸方便　演說如是法　如今者世尊　從生及出家
得道轉法輪　亦以方便說　世尊說實道　波旬无此事
以是我定知　非是魔作佛　我墮疑網故　謂是魔所為
聞佛柔軟音　深遠甚微妙　演暢清淨法　我心大歡喜
疑悔永已盡　安住實智中　我定當作佛　為天人所敬
轉无上法輪　教化諸菩薩
尒時佛告舍利弗吾今於天人沙門婆羅門
等大衆中說我昔曾於二万億佛所為无上

BD02089號　妙法蓮華經卷二　（2–1）

亦以諸方便　演說如是法　如今者世尊　從生及出家
得道轉法輪　亦以方便說　世尊說實道　波旬无此事
以是我定知　非是魔作佛　我墮疑網故　謂是魔所為
聞佛柔軟音　深遠甚微妙　演暢清淨法　我心大歡喜
疑悔永已盡　安住實智中　我定當作佛　為天人所敬
轉无上法輪　教化諸菩薩
尒時佛告舍利弗吾今於天人沙門婆羅門
等大衆中說我昔曾於二万億佛所為无上
道故常教化汝汝亦長夜隨我受學我以方
便引導汝故生我法中舍利弗我昔教汝志
願佛道汝今悉忘而便自謂已得滅度我今
還欲令汝憶念本願所行道故為諸聲聞說
是大乘經名妙法蓮華教菩薩法佛所護念
舍利弗汝於未來世過无量无邊不可思議
劫供養若干千万億佛奉持正法具足菩薩
所行之道當得作佛号曰華光如來應供正
遍知明行足善逝世間解无上士調御丈夫
天人師佛世尊國名離垢其土平正清淨嚴

BD02089號　妙法蓮華經卷二　（2–2）

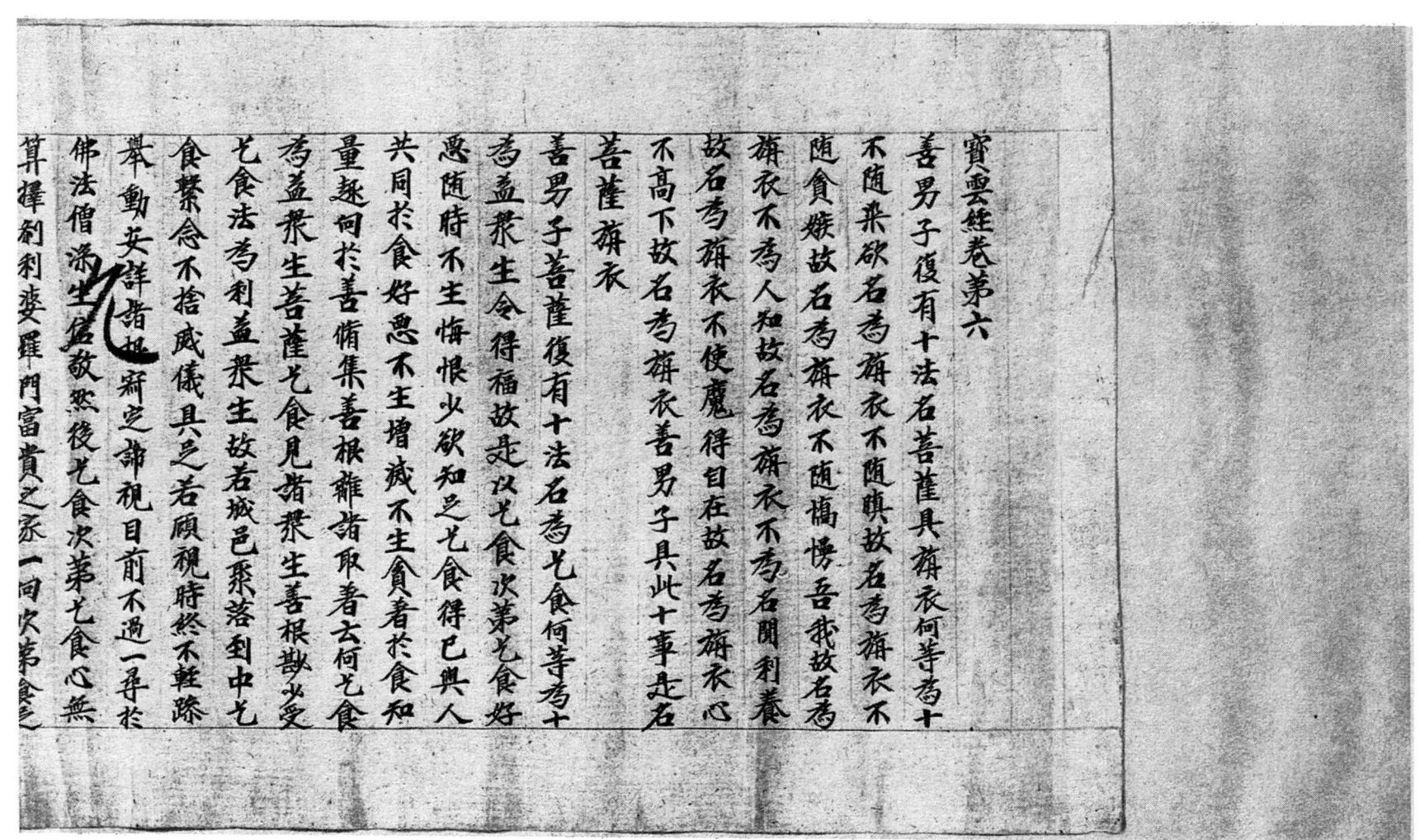

寶雲經卷第六
善男子復有十法名菩薩具糞衣何等為十
不隨衆欲名為糞衣不隨瞋故名為糞衣不
隨貪嫉故名為糞衣不隨憍慢吾我故名為
糞衣不為人知故名為糞衣不為名聞利養
故名為糞衣不使魔得自在故名為糞衣心
不高下故名為糞衣善男子具此十事是名
菩薩糞衣
善男子菩薩復有十法名為乞食何等為十
為益衆生令得福故是以乞食次第乞食好
惡隨時不生悔恨少欲知足乞食得已與人
共同於食好惡不生增減不生貪著於食知
量趣得於善脩集善根離諸取著云何乞食
為益衆生菩薩乞食見諸衆生善根微少受
乞食法為利益衆生故若城邑聚落到中乞
食繫念不捨威儀具足若顧視時終不輕躁
舉動安詳諸根寂定諦視目前不過一尋於
佛法僧深生信敬然後乞食次第乞食心無
簡擇刹利婆羅門富貴之家一向次第食足

BD02090號　寶雲經（兌廢稿）卷六　（2–1）

菩薩糞衣
善男子菩薩復有十法名為乞食何等為十
為益衆生令得福故是以乞食次第乞食好
惡隨時不生悔恨少欲知足乞食得已與人
共同於食好惡不生增減不生貪著於食知
量趣得於善脩集善根離諸取著云何乞食
為益衆生菩薩乞食見諸衆生善根微少受
乞食法為利益衆生故若城邑聚落到中乞
食繫念不捨威儀具足若顧視時終不輕躁
舉動安詳諸根寂定諦視目前不過一尋於
佛法僧深生信敬然後乞食次第乞食心無
簡擇刹利婆羅門富貴之家一向次第食足
使止除惡狗新生犢母先破禁戒墮畜生中
若男若女童男童女諸能擾惱者皆悉不往
可譏嫌處亦皆不往次第乞食不得生著不
得生瞋於諸衆生不起憎愛於好於惡其心
無等少欲知足隨得多少還至僧坊安置衣
鉢至洗足處若到佛像塔寺衆僧所恭敬供
養乞食之食分作四分一分與同梵行者第

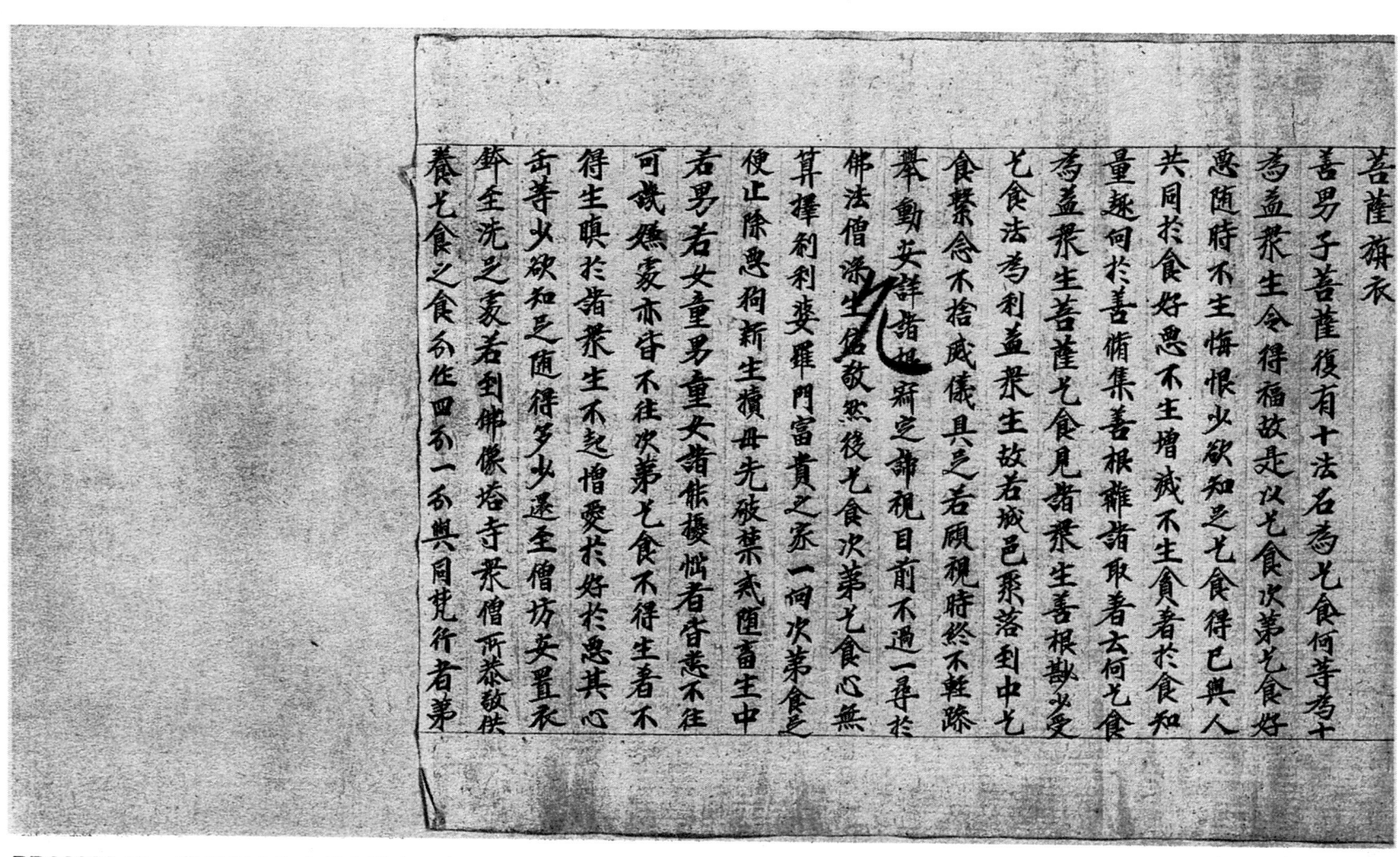

BD02090號　寶雲經（兌廢稿）卷六　（2–2）

十六 乞

BD02090 號背　勘記　　　　　　　　(1–1)

南无佛寶幢佛　南无隨順天佛
南无寶勝佛　南无无垢琉璃佛
南无滿足金剛住持佛
南无甘露幢佛　南无成就一切德佛
南无香山佛　南无根本勝藏佛
南无不可知佛　南无无邊知佛
南无无量佛　南无无量自在佛
南无大光明佛　南无德藏佛
南无根本莊嚴奮迅佛　南无根本光佛
南无一切衆生見愛奮迅莊嚴王佛
從此以上八千九百佛十二部經一切賢聖
南无忍王佛　南无離一切煩惱佛
南无寶色勝佛　南无香勝王佛
南无幢藏佛　南无見一切佛
南无見愛佛　南无不可見佛
南无甘露一切德稱佛　南无一切[illegible]佛

BD02091 號　佛名經（十六卷本）卷一二　　　　　　　　(38–1)

南无寶色勝佛　南无香勝王佛
南无幢藏佛　南无見一切佛
南无見愛佛　南无不可見佛
南无甘露功德稱佛　南无一切畏善莉能斷煞佛
南无師子吼佛　南无散花佛
南无勝佛　南无无等智作佛
南无功作樂佛　南无尊勝佛
南无吉王佛　南无一切世間道自在佛
南无須弥劫佛　南无勝須弥佛
南无解勝佛　南无世間聲佛
南无堅奮迅佛　南无堅自在佛
南无旃檀勝佛　南无不差別佛
南无息功德佛　南无善思惟佛
南无寶勝佛　南无寶輪佛
南无大寶佛　南无无垢光佛
南无樂說莊嚴稱佛　南无无邊幢稱佛
南无花嚴光明佛　南无出火佛
南无畏觀佛　南无師子奮迅佛
南无寶精進日月光明莊嚴功德智聲王佛

BD02091 號　佛名經（十六卷本）卷一二　（38–2）

南无花嚴光明佛　南无出火佛
南无畏觀佛　南无師子奮迅佛
南无寶精進日月光明莊嚴功德智聲王佛
南无初發心念斷一切疑煩惱佛
南无破一切闇勝佛
南无寶炎佛　南无旃檀香佛
南无大寶炎佛　南无花幢佛
南无普勝帝沙佛　南无滿賢佛
南无最力精進奮迅佛　南无香勝佛
南无勝稱佛　南无淨鏡佛
南无花勝佛　南无離塵佛
南无得功德佛　南无不動佛
南无旃檀佛　南无因陀羅目佛
南无樂山佛　南无能化佛
南无因陀羅幢佛　南无无畏作佛
南无留樓那佛　南无弗沙佛
南无法水清淨虛空果王佛
南无普智光明勝王佛

BD02091 號　佛名經（十六卷本）卷一二　（38–3）

南无法水清淨虛空界王佛
南无普智光明勝王佛
南无香光明功德莊嚴王佛
南无普智聲王佛　南无一切四无畏然燈佛
南无普喜速勝王佛　南无善光大光佛
南无无量功德藏光明佛
南无普門智照聲佛
南无法界雷光无障导功德佛
南无清淨眼无垢然燈佛
南无師子光明勝光佛
南无廣光明智勝幢佛
南无金光明无邊力精進成佛
南无香光明歡喜力海佛
南无成就王佛　南无自在高佛
南无歡喜大海速行佛
南无稱自在光佛　南无廣稱智佛
南无智成就海王幢佛　南无相顯文殊月佛
南无一切法海勝王佛　南无智功德法住佛
南无梵自在勝佛　南无過法界勝聲佛
南无不可爍力普照光明幢佛

BD02091號　佛名經（十六卷本）卷一二　（38–4）

南无一切法海勝王佛　南无智功德法住佛
南无梵自在勝佛　南无過法界勝聲佛
南无不可爍力普照光明幢佛
南无无垢功德日眼佛
南无无导智普光眼佛
南无无量勝雞兜幢佛
南无法界虛空普遍光明佛
南无福德相勝威德佛
南无照勝須光明佛　南无法風大海意佛
南无相法化普光明佛
從此以上九千佛十二部經一切賢聖
南无善成就眷屬普照佛
南无法盡疾速歡喜悲佛
南无无垢清淨普光明佛
南无清淨眼花勝佛　南无善智力威德佛
南无虛空清淨月佛　南无然金色須弥燈佛
南无智勝寶法光明佛　南无然寶燈佛
南无善光明高山佛　南无大勝佛
南无波頭摩奮迅佛　南无善天佛
南无无盡功德佛　[illegible]

BD02091號　佛名經（十六卷本）卷一二　（38–5）

南无善光明高山佛　南无大勝佛
南无波頭摩奮迅佛　南无善天佛
南无无盡功德佛　南无花威德佛
南无甘露力佛　南无聲邊佛
南无妙法勝威德氏鉈佛
南无普門見勝佛　南无无邊功德眼佛
南无普光功德然燈鏡像佛
南无喜樂現花大佛
南无寶須弥然燈王佛
南无善化法界金光明電聲佛
南无可降伏力願佛　南无虛空城慧光聲佛
南无十方廣遍稱智然燈佛
南无師子光明滿足功德佛
南无智敷花光明佛
南无普眼滿足法界難兜幢佛
南无勝慧善導佛
南无光明作佛　南无月幢佛
南无東方善護四天下名金剛良如来為
上首

BD02091號　佛名經（十六卷本）卷一二　（38–6）

南无東方善護四天下名金剛良如来為
上首
南无南方難勝四天下因陁羅如来為上
首
南无西方覩意四天下娑樓那如来為上
首
南无北方師子意四天下摩訶牟尼如来為
上首
南无東北方善擇四天下降諸魔如来為
上首
南无東南方樂四天下毗沙門如来為上
首
南无西南方堅固四天下不動如来為上首
南无西北方善地四天下普門如来為上首
南无下方
南无上方妙四天下得智者意如来為上首
歸命如是等无量无邊諸佛
南无盧舍那勝威德王佛
南无普光明勝藏王佛

BD02091號　佛名經（十六卷本）卷一二　（38–7）

南无盧舍那勝威德王佛
南无普光明勝藏王佛
南无法界佛　南无智燈佛
南无法界盡空幢照佛
南无阿弥藍波眼佛　南无龍自在佛
南无法月普智光王佛
南无普照勝弥留王佛
南无无障盡空智雞兜幢王佛
南无普輪到聲佛　南无无量宿在王佛
南无善香佛　南无弥留然燈王佛
南无阿那羅眼境界佛　南无香毗頭羅佛
南无旃檀雞兜佛　南无一切佛寶勝王佛
南无无邊世間智輪雞兜佛
南无阿僧伽智雞兜佛
南无不可思量命佛　南无不可用佛
南无師子佛　南无月智佛
南无照佛　南无燈佛
南无无垢佛　南无山勝佛
南无普眼佛　南无梵命佛
南无波藪天佛

BD02091號　佛名經（十六卷本）卷一二　（38-8）

南无垢佛　南无山勝佛
南无普眼佛　南无梵命佛
南无波藪天佛
南无无邊光明手華法界莊嚴王佛
南无力光明佛　南无高行佛
南无旃檀達佛　南无金色意佛
南无妙飲佛　南无高聲佛
南无寂勝佛　南无高見佛
南无吉沙佛　南无非沙佛
南无高稱佛　南无婆波頭摩佛
南无善功德佛　南无作燈佛
南无善目佛　南无一切法佛乳王佛
南无山幢身眼勝佛
南无寶勝然燈功德幢佛
南无普智寶炎功德佛
南无功德幢佛
南无因陁羅幢勝雞兜佛
從此以上九千一百佛十二部經一切賢聖
南无勝佛　南无大悲雲幢佛
南无金剛那羅延雞兜佛

BD02091號　佛名經（十六卷本）卷一二　（38-9）

從此以上九千一百佛十二部經一切賢聖
南无勝佛　南无大悲雲幢佛
南无金剛那羅延難覺佛
南无障导勝安隱滿足佛
南无大爽山勝莊嚴佛
南无一切法海勝王佛
南无深法海光佛　南无寶髻爽滿足佛
南无一切什億國土微塵數同名金剛藏佛
南无七億國土微塵數同名金剛難覺佛
南无十億國土微塵數同名金剛幢佛
南无十百千國土微塵數同名善法佛
南无十百千國土微塵數同名稱心佛
南无一國土微塵同名普功德佛
南无不可說佛國土微塵數同名不可勝佛
南无不可說佛國土微塵數同名毗婆尸佛
南无十佛國土微塵數同名普幢佛
南无八十億佛國土微數不可數百千万億
那由他同名善賢佛
南无一佛國土微塵數同名佛勝佛
南无十佛國土微塵數百千万億那由他不
可說同名善稱自在佛

BD02091號　佛名經（十六卷本）卷一二　（38-10）

南无一佛國土微塵數同名佛勝佛
南无十佛國土微塵數百千万億那由他不
可說同名善稱自在佛
南无賢勝佛
南无功德海光明勝照藏佛
南无法虛空滿足不退佛
南无法界吼佛　南无不退轉法界聲佛
南无法樹山威德佛　南无一切法堅固吼王佛
南无寶光然燈幢王佛
南无功德山光明威德王佛
南无法雲吼王佛　南无智炬王佛
南无法雷幢王勝佛
南无法燈智師力威德王佛
南无一切法印吼威德王佛
南无无垢法山威德燈佛
南无法輪光明頂佛　南无法光明勝雲佛
南无法海說聲王佛　南无法日智輪然燈佛
南无法花高幢王佛　南无法爽山難覺王佛
南无法行深勝月佛　南无法智普光明藏佛
南无常智作佛　南无山王勝藏王佛

BD02091號　佛名經（十六卷本）卷一二　（38-11）

南无法花高憧王佛　南无法炎山雞兜王佛
南无常智作佛　南无法智普光明藏佛
南无普門賢称留法疾精進憧佛　南无山王勝藏王佛
南无一切法寶俱蘇摩勝雲佛
南无寂淨光明身髭佛
南无法光明慈鏡像身佛
南无炎勝海佛　南无智日普照佛
南无普輪佛　南无智照須王佛
南无智山法界十方光明成德王佛
次礼十二部經大藏法輪
南无國王薩經　南无阿毗曇介
南无金剛蜜經　南无持世經
南无阿那律八念經　南无等集經
南无迦羅越經　南无阿難問因緣持戒經
南无薩和達王經　南无阿難邠祁四時施經
南无阿闍世王經　南无阿閦佛經
南无德光太子經　南无小阿闍經
南无阿陁三昧經　南无胞藏經
南无阿鳩留經　南无漸備一切智經
南无菩薩悔過經　南无阿闍世女經

南无德光太子經　南无小阿闍經
南无阿陁三昧經　南无胞藏經
南无阿鳩留經　南无漸備一切智經
南无菩薩悔過經　南无阿闍世女經
南无曉所諍不解者經
南无菩薩十住經　南无阿拔經
南无惡人經
南无菩薩等行分款國經
南无阿毗曇九十八結經
南无越度世道經　南无惟越經
次礼十方諸大菩薩
南无文殊師利菩薩摩訶薩
南无觀世音菩薩　南无大勢至菩薩
南无普賢菩薩　南无龍勝菩薩
南无龍德菩薩　南无勝成就菩薩
南无勝藏菩薩　南无跋頭勝菩薩
南无成就首菩薩　南无持地菩薩
南无寶掌菩薩　南无寶印手菩薩
南无子意菩薩　南无虛空藏菩薩
南无師子奮迅菩薩

南无寶掌菩薩　南无寶印手菩薩
南无子意菩薩　南无虛空藏菩薩
南无師子奮迅聲菩薩
南无發心即轉法輪菩薩
從此以上九千二百佛十二部經一切賢聖
南无一切聲差別樂說菩薩
南无山樂說菩薩　南无大海音菩薩
南无大山菩薩　南无憂見菩薩
南无歡喜王菩薩　南无无邊觀菩薩
次礼聲聞緣覺一切賢聖
南无善快辟支佛　南无達陁辟支佛
南无吉沙辟支佛　南无憂波吉沙辟支佛
南无斷有辟支佛　南无憂波羅辟支佛
南无斷憂辟支佛　南无施婆羅辟支佛
南无轉覺辟支佛　南无吉垢辟支佛
南无高去辟支佛　南无阿恙多辟支佛
歸命如是等无量无邊辟支佛
礼三寶已次復懺悔
已懺地獄報竟今當復次懺悔三惡道報經
中佛說多欲之人多求利故苦惱亦多知足之人
雖卧地上猶以為樂不知足者雖處天堂猶不

已懺地獄報竟今當復次懺悔三惡道報經
中佛說多欲之人多求利故苦惱亦多知足之人
雖卧地上猶以為樂不知足者雖處天堂猶不
意但世間人忽有急難便能捨財不計多少
而不知此身臨於三塗深坑之上一息不還便應墮
落忽有知識營功福德令循未來善法資粮
執此慳心无有作理夫如此者極為愚惑何以
故尒經中佛說生時不賫一文而來死亦不持一文
而去苦身積聚為之憂惱於已无益徒為他
有无善可恃无德可怙致使命終墮諸惡道是
故弟子等今日稽顙懇到歸依佛
南无東方大光曜佛　南无南方虛空住佛
南无西方金剛步佛　南无北方无邊力佛
南无東南方无邊王佛　南无西南方壞諸怨讎佛
南无西北方離垢光佛　南无東北方金色光香佛
南无下方師子遊戲佛　南无上方月幢王佛
如是十方盡虛空界一切三寶
弟子等今日次復懺悔畜生道中无所識知罪報
懺悔畜生道中負重牽犂償他宿債罪報懺悔
畜生道中不得自在為他斫刺屠割罪報懺悔畜生

如是十方盡虛空界一切三寶
弟子等今日次復懺悔畜生道中无所識知罪報懺悔
懺悔畜生道中負重牽犁償他宿債罪報懺悔畜生
畜生道中不得自在為他所刻屠割罪報懺悔畜生
无足二足四足多足罪報懺悔畜生道中身諸毛羽鱗
甲之內為諸小虫之所唼食罪報如是畜生道中有
无量罪報今日至誠皆悉懺悔
次復懺悔餓鬼道中長飢罪報懺悔餓鬼百
千万歲初不曾聞漿水之名罪報懺悔餓鬼食噉
膿血糞穢罪報懺悔餓鬼動身之時一切枝節火
然罪報懺悔餓鬼腹大咽小罪報如是餓道中无
量苦報今日稽顙悉懺悔
次復一切鬼神脩羅道中偷諂詐稱罪報懺悔鬼神
道中擔沙負石填河塞海罪報懺悔神羅剎鳩槃
茶諸惡鬼神生噉血肉受此醜陋罪報如是鬼神道
中无量无邊一切罪報今日稽顙向十方佛大地菩薩
求哀懺悔悉令消滅
願弟子等承是懺悔畜生等報所生功德生生世世
滅愚癡垢自識業緣智惠明照斷惡道身願以懺
悔餓鬼等報所生功德生生世世永離慳貪飢餓之
苦常食甘露解脫之味願以懺悔鬼神脩羅等報

滅愚癡垢自識業緣智惠明照斷惡道身願以懺
悔餓鬼等報所生功德生生世世永離慳貪飢餓之
苦常食甘露解脫之味願以懺悔鬼神脩羅等報
所生功德生生世世質直无諂離邪命因除醜陋果
福利人天願弟子等從今以去乃至道場決定不受四
惡道報唯除大悲為衆生故以誓願力處之无猒
礼一拜
此經有六十品略此一品流行
佛言云何菩薩樹花悉皆隨落其花光色不如於常
一切大衆皆生疑惑唯願天尊為我解說令此衆中
諸坐大士疑惑悉除尒時世尊從三昧起光顏巍巍舉
身毛孔皆悉出光語寶達菩薩言汝等善聽今為
汝所說以菩提樹華隨落失光者何如上所說沙門
行惡墮苦處受罪无狹是故菩提樹花失光隨落
寶達前白佛言唯願為我說此惡行沙門果報之
處佛告寶達菩薩東方乃有鐵圍大山其山
中間幽冥之處日月光明及以大光所不能照名曰
地獄之中有惡沙門受如是罪汝可往詣問諸罪
人云何因緣來生此處脩何等行受如是罪寶達白
佛言世尊我无威神何能往詣願佛大悲盡神願念

人去何因緣來生此處脩何等行受如是罪寶達白
佛言世尊我无威神何能往詣願佛大悲垂神願念
乃使我等得見東方阿鼻地獄佛言善哉善哉汝
今但往令汝得見寶達菩薩礼佛而去龍飛虛空
解徘徊自在當尒之時大地震動於虛空中雨寶蓮
花飛流而下尒時寶達一念之頃往詣東方鐵圍山
間其山崦嵦幽冥高峻其山四方了无草木日月威
光都不能照寶達須前使道兩邊有卅六王典主地
獄其王名曰恒伽嗏王波吉頭王廣目都王安頭羅王
安頭羅王虎目見陽聲吉王大諍訟王吸血鬼王安得
羅王陁達王達多羅王吉梨善王安侯羅王寶首
王金樹吉王大惡聲王烏頭王等雷眼王等烏身王
等震聲王等歸首王依首王見首王廣安王廣
定王王頭王立正王立見王摩尼羅王都曹王都見王
惡目王善王龍口王鬼王南安王等卅六遙見寶達
菩薩惠皆叉手合掌前行作礼白言大智尊王云
何因入此苦處亦如旃檀在伊蘭而生寶達答言我
聞如來三界人尊說言東方有鐵圍山其山幽
冥日月之光所不能照我故問之故來詣汝諸王前入
地獄行諸罪人汝等諸王誰能共我詣往大王前見

聞如來三界人尊說言東方有鐵圍山其山幽
冥日月之光所不能照我故問之故來詣汝諸王前入
地獄行諸罪人汝等諸王誰能共我詣往大王前見
罪人受苦之者尒時恒伽嗏王即便与寶達菩薩
往詣大王尒時大鬼王遙見寶達菩薩從門而來
光顏暐曄即便下坐往前礼敬白言大王今此惡處云
何恠其伊蘭林中忽生栴檀尒時寶達便前就
以問鬼王曰今此東方地獄可有幾獄鬼王荅言此
山之中有无量地獄今此一方有卅二沙門地獄寶達
問曰卅二地獄其名云何鬼王荅曰鐵車鐵馬鐵牛鐵
驢地獄鐵衣地獄鉄洋銅灌口地獄流火地獄鐵
林地獄鐵田地獄斫首地獄燒脚地獄鐵鏘地獄鉄
地獄飛刀地獄火箭地獄膿肉地獄身然地獄火丸仰
口地獄諍論地獄雨火地獄流火地獄糞屎地獄鈎賸
地獄火象地獄咩聲咬叩地獄諸鏃鏘地獄崩埋地
獄然手脚地獄銅獨鋸牙地獄剝皮飲血地獄解身
地獄屋地釜鑊山地獄飛火叫去頭地獄尒時鬼王荅
寶達曰地獄受罪其名如是寶達即便入地獄中上
高樓頭四顧望見罪人等各從四門咬叫而入寶達
前入鐵車鐵馬鐵牛鐵驢此四小獄并為一地獄云
何名曰鐵車鐵馬鐵牛鐵驢地獄此地獄方圓縱廣十

高樓或四展[illegible]羅人[illegible]名得四門吸叫[illegible]
前入鐵車鐵馬鐵牛鐵驢此四小獄并為一地獄云
何名曰鐵車鐵馬鐵牛鐵驢地獄此地獄方圓縱廣十
五由旬其中鐵地高一由旬猛火燀赫焰然其車鐵
作猋赫熾然中有鐵牛其身亦然頭角毛尾皆如
鋒鋩火燃烟炎俱出其鐵馬者身毛蒙尾利如刀
鋒毛尾火然烟炎俱出其鐵驢者亦復如是其地
獄中有鐵鏃鋒利如鋒鋩鐵鏘遶亂遍布其地其
鏘火然猛盛於前尒時北門之中有五百沙門咩聲
咬叫口眼火出唱如是言去何我今受如是苦獄卒夜
叉馬頭羅刹手捉三鈷鐵叉亖背而鐘匈前而出復
有鐵索來繋其髀其索火然罪人髀復有鐵鉫
鉫罪人咽其鉫八方利而鋒鋩焰火猛熾來燒罪
人頭尒時罪人宛轉倒地而不肯前馬頭羅刹手
捉鐵捧打頭而打罪人身體碎如微塵復有鐵觜來
食其肉復有鐵猪來飲其血馬頭羅刹蹋地言活罪
人即活尒時鐵牛吼喚跪其地其牛吼喚來向罪人罪
人追走宛轉於地馬頭羅刹手捉鐵叉著車上罪人跳踉
復墮牛上牛毛作刺從腹而入背上而出牛復跳踉復墮
馬上毛作刺亦如鋒鋩馬尾蹹之身即碎爛須臾還活尒
時鐵馬舉脚連蹹身碎如塵須臾還活復騎鐵驢

復墮牛上牛毛作刺從腹而入背上而出牛復跳踉復墮
馬上毛作刺亦如鋒鋩馬尾蹹之身即碎爛須臾還活尒
時鐵馬舉脚連蹹身碎如塵須臾還活復騎鐵驢
驢即跳踉人墮地驢便大瞋舉脚連蹹須臾還活
一日一夜受罪无量寶達問馬頭羅刹曰此諸沙門
去何如是羅刹荅曰此諸沙門受佛禁戒不惜将来
但取現在違犯淨戒故作惡業畜不淨物乘車騎馬
走驢治生心无慈善不護威儀受人信施惡因故墮
地獄百千万劫若得為人身不具足聾盲閇塞不
見三寶不聞正法寶達悲泣歎曰去何沙門應為出
三界去何惡業受如是罪寶達見之悲泣而去
南无功德光俱蘇摩燈佛
南无智炬高雞兜幢王佛
南无日照光明王佛　南无相山佛
南无莊嚴山佛　南无日步普照佛
南无法王網勝功德佛
南无四无畏金剛那羅延師子佛
南无普智幢勇猛佛　南无法波頭摩敷身佛
南无功德俱摩身童擔佛
南无道場覺勝月佛
南无然炬勝月佛　南无普賢光明頂佛

南无切德俱摩身童擔佛
南无道場覺勝月佛
南无然炬勝月佛　南无普賢光明須佛
南无法幢燈金剛堅幢佛
南无彌山勝雲佛　南无旃檀勝月佛
南无普勝俱蕤摩威德善提佛
南无香炎照王佛　南无因波頭摩佛
南无相山照佛　南无普彌切德王佛
南无普門光明須彌山佛
南无法城光明勝切德山威德王佛
南无勝相佛　南无法力勇猛幢佛
南无轉法輪光明吼聲佛
南无光明切德山智慧王佛
南无轉法輪月勝波頭摩照佛
南无佛幢自在切德不可勝幢佛
南无寶波頭摩光明藏佛
南无光明峯雲燈佛
南无普覺俱蕤摩佛
南无種種光明勝山藏佛
南无金山威德賢佛　南无賢勝山威德佛
南无明輪峯王佛　南无切德雲蓋佛

BD02091號　佛名經（十六卷本）卷一二　（38–22）

南无種種光明勝山藏佛
南无金山威德賢佛　南无賢勝山威德佛
南无明輪峯王佛　南无切德雲蓋佛
南无法峯雲幢佛　南无法日雲燈王佛
南无切德山威德佛　南无法雲十方稱王佛
南无法輪蓋雲佛　南无覺智智幢佛
南无智威德佛　南无法輪清勝月佛
南无普慧雲聲佛　南无法力勝山佛
南无香炎勝王佛
南无伽耶迦摩尸山威德佛
南无須藏一切法光輪佛
南无然法輪威德佛
南无峯勝威德佛　南无普精進炬佛
南无三昧海廣須冠光佛
南无寶妙勝王佛
南无日勝妙佛　南无法炬寶帳聲佛
南无法虛空无邊光師子佛
南无法虛空无邊光佛
南无相莊嚴幢月佛　南无光明山雷雲佛　雲
南无法虛空无㝵佛　南无妙智數身佛

BD02091號　佛名經（十六卷本）卷一二　（38–23）

南无相莊嚴幢月佛　南无光明山雷電佛
南无法虛空无㝵佛　南无妙智數身佛
南无世間因陁羅妙光明雲佛
南无法三昧光佛　南无法善莊嚴藏佛
南无法然炎堅固聲佛
南无三世相鏡像威德佛
南无法輪山峯光佛　南无法界師子光明佛
從此以上九千三百佛十二部經一切賢聖
南无靈舍那勝須弥山三昧堅固師子佛
南无普光明城燈佛　南无寶俱蘇摩藏佛
南无轉妙法聲佛　南无虛空劫燈佛
南无法幢佛　南无安隱世間月佛
南无摩訶伽羅那師子佛
南无可樂聲佛　南无安隱佛
南无增上信威德佛　南无醫王佛
南无法虛空上勝王佛　南无天藏佛
南无地山峯王佛　南无轉法輪光明吼王佛
南无智虛空藥王佛　南无一切吼王佛
南无不可降伏佛　南无力雞兜佛
南无轉法輪化普光明聲佛
南无相勝山佛

BD02091 號　佛名經（十六卷本）卷一二　（38–24）

南无智虛空藥王佛　南无一切吼王佛
南无不可降伏佛　南无力雞兜佛
南无轉法輪化普光明聲佛
南无相勝山佛
南无具足堅聚佛　南无垢娑差佛
南无住持疾佛　南无遍相佛
南无无垢娑侯佛　南无師子步脩佛
南无天自在頂佛　南无法起稱佛
南无大无畏味佛　南无虛空燈佛
南无无垢幢佛
南无恒河沙同名賢行佛
南无恒河沙同名无邊命佛
南无恒河沙同不動佛
南无恒河沙同名月智佛
南无恒河沙同名金剛幢佛
南无恒河沙同名日藏佛
南无恒河沙同名善光佛
南无恒河沙同名金剛佛
南无五百同名大慈悲佛
南无普智炎功德幢王佛
南无善逝法幢勝佛

BD02091 號　佛名經（十六卷本）卷一二　（38–25）

南无普智奕切德幢王佛
南无善逝法幢勝佛
南无須弥佛
南无功德賢佛
南无自在佛
南无畏王佛
南无无量愛佛
南无奉稱功德佛
南无須弥山佛
南无日月面佛
南无如是等无量佛
南无虚空行佛
南无善照佛
南无方城佛
南无勝光佛
南无雲勝佛
南无法奕山佛
南无波頭摩王佛
南无法界花佛
南无海燈佛
南无畏佛
南无如是等无邊佛
南无寳雞兜王佛
南无智意佛
南无思議佛
南无因陁羅勝佛
南无天智佛
南无雲王畏佛
南无智勝佛
南无光明雞兜佛
南无勝奮迅威德去佛
南无法界波頭摩佛
南无行廣見佛
南无如是等无量无邊佛
南无寳[illegible]山佛
南无[illegible]佛

南无法界波頭摩佛
南无行廣見佛
南无如是等无量无邊佛
南无寳奕山佛
南无勝光佛
南无寳功德佛
南无海勝佛
南无法光明佛
南无波頭摩佛
南无藏勝佛
南无世間眼佛
南无如是等无量无邊佛
南无香光佛
南无須弥勝佛
南无嶽王佛
南无滐佛
南无勝摩尼佛
南无藏王佛
南无勝威德畏佛
南无畏色去佛
南无如是等无量无邊佛
南无廣知佛
南无寳光明佛
南无虚空雲勝佛
南无妙相佛
從此以上九千四百佛十二部經一切賢聖
南无勝相佛
南无莊嚴佛
南无行輪佛
南无光勝佛
南无光明勝佛
南无如是等无量无邊佛
南无那羅延行佛
南无須弥勝佛
南无功德輪佛
南无勝王佛

南无如是等无量无邊佛
南无那羅延行佛　南无須弥勝佛
南无功德輪佛　南无勝王佛
南无不可降伏佛　南无山王樹佛
南无如是无量无邊佛
南无波羅自在王佛　南无勝藏佛
南无世間自在身佛　南无鏡像光明佛
南无地出佛　南无光明功德佛
南无金剛色佛　南无住持威德勝佛
南无如是等无量无邊佛
南无深无明身佛　南无法海吼聲佛
南无弥留幢勝光明意佛
南无寶光明勝佛　南无梵光佛
南无虛空聲佛　南无法界鏡像勝佛
南无輪光明佛
南无智光高雞兠意佛
南无伽伽那燈佛
南无樂勝眼佛　南无功德光明勝佛
南无寂勝佛　南无大悲速疾佛
南无地力光明意佛　南无功脩面色佛
南无勝身光明佛　南无法勝宿佛

BD02091號　佛名經（十六卷本）卷一二　（38–28）

南无寂勝佛　南无大悲速疾佛
南无地力光明意佛　南无一切脩面色佛
南无勝身光明佛　南无法勝宿佛
南无高尼羅速行佛　南无清淨幢蓋勝佛
南无三世鏡像佛　南无願海樂說勝佛
南无慚愧須弥山勝佛　南无念雞兠王勝佛
南无法意佛　南无慧燈佛
南无光雞兠勝佛　南无廣智佛
南无法界行智意佛　南无法海意智勝佛
南无法寶勝佛　南无功德輪佛
南无勝雲佛　南无忍辱燈佛
南无勝威德意佛
南无速光明睒摩他聲佛
南无寂燈佛　南无世間燈佛
南无大願勝佛
南无不可降伏幢佛　南无智炎勝功德佛
南无法自在佛　南无无导意佛
南无世間言語堅固吼光佛
南无一切聲分吼勝精進自在佛
南无具足意佛　南无諸方天佛
南无現面世間佛

BD02091號　佛名經（十六卷本）卷一二　（38–29）

南无具足意佛　南无諸方天佛
南无境面世間佛
南无智衆生心平等身佛
南无寂勝佛　南无行佛行佛
南无清淨身佛　南无勝賢佛
南无如是等上首不可說无量无邊佛
南无彼諸佛所說妙法
南无彼說妙妙法身
南无彼佛三十二相八十種好无量无邊功德
南无彼佛種種道場菩提樹種種形像種種
妙塔去來坐卧妙處歸彼諸佛不退法輪菩薩
大衆不退聲聞僧比丘比丘尼優婆塞優婆夷天
龍夜刄乾闥婆阿脩羅緊那羅摩睺羅伽種種
狀貌信如來法輪轉如來法輪不可思議菩薩摩訶
薩者皆歸命歸命如來法身十力四无畏禪定慧解
脫知見如是等无量无邊功德如是功德迴施一切衆
生願得阿耨多羅三藐三菩提
舍利弗有善眼劫中有七十那由他佛出世
舍利弗善見劫中有七十二億佛出世
舍利弗梵讃歎劫中有一万八千佛出世

BD02091號　佛名經（十六卷本）卷一二　（38-30）

舍利弗善見劫中有七十二億佛出世
舍利弗梵讃歎劫中有一万八千佛出世
舍利弗名過去劫中有三十二千佛出世
舍利弗莊嚴劫中有八万四千佛出世
舍利弗應當歸命如是等无量无邊佛
舍利弗善男子善女人欲滅一切罪當應淨洗
浴著新淨衣稱如是等佛名礼拜應作是言我无始
世界來身口意業作不善行乃至謗方等經五
逆罪等願皆消滅
舍利弗善男子善女人欲滿足波羅蜜行欲濡
无上菩提欲滿足一切菩薩諸波羅蜜應作是
言我學過去未來現在菩薩摩訶薩行大捨
破𠙶出心施於衆生如智勝菩薩及迦尸王等
捨妻子等布施貧之如不退菩薩及阿翅那羅王
須達拏及莊嚴王等入於地獄救苦衆生如大悲
菩薩及善眼天子等
救惡行衆生如善行菩薩及勝行王等捨頭上
寶天冠并剥頭皮而與如勝上身菩薩及寶
髻天子等
捨眼如愛作菩薩及光王等

BD02091號　佛名經（十六卷本）卷一二　（38-31）

寶天冠并剎頭皮而與如勝上身菩薩及寶
髻天子等
捨眼如憂作菩薩及光王等
捨耳鼻如无怨菩薩及勝去天子等捨齒如
華齒菩薩及六牙象王等
捨不退菩薩及善面王等
捨手如常精進菩薩及堅意王等
捨血如法作菩薩及月思天子等
捨肉髓如安隱菩薩及一切施王等
捨大腸小腸肝脾腎如善德菩薩及自遠離諸
惡王等
捨身一切大小支節如法自在菩薩及光勝天等捨
皮如清淨藏菩薩及金色天子金色廉王等捨
手足指如堅精進菩薩及金色王等
捨肉指甲如不可盡菩薩及求善法天子等爲求
法故入大坑如精進菩薩及求妙法王精進等更一切
苦惱妙法菩薩及速行大王等
捨四天下大地及一切莊嚴如得大勢至菩薩及勝切
月天子等
捨身如摩訶薩埵菩薩及摩訶薩婆羅等自
身與一切貧窮苦惱衆生作給使侍者如尸毗王等

BD02091號　佛名經（十六卷本）卷一二　（38–32）

捨身如摩訶薩埵菩薩及摩訶薩婆羅等自
身與一切貧窮苦惱衆生作給使侍者如尸毗王等
舉要言之過去未來現在諸菩薩一切波羅蜜行願
我亦如是成就十方世界諸妙香花鬘諸妓樂我隨
喜供養佛法僧復迴此福德施一切衆生願因此福
德諸衆生等莫墮惡道因此福德滿足八万四千諸波
羅蜜行速得授阿耨多羅三藐三菩提記速得
不退轉入涅槃成无上菩提
次礼十二部尊經大藏法輪
南无五十法式經　南无受欲聲經
南无惟明經　南无五蓋離疑經
南无一切義要經　南无慧行經
南无五陰喻經　南无思道經
南无王舍城鷲山經　南无賢劫五百佛經
南无五百弟子本起經
南无權變經
南无五恐怖經　南无父母因緣經
南无内外无爲經　南无五失蓋經
南无浮木經
南无内外六波羅蜜經
[illegible]

BD02091號　佛名經（十六卷本）卷一二　（38–33）

南无内外无爲經　南无五失蓋經
南无浮木經
南无内外六波羅蜜經
南无佛立莊嚴淨經　南无鬼子母經
從此以上九千五百佛十二部經一切賢聖
南无難龍王經　南无佛說菩意經
南无觀行移罪事經　南无難提和羅經
南无佛有百比丘經　南无旃陀越經
南无光世音大勢至力受决經
南无梅有八事經
次礼十方諸大菩薩
南无導師菩薩　南无那羅達菩薩
南无星得菩薩　南无水天菩薩
南无主天菩薩　南无大意菩薩
南无盖意菩薩　南无增意菩薩
南无不虛見菩薩　南无善進菩薩
南无勢勝菩薩　南无常勤菩薩
南无不捨精進菩薩　南无日藏菩薩
南无不歡意菩薩　南无觀世音菩薩
南无滿濡尸利菩薩　南无執寶印菩薩
南无常舉手菩薩　南无弥勒菩薩

BD02091號　佛名經（十六卷本）卷一二　（38–34）

南无不捨精進菩薩　南无日藏菩薩
南无不歡意菩薩　南无觀世音菩薩
南无滿濡尸利菩薩　南无執寶印菩薩
南无常舉手菩薩　南无弥勒菩薩
次礼聲聞緣覺一切賢聖
南无无漏辟支佛　南无憍慢辟支佛
南无盡憍慢辟支佛　南无親辟支佛
南无得脫辟支佛　南无无垢辟支佛
南无獨辟支佛　南无離晝辟支佛
南无能作憍慢辟支佛
南无退辟支佛　南无不退去辟支佛
南无尋辟支佛
歸命如是等无量无邊辟支佛
礼三寶已次復懺悔
已懺三塗等報今當次復稽顙懺悔人天餘
報相與稟此閻浮壽命雖曰百年滿者无
幾於其中間盛年夭枉其數无量但有衆苦
煎迫形心愁憂怨怯未曾暫離如此皆是善
根微弱惡業滋多致使現在心有所爲皆不稱
意當知悉是過去已來惡業餘報是故弟子
今日至誠歸依佛

BD02091號　佛名經（十六卷本）卷一二　（38–35）

根微弱惡業滋多致使現在心有所爲皆不稱
意當知悉是過去已來惡業餘報是故弟子
今日至誠歸依佛
南无東方蓮華上佛
南无南方調伏王佛
南无西方无量明佛
南无北方勝諸根佛
南无東南方蓮華尊佛
南无西南方无量花佛
南无西北方在智佛
南无東北方赤蓮花德佛
南无下方分別佛
南无上方伏怨智佛
如是十方盡虛空界一切三寶
弟子等无始以來至於今日所有現在及以
未來人天之中无量餘報流殃宿對癃殘百
病六根不具罪報懺悔人間邊地耶見三
塗八難罪報懺悔人間多病消瘦促命夭
枉罪報懺悔人間六親眷屬不能得常相保守
罪報懺悔人間親友彫喪愛別離苦罪報懺悔
人間怨家聚會愁憂怖畏罪報懺悔人間水

枉罪報懺悔人間六親眷屬不能得常相保守
罪報懺悔人間親友彫喪愛別離苦罪報懺悔
人間怨家聚會愁憂怖畏罪報懺悔人間水
火盜賊刀兵危嶮驚恐怖弱罪報懺悔人間孤獨
困苦流離波迸亡失國土罪報懺悔人間牢獄繫
閉幽執倒懸鞭撻拷楚罪報懺悔人間公私口舌迭
相羅染更相誣謗罪報懺悔人惡聞病連年累
月不差抗臥床席不能起居罪報懺悔人間冬溫
夏疫毒厲傷寒罪報懺悔人間賊風腫滿否塞
罪報懺悔人間爲諸惡神伺求其便欲作禍祟罪
報懺悔人間有人間有鳥鳴百怪飛屍耶鬼爲作
妖異罪報懺悔人間爲虎豹豺狼水陸一切諸惡
禽獸所傷罪報懺悔人間自經自刺自然罪報
懺悔人間投坑赴水自沉自墜罪報懺悔人間无
有威德名聞罪報懺悔人間衣服資生不稱心罪
罪報懺悔人間行來出入有所去爲值惡知識
爲作留難罪報如是現在未來人天之中无量禍
橫突瘦厄難衰惱罪報弟子今日向十方
法聖僧求哀懺悔　禮一拜

罪報懺悔人間為諸惡神伺求其便欲作禍崇罪
報懺悔人間有人間有鳥鳴百怪飛尸耶鬼為作
妖異罪報懺悔人間為虎豹豺狼水陸一切諸惡
禽獸所傷罪報懺悔人間自經自刺自煞罪報
懺悔人間投坑赴水自沈自墜罪報懺悔人間无
有威德名聞罪報懺悔人間衣服資生不稱心罪
罪報懺悔人間行來出入有所去為值惡知識
為作留難罪報如是現在未來人天之中无量禍
横疾疫厄難衰惱罪報弟子今日向十方
法聖僧求哀懺悔 礼一拜

佛名經卷弟十二

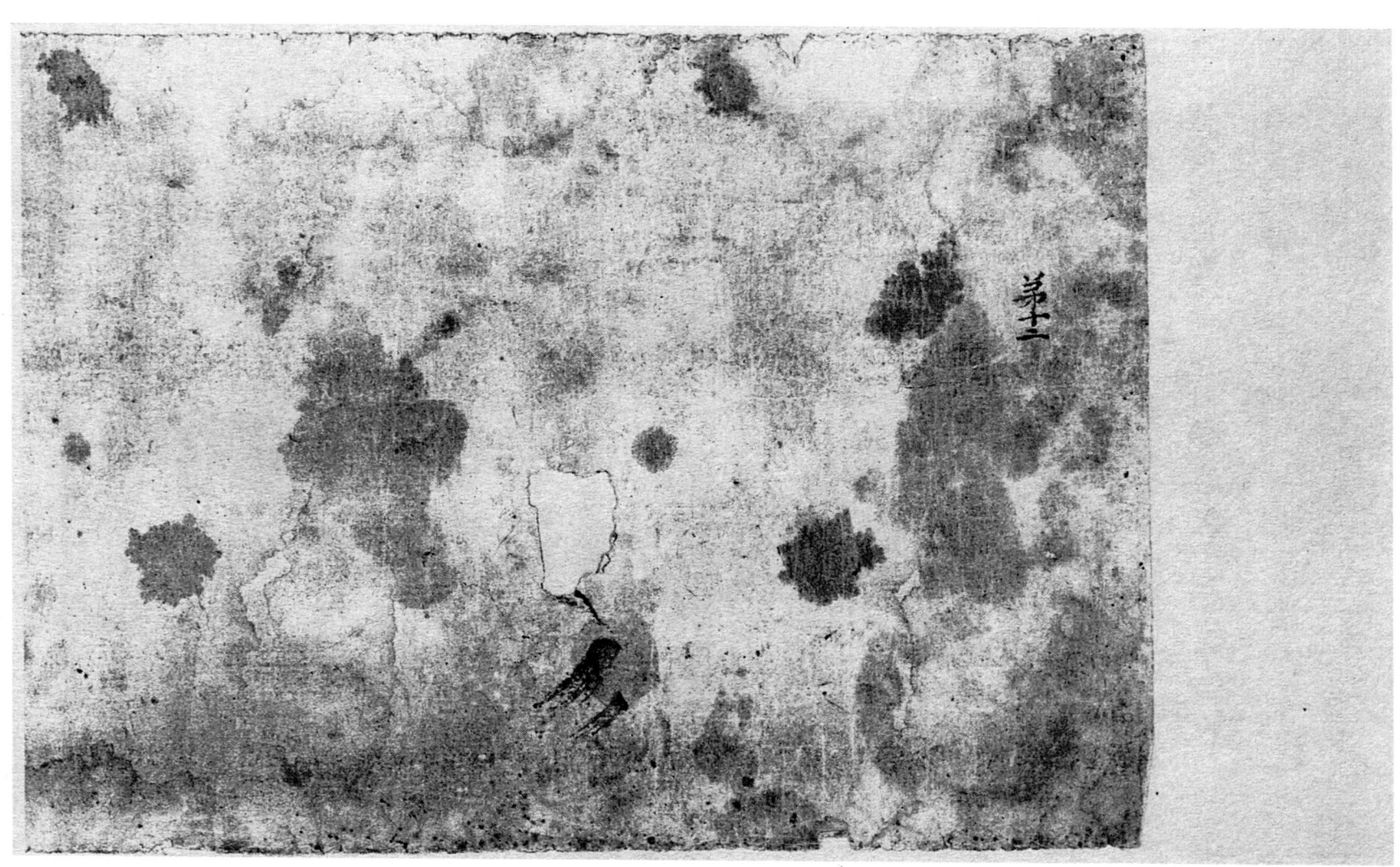

BD02091號　佛名經（十六卷本）卷一二　（38–38）

弟十二

BD02091號背　勘記　（1–1）

名之…
[illegible]爲律又釋詮…
伏罰鎮以之…
又山畏…
尋在〻无…
所并若彰教稱此是解…
无爲故云彼〻解脫若彰衣…
煩惱故云彼〻解脫又釋斷絕
羈傳念〻離塵染名爲木叉 四名毗尼之是梵語
法能殄息諍
行釋斷除生死苦盡无爲橾泊故名爲滅
又釋滅除生死盡諸苦同故云毗尼 此毗尼藏世足
傳臨涅槃時以此律藏付囑優波離優波離滅
迦葉摩訶迦葉涅槃付囑阿難阿難滅度付[illegible]
商那和修涅槃付囑優波毱多已上五大師仏法皆同一味
後毱多有五弟子各覽生異見遂分爲五 一名薩波多
弟誦律主是也 二名曇無德弟四分律主是也
三名弥沙塞弟五分律主是也 四名婆麁富那弟僧祇律
主是也 五名迦葉惟亦名迦葉毗律〻本未來漢地也
今此律主弟曇無德部是此是梵語唐言法正部也
得戒有十種 一自然得戒謂仏 二自誓得戒謂大迦葉
三見諦得戒謂五俱輪等五比丘 四善來得戒謂耶舍等
五三語得戒謂仏在世未制戒前但受三歸弟得具足
六問答得戒謂須陁耶沙弥年始七歲仏問其義一一具答
稱可聖心便發具足 七八敬得戒謂大愛道從阿難聞
八法已歡喜頂受便發具足 八敬者 百歲與年授戒請安自
八遣使得戒謂半迦尸尼有其難緣差使乞戒而得具足
九善得戒謂十僧作法 十邊方五人授大戒已前九

BD02092號 小抄 (9–1)

六問答得戒謂須陁耶沙弥年始七歲仏聞其義一一具答
稱可聖心便發具足七八敬得戒謂大愛道從向難聞
八法已歡喜頂受便發具足之八敬者百罵與年授職請安自
八遣使得戒謂半迦尸尼有其難緣差使乞戒即得具足
九羯磨得戒謂十僧作法　十邊方五人授大戒已前九
種屬仏在世羯磨一法教通凡聖被及僧尼護羅現未
須知作法　問羯磨受戒具足幾緣得名如法答依僧祇律
具六因緣一年滿廿二衣鉢具三身无遮難三結界成就
四界內盡集五羯磨成就六十僧滿足備此六緣得名如法爾一
不成　問界有幾種　答一者作法界二者自然界作法
有三一者攝僧界二者攝衣界三者攝食界僧界有三
一者大界二者異場三者小界今就大界之內又有三種
謂人法二同界法食二同界法同食別界若就自然界
中者別分四別一者聚落界二者謂蘭若界三者道
行界四者水界　問羯磨有幾種　答有一百卅四種
單羯磨有卅九白二羯磨有五十七白四羯磨卅八
此三羯磨攝一切羯磨皆盡　明五篇法一波羅夷篇
蓋是西音此云无餘若犯此戒永弃衆外故云无餘不得与　二明僧
僧同行羯磨布薩亦在衆外故云无餘也
伽婆尸沙篇此云僧殘若犯此戒行則毀缺不應在布薩羯磨
衆中之數亦類其子亦在衆外故云僧殘
三名波逸提篇此方云墮若犯此戒墮落地
獄燒煮覆障故云墮也四名波羅提提舍尼
篇此方云向彼悔若犯此戒事合可訶　五名式叉迦羅尼篇此方云應當
對手懺悔故云向彼悔也
學威儀練行勤習
方成故云應當學　此明七聚法一波羅夷聚二僧伽婆尸沙聚

三名波逸提翻（此方云墮，若犯此罪燒煑覆障，故云墮也）四名波羅提提舍尼
翻（此方云向彼悔，若犯此戒事合可呵責，對手懺悔，故云向彼悔也）五名式叉迦羅尼翻（此方云應當
學威儀練行勤習方成，故云應當學）此明七聚法：一波羅夷聚，二僧伽婆尸沙聚，
三偷蘭遮聚（此是梵語，唐言麤惡，亦云遮障，偷言遮，蘭言障，若犯此罪大遮障聖道，故曰遮障。然偷蘭有四：一五
逆偷蘭，應藏殯不可懺；二初篇下重偷蘭，應八僧中悔；三初篇下輕偷
蘭，二篇下重偷蘭，應四僧中悔；四獨頭偷蘭及餘篇下偷蘭，應三僧中悔）
四波逸提聚，五波羅提提舍尼聚，六突吉羅聚，七惡說聚（突
吉羅者，義翻云惡作，突者名惡，吉羅名作，作惡不止，故名突吉羅，亦云
蹉跌，身作名惡，口作名說，故云惡作惡說。突吉羅此二聚罪，若故犯者，應
對手懺；若悮犯，應責心悔）問婬戒具幾緣成犯？答具四緣成犯：一前境
是女人，二興染心，三起方便，四与境合便犯。問盜戒具幾緣
成犯？答具有六緣成犯：一有主物，二有主想，三有盜心，
四重物，五興方便，六離本處便犯。問煞戒具幾？答具五緣：
一是人，二人想，三興煞心，四起方便，五斷命根。問大妄語戒具幾
緣？答具八緣成犯：一前境是人，二人想，三事虛，四知是事虛，
五有誑他人，六自言己得，七言辭了了，八前人知解。
問僧有幾種？答有四種：一者四人僧（除受戒自恣出罪餘一切羯磨應作），二
者五人僧（除中國授戒出罪餘法得作），三者十人僧（除出罪餘法得作），四者廿人僧（一切羯磨得作，
況復更多）。問菩薩戒中煞先婬後，何故聲聞戒中婬先煞
後？答菩薩大悲為本，是以煞戒為初；聲聞梵行為機，
是以婬戒為首。問受衣法，若不持三衣入聚落得無

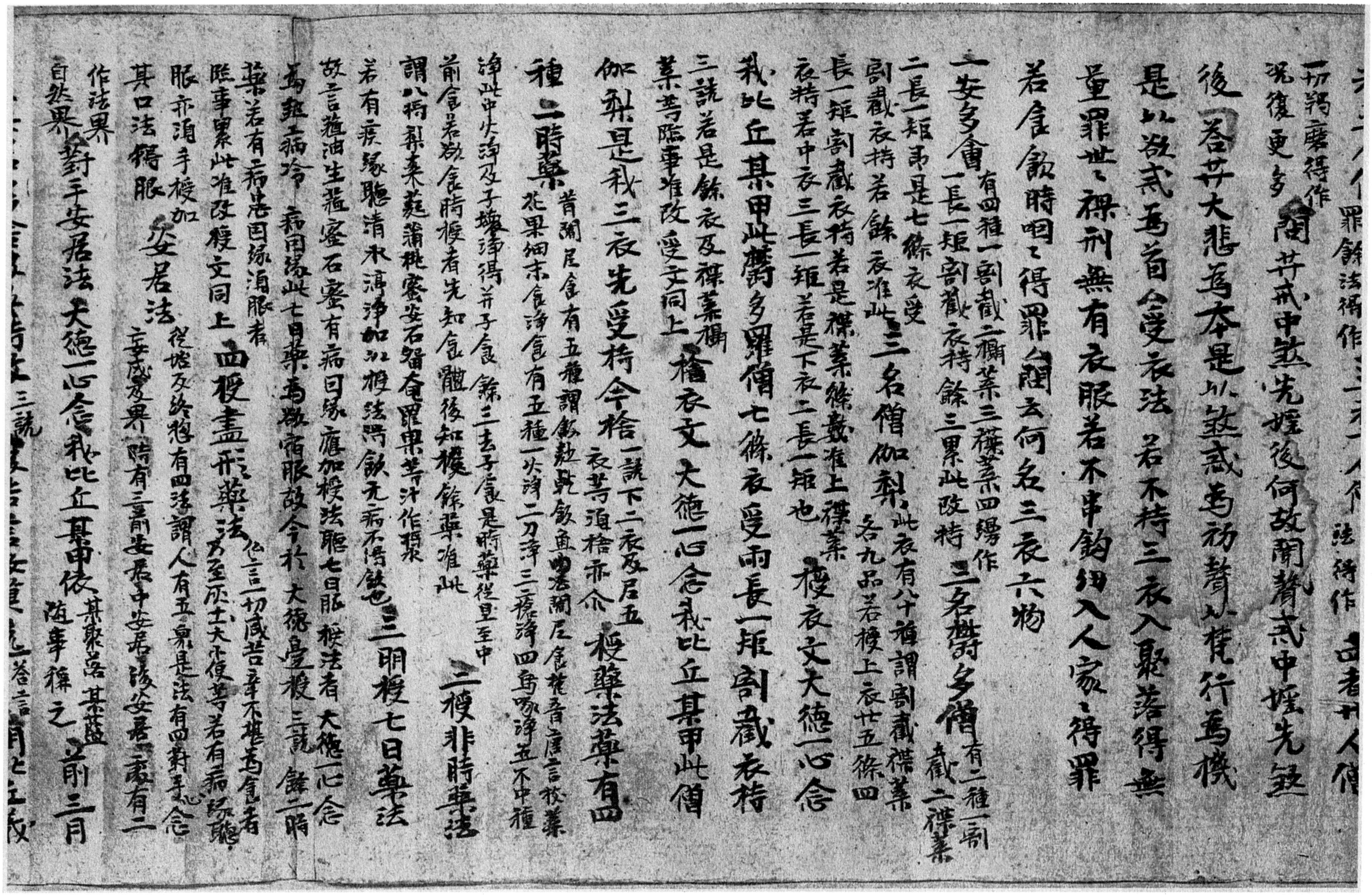
一切羯磨得作 況復更多 開卅戒中熱先煙後 何故開者 戒中煙先熱
後 菩薩大悲爲本 是以熱戒爲初 者以梵行爲機
是以殺戒爲首 受衣法 若不持三衣入聚落得無
量罪 世世裸形無有衣服 若不串鉤紐入人家 得罪
若食飲時咽咽得罪 問云何名三衣六物
一安多會 有四種 一割截 二襵葉 三褋葉 四縵作 一長一短割截衣持 餘三累此改持 二名鬱多僧 有二種 一割截 二褋葉
二長一短 弟是七條衣 受割截衣持 若餘衣准此 三名僧伽梨 此衣有八十種 謂割截褋葉各九品 若褋上衣廿五條 四
長一短割截衣持 若是褋葉條數准上褋葉 衣持若中衣三長一短 若是下衣二長一短也 褋衣文 大德一心念
我比丘某甲此鬱多羅僧七條衣受兩長一短割截衣持
三說 若是餘衣及褋葉襵葉等臨事准改 受文同上 捨衣文 大德一心念我比丘某甲此僧
伽梨是我三衣 先受持今捨 一說 下二衣及后五衣等須捨亦尒 褋藥法 藥有四
種 一時藥 昔蘭尼食有五種 謂飯麨乾飯魚肉 若蒲尼食 唐言枝葉花果細末食 淨食有五種 一火淨 二刀淨 三瘡淨 四鳥啄淨 五不中種
淨 此中火淨及子擣淨得并子食 餘三去子食 是時藥從旦至中 二褋非時藥法
前食若欲食時褋者先知食體後知褋 餘藥准此
謂八特漿 棗 蕤 蒲桃 蜜 安石留 舍羅果等汁作 褋
若有疾緣聽清水濾淨加以褋法 得飲 無病不得飲也 三明褋七日藥法
故言蘇油生蘇蜜石蜜 有病因緣應加褋法 聽七日服 褋法者 大德一心念
爲熱病冷病因緣 此七日藥爲欲宿服故 今於大德邊褋 三說 餘二時
藥若有病 若因緣須服者 臨事累此准改 褋文同上 四褋盡形藥法 仏言 一切鹹苦辛不堪爲食者 方至灰土大小便等 若有病緣聽
服亦須手褋加 安居法 從始及終總有四法 謂人有五衆 是法有四 對手心念
其口法 得服 安居有三 前安居 中安居 後安居 亦有二
作法界 自然界 對手安居法 大德一心念我比丘某甲依 某衆落 某藍 隨事稱之 前三月

BD02092號　小抄　　（9–4）

藥若有病……服不堪去食者
服事眾此准改擾文同上　四使盡形藥法　作言：一切同此，乃至塵土大小便等，若有病隨聽
服亦須手授加　其口法稱服　安居法　從此以後有四種，謂人有五眾，是法有四對，念
言處及界時有三：前安居、中安居、後安居，處有二
作法界　自然界　對手安居法：大德一心念，我比丘某甲依某聚落某藍，隨事稱之，前三月
夏安居，房舍破修治故。三說。彼告言：汝莫放逸。答言：爾。頂持　一比丘義
云何？答：有八種。一名字比丘，二相似比丘，三自稱比丘，四乞求比丘，
五著割截衣比丘，六破結使比丘，七善來比丘，八白四羯磨如法
成就得處所比丘。四依法：一糞掃衣，二常乞食，三樹下坐，四腐
爛藥。糞掃衣十種：一牛嚼衣，二鼠嚙衣，三火燒衣，四水衣，五產
王衣，六神廟衣，若鳥銜風吹離處，七顛衣，八塚間衣，九產衣，
十往還衣。一僧物隨事立名，凡有六種：一者十方僧物，如僧家重物及供眾
僧受用食眾等物，體通十方，上至羅漢，下至沙彌，盡皆有分，
無有和合不得買賣借與人及私已受用之也。二者常住僧物，
謂眾僧廚庫寺舍園田僮使畜等，體通十方，不可分用，言常住者，常在此
處不可移動，四方僧來此處受用，從物為名，故稱常住。
三者現前現前，必盜此現前僧物，望本主結重，若多
人共物一人守護，亦望護主結罪也。四者十方
謂已僧五眾衣物也，若盜已比丘物，若未羯磨，
從十方僧得罪輕，若羯磨已，望現前僧得罪重。五招提僧物，謂僮越施福田園與現前
僧，僧造私房，四方僧來無安置處，俗人見已施此房，造更施田園達
僧房與四方僧物，供給所須，由此房能招引四方僧，故言招提僧物，或先造
房，僧迴己房及田園施四　六者僧鬘物，謂僧園中有花，栽賣花或已花
方僧，亦云招提僧之也。作鬘出賣得物，從鬘得物，故云
僧鬘物
有四種妄語：一波羅妄語，二殘妄語，三波逸提妄語，
四向彼波羅妄語。有四威儀語：一常作法語，二常作正真
語，三常作和合語，四常作柔軟悅意語。經有五種

房僧迴己房及田園故四
方僧亦云招提僧之也 六者僧鵖物 謂僧園中有[illegible] 作鵖出賣得物從鵖得物故云
僧鵖物
有四種妄語 一波羅妄語 二殘妄語 三波逸提妄語
四向毗波羅妄語 一口有四威儀語 一常作法語 二常作正真
實語 三常作和合語 四常作柔軟悕意語 一慳有五種
一慳財 二慳法 三慳家 四慳處 五慳讚 一明四分義 四者數也
分者股也 世尊在世四度昇高座說此律終 故名四分
又云梵夾 四夾故名四分 此分律通其六釋 今且明解四分兩律 二兩四分六釋之中是帶數釋之也 今
依律本從初至僧戒末名爲初分 至尼戒終名第二分
從安居揵度至房舍揵度已前名爲第三分 從房
舍揵度至律本末名爲第四分 一持戒得十種利 一攝取於僧 二令僧
歡喜 三令僧安樂 四未信者令信 五已信者令增長 六難調令調 七慚愧
者安樂 八斷現在漏 九斷未來有漏 十令得正法久住
十二頭陀法 頭者少欲知足 斗擻煩惱 離於住著 故曰頭陀 一持糞掃衣 二持三衣 三持隨衣
四常乞食 五一餅食 六一坐食 七不作餘食法 八樹下坐 九冢
間坐 十露地坐 十一隨處坐 十二常坐不臥 此十二者持衣有三 食法有四 處所有五 行人於衣食處所心无染着 積緣進道更不思須
種越施物凡有八種 一施比丘僧物 唯屬現前比丘數人分 二施比丘尼物 唯屬現前比丘尼數人分
三施二部僧物 莫問人數多少 分物作二分 僧取一分 付尼衆
各於廣部自數人分之 四施四方 得施物來者皆得應作羯
磨分 若不得與尼同作羯磨 若施招提僧不須作法
五界內僧得施物 唯屬住處僧 入界皆得 但取施主意定
六施同羯磨僧得施物 唯一處同作法者分之

磨〃亦不得与尼同作羯磨若施䞋提僧不須作法
五界内僧得施物唯屬住處僧入界皆得但取施主意定
六施同羯磨僧得施物唯一處同作法者〃之
七施稱名字僧得施若言施禪師法師律師呪願師老病僧
若不開親疏　八衆中一人得施物從上坐行之与　隨擲越
捨施依此八法〃〃之若无定〃上坐應問於何寺施若不依此八
法則不得施僧之福若不依此八法而受輕犯法施爲犯
處說　應羌五德〃〃之好惡相參令不見者檀等餘人
不得亂語利養難消〃首留不在此莫生嫌恨蓋人至行也
出家之人不得迴施入己若欲迴者其罪甚重應如法施
如法求（此下句）（此上句）如法受如法用如法与如法住　問律以何爲宗以何爲
體　答戒爲宗　諸說不同依塔疏以戒爲宗　律以何爲體
者　答合是語業爲體任意取捨十一處中以法爲體依
经部以不相爲體依有部以色爲體俱時此處攝
問律儀有幾種　答有四種　靜慮律儀是色界尸羅
二無漏律儀爲無漏身中所起尸羅　三斷律儀以爲斷損惱名
斷律儀　四別解脫律儀爲欲界尸羅　爲別〃防非解脫律
儀　客舊相過　音大師在日親爲教主客並至自唱
善来又復西方寺衆多爲制法凡見新来無論客舊及
弟子門人萬人而須迎前唱莎揭哆譯日善来客乃尋聲
而去　莎揭哆譯日極善来如不說者一違寺制二爲

善來又復西方寺衆多羅制法凡見新來無論客舊及
苐子門人舊人爲迎前唱莎揭哆譯曰善來客乃尋聲
而去卑莎揭哆譯曰極善來如不說者一違寺制二爲
律有犯無問大小巻皆如此而爲其取瓶鉢挂在壁牙
隨處安坐令其憩息幼向房處尊乃房前卑敬上
而熟若其踹後乃遍身尊乃摩下而頬按背不至足之
齋罍年之類事無閑然既解菝勞方澡手濯足次就
尊所申其礼敬但爲一礼蹲而按足尊乃展其右手
撫其肩背若則非經多手撫不爲師乃問其安不萬
子隨事見答然後退坐一邊恭敬而坐實無立法然西
方軌則多坐不枯浪慮是冬身既無斯事亦是之禮
不小經說而人來至佛所頂礼雙足遍坐一面而其儀
矣然後擇其時條茶給湯飲如蒸濁滓此宜不開吉
湯之流體是桐濁准依道理全其飲限律云凡齊衆
淨濾色如黃荻此謂西國師弟門徒客舊相過遣
迎之礼豈爲冒雪創至觸熱新來或遍體汗流或
手足皆凍欲却衣襆急事和南情狀慌忙深乖軌
式師乃立之開閑餘事識哉大急將爲但陵言和南
者梵語畔睇或云畔憚南譯爲敬礼但爲採語不真和
南矣不能移舊且道和南的取正音應云畔睇又道以衆
礼非儀合掌低頭口云畔睇故經云或復但合掌乃

迎之礼豈爲冒寒劍至觸熱新來我遍體汗流感
手足皆凍故却衣服急事和南情於慈悲乖軌
丈師乃立之閑閑錄事識我大急將爲但陸言和南
者梵語畔睇式云畔憚南譯爲敬礼但爲梵語不玄和
南矣不能移舊且道和南的取缶奇應云畔睇又道以衆
礼稱非儀合掌低頭口云畔睇故從玄式後但合掌乃
至不低頭而是致敬也南人不審依希合度向使改不
審爲畔睇斯乃全同律教 畲畲律抄一卷
丙午年七月五日大蕃國酉州酒泉郡沙門法榮
寫 手惡筆若多闕錯漆有明所望 垂
改却

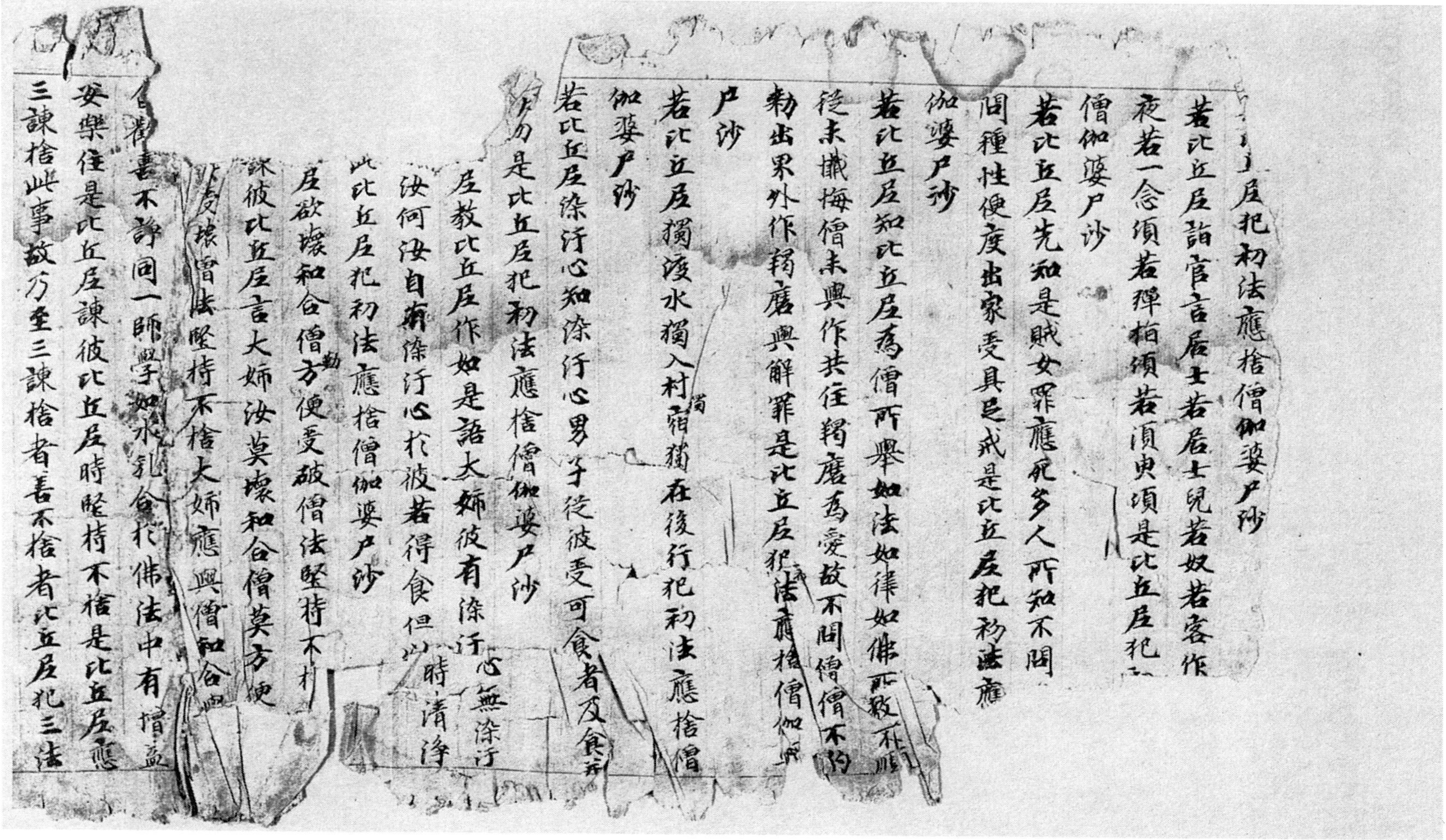
比丘尼犯初法應捨僧伽婆尸沙
若比丘尼詣官言居士若居士兒若奴若客作
夜若一念頃若彈指頃若須臾頃是比丘尼犯
僧伽婆尸沙
若比丘尼先知是賊女罪應死多人所知不問
問種姓便度出家受具足戒是比丘尼犯初法應
伽婆尸沙
若比丘尼知比丘尼爲僧所舉如法如律如佛所教不順
從未懺悔僧未與作共住羯磨爲愛故不問僧僧不約
勅出界外作羯磨與解罪是比丘尼犯初法應捨僧伽婆
尸沙
若比丘尼獨渡水獨入村獨宿獨在後行犯初法應捨僧
伽婆尸沙
若比丘尼染汙心知染汙心男子從彼受可食者及食并
物是比丘尼犯初法應捨僧伽婆尸沙
尼教比丘尼作如是語大姉彼有染汙心無染汙
汝何汝自無染汙心於彼若得食但以時清淨
此比丘尼犯初法應捨僧伽婆尸沙
尼欲壞和合僧方便受破僧法堅持不捨
諫彼比丘尼言大姉汝莫壞和合僧莫方便
受壞僧法堅持不捨大姉應與僧和合
合歡喜不諍同一師學如水乳合於佛法中有增益
安樂住是比丘尼諫彼比丘尼時堅持不捨是比丘尼應
三諫捨此事故乃至三諫捨者善不捨者比丘尼犯三法

BD02093號　四分比丘尼戒本

（12–1）

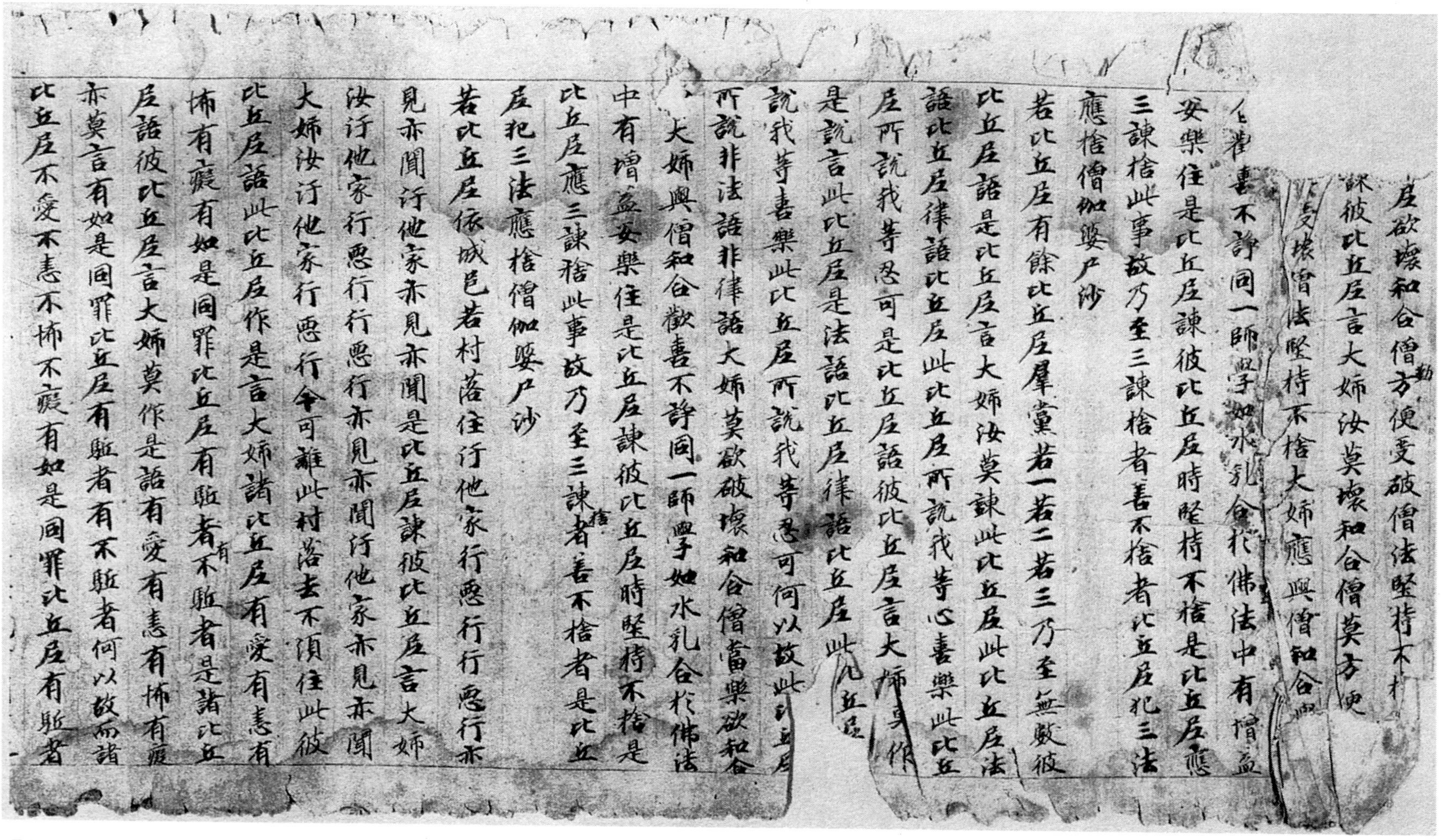
尼欲壞和合僧方便受破僧法堅持不捨
諫彼比丘尼言大姉汝莫壞和合僧莫方便
受壞僧法堅持不捨大姉應與僧和合
合歡喜不諍同一師學如水乳合於佛法中有增益
安樂住是比丘尼諫彼比丘尼時堅持不捨是比丘尼應
三諫捨此事故乃至三諫捨者善不捨者比丘尼犯三法
應捨僧伽婆尸沙
若比丘尼有餘比丘尼羣黨若一若二若三乃至無數彼
比丘尼語是比丘尼言大姉汝莫諫此比丘尼此比丘尼法
語比丘尼律語比丘尼此比丘尼所說我等心憙樂此比丘
尼所說我等忍可是比丘尼語彼比丘尼言大姉莫作
是說言此比丘尼是法語比丘尼律語比丘尼此比丘尼
說我等憙樂此比丘尼所說我等忍可何以故此比丘尼
所說非法語非律語大姉莫欲破壞和合僧當樂欲和合
大姉與僧和合歡喜不諍同一師學如水乳合於佛法
中有增益安樂住是比丘尼諫彼比丘尼時堅持不捨是
比丘尼應三諫捨此事故乃至三諫者善不捨者是比丘
尼犯三法應捨僧伽婆尸沙
若比丘尼依城邑若村落住行他家行惡行行惡行亦
見亦聞行他家亦見亦聞是比丘尼諫彼比丘尼言大姉
汝行他家行惡行行惡行亦見亦聞行他家亦見亦聞
大姉汝行他家行惡行今可離此村落去不須住此彼
比丘尼語此比丘尼作是言大姉諸比丘尼有愛有恚有
怖有癡有如是同罪比丘尼有駈者有不駈者是諸比丘
尼語彼比丘尼言大姉莫作是語有愛有恚有怖有癡
亦莫言有如是同罪比丘尼有駈者有不駈者何以故而諸
比丘尼不愛不恚不怖不癡有如是同罪比丘尼有駈者

BD02093號　四分比丘尼戒本

（12–2）

比丘尼語此比丘尼作是言大姊諸比丘尼有愛有恚有
怖有癡有如是同罪比丘尼有驅者有不驅者是諸比丘
尼語彼比丘尼言大姊莫作是語有愛有恚有怖有癡
亦莫言有如是同罪比丘尼有驅者有不驅者何以故而諸
比丘尼不愛不恚不怖不癡有如是同罪比丘尼有驅者
有不驅者大姊汙他家行惡行行惡行亦見亦聞汙他
家亦見亦聞是比丘尼諫彼比丘尼時堅持不捨是比丘尼
應三諫捨此事故乃至三諫捨者善不捨者是比丘尼犯
三法應捨僧伽婆尸沙
若比丘尼惡性不受人語於戒法中諸比丘尼如法諫已
自身不受諫語言大姊汝莫向我說若好若惡我亦不
向汝說若好若惡諸姊止莫諫我是比丘尼當諫彼比丘
尼言大姊莫汝自身不受諫語大姊自身當受諫語大
姊如法諫諸比丘尼諸比丘尼亦當如法諫大姊如是佛弟
子衆得增益展轉相諫展轉相教展轉懺悔是比丘尼如
是諫時堅持不捨是比丘尼應三諫捨此事故乃至三諫
捨者善不者捨是比丘尼犯三法應捨僧伽婆尸沙
若比丘尼相親近住共作惡行惡聲流布展轉共相覆
罪是比丘尼當彼比丘尼言大姊汝等莫相親近共作惡行
惡聲流布共相覆罪汝等若不相親近於佛法中得增
益安樂住是比丘尼諫彼比丘尼時堅持不捨是比丘應
三諫捨此事故乃至三諫捨者善不捨者是比丘尼犯三
法應捨僧伽婆尸沙
若比丘尼比丘尼僧爲作呵諫時餘比丘尼教作如是言汝
等莫別住當共住我亦見餘比丘尼不別住共作惡行惡聲
流布共相覆罪僧以恚故教汝別住是比丘尼應諫彼比丘
尼言大姊汝莫教餘比丘尼汝等莫別住我亦見餘比丘尼

BD02093號　四分比丘尼戒本　（12–3）

若比丘尼比丘尼僧爲作呵諫時餘比丘尼教作如是言汝
等莫別住當共住我亦見餘比丘尼不別住共作惡行惡聲
流布共相覆罪僧以恚故教汝別住是比丘尼應諫彼比丘
尼言大姊汝莫教餘比丘尼汝等莫別住我亦見餘比丘尼
共住作惡行惡聲流布共相覆罪僧以恚故教汝別住今
正有此二比丘尼共住作惡行惡聲流布共相覆罪更無
有餘若此比丘尼別住於佛法中有增益安樂住是比丘尼
諫彼比丘尼時堅持不捨是比丘尼應三諫令捨此事故乃
至三諫捨者善不捨者是比丘尼犯三法應捨僧伽婆尸沙
若比丘尼趣以小事瞋恚不喜便作是語我捨佛捨法捨
僧不獨有此沙門釋子亦更有餘沙門婆羅門修梵
行者我等亦可於彼修梵行是比丘尼當諫彼比丘尼言大
姊汝莫趣以一小事瞋恚不喜便作是語我捨佛捨法捨僧
不獨有此沙門釋子亦更有餘沙門婆羅門修梵行者我
等亦可於彼修梵行若是比丘尼諫彼比丘尼時堅持不捨
彼比丘尼應三諫捨此故事乃至三諫捨者善不捨者是比
丘尼犯三法應捨僧伽婆尸沙
若比丘尼喜鬪諍不善憶持諍事後瞋恚作是語僧有
愛有恚有怖有癡是比丘尼應諫彼比丘尼言妹汝莫喜
鬪諍不善憶持諍事後瞋恚作是語僧有愛有恚有怖
有癡而不僧愛不恚不怖不癡汝自有愛有恚有怖有癡
是比丘尼諫彼比丘尼時堅持不捨彼比丘尼應三諫捨此事
故乃至三諫捨者善不捨者是比丘尼犯三法應捨僧伽婆
尸沙
諸大姊我已說十七僧伽婆尸沙法九初犯罪八乃至三諫
若比丘尼犯一一罪應半月二部僧中行摩那埵已餘有出
罪應二部僧中各二十衆出是比丘尼罪若少一人不滿四十

BD02093號　四分比丘尼戒本　（12–4）

故乃至三諫捨者善不捨者是比丘尼犯三法應捨僧伽婆
尸沙
諸大姊我已說十七僧伽婆尸沙法九初犯罪八乃至三諫
若比丘尼犯一一罪應半月二部僧中行摩那埵已餘有出
罪應二部僧中各二十衆出是比丘尼罪若少一人不滿四十
衆是比丘尼罪不得除諸比丘尼亦可呵此是時今問諸大
姊是中清淨不（如是三）
諸大姊是中清淨默然故是事如是持
諸大姊是三十尼薩耆波逸提法半月半月說戒經中來
若比丘尼衣已竟迦絺那衣已捨畜長衣經十日不淨施得
持若過者尼薩耆波逸提
若比丘尼衣已竟迦絺那衣已捨五衣中若離一一衣異處宿
經一夜除僧羯磨尼薩耆波逸提
若比丘尼衣已竟迦絺那衣已捨若得非時衣欲須便受受
已疾疾成衣若足者善若不足者得畜一月為滿足故若
過畜者尼薩耆波逸提
若比丘尼從非親里居士居士婦乞衣除餘時尼薩耆波逸
是中時者若奪衣失衣燒衣漂衣是名時
若比丘尼奪衣失衣燒衣漂衣是非親里居士若居士婦
自恣請多與衣是比丘尼當知足受衣若過者尼薩耆波
逸提
若居士居士婦為比丘尼辦衣價具如是衣價與某甲比丘
尼是比丘尼先不受自恣請到居士家作如是說善哉居士
為我辦如是如是衣價與我為好故若得衣者尼薩耆
波逸提
若二居士居士婦與比丘尼辦衣價我曹辦如是衣價與
某甲比丘尼是比丘尼先不受自恣請到二居士家作如是
言善哉居士辦如是如是衣價與我共作一衣為好故若

BD02093 號　四分比丘尼戒本

（12–5）

為我辦如是如是衣價與我為好故若得衣者尼薩耆
波逸提
若二居士居士婦與比丘尼辦衣價我曹辦如是衣價與
某甲比丘尼是比丘尼先不受自恣請到二居士家作如是
言善哉居士辦如是如是衣價與我共作一衣為好故若
得衣者尼薩耆波逸提
若比丘尼若王若大臣若婆羅門若居士居士婦遣使為比
丘尼送衣價持如是衣價與某甲比丘尼彼使至比丘尼所語
言阿姨為汝送衣價受取是比丘尼語彼使如是言我不應
受此衣價我若須衣合時清淨當受彼使語比丘尼言阿
姨有執事人不須衣比丘尼言有若僧伽藍民若優婆塞
此是比丘尼執事人常為比丘尼執事彼使至執事人所與
衣價已還到比丘尼所如是言阿姨所示某甲執事人我已與
衣價大姊知時往彼當得衣比丘尼若須衣者當往彼執
事人所二反三反語言我須衣若二反三反為作憶念得衣
者善不得衣者四反五反六反在前默然住令彼憶念若四反
五反六反在前默然住得衣者善若不得衣過是求得衣者
尼薩耆波逸提若不得衣隨彼使所來處若自往遣使往語
言汝先遣使持衣價與某甲比丘尼是比丘尼竟不得汝還
取莫使失此是時
若比丘尼自取金銀若錢若教人取若口可受尼薩耆波
逸提
若比丘尼種種買賣寶物者尼薩耆波逸提
若比丘尼種種販賣者尼薩耆波逸提
若比丘尼鉢減五綴不漏更求新鉢為好故尼薩耆波逸
提比丘尼當持此鉢於尼衆中捨從次第貿至下坐以下鉢
與此比丘尼言妹持此鉢乃至破此是時
若比丘尼自求縷使非親里織師織作衣皆尼薩耆波逸提

BD02093 號　四分比丘尼戒本

（12–6）

[illegible]
若比丘尼鉢減五綴不漏更求新鉢為好故尼薩耆波逸
提比丘尼當持此鉢於尼衆中捨從次第貿至下坐以下鉢
與此比丘尼言妹持此鉢乃至破此是時
若比丘尼自求縷使非親里織師織作衣者尼薩耆波逸提
若比丘尼居士居士婦使織師為比丘尼織作衣彼比丘尼
先不受自恣請便往到彼所語織師言此衣為我織極好
織令廣長堅緻齊整好我當少多與汝價若比丘尼與價
乃至一食得衣者尼薩耆波逸提
若比丘尼與比丘尼衣已後瞋恚若自奪若教人奪取還
我衣來不與汝是比丘尼應還衣取彼衣者尼薩耆波逸提
若諸病比丘尼畜藥蘇油生蘇蜜石蜜得食殘宿乃至七
日得服若過七日服者尼薩耆波逸提
若比丘尼十日未滿夏三月若有急施衣比丘尼知是急施衣
應受受已乃至衣時應畜若過者尼薩耆波逸提
若比丘尼知物向僧自求入已尼薩耆波逸提
若比丘尼欲索是更索彼者尼薩耆波逸提
若比丘尼知檀越所為僧施異迴作餘用尼薩耆波逸提
若比丘尼所為施物異自求為僧迴作餘用者尼薩耆波逸提
若比丘尼檀越所施物異迴作餘用者尼薩耆波逸提
若比丘尼檀越所為施物異自求為僧迴作餘用者尼薩耆波
逸提
若比丘尼畜長鉢尼薩耆逸波提
若比丘尼多畜好色器者尼薩耆波逸提
若比丘尼許比丘尼病衣後不與者尼薩耆波逸提
若比丘尼以非時衣受作時衣者尼薩耆波逸提
若比丘尼與比丘尼貿易衣後瞋恚還自奪取若使人奪
妹還我衣來我不與汝汝衣屬汝我衣還我者尼薩耆

BD02093號　四分比丘尼戒本　（12–7）

若比丘尼以非時衣受作時衣者尼薩耆波逸提
若比丘尼與比丘尼貿易衣後瞋恚還自奪取若使人奪
妹還我衣來我不與汝汝衣屬汝我衣還我者尼薩耆
波逸提
若比丘尼乞重衣齊價直四張疊過者尼薩耆波逸提
若比丘尼欲乞輕衣極至價直兩張半疊過者尼薩耆波逸提
諸大姊我已說三十尼薩耆波逸提法今問諸大姊是中
清淨不（如是三說）諸大姊是中清淨默然故是事如是持
諸大姊是一百七十八波逸提法半月半月說戒經中來
若比丘尼故妄語者波逸提
若比丘尼毀呰語者波逸提
若比丘尼兩舌語者波逸提
若比丘尼與男子同室宿者波逸提
若比丘尼共未受戒女人同一室宿若過三宿波逸提
若比丘尼與未受大戒人共誦法者波逸提
若比丘尼知他有麤惡罪向未受大戒人說除僧羯磨波逸提
若比丘尼向未受大戒人說過人法言我見是我知是實波逸提
若比丘尼與男子說法過五六語除有知女人波逸提
若比丘尼自掘地若教人掘者波逸提　十
若比丘尼壞鬼神村者波逸提
若比丘尼妄作異語惱他者波逸提
若比丘尼嫌罵者波逸提
若比丘尼取僧繩床若木床若臥具坐褥露地自敷教人
敷捨去不自舉不教人舉波逸提
若比丘尼於僧房中取僧臥具自敷若教人敷在中若坐若
臥從彼處捨去不自舉不教人舉者波逸提
若比丘尼知比丘尼先住處後來於中間敷臥具止宿念言
彼若嫌迮者自當避我去作如是因緣非餘非威儀波逸提

BD02093號　四分比丘尼戒本　（12–8）

數捨去不自舉不教人舉波逸提
若比丘尼於僧房中取僧卧具自敷若教人敷在中若坐若
卧從彼處捨去不自舉不教人舉者波逸提
若比丘尼知比丘尼先住處後來於中間敷卧具止宿念言
彼若嫌迮者自當避我去作如是因緣非餘非威儀波逸提
若比丘尼瞋他比丘尼不喜衆僧房中自牽出若教人牽出
者波逸提
若比丘尼若在重閣上脫脚繩床若木床若坐若卧波逸提
若比丘尼知水有虫自用澆泥若草若教人澆者波逸提 二十
若比丘尼作大房戶扉窻牖及餘莊飾具指授覆苫齊
二三節若過者波逸提
若比丘尼施一食處無病比丘尼應一食若過受者波逸提
若比丘尼別衆食除餘時波逸提餘時者病時作衣時若施衣
時道行時船上時大會時沙門施食時此是時
若比丘尼至檀越家殷勤請與餅麨飯比丘尼欲須者二三
鉢應受持至寺內分與餘比丘尼食若比丘尼無病過三鉢
受持至寺內不分與餘比丘尼食者波逸提
若比丘尼非時食者波逸提
若比丘尼殘宿食而食者波逸提
若比丘尼不受食若藥著口中除水及楊枝波逸提
若比丘尼先受請已若前食若後食行詣餘家不屬餘
比丘尼除餘時波逸提餘時者病時作衣時施衣時此是時
若比丘尼食家中有寶強安坐者波逸提
若比丘尼食家中有寶在屏處坐者波逸提 三十
若比丘尼獨與男子露地一處共坐者波逸提
若比丘尼語比丘尼如是言大姊共汝至聚落當與汝食
彼比丘尼竟不教與是比丘尼食如是言大姊去我與汝一處

BD02093號　四分比丘尼戒本　（12–9）

若比丘尼食家中有寶在屏處坐者波逸提 三十
若比丘尼獨與男子露地一處共坐者波逸提
若比丘尼語比丘尼如是言大姊共汝至聚落當與汝食
彼比丘尼竟不教與是比丘尼食如是言大姊去我與汝一處
共坐共語不樂我獨坐獨語樂以是因緣非餘方便遣去
波逸提
若比丘尼四月與藥無病比丘尼應受若過受除常請更
請分請盡形請波逸提
若比丘尼往觀軍陣除時因緣波逸提
若比丘尼有因緣至軍中若二宿三宿過者波逸提
若比丘尼軍中若二宿三宿或時觀軍陣鬪戰若觀遊軍
象馬勢力者波逸提
若比丘尼飲酒者波逸提
若比丘尼水中戲者波逸提
若比丘尼以指相擊攊者波逸提
若比丘尼不受諫者波逸提 卌
若比丘尼恐他比丘尼者波逸提
若比丘尼半月洗浴無病比丘尼應受若過受除餘時波逸
提餘時者熱時病時作時衣時大風時雨時遠行時來此是時
若比丘尼無病為炙故露地然火若教人然除餘時波逸提
若比丘尼藏比丘尼若鉢若衣若坐具針筒自藏教人藏
下至戲笑波逸提
若比丘尼淨施比丘比丘尼式叉摩那沙彌沙彌尼衣後不
問取著者波逸提
若比丘尼得新衣當作三種染壞色青黑木蘭若比丘尼得
新衣不作三種染壞色青黑木蘭新衣持波逸提
若比丘尼故斷畜生命者波逸提
若比丘尼知水有虫飲者波逸提
若比丘尼故惱比丘尼乃至少時不樂者波逸提

BD02093號　四分比丘尼戒本　（12–10）

若比丘尼得新衣當作三種染壞色青黑木蘭[illegible]
新衣不作三種染壞色青黑木蘭新衣持波逸提
若比丘尼故斷畜生命者波逸提
若比丘尼知水有虫飲者波逸提
若比丘尼故惱他比丘尼乃至少時不樂者波逸提
若比丘尼知比丘尼有麁惡罪覆藏者波逸提 卒
若比丘尼知諍事如法懺悔已後更發舉者波逸提
若比丘尼知是賊伴共一道行乃至一聚落波逸提
若比丘尼作如是語我知佛所說法行婬欲非是障道法彼
比丘尼諫此比丘尼言大姊莫作是語莫謗世尊謗世尊者不善世尊
不作是語世尊無數方便說婬欲是障道法犯婬欲者是障
道法彼比丘尼諫此比丘尼時堅持不捨彼比丘尼乃至三諫
令捨是事乃至三諫時捨者善不捨者波逸提
若比丘尼知如是語人未作法如是惡邪不捨若畜同一羯磨
同一止宿彼逸提
若沙弥尼如是言我知佛所說法行婬欲非障道法彼比丘
尼諫此沙弥尼言汝莫作是語莫誹謗世尊誹謗世尊者不
善世尊不作是語沙弥世尊無數方便說婬欲是障道法犯
婬欲者是障道法彼比丘尼諫此沙弥尼時堅持不捨彼比丘
尼應乃至三呵諫捨此事故乃至三諫時若捨者善不捨者
彼比丘尼應語是沙弥尼言汝自今已去非佛弟子不得隨
餘比丘尼如諸沙弥尼得與比丘尼二宿汝今無是事汝去滅去
不須此中住若比丘尼知如是擯沙弥尼者若畜共同止宿
波逸提
若比丘尼如法諫時作如是語我今不學是戒乃至問有智
慧持律者當難問波逸提若為求解應難問
若比丘尼說戒時如是語大姊用是雜碎戒為說是戒時令
人惱愧懷疑輕毀戒故波逸提

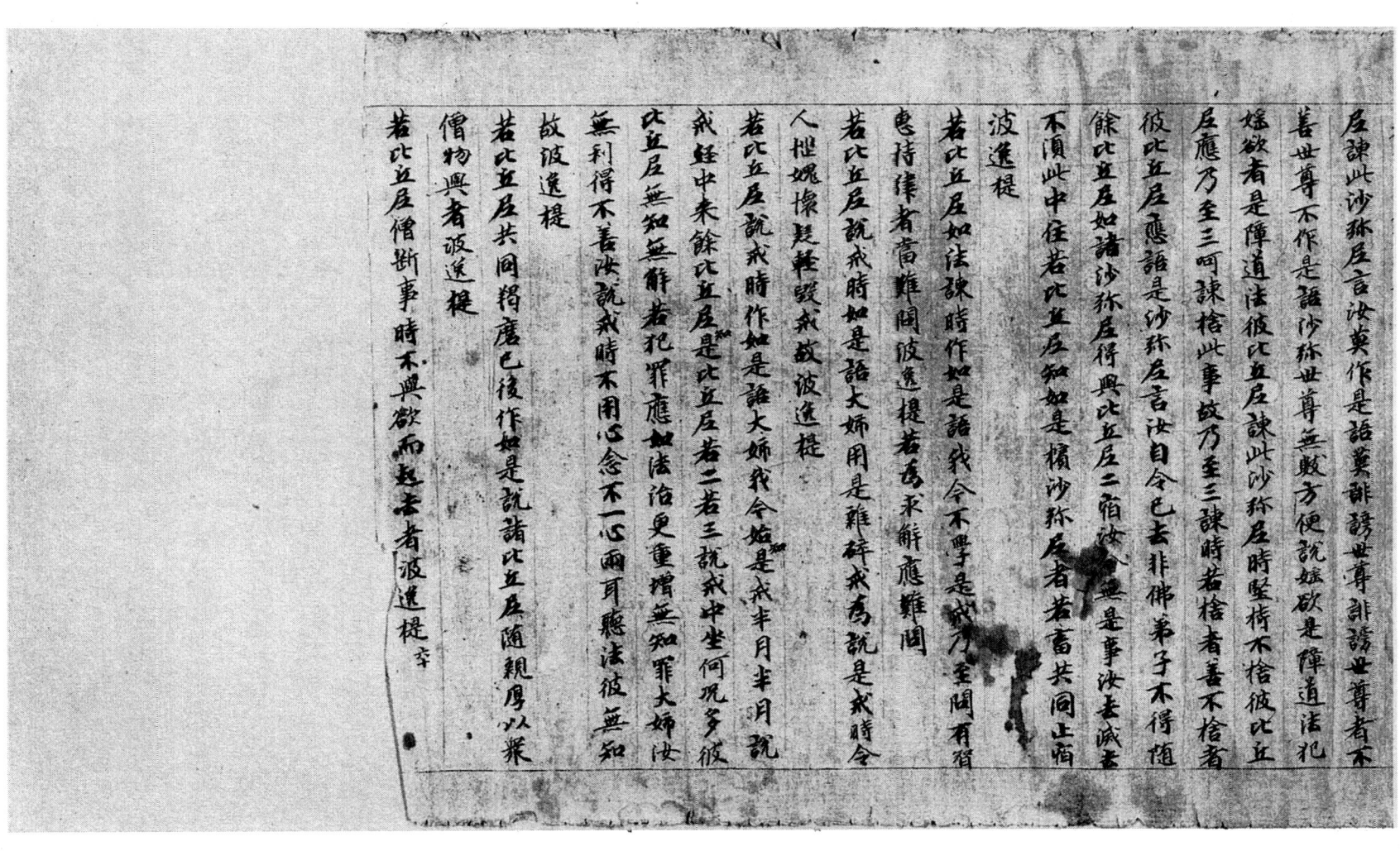

BD02093號　四分比丘尼戒本　（12–11）

尼諫此沙弥尼言汝莫作是語莫誹謗世尊誹謗世尊者不
善世尊不作是語沙弥世尊無數方便說婬欲是障道法犯
婬欲者是障道法彼比丘尼諫此沙弥尼時堅持不捨彼比丘
尼應乃至三呵諫捨此事故乃至三諫時若捨者善不捨者
彼比丘尼應語是沙弥尼言汝自今已去非佛弟子不得隨
餘比丘尼如諸沙弥尼得與比丘尼二宿汝今無是事汝去滅去
不須此中住若比丘尼知如是擯沙弥尼者若畜共同止宿
波逸提
若比丘尼如法諫時作如是語我今不學是戒乃至問有智
慧持律者當難問波逸提若為求解應難問
若比丘尼說戒時作如是語大姊用是雜碎戒為說是戒時令
人惱愧懷疑輕毀戒故波逸提
若比丘尼說戒時作如是語大姊我今始知是戒半月半月說
戒經中來餘比丘尼知是比丘尼若二若三說戒中坐何況多彼
比丘尼無知無解若犯罪應如法治更重增無知罪大姊汝
無利得不善汝說戒時不用心念不一心兩耳聽法彼無知
故波逸提
若比丘尼共同羯磨已後作如是說諸比丘尼隨親厚以衆
僧物與者波逸提
若比丘尼僧斷事時不與欲而起去者波逸提 卒

BD02093號　四分比丘尼戒本　（12–12）

無所住雖行真如乃至不思議界而於其中
都無所住雖行苦集滅道聖諦而於其中都
無所住雖行四念住乃至八聖道支而於其
中都無所住雖行四靜慮四無量四無色定
而於其中都無所住雖行八解脫乃至十遍
處而於其中都無所住雖行空無相無願解
脫門而於其中都無所住雖行淨觀地乃至
如來地而於其中都無所住雖行極喜地乃
至法雲地而於其中都無所住雖行一切陁
羅尼門三摩地門而於其中都無所住雖行
五眼六神通而於其中都無所住雖行如來
十力乃至十八佛不共法而於其中都無所
住雖行無忘失法恒住捨性而於其中都無
所住雖行一切智道相智一切相智而於其
中都無所住雖行預流果乃至獨覺菩提而
於其中都無所住雖行一切菩薩摩訶薩行
而於其中都無所住雖行諸佛無上正等菩
提而於其中都無所住雖行諸餘無量佛法
而於其中都無所住所以者何如是自性行
者行相一切皆空故於其中都無所住善現
……預流果乃至獨

BD02094號　大般若波羅蜜多經卷四七六

（2–1）

羅尼門三摩……
五眼六神通而於其中都無所住雖行如來
十力乃至十八佛不共法而於其中都無所
住雖行無忘失法恒住捨性而於其中都無
所住雖行一切智道相智一切相智而於其
中都無所住雖行預流果乃至獨覺菩提而
於其中都無所住雖行一切菩薩摩訶薩行
而於其中都無所住雖行諸佛無上正等菩
提而於其中都無所住雖行諸餘無量佛法
而於其中都無所住所以者何如是自性行
者行相一切皆空故於其中都無所住善現
當知諸菩薩摩訶薩雖能得預流果乃至獨
覺菩提而於其中不欲證住所以者何有二
緣故何等為二一者彼果都無自性能住所
住俱不可得二者於彼不生喜足是故於中
不欲證住謂諸菩薩常作是念我定應得預
流果乃至獨覺菩提不應不得然於其中不
應證住所以者何我從初發無上正等菩提
心來於一切時更無餘想唯求無上正等菩

BD02094號　大般若波羅蜜多經卷四七六

（2–2）

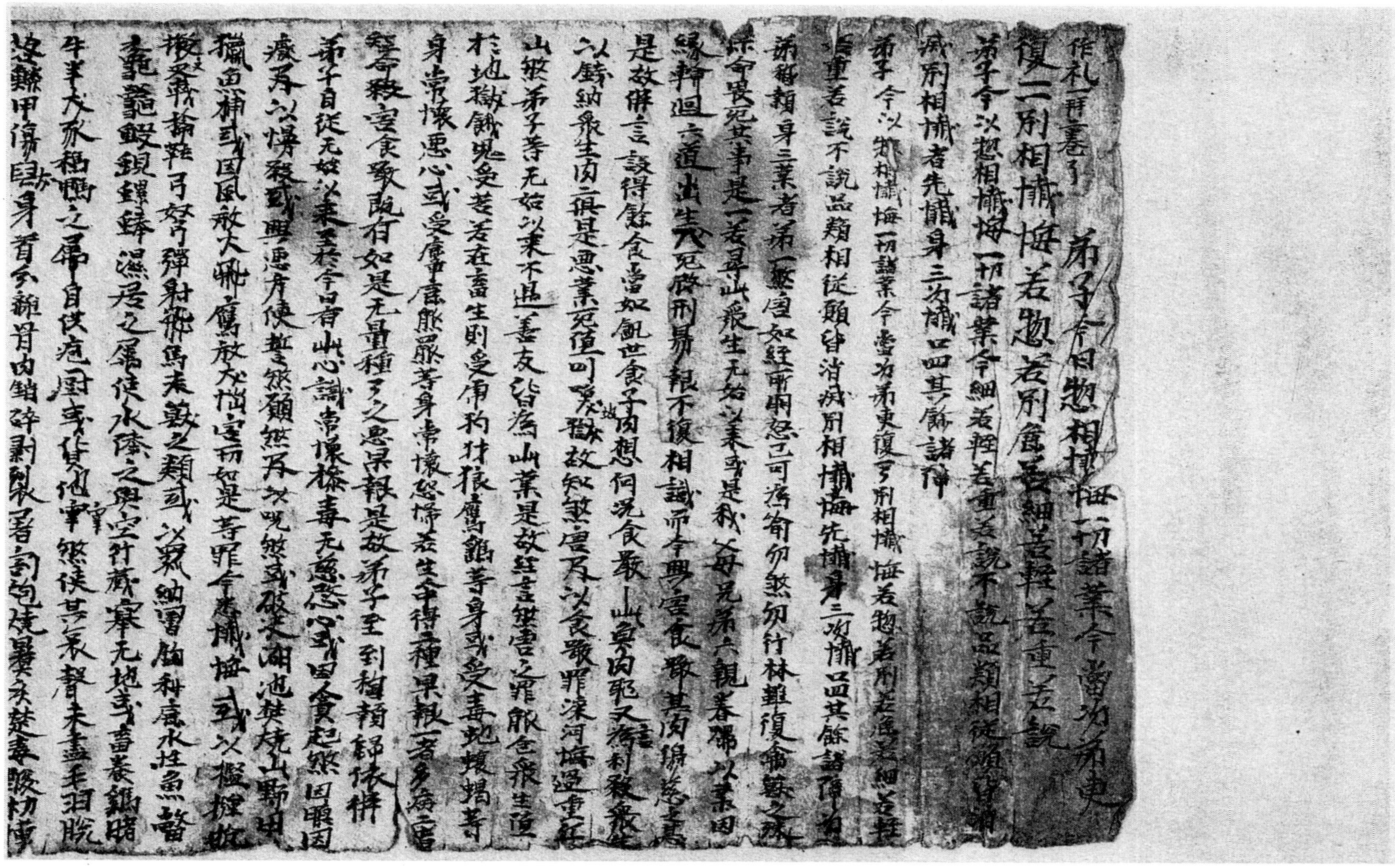

BD02095 號 1　大佛名略出懺悔　（12–1）

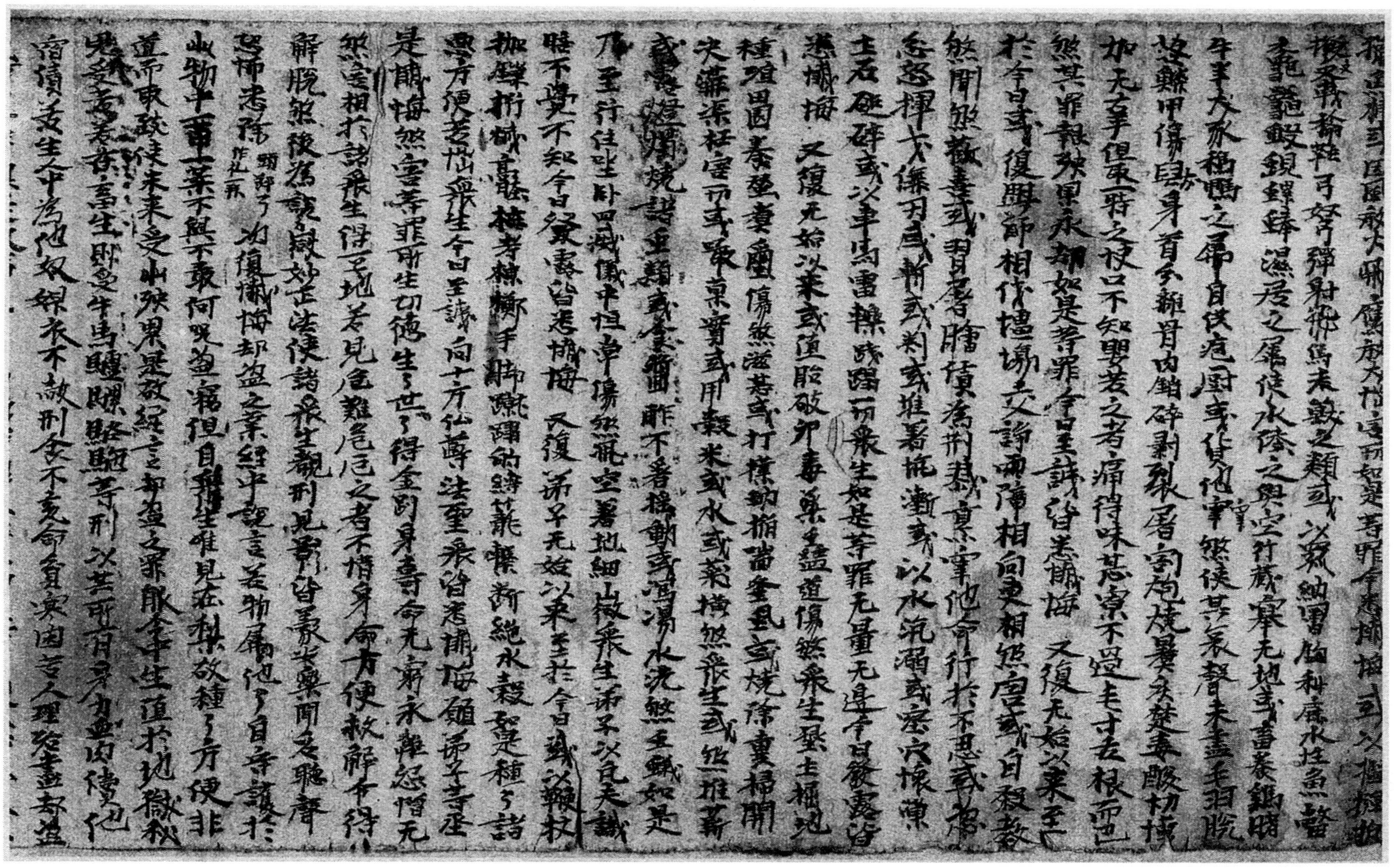

BD02095 號 1　大佛名略出懺悔　（12–2）

此物中一草一葉不與不取何況盜竊但自利生唯見在利故種種方便非
道而取致使未來受此殃果是故經言劫盜之罪能令衆生墮於地獄餓
鬼受苦若在畜生則受牛馬驢騾駱駝等形以其所有身力血肉償他
宿債若生人中為他奴婢衣不蔽形食不充命貧窮困苦人理殆盡劫盜
既有如是苦報是故弟子今日至誠稽首歸依佛 弟子等自從无始以來至
于今日或盜他財寶興刃強奪或自恃怙持身逼迫而取或恃公威或假
勢力高桁大械枉奪良善吞納姦貨考直為曲為此因緣身羅憲
網或任邪治傾他財物侵公益私侵私益公損彼利此損此利彼割他
自饒口與心違或竊沒祖佑偷度關稅匿公課輸藏隱使役如是等
罪今悉懺悔 或是佛法僧物不与而取或經像物或治普寺物或供
養常住僧物或擬招提僧物或盜取換用恃勢不還或自借或
以人或復換借漏忘或三寶物混亂雜用以衆物穀米薪
鹽豉醬菜茹菓實錢帛竹木繒綵幡蓋香花油燭隨情逐意或
自用或與人或摘佛花菓用僧鬘物因三寶財私自利己如是等罪
无量无邊今日慚愧皆悉懺悔 又復无始以來至於今日或作周旋朋
友師僧同學父母兄弟六親眷屬共住同心百一所須更相欺誑或於鄉隣
比近移籬拓墻侵他田宅改標易相虜占田園因公託私奪人邪店及以
田野如是等罪今悉懺悔 又復无始以來或攻城破邑燒村壞柵偷賣良民
誘他奴婢或復枉押无罪之人使其刑嬰刃身被徒鎖家業破散骨
肉生離分張異域生死隔絕如是等罪无量无邊今日至到皆悉懺悔
又復无始以來至於今日或商估博貨邪店市易輕秤小斗減割尺寸
盜竊分銖欺罔圭合以麤易好短換長巧欺百端希望毫利如是
等罪今悉懺悔 又復无始以來至於今日穿窬壚壁斷道抄掠抵
捍債息負情違要面欺心口或非道陵奪鬼神禽獸四生之物或
假託卜相取人財寶如是乃至以利求利惡求多求无厭无足如是等
罪无量无邊不可說盡今日至到向十方佛尊法聖衆皆悉懺悔
願弟子等承是懺悔劫盜等所生功德生生世世得如意寶常雨七珎上

BD02095 號 1　大佛名略出懺悔　（12–3）

捍債息負情違要面欺心口或非道陵奪鬼神禽獸四生之物或
假託卜相取人財寶如是乃至以利求利惡求多求无厭无足如是等
罪无量无邊不可說盡今日至到向十方佛尊法聖衆皆悉懺悔
願弟子等承是懺悔劫盜等所生功德生生世世得如意寶常雨七珎上
妙衣服百味甘饌種種湯藥隨意所須應念即至令一切衆生无偷奪
想一切皆能少欲知足不耽不染常樂惠施行急濟道頭目髓腦
棄身如棄涕唾迴向滿足檀波羅蜜 作礼一拜王基了 次復懺悔貪
愛之罪經中說言但為貪欲閉在癡獄沒生死河莫之能出衆生
為是五欲因緣從昔以來流轉生死一一衆生一劫之中所積身骨如王
舍城毗富羅山所飲母乳如四海水身所出血復過於此父母兄弟六
親眷屬命終哭泣所出目淚如四海水是故說言有愛則生
愛盡則滅故知生死貪愛為本所以經言婬欲之罪能令衆生墮
於地獄餓鬼受苦若在畜生則受鴿雀鴛鴦等身若生人中妻
不貞良得不隨意眷屬婬欲既有如此惡果是故弟子今日稽顙歸依佛
弟子自從无始以來至於今日或犯人妻妾侵他婦女侵陵貞
潔汙比丘尼破他梵行逼迫不道濁心邪視言語嘲調或復恥他
門戶汙賢善名或於男子五種人所起不淨行如是等罪今悉懺
悔 又復无始以來至於今日或眼為色惑愛染玄黃紅綠朱紫珎玩寶
飾或取男女長短黑白姿態之相起非法想或耳貪好聲宮商絃管
伎樂歌唱或取男女音聲語言啼笑之相起非想或鼻著名香沈檀龍麝
鬱蘭欝金蘇合起非法想或舌貪好味甘肥衆生肉血資養四大
更增苦本起非法想或身樂華綺綿纊繒縠一切細滑七珎服起非法
想或意多亂想觸向乖法有此六根造罪无涂如是等罪无量无邊今日
至到向十方佛尊法聖衆皆悉懺悔 願弟子等承是懺悔婬欲等罪
所生功德願生生世世自然化生不由胞胎淨皎潔相好光麗六情開朗

BD02095 號 1　大佛名略出懺悔　（12–4）

更憎迷本走……

想或意多亂想煩惱向非法有此違犯尤深如是等罪无量无邊今日

至到向十方佛尊法聖衆皆悉懺悔　願弟子等承是懺悔功德等諸

所生功德願生生世世自然化生不由胞胎清淨皎潔相好光麗六情開朗聰

利分明了達恩愛猶如桎梏觀此六塵如幻如化於五欲境決定厭離

乃至夢中不起邪相内外因緣永不能動願此懺悔眼根功德願令此眼徹

見十方諸佛菩薩清淨法身不以二相願以懺悔耳根功德願令此耳常

聞十方諸佛賢聖所說正法如教奉行願以懺悔鼻根功德願令此

鼻常聞香積入法位香捨離生死不淨臭穢願以懺悔舌根功德願令此

舌常食法喜禪悅之食不貪衆生血肉之味願以懺悔身根功德願令

此身被如来衣著忍辱鎧臥无畏床坐四禪座願以懺悔意根功德

願令此意成就十想洞達五明深觀二諦空平等理從方便慧起十波行

入法流水念念增明發如来大无生忍（作礼拜）　以其懺悔身三業竟今

當次第懺悔口業經說言口業之罪能令衆生墮於地獄餓鬼

受苦若在人生則受鴟鶚鵂鶹之形聞其聲者无不憎惡若生人中

口氣臭穢所有言說人不信受眷屬不和常好鬪訟口業既有如是

惡果是故弟子今日至誠歸依佛　弟子自從无始以来至於今日忘

言兩舌惡口起諸綺語說有言空不見言見見言不見不聞言聞

聞不知言知知言不知欺賢罔聖言行相乖自稱讚譽得過人

法我得此禪四无色定阿那波那十六行觀得須陁洹至阿羅漢

得辟支佛不退菩薩天来龍来鬼来神来旋風土鬼皆至我所彼

問我答顯異惑衆要世名利如是等罪今悉懺悔又復无始以来至

於今日或鬪亂交扇彼此兩舌攝取此口去向彼說此向此道彼

離他眷屬憶人善友使抑密者為疏親舊者成怨或綺語不實言不及

義誣謗君父平薄師長毀德忠良埋没勝己通致二國彼此作廟諱華

虛巧發言常虛口是心非其途非一對面譽勤背則呵毀讀誦邪書

謗師忠法或惡口罵詈言語麁強或呼天稱地牽引鬼神如是口業所生

BD02095 號 1　大佛名略出懺悔　（12–5）

於今日或鬪亂……

離他眷屬憶人善友使抑密者為疏親舊者成怨或綺語不實言不及

義誣謗君父平薄師長毀德忠良埋没勝己通致二國彼此作廟諱華

虛巧發言常虛口是心非其途非一對面譽勤背則呵毀讀誦邪書

謗師忠法或惡口罵詈言語麁強或呼天稱地牽引鬼神如是口業所生

諸罪无量无邊今日至誠向十方佛尊法聖衆皆悉懺悔　願弟子等

是懺悔口業所生功德生生世世具八音聲四无导辯常說和合利益

之語其聲清雅一切樂聞善解衆生方俗言說有所說隨時應

根令彼聽者即得解悟超凡越聖開發慧眼（作礼拜）　弟四卷了　已懺身口

四竟次復懺悔佛法僧間一切諸障經中說佛人身難得佛法難聞衆

僧難值信心難生六根難具善友難得如今相與宿值善根得此人身六根

完具又植善友得聞正法於其中間復各不能盡心精懃恐於未来長淪

萬苦無有出期是故今日應至到慚愧稽顙歸依佛　弟子等自從无始以

来至於今日常以无明覆心煩惱障意見佛形像不能盡心恭敬輕

慢衆僧殘害善友破塔壞寺焚燒形像出佛身血或自處華堂安置

尊像卑陋之處使煙熏日暴風吹雨露塵土汙坌雀鼠殘毀共住共

宿曾无礼敬或復遠擲像身稍不嚴飾或遮掩燈燭開閉殿堂障佛

光明如是等罪今日至誠皆悉懺悔　又復无始以来至於今日或於法

間以不淨手把捉經卷或臨經書非法俗語安置床頭坐起不敬或

開閉箱篋虫鼠損爛或首軸脫落部黨失次或誤脫漏誤紙

墨破裂自不修理不肯流轉如是等罪今悉懺悔　或眠地聽經

仰卧讀誦高聲語笑亂他聽法或邪解佛語錯說聖意非法說

法法說非法輕罪說重重罪說輕或抄前著後抄後著前前後

中中著前後綺飾文辭安置己典或為利養名譽恭敬為人

說法无道德心求法師過不為論義非理彈擊不尚長所求出世

法或暢佛語尊重邪教毀世大乘讚聲聞道如是等罪无量

无邊今日至到皆悉懺悔　又復无始以来至或於僧間有傳經

害可窮莫發所令曾定發无上菩提心人斷滅佛種使聖道不行或

BD02095 號 1　大佛名略出懺悔　（12–6）

說法无道德心求法邪邊而為論義非理彈聲求長斷求出世
法或惕佛語尊重邪教嬰世大衆讚聲聞道如是等罪无量
无邊今日至到皆悉懺悔　又復无始以來至或於僧門利僧殘
害阿羅漢破和合僧違發无上菩提心人斷滅佛種使聖道不行或
罪臟人道鞭撻沙門楚撻驅使苦言加謗或云破於戒儀或勸他
人捨於八戒受行五法或假託刑儀關覘福賊任如是等罪今悉懺悔
或棟形軽衣在經像前不淨脚履隱上殿捨或著屣履入僧伽
藍流唾塗房汙佛僧地乘車策馬排突寺舍如是等罪於三寶間所
起非障无量无邊今日至到向十方佛尊法聖衆皆悉懺悔　弟子
子等巫是懺悔佛法僧間所有罪障生生世世常值三寶尊仰恭敬无有
厭足天繒妙綵寶綬絡惕意百千伎樂珍異花香非世所有常以供
養若未成佛先往勸請開甘露門若入涅槃願我常得恩最後
供於衆僧中脩六和敬得自在力興隆三寶上佛道下化衆生
如上所說已懺悔於三寶間輕重諸罪其餘諸惡今當次第更復悔懺
經中佛說有二種健兒一者自不作罪二者作已能悔又云有二種白法能救衆
生一者除衆障一者慚二者愧慚者自不作惡愧者令他有慚愧者可名為人若不
慚愧與諸畜獸不異相也是故弟子今日慚愧歸依佛　弟子等无始以來至於
今日或信邪倒見害煞衆生辭奏魍魎魑魅見神劬希延年終不能得或妄
言見鬼假稱神語如是等罪今日慚愧皆悉懺悔　又復无始已來至於今日或恃
動職認自高自大或持種姓輕慢一切以貴賤用輕陵孤弱或飲酒鬪亂不避親
疎惛醉終日不識尊卑如是等罪今悉懺悔　或貪著飲食无有期度或食
生膾或食五辛熏穢經像排突清衆縱心肆意不知慚愧疎遠善人押近惡友如
是等罪今悉懺悔　或貢高憍傲悍塞自用害應理突不識人情自是非他希
望僥倖如是罪今悉懺悔或險賊无讓不廉不恥屠肉沽酒欺誑自活或出入
息利計時賣日聚積慳貪求无厭足之侵養不慚不愧或无戒德空受信施如
是等罪今悉懺悔或捶奴僕驅馳使僮更不問飢渴不問寒暑或發撤橋梁

BD02095 號 1　大佛名略出懺悔　（12–7）

皇佐律如是罪今悉懺悔或險賊无讓不廉不恥屠肉沽酒欺誑自活或出入
息利計時賣日聚積慳貪求无厭足之侵養不慚不愧或无戒德空受信施如
是等罪今悉懺悔或捶奴僕驅馳使僮更不問飢渴不問寒暑或發撤橋梁
杜絕行路如是等罪今悉懺悔　或放恣身意无記散亂樗蒲圍棊群會七
聚飲酒食肉更相恍戲无趣話言論說天下從年竟歲空喪天日初中後夜禪誦不脩
懈怠懶墮尸卧終日於六念處心不經理見他勝事便生嫉妒懷懆毒害起煩惱結使
諸遇猛風吹罪薪大常以熾燃无有休息三業所作一切俱棄善法亂意為一闡提復大
地獄无有出期是故弟子等今日至到稽顙向十方佛一切三寶懺悔某某已來所有衆罪
若輕若重若麁若細若自作若教他作若隨喜作若以勢力逼迫令作如是乃至諸
歎行惡法者今日至誠發露懺悔願皆消滅　願弟子等
承是懺悔一切惡所生功德生生世世慈和孝順謙恩辱知
廉識恥先意問訊情良身謹清潔義讓遠離惡友常遇善
緣守攝六根儆護三業梓勞忍苦心不退沒立志不負衆
生禮拜菩薩已懺煩惱障竟懺悔業報至特非空非海中非入
山間无有地方所脫之不受報唯有懺悔力乃能得除滅何以知然
釋提桓因五衰相現恐懼切心歸誠三寶五相即滅得延天壽如是
等皆經教所明其事非一故知懺悔實能滅禍凡夫之人若不值
善友將導則靡惡而不造致使大命將盡臨窮之際地獄惡相
皆現在前當尒時懺悔交至不預脩善臨窮方悔後將何及乎殃禍
異處穢殊嚴待當獨趣入遠到地獄所住得前行入於火鑊身心摧碎精
神痛苦如此之時欲求一禮一懺豈復可得衆生等莫自恃威耳贍富勢
力恒恒懈怠放逸自恣死特至无問老小貧窮富貴皆悉磨滅奄忽
而至不令人知夫命无常喻如朝出息雖存入息難保云何以此而不懺
悔且五天俠者既來无常煞鬼令至屆拜壯色死得免者當尒之時
花臺遠字何關人事高車大馬豈得自隨妻子眷屬非復我親七珍寶
飾迴為他玩以此而言世間榮華皆為幻化上天雖樂會歸厭壞壽盡

BD02095 號 1　大佛名略出懺悔　（12–8）

而至不念人知夫命无常喻如朝出息雖存入息難保一作以此不悔
悔且五天使者既來无常煞鬼忽至扃昇壯色无得免者當尒之時
花堂邃宇何関人事高車大馬豈得自隨妻子眷属非復我親七珍寶
餝迴為他玩以此而言世間果報皆為幻化上天雖樂會歸散壞壽盡
魂甞墮落三塗是故佛語須跋陁言汝師鬱頭藍弗利根聡明
能伏煩惱至於非想非非想處命終還作畜生道中飛狸之身況
復餘者故知未登聖果已還皆應流轉備經惡趣如下謹慎忽尒一
朝親嬰斯事將不悔如今被罪行詣公門已是小苦情地憧惶眷属恐
懼求救百端地獄衆苦比於此者百千万倍不得為喻衆等相与塵劫以
來營罪若須彌云何聞此晏然不畏不驚不怖令此精神復嬰斯苦責
為可痛是故弟子等運此卑誠歸依佛　弟子等從无始以來至於今
日所有業障然其重者第一唯阿鼻地獄如經所明今當略說其相此獄
周迴有七重鐵城復有七重鐵網羅覆其上下有七重刀林无量猛火縱廣
八万四千由旬罪人之身遍滿其中罪業因緣不相妨导上天徹下下
火徹上東西南北通徹交過如魚在熬脂膏皆盡此中罪苦亦復
如是其城四門有四大銅狗其身縱廣四千由旬牙爪鋒芒眼如掣電復
有无量鐵觜諸鳥奮翼飛騰噉罪人肉牛頭獄卒形如羅剎而有九
尾尾如鐵叉復有八頭頭上有十八角有六十四眼一一眼中皆悉迸出諸
熱鐵丸燒罪人肉然其一瞋一怒哮吼之時聲如霹靂有无量自然
刀輪從空中而下從罪人頂入從足而出於是罪人痛徹骨髓苦切肝心如
是經无量歳求生不得求死不得如是等罪今日皆悉發露慚愧、
懺悔其餘地獄高山劍樹身首散落罪報懺悔鑊湯爐炭地獄燒煮、
罪報懺悔鐵銅床柱地獄燋然罪報懺悔刀輪火車地獄碎轢罪報懺、
悔拔舌犁耕地獄楚痛罪報懺悔吞噉鐵丸烊銅灌口地獄五內消爛
罪報懺悔鐵磨地獄骨肉灰粉罪報懺悔黑繩鐵網地獄支節分離
罪報懺悔灰河沸屎地獄悩悶罪報懺悔鹹水寒氷地獄皮膚折裂
[illegible]

BD02095 號 1　大佛名略出懺悔　（12–9）

罪報懺悔鐵銅床柱地獄燋然罪報懺悔刀輪火車地獄碎轢罪報懺
悔拔舌犁耕地獄楚痛罪報懺悔吞噉鐵丸烊銅灌口地獄五內消爛
罪報懺悔鐵磨地獄骨肉灰粉罪報懺悔黑繩鐵網地獄支節分離
罪報懺悔灰河沸屎地獄悩悶罪報懺悔鹹水寒氷地獄皮膚折裂
擘凍罪報懺悔豺狼鷹犬地獄更相殘害罪報懺悔刀兵鉅子地獄更相
擣擣斫剉罪報懺悔火坑地獄炮炙罪報懺悔磓石相磕地獄形骸破、
碎罪報懺悔衆合黑耳地獄解剔罪報懺悔闇冥肉山地獄斬剉
罪報懺悔鋸解釘身地獄斷截罪報懺悔鐵棒倒懸地獄屠割
罪報懺悔燋熱叫喚地獄煩悗大小鐵圍山間長夜冥冥不識三光罪報懺
悔阿波波地獄阿婆婆地獄阿吒吒地獄阿羅羅地獄如是八寒八熱一
切諸地獄一一獄中復有八万四千隔子地獄以為眷屬此中罪苦燒
煮楚痛剝皮施肉削骨打髓抽腸拔肺无量諸苦不聞不可說南无
佛今日在此中者或時我等无始以來經生父母一切眷属我等相与命
終之後或當墮如此地獄中今日洗心翠到叩頭稽顙向十方佛大地獄菩
薩求哀懺悔今此一切報障畢竟消滅　願弟子承是懺悔地獄等
報所生功德即時破壞阿鼻鐵城悉以淨土无惡道名名其餘地獄一
切苦具轉為樂緣刀山劍樹變成寶林鑊湯爐炭蓮花生牛頭獄
卒除捨暴虐皆起慈悲无有惡念地獄衆生得離苦果更不造因等受
安樂如第三禪一時俱發无上道心 作礼拜 留訖了
已懺悔地獄報竟今當次弟懺悔三道惡報經中佛說多欲之多求利
故苦惱亦多知足之人雖卧地上猶以為樂不知足者雖處天堂猶不稱
意且世間人忽有急難便能捨財不計多少而不知此身臨於三塗
深坑之上一息不還便應墮落忽有知識勸令功德令營未來善法資
粮執此慳心无肯作理夫如此者極為愚惑何以故尒經中佛說生時
不齎一文而來死亦不持一文而去苦身積聚為諸憂惱於己无益徒
為他有无善可恃无得怙賴使命終墮諸惡道是故弟子等今日誓

BD02095 號 1　大佛名略出懺悔　（12–10）

深坑之上一息不還便應墮落忽有知識勸令作功德令作未來善法資
粮執此慳心无肯作理夫如此者極為愚惑何以故令經中佛說生時
不齎一文而來死亦不持一文而去苦身積聚為諸憂惱於己无益枉
為他有无善可恃无得可怙致使命終墮諸惡道是故弟子等今日誓
懇到歸依佛　弟子今日次復懺悔畜生道中死所誠知罪報懺悔畜
生道中負重牽犁償他宿債罪報懺悔畜生道中不得自在為他
所刺屠割罪報懺悔畜生无足二足四足多足罪報懺悔畜生道
中身之毛羽鱗甲之內為諸小虫諸所唼食罪報懺悔如是畜生道
中有无量罪報今日誠皆悉懺悔　次復懺悔餓鬼道中長飢罪
報懺悔餓鬼百千万歲初不曾聞漿水之名罪報懺悔餓鬼食啖
膿血糞穢罪報懺悔餓鬼動身之時一切支節火然罪報懺悔餓
鬼腹大咽小罪報如是餓鬼道中无量苦報今日誓稽皆悉懺
悔 作礼一拜

BD02095 號 1　大佛名略出懺悔　（12–11）

五月五日惡口惡舌自消滅急急如律令
五月五日天中節中處有口舌自消滅急急如律令
五月五日天中節赤口赤舌自消滅急急如律令

BD02095 號 2　五月五日滅口舌真言（擬）　（12–12）

BD02095 號背　題記、勘記、雜寫等　（4–1）

BD02095 號背　題記、勘記、雜寫等　（4–2）

BD02095 號背　題記、勘記、雜寫等　　（4–3）

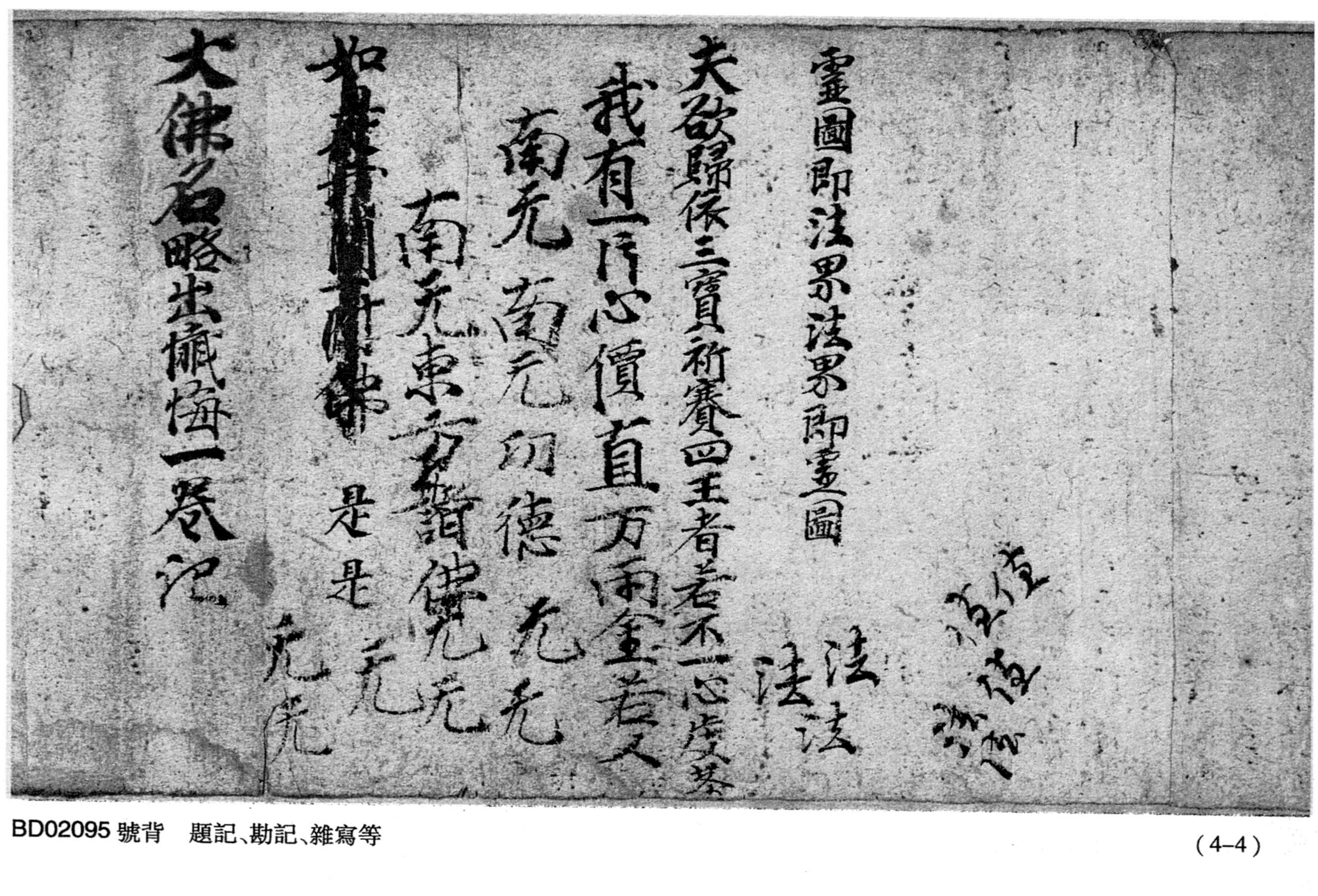

BD02095 號背　題記、勘記、雜寫等　　（4–4）

元　兌

性自然法性一切智智性可取可著我亦不
見有法能取能著亦不見由是法有取有著
由不見故不取不著
是故善現菩薩摩訶薩亦不應取著色不應
取著受想行識菩薩摩訶薩亦不應取著眼
處不應取著耳鼻舌身意處菩薩摩訶薩亦
不應取著色處不應取著聲香味觸法處菩
薩摩訶薩亦不應取著眼界不應取著色界
眼識界及眼觸眼觸為緣所生諸受菩薩摩
訶薩亦不應取著耳界不應取著聲界耳識
界及耳觸耳觸為緣所生諸受菩薩摩訶薩
亦不應取著鼻界不應取著香界鼻識界及
鼻觸鼻觸為緣所生諸受菩薩摩訶薩亦不
應取著舌界不應取著味界舌識界及舌觸
舌觸為緣所生諸受菩薩摩訶薩亦不應取
著身界不應取著觸界身識界及身觸身觸
為緣所生諸受菩薩摩訶薩亦不應取著意
界不應取著法界意識界及意觸意觸為緣
所生諸受菩薩摩訶薩亦不應取著地界不
應取著水火風空識界菩薩摩訶薩亦不應

BD02096 號　大般若波羅蜜多經（兌廢稿）卷三一一　（2–1）

元　兌

取著無明不應取著行識名色六處觸受愛
取有生老死愁歎苦憂惱
菩薩摩訶薩亦不應取著布施波羅蜜多不
應取著淨戒安忍精進靜慮般若波羅蜜多
菩薩摩訶薩亦不應取著內空不應取著外

BD02096 號　大般若波羅蜜多經（兌廢稿）卷三一一　（2–2）

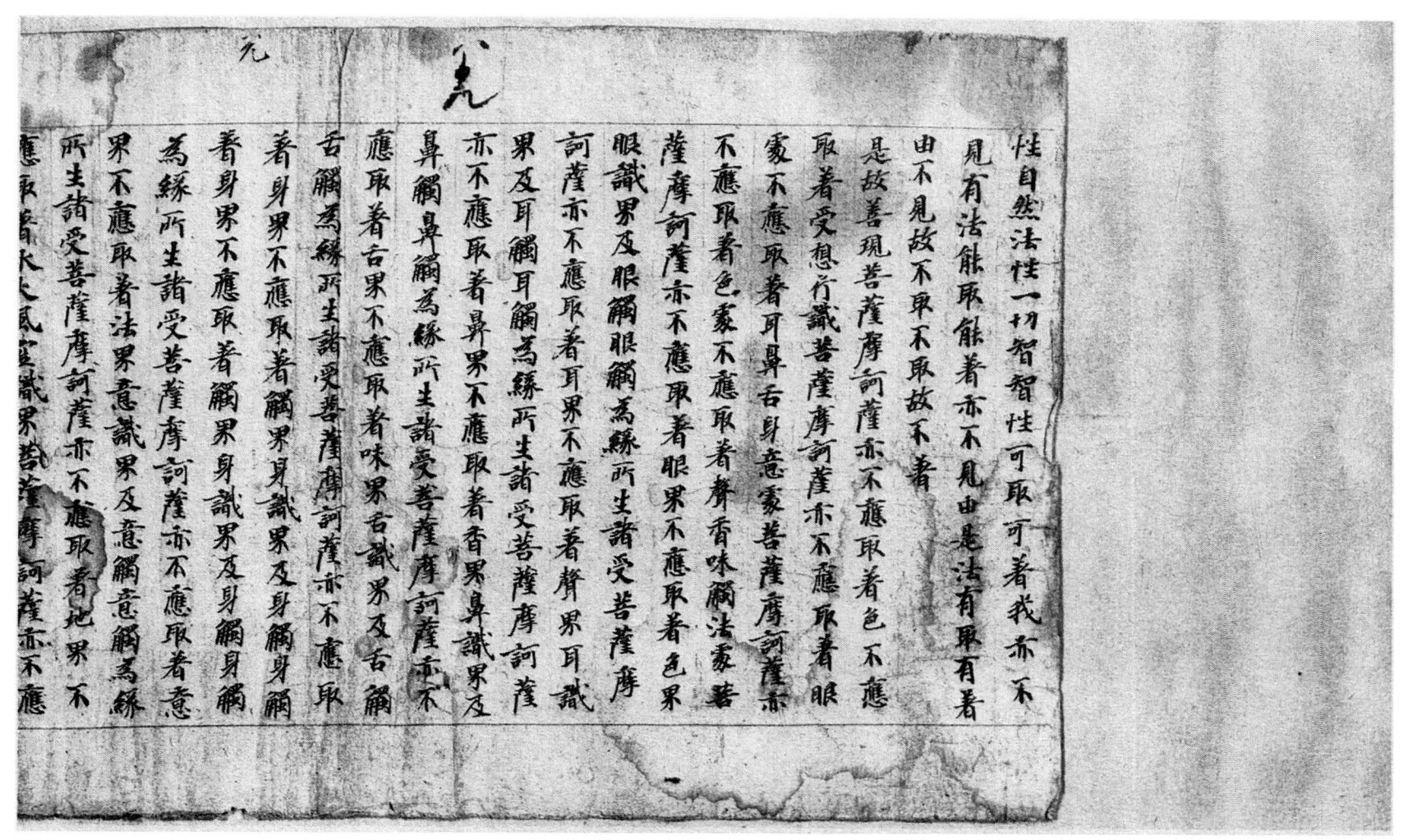

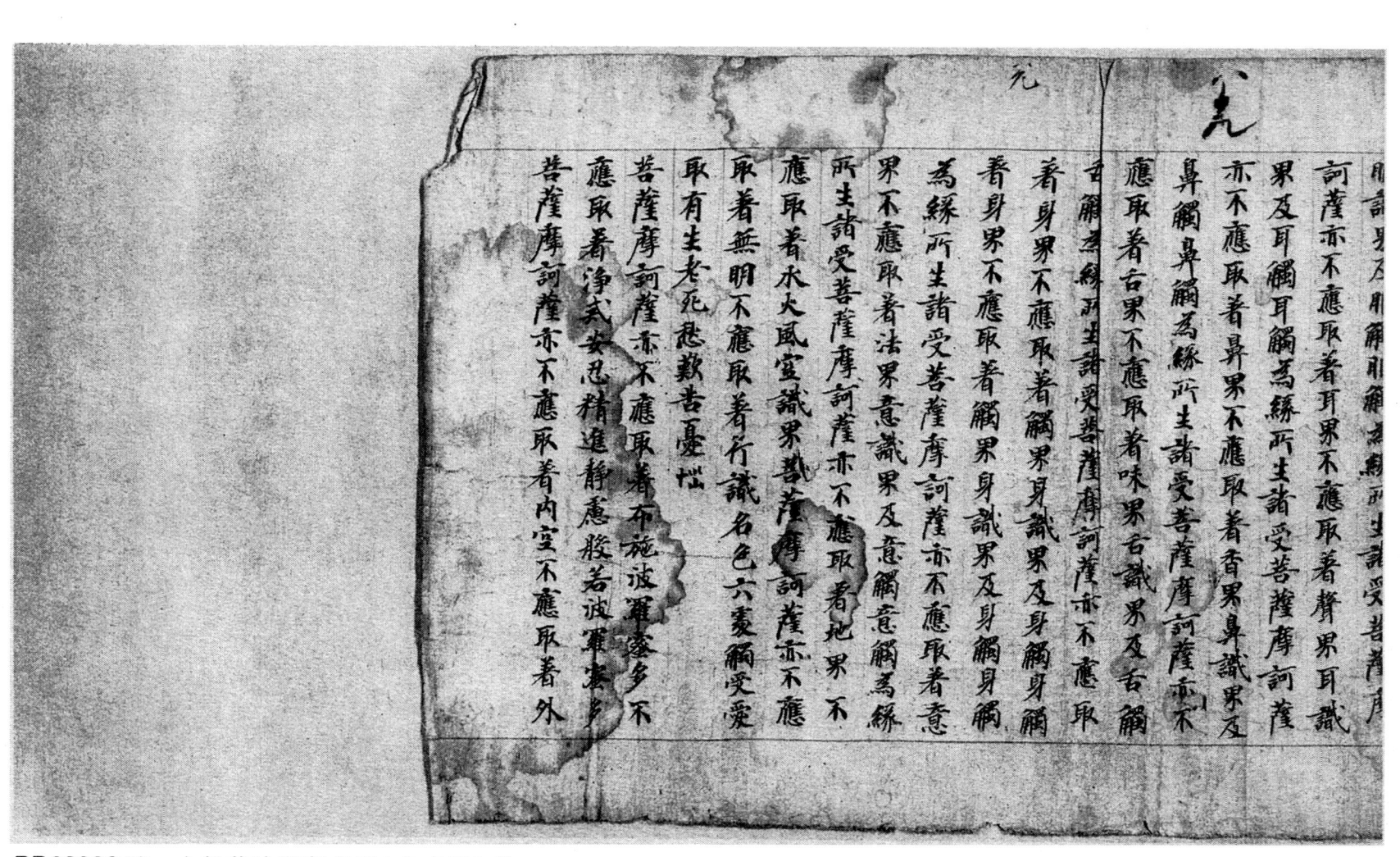

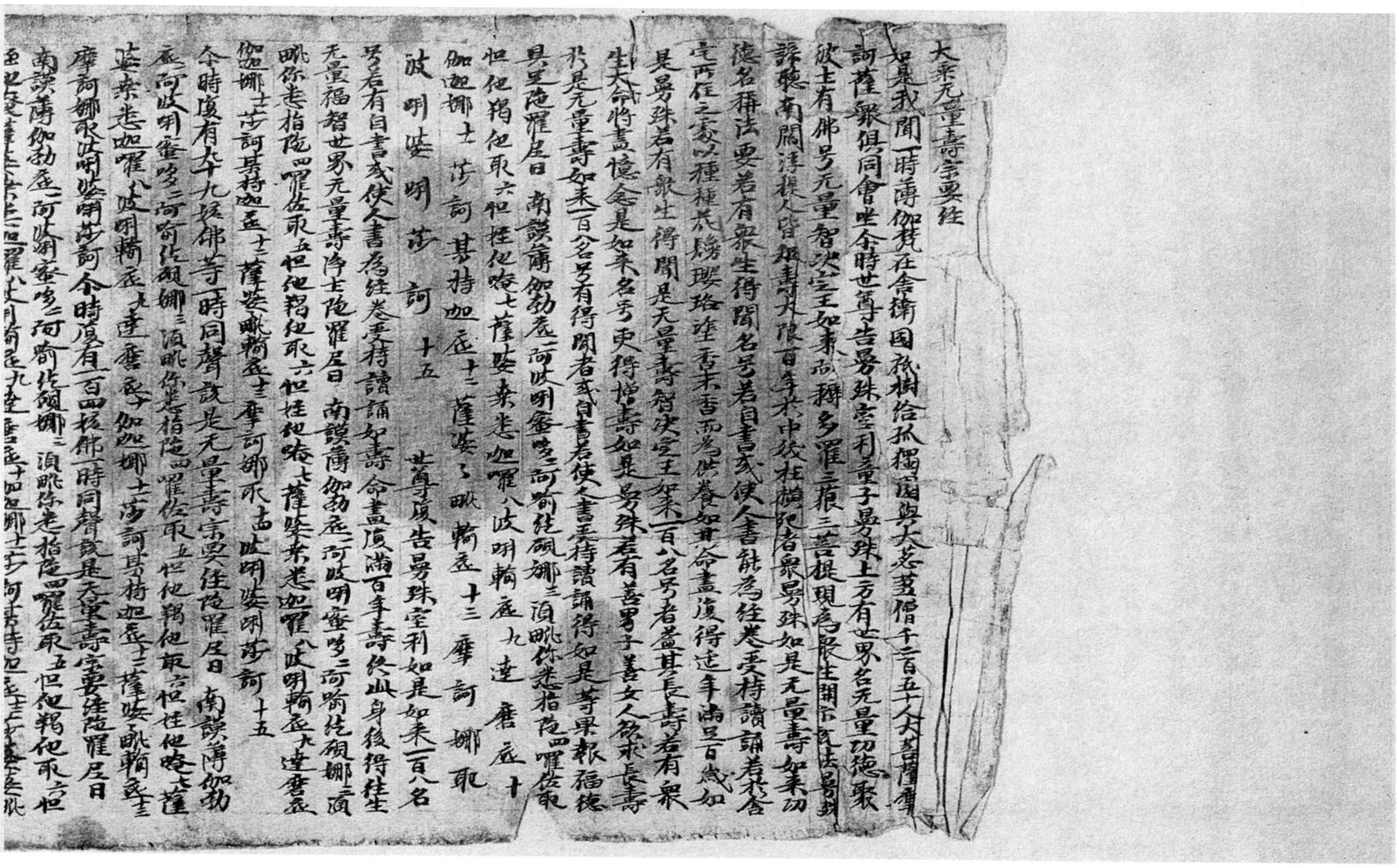

大乘无量壽宗要經
如是我聞一時薄伽梵在舍衛國祇樹給孤獨園與大苾芻僧千二百五十人大菩薩摩
訶薩衆俱同會坐尒時世尊告曼殊室利童子曼殊上方有世界名无量功德聚
彼土有佛号无量智決定王如来應正等覺現爲衆生開示說法曼殊
諦聽南閻浮提人皆短壽大限百年於中夭枉橫死者衆曼殊如是无量壽如來功
德名稱法要若有衆生得聞名号若自書或使人書能爲經卷受持讀誦若於舍
宅所住之處以種種花鬘瓔珞塗香末香而爲供養如其命盡復得延年滿足百歲如
是曼殊若有衆生得聞是无量壽智決定王如來一百八名号者益其長壽若有衆
生大命將盡憶念是如來名号更得增壽如是曼殊若有善男子善女人欲求長壽
於是无量壽如来一百八名号有得聞者或自書若使人書受持讀誦得如是等果報福德
具足陁羅尼曰 南謨薄伽勃底一阿波唎蜜哆二阿喻紇硯娜三須毗你失指陁四囉佐耶
怛他羯他耶六怛姪他唵七薩婆桑悉迦囉八波唎輸底九達磨底十
伽迦娜十一莎訶 某持伽底十二 薩婆毗輸底十三 摩訶 娜耶
波唎婆唎莎訶十五 世尊復告曼殊室利如是如來一百八名
号若有自書或使人書爲經卷受持讀誦如壽命盡復滿百年壽終此身後得往生
无量福智世界无量壽淨土陁羅尼曰 南謨薄伽勃底一阿波唎蜜哆二阿喻紇硯娜三須
毗你失指陁四囉佐耶五怛他羯他耶六怛姪他唵七薩婆桑悉迦囉八波唎輸底九達磨底十
伽迦娜十一莎訶某持伽底十二薩婆毗輸底十三摩訶娜耶十四波唎婆唎莎訶十五
尒時復有九十九姟佛等一時同聲說是无量壽宗要經陁羅尼曰 南謨薄伽勃
底一阿波唎蜜哆二阿喻紇硯娜三須毗你失指陁四囉佐耶五怛他羯他耶六怛姪他唵七薩
婆桑悉迦囉八波唎輸底九達磨底十伽迦娜十一莎訶某持伽底十二薩婆毗輸底十三
摩訶娜耶波唎婆唎莎訶尒時復有一百四姟佛一時同聲說是无量壽宗要經陁羅尼曰
南謨薄伽勃底一阿波唎蜜哆二阿喻紇硯娜三須毗你失指陁四囉佐耶五怛他羯他耶六怛
[illegible]

BD02097 號　無量壽宗要經

（5–1）

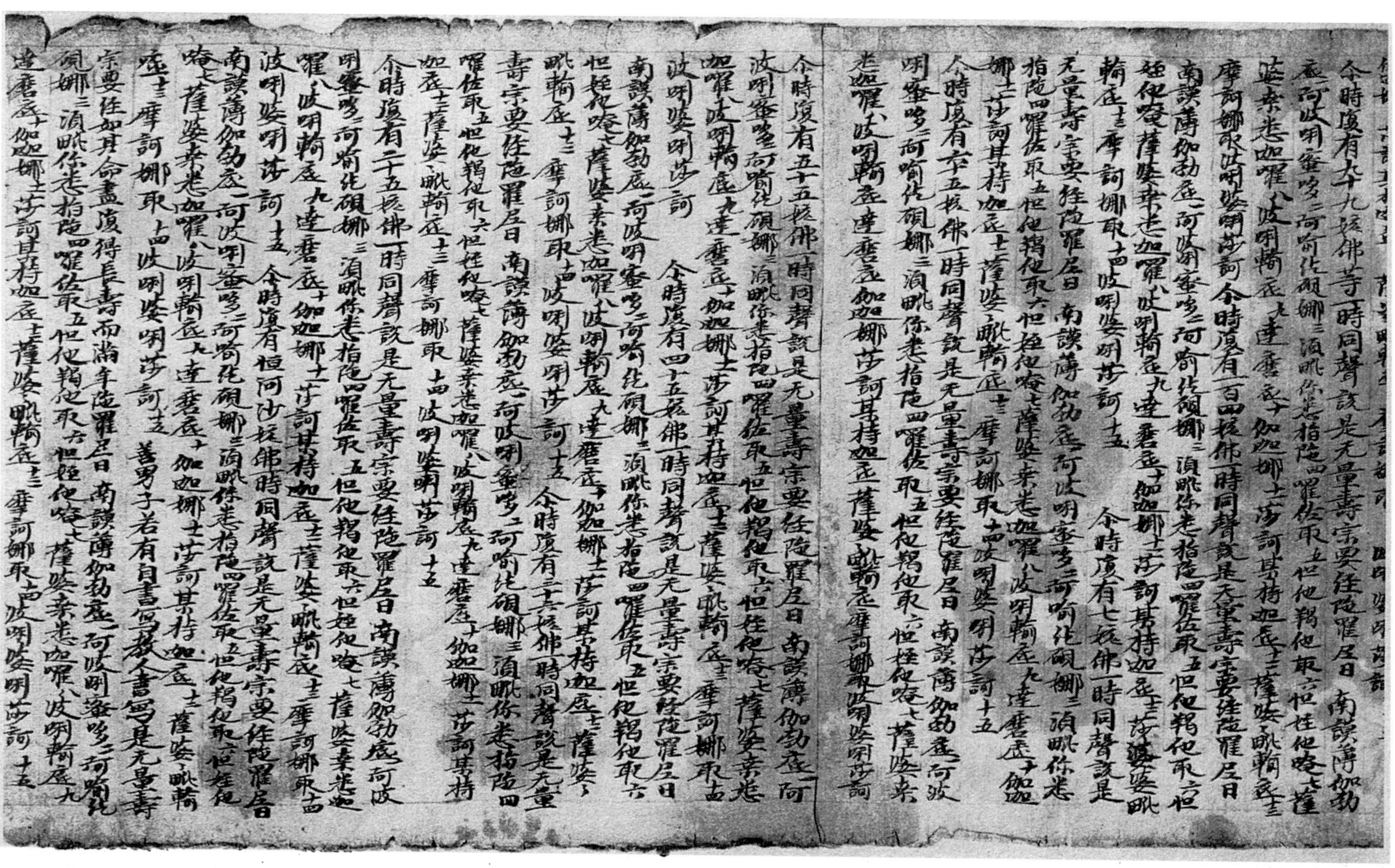

[illegible]
尒時復有九十九姟佛等一時同聲說是无量壽宗要經陁羅尼曰 南謨薄伽勃
底一阿波唎蜜哆二阿喻紇硯娜三須毗你失指陁四囉佐耶五怛他羯他耶六怛姪他唵七薩
婆桑悉迦囉八波唎輸底九達磨底十伽迦娜十一莎訶某持伽底十二薩婆毗輸底十三
摩訶娜耶波唎婆唎莎訶尒時復有一百四姟佛一時同聲說是无量壽宗要經陁羅尼曰
南謨薄伽勃底一阿波唎蜜哆二阿喻紇硯娜三須毗你失指陁四囉佐耶五怛他羯他耶六怛
姪他唵七薩婆桑悉迦囉八波唎輸底九達磨底十伽迦娜十一莎訶某持伽底十二薩婆毗
輸底十三摩訶娜耶十四波唎婆唎莎訶十五 尒時復有七姟佛一時同聲說是
无量壽宗要經陁羅尼曰 南謨薄伽勃底一阿波唎蜜哆二阿喻紇硯娜三須毗你失
指陁四囉佐耶五怛他羯他耶六怛姪他唵七薩婆桑悉迦囉八波唎輸底九達磨底十伽迦
娜十一莎訶某持伽底十二薩婆毗輸底十三摩訶娜耶十四波唎婆唎莎訶十五
尒時復有六十五姟佛一時同聲說是无量壽宗要經陁羅尼曰 南謨薄伽勃底一阿波
唎蜜哆二阿喻紇硯娜三須毗你失指陁四囉佐耶五怛他羯他耶六怛姪他唵七薩婆桑
悉迦囉八波唎輸底達磨底伽迦娜莎訶某持伽底薩婆毗輸底摩訶娜耶波唎婆唎莎訶
尒時復有五十五姟佛一時同聲說是无量壽宗要經陁羅尼曰 南謨薄伽勃底一阿
波唎蜜哆二阿喻紇硯娜三須毗你失指陁四囉佐耶五怛他羯他耶六怛姪他唵七薩婆桑悉
迦囉八波唎輸底九達磨底十伽迦娜十一莎訶某持伽底十二薩婆毗輸底十三摩訶娜耶
波唎婆唎莎訶 尒時復有四十五姟佛一時同聲說是无量壽宗要經陁羅尼曰
南謨薄伽勃底一阿波唎蜜哆二阿喻紇硯娜三須毗你失指陁四囉佐耶五怛他羯他耶六
怛姪他唵七薩婆桑悉迦囉八波唎輸底九達磨底十伽迦娜十一莎訶某持伽底十二薩婆
毗輸底十三摩訶娜耶十四波唎婆唎莎訶十五 尒時復有三十六姟佛一時同聲說是无量
壽宗要經陁羅尼曰 南謨薄伽勃底一阿波唎蜜哆二阿喻紇硯娜三須毗你失指陁四
囉佐耶五怛他羯他耶六怛姪他唵七薩婆桑悉迦囉八波唎輸底九達磨底十伽迦娜十一莎訶某持
伽底十二薩婆毗輸底十三摩訶娜耶十四波唎婆唎莎訶十五
尒時復有二十五姟佛一時同聲說是无量壽宗要經陁羅尼曰 南謨薄伽勃底一阿波
唎蜜哆二阿喻紇硯娜三須毗你失指陁四囉佐耶五怛他羯他耶六怛姪他唵七薩婆桑悉迦
囉八波唎輸底九達磨底十伽迦娜十一莎訶某持伽底十二薩婆毗輸底十三摩訶
娜耶十四波唎婆唎莎訶十五 尒時復有恒河沙姟佛一時同聲說是无量壽宗要經陁羅尼曰
南謨薄伽勃底一阿波唎蜜哆二阿喻紇硯娜三須毗你失指陁四囉佐耶五怛他羯他耶六怛姪他
唵七薩婆桑悉迦囉八波唎輸底九達磨底十伽迦娜十一莎訶某持伽底十二薩婆毗輸
底十三摩訶娜耶十四波唎婆唎莎訶十五 善男子若有自書寫教人書寫是无量壽
宗要經如其命盡復得長壽而滿年陁羅尼曰 南謨薄伽勃底一阿波唎蜜哆二阿喻紇
硯娜三須毗你失指陁四囉佐耶五怛他羯他耶六怛姪他唵七薩婆桑悉迦囉八波唎輸底九
達磨底十伽迦娜十一莎訶某持伽底十二薩婆毗輸底十三摩訶娜耶十四波唎婆唎莎訶十五

BD02097 號　無量壽宗要經

（5–2）

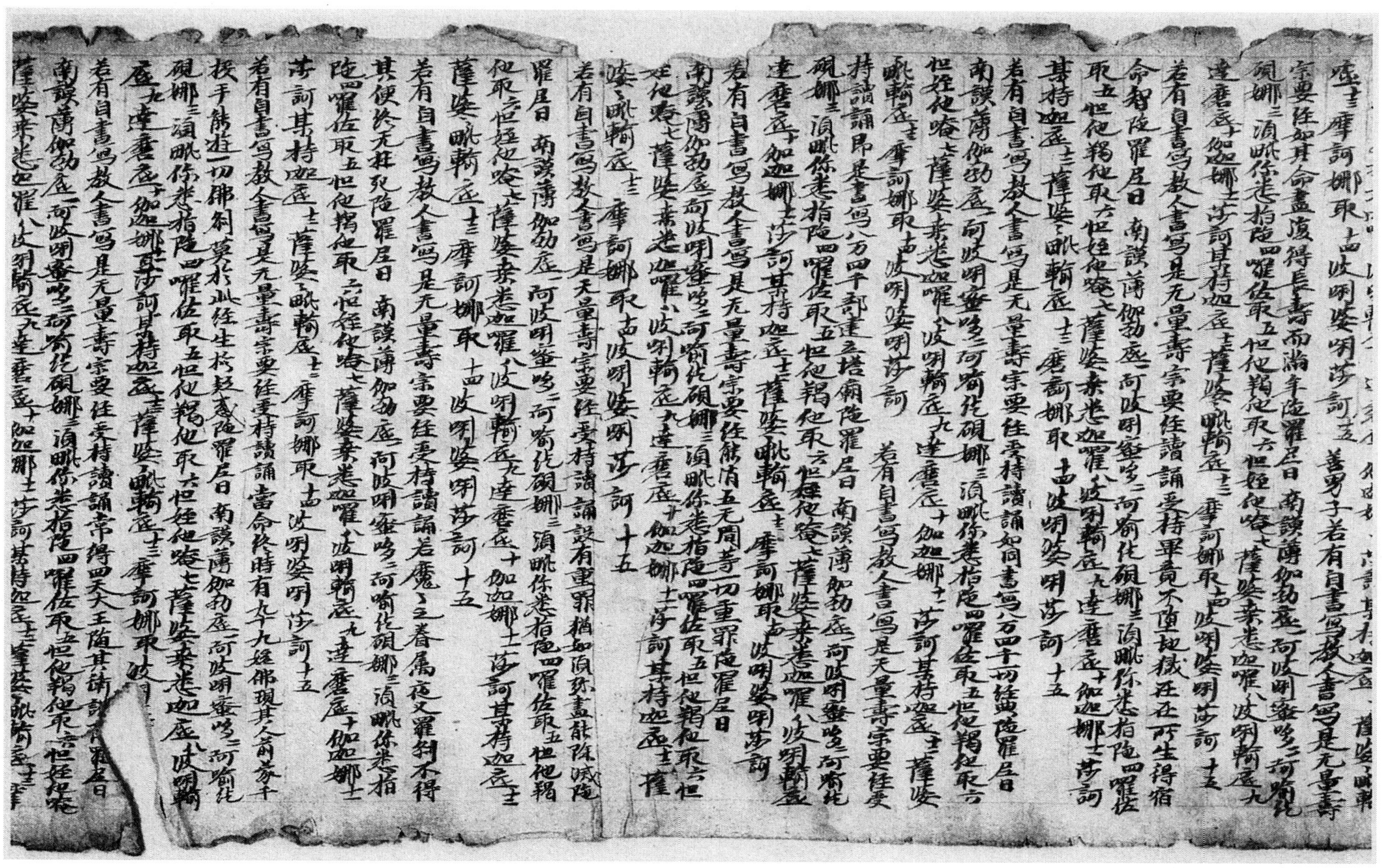

底十三摩訶娜耶十四波唎婆唎莎訶十五　善男子若有自書寫教人書寫是无量壽
宗要經如其命盡復得長壽而滿年陀羅尼曰　南謨薄伽勃底一阿波唎蜜哆二阿喻紇
硯娜三須毗你失指陀四囉佐耶五怛他羯他耶六怛姪他唵七薩婆桑悉迦囉八波唎輸底九
達磨底十伽迦娜十一莎訶其持迦底十二薩婆毗輸底十三摩訶娜耶十四波唎婆唎莎訶十五
若有自書寫教人書寫是无量壽宗要經讀誦受持畢竟不墮地獄所在所生得宿
命智陀羅尼曰　南謨薄伽勃底一阿波唎蜜哆二阿喻紇硯娜三須毗你失指陀四囉佐
耶五怛他羯他耶六怛姪他唵七薩婆桑悉迦囉八波唎輸底九達磨底十伽迦娜十一莎訶
其持迦底十二薩婆毗輸底十三摩訶娜耶十四波唎婆唎莎訶十五
若有自書寫教人書寫是无量壽宗要經受持讀誦如同書寫八万四千一切經典陀羅尼曰
南謨薄伽勃底一阿波唎蜜哆二阿喻紇硯娜三須毗你失指陀四囉佐耶五怛他羯他耶六
怛姪他唵七薩婆桑悉迦囉八波唎輸底九達磨底十伽迦娜十一莎訶其持迦底十二薩婆
毗輸底十三摩訶娜耶十四波唎婆唎莎訶　若有自書寫教人書寫是无量壽宗要經受
持讀誦即是書寫八万四千部建立塔廟陀羅尼曰　南謨薄伽勃底一阿波唎蜜哆二阿喻紇
硯娜三須毗你失指陀四囉佐耶五怛他羯他耶六怛姪他唵七薩婆桑悉迦囉八波唎輸底
達磨底十伽迦娜十一莎訶其持迦底十二薩婆毗輸底十三摩訶娜耶十四波唎婆唎莎訶
若有自書寫教人書寫是无量壽宗要經能消五无間等一切重罪陀羅尼曰
南謨薄伽勃底一阿波唎蜜哆二阿喻紇硯娜三須毗你失指陀四囉佐耶五怛他羯他耶六怛
姪他唵七薩婆桑悉迦囉八波唎輸底九達磨底十伽迦娜十一莎訶其持迦底十二薩
婆毗輸底十三摩訶娜耶十四波唎婆唎莎訶十五
若有自書寫教人書寫是无量壽宗要經受持讀誦設有重罪猶如須彌盡能除滅陀
羅尼曰　南謨薄伽勃底一阿波唎蜜哆二阿喻紇硯娜三須毗你失指陀四囉佐耶五怛他羯
他耶六怛姪他唵七薩婆桑悉迦囉八波唎輸底九達磨底十伽迦娜十一莎訶其持迦底十二
薩婆毗輸底十三摩訶娜耶十四波唎婆唎莎訶十五
若有自書寫教人書寫是无量壽宗要經受持讀誦若魔魔王眷屬夜叉羅剎不得
其便終无枉死陀羅尼曰　南謨薄伽勃底一阿波唎蜜哆二阿喻紇硯娜三須毗你失指
陀四囉佐耶五怛他羯他耶六怛姪他唵七薩婆桑悉迦囉八波唎輸底九達磨底十伽迦娜十一
莎訶其持迦底十二薩婆毗輸底十三摩訶娜耶十四波唎婆唎莎訶十五
若有自書寫教人書寫是无量壽宗要經受持讀誦當命終時有九十九億佛現其人前并千
佛授手能遊一切佛剎莫於此經生於疑惑陀羅尼曰　南謨薄伽勃底一阿波唎蜜哆二阿喻紇
硯娜三須毗你失指陀四囉佐耶五怛他羯他耶六怛姪他唵七薩婆桑悉迦囉八波唎輸
底九達磨底十伽迦娜十一莎訶其持迦底十二薩婆毗輸底十三摩訶娜耶十四波……
若有自書寫教人書寫是无量壽宗要經受持讀誦常得四天大王隨其衛護……陀羅尼曰
南謨薄伽勃底一阿波唎蜜哆二阿喻紇硯娜三須毗你失指陀四囉佐耶五怛他羯他耶六怛姪他唵
薩婆桑悉迦囉八波唎輸底九達磨底十伽迦娜十一莎訶其持迦底十二薩婆毗輸底十三摩

BD02097 號　無量壽宗要經　（5–3）

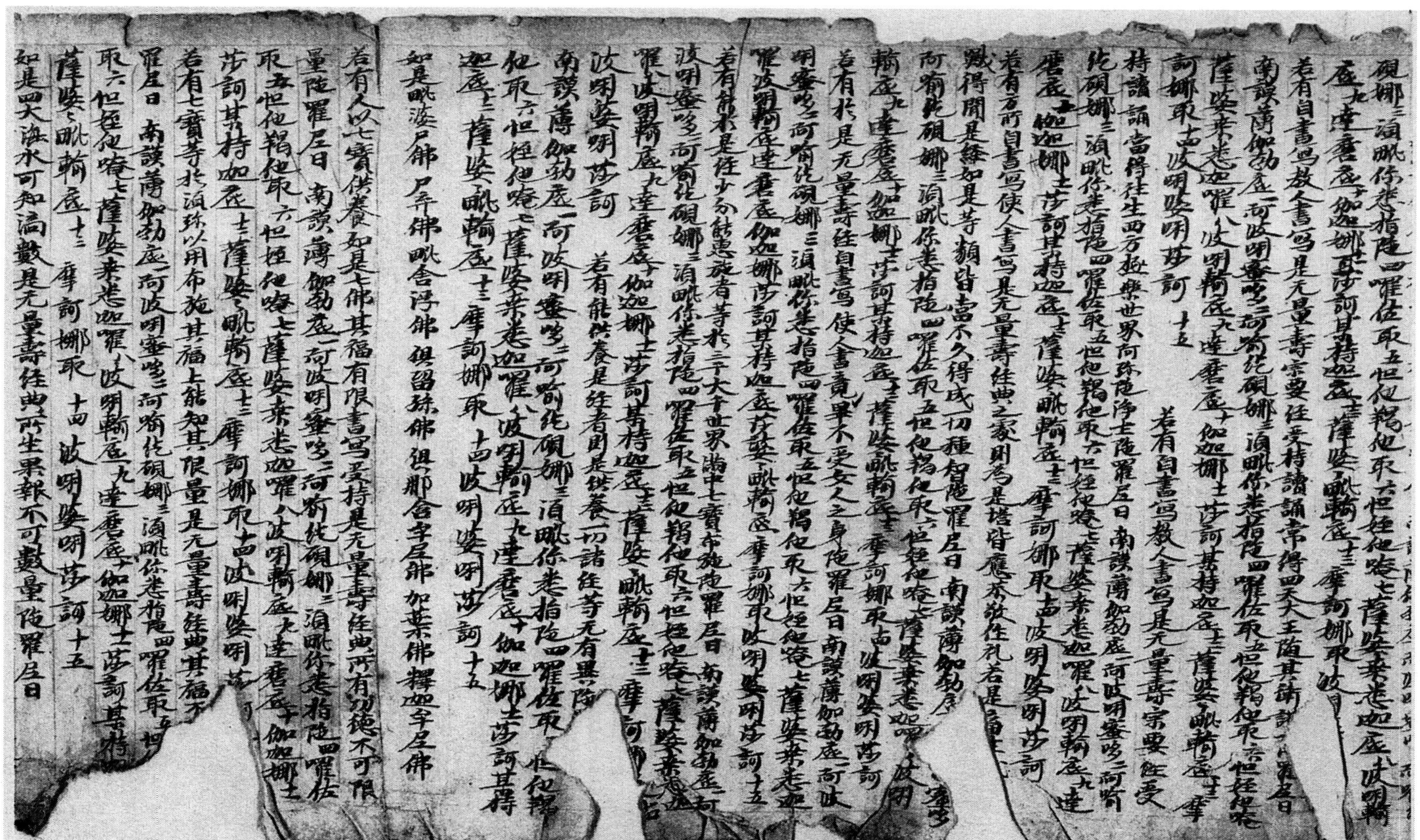

硯娜三須毗你失指陀四囉佐耶五怛他羯他耶六怛姪他唵七薩婆桑悉迦囉八波唎輸
底九達磨底十伽迦娜十一莎訶其持迦底十二薩婆毗輸底十三摩訶娜耶十四波……
若有自書寫教人書寫是无量壽宗要經受持讀誦常得四天大王隨其衛護……陀羅尼曰
南謨薄伽勃底一阿波唎蜜哆二阿喻紇硯娜三須毗你失指陀四囉佐耶五怛他羯他耶六怛姪他唵
薩婆桑悉迦囉八波唎輸底九達磨底十伽迦娜十一莎訶其持迦底十二薩婆毗輸底十三摩
訶娜耶十四波唎婆唎莎訶十五　若有自書寫教人書寫是无量壽宗要經受
持讀誦當得往生西方極樂世界阿彌陀淨土陀羅尼曰　南謨薄伽勃底一阿波唎蜜哆二阿喻
紇硯娜三須毗你失指陀四囉佐耶五怛他羯他耶六怛姪他唵七薩婆桑悉迦囉八波唎輸底九達
磨底十伽迦娜十一莎訶其持迦底十二薩婆毗輸底十三摩訶娜耶十四波唎婆唎莎訶
若有自書寫使人書寫是无量壽經典之處則為是塔皆應恭敬作礼若是畜生……
獸得聞是經如是等類皆當不久得成一切種智陀羅尼曰　南謨薄伽勃底
阿喻紇硯娜三須毗你失指陀四囉佐耶五怛他羯他耶六怛姪他唵七薩婆桑悉迦囉八波唎
輸底九達磨底十伽迦娜十一莎訶其持迦底十二薩婆毗輸底十三摩訶娜耶十四波唎婆唎莎訶
若有於是无量壽經自書寫使人書寫畢不受女人之身陀羅尼曰　南謨薄伽勃底一阿波
唎蜜哆二阿喻紇硯娜三須毗你失指陀四囉佐耶五怛他羯他耶六怛姪他唵七薩婆桑悉迦
囉波唎輸底達磨底伽迦娜莎訶其持迦底薩婆毗輸底摩訶娜耶波唎婆唎莎訶十五
若有能於是經少分能惠施者等於三千大千世界滿中七寶布施陀羅尼曰　南謨薄伽勃底一阿
波唎蜜哆二阿喻紇硯娜三須毗你失指陀四囉佐耶五怛他羯他耶六怛姪他唵七薩婆桑悉迦
囉八波唎輸底九達磨底十伽迦娜十一莎訶其持迦底十二薩婆毗輸底十三摩訶娜……
波唎婆唎莎訶
若有能供養是經者則是供養一切諸經等无有異陀……
南謨薄伽勃底一阿波唎蜜哆二阿喻紇硯娜三須毗你失指陀四囉佐耶五……他羯
他耶六怛姪他唵七薩婆桑悉迦囉八波唎輸底九達磨底十伽迦娜十一莎訶其持
迦底十二薩婆毗輸底十三摩訶娜耶十四波唎婆唎莎訶十五
如是毗婆尸佛　尸棄佛　毗舍浮佛　俱留孫佛　俱那含牟尼佛　迦葉佛　釋迦牟尼佛
若有人以七寶供養如是七佛其福有限書寫受持是无量壽經典所有功德不可限
量陀羅尼曰　南謨薄伽勃底一阿波唎蜜哆二阿喻紇硯娜三須毗你失指陀四囉佐
耶五怛他羯他耶六怛姪他唵七薩婆桑悉迦囉八波唎輸底九達磨底十伽迦娜十一
莎訶其持迦底十二薩婆毗輸底十三摩訶娜耶十四波唎婆唎莎……
若有七寶等於須彌以用布施其福上能知其限量是无量壽經典其福不
羅尼曰　南謨薄伽勃底一阿波唎蜜哆二阿喻紇硯娜三須毗你失指陀四囉佐耶五怛……
耶六怛姪他唵七薩婆桑悉迦囉八波唎輸底九達磨底十伽迦娜十一莎訶其持迦……
薩婆毗輸底十三摩訶娜耶十四波唎婆唎莎訶十五
如是四大海水可知滴數是无量壽經典所生果報不可數量陀羅尼曰

BD02097 號　無量壽宗要經　（5–4）

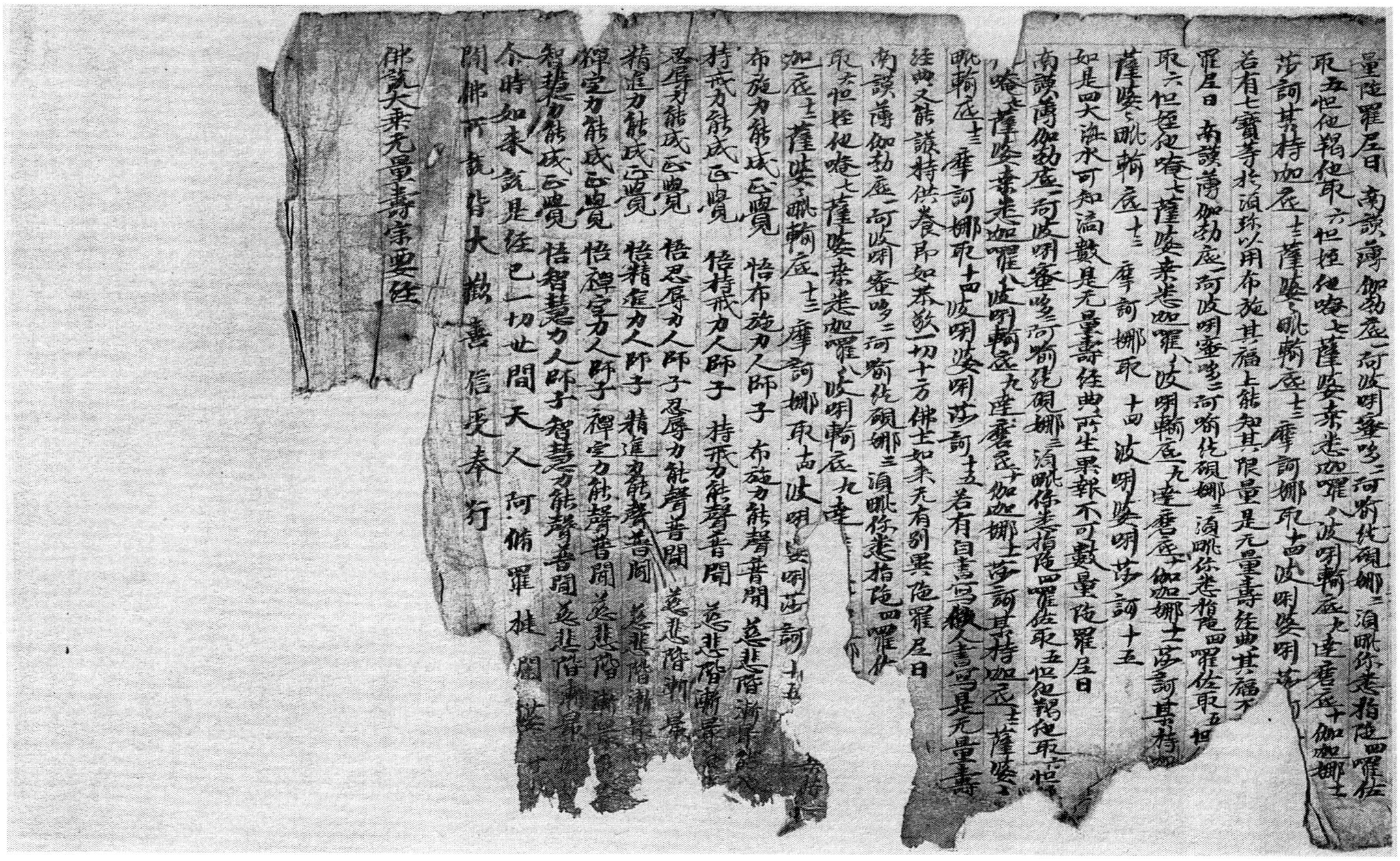

量陀羅尼曰 南謨薄伽勃底一阿波唎蜜哆二阿喻紇硯娜三須毗你恚指陀四囉佐
耶五怛他羯他耶六怛姪他唵七薩婆桑悉迦囉八波唎輸底九達磨底十伽迦娜十一
莎訶其持伽底十二薩婆婆毗輸底十三摩訶娜耶十四波唎婆唎莎訶
若有七寶等於須彌以用布施其福上能知其限量是无量壽經典其福不
羅尼曰 南謨薄伽勃底阿波唎蜜哆二阿喻紇硯娜三須毗你恚指陀四囉佐耶五怛
耶六怛姪他唵七薩婆桑悉迦囉八波唎輸底九達磨底十伽迦娜十一莎訶其持
薩婆婆毗輸底十三摩訶娜耶十四波唎婆唎莎訶十五
如是四大海水可知滴數是无量壽經典所生果報不可數量陀羅尼曰
南謨薄伽勃底一阿波唎蜜哆二阿喻紇硯娜三須毗你恚指陀四囉佐耶五怛他羯他耶六怛
唵七薩婆桑悉迦囉八波唎輸底九達磨底十伽迦娜十一莎訶其持伽底十二薩婆
毗輸底十三摩訶娜耶十四波唎婆唎莎訶十五 若有自書寫教人書寫是无量壽
經典又能讚持供養即如恭敬一切十方佛土如來无有別異陀羅尼曰
南謨薄伽勃底阿波唎蜜哆二阿喻紇硯娜三須毗你恚指陀四囉佐
耶六怛姪他唵七薩婆桑悉迦囉八波唎輸底九達
伽底十二薩婆婆毗輸底十三摩訶娜耶十四波唎婆唎莎訶十五
布施力能成正覺 悟布施力人師子 布施力能聲普聞 慈悲階漸
持戒力能成正覺 悟持戒力人師子 持戒力能聲普聞 慈悲階漸
忍辱力能成正覺 悟忍辱力人師子 忍辱力能聲普聞 慈悲階漸
精進力能成正覺 悟精進力人師子 精進力能聲普聞 慈悲階漸
禪定力能成正覺 悟禪定力人師子 禪定力能聲普聞 慈悲階漸
智慧力能成正覺 悟智慧力人師子 智慧力能聲普聞 慈悲階漸
尒時如來說是經已一切世間天人阿脩羅揵闥婆
聞佛所說皆大歡喜信受奉行
佛說大乘无量壽宗要經

BD02097 號　無量壽宗要經　（5–5）

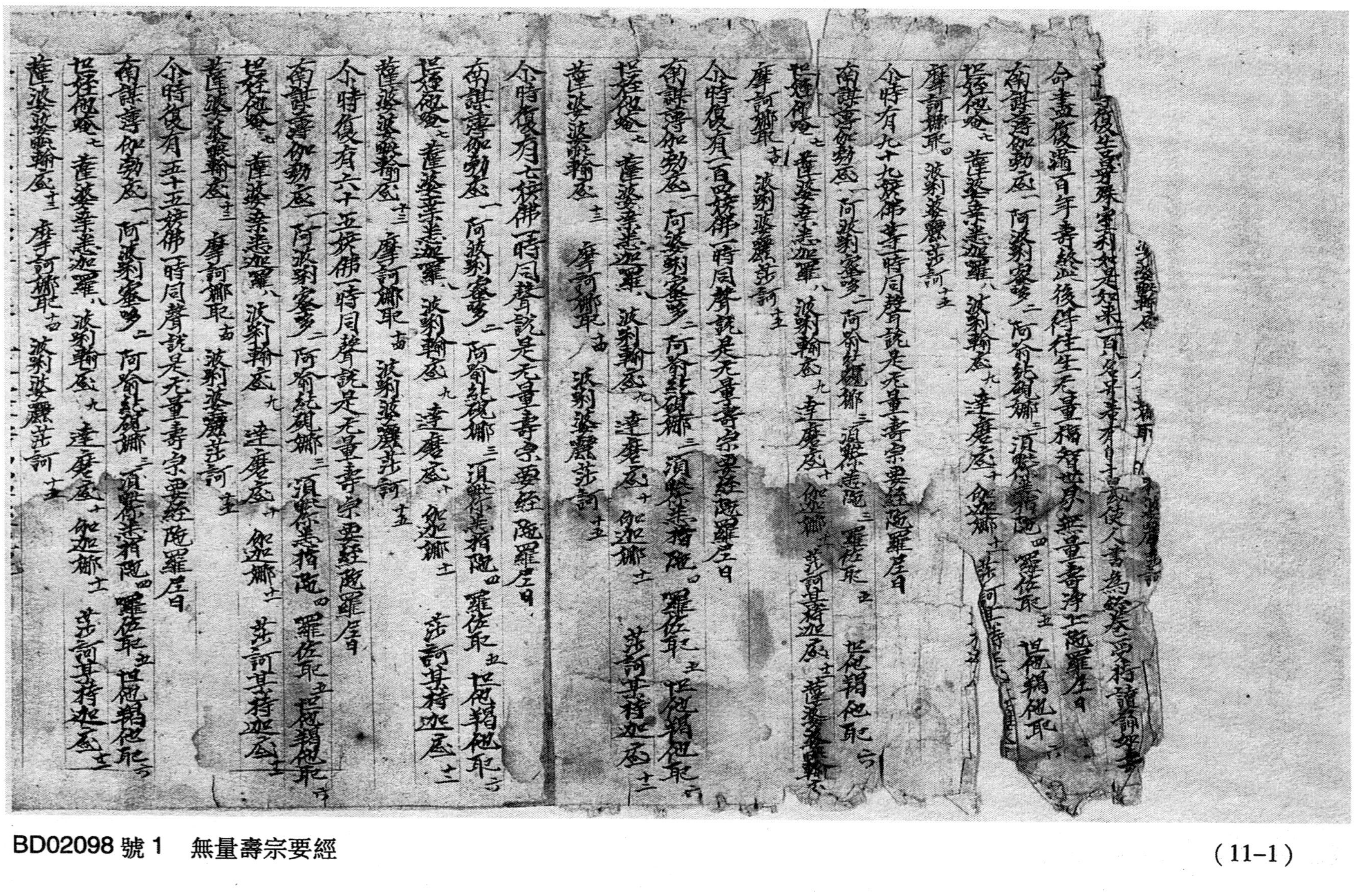

命盡復滿百年壽終之後得往生无量福智世界無量壽淨土陀羅尼曰
南謨薄伽勃底一阿波唎蜜哆二阿喻紇硯娜三須毗你恚指陀四囉佐耶五怛他羯他耶六
怛姪他唵七薩婆桑悉迦囉八波唎輸底九達磨底十伽迦娜十一莎訶其持伽底十二
摩訶娜耶十四波唎婆唎莎訶十五
尒時有九十九俱胝佛一時同聲說是无量壽宗要經陀羅尼曰
南謨薄伽勃底一阿波唎蜜哆二阿喻紇硯娜三須毗你恚指陀四囉佐耶五怛他羯他耶六
怛姪他唵七薩婆桑悉迦囉八波唎輸底九達磨底十伽迦娜十一莎訶其持伽底十二薩婆婆毗輸
摩訶娜耶十四波唎婆唎莎訶十五
尒時復有八十四俱胝佛一時同聲說是无量壽宗要經陀羅尼曰
南謨薄伽勃底一阿波唎蜜哆二阿喻紇硯娜三須毗你恚指陀四囉佐耶五怛他羯他耶六
怛姪他唵七薩婆桑悉迦囉八波唎輸底九達磨底十伽迦娜十一莎訶其持伽底十二
薩婆婆毗輸底十三摩訶娜耶十四波唎婆唎莎訶十五
尒時復有七俱胝佛一時同聲說是无量壽宗要經陀羅尼曰
南謨薄伽勃底一阿波唎蜜哆二阿喻紇硯娜三須毗你恚指陀四囉佐耶五怛他羯他耶六
怛姪他唵七薩婆桑悉迦囉八波唎輸底九達磨底十伽迦娜十一莎訶其持伽底十二
薩婆婆毗輸底十三摩訶娜耶十四波唎婆唎莎訶十五
尒時復有六十五俱胝佛一時同聲說是无量壽宗要經陀羅尼曰
南謨薄伽勃底一阿波唎蜜哆二阿喻紇硯娜三須毗你恚指陀四囉佐耶五怛他羯他耶六
怛姪他唵七薩婆桑悉迦囉八波唎輸底九達磨底十伽迦娜十一莎訶其持伽底十二
薩婆婆毗輸底十三摩訶娜耶十四波唎婆唎莎訶十五
尒時復有五十五俱胝佛一時同聲說是无量壽宗要經陀羅尼曰
南謨薄伽勃底一阿波唎蜜哆二阿喻紇硯娜三須毗你恚指陀四囉佐耶五怛他羯他耶六
怛姪他唵七薩婆桑悉迦囉八波唎輸底九達磨底十伽迦娜十一莎訶其持伽底十二
薩婆婆毗輸底十三摩訶娜耶十四波唎婆唎莎訶十五

BD02098 號 1　無量壽宗要經　（11–1）

南謨薄伽勃底一　阿波唎蜜多二　阿喻紇硯娜三　須毗你悉指陀四　羅佐耶五　怛他羯他耶六
怛姪他唵七　薩婆桑悉迦羅八　波唎輸底九　達磨底十　伽迦娜十一　莎訶某持迦底十二
薩婆婆毗輸底十三　摩訶娜耶十四　波唎婆嚟莎訶十五
介時復有四十五殑伽佛一時同聲說是无量壽宗要經陀羅尼曰
南謨薄伽勃底一　阿波唎蜜多二　阿喻紇硯娜三　須毗你悉指陀四　羅佐耶五　怛他羯他耶六
怛姪他唵七　薩婆桑悉迦羅八　波唎輸底九　達磨底十　伽迦娜十一　莎訶某持迦底十二
薩婆婆毗輸底十三　摩訶娜耶十四　波唎婆嚟莎訶十五
介時復有三十六殑伽佛一時同聲說是无量壽宗要經陀羅尼曰
南謨薄伽勃底一　阿波唎蜜多二　阿喻紇硯娜三　須毗你悉指陀四　羅佐耶五　怛他羯他耶六
怛姪他唵七　薩婆桑悉迦羅八　波唎輸底九　達磨底十　伽迦娜十一　莎訶某持迦底十二
薩婆婆毗輸底十三　摩訶娜耶十四　波唎婆嚟莎訶十五
介時復有二十五殑伽佛一時同聲說是无量壽宗要經陀羅尼曰
南謨薄伽勃底一　阿波唎蜜多二　阿喻紇硯娜三　須毗你悉指陀四　羅佐耶五　怛他羯他耶六
怛姪他唵七　薩婆桑悉迦羅八　波唎輸底九　達磨底十　伽迦娜十一　莎訶某持迦底十二
薩婆婆毗輸底十三　摩訶娜耶十四　波唎婆嚟莎訶十五
介時復有恒河沙殑伽佛一時同聲說是无量壽宗要經陀羅尼曰
南謨薄伽勃底一　阿波唎蜜多二　阿喻紇硯娜三　須毗你悉指陀四　羅佐耶五　怛他羯他耶六
怛姪他唵七　薩婆桑悉迦羅八　波唎輸底九　達磨底十　伽迦娜十一　莎訶某持迦底十二
薩婆婆毗輸底十三　摩訶娜耶十四　波唎婆嚟莎訶十五
若男子若有自書寫教人書寫是无量壽宗要經如其命盡復得長壽而滿年
陀羅尼曰　南謨薄伽勃底一　阿波唎蜜多二　阿喻紇硯娜三　須毗你悉指陀四
羅佐耶五　怛他羯他耶六　怛姪他唵七　薩婆桑悉迦羅八　波唎輸底九　達磨底十
伽迦娜十一　莎訶某持迦底十二　薩婆婆毗輸底十三　摩訶娜耶十四　波唎婆嚟莎訶十五
若有自書寫教人書寫是无量壽宗要經讀誦受持畢竟不墮地獄在在
所生得宿命智陀羅尼曰　南謨薄伽勃底一　阿波唎蜜多二　阿喻紇硯娜三
須毗你悉指陀四　羅佐耶五　怛他羯他耶六　怛姪他唵七　薩婆桑悉迦羅八　波唎輸底九　達磨底十
伽迦娜十一　莎訶某持迦底十二　薩婆婆毗輸底十三　摩訶娜耶十四　波唎婆嚟莎訶十五
若有自書寫教人書寫是无量壽宗要經受持讀誦如同書寫八万四千一切經典陀羅尼曰
南謨薄伽勃底一　阿波唎蜜多二　阿喻紇硯娜三　須毗你悉指陀四　羅佐耶五　怛他羯他耶六
怛姪他唵七　薩婆桑悉迦羅八　波唎輸底九　達磨底十　伽迦娜十一　莎訶某持迦底十二

BD02098 號 1　無量壽宗要經　（11-2）

須毗你悉指陀四　羅佐耶五　怛他羯他耶六　怛姪他唵七　薩婆桑悉迦羅八　波唎輸底九　達磨底十
伽迦娜十一　莎訶某持迦底十二　薩婆婆毗輸底十三　摩訶娜耶十四　波唎婆嚟莎訶十五
若有自書寫教人書寫是无量壽宗要經受持讀誦如同書寫八万四千一切經典陀羅尼曰
南謨薄伽勃底一　阿波唎蜜多二　阿喻紇硯娜三　須毗你悉指陀四　羅佐耶五　怛他羯他耶六
怛姪他唵七　薩婆桑悉迦羅八　波唎輸底九　達磨底十　伽迦娜十一　莎訶某持迦底十二
薩婆婆毗輸底十三　摩訶娜耶十四　波唎婆嚟莎訶十五
若有自書寫教人書寫是无量壽宗要經即是書寫八万四千部建立塔廟陀羅尼曰
南謨薄伽勃底一　阿波唎蜜多二　阿喻紇硯娜三　須毗你悉指陀四　羅佐耶五　怛他羯他耶六
怛姪他唵七　薩婆桑悉迦羅八　波唎輸底九　達磨底十　伽迦娜十一　莎訶某持迦底十二
薩婆婆毗輸底十三　摩訶娜耶十四　波唎婆嚟莎訶十五
若有自書寫教人書寫是无量壽宗要經能五无間等一切重罪陀羅尼曰
南謨薄伽勃底一　阿波唎蜜多二　阿喻紇硯娜三　須毗你悉指陀四　羅佐耶五　怛他羯他耶六
怛姪他唵七　薩婆桑悉迦羅八　波唎輸底九　達磨底十　伽迦娜十一　莎訶某持迦底十二
薩婆婆毗輸底十三　摩訶娜耶十四　波唎婆嚟莎訶十五
若有自書寫教人書寫是无量壽宗要經受持讀誦設有重罪猶如須彌盡能除滅陀羅尼曰
南謨薄伽勃底一　阿波唎蜜多二　阿喻紇硯娜三　須毗你悉指陀四　羅佐耶五　怛他羯他耶六
怛姪他唵七　薩婆桑悉迦羅八　波唎輸底九　達磨底十　伽迦娜十一　莎訶某持迦底十二　薩婆婆毗輸底十三
摩訶娜耶十四　波唎婆嚟莎訶十五
若有自書寫教人書寫是无量壽宗要經受持讀誦者魔子之眷屬夜叉羅
剎不得其便終无枉死陀羅尼曰
南謨薄伽勃底一　阿波唎蜜多二　阿喻紇硯娜三　須毗你悉指陀四　羅佐耶五　怛他羯他耶六
薩婆桑悉迦羅八　波唎輸底九　達磨底十　伽迦娜十一　莎訶某持迦底十二　薩婆婆毗輸底十三
摩訶娜耶十四　波唎婆嚟莎訶十五
若有自書教人書寫是无量壽宗要經受持讀誦當命終時有九十九殑
佛現其人前承千佛授手能遊一切佛剎莫於此經生疑惑陀羅尼曰
南謨薄伽勃底一　阿波唎蜜多二　阿喻紇硯娜三　須毗你悉指陀四　羅佐耶五　怛他羯他耶六
怛姪他唵七　薩婆桑悉迦羅八　波唎輸底九　達磨底十　伽迦娜十一　莎訶某持迦底十二
薩婆婆毗輸底十三　摩訶娜耶十四　波唎婆嚟莎訶十五
若有自書寫教人書寫是无量壽宗要經受持讀誦當得四大天王隨其衛護陀羅尼曰
南謨薄伽勃底一　阿波唎蜜多二　阿喻紇硯娜三　須毗你悉指陀四　羅佐耶五　怛他羯他耶六

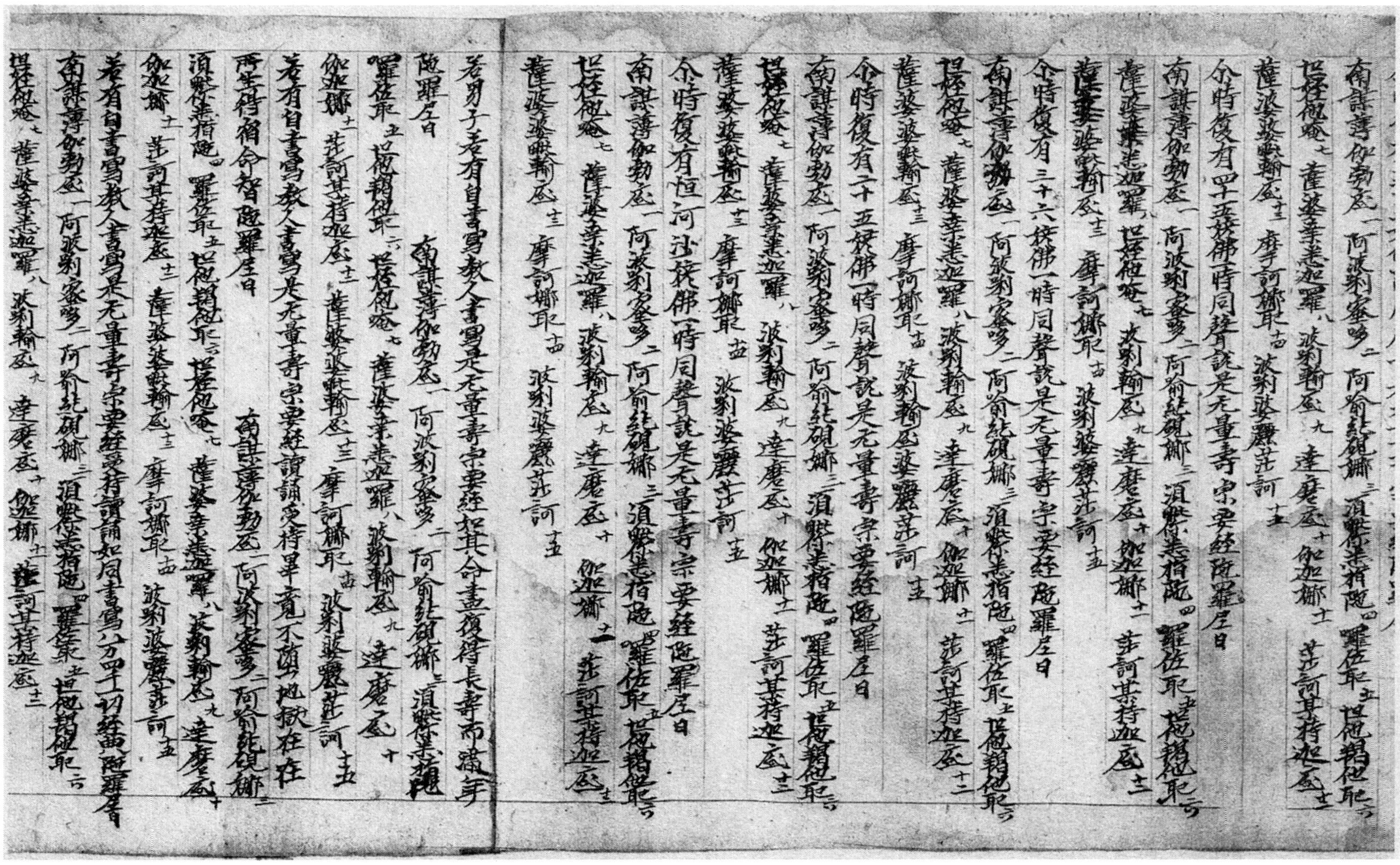

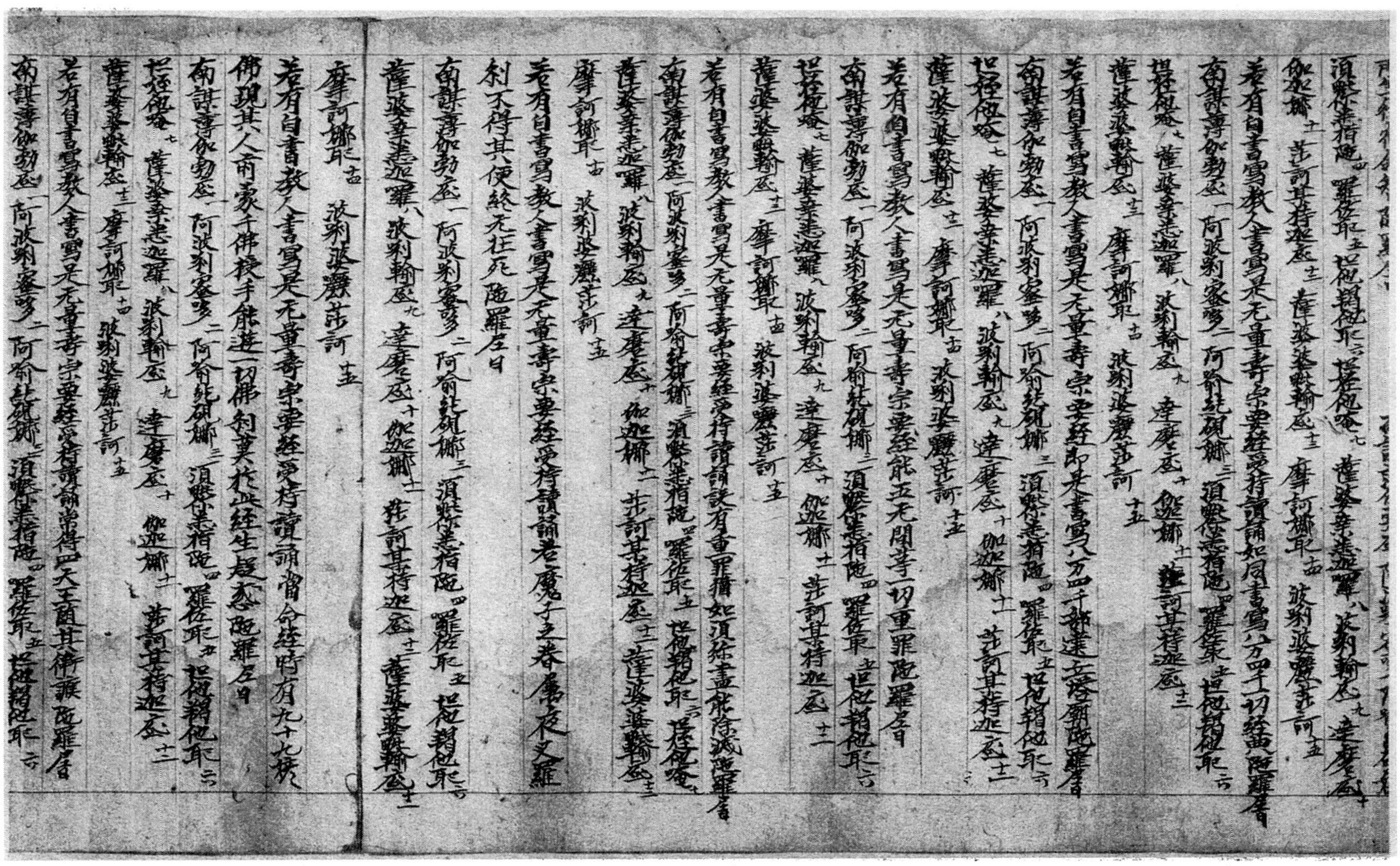

BD02098 號 1　無量壽宗要經　（11-3）

南謨薄伽勃底一 阿波唎蜜多二 阿喻紇硯娜三 須毗你悉指陀四 囉佐耶五 怛他羯他耶六
怛姪他唵七 薩婆桑悉迦羅八 波唎輸底九 達磨底十 伽伽娜十一 莎訶莫持迦底十二
薩婆婆毗輸底十三 摩訶娜耶十四 波唎婆囉莎訶十五
若有自書寫教人書寫是无量壽宗要經受持讀誦當得四天王隨其衛護陀羅尼曰
南謨薄伽勃底一 阿波唎蜜多二 阿喻紇硯娜三 須毗你悉指陀四 囉佐耶五 怛他羯他耶六
怛姪他唵七 薩婆桑悉迦羅八 波唎輸底九 達磨底十 伽伽娜十一 莎訶莫持迦底十二
薩婆婆毗輸底十三 摩訶娜耶十四 波唎婆囉莎訶十五
若有自書寫教人書寫是无量壽宗要經受持讀誦當得往生西方極樂世界
阿彌陀淨土陀羅尼曰 南謨薄伽勃底一 阿波唎蜜多二 阿喻紇硯娜三
須毗你悉指陀四 囉佐耶五 怛他羯他耶六 怛姪他唵七 薩婆桑悉迦羅八 波唎輸底九 達磨底十
伽伽娜十一 莎訶莫持迦底十二 薩婆婆毗輸底十三 摩訶娜耶十四 波唎婆囉莎訶十五
若有方所自書寫使人書寫是无量壽經典之處則為是塔皆應恭敬作禮
若是畜生或為鳥獸得聞是經如是等類皆當不久得成一切種智陀羅尼曰
南謨薄伽勃底一 阿波唎蜜多二 阿喻紇硯娜三 須毗你悉指陀四 囉佐耶五 怛他羯他耶六
怛姪他唵七 薩婆桑悉迦羅八 波唎輸底九 達磨底十 伽伽娜十一 莎訶莫持迦底十二
薩婆婆毗輸底十三 摩訶娜耶十四 波唎婆囉莎訶十五
若有於是无量壽經自書寫若使人書寫畢竟不受女人之身陀羅尼曰
南謨薄伽勃底一 阿波唎蜜多二 阿喻紇硯娜三 須毗你悉指陀四 囉佐耶五 怛他羯他耶六
怛姪他唵七 薩婆桑悉迦羅八 波唎輸底九 達磨底十 伽伽娜十一 莎訶莫持迦底十二
薩婆婆毗輸底十三 摩訶娜耶十四 波唎婆囉莎訶十五
若有能於是經少分能惠施者等於三千大千世界滿中七寶布施陀羅尼曰
南謨薄伽勃底一 阿波唎蜜多二 阿喻紇硯娜三 須毗你悉指陀四 囉佐耶五 怛他羯他耶六
怛姪他唵七 薩婆桑悉迦羅八 波唎輸底九 達磨底十 伽伽娜十一 莎訶莫持迦底十二
薩婆婆毗輸底十三 摩訶娜耶十四 波唎婆囉莎訶十五
若有能供養是經者則是供養一切諸經等无有異陀羅尼曰
南謨薄伽勃底一 阿波唎蜜多二 阿喻紇硯娜三 須毗你悉指陀四 囉佐耶五 怛他羯他耶六
怛姪他唵七 薩婆桑悉迦羅八 波唎輸底九 達磨底十 伽伽娜十一 莎訶莫持迦底十二
薩婆婆毗輸底十三 摩訶娜耶十四 波唎婆囉莎訶十五
如是毗婆尸佛尸弃佛毗舍浮佛俱留孫佛俱那含牟尼佛迦葉佛釋迦牟尼佛若
有人以七寶供養如是七佛其福有限書寫受持是无量壽經典所有功德不

BD02098號1　無量壽宗要經　（11–4）

怛姪他唵七 薩婆桑悉迦羅八 波唎輸底九 達磨底十 伽伽娜十一 莎訶莫持迦底十二
薩婆婆毗輸底十三 摩訶娜耶十四 波唎婆囉莎訶十五
如是毗婆尸佛尸弃佛毗舍浮佛俱留孫佛俱那含牟尼佛迦葉佛釋迦牟尼佛若
有人以七寶供養如是七佛其福有限書寫受持是无量壽經典所有功德不
可限量陀羅尼曰 南謨薄伽勃底一 阿波唎蜜多二 阿喻紇硯娜三
須毗你悉指陀四 囉佐耶五 怛他羯他耶六 怛姪他唵七 薩婆桑悉迦羅八 波唎輸底九 達磨底十
伽伽娜十一 莎訶莫持迦底十二 薩婆婆毗輸底十三 摩訶娜耶十四 波唎婆囉莎訶十五
若有七寶等於須弥以用布施其福之能知其限量是无量壽經典其福不可知數陀羅尼曰
南謨薄伽勃底一 阿波唎蜜多二 阿喻紇硯娜三 須毗你悉指陀四 囉佐耶五 怛他羯他耶六
怛姪他唵七 薩婆桑悉迦羅八 波唎輸底九 達磨底十 伽伽娜十一 莎訶莫持迦底十二
薩婆婆毗輸底十三 摩訶娜耶十四 波唎婆囉莎訶十五
如是四大海水可知滴數是无量壽經典所生果報不可數量陀羅尼曰
南謨薄伽勃底一 阿波唎蜜多二 阿喻紇硯娜三 須毗你悉指陀四 囉佐耶五 怛他羯他耶六
怛姪他唵七 薩婆桑悉迦羅八 波唎輸底九 達磨底十 伽伽娜十一 莎訶莫持迦底十二
薩婆婆毗輸底十三 摩訶娜耶十四 波唎婆囉莎訶十五
若有自書使人書寫是无量壽經典又能護持供養即如恭養一切十方佛土如来
无有別異陀羅尼曰 南謨薄伽勃底一 阿波唎蜜多二 阿喻紇硯娜三
須毗你悉指陀四 囉佐耶五 怛他羯他耶六 怛姪他唵七 薩婆桑悉迦羅八 波唎輸底九 達磨底十
伽伽娜十一 莎訶莫持迦底十二 薩婆婆毗輸底十三 摩訶娜耶十四 波唎婆囉莎訶十五
布施力能成正覺　悟布施力人師子　布施力能聲普聞　慈悲階漸最能入
持戒力能成正覺　悟持戒力人師子　持戒力能聲普聞　慈悲階漸最能入
忍辱力能成正覺　悟忍辱力人師子　忍辱力能聲普聞　慈悲階漸最能入
精進力能成正覺　悟精進力人師子　精進力能聲普聞　慈悲階漸最能入
禪定力能成正覺　悟禪定力人師子　禪定力能聲普聞　慈悲階漸最能入
智慧力能成正覺　悟智慧力人師子　智慧力能聲普聞　慈悲階漸最能入
尔時如来說是經已一切世間天人阿脩羅揵闥婆等聞佛所說皆大歡喜信受奉行
佛說无量壽宗要經　令狐晏寫

大乘无量壽經
如是我聞一時薄伽梵在舍衛國祇樹給孤獨園與大苾蒭僧千二百五十人大菩薩
摩訶薩衆俱同會坐尔時世尊告曼殊室利童子曼殊室利上方有世界名

BD02098號1　無量壽宗要經　（11–5）

大乘无量壽經

如是我聞一時薄伽梵在舍衛國祇樹給孤獨園與大苾芻僧千二百五十人大菩薩
摩訶薩眾俱爾時世尊告曼殊室利童子曼殊上方有世界名
无量功德聚彼土有佛號无量智決定王如來阿耨多羅三藐三菩提現為
眾生開示說法曼殊師利南閻浮提人皆短壽大限百年於中夭枉橫死者眾
曼殊如是无量壽如是无量壽如來功德名稱法要若有眾生得聞名號若自
書或使人書能為經卷受持讀誦若花舍宅所住之處以種種花鬘瓔珞塗
香末香而為供養如其命盡復得延年滿足百歲如是曼殊若有眾生得聞是
无量壽智決定王如來一百八名號益其長壽若有眾生大命將盡念是如來
名號更得增壽如是曼殊若有善男子善女人欲求長壽於是无量壽如來一百名
號有得聞者或自書若使人書受持讀誦得如是等果報福德具足陀羅尼曰
南謨薄伽勃底一 阿波唎蜜多二 阿喻紇硯娜三 須毗你悉指陀四 羅佐耶五 怛他羯他耶六
怛姪他唵七 薩婆桑悉迦羅八 波唎輸底九 達磨底十 伽伽娜十一 莎謨特迦底十二
薩婆婆毗輸底十三 摩訶娜耶十四 波唎婆隸莎訶十五
世尊復告曼殊室利如是如來一百八名號若有自書或使人書為經卷受持讀誦
如壽命盡復得滿百年壽於此身後得往生无量福智世界無量壽淨土陀羅尼曰
南謨薄伽勃底一 阿波唎蜜多二 阿喻紇硯娜三 須毗你悉指陀四 羅佐耶五 怛他羯他耶六
怛姪他唵七 薩婆桑悉迦羅八 波唎輸底九 達磨底十 伽伽娜十一 莎謨特迦底十二
薩婆婆毗輸底十三 摩訶娜耶十四 波唎婆隸莎訶十五
爾時有九十九俱胝佛一時同聲說是无量壽宗要經陀羅尼曰
南謨薄伽勃底一 阿波唎蜜多二 阿喻紇硯娜三 須毗你悉指陀四 羅佐耶五 怛他羯他耶六
怛姪他唵七 薩婆桑悉迦羅八 波唎輸底九 達磨底十 伽伽娜十一 莎謨特迦底十二
薩婆婆毗輸底十三 摩訶娜耶十四 波唎婆隸莎訶十五
爾時復有一百四俱胝佛一時同聲說是无量壽宗要經陀羅尼曰
南謨薄伽勃底一 阿波唎蜜多二 阿喻紇硯娜三 須毗你悉指陀四 羅佐耶五 怛他羯他耶六
怛姪他唵七 薩婆桑悉迦羅八 波唎輸底九 達磨底十 伽伽娜十一 莎謨特迦底十二
薩婆婆毗輸底十三 摩訶娜耶十四 波唎婆隸莎訶十五
爾時復有七俱胝佛一時同聲說是无量壽宗要經陀羅尼曰
南謨薄伽勃底一 阿波唎蜜多二 阿喻紇硯娜三 須毗你悉指陀四 羅佐耶五 怛他羯他耶六
怛姪他唵七 薩婆桑悉迦羅八 波唎輸底九 達磨底十 伽伽娜十一 莎謨特迦底十二
薩婆婆毗輸底十三 摩訶娜耶十四 波唎婆隸莎訶十五

BD02098 號 2　無量壽宗要經　（11–6）

薩婆婆毗輸底十三 摩訶娜耶十四 波唎婆隸莎訶十五
爾時復有七俱胝佛一時同聲說是无量壽宗要經陀羅尼曰
南謨薄伽勃底一 阿波唎蜜多二 阿喻紇硯娜三 須毗你悉指陀四 羅佐耶五 怛他羯他耶六
怛姪他唵七 薩婆桑悉迦羅八 波唎輸底九 達磨底十 伽伽娜十一 莎謨特迦底十二
薩婆婆毗輸底十三 摩訶娜耶十四 波唎婆隸莎訶十五
爾時復有六十五俱胝佛一時同聲說是无量壽宗要經陀羅尼曰
南謨薄伽勃底一 阿波唎蜜多二 阿喻紇硯娜三 須毗你悉指陀四 羅佐耶五 怛他羯他耶六
怛姪他唵七 薩婆桑悉迦羅八 波唎輸底九 達磨底十 伽伽娜十一 莎謨特迦底十二
薩婆婆毗輸底十三 摩訶娜耶十四 波唎婆隸莎訶十五
爾時復有五十五俱胝佛一時同聲說是无量壽宗要經陀羅尼曰
南謨薄伽勃底一 阿波唎蜜多二 阿喻紇硯娜三 須毗你悉指陀四 羅佐耶五 怛他羯他耶六
怛姪他唵七 薩婆桑悉迦羅八 波唎輸底九 達磨底十 伽伽娜十一 莎謨特迦底十二 薩婆婆毗輸底十三
摩訶娜耶十四 波唎婆隸莎訶十五
爾時復有四十五俱胝佛一時同聲說是无量壽宗要經陀羅尼曰
南謨薄伽勃底一 阿波唎蜜多二 阿喻紇硯娜三 須毗你悉指陀四 羅佐耶五 怛他羯他耶六
怛姪他唵七 薩婆桑悉迦羅八 波唎輸底九 達磨底十 伽伽娜十一 莎謨特迦底十二
薩婆婆毗輸底十三 摩訶娜耶十四 波唎婆隸莎訶十五
爾時復有三十六俱胝佛一時同聲說是无量壽宗要經陀羅尼曰
南謨薄伽勃底一 阿波唎蜜多二 阿喻紇硯娜三 須毗你悉指陀四 羅佐耶五 怛他羯他耶六
怛姪他唵七 薩婆桑悉迦羅八 波唎輸底九 達磨底十 伽伽娜十一 莎謨特迦底十二
薩婆婆毗輸底十三 摩訶娜耶十四 波唎婆隸莎訶十五
爾時復有二十五俱胝佛一時同聲說是无量壽宗要經陀羅尼曰
南謨薄伽勃底一 阿波唎蜜多二 阿喻紇硯娜三 須毗你悉指陀四 羅佐耶五 怛他羯他耶六
怛姪他唵七 薩婆桑悉迦羅八 波唎輸底九 達磨底十 伽伽娜十一 莎謨特迦底十二
薩婆婆毗輸底十三 摩訶娜耶十四 波唎婆隸莎訶十五
爾時復有殑伽河沙俱胝佛一時同聲說是无量壽宗要經陀羅尼曰
南謨薄伽勃底一 阿波唎蜜多二 阿喻紇硯娜三 須毗你悉指陀四 羅佐耶五 怛他羯他耶六
怛姪他唵七 薩婆桑悉迦羅八 波唎輸底九 達磨底十 伽伽娜十一 莎謨特迦底十二
薩婆婆毗輸底十三 摩訶娜耶十四 波唎婆隸莎訶十五
善男子若有自書寫教人書寫是无量壽宗要經如其命盡復得長壽而滿年
陀羅尼曰
南謨薄伽勃底一 阿波唎蜜多二 阿喻紇硯娜三 須毗你悉指陀四 羅佐耶五 怛他羯他耶六

BD02098 號 2　無量壽宗要經　（11–7）

薩婆娑婆輸底十三摩訶娜耶十四波唎婆嚟莎訶十五
善男子若有自書寫教人書寫是无量壽宗要經如其命盡復得長壽而滿年
陁羅尼曰
南謨薄伽勃底一阿波唎蜜多二阿喻紇硯那三須毗你悉指陀四囉佐耶五怛他羯他耶六
怛姪他唵七薩婆桑悉迦囉八波唎輸底九達磨底十伽伽那十一莎訶牟特伽底十二
薩婆娑婆輸底十三摩訶娜耶十四波唎婆嚟莎訶十五
若有自書寫教人書寫是无量壽宗要經讀誦受持畢竟不墮地獄在在所
生得宿命智陁羅尼曰
南謨薄伽勃底一阿波唎蜜多二阿喻紇硯那三須毗你悉指陀四囉佐耶五怛他羯他耶六
怛姪他唵七薩婆桑悉迦囉八波唎輸底九達磨底十伽伽那十一莎訶牟特伽底十二
薩婆娑婆輸底十三摩訶娜耶十四波唎婆嚟莎訶十五
若有自書寫教人書寫是无量壽宗要經受持讀誦如同書寫八万四千一切經典陁羅尼曰
南謨薄伽勃底一阿波唎蜜多二阿喻紇硯那三須毗你悉指陀四囉佐耶五怛他羯他耶六
怛姪他唵七薩婆桑悉迦囉八波唎輸底九達磨底十伽伽那十一莎訶牟特伽底十二
薩婆娑婆輸底十三摩訶娜耶十四波唎婆嚟莎訶十五
若有自書寫教人書寫是无量壽宗要經即是書寫八万四千部建立塔廟陁羅尼曰
南謨薄伽勃底一阿波唎蜜多二阿喻紇硯那三須毗你悉指陀四囉佐耶五怛他羯他耶六
怛姪他唵七薩婆桑悉迦囉八波唎輸底九達磨底十伽伽那十一莎訶牟特伽底十二
薩婆娑婆輸底十三摩訶娜耶十四波唎婆嚟莎訶十五
若有自書寫教人書寫是无量壽宗要經能消五无間等一切重罪陁羅尼曰
南謨薄伽勃底一阿波唎蜜多二阿喻紇硯那三須毗你悉指陀四囉佐耶五怛他羯他耶六
怛姪他唵七薩婆桑悉迦囉八波唎輸底九達磨底十伽伽那十一莎訶牟特伽底十二
薩婆娑婆輸底十三摩訶娜耶十四波唎婆嚟莎訶十五
若有自書寫教人書寫是无量壽宗要經受持讀誦設有重罪猶如須彌盡能除滅
陁羅尼曰
若有自書寫教人書寫是无量壽宗要經受持讀誦設有重罪猶如須彌盡能除滅陁羅尼曰
南謨薄伽勃底一阿波唎蜜多二阿喻紇硯那三須毗你悉指陀四囉佐耶五怛他羯他耶六
怛姪他唵七薩婆桑悉迦囉八波唎輸底九達磨底十伽伽那十一莎訶牟特伽底十二
薩婆娑婆輸底十三摩訶娜耶十四波唎婆嚟莎訶十五
若有自書寫教人書寫是无量壽宗要經受持讀誦若魔子之眷屬夜叉羅刹
不得其便終无枉死陁羅尼曰

BD02098 號 2　無量壽宗要經　（11–8）

若有自書寫教人書寫是无量壽宗要經受持讀誦設有重罪猶如須彌盡能除滅陁羅尼曰
南謨薄伽勃底一阿波唎蜜多二阿喻紇硯那三須毗你悉指陀四囉佐耶五怛他羯他耶六
怛姪他唵七薩婆桑悉迦囉八波唎輸底九達磨底十伽伽那十一莎訶牟特伽底十二
薩婆娑婆輸底十三摩訶娜耶十四波唎婆嚟莎訶十五
若有自書寫教人書寫是无量壽宗要經受持讀誦若魔子之眷屬夜叉羅刹
不得其便終无枉死陁羅尼曰
南謨薄伽勃底一阿波唎蜜多二阿喻紇硯那三須毗你悉指陀四囉佐耶五怛他羯他耶六
怛姪他唵七薩婆桑悉迦囉八波唎輸底九達磨底十伽伽那十一莎訶牟特伽底十二
薩婆娑婆輸底十三摩訶娜耶十四波唎婆嚟莎訶十五
若有自書寫教人書寫是无量壽宗要經受持讀誦當得命終之時有九十九億佛現
其人前來手授手能遊一切佛剎莫於此經生疑惑陁羅尼曰
南謨薄伽勃底一阿波唎蜜多二阿喻紇硯那三須毗你悉指陀四囉佐耶五怛他羯他耶六
怛姪他唵七薩婆桑悉迦囉八波唎輸底九達磨底十伽伽那十一莎訶牟特伽底十二
薩婆娑婆輸底十三摩訶娜耶十四波唎婆嚟莎訶十五
若有自書寫教人書寫是无量壽宗要經受持讀誦常得四大天王隨其衛護陁羅尼曰
南謨薄伽勃底一阿波唎蜜多二阿喻紇硯那三須毗你悉指陀四囉佐耶五怛他羯他耶六
怛姪他唵七薩婆桑悉迦囉八波唎輸底九達磨底十伽伽那十一莎訶牟特伽底十二薩婆娑婆輸底十三
摩訶娜耶十四波唎婆嚟莎訶十五
若有自書寫教人書寫是无量壽宗要經受持讀誦當得往生西方極樂世界阿彌
陁羅淨土陁羅尼曰
南謨薄伽勃底一阿波唎蜜多二阿喻紇硯那三須毗你悉指陀四囉佐耶五怛他羯他耶六
怛姪他唵七薩婆桑悉迦囉八波唎輸底九達磨底十伽伽那十一莎訶牟特伽底十二
薩婆娑婆輸底十三摩訶娜耶十四波唎婆嚟莎訶十五
若有女人自書寫教人書寫是无量壽宗要經受持讀誦所在之處即為是塔皆應恭敬作禮若是畜生
或鳥獸得聞是經如是等類皆當不久得成一切種智陁羅尼曰
南謨薄伽勃底一阿波唎蜜多二阿喻紇硯那三須毗你悉指陀四囉佐耶五怛他羯他耶六
怛姪他唵七薩婆桑悉迦囉八波唎輸底九達磨底十伽伽那十一莎訶牟特伽底十二
薩婆娑婆輸底十三摩訶娜耶十四波唎婆嚟莎訶十五
若有於是无量壽經自書寫教人書寫受持讀誦畢竟不受女人之身陁羅尼曰
南謨薄伽勃底一阿波唎蜜多二阿喻紇硯那三須毗你悉指陀四囉佐耶五怛他羯他耶六
怛姪他唵七薩婆桑悉迦囉八波唎輸底九達磨底十伽伽那十一莎訶牟特伽底十二
薩婆娑婆輸底十三摩訶娜耶十四波唎婆嚟莎訶十五

BD02098 號 2　無量壽宗要經　（11–9）

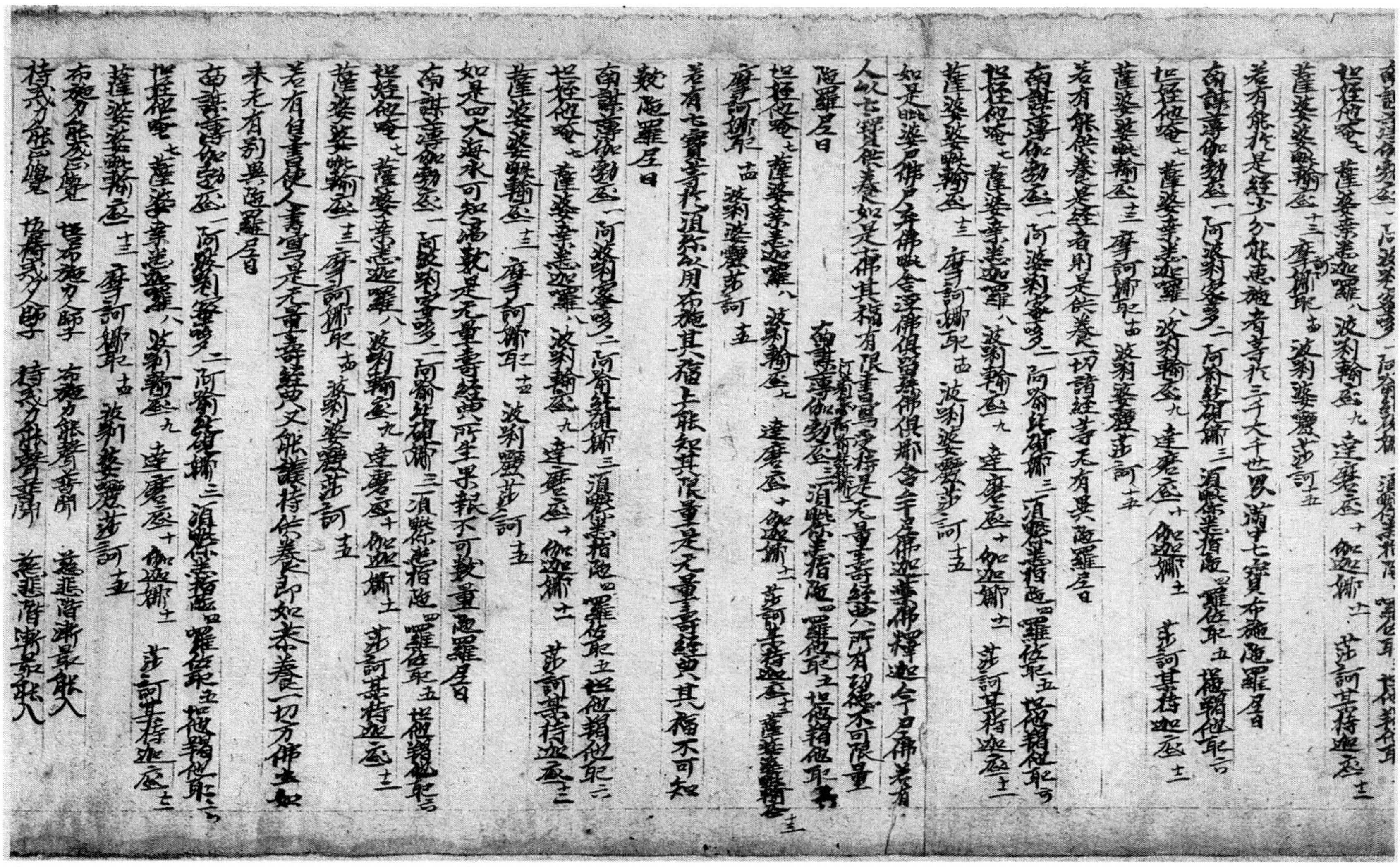
南謨薄伽勃底一阿波唎蜜多二阿喻紇硯娜三須毗你悉指陀四囉佐耶五怛他羯他耶六
怛姪他唵七薩婆桑悉迦囉八波唎輸底九達磨底十伽伽娜十一莎訶甚持迦底十二
薩婆婆毗輸底十三摩訶娜耶十四波唎婆囇莎訶十五
若有能於是經少分能惠施者等於三千大千世界滿中七寶布施陁羅尼曰
南謨薄伽勃底一阿波唎蜜多二阿喻紇硯娜三須毗你悉指陀四囉佐耶五怛他羯他耶六
怛姪他唵七薩婆桑悉迦囉八波唎輸底九達磨底十伽伽娜十一莎訶甚持迦底十二
薩婆婆毗輸底十三摩訶娜耶十四波唎婆囇莎訶十五
若有能供養是經者則是供養一切諸經等無有異陁羅尼曰
南謨薄伽勃底一阿波唎蜜多二阿喻紇硯娜三須毗你悉指陀四囉佐耶五怛他羯他耶六
怛姪他唵七薩婆桑悉迦囉八波唎輸底九達磨底十伽伽娜十一莎訶甚持迦底十二
薩婆婆毗輸底十三摩訶娜耶十四波唎婆囇莎訶十五
如是毗婆尸佛尸棄佛毗舍浮佛俱留孫佛俱那含牟尼佛迦葉佛釋迦牟尼佛若有
人以七寶供養如是七佛其福有限書寫受持是无量壽經典所有功德不可限量
陁羅尼曰
南謨薄伽勃底一阿波唎蜜多二阿喻紇硯娜三須毗你悉指陀四囉佐耶五怛他羯他耶六
怛姪他唵七薩婆桑悉迦囉八波唎輸底九達磨底十伽伽娜十一莎訶甚持迦底十二薩婆婆毗輸底十三
摩訶娜耶十四波唎婆囇莎訶十五
若有七寶等於須彌山用布施其福尚能知其限量是无量壽經典其福不可知
數陁羅尼曰
南謨薄伽勃底一阿波唎蜜多二阿喻紇硯娜三須毗你悉指陀四囉佐耶五怛他羯他耶六
怛姪他唵七薩婆桑悉迦囉八波唎輸底九達磨底十伽伽娜十一莎訶甚持迦底十二
薩婆婆毗輸底十三摩訶娜耶十四波唎婆囇莎訶十五
如是四大海水可知滴數是无量壽經典所生果報不可數量陁羅尼曰
南謨薄伽勃底一阿波唎蜜多二阿喻紇硯娜三須毗你悉指陀四囉佐耶五怛他羯他耶六
怛姪他唵七薩婆桑悉迦囉八波唎輸底九達磨底十伽伽娜十一莎訶甚持迦底十二
薩婆婆毗輸底十三摩訶娜耶十四波唎婆囇莎訶十五
若有自書使人書寫是无量壽經典又能護持供養即如来養一切方佛土如
来无有別異陁羅尼曰
南謨薄伽勃底一阿波唎蜜多二阿喻紇硯娜三須毗你悉指陀四囉佐耶五怛他羯他耶六
怛姪他唵七薩婆桑悉迦囉八波唎輸底九達磨底十伽伽娜十一莎訶甚持迦底十二
薩婆婆毗輸底十三摩訶娜耶十四波唎婆囇莎訶十五
布施力能成正覺　悟布施力人師子　布施力能聲普聞　慈悲階漸最能入
持戒力能成正覺　悟持戒力人師子　持戒力能聲普聞　慈悲階漸最能入

BD02098號2　無量壽宗要經　（11–10）

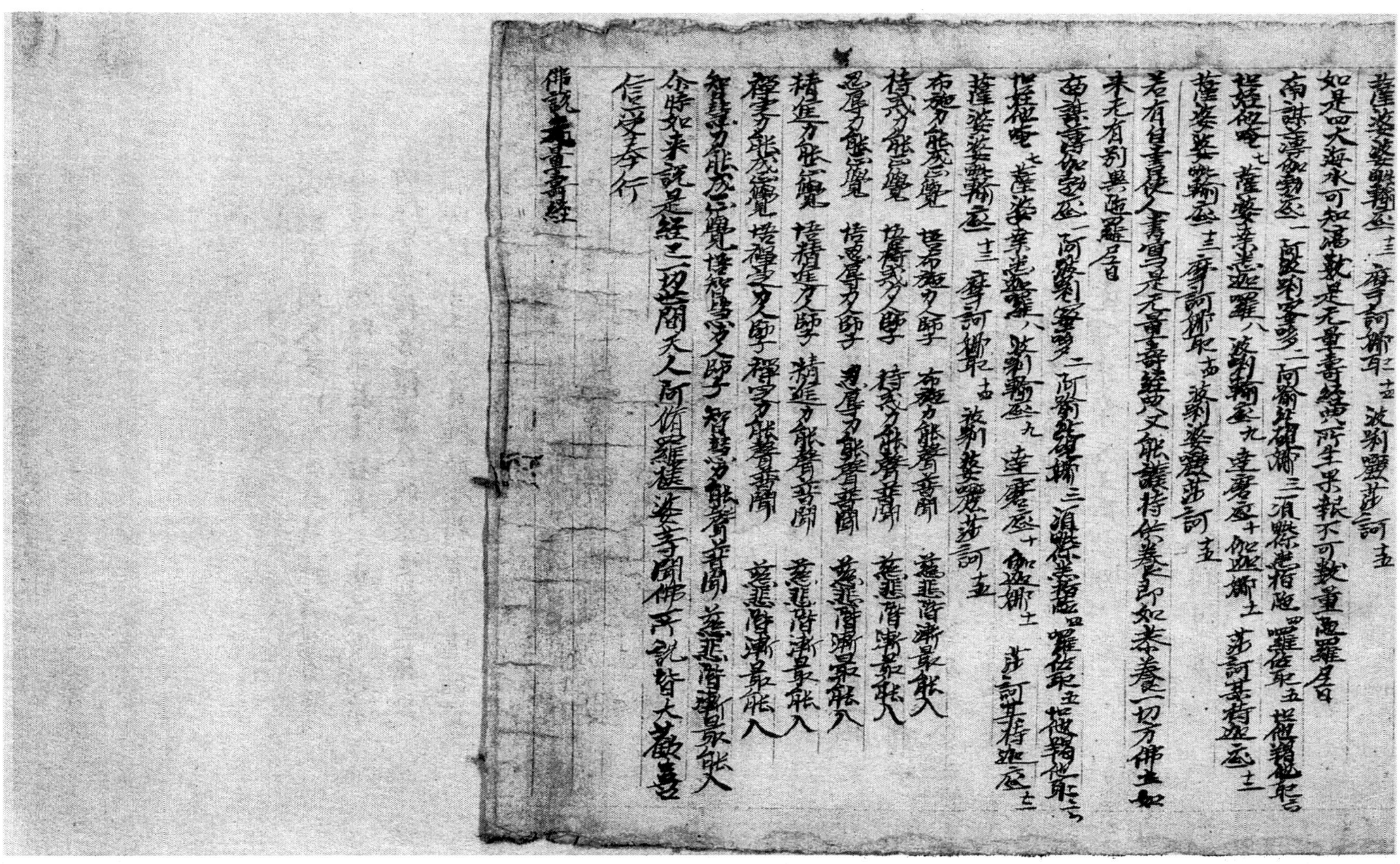
薩婆婆毗輸底十三摩訶娜耶十四波唎婆囇莎訶十五
如是四大海水可知滴數是无量壽經典所生果報不可數量陁羅尼曰
南謨薄伽勃底一阿波唎蜜多二阿喻紇硯娜三須毗你悉指陀四囉佐耶五怛他羯他耶六
怛姪他唵七薩婆桑悉迦囉八波唎輸底九達磨底十伽伽娜十一莎訶甚持迦底十二
薩婆婆毗輸底十三摩訶娜耶十四波唎婆囇莎訶十五
若有自書使人書寫是无量壽經典又能護持供養即如来養一切方佛土如
来无有別異陁羅尼曰
南謨薄伽勃底一阿波唎蜜多二阿喻紇硯娜三須毗你悉指陀四囉佐耶五怛他羯他耶六
怛姪他唵七薩婆桑悉迦囉八波唎輸底九達磨底十伽伽娜十一莎訶甚持迦底十二
薩婆婆毗輸底十三摩訶娜耶十四波唎婆囇莎訶十五
布施力能成正覺　悟布施力人師子　布施力能聲普聞　慈悲階漸最能入
持戒力能成正覺　悟持戒力人師子　持戒力能聲普聞　慈悲階漸最能入
忍辱力能成正覺　悟忍辱力人師子　忍辱力能聲普聞　慈悲階漸最能入
精進力能成正覺　悟精進力人師子　精進力能聲普聞　慈悲階漸最能入
禪定力能成正覺　悟禪定力人師子　禪定力能聲普聞　慈悲階漸最能入
智慧力能成正覺　悟智慧力人師子　智慧力能聲普聞　慈悲階漸最能入
尒時如来說是經已一切世間天人阿脩羅乾闥婆等聞佛所說皆大歡喜
信受奉行
佛說无量壽經

BD02098號2　無量壽宗要經　（11–11）

BD02098 號背　雜寫　（1–1）

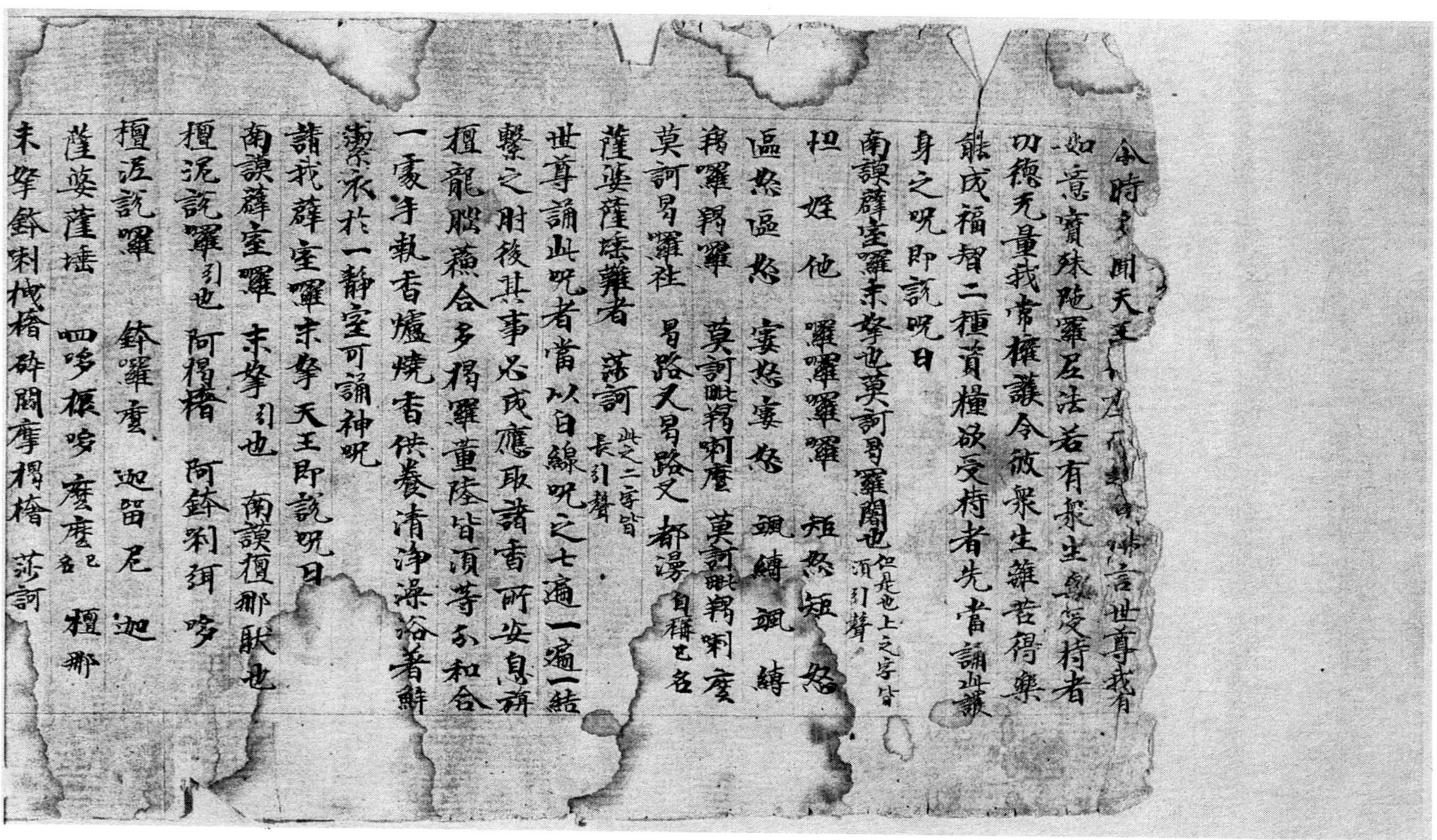

尒時多聞天王[illegible]白佛言世尊我有
如意寶珠陁羅尼法若有衆生樂受持者
功德无量我常擁護令彼衆生離苦得樂
能成福智二種資糧欲受持者先當誦此護
身之呪即說呪曰
南謨薜室羅末拏也莫訶曷羅闍也（但是也上之字皆須引聲）
怛　姪　他　囉囉囉囉　矩怒矩怒
謳怒謳怒　窶怒窶怒　颯縛颯縛
羯囉羯囉　莫訶毗羯喇麼　莫訶毗羯喇麼
莫訶曷囉社　曷路叉曷路叉　都湯（自稱己名）
薩婆薩埵難者　莎訶（此之二字皆長引聲）
世尊誦此呪者當以白線呪之七遍一遍一結
繫之肘後其事必成應取諸香所安息旃
檀龍腦蘇合多揭羅薰陸皆須等分和合
一處手執香爐燒香供養清淨澡浴著鮮
潔衣於一靜室可誦神呪
請我薜室囉末拏天王即說呪曰
南謨薜室囉　末拏（引也）　南謨檀那䭾也
檀泥說囉（引也）　阿揭車　阿鉢喇弭哆
檀泥說囉　鉢囉麼　迦留尼迦
薩婆薩埵　呬哆振哆　麼麼（己名）　檀那
末拏鉢喇栰檐　碎闍摩揭檐　莎訶

BD02099 號　金光明最勝王經卷六　（9–1）

南謨薛室囉 末拏引也 南謨檀那䭾也
檀泥說囉引也 阿揭櫓 阿鉢剌弭 吵
檀泥說囉 鉢囉麼 迦留尼 迦
薩婆薩埵 呬哆振哆 麼麼名己 檀那
末拏鉢喇械櫓 碎闞摩楬櫓 莎訶
此呪誦滿一七遍已次誦本呪欲誦呪時先
當稱名敬礼三寶及薛室羅末拏大王能
施財物令諸衆生所求願滿悉能成就與其
安樂如是礼已次誦薛室羅末拏王如意末尼
寶心神呪能施衆生隨意安樂尒時多聞天
王即於佛前說如意末尼寶心呪曰
南謨曷囉怛那 怛剌夜引也
南謨薛室囉末拏引也莫訶囉闍引也
怛姪他 四弭四弭 蘇母蘇母
旃荼旃荼 折囉折囉 薩囉薩囉
羯囉羯囉 枳里枳里 矩嚕矩嚕
母嚕母嚕 主嚕主嚕 娑大也頞貪
我名某甲 昵店頞他 達達覩莎訶
南謨薛室囉 末拏也 莎訶檀那䭾莎訶
曼奴喇他鉢喇晡喇迦引也莎訶
受持呪時先誦千遍然後於淨室中瞿摩塗
地作小壇場隨時飲食一心供養常然妙香
令烟不絕誦前心呪晝夜繫心唯自耳聞勿
令他解時有薛室囉末拏王子名禪膩師
現童子形來至其所問言何故須喚我父即可
報言我為供養三寶事須財物願當施與時
禪膩師聞是語已即還父所白其父言今有

BD02099號　金光明最勝王經卷六　（9–2）

令他解時有薛室囉末拏王子名禪膩師
現童子形來至其所問言何故須喚我父即可
報言我為供養三寶事須財物願當施與時
禪膩師聞是語已即還父所白其父言今有
善人發至誠心供養三寶為之財物為斯請
召其父報曰汝可速去日日與彼一百迦利沙波
拏此是根本梵音唯目貝齒而隨方不定或貝齒或是金銀
銅鐵等錢然摩揭陁現金通用一迦利沙波拏有一
千六百貝齒揔數可以准知若准物直隨處不定若人持呪得成就
者獲物之時自知其數有本云每日与一百陳那羅即金錢也乃
至盡形日日常得西方求者多
有神驗除不至心也
其持呪者見是相已知事得成當須獨處淨
室燒香而卧可於床邊置一香篋每至天曉
觀其篋中獲所求物每得物時當日即須供
養三寶香花飲食兼施貧乏皆令發盡不得
停留於諸有情起慈悲念勿生瞋誑諂害之
心若起瞋者即失神驗常可護心勿令瞋恚
又持此呪者於每日中憶我多聞天王及男女
眷屬稱揚讚歎恒以十善共相資助令彼
天等福力增明衆善普臻證菩提處彼諸天
衆見是事已皆大歡喜共來擁衛持呪之人
又持呪者壽命長遠經无量歲永離三塗常
无灾厄亦令獲得如意寶珠及以伏藏神通
自在所願皆成若求官榮无不稱意亦解
一切禽獸之語
世尊若持呪時欲得見我自身現者可於月
八日或十五日於白疊上畫佛形像當用木
膠雜彩莊飾其畫像人為受八戒於佛左邊
作吉祥天女像於佛右邊作我多聞天像并

BD02099號　金光明最勝王經卷六　（9–3）

世尊若持呪時欲得見我自身現者可於月
八日或十五日於白疊上畫佛形像當用木
膠雜彩莊飾其畫像人為受八戒於佛左邊
作吉祥天女像於佛右邊作我多聞天像并
畫男女眷屬之類安置坐處咸令如法布列
花彩燒衆名香然燈續明晝夜无歇上妙飲
食種種珎奇發慇重心隨時供養受持神呪
不得輕心請召我時應誦此呪
南謨室唎健那耶也　勃陁 引 也
南謨薜室羅末拏也　藥叉囉闍 引 也
莫訶囉闍　阿地囉闍也
南麼室唎耶南　莫訶提弊 引 南
怛姪他　怛囉怛囉咄嚕咄嚕
末羅末羅　窣窣吐窣窣吐
漢娜漢娜　末尼羯諾迦
跋折羅薜琉璃也　目底迦楞訖嘌哆
設唎羅　蒲 引 薩婆薩埵
呬哆迦 引 摩　薜室羅末拏
室唎夜提鼻　跋囇婆 引 也
醫呬醫呬麼麼毗藍婆　瞿嘌拏瞿嘌拏
祿 麻八反 喇婆祿喇婆　達䭾呬麼 麼
阿目迦耶末寫 自稱己名　達哩設耶迦末寫
達哩設　南　麼麼末　那
鉢喇遏羅大也　莎訶
世尊我若見此誦呪之人復見如是盛興供
養即生慈愛歡喜之心我即變身作小兒形
或作老人苾芻之像手持如意末尼寶珠

鉢喇遏羅大也　莎訶
世尊我若見此誦呪之人復見如是盛興供
養即生慈愛歡喜之心我即變身作小兒形
或作老人苾芻之像手持如意末尼寶珠
并持金囊入道場內身現恭敬口稱佛名語持
呪者曰隨汝所求皆令如願或隱林藪或造
寶珠或欲衆人愛寵或求金銀等物欲持
諸呪皆令有驗或欲神通壽命長遠及勝妙
樂无不稱心我今且說如是之事若更求餘
皆隨所願悉得成就寶无盡功德无窮假使
日月墜墮于地或可大地有時移轉　我
此實語終不虛然常得安隱隨心快樂世尊
若有人能受持讀誦是經王者誦此呪時不假
疲勞法速成就世尊我今為彼貧窮困厄
苦惱衆生說此神呪令獲大利皆得富樂自
在无乏乃至盡形我當擁護隨逐是人為除災
厄亦復令此持金光明最勝王經流通之者及持
呪人於百步內光明照燭我之所有千藥叉
神亦常侍衛隨欲驅使无不遂心我說實語
无有虛誑唯佛證知時多聞天王說此呪
已佛言善哉大士汝能破裂一切衆生貧窮
苦網令得富樂說是神呪復令此經廣行
於世時四天王俱從座起偏袒一肩頂禮雙
足右膝著地合掌恭敬以妙伽他讚佛功德
佛面猶如淨滿月　亦如千日放光明
目淨脩廣若青蓮　齒白齊密猶珂雪
佛德无邊如大海　无限妙寶積其中

佛面猶如淨滿月　亦如千日放光明
目淨脩廣若青蓮　齒白齊密猶珂雪
佛德无邊如大海　无限妙寶積其中
智慧德水鎮恒盈　百千勝定咸充滿
足下輪相皆嚴飾　轂輞千輻悉齊平
手足鞔網遍莊嚴　猶如鵝王相具足
佛身光曜等金山　清淨殊特无倫疋
亦如妙高功德滿　故我稽首佛山王
相好如空不可測　逾於千月放光明
皆如焰幻不思議　故我稽首心無著
尒時四天王讚歎佛已世尊亦以伽他而荅之曰
此金光明最勝經　无上十力之所說
汝等四王常擁衛　應生勇猛不退心
此妙經寶極甚深　能與一切有情樂
由彼有情安樂故　常得流通贍部洲
於此大千世界中　所有一切有情類
餓鬼傍生及地獄　如是苦趣悉皆除
住此南洲諸國王　及餘一切有情類
由經威力常歡喜　皆蒙擁護得安寧
亦使此中諸有情　除衆病苦无賊盜
賴此國土弘經故　安隱豐樂无違惱
若人聽受此經王　欲求尊貴及財利
國土豐樂无違諍　隨心所願悉皆從
能令他方賊退散　於自國界常安隱
由此最勝經王力　離諸苦惱无憂怖
如寶樹王在宅內　能生一切諸樂具

BD02099號　金光明最勝王經卷六　（9-6）

能令他方賊退散　於自國界常安隱
由此最勝經王力　離諸苦惱无憂怖
如寶樹王在宅內　能生一切諸樂具
最勝經王亦復然　能與人王勝功德
譬如澄潔清冷水　能除飢渴諸熱惱
最勝經王亦復然　令樂福者心滿足
如人室有妙寶篋　隨所受用悉從心
最勝經王亦復然　福德隨心无所乏
汝等天主及天衆　應當供養此經王
若能依教奉持經　智慧威神皆具足
現在十方一切佛　咸共護念此經王
見有讀誦及受持　稱歎善哉甚希有
若有人能聽此經　身心踊躍生歡喜
常有百千藥叉衆　隨所住處護斯人
於此世界諸天衆　其數无量不思議
悉共聽受此經王　歡喜護持无退轉
若人聽受此經王　威德勇猛常自在
增益一切人天衆　令離衰惱益光明
尒時四天王聞是頌已歡喜踊躍白佛言世
尊我從昔來未曾得聞如是甚深微妙之法
心生悲喜涕淚交流舉身戰動證不思議
希有之事以天曼陀羅花摩訶曼陀羅花
散佛上作是殊勝供養佛已白佛言世尊我
等四王各有五百藥叉眷屬常當處處擁護
是經及說法師以智光明而為助衛若於
經所有句義忘失之處我皆令彼憶念不忘

BD02099號　金光明最勝王經卷六　（9-7）

散佛上作是殊勝供養佛已白佛言世尊我
等四王各有五百藥叉眷屬常當處處擁護
是經及說法師以智光明而為助衛若於
經所有句義忘失之處我皆令彼憶念不忘
并與陀羅尼勝法門令得具足復欲令此微
妙經王所在之處為諸衆生廣宣流布不速
隱沒尒時世尊於大衆中說是法時無量衆
生皆得大智聰叡辯才攝受無量福德之
聚離諸憂惱發喜樂心善明衆論登出離
道不復退轉速證菩提

金光明最勝王經卷第六

胵陟尸 敞昌兩 敵亭歷從文 整征郢 㲉田見 蝕乘力 掠良灼 椋良灼 讖士咸
寠劬矩 麼摩可 颯蘇合 薜薄閉 犢車者 拏女加 窣孫骨 朧去聲 四產 㪍以

BD02099號　金光明最勝王經卷六　（9–8）

胵陟尸 敞昌兩 敵亭歷從文 整征郢 㲉田見 蝕乘力 掠良灼 椋良灼 讖士咸
寠劬矩 麼摩可 颯蘇合 薜薄閉 犢車者 拏女加 窣孫骨 朧去聲 四產 㪍以

BD02099號　金光明最勝王經卷六　（9–9）

童作者使作者起者等起者受者使受者知
者使知者見者使見者清淨而行何以故善
勇猛是諸菩薩已能遍知我乃至使見者所
緣本性清淨故若諸菩薩能如是行爲行般
若波羅蜜多善勇猛若諸菩薩能如是行則
不緣顛倒清淨而行亦不緣見趣諸蓋清淨
而行何以故善勇猛是諸菩薩已能遍知顛
倒見趣諸蓋所緣本性清淨故若諸菩薩能
如是行爲行般若波羅蜜多善勇猛若諸菩
薩能如是行則不緣緣起清淨而行何以故
善勇猛是諸菩薩已能遍知緣起所緣本性
清淨故若諸菩薩能如是行爲行般若波羅
蜜多善勇猛若諸菩薩能如是行則不緣欲
色無色界清淨而行何以故善勇猛是諸菩
薩已能遍知欲色無色界所緣本性清淨故
若諸菩薩能如是行爲行般若波羅蜜多善
勇猛若諸菩薩能如是行則不緣布施慳貪
清淨而行亦不緣持戒犯戒安忍忿恚精進
懈怠靜慮散亂般若惡慧清淨而行何以故
善勇猛是諸菩薩已能遍知布施慳貪乃至
般若惡慧所緣本性清淨故若諸菩薩能如

BD02100號　大般若波羅蜜多經卷五九八　（10–1）

若諸菩薩能如是行爲行般若波羅蜜多善
勇猛若諸菩薩能如是行則不緣布施慳貪
清淨而行亦不緣持戒犯戒安忍忿恚精進
懈怠靜慮散亂般若惡慧清淨而行何以故
善勇猛是諸菩薩已能遍知布施慳貪乃至
般若惡慧所緣本性清淨故若諸菩薩能如
是行爲行般若波羅蜜多善勇猛若諸菩薩
能如是行則不緣地界清淨而行亦不緣水
火風空識界清淨而行何以故善勇猛是諸
菩薩已能遍知地界乃至識界所緣本性清
淨故若諸菩薩能如是行爲行般若波羅蜜
多善勇猛若諸菩薩能如是行則不緣過去
未來現在清淨而行何以故善勇猛是諸菩
薩已能遍知過去未來現在所緣本性清淨
故若諸菩薩能如是行爲行般若波羅蜜多
善勇猛若諸菩薩能如是行則不緣無著
清淨而行何以故善勇猛是諸菩薩已能遍
知無著所緣本性清淨故若諸菩薩能如是
行爲行般若波羅蜜多善勇猛若諸菩薩能
如是行則不緣念住清淨而行亦不緣正斷神
足根力覺支道支無量神通清淨而行何以
故善勇猛是諸菩薩已能遍知念住乃至神
通所緣本性清淨故若諸菩薩能如是行爲
行般若波羅蜜多善勇猛若諸菩薩能如是
行則不緣靜慮解脫等持等至清淨而行
何以故善勇猛是諸菩薩已能遍知靜慮解
脫等持等至所緣本性清淨故若諸菩薩能如
是行爲行般若波羅蜜多善勇猛若諸菩薩

BD02100號　大般若波羅蜜多經卷五九八　（10–2）

行則不緣靜慮解脫等持等至清淨而行
何以故善勇猛是諸菩薩已能遍知靜慮解
脫等持等至所緣本性清淨故若諸菩薩能如
是行為行般若波羅蜜多善勇猛若諸菩薩
能如是行則不緣明及解脫清淨而行何以
故善勇猛是諸菩薩已能遍知明及解脫所
緣本性清淨故若諸菩薩能如是行為行般
若波羅蜜多善勇猛若諸菩薩能如是行則
不緣盡智無生智一切智清淨而行何以故
善勇猛是諸菩薩已能遍知盡智無生智一
切智所緣本性清淨故若諸菩薩能如是行
為行般若波羅蜜多善勇猛若諸菩薩能知
是行則不緣一切有情諸法清淨而行何以
故善勇猛是諸菩薩已能遍知一切有情諸
法所緣本性清淨故若諸菩薩能如是行為
行般若波羅蜜多善勇猛若諸菩薩能如是
行則不緣一切清淨而行何以故善勇猛是
諸菩薩通達一切所緣本性清淨故若諸菩
薩通達一切所緣本性清淨為行般若波羅
蜜多
復次善勇猛若諸菩薩能如是行則不見此
是色乃至識此由色乃至識此屬色乃至識
此從色乃至識是諸菩薩不如是見色等法
故便於色等不舉不下不生不滅不行不觀
於色等所緣亦不行不觀若諸菩薩能如是
行為行般若波羅蜜多善勇猛若諸菩薩能
如是行則不見此是眼乃至意此由眼乃至
意此屬眼乃至意此從眼乃至意是諸菩

BD02100號　大般若波羅蜜多經卷五九八　（10–3）

故便於色等不舉不下不生不滅不行不觀
於色等所緣亦不行不觀若諸菩薩能如是
行為行般若波羅蜜多善勇猛若諸菩薩能
如是行則不見此是眼乃至意此由眼乃至
意此屬眼乃至意此從眼乃至意是諸菩
薩不如是見眼等法故便於眼等不舉不下不
生不滅不行不觀於眼等所緣亦不行不觀
若諸菩薩能如是行為行般若波羅蜜多善
勇猛若諸菩薩能如是行則不見此是色
乃至法此由色乃至法此屬色乃至法此從
色乃至法是諸菩薩不如是見色等法故便
於色等不舉不下不生不滅不行不觀於色
等所緣亦不行不觀若諸菩薩能如是行為
行般若波羅蜜多善勇猛若諸菩薩能如
是行則不見此是眼識乃至意識此由眼識
乃至意識此屬眼識乃至意識此從眼識乃
至意識是諸菩薩不如是見眼識等法故便於
眼識等不舉不下不生不滅不行不觀於眼
識等所緣亦不行不觀若諸菩薩能如是行
為行般若波羅蜜多復次善勇猛若諸菩薩
能如是行則不行色是過去未來現在亦不
行受想行識是過去未來現在則不行眼是
過去未來現在亦不行耳鼻舌身意是過去
未來現在則不行色是過去未來現在亦不
行聲香味觸法是過去未來現在則不行眼
識是過去未來現在亦不行耳鼻舌身意
識是過去未來現在若諸菩薩能如是行為
行般若波羅蜜多復次善勇猛若諸菩薩能

BD02100號　大般若波羅蜜多經卷五九八　（10–4）

行聲香味觸法是過去未來現在則不行眼
識是過去未來現在亦不行耳鼻舌身意
識是過去未來現在若諸菩薩能如是行為
行般若波羅蜜多復次善勇猛若諸菩薩能
如是行則不行色是我我所亦不行受想行識
是我我所則不行眼是我我所亦不行耳鼻
舌身意是我我所則不行色是我我所亦不
行聲香味觸法是我我所則不行眼識是我
我所亦不行耳鼻舌身意識是我我所若諸
菩薩能如是行為行般若波羅蜜多復次善
勇猛若諸菩薩能如是行則不行色是樂是
苦等亦不行受想行識是樂是苦等則不行
眼是樂是苦等亦不行耳鼻舌身意是樂
是苦等則不行色是樂是苦等亦不行聲香
味觸法是樂是苦等則不行眼識是樂是苦
等亦不行耳鼻舌身意識是樂是苦等若諸菩
薩能如是行為行般若波羅蜜多復次善勇
猛若諸菩薩能如是行則不行色屬我非餘
亦不行受想行識屬我非餘則不行眼屬我
非餘亦不行耳鼻舌身意屬我非餘則不行
色屬我非餘亦不行聲香味觸法屬我非餘
則不行眼識屬我非餘亦不行耳鼻舌身意
識屬我非餘若諸菩薩能如是行為行般若
波羅蜜多
復次善勇猛若諸菩薩修行般若波羅蜜多
於色乃至識不行集不行滅不行深不行
淺不行空不行不空不行有相不行無相不行
有願不行無願不行有造作不行無造作

波羅蜜多
復次善勇猛若諸菩薩修行般若波羅蜜多
於色乃至識不行集不行滅不行深不行
淺不行空不行不空不行有相不行無相不行
有願不行無願不行有造作不行無造作於
眼乃至意亦不行集不行滅不行深不行淺
不行空不行不空不行有相不行無相不行
有願不行無願不行有造作不行無造作於
色乃至法亦不行集不行滅不行深不行淺
不行空不行不空不行有相不行無相不行
有願不行無願不行有造作不行無造作
於眼識乃至意識亦不行集不行滅不行深不
行淺不行空不行不空不行有相不行無相
不行有願不行無願不行有造作不行無造
作何以故善勇猛如是諸法一切皆有持執
動轉戲論愛趣謂我能行如是動轉我於此
行如是戲論我由此行如是愛趣我依此行
如是持執此中菩薩了知一切持執動轉戲
論愛趣害諸無知無所持執無持執故都無
所行亦無執藏無執藏故無所繫縛亦無繫
縛無所發起亦無等起如是菩薩害諸持執
修行般若波羅蜜多復次善勇猛若諸菩薩
修行般若波羅蜜多於色乃至識不行常
無常不行樂無樂不行我無我不行淨不淨
不行空不空不行如幻不行如夢不行如光影
不行如谷響於眼乃至意亦不行常無常不
行樂無樂不行我無我不行淨不淨不行空
不空不行如幻不行如夢不行如光影不行

不行如谷響於眼乃至意亦不行常無常不
行樂無樂不行我無我不行淨不淨不行空
不空不行如幻不行如夢不行如光影不行
如谷響於色乃至法亦不行常無常不行樂
無樂不行我無我不行淨不淨不行空不空
不行如幻不行如夢不行如光影不行如谷
響於眼識乃至意識亦不行常無常不行樂
無樂不行我無我不行淨不淨不行空不空
不行如幻不行如夢不行如光影不行如谷
響何以故善勇猛如是諸法有尋有伺有
行有觀此中菩薩了知一切有尋有伺有行
有觀審諦行遍知諸行修行般若波羅蜜
多是為宣說諸菩薩行
尒時善勇猛菩薩摩訶薩便白佛言世尊
菩薩脩行甚深般若波羅蜜多不可思議於
是佛告善勇猛言如是如是如汝所說善勇
猛色乃至識不可思議故菩薩修行甚深般
若波羅蜜多亦不可思議眼乃至意不可思議
故菩薩修行甚深般若波羅蜜多亦不可思
議色乃至法不可思議故菩薩修行甚深般
若波羅蜜多亦不可思議眼識乃至意識不
可思議故菩薩修行甚深般若波羅蜜多亦
不可思議名色不可思議故菩薩修行甚深
般若波羅蜜多亦不可思議緣起不可思議
故菩薩修行甚深般若波羅蜜多亦不可思
議雜染不可思議故菩薩修行甚深般若波
羅蜜多亦不可思議業果不可思議故菩薩
修行甚深般若波羅蜜多亦不可思議顛倒

BD02100 號　大般若波羅蜜多經卷五九八　（10–7）

故菩薩修行甚深般若波羅蜜多亦不可思
議雜染不可思議故菩薩修行甚深般若波
羅蜜多亦不可思議業果不可思議故菩薩
修行甚深般若波羅蜜多亦不可思議顛倒
見趣諸蓋不可思議故菩薩修行甚深般若
波羅蜜多亦不可思議故色無色界不可思
議故菩薩修行甚深般若波羅蜜多亦不可
思議我有情命者生者養者士夫補特伽
羅意生儒童作者使作者起者等起者受者
使受者知者使知者見者使見者不可思議
故菩薩脩行甚深般若波羅蜜多亦不可
思議地水火風空識界不可思議故菩薩修
行甚深般若波羅蜜多亦不可思議有情界
法界不可思議故菩薩修行甚深般若波羅
蜜多亦不可思議布施慳貪持戒犯戒安忍
忿恚精進懈怠靜慮散亂般若惡慧不可
思議故菩薩修行甚深般若波羅蜜多亦不
可思議貪瞋癡不可思議故菩薩修行甚深般
若波羅蜜多亦不可思議念住正斷神足根
力覺支道支不可思議故菩薩修行甚深般
若波羅蜜多亦不可思議無量神通不可思
議故菩薩修行甚深般若波羅蜜多亦不可
思議靜慮解脫等持等至不可思議故菩
薩修行甚深般若波羅蜜多亦不可思議若
集滅道不可思議故菩薩修行甚深般若波羅
蜜多亦不可思議明及解脫不可思議故菩
薩修行甚深般若波羅蜜多亦不可思議盡
智無生智無造作智不可思議故菩薩修行

BD02100 號　大般若波羅蜜多經卷五九八　（10–8）

薩修行甚深般若波羅蜜多亦不可思議盡
智無生智無造作智不可思議故菩薩修行
甚深般若波羅蜜多亦不可思議聲聞獨覺
菩薩佛地不可思議故菩薩修行甚深般若
波羅蜜多亦不可思議聲聞獨覺菩薩佛法
不可思議故菩薩修行甚深般若波羅蜜多
亦不可思議過去未來現在智不可思議故
菩薩修行甚深般若波羅蜜多亦不可思議
無著智不可思議故菩薩修行甚深般若波
羅蜜多亦不可思議涅槃不可思議故菩薩
修行甚深般若波羅蜜多亦不可思議佛法
僧寶不可思議故菩薩修行甚深般若波羅
蜜多亦不可思議何以故善勇猛菩薩修行
甚深般若波羅蜜多非心所生故名不可思
議亦不生心故名不可思議
復次善勇猛若謂心生是為顛倒謂心不生
亦是顛倒若能通達心及心所俱無所有則
非顛倒善勇猛非心本性有生有起有盡有
滅善勇猛顛倒相應謂心心所有生有起有
盡有滅善勇猛當知此中心可開示由顛倒
起亦可開示善勇猛愚夫異生不能覺了心
可開示及不覺了後顛倒起亦可開示由不
覺了可開示故於心遠離不能正知亦不正
知所緣遠離由斯執著心即是我心是我所
心依於我心從我生彼執心已復執為善或
執非善或執為樂或執為苦或執為斷或執
為常或執見趣或執諸蓋或執顛倒或執希

BD02100號　大般若波羅蜜多經卷五九八　（10-9）

可開示及不覺了後顛倒起亦可開示由不
覺了可開示故於心遠離不能正知亦不正
知所緣遠離由斯執著心即是我心是我所
心依於我心從我生彼執心已復執為善或
執非善或執為樂或執為苦或執為斷或執
為常或執見趣或執諸蓋或執顛倒或執希
施慳貪或執持戒犯戒或執安忍忿恚或執
精進懈怠或執靜慮散亂或執般若惡慧
或執三界或執緣起或執名色或執貪瞋癡或
執嫉慳等或執我慢等或執苦集滅道或
執四大空識或執有情法界或執念住正斷神
足根力覺支道支或執靜慮解脫等持等至
或執無量神通或執明及解脫或執盡智無
生智或執無造作智或執佛法僧寶或執
聲聞獨覺菩薩佛地或執聲聞獨覺菩薩
佛法或執無著智或執般涅槃或執佛智或執相
好或執佛土或執聲聞圓滿或執菩薩圓滿或
執諸餘雜染清淨善勇猛諸菩薩眾於如是
等種種法門不生執著知見有情所起顛倒
心心所法於一切處終不發起顛倒之心亦不依

BD02100號　大般若波羅蜜多經卷五九八　（10-10）

是名莊嚴是故須菩提諸菩薩摩訶薩應
如是生清淨心不應住色生心不應住聲香
味觸法生心應无所住而生其心須菩提譬
如有人身如須弥山王於意云何是身為大
不須菩提言甚大世尊何以故佛說非身
是名大身
須菩提如恒河中所有沙數如是沙等恒河
於意云何是諸恒河沙寧為多不須菩提言
甚多世尊但諸恒河尚多无數何況其沙須
菩提我今實言告汝若有善男子善女人以
七寶滿爾所恒河沙數三千大千世界以用布
施得福多不須菩提言甚多世尊佛告須
菩提若善男子善女人於此經中乃至受持
四句偈等為他人說而此福德勝前福德復
次須菩提隨說是經乃至四句偈等當知此
處一切世間天人阿脩羅皆應供養如佛塔
廟何況有人盡能受持讀誦須菩提當知
是人成就最上第一希有之法若是經典所在
之處則為有佛若尊重弟子
爾時須菩提白佛言世尊當何名此經我等

BD02101 號　金剛般若波羅蜜經　（12–1）

次須菩提隨說是經乃至四句偈等當知此
處一切世間天人阿脩羅皆應供養如佛塔
廟何況有人盡能受持讀誦須菩提當知
是人成就最上第一希有之法若是經典所在
之處則為有佛若尊重弟子
爾時須菩提白佛言世尊當何名此經我等
云何奉持佛告須菩提是經名為金剛般若
波羅蜜以是名字汝當奉持所以者何須菩
提佛說般若波羅蜜則非般若波羅蜜須
菩提於意云何如來有所說法不須菩提白
佛言世尊如來无所說須菩提於意云何三
千大千世界所有微塵是為多不須菩提言
甚多世尊須菩提諸微塵如來說非微塵
是名微塵如來說世界非世界是名世界須
菩提於意云何可以三十二相見如來不不也世
尊不可以三十二相得見如來何以故如來說三
十二相即是非相是名三十二相須菩提若有
善男子善女人以恒河沙等身命布施若
復有人於此經中乃至受持四句偈等為
他人說其福甚多
爾時須菩提聞說是經深解義趣涕淚悲
泣而白佛言希有世尊佛說如是甚深經典
我從昔來所得慧眼未曾得聞如是之經世
尊若復有人得聞是經信心清淨則生實
相當知是人成就第一希有功德世尊是實相

BD02101 號　金剛般若波羅蜜經　（12–2）

泣而白佛言希有世尊佛說如是甚深經典
我從昔來所得慧眼未曾得聞如是之經世
尊若復有人得聞是經信心清淨則生實
相當知是人成就第一希有功德世尊是實相
者則是非相是故如來說名實相世尊我今
得聞如是經典信解受持不足為難若當來
世後五百歲其有衆生得聞是經信解受
持是人則為第一希有何以故此人无我相人相
衆生相壽者相所以者何我相即是非相人
相衆生相壽者相即是非相何以故離一切
諸相則名諸佛
佛告須菩提如是如是若復有人得聞是經
不驚不怖不畏當知是人甚為希有何以故
須菩提如來說第一波羅蜜非第一波羅蜜
是名第一波羅蜜
須菩提忍辱波羅蜜如來說非忍辱波羅
蜜何以故須菩提如我昔為歌利王割截身
體我於尒時无我相无人相无衆生相无壽者
相何以故我於往昔節節支解時若有我
相人相衆生相壽者相應生瞋恨須菩提又
念過去於五百世作忍辱仙人於尒所世无我
相无人相无衆生相无壽者相是故須菩提
菩薩應離一切相發阿耨多羅三藐三菩
提心不應住色生心不應住聲香味觸法

BD02101號　金剛般若波羅蜜經　（12–3）

念過去於五百世作忍辱仙人於尒所世无我
相无人相无衆生相无壽者相是故須菩提
菩薩應離一切相發阿耨多羅三藐三菩
提心不應住色生心不應住聲香味觸法
生心應生无所住心若心有住則為非住是
故佛說菩薩心不應住色布施須菩提菩
薩為利益一切衆生應如是布施如來說一
切諸相即是非相又說一切衆生則非衆生
須菩提如來是真語者實語者如語者不
誑語者不異語者須菩提如來所得法此法
无實无虛須菩提若菩薩心住於法而行布施
如人入闇則无所見若菩薩心不住法而行布施
如人有目日光明照見種種色須菩提當來
之世若有善男子善女人能於此經受持讀
誦則為如來以佛智慧悉知是人悉見是人
皆得成就无量无邊功德
須菩提若有善男子善女人初日分以恒河沙
等身布施中日分復以恒河沙等身布施後
日分亦以恒河沙等身布施如是无量百千万
億劫以身布施若復有人聞此經典信心
不逆其福勝彼何況書寫受持讀誦為人
解說須菩提以要言之是經有不可思議不
可稱量无邊功德如來為發大乗者說為發
最上乗者說若有人能受持讀誦廣為人說
如來悉知是人悉見是人皆得成就不可量

BD02101號　金剛般若波羅蜜經　（12–4）

可稱量无邊功德如来為發大乘者說為發
冣上乘者說若有人能受持讀誦廣為人說
如来悉知是人悉見是人皆得成就不可量
不可稱无有邊不可思議功德如是人等則
為荷擔如来阿耨多羅三藐三菩提何以故
須菩提若樂小法者著我見人見衆生見壽
者見則於此經不能聽受讀誦為人解說須菩
提在在處處若有此經一切世間天人阿脩
羅所應供養當知此處則為是塔皆應恭
敬作礼圍繞以諸華香而散其處
復次須菩提善男子善女人受持讀誦此經
若為人輕賤是人先世罪業應墮惡道以今
世人輕賤故先世罪業則為消滅當得阿耨
多羅三藐三菩提須菩提我念過去无量阿
僧祇劫於然燈佛前得值八百四千萬億那
由他諸佛悉皆供養承事无空過者若復
有人於後末世能受持讀誦此經所得功德
於我所供養諸佛功德百分不及一千萬億
分乃至筭數譬喻所不能及須菩提若善男
子善女人於後末世有受持讀誦此經所得
功德我若具說者或有人聞心則狂亂狐疑
不信須菩提當知是經義不可思議果報亦
不可思議
尒時須菩提白佛言世尊善男子善女人
發阿耨多羅三藐三菩提心云何應住云何

BD02101號　金剛般若波羅蜜經　（12–5）

不信須菩提當知是經義不可思議果報亦
不可思議
尒時須菩提白佛言世尊善男子善女人
發阿耨多羅三藐三菩提心云何應住云何
降伏其心佛告須菩提善男子善女人發阿
耨多羅三藐三菩提者當生如是心我應滅度
一切衆生滅度一切衆生已而无有一衆生實
滅度者何以故若菩薩有我相人相衆生
相壽者相則非菩薩所以者何須菩提實无
有法發阿耨多羅三藐三菩提心者須菩提
於意云何如来於然燈佛所有法得阿耨多
羅三藐三菩提不不也世尊如我解佛所說義
佛於然燈佛所无有法得阿耨多羅三藐三菩
提佛言如是如是須菩提實无有法如来得阿
耨多羅三藐三菩提須菩提若有法如来得
阿耨多羅三藐三菩提者然燈佛則不與我受
記汝於来世當得作佛号釋迦牟尼以實无
有法得阿耨多羅三藐三菩提是故然燈佛
與我受記作是言汝於来世當得作佛号釋
迦牟尼何以故如来者即諸法如義若有人
言如来得阿耨多羅三藐三菩提須菩提實
无有法佛得阿耨多羅三藐三菩提須菩提
如来所得阿耨多羅三藐三菩提於是中无實无
虛是故如来說一切法皆是佛法須菩提所
言一切法者即非一切法是故名一切法須菩提

BD02101號　金剛般若波羅蜜經　（12–6）

如来所得阿耨多羅三藐三菩提於是中无實无
虚是故如来說一切法皆是佛法須菩提所
言一切法者即非一切法是故名一切法須菩提
譬如人身長大須菩提言世尊如来說人
身長大則為非大身是名大身須菩提菩
薩亦如是若作是言我當滅度无量衆生則
不名菩薩何以故須菩提實无有法名為菩
薩是故佛說一切法无我无人无衆生无壽
者須菩提若菩薩作是言我當莊嚴佛土
是不名菩薩何以故如来說莊嚴佛土者即
非莊嚴是名莊嚴須菩提若菩薩通達无
我法者如来說名真是菩薩
須菩提於意云何如来有肉眼不如是世尊
如来有肉眼須菩提於意云何如来有天眼
不如是世尊如来有天眼須菩提於意云何
如来有慧眼不如是世尊如来有慧眼須菩
提於意云何如来有法眼不如是世尊如来
有法眼須菩提於意云何如来有佛眼不
如是世尊如来有佛眼須菩提於意云何
如恒河中所有沙佛說是沙不如是世尊如
来說是沙須菩提於意云何如一恒河中所有沙
有如是沙等恒河是諸恒河所有沙數佛世界
如是寧為多不甚多世尊佛告須菩提尒所
國土中所有衆生若干種心如来悉知何以故

BD02101 號　金剛般若波羅蜜經　（12–7）

有如是沙等恒河是諸恒河所有沙數佛世界
如是寧為多不甚多世尊佛告須菩提尒所
國土中所有衆生若干種心如来悉知何以故
如来說諸心皆為非心是名為心所以者何須
菩提過去心不可得現在心不可得未来心不
可得須菩提於意云何若有人滿三千大千
世界七寶以用布施是人以是因緣得福多
不如是世尊此人以是因緣得福甚多須菩
提若福德有實如来不說得福德多以福
德无故如来說得福德多
須菩提於意云何佛可以具足色身見不不
也世尊如来不應以具足色身見何以故如来
說具足色身即非具足色身是名具足色身
須菩提於意云何如来可以具足諸相見不不
也世尊如来不應以具足諸相見何以故如来
說諸相具足即非具足是名諸相具足須菩
提汝勿謂如来作是念我當有所說法莫作
是念何以故若人言如来有所說法即為謗佛
不能解我所說故須菩提說法者无法可說
是名說法須菩提白佛言世尊佛得阿耨
多羅三藐三菩提為无所得耶如是如是須
菩提我於阿耨多羅三藐三菩提乃至无
有少法可得是名阿耨多羅三藐三菩提復次
須菩提是法平等无有高下是名阿耨多羅
三藐三菩提以无我无人无衆生无壽者脩一

BD02101 號　金剛般若波羅蜜經　（12–8）

菩提於阿耨多羅三藐三菩提乃至无
有少法可得是名阿耨多羅三藐三菩提復次
須菩提是法平等无有高下是名阿耨多羅
三藐三菩提以无我无人无衆生无壽者脩一
切善法則得阿耨多羅三藐三菩提須菩
提所言善法者如來說非善法是名善法
須菩提若三千大千世界中所有諸須弥山
王如是等七寶聚有人持用布施若人以此
般若波羅蜜經乃至四句偈等受持讀誦為
他人說於前福德百分不及一百千萬億分乃
至筭數譬喻所不能及
須菩提於意云何汝等勿謂如來作是念我
當度衆生須菩提莫作是念何以故實无有
衆生如來度者若有衆生如來度者如來則
有我人衆生壽者須菩提如來說有我者則
非有我而凡夫之人以為有我須菩提凡夫
者如來說則非凡夫須菩提於意云何可以
三十二相觀如來不須菩提言如是如是以三十
二相觀如來佛言須菩提若以三十二相觀如
來者轉輪聖王則是如來須菩提白佛言世尊
如我解佛所說義不應以三十二相觀如來尒
時世尊而說偈言
若以色見我 以音聲求我 是人行邪道 不能見如來
須菩提汝若作是念如來不以具足相故得阿
耨多羅三藐三菩提須菩提莫作是念如來
[illegible]

BD02101號　金剛般若波羅蜜經　（12–9）

若以色見我 以音聲求我 是人行邪道 不能見如來
須菩提汝若作是念如來不以具足相故得阿
耨多羅三藐三菩提須菩提莫作是念如來
不以具足相故得阿耨多羅三藐三菩提須菩
提汝若作是念發阿耨多羅三藐三菩提者
說諸法斷滅莫作是念何以故發阿耨多羅
三藐三菩提者於法不說斷滅相須菩提若
菩薩以滿恒河沙等世界七寶布施若復有
人知一切法无我得成於忍此菩薩勝前菩
薩所得功德須菩提以諸菩薩不受福德故
須菩提白佛言世尊云何菩薩不受福德須
菩提菩薩所作福德不應貪著是故說不
受福德須菩提若有人言如來若來若去
若坐若臥是人不解我所說義何以故如來
者无所從來亦无所去故名如來須菩提若善
男子善女人以三千大千世界碎為微塵於意
云何是微塵衆寧為多不甚多世尊何以故
若是微塵衆實有者佛則不說是微塵衆
所以者何佛說微塵衆則非微塵衆是名
微塵衆世尊如來所說三千大千世界則非
世界是名世界何以故若世界實有者則是
一合相如來說一合相則非一合相是名一合相須
菩提一合相者則是不可說但凡夫之人貪著
其事須菩提若人言佛說我見人見衆生
見壽者見須菩提於意云何是人解我所

BD02101號　金剛般若波羅蜜經　（12–10）

一合相如來說一合相則非一合相是名一合相須
菩提一合相者則是不可說但凡夫之人貪著
其事須菩提若人言佛說我見人見衆生
見壽者見須菩提於意云何是人解我所
說義不世尊是人不解如來所說義何以
故世尊說我見人見衆生見壽者見即非
我見人見衆生見壽者見是名我見人見衆
生見壽者見須菩提發阿耨多羅三藐三
菩提心者於一切法應如是知如是見如是信
解不生法相須菩提所言法相者如來說即
非法相是名法相須菩提若有人以滿无量阿
僧祇世界七寶持用布施若有善男子善女
人發菩薩心者持於此經乃至四句偈等受持
讀誦為人演說其福勝彼云何為人演說不
取於相如如不動何以故
一切有為法　如夢幻泡影　如露亦如電　應作如是觀
佛說是經已長老須菩提及諸比丘比丘尼
優婆塞優婆夷一切世間天人阿脩羅聞佛
所說皆大歡喜信受奉行

金剛般若波羅蜜經

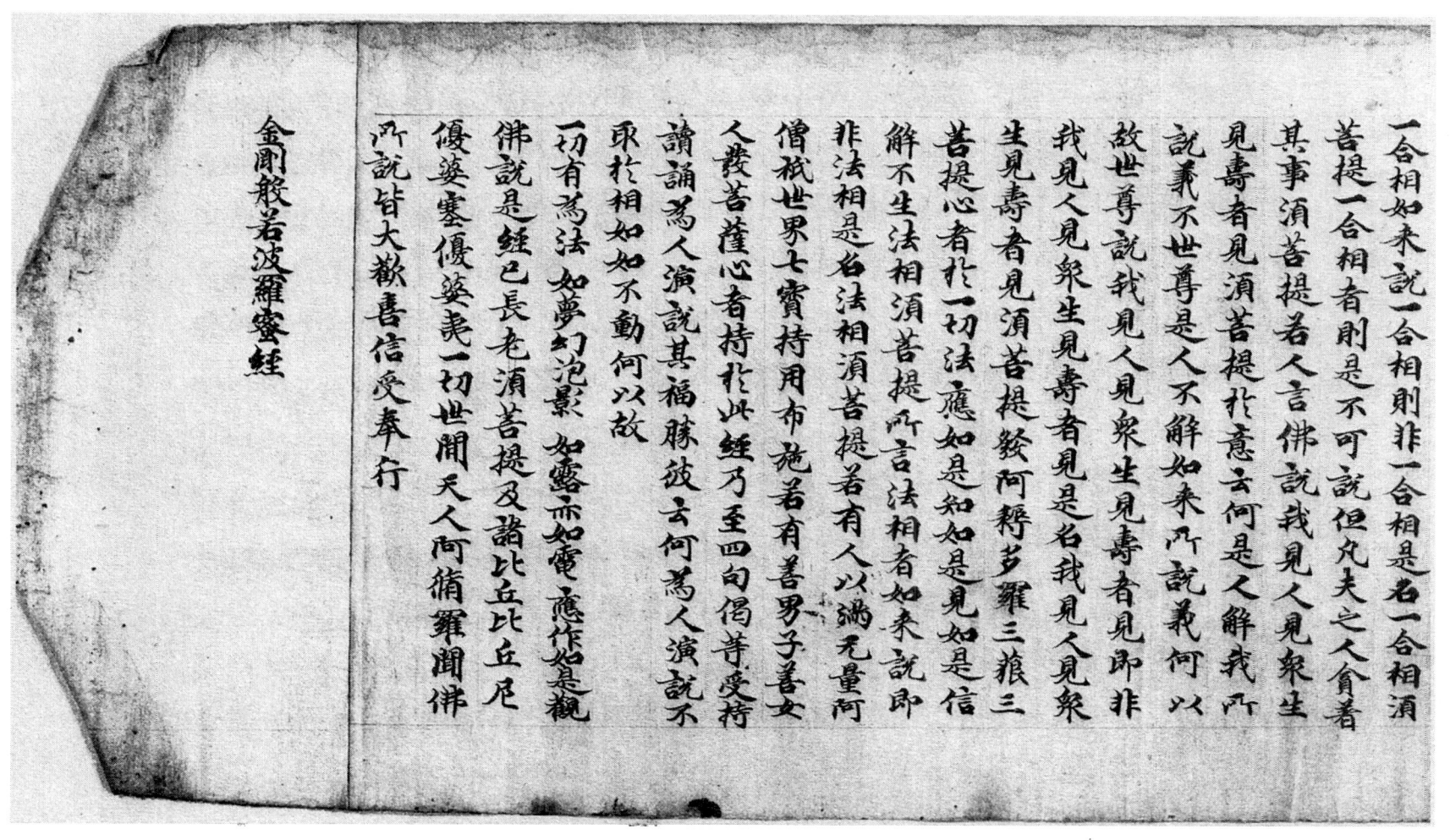

BD02101號　金剛般若波羅蜜經　（12–11）

僧祇世界七寶持用布施若有善男子善女
人發菩薩心者持於此經乃至四句偈等受持
讀誦為人演說其福勝彼云何為人演說不
取於相如如不動何以故
一切有為法　如夢幻泡影　如露亦如電　應作如是觀
佛說是經已長老須菩提及諸比丘比丘尼
優婆塞優婆夷一切世間天人阿脩羅聞佛
所說皆大歡喜信受奉行

金剛般若波羅蜜經

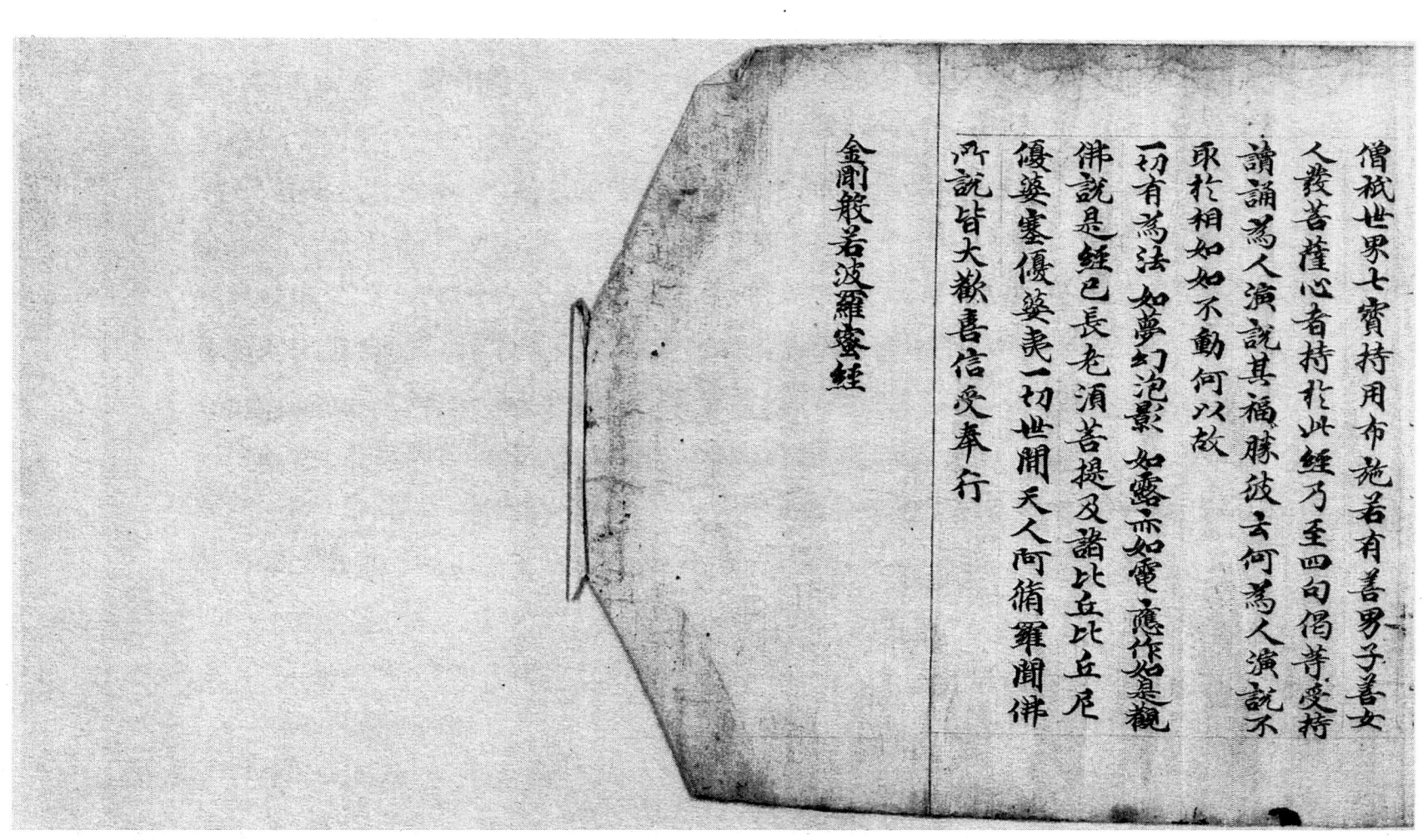

BD02101號　金剛般若波羅蜜經　（12–12）

淨名經關中釋抄卷下　沙門道液述
弟子品
宣律師云學在我後故稱為弟解從我生故稱為子菩薩外化不
常佛側五我戒重來不常侍奉故弟子之名唯在聲聞非餘二也　天台云品來五意
一為顯淨名勝德若十大弟子稱述不堪則略顯淨名之德信仰心生文殊入室同行聽法
二令求入正位聲聞迴心向大若聞不堪之辭即捨小歸大三成淨土行若聞菩薩讚歎
恩即漸識諸佛真應二土　四為已正位聲聞成生蘇教聲聞昔說花嚴如聾凡夫
不變色故於漸二乘如乳次聞阿含得四果如酪今聞淨名方等知果不真如生蘇次聞
般若許傳大乘未得受記故如熟蘇後說法華涅槃同歸佛乘為醍醐此五乘教
漸次並對二乘為言非菩薩也　五為即定成經昔所說者皆不對佛今對佛陳述如來
即可皆成經也　注云懸心默通者謂聖心懸照前心默然通見何待言也真機潛
應者真然見機潛相應會故相告也　不於三界者身子入小乘八定及滅盡定
皆三界身心得也菩薩住實相定即法身真智證非三界法也如大論云離諸欲
及惡不善法依未對地定得初學禪有覺有觀喜樂一心以離欲火故須覺觀復作
是念覺觀燒動禪心如水中波如眼中翳如是種種呵覺觀滅內清淨繫心一處无覺
无觀定生喜樂入二禪復次觀喜多過得喜失憂離喜行捨念智受身樂入第
三禪復次行者觀樂之失如喜求心不動不苦不樂捨念清淨入第四禪復次色多
過觀身中空外色亦尒得无邊空處復次行者觀无邊故識緣則多緣多散故
捨空處緣但緣於識名識處復次是識无邊識多即散故可識讚无所有處
復觀此處四陰過患无想如癰有想如瘡入非有想非无想處无想定空處无想天有想餘有想也此无色
皆四陰成故滅受想心入滅盡定也故皆是三界身心今菩薩以中道正觀照三界五
陰不生不滅入寂滅定此真滅盡定也形神俱滅者謂菩提者不可以身得不可以心
得身即无色无形心即无根无住不生不滅故云寂滅大士之滅如此也　道法者即滅
自然現凡夫事者方便涉假也　心不住內外者三處住空即心緣滅故不住也
諸見不動者執著名為見二邊名為動二乘四念處觀身不淨破淨倒觀受
是苦破樂倒觀心无常破常倒觀法无我破我倒餘品例然是名二乘於諸
見動修卅七品也　若大乘四念處觀身性空非淨非不淨觀受不在內外中間非
苦非樂觀心但有假名非常非无常觀法如幻化非我非无我餘品例然此名
大乘於諸見不動修卅七品也　廣如卅及諸法无行作明　不斷煩惱者煩惱
性空故云不斷二乘法執以煩惱實有故斷而入涅槃菩薩悟煩惱性空故不斷而入也

諸見不動者執著名為見二邊名為動二乘四念處觀身不淨破淨倒觀受
是苦破樂倒觀心无常破常倒觀法无我破我倒餘品例然是名二乘於諸
見動修卅七品也　若大乘四念處觀身性空非淨非不淨觀受不在內外中間非
苦非樂觀心但有假名非常非无常觀法如幻化非我非无我餘品例然此名
大乘於諸見不動修卅七品也　廣如𦬇及諸法无行作明　不斷煩惱者煩惱
性空故云不斷二乘法執以煩惱實有故斷而入涅槃𦬇悟煩惱性空故不斷而入也
七使者貪瞋癡慢疑為五身見邊見邪見為第六見使戒取見取為第七
取使九結如前時我世尊默然者應呼云世尊我時默然但以梵語倒故亦
○目犍連章者梵音也　部執論翻為胡豆法蘊足論云沒特伽羅子此云綠豆
子新云採菽又前身子智慧第一約禪定可目連禪定第一說法可所以十大弟
子此二更絡可者以定慧是万行之門故不可偏定之深必慧明必定深也　法无有
我等者小乘觀破我證无我唯證初果等今大乘實相法即於我无我而不二
我尚不可得非我何可得是法性實相真无我義也　證此无我乃得无生法忍
七地大士豈同小乘哉　離生死者若前際有生後際有死故中間名壽命今𦬇住
法身實相不生故无前不滅故无後无前後故壽者性空也　滅諸相者小乘
說有為法有生住異滅四相之遷今大乘法性之自寂滅故離四相也　離覺觀者
取相生心既有覺觀離相假名故无覺觀也　万法万形者万法无定故无法也
万形无定形故无形也如身是蘊界多法成衆法則無法如嬰孩童子少壯老年
衆形為形則形無定形也法不屬因者妄法有生滅故屬因緣生其真法不生不
滅故不屬因緣也　諸邊不動者離四句故諸邊不動也　離觀行者妄諸緣
相起緣相故言觀真智無相故无觀又取相心緣生緣相故言行也離相心无生
故不行也　○迦葉此云飲光者蓋取明義也智三世故也或云飲光亦明也此可頭陀
也小乘以於事抖擻不染不著少欲知足名為頭陀今淨名大士於三界五蘊菩提涅
槃以般若波羅蜜抖擻无取无住名曰頭陀故法花經云是經難持若能持者
是名持戒行頭陀者又善住意天子經云頭陀者抖擻貪欲瞋恚愚癡三界六
入我說此人能善抖擻不取不捨不修不著我說此人善能頭陀者此云抖擻也
又行中頭陀有二一隨時如梵經春秋各三月行也意如冬夏極寒熱故安居春秋暄涼
隨行也　二隨行者有十二四衣之一但三衣二糞掃三常乞食四不作餘食法五一坐六一
團七練若此云无諍處八冢間九樹下十露坐十一隨坐十二常坐而不能普者葉迦諸聲聞
中有二行勝一慈悲二頭陀此惣可云有慈悲心而不能普可聲聞有緣之慈故
不普𦬇无緣大悲故能普也次列可大住子等法應次行乞食可聲聞頭陀乞食若
養五陰但少欲可不同𦬇為堅住正觀養法身也法身即不食身壞和合相身
不受三界身也　空聚相者聚落有二一者外聚相村邑也二者內聚六根也故

圓七練若聲聞八解脫九擬下十露坐十一隨坐十二常坐而不能普者聲聞迦葉聲聞
中有二行勝一慈悲二頭陀此惣可云有慈悲心而不能普可聲聞有緣之慈故
不普菩薩无緣大悲故能普也次別呵云住平等法應次行乞食可聲聞頭陀乞食者
養五陰但少欲可不同菩薩爲堅住正觀養法身也法身即不食身壞和合相身
不受三界身也　空聚相者聚落有二一者外聚村邑也二者內聚六根也故
金光明云六根聚落結賊所止也謂諸外聚若有人物士女則有可觀若空聚无
人唯有劫賊虎狼死屍毒蛇則不可樂也　若菩薩六根如法花經八百功德則如聚落
有人物也今凡夫六根空无功德唯有三受毒蛇耶見賊劫妄念死屍故不可樂也
不捨八耶者若捨八耶入八解脫是小乘禪悅食若不捨八耶入八解脫是大禪悅食
若捨八耶入八正道爲小乘法喜食若不捨耶相入正法爲大乘法喜食故令淨名示
大乘法喜禪悅可迦葉去小乘二食也　非有煩惱等者大乘平等法喜食本性清
淨故非有非離心住寂滅平等禪悅食故定非入出生死菩薩平等故二俱不住
空不食人施者小乘中犯四重爲盜食不悉三業謂上根不坐禪中根不讀誦下根
不營理僧事爲負債食初果人爲同意食阿羅漢爲自己食由應供今大乘
若不蒙獲心住平等觀非真出家故皆名空食人之信施也　〇須菩提此云善
吉亦曰空生亦日善現以初生時屋舍皆空父母謂其不吉將問相師占云
大吉甚善故云善吉或曰空生善相現故故名善現然此正爲表解空第一
故現空也　如羅云六年住胎表密行第一迦葉金色表頭陀常行莊嚴迦留
陀夷此云黑光表多汙淨戒爲結戒之緣又善吉於弟子中解空无諍第一
小乘入第四禪觀衆生緣不与物諍名爲无諍而捨有證空弃生死取菩
等未免此諍今淨名大乘住中道觀非垢非淨不生不滅我与无我其性不
二生死菩提本性平等名真无諍故被呵也又小乘入觀緣真諦故空出觀
緣俗故有如是捨有取空非真解空今淨名大乘色不異空空不異色非有非不
取不捨達諸法相无罣㝵稽首如空无所依名真解空第一也故被呵也
問小乘无諍三昧云何答俱舍論訟云无諍世俗智後靜慮不動三洲緣未生
欲界有事惑云謂十智中唯世俗智八定中住第四靜慮云阿漢中不動性四洲
中不緣北洲无我所故三世中唯緣未來過現已滅故也三界中唯緣欲界有事
惑故又法花云十弟子內秘菩薩行外現示聲聞是即如來未時出身子目連
示居外道優樓那提示居事火迦葉示淨行婆羅門羅云阿難阿那律示
現王宮受五欲愛故身子聡惠滿特示訥鈍目連示尊貴優波離示下賤
滿願示博學迦旃延示辯論如來成道即各引其類得證聲聞今欲引小入
大故回問疾各辭不堪則令所化捨小歸大漸与法華作授記之方便也　盛滿
飯有云善吉持解空故住令淨名以表妙有相析故示也　不壞於身者聲
聞以身爲苦故滅身以歸寂一相者寂滅相也　菩薩觀身從緣緣无性自即本

示居外道優樓頻提示居家大迦葉示淨行婆羅門羅云阿難阿那律示
現王宮受五欲憂波身子聰惠解特示訥鈍目連示尊貴優波離示下賤
滿願示博學迦旃延示辯論如來成道即各引其類得證聲聞令欲引小入
大故因問疾各辭不堪則令所化捨小歸大漸与法華作授記々方便也 感滿
飯有去善吉持解空故往令淨名以表妙有相折故去也 不壞於身者聲
聞以身爲苦故滅身以歸無一相者寂滅相也 菩薩觀身從緣々無性自即不
待壞身然本寂也 五逆者殺父殺母殺阿羅漢出佛身血破法輪僧前二
違恩後三背德故名爲逆業縛至剛莫逾於此無縛不妄了妄皆真即逆
縛爲解脫相 邪見彼岸本性不殊者此三句開中意以非邪非正非難非無
難非惱非淨爲平等故可取食天台意以此可善吉安二乘偏空是入邪見非中道
彼岸住化城々難也非無難也淳著涅槃々惱遠離法性々淨問化城八難其狀云
何答七品經云寧使衆生落三塗獄不使衆生入二乘道即以小乘見斷無學道
爲三惡道難永執無我爲北洲難出觀緣俗入觀緣真爲佛前佛後難不見法身
不聞中道爲生聾生盲辯說生滅不了無生爲世智辯聰沉空滯寂爲長壽
諸天難大經云十千劫等此並教大限々故云也此以爲難鄣真撒有通凡夫
八難々患可不畏哉無諍福田墮謗等言二家不同類此可見等無有異者開中以
平等一性爲無異天台以凡夫滯有二乘滯空爲滯雖殊齊鄣中道爲等無有異
果餘欲出者天台云善吉被難本關居捲解空忽失故淨名返以約化安々也
富樓那前目連可說法今不當此可差根々患有去觀人心句是世界悉檀悉
念句是爲人悉檀根原句是對治悉檀行大道句是第一義悉檀故以悉檀故
根性大乘四悉檀者此法名出楞伽智論梵凡云悉檀此云宗成又日墨如實相
即々類也彼即々理此墨宗之教此有四數一世界悉檀爲未發善根衆生
說世名相令生樂欲起信心故二各々爲人悉檀爲已種根緣令增長故三對治
悉檀爲有衆生雖種善根爲重惑所鄣未得成就起對治故四第一義悉
檀爲久修行衆生稱理而談故此則前三順根第四稱理就前三又二未信令
生信立世界已信令起行立爲人對治又起行有二起生行善立爲人起斷惡行
立對治由是緣故如來於無相法中隨理順根生信起行生善斷惡流演八万
四千諸餘教門種々差別同趣大菩提故迦旃延此云剛剃有去文飾施設足論
云刹駄種未詳所以生滅心行說實相法者緣生々法四相所遷生滅々謂也生
滅々法從因緣生々法體無自性實相々謂也 又小乘由執生故有無常苦空無
我等四義由執滅故有寂滅義前四是歡後一是折今大乘悟生不不滅故是
實相義 而迦旃延言緣生無常即是以小乘生滅心說大乘實相法也無常即
實相者常無常不二即實相離常說無常即生滅下々四義准此應知苦義

釋

四千諸餘教門種々差別同趣大菩提故迦旃延此云剪乘有文餘教言旦諸
云剃髮種未詳所以生滅心行說實相法者緣生々法四相所遷生滅之謂也生
滅々法從因緣生々法體无自性實相之謂也 又小乘由執生故有无常苦空无
我等四義由執滅故有寂滅義前四是歌後一是析今大乘悟生不不滅故是
實相義 而迦旃延言緣生无常卽是以小乘生滅心說大乘實相法也无常卽
實相者常无常不二卽實相離常說无常卽生滅 下之四義准此應知苦義
卽實相者思益云知苦无生苦聖諦大經云凡夫有苦无諦二乘有苦有諦菩
薩解苦无苦而有真諦皆實相義也此大小五義難故明略寄一喻如母養
孩子見啼不止懼之云鬼來一歲已下聞鬼不懼此喻凡夫卬五陰无常等五心
不散也 二三歲已去聞鬼卽懼此喻二乘小中无常等心散離也年至十五聞說鬼來
了鬼本无但假言說以見啼故此喻菩薩 无生无常苦等但是如來假名方便引
道物故此真義也 阿那律秦言如意昔以食施辟支一食
九十一劫常在天上受如意報故云如意恒无貧乏故云无貧善根不滅故云无滅
又云因入佛塔剔燈照佛九十一劫善根不滅今得天眼報故云无滅也 五通等
者若聲聞依四禪定起通有四德作作相而見与外道等无爲不應有見者若聲
聞作惠斷惑名釋滅无爲此无爲不應有見也大乘天眼卽中見色圓觀三諦權
實雙觀卽寂而照故无此難如下文自明也大乘殊途有此懸別而惑者以近遠見
幻數量而ㄙ大小不亦謬哉又佛心无不寂故照无不見患不離定卽寂而照故
見而无二也 ○優波離秦言上首亦曰近執名曰近取以本親近八釋子執事取
与故云近執近取言上首者以初与八釋子同時出家々時如來先度爲上座故云
也 律行者有二本不犯二犯能悔此波離之律行也今淨名以法身真性本淨
報智迷已復悟爲行律也故經云唯佛一人住淨戒餘人皆名汙戒者又下文云是則
具足明此法性尸羅一心具足万行豈二百五十而言具足哉重增者小乘懺法要渠
見罪累起重悔心方言滅也故關中天台云以皆真妄犯名爲罪始志誠悔懼後
名重增今申一釋罪之自性不生不滅昔之犯罪不生見生名犯初今攻離爲
懺不滅言滅名重增也若爲羅達罪本不生今懺亦无滅卽真際滅也普賢觀經云
若欲懺悔者當求真實相者卽是悟罪之与心俱不生滅也此之持律可不妙哉弟
九解脫者斷修惑九地各有九无礙九解脫今取非想地中第九解脫得无學時
心以況衆生心者性妄相是垢者既妄相垢明垢非垢取我顛倒亦然其猶病眼
見花病瘥卽知花解本无故生法師云俗而諦者明真諦也 生滅不住者夫爲
罪者不可以一念成若積念而成罪者卽念自生滅刹那不住豈有罪哉復次念若不
積卽一念无因念若住積非有爲法復次設使一念自成罪者刹那不住豈待懺
而後滅哉 是名奉律者此法性尸羅卽法身自性菩大士如是奉持也 ○羅睺羅
此云覆障者亦表密行第一捨輪王位者輪治世舉國皆行十善豈可捨衆善

見花病瘥即知花餘本无故生法師云俗而諦者明真諦也　生滅不住者夫為
罪者不可以一念成若積念而成罪者即念自生滅刹那不住豈有罪哉復次念若不
積即一念无因念若住積非有為法復次設使一念自成罪者刹那不住豈待纖
而後滅哉　是名奉律者此法性已罪即法身自性菩薩大士如是奉持也　○羅睺羅
此云覆障者亦表密行第一捨輪王位者輪治世界因皆行十善豈可捨衆善
而尚獨善哉　出家功德之利者有云說剃落之利如大悲經云但使性是沙門
汙行沙門形是沙門被著袈裟者於弥勒仏乃至樓至仏所得入涅槃无有遺
餘天云羅睺說四果所得十智三明等利也　无利无功德者云羅尊出家略有
三利一捨愛欲眷屬名為出家二斷除見使出三界獄名為出家三深悟大乘生死
涅槃非縛非解猶与无漏不垢不淨不取不捨无得无證了了法界之如幻覺真性
之云依名究竟大乘真出家也故經云以无所得故阿耨多羅三藐三菩提此淨名大
士无利功德之出家豈羅云捨三界之過患得涅槃之功德名真出家假名者生死
涅槃俱假名故下文云我及涅槃此二皆空以何為空但以名字故空　出淤泥者凡
夫以五欲為淤泥二乘取證為淤泥四取者即四受也　又云不受三界及捨也　○阿難
此云歡喜仏得道夜復生阿難歡喜時生故又王名之也復有宿世善根見者
歡喜故名也　勿謗如来者小乘謂仏是業生身現身成道大乘以悟身本
无身為法身應物現身為跡身是應物有疾非實疾也今執為實業所招豈非
謗欤諸教云金槍馬麦等言例同斯解即是法身小乘以丈六為生死身五分法為
身法身大乘以即色是空丈六即真真即法性常住非思業生即陰即空故過三界
空即清淨何漏之有四相流動生滅无住即遷故曰无為諸數者有為四相數也遷
云非思欲者斷煩惱鄣過三界者離分段果无果者破所知鄣无為者離變易
果宗福云非思欲者非思業生之自在故是我過三界者三界是苦過三界苦即是
樂也　无漏者有漏是垢无漏即淨也无為者有為法无常仏身无為即是常也
如居士言者仏身真常如前所辨此顯實示生五濁現病利物此開權也　不言乘
現執病身為實開病是應明身非身非我有此開權也然身非我有即為物故有
為物有身即身非身為法身也此亦顯實矣經文若此理亦眩然而惑者乃謂
至法方云開權顯實到涅槃始辨常身法身者不亦謬乎見經文乎又法華亦
云為五濁故開一乘為三乘此經亦為五濁故亦法身為病身知三是為与了病是
應何殊悟三即一与覺應即真何別又大經亦云委今此身即是常身法身此經
亦云仏者身即法身也又云仏身无為不墮諸數豈可離丈六而辨无為哉而滯
教失旨之徒至法花執一乘一謂諸經不一到涅槃得佛是常即言諸教未常豈有不
二法門而非一實相般若而非常是知窮源造極理不可殊隨根牙顯教不可一名
教无定明理本无名之名焉可執名而封見矣　五濁者亦云五滓名異意一之

亦云佛者身即法身也又云佛身无為不墮諸數豈可離大丈六而辯无爲哉而滯
教失旨之徒至于法花執一定一謂諸經不一到涅槃保佛是常即言諸教未常豈有不
二法門而非一實相般若而非常是知窮源造極理不可殊隨根牙顯教不可一吾
教无定明理本无名之名曷可執名而封見矣　五濁者名云五滓名異意一也
劫濁謂大小三灾時危世險二衆生濁六道親居業苦相繫三煩惱濁貪嗔癡
惕甚增盛故四見濁身邊邪等執不可移五命濁壽命短促習善无成悲花
經明成劫壞劫空劫无濁住劫至二万歲下方有濁也十地經云濁屋虬子有經
十三濁經數无定即知劫末聖遙何者非濁而五六等言隨根布教耳
菩薩品　　前品即聲聞致辞理應次命菩薩所以不先命者若大士致辞
即聲聞中息命列進之道豈可无施天台辯可并之意略陳有五一顯淨名勝德二
轉方便教狀成淨土四爲入大品法華方便林亂五即定成經　初顯德者前雖
聲聞稱揚如與小見揄乃未足之爲健今若菩薩順伏方表淨名德大人尊爲則法教可
行豈勝劣於人哉　二爲轉章漸教菩薩入圓妙門者然菩薩名周淺深教列俱
含即云三阿僧祇修行六度百劫動相好因衆章不生八相成道初坐道樹由是
凡夫世四心方成正覺此取淺也二大品經說三乘共行十地二乘斷而取證菩薩斷而不
證所謂乾惠地外凡　性地内凡　八人地初果向第八　見地初果　薄地二果　離欲地三果　已辦地四果
辟支佛地　菩薩地　佛地此即三乘同觀无生證有深淺三獸渡河三箭中的皆此喻也
此次深也由離三乘之見仁王瓔珞五十二位始初十信終成圓覺純一大乘更无別
類此更深也由位行多門詞殊致別非即之多即一不思議圓妙之道也花嚴云如是
學者不從一地至一地具足一切諸地楞伽云寂滅真如有何次大經云雪山有草名曰
忍辱牛若食者純出醍醐非乳酪之漸此經云一念知一切法是道場成就一切智
故此皆一位一切位一行一切行一毫之善並趣佛非圓非漏而假予圓頓大乘也昔
諸大士隨根稟化異執成迷失佛究竟圓妙大道令淨名大士彈呵折伏皆令釋偏諂
圓解漸開頓成不思議解脫之道也　三扶成如來真淨生義者昔來大士各稟
偏淺意謂婆娑之織燈王空淨莫不眾織析淨而保著情深去道彌遠令淨名
彈可令知即織即淨不二不別故下阿難之悟佛事香積之悔見織皆其致也四爲
入法華涅槃方便林亂者諸大士既不能頓悟圓妙各稟偏漸令淨名彈析利
根之徒即座悟入者前第二門收也鈍根緣異藉此彈呵後聞大品法華菩薩教
淨悟入者即因今彈析後方悟也故法界性論云若利根人於摩訶般若入法界若
中根人於法花入法界下根人於涅槃入法界故知華嚴初教悟者乳教中入次阿含
中酪悟教中入此經及方等諸經中悟生蘇教中入諸部般若中悟熟蘇教
入法花涅槃醍醐教入　五爲即定成經者昔可日詞未蒙即可今對佛宣揚如
來即許便成經教因流遐遠也　彌勒此云慈氏姓也名阿逸多此云无勝不退一

理可令知即識即淨不二不別故下阿難之悟佛事者積之悟見識皆其致也四為
入法華涅槃方便於鈍者諸大士既不能頓悟圓妙各稟偏漸令淨名彈折利
根之徒即座悟入者有第二門攝也鈍根緣異藉此彈呵後聞大品法華等教
淨悟入者即因今彈析後方悟也故法界性論云若利根人於摩訶般若入法界若
中根人於法花入法界下根人於涅槃入法界故知華嚴初教悟者乳教中入次阿含
中酪悟教中入此經及方等諸經中悟生蘇教中入諸部般若中悟熟蘇教
入法花涅槃醍醐教入
來即許便成經教因流遲遠也
五為即之成經者昔可日詞未蒙即可今對佛宣揚如
彌勒此云慈氏姓也名阿逸多此云无勝不退
行者犯章破果三天樂者故於多退轉故彌勒為說不退行也且有進有退偏教之所歎
非進非退圓妙之所絕待今淨名以絕待之不退破彌勒有待之進退也　若夫別明
者不退有四一者理不退性相常住故二者位不退入於外道故三者行不退智證无生
故四者念不退寂而常用故
俱舍種妙相因為不退者雖位不退共行十地性地為
位不退見地為行不退漸教別具四不退未發大信前是理不退七住位不退初地行不退八
地念不退圓教方圓具四不退今大士多用理不退難也鄧近者事出莊子彼云郢人以
堊傅其鼻近石運斵成風去其堊而不傷鼻引此意近雖能運斵必藉郢人
動之質今淨名雖能彈非須彌勒能受也　文解者莊子云孔子謂顏回曰我
與汝終身交一臂而失之意言无常遷變念念相失授記者覺性真常无常无得
言授記別未悟之流也若中記而執著成得非真得記也未若悟陰體空无得為得
名真記也金剛去我於然燈佛所无有少法可得然燈佛與我授記者如
首楞嚴經說有四種授記一有未發心而與授記二密為授記三現前授記四无生授
記前有得記後一无得記今大士可前三之有得今契後一之无得捨於分別獲之見者
有進有得不得而取捨交馳析散異志皆分別獲之見非真見也不可以身得者方
便教中以相好之身為身得獲盡无生智為得獲諸教類然若究竟說者有相
之身非菩提有知之心非菩提未若即相无相即心无生二俱寂滅是菩提滅諸
相教諸相者生住異滅等四相也此下諸句皆即破而立也　玄軌起駕者玄軌萬行起
獨駕至菩提平義之處而不見乎義之相也　光嚴道場者林泉幽棲之處是可
跡之道場覺心即真是悟理之真場且一念妄心頓迷法界返妄得真萬行常淨斯
則了一心而萬行即真道也覺見一塵而法界圓淨場也豈結茅開地而為道場哉
智惠現見諸法妄識取相失真著為不名現見正智照理返為得真名現見也
一念智一切法者小乘以四諦殊理擇滅異品有苦可厭有惑可斷故卅四心成佛大乘
以一色一香无非中道一心一智俱合萬行故即一念而能知也此乃不思議之知　豈假卅四
心可思議知也言卅四心者出俱舍論謂如來菩提樹下魔軍退後以八智八忍斷見九无
导九解脫斷於欲故云卅四也理實於欲三界九地九品各有九无导九解脫即九九八十
一品无导八十一品解脫今各立一九者唯非想地亦下之八地有漏位中无以斷故

一念智一切法者小乘以四諦殊理擇滅異品有苦可斷有惑可斷故卅四心成仏大乘
以一色一香无非中道一心一智俱合万行故即一念而能知也此乃不思議之知 豈彼卅四
心可思議知也言卅四心者出俱舍論謂如来菩提樹下魔軍退後以八智八忍斷見九无
㝵九解脫斷修故云卅四也理實修惑三界九地九品各有九无㝵九解脫即九〻八十
一品无㝵八十一品解脫今各立一九者唯非想地下〻八地有漏位中先以斷故
持世住靜者此為諸方便教菩薩修定之方軌也然捨喧就靜似乖平等之
旨故淨名呵也 魔仏二界一如等 真者魔界者俗諦也 仏界者真諦也
方便菩薩未窮中道邊俗皆真緣俗妄照〻心往来為魔所入圓教菩薩圓照
中道真俗一如三諦等觀照无往来故魔不能入故仁王經云在有常修空〻
常万化也即其旨也 二觀修觀有出入〻間者此真修緣修出梁齊諸師所用
甚深妙也 故天台用之言緣修者智境異故境即真諦智即般若智緣真諦
漸發成聖此智外有境也言真修者智境一致真諦常淨即淨而照未嘗不淨未
常不照如〻意珠〻體圓淨光恒照真而且照塵垢恒祛故曰真修故方便菩薩境
外有智作意方照故有時而照有時不照未作意間魔所入也圓教菩薩
即境即智理照不二理恒體照觀无出入魔不入也 魔者四魔一天魔二煩惱
魔三陰魔四死魔今言魔者天魔也大經說常樂我淨魔无常无樂无我
无淨魔者此並煩惱魔也 大論云除諸法實相餘皆魔事即自中道之觀外
諸妄念皆魔事也 身命財修三堅法者謂身堅命堅財堅釋此三堅淺深有
四 一世間三堅者不害他身救病施食得身堅不斷他命施生〻然得命堅不盜他財
惠施无悋得財堅 二聲聞三堅精修无漏恒觀无常得五分法身无漏惠命七聖
法財无能損壞故云也 三方便教菩薩三堅真如法身金剛不壞般若惠命觀无
漸滅万善法財圓修无缺此菩薩三堅也 四圓覺三堅謂法性真常即寂滅恒照
万善功德即事而真〻此之三堅即一而三即三而一非三非一能三能一故大經云摩訶般若
解脫法身不縱不橫不一不異〻般若者惠命也解脫者法財也法身者真身也此之
謂究竟常住三堅也非法之物者女為壞道之緣持為菩提所忌故云也亦表方便
教菩薩未能之相會理故為淨名所訶沙門者舊云桑門此云功德勞言修道有
多勞又云勤勞言至誠也義名為息以得无漏生死休息亦云靜志也 俛仰者
俛低頭也仰者舉首也言閔默不已強自為之我已捨矣者明大士常住捨法與
足者女聞法〻足順魔頤之已也云何止於魔宮者弟子咨師理宜請誨也亦以无
盡燈門欲明来即法樂以自利者則无盡燈以化他足即二利行圓去来常益无
礙妙辯其在茲焉 四善得〻云善施者大士妙證何行不圓然隨門引物故各有所
差善得迹於事施无悋而未能窮施之源妙通万行故為淨名開以法施也〻蓋牙
為唱和豈日必然 設大施會者昔父母行邪祠法殺熟牛羊人等祀天求福善德

倪伍頭也作者舉首也言閔黙不已强自為之我已捨矣者明大士常住捨心法敷其
旦者女聞法之順應顧之也云何止於魔宮者弟子辞師理宜請誨也亦以无
盡燈門欲明來即法樂以自利者則无盡燈以化他是即二利行圓去來甚益无
礙妙辯其在前焉○善得云云善施者大士妙益何行不圓然隨門列物故各有所
菱善得迹於事施无惓而未能窮施之源妙通万行故為淨名開以法施也亦蓋有
為唱和宜曰必然　設大施會者昔父母行邪祠法親戚並事人等祀天求福善德
執跡居之迴邪祠為正施而未能即事入理行大法施故淨名因可以通之也如今小乘
明方便行六度行皆以不惜財寶不惜身命為六令度滿令大乘皆以六度之行与
實相之應同真際等法性住大悲敬一毫之善等施衆生同證菩提名法施圓滿也
故俱舍論欲云為由悲普施被折身无怨讚歎塵沙佛說无菩提此皆以不惜身命
為圓滿故也金剛云不住色布施乃至割截身體无我无人大般若云檀波羅蜜
清淨一切智之清淨无二无別乃至般若清淨亦然此皆以理契實相功濟含生稱
理行施隨根起順顯故名圓滿　令淨名可前事中六度令入深實相六度也
持正法起善心者此隨喜之善心亦法喜之喜以令彼我持法皆行隨喜心也亦以俱
持正法故同得法喜　大捨之万有者方便大士捨惡親名捨无量心圓頓大士捨万有
万名捨无量也亦以行之窮實未故云捨也　離身心相起精進者此有二解一云心求
道不惜身心亡身失命名精進与實相理合常住實相身心相空名真精進有相
心生即名懈怠故云以離身心相起也　問諸論皆云精進波羅蜜體以心所法善
中十申進數及取隨行三業為體乃至禪以捨患數及身口等隨行三業為六度體也
云度大躰未離五陰身心云何此中乃云精進之相離身心相耶也　答理不然也何者大乘
涅經須窮實相五陰名數佛以外道初計邪生故示陰界名數正曰緣之法引彼二乘
令除我見來何解釋涅妙仍壞偏小之見乎又佛為二乘說陰界入欲令悟法无我知有為
无常亦不欲令於數法多少執計為實亦若執為實去道逾緬復次大乘說陰界入皆
亦不欲存法何者法若定是五陰不應說十二入若定十二不應說十八界五六无定數當知數
非數陰界无定相當知相非相陰界无定名當知名无名故上文云法无形相如虛空故陰
无名字言語斷故此皆即相為无相即名為无名是即依經非有色受之想行識之求
非有界入之求為真求法若此而推豈可以陰界名數中而釋六度實體耶若真求者
應離身心相即實相中求也幸請學者熟詳其致哉　教化衆生起空等者
若依心小乘論明三之昧依四諦十六行差別釋者与此經文甚相違也若依大論大集中經明
三之昧緣四諦十六行摩訶衍經明三之昧同緣諸法實相者即与經文甚相符會何
者大乘四諦即无生四諦俱以苦集等无生為諦不以苦集而為諦也若苦集等无
生為諦之即實相緣之實相起三之昧即以小乘永異也而經文云教化起空等者實
相之照之權實智圓故即化而空在空常化空有不二權實雙照故云也　不捨有
為起无相者小乘滅諦滅相為无相大乘即相為无相即此无相名為實相故不捨有而

三〻昧緣四諦十六行摩訶衍經明三〻昧同緣諸法實相者即与經文甚相符會何
者大乘四諦即无生四諦俱以苦集等无生為諦不以苦集而為諦也 若苦集等无
生為諦〻即實相緣之實相起三〻昧即以小乘永息而經文出教化起空等者實
相之照權實智圓故即化而空在空常化空有不二權實雙照故云也 不捨有
為起无相者小乘滅諦滅相為无相大乘即相為无相即此无相名為實相故不捨有而
自无也 亦現受生而起无作者小乘以息諸求作名為无作大乘以體作无作故終日
作而不乖於无作此不思議實相之无作也乃至下不二法門品於一解脫門即三解脫門
皆同此通會理无違 正行善法起於淨命者言邪命者謂邪利活命若依行
之人執陰求善着見起於邪心求善故活思命皆邪命也若正觀中道即法性如真乃善
自圓一切德常淨即不取相求利以資神故云淨命解界生縛起於行地者法性常寂非
淺非深者皆引物方便起行次第此雖法性之外事而是起行之次位也又之真理非淺
深故无於行次位也以或是有為能縛解之即有次位也 知一切法不取不捨者而注
去造心分別者謂分別者謂分別相而无相方入實相之相即一相无相假名通物故名門也
施主等心者施仏敬深施貧悲厚以淳厚之慈悲崇重之誠敬俱棄壞生死到大井故云
等心福同相无所分別者諸相非相是如來身五陰皆空名貞士皆法住无二施報
俱六從此而施故无分別 文殊問疾品 上即室外三品破法析伏此下六
品立法攝受故勝鬘經云應析伏者而析伏之應攝受者而攝之以析伏攝受故令
正法久住此下品六經文大分略用四意通釋一明來意二明文殊獨堪問疾三釋所門
之疾四將二疾通經初來意有五 一為起時衆渴仰之心二明三觀攝受三扶成如來
淨土化四為入大品法花方便五為還仏与定祐赴衆渴仰者上諸王士庶弟子菩薩楊
淨名德智勝德大衆雖生渴仰未權見中若非文殊承旨問疾何以起彼信心知權
實二疾悟不思議解脫之深旨也 二明三觀攝受引入上來方便品訶王臣滞有之
心弟子品呵聲聞滞空之或菩薩品訶方便菩薩未圓之行若不文殊淨名對揚攝受如何
悟入圓妙之門所以文殊入室与淨名對揚宣一心三觀令悟究竟見不思議莫三〻道故
有此下品諸品來也 三為扶成如來淨土者若因文殊問疾聞不思議解脫之說魁依三
觀悟入不二自然淨識二土非垢非淨垢淨為物非真垢淨得法性之淨土也 四為入大品法花之林
流者三乘方便菩薩利根即座者皆得无生法忍鈍根之徒因二大士摯諸圓妙聲聞自傷
菩薩計淨衛雖至大品法花方便无生法忍聞仏知見乃至得常住妙果 五為還仏即定者若
因文殊對傷六品經文廣演權實二疾真應利物即得淨土聲聞衆歸圓讚揚即之辯仏事
之不同現妙善而利物成不思議解脫淨土之大益也 文殊獨堪問疾者其意乃多略出五
種 一者位高故堪文殊与諸菩薩雖同居等覺而初心後位亦有淺深故瓔珞經明住等
覺位百千万劫入重玄門是即諸人等覺初心故淺文殊淨名等覺後心位高故堪餘人位卑
故不堪也 二垂跡故堪者諸人多是實居等覺文殊淨名本是龍種金粟而
亦垂迹等覺諸人實居等覺不堪文殊則是垂跡故堪 三須圓者若大士大非此土可已聞上者

田文殊對揚方丈經文廣演權實二疾直應利物即淨淨發于衆歸國讃揚助之辨仏事
之不同現妙善而利物成不思議解脫淨土之大益也　文殊獨堪問疾者其意乃多略出三
種　一者位高故堪文殊与諸菩薩同居等覺見而初心後位亦有浅深故瓔珞經明住等
覺位百千万劫入重玄門是即諸人等覺見初心故浅文殊淨名等覺後心位高故堪餘人位卑
故不堪也　二垂跡故堪者諸人多是實居等等覺見文殊淨名本是龍種金粟而
跡居等覺見餘人實者不堪文殊同是垂跡故堪　三顯圓者諸大士本跡豈可定其位諸
菩薩仏多示方便教門故悲為淨名所折文殊淨名輔仏顯圓所顯既同故獨堪也
四物情所陋諸菩薩輔仏行化何得都不滯圓但化物緣浅敍往問疾衆情未愜文殊化物
緣深往問參多所尉故獨堪也　五機傷不同諸菩薩与淨名有稱之機如砧捉戍物文
殊与淨名和擊之機如兩捉戍物故文殊入室主乃為賓主遞相往復成就利物所益
良多　三明所問之疾者疾有二種一者實疾漏業為因二者權疾大悲所起淨名
能化非疾而疾故名權衆生所化感業所招名實故下文菩薩疾從大悲起此即權也
今我此疾皆從前世忘想顛倒諸煩惱生此即實也　釋此二疾即為二門初實
後權 於釋疾實略作三門一因果分別　二因果相錯　三輕重相對　初因果分別者
言因者即貪嗔癡等　分此四煩惱所起業果為因故經云皆從前世忘想顛倒諸
煩惱生又大經云貪嗔癡擾而疾因也言果疾者由彼漏因感得地水火風四大之身
生老病死五蘊陰苦之果相對者貪對水大經云愛水潤生二嗔對火大經云嗔燒
善根三癡對風大經云四倒暴風四等分對地大等分相即三毒等起地大忍但又瑞應
云貪欲致老嗔恚致病遇癡致死唯此義推等分對生故下文有生死即有病
二因果錯者六根乃撓貪嗔乎起則有八万四千煩惱之因病也四大各起乎相錯塵大
不調百一病惱四百四病乃至王病之果疾也　三輕重相對者吹常三毒兼循歸戒
故名為輕十惡四重五逆謗法此名增重輕因則感四大四苦人天之報名輕果也
三墮无間四大四苦增劇之處名重果也　第二明權疾者大經明五行謂聖行天行
梵行嬰兒行疾行此五前三自利後二利他是則同小善邊名嬰兒行同煩惱邊名
疾行大悲起嬰兒行大悲起病行故下文菩薩病者以大悲起　大經云菩薩住三歸三昧具
廿五三昧破廿五有衆生之病也廿五有三昧者大經云一垢三昧破地獄有不退三昧破畜
生有心樂三昧破廿五有衆生之病也廿五有三昧者大經云一垢三昧破地獄有不退三昧破
畜生有心樂三昧破餓鬼有歡喜三昧破阿修羅有如幻三昧破閻浮有日光三昧破東
弗婆提有月三昧破西拘耶尼有熱焰三昧破北鬱單有不動三昧破四天王有
難伏三昧破忉利有悅衆三昧破夜魔有青色三昧破兜率有黃色三昧破化樂有
赤色三昧破他化有白色三昧破初禪有種種三昧破梵王有雙三昧破二禪有雷音
三昧破三禪有注雨三昧破四禪有无導三昧破无想有照鏡三昧破那含有如虛空
三昧破空處有常三昧破識處有樂三昧破无所有處有我三昧破非想非非想處
有　四明權實二疾通釋此品及下五品經文通此品皆是各上是疾[illegible]

生有心樂三昧破廿五有衆生之病也廿五有三昧者大經云无垢三昧破獄地有不退三昧破
畜生有心樂三昧破餓鬼有歡喜三昧破脩羅有如幻三昧破閻浮有日光三昧破東
弗婆提有月光三昧破西拘耶尼有熱焰三昧破北鬱單有不動三昧破四天王有
難伏三昧破忉利有悦衆三昧破夜魔有青色三昧破兜率有黃色三昧破化樂有
赤色三昧破他化有白色三昧破初禪有種種三昧破梵王有雙三昧破二禪有雷音
三昧破三禪有注雨三昧破四禪有无㝵三昧破无想有照鏡三昧破那含有如虚空
三昧破空處有常三昧破識處有樂三昧破无所有處有我三昧破非想非非想處
有　四以權實二疾通釋此品及下五品經文通此品者從居士是疾何所因起已下至
衆生病從罪天起以其有病是故我病已來明淨名大悲權病利物方便從慰喻調
伏已下明外事慰喻内觀調伏為所化實疾文有三疾謂調伏文初以室調有疾二以无
所受而受諸受已下以大悲入假以有調空疾三非有非有已下以調未圓之行是即初空調
有破見思疾二以次有遣空破塵沙无知疾三以中道正觀遣无明住地之疾也
通下五品經文者以問疾品略明權實二疾始轉之後八千天子發菩提心其餘大士未即開
發故淨名文殊次下五品廣明二疾何者於不思議品廣大士權假大用名廣權疾也
觀衆生品廣明空佛道品廣明假不二法門香積品廣明中廣實疾也詞理寬廣
喻化良多其所證道得果而亦實故知六品經文詞理意懸言畢理符物明菩薩行
文殊師利此云妙德新日妙吉祥首楞嚴經下卷云昔已作佛號龍種上尊
淶往之情者謂歎尚淨名今同往諸人淶生信敬故曰淶也　空室者此毒淨土
之宗也釋迦持說佛國現土表於蓋中淨名示不乖宗空室顯於方丈故文殊問室
空所以若云諸佛國土亦復皆空復次昔者衆生迷故淨土變為三界法身變為天
魔外道淨名悲化亦不現今文殊入室談論群生悟則三界住空故空室表土變見
歸道故无侍表之淨名悲願亦現故現疾表之也　不來相而來報叙文殊嬈摩
羅什法師正玄文稿此首始悟前釋之傷本錄文之乖起至知以不來相來不見相為
相見未緣法為始神緣合法為正心諸如此比九品不有法師並正之復次從菴園故不
來而來見空室故不見而見復次百千大人滞有故空見五百聲聞沉空故不見菩薩中
故不見而見也　復次衆生迷生故見來迷死故見去既沒於生死來去莫能自返要
曰大士應物來去方悟於无來去耳又見无相理名可見取六塵相非真可見衆生昔
來妄著為見今殊入室必令衆生見无相之可見妄相倒見自然永斷更不可見也尋
可忍否者并自既无疾何有可忍不可忍既為衆生疾即衆生疾可忍并疾可忍衆生疾
不可忍并亦不可忍也若約衆生論疾辨忍可不忍者不隨八難生值佛法名為可忍
聞法受行名療有損一受不退名不增也又五逆斷善謗方等經不可攘除家
不可忍餘非耶定聚故可忍也亦可一切犯戒皆墮三惡是不可忍三皈五戒已知於善
報勝故可忍復次三界輪迴皆不可忍二乘出離是可忍也復次二乘半字滞彼化城
是不可忍大乘滿字方名可忍復次方便大乘未入圓妙名不可忍圓頓究竟見方名
可忍療治有損者此約衆生輪并損不損也大士以法藥療生有損不損應

BD02102號　淨名經關中釋抄卷下

不可忍其亦不可忍也若約衆生論疾雜忍可不忍者不墮八難生值佛法名爲可忍
聞法受行名療有損一受不退名不增也又五逆斷善謗方等經不可懺除家
不可忍餘非邪定聚故可忍也亦可一切犯戒皆墮三惡是不可忍三皈五戒已知脩善
報勝故可忍復次三界輪迴皆不可忍二乘出離是可忍也復次二乘半字滯彼化城
是不可忍大乘滿字方名可忍復次方便大乘未入圓妙名不可忍圓頓究竟方名
可忍療治有損者此亦約衆生輪并損不損也大士以法藥療生有損不損應
作四句料簡一根鈍遮重善根力微重業所郭縱施法藥療不可損鈍遮輕如
難特比丘誦一偈得羅漢果三根利遮重如鴦掘魔羅殺人見佛得四根利遮
輕如身子目連聞諦得道迦葉自性无欲等也此亦四種初人定不損二三人遇佛勝緣
得損不遇勝緣即不損也　第四人遇不遇皆損不至增乎者此亦以衆生病增不增
辨菩薩增不增如世人病有四種一者從得病漸增名增增二初重後愈名增損三初
損後增名損增四初輕後損名損損約此名明菩薩度生亦有四種一者增增如善星
調達等破法壞僧增增流也二初增後損者如鴦掘魔魔流初殺等業甚重後出家中
法獲悟甚勝三初損後增者如釋論云明一比丘循得四禪謂是四果臨終見生處謗
无并便墮地獄及諸爲法出家後滯名利執師謗法之徒名損增也四損損者即
身子等聖人是也　從癡有愛者有解癡見邪見迷理愛是貪真迷事此之二惑
攝一切惑生死衆病由此而生故言從生也　又云癡是无明過去因引生今身愛見
現在因引生未來身以此癡愛相續十二因緣輪迴不絕故名從生也　此明悲之始
不必就已爲言者有緣之悲即從發心起諸无緣之悲与法身同體是則即衆生癡
愛与法性同源无緣大悲共真如合體衆生始皆法性即名癡愛并返迷達性即
名大悲故今就悲體爲言不就并發心受稱故云也　六十二見者皆理起見故云見
言六十二者中論并品頌大滅後有无等有邊等常等　諸見依涅槃未來過去也
釋曰滅後有无等謂如來滅後有如來无如來亦有亦无如來非有无如來此四見依
并起神及世間有邊无邊等四見依未來世起及世間常无常等四見依過去世起
此三四十二見歷五陰起成六十見故文云何者是一果長行釋云何者身即是神（一義也是斷見也）
何者身異於神（異義也是常見也）　於六十見上如此根本斷常二見名六十二見大品經佛母品云神
及世間常是事實餘妄語乃至神及世間邊无邊皆如是執見名六十二見問云何
離六十二見即諸佛解脫答論頌云并之實際及世間際如是二際者无毫釐差
別論又頌云諸法不可得滅一切戲論无人亦无處佛亦无所論此即二際平等離諸
戲論名諸佛解脫　衆魔外道皆吾侍者魔著愛我也外道執見我也方便
教解愛爲禪定破見爲智慧此定慧順真名有侍也今圓妙教悟愛著即解脫
了邪見即正見既傳脫平等邪正无二故无侍也　慰喻等者恐新學并畏懼
生死退失大悲故安慰之若悟有爲无常苦等即不貪世間即不著世間即能成
積福惠既積自然生死不能患若能不畏生死大悲之行成矣又有罪累故生死

[illegible]
教解愛為禪定破見為智恵且定恵順真名有待也今圓妙教悟愛著即解脫
了耶見即正見既傳脫平等耶正无二故无待也　慰喻菩者怨新學菩畏懼
生死退失大悲故安慰之若悟有為无常苦等即不貪世間即不著世間即能充
積福恵既積自然生死不能患若能不畏生死大悲之行成矣又有罪累故生死
可畏若能一念發菩心一念随喜大衆即衆罪自滅何畏之有故寶積經云一念發心衆
罪消滅涅槃聞常住二字不墮悪趣法花聞經淨信常生仏前也　又恐彼受身非已
業繫故无累也又宿世長劫无益受生尚不辭勞今益衆生何患久有悲心受生
增福无量福積報勝何有畏我又理既如然即安而无憂无憂則道利日進道則
必作醫王果成則能普濟群品所望如且即生死之患不可畏焉　當起法相者　菩
外道計身為我不受仏化故佛權說蘊界處等令知蘊等法中實无有我既除我
見得二乘果二乘我見雖除不了如來權說蘊界執且為實名為法執故仏次於大乘
為說蘊界緣生生无自性令悟不生不滅法空觀也是即蘊處三法俱破我執也因成相
續相待三假俱破法執也空病亦空前我法二病執法定有為病悟法本妄即病
除也今第三執空之病乃是捨有之无執言成病若悟言假即有病自除故生之意以言
迹除之此是言迹似有非言實也復次佛以假名之空遣凡夫空有之有是則有既不
有空亦不空而惑者聞空不能遣而乃捨有執空故生云空以无病之有空可謂即有
而空且空无病捨有執空有空為病之可故大論云諸仏緣於空為欲破諸有若有得
空者諸佛所不化肇師亦云捨有趣之空其猶逃峯而赴壑俱不免患也
以无所受而受諸受者且是大士大悲入假化物即瓔珞經中第二從空假入觀也
前雖菩德云閑門一切諸惡趣門而生五道以現其身方便品中淨名居家婬室酒肆度下
佛道品明行非道為佛道皆是菩正悟无生三界六道二乘涅槃觀如夢幻絶其業因
故云无受大悲權迹同事受生故云而受三界六道二乘菩所受不一故云諸受
貪著禪味是菩傳者注云上界受生二乘取證皆由著禪者又解上界禪味前愛見
門攝此中言禪味唯取二乘住空三昧沉空滯寂所以為縛故勝鬘經云二乘持空三
昧亂醉般若无相酒斷之謂與以方便生者注云為物受生彼我无縛所以為解者
謂随禪受生則為繫縛以大智恵之生无生而方便現生方便名解也　有方便
恵解者且四句揀權實二智偏有即縛證圓方解開中以六住已下皆偏證未圓七
地已上二智圓證方解也亦可然矣又准仁王般若經登地已上二智即圓八地已上用而
常寂即地為縛登地為解又此四章前二章執化他行明方便後二章執自行明方便也
雖樂遠離而不依身心盡者謂二乘滅度化大夫身名身盡滅智論空名心盡
菩去身无身而身同六道真忘无心而智周万有故云不盡　雖行三界而不壞法性
者三界緣生生而无實即是法性而惑者六道受生隨形染著之形失理而言壞法性也
卅七品如前仏國品　行四无量不貪著生梵世者凡夫依根本定加修无量為
諸王也菩知如幻故不生著也　行禪定解脫者禪是色界四禪定是无色四空之三

帝釋即地為縛登地為解又此四章前二章說化他行明方便後二章說自行明方便也
雖樂遠離而不依身心盡者謂二乘滅度化大菩薩身名身盡滅智論空名心盡
菩薩身无身而身同六道真悲无心而智周可有故云不盡　雖行三界而不壞法性
者三界緣生生而无實即是法性而教者六道受生隨形染著著形失理而言壞法性也
卅七品如前仏國品　行四无量不貪著生梵世者凡夫依根本定加修无量為
諸梵王也菩薩知如約故不生著也　行禪定解脫者禪是色界四禪定是无色四空三三
昧者非空无相无願也乃是有覺有觀等三三昧謂有覺有觀初禪也无覺有
觀中間禪也无覺无觀二禪已去此三三昧凡夫隨禪受生非菩薩也若空无相等
三觀四諦理非受生法故不同也
不思議品　　我為法來非為床
座者身子意念言我從菴園本為法來非為床座而於其中忽然念床座非本心也
非有色受想行識之求者此一段文淨名示以法性无生故无法可求也復次文殊秦令五百
八千為法隨從析法之情既懸得著之心亦因此情懸執因所以前品雖略明三觀但德天
子發心而未能深悟无生法忍今將因念座欲顯不思議之大用故先遣滯法之心忘
彼求取之意諸來隨從自然息機會極遣封去滯迹即得法眼淨速能入不二法門
也陰界處等名數廣如林苑明也　无見苦求者四諦有二種小乘以見苦斷集證
滅脩道為四此苦實苦為諦乃至滅道亦然此之四諦即一真諦此乃名四而體一不同前
小乘名四而體四也故恩益云知苦无生名苦聖諦知集无合和名集聖諦以不二相觀
名道聖諦法本不然今則无滅名滅聖諦此大乘无生四諦也菩薩教經云仏說苦諦
真實是苦不可令異集真是因等此則即是小乘四諦也　又大涅槃經云凡夫有
苦无諦生衆想故二乘有苦有諦聲聞覺苦故菩薩解苦无苦而有真諦聲聞緣覺无真諦故故迦旃延章云五
受陰洞達空无所起是苦義此亦覺苦无生名苦義也下文有云依於諸法實相之義明宣无常苦
空非我此亦了苦不生名實相上來所列苦等无生者即无見苦求乃至无斷集求等　若言我
當見苦斷集證滅脩道者此即不了无生是非實相非真言論名戲論也由自者我
之論闍能或由返俞句論糧能此云計合應宗謂討度量合亦同此方譯也古聖王
百行也俱舍十六里餘經論或卅六十八十无定數也見應法師經音　此座高廣吾
不能昇者如來昔日鹿苑小乘生滅四諦十二緣斷三界九地或至非想第九解脫證
盡无生智生解脫床如來撫接二乘乃云我与汝等三又同坐解脫床此諸聲聞等不
了如來隨宜所說實謂如來同坐此解脫床故法花云佛說一解脫義我等亦同得此法
二乘既謂佛同坐豈能進求今將欲奪二乘解脫使知非真床令證不思議解脫之真
座然理不可頓悟必有漸故假燈王之床座曰遣權而會實也故法云華汝等但離虛
妄名為解脫其實未得一切解脫問解脫何故喻床答解脫以息故如床也　有神通
非不思議者二乘神通增小減大既未證大小之本一謂物有大小之定相故作通運用增
減於大小身既有作增減故見大小之形故名思議也菩薩智窮中道權實圓妙理窮大
小之形智窮體之用如朗鏡无心而受恩自顯真通不運而脩短自移此法身本有之

BD02102號　淨名經關中釋抄卷下

（18–16）

二乘既謂佛同生豈能進求今將欲奪二乘解脫使知非真求令證不思議解脫之真
座然理不可頓悟必有漸故假燈王之座迴遣權而會實也故法云幸汝等但離虛
妄名為解脫其實未得一切解脫問解脫何故稱座答解脫心息故如座也　有神通
非不思議者二乘神通增小減大既未證大小之本一謂物有大小之定相故作通運用增
減於大小可既有作增減故見大小之形故名思議也菩薩智窮中道權實圓妙理窮大
小之形智實體之用如朗鏡无心而妍惡自辨真通不運而脩短自彩此法身本有之
神通豈二乘約定運力有心之神通哉問二乘有心之通与菩薩本有之通何別答懸殊二乘
於有為報得身心上假定力以現通心運即有心云即无菩薩達法性體用相圓法性
常用為生滅法性本有用豈循成復以寂而常用之而常寂理无異身之用亦无離用
之體既其即身即用豈有心於運用哉此菩薩法性之通豈二乘定力之通　我等何為
絕其根者昔聞隨宜所說謂与佛生同解脫未今聞別聞有解脫名可思議量已外
用之不如亦當內證之非實又推大士之行數越三祇我今斷結生涯甚近既无進脩之
大故致永絕之哀又當證已不与佛同即名轉酪成生蘇教（花嚴教二乘不並名乳即當轉乳成至如轉乳為酪昔為三乘同證）
第九解脫今乃知仏不同按其取小名生蘇若至菩薩仏令聲聞為轉菩薩教既教許傳人未蒙記　又以聲
會教不會人為熟蘇若至法花菩薩教昔已傳人今授記即醍醐教也
聞執佛同解脫果理不進求故此經偏折解脫不同遂壞絕之歎若至法花菩薩開一
毫之善理至佛果一地所生一雨所潤一切眾生皆有佛性凡有心者咸皆作佛即自悔昔心折
其同悟仏子所應得者我名得之何哀歎之有且理妙根麁教不可頓故令一音之教有
不同之教解而諸師未能深取經旨而聞絕之言便去定性二乘永无佛性此蓋未深
喻至人推實之說　凡夫下劣不能如是逼迫菩薩者凡夫者凡夫人也下劣者二乘及地
前菩薩名下劣為人也故无垢稱經云凡夫劣為位非其所堪也　觀眾生品
眾生者大論云眾緣生故名為眾生（无緣生无自性釋也）即餘經文　般若燈論云數生故名為眾生
補特伽羅翻名數趣取釋同此也（此受生死自性釋也）大品經云无有法可名眾生但假名故号
為眾生（即空无自性釋也）此上經論三釋言異理同雖舉有為眾生之名乃是返悟无生之教
諸譯言有情即似定有眾生然於揀異无情之門似精於致教悟理之門非无
小失幸諸達者深詳仏旨焉　第五大等者前四大實有故不該為喻第五大
本无故喻眾生本无生也第六陰第准釋亦然餘經云第二頭第三手龜毛角
皆同此喻本无生也行寂滅慈者菩薩觀眾生空入无生觀已還為眾生說是无生
觀門令彼眾生得无生忍即是与眾生无生忍樂故名慈也下寂滅慈等諸名
雖異體只是一令悟无生忍即此忍上曆依義建立諸名也何者只令生悟无生
即寂滅煩惱不生即不熱三世无生即名等无生即无起故无諍法无生故內外
不合即不二无生无失故不壞无生信固故无毀无生不染故即性淨无生本无
如空无生破結名阿羅漢无生即至安人故名菩薩无生即真如相无去来故名如来
覺法无生名佛慈无生理常非因緣生故自然无生无是非故菩提一味无生絕
侍故无比无生大乘救大苦故名大悲无生離彼我故无厭折令悟无生即万行

即寂滅煩惱不生即不熱三世无生即名等无生即无起故无滅法无生故由外
不令即不二无生无失故不壞无生信固故无毀无生不染故即性淨无生本无於
如空无生破結名阿羅漢无生即至安人故名菩无生即真如相无去来故名如来
覺法无生名佛慈无生理常非因緣生故自然无生无是非故菩提一味无生絶
待故无訟无生大乘救大苦故名大悲无生離彼我故无歎忻令悟无生即万行
並施名无揩无生毀禁罪滅悟无生故忘彼我无生能忘懈怠故名精進无生
即定味不生无生即二智並明故知時无生即能應物現生故亦現无生即二邊
見破故直心无隱无生即深入一相故不離无生真觀故不假无生即究竟涅槃
故佛樂可謂一念无生万行斯備一行一切行一惑一切惑故大品云般若雖空一忘具
足万行即其事也　室有一天女者前淨名方丈一室多座此室何以空諸佛
國主忽復皆空即知淨名方丈非寬非狹應物受生示寬狹示令天女法身菩
非女而現女身以表淨名非界現界也故下文云天女得无生忍以本願故隨意現
復次衆生空如第五大菩薩諸聽衆未知何以故空故曰天女現身爲示女身无
相也見華无所分別者天女法身菩薩觀華无相不見著身爲把離身爲持
故云是華无所分別仁者自生分別者身子小乘不了華性无生乃見著身爲
把截隨身爲持相也　已離一切分別想者五陰性空不見著著爲把離之爲
持也於華既亦空惠亦然小乘入空爲空出爲亂大乘空亂一相亦无分別也又小乘入
觀緣真名惠出觀緣俗非惠大乘觀真俗不二即心无生名惠故无異緣分別
結習未盡者聲聞餘或對小乘教言正使已斷但餘習氣若對大乘聲聞所
餘煩惱真是結使非習氣也何以知之故法華經云二乘但出火宅露地而坐未
登寶乘去道尚遠昔三界本苦妄謂爲樂今離虛妄名爲解脫若教菩薩心能行
十住乃至妙覺方云白牛寶乘始名一切解脫故知聲聞中已斷之惑但是離妄非斷
正結若得菩薩一切解脫方始斷正使示仁王忽云從習忍至頂三昧皆名爲伏一切煩
惱唯佛頓解不名爲信漸漸伏者唯此十地灌頂尚云是伏二乘斷惑豈正使所餘習
氣乎將以如來方便抑遠令近故說所斷爲所使未斷者習理實所斷虛妄其
惑甚微未斷无相其累未重故名結也　解脫者无所言說者小乘解脫離俗
證真故證者亡言大乘即俗而真即言无言故文字言說皆解脫相也　增上慢
者有七慢此數也一慢於劣計勝或等計等二過慢於等計勝三慢過慢於勝計勝
四我慢於五取陰執我五增上慢无漏勝法名增上未得爲得六卑慢於多分
殊勝計己少分下劣七邪慢謂實无德計有德故今聲聞解脫非是諸佛解脫計

穰得求長壽得長壽求富饒得富饒求安隱
得安隱求男女得男女求官位得官位若命
過以後欲生妙樂天上者亦當礼敬藥師瑠
璃光佛至真等正覺若欲上生卅三天者亦
當礼敬藥師瑠璃光佛必得往生若欲興明
師世世相值者亦當礼敬藥師瑠璃光佛
佛告文殊師利若欲生十方妙樂國土者亦
當礼敬藥師瑠璃光佛欲得生兜率天上見
弥勒者亦當礼敬藥師瑠璃光佛若欲遠諸
邪道者亦當礼敬藥師瑠璃光佛若夜惡夢
烏鳴百怪蜚尸邪忤魍魎鬼神之所嬈者亦
當礼敬藥師瑠璃光佛若為水火所焚漂者
亦當礼敬藥師瑠璃光佛若入山谷為虎狼
熊羆蒺蔾諸狩蚖蛇蝮蝎種種雜類若
有惡心来相向者心當存念藥師瑠璃光佛
山中諸難不能為害若他方怨賊偷竊惡人
怨家債主欲来侵陵心當存念藥師瑠璃光
佛則不為害以善男子善女人礼敬藥師瑠
璃光如来功德所致華報如是况果報也是
故吾今勸諸四輩礼事藥師瑠璃光佛至真
等正覺
[illegible]

BD02103 號　灌頂章句拔除過罪生死得度經　（10–1）

怨家債主欲来侵陵心當存念藥師瑠璃光
佛則不為害以善男子善女人礼敬藥師瑠
璃光如来功德所致華報如是况果報也是
故吾今勸諸四輩礼事藥師瑠璃光佛至真
等正覺
佛告文殊師利我但為汝略說藥師瑠璃光
佛礼敬功德若使我廣說是藥師瑠璃光佛
无量功德與一切人求心中所願者從一劫
至一劫故不周遍其世間人若有著床疲黃
困篤惡病連年累月不差者聞我說是藥師
瑠璃光佛名字之時橫病之厄无不除愈唯
除宿殃不請耳
佛告文殊師利若有善男子善女人受三自
歸若五戒若十戒若善信菩薩廿四戒若沙
門二百五十戒若比丘尼五百戒若菩薩戒
若破是諸戒若能至心一懺悔者復聞我說
藥師瑠璃光佛終不墮三惡道中必得解脫
若人愚癡不受父母師友教誨不信佛不信
經戒不信聖僧應墮三惡道中者云失人種
受畜生身聞我說是藥師瑠璃光佛善願功
德者即得解脫
佛告文殊師利世有惡人雖受佛禁戒觸事
違犯或煞无道偷竊他人財寶欺詐妄語婬
他婦女飲酒鬪乱兩舌惡口罵詈毀人犯戒
為惡復祠祀鬼神有如是過罪當墮地獄中
若當屠割若抱銅柱若鐵鈎出舌若洋銅灌

BD02103 號　灌頂章句拔除過罪生死得度經　（10–2）

違犯或煞无道偷竊他人財寶欺詐妄語婬
他婦女飲酒闘乱兩舌惡口罵詈毀人犯戒
為惡復祠祀鬼神有如是過罪當墮地獄中
若當屠割若抱銅柱若鐵鉤出舌若洋銅灌
口者聞我說是藥師瑠璃光佛无不即得解
脫者也
佛告文殊師利其世間人豪貴下賤不信佛
不信經道不信沙門不信有須陁洹不信有
斯陁含不信有阿那含不信有阿羅漢不信
有辟支佛不信有十住菩薩不信有三世之
事不信有十方諸佛不信有本師釋迦文佛
不信人死神明更生善者受福惡者受殃有
如是之罪應墮三惡道中聞我說是藥師瑠
璃光佛名字之者一切過罪自然消滅
佛告文殊師利若有善男子善女人聞我說
是藥師瑠璃光佛至真等正覺其誰不發无
上正真道意後皆當得作佛人居世間仕官
不遷治生不得飢寒困厄亡失財產无復方
計聞我說是藥師瑠璃光佛各各得心中所
願仕官皆得高遷財物自然長益飲食充饒
皆得富貴若為縣官之所拘錄惡人侵枉若
為怨家所得便者心當存念藥師瑠璃光佛
若他婦女產生難者皆當存念藥師瑠璃光
佛則　易生身體平正无諸疾痛六情完具
聰明智慧壽命得長不遭枉橫善神擁護不
為惡鬼舐其頭也

若他婦女產生難者皆當存念藥師瑠璃光
佛則　易生身體平正无諸疾痛六情完具
聰明智慧壽命得長不遭枉橫善神擁護不
為惡鬼舐其頭也
佛說是語時阿難在右邊佛顧語阿難言汝
信我為文殊師利說往昔東方過十恒河沙
世界有佛名藥師瑠璃光本願功德者不阿
難白佛言唯天中天佛之所言何敢不信邪
佛復語阿難言世間人雖有眼耳鼻舌身意
人常用是六事以自迷惑但信世間魔耶之
言不信至真至誠度世苦切之語如是人輩
難可開化阿難白佛言世尊世人多有惡逆
下賤之者若聞佛說是經開人耳目破治人
病除人陰冥使觀光明解人疑結去人重罪
千劫万劫无復憂患皆因佛說是藥師瑠璃
光本願功德悉令安隱得其福也
佛言阿難汝口為言善而汝內心狐疑不信
我言阿難汝莫作是念以自毀敗佛言阿難
我見汝心我知汝意汝知之不阿難即以頭
面著地長跪白佛言審如天中天所說我造
次聞佛說是藥師瑠璃光極大尊貴智慧巍
巍難可度量我心有小疑耳敢不首伏佛言
汝智慧狹劣少見少聞汝聞我說深妙之法
无上空義應生信敬貴重之心必當得至无
上正真道也
文殊師利問佛言世尊佛說是藥師瑠璃光

汝智慧挾劣少見少聞汝聞我說深妙之法
无上空義應生信敬貴重之心必當得至无
上正真道也
文殊師利問佛言世尊佛說是藥師瑠璃光
如來无量功德如是不審誰肯信此言者佛
荅文殊師利言唯有百億諸菩薩摩訶薩當
信是言耳唯有十方三世諸佛當信是言
佛言我說是藥師瑠璃光如來本願功德難
可得見何況得聞亦難得說亦難得書寫亦
難得讀文殊師利若有善男子善女人能信
是經受持讀誦書著竹帛復能為他人解說
中義此皆先世以發道意今復得聞此微妙
法開化十方无量衆生當知此人必當得至
无上正真道也
佛告阿難我作佛以來從生死復至生死勤
苦累劫无所不逕无所不歷无所不作无所
不為如是不可思議況復藥師瑠璃光佛本
願功德者乎汝所以有疑者亦復如是阿難
汝聞佛所說汝諦信之莫作疑惑佛語至誠
无有虛僞亦无二言佛為信者施不為疑者
說阿難汝莫作小疑以毀大乘之業汝却後
亦當發摩訶衍心莫以小道毀汝功德阿難
白佛言唯天中天我今日以去无復命心唯
佛自當知我心耳
佛語阿難此經能照諸天宮殿若三灾起時
中有天人發心念此藥師瑠璃光佛本願功

BD02103號　灌頂章句拔除過罪生死得度經　（10–5）

白佛言唯天中天我今日以去无復命心唯
佛自當知我心耳
佛語阿難此經能照諸天宮殿若三灾起時
中有天人發心念此藥師瑠璃光佛本願功
德經者皆得離於彼處之難是經能除水涸
不調是經能除他方逆賊悉令消滅四方夷
狄各還正治不相嬈惱國土交通人民歡喜
是經能除穀貴飢凍是經能滅惡星變怪是
經能除疫毒之病是經能救三惡道苦地獄
餓鬼畜生等苦若人得聞此經典者无不解
脫厄難者也
尒時衆中有一菩薩名曰救脫從坐而起整
衣服叉手合掌而白佛言我等今日聞佛世
尊演說過去東方十恒河沙世界有佛号藥
師瑠璃光佛一切衆會靡不歡喜救脫菩薩
又白佛言若族姓男女其有危羸著床痛惱
无救護者我今當勸請諸衆僧七日七夜齋
戒一心受持八禁六時行道卌九遍讀是經
典勸然七層之燈亦勸懸五色雜綵續命神
幡阿難問救脫菩薩言續命幡燈法則云何
救脫菩薩語阿難言神幡五色卌九尺燈亦
復命七層之燈一層七燈燈如車輪若遭厄
難閉在牢獄枷鏁著身亦應造立五色神幡
然卌九燈應放雜類衆生至卌九可得過度
危厄之難不為諸橫惡鬼所持
救脫菩薩語阿難言若天王大臣及諸輔相

BD02103號　灌頂章句拔除過罪生死得度經　（10–6）

然卅九燈應放雜類衆生至卅九可得過度
厄厄之難不爲諸橫惡鬼所持
救脫菩薩語阿難言若天王大臣及諸輔相
王子妃主中宮綵女若爲病苦所惱亦應造
五五色繒幡然燈續明救諸生命散雜色華
燒衆名香王當放赦屆厄之人徒鏁解脫王
得其福天下太平雨澤以時人民歡樂惡龍
攝毒无病苦者四方夷狄不生逆害國主通
同慈心相向无諸怨害四海歌詠稱王之德
乘此福祿在意所生見佛聞法信受教誨從
是福報至无上道
阿難又問救脫菩薩言命可續也救脫菩薩
荅阿難言我聞世尊說有諸橫勸造幡蓋令
其脩福又言阿難昔沙弥救蟻已脩福故盡
其壽命不更苦患身體安寧福德力狸使之
然也阿難因復問救脫菩薩言橫有幾種世
尊說言橫乃无數略而言之大橫有九一者
橫病二者橫有口舌三者橫遭縣官四者身
羸无福又持戒不完橫爲鬼神之所得便五
者橫爲劫賊所剥六者橫爲水火焚漂七者
橫爲雜類禽獸所噉八者橫爲怨讎符書厭
禱邪神牽引未得其福但受其殃先亡牽引
亦名橫死九者有病不治又不脩福湯藥不
慎針灸失度不值良醫爲病所困於是滅亡
又信世間妖蘗之師爲作恐動寒熱言語妄
發禍福所犯者多心不自正不能自定卜問

BD02103號　灌頂章句拔除過罪生死得度經　（10–7）

亦名橫死九者有病不治又不脩福湯藥不
慎針灸失度不值良醫爲病所困於是滅亡
又信世間妖蘗之師爲作恐動寒熱言語妄
發禍福所犯者多心不自正不能自定卜問
覓禍煞豬狗牛羊種種衆生解奏神明呼諸
邪妖魍魎鬼神請乞福祚欲望長生終不能
得愚癡迷惑信邪倒見死入地獄展轉其中
无解脫時是名九橫
救脫菩薩語阿難言其世間人痿黃之病困
篤著床求生不得求死不得考楚万端此病
人者或其前世造作惡業罪過所招殃咎所
引故使然也救脫菩薩語阿難言閻羅王者
主領世間名籍之記若人爲惡作諸非法无
孝順心造作五逆破滅三寶无君臣法又有
衆生不持五戒不信正法設有受者多所毀
犯於是地下鬼神及伺候者奏上伍官伍官
料簡除死定生或注録精神未判是非若已
定者奏上閻羅閻羅監察隨罪輕重考而治
之世間痿黃之病困篤不死一絕一生猶其
罪福未得料簡録其精神在彼王所或七日
五三七日乃至七七日名籍定者放其精神
還其身中如從夢中見其善惡其人若明了
者信驗罪福是故我今勸諸四輩造續命神
幡然卌九燈放諸生命以此幡燈放生功德
拔彼精神令得度苦令世後世不遭厄難
救脫菩薩語阿難言如來世尊說是經典威

BD02103號　灌頂章句拔除過罪生死得度經　（10–8）

者信驗罪福是故我今勸諸四輩造續命神
幡然卌九燈放諸生命以此幡燈放生功德
拔彼精神令得度厄令世後世不遭厄難
救脫菩薩語阿難言如來世尊說是經典威
神功德利益不少生中諸鬼神有十二神王
從坐而起往到佛所䠒跪合掌白佛言我等
十二鬼神在所作護若城邑聚落空閑林中
若四輩弟子誦持此經令所結願无求不得
阿難問言其名云何為我說之救脫菩薩言
灌頂章句其名如是
神名金毗羅　神名和耆羅　神名安陁羅　神名摩尼羅
神名宋林羅　神名弥佉羅　神名因持羅　神名婆邪羅
神名摩休羅　神名真陁羅　神名照頭羅　神名毗伽羅
救脫菩薩語阿難言此諸鬼神別有七千以
為眷屬皆悉叉手低頭聽佛世尊說是藥師
瑠璃光如來本願功德莫不一時捨鬼神形
得受人身長得度脫无衆惱患若人疾急厄
難之日當以五色縷結其名字得如願已然
後解結令人得福灌頂章句法應如是
佛說是經時比丘僧八千人諸菩薩三万六
千人俱諸天龍鬼神八部大王无不歡喜阿
難從坐而起前白佛言演說此法當何名之
佛言此經凡有三名一名藥師瑠璃光本願
功德二名灌頂章句十二神王結願神呪三
名拔除過罪生死得度經佛說經竟大衆人
民作礼奉行

BD02103號　灌頂章句拔除過罪生死得度經　（10–9）

後解結令人得福灌頂章句法應如是
佛說是經時比丘僧八千人諸菩薩三万六
千人俱諸天龍鬼神八部大王无不歡喜阿
難從坐而起前白佛言演說此法當何名之
佛言此經凡有三名一名藥師瑠璃光本願
功德二名灌頂章句十二神王結願神呪三
名拔除過罪生死得度經佛說經竟大衆人
民作礼奉行

佛說藥師瑠璃光經一卷

BD02103號　灌頂章句拔除過罪生死得度經　（10–10）

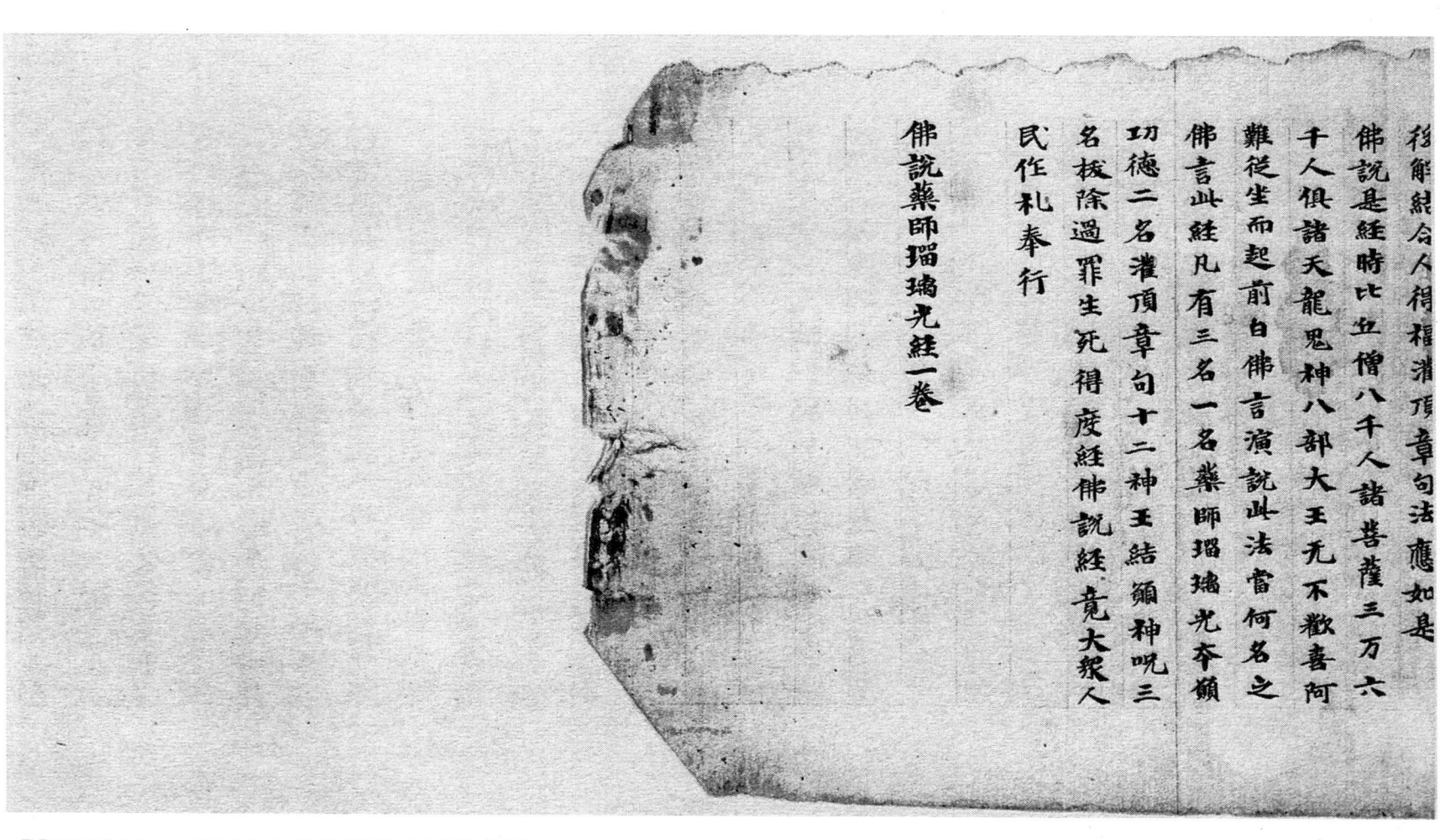

大般若波羅蜜多經卷第二百九十三
初分說般若相品第卅七之二　三藏法師玄奘奉　詔譯
證布施波羅蜜多畢竟淨法說布施波羅蜜多
畢竟淨法證淨戒安忍精進靜慮般若波羅
蜜多畢竟淨法說淨戒安忍精進靜慮般
若波羅蜜多畢竟淨法證內空畢竟淨法說
內空畢竟淨法證外空內外空空空大空勝
義空有為空無為空畢竟空無際空散空無變
異空本性空自相空共相空一切法空不可
得空無性空自性空無性自性空畢竟淨
法說外空內外空空空大空勝義空有為
空無為空畢竟空無際空散空無變異空本性
空自相空共相空一切法空不可得空無性空
自性空無性自性空畢竟淨法證真如畢
竟淨法說真如畢竟淨法證法界法性不虛
妄性不變異性平等性離生性法定法住實
際虛空界不思議界畢竟淨法說法界法性
不虛妄性不變異性平等性離生性法定法
住實際虛空界不思議界畢竟淨法證苦聖
諦畢竟淨法說苦聖諦畢竟淨法證集滅道

BD02104號　大般若波羅蜜多經卷二九三　（2–1）

內空畢竟淨法證外空內外空空空大空勝
義空有為空無為空畢竟空無際空散空無變
異空本性空自相空共相空一切法空不可
得空無性空自性空無性自性空畢竟淨
法說外空內外空空空大空勝義空有為
空無為空畢竟空無際空散空無變異空本性
空自相空共相空一切法空不可得空無性空
自性空無性自性空畢竟淨法證真如畢
竟淨法說真如畢竟淨法證法界法性不虛
妄性不變異性平等性離生性法定法住實
際虛空界不思議界畢竟淨法說法界法性
不虛妄性不變異性平等性離生性法定法
住實際虛空界不思議界畢竟淨法證苦聖
諦畢竟淨法說苦聖諦畢竟淨法證集滅道
聖諦畢竟淨法說集滅道聖諦畢竟淨法證
四靜慮畢竟淨法說四靜慮畢竟淨法證四
無量四無色定畢竟淨法說四無量四無色定
畢竟淨法證八解脫畢竟淨法說八解脫
畢竟淨法證八勝處九次第定十遍處畢竟
淨法說八勝處九次第定十遍處畢竟淨法

BD02104號　大般若波羅蜜多經卷二九三　（2–2）

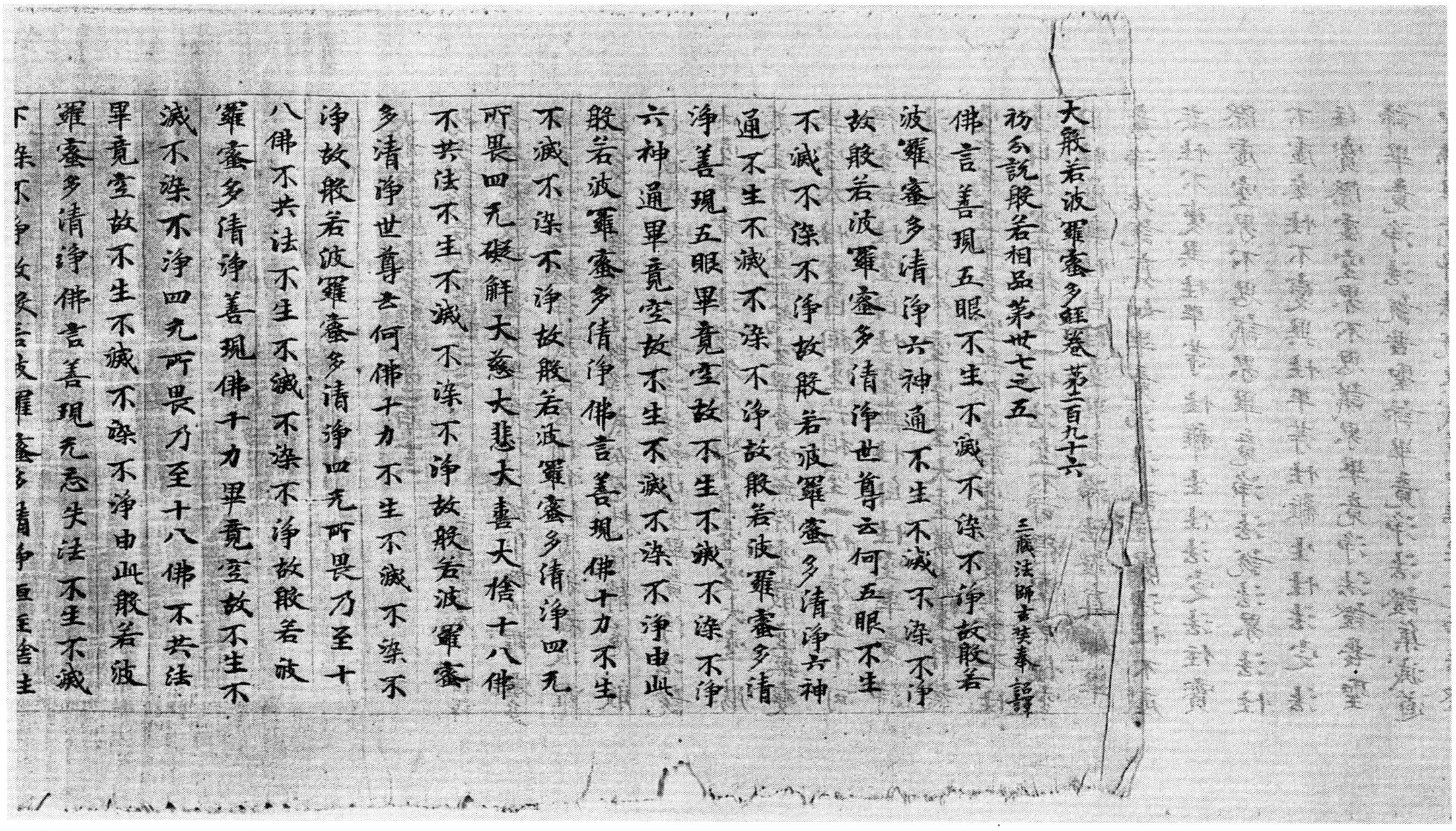

大般若波羅蜜多經卷第二百九十六
三藏法師玄奘奉　詔譯
初分說般若相品第卅七之五
佛言善現五眼不生不滅不染不淨故般若
波羅蜜多清淨六神通不生不滅不染不淨
故般若波羅蜜多清淨世尊云何五眼不生
不滅不染不淨故般若波羅蜜多清淨六神
通不生不滅不染不淨故般若波羅蜜多清
淨善現五眼畢竟空故不生不滅不染不淨
六神通畢竟空故不生不滅不染不淨由此
般若波羅蜜多清淨佛言善現佛十力不生
不滅不染不淨故般若波羅蜜多清淨四无
所畏四无礙解大慈大悲大喜大捨十八佛
不共法不生不滅不染不淨故般若波羅蜜
多清淨世尊云何佛十力不生不滅不染不
淨故般若波羅蜜多清淨四无所畏乃至十
八佛不共法不生不滅不染不淨故般若波
羅蜜多清淨善現佛十力畢竟空故不生不
滅不染不淨四无所畏乃至十八佛不共法
畢竟空故不生不滅不染不淨由此般若波
羅蜜多清淨佛言善現无忘失法不生不滅
不染不淨故般若波羅蜜多清淨恒住捨性不生不滅

BD02105號　大般若波羅蜜多經卷二九六　（2–1）

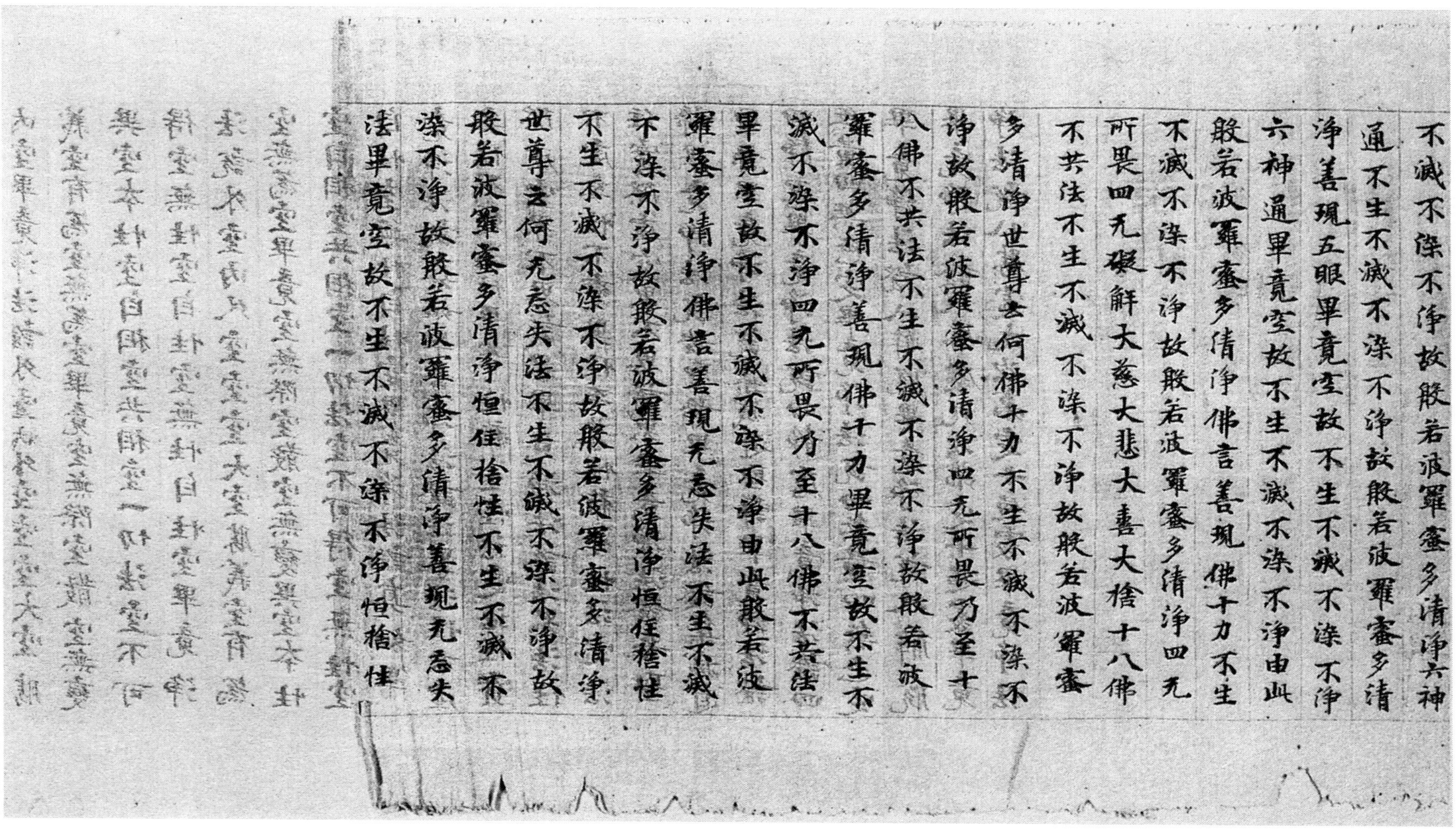

不滅不染不淨故般若波羅蜜多清淨六神
通不生不滅不染不淨故般若波羅蜜多清
淨善現五眼畢竟空故不生不滅不染不淨
六神通畢竟空故不生不滅不染不淨由此
般若波羅蜜多清淨佛言善現佛十力不生
不滅不染不淨故般若波羅蜜多清淨四无
所畏四无礙解大慈大悲大喜大捨十八佛
不共法不生不滅不染不淨故般若波羅蜜
多清淨世尊云何佛十力不生不滅不染不
淨故般若波羅蜜多清淨四无所畏乃至十
八佛不共法不生不滅不染不淨故般若波
羅蜜多清淨善現佛十力畢竟空故不生不
滅不染不淨四无所畏乃至十八佛不共法
畢竟空故不生不滅不染不淨由此般若波
羅蜜多清淨佛言善現无忘失法不生不滅
不染不淨故般若波羅蜜多清淨恒住捨性
不生不滅不染不淨故般若波羅蜜多清淨
世尊云何无忘失法不生不滅不染不淨故
般若波羅蜜多清淨恒住捨性不生不滅不
染不淨故般若波羅蜜多清淨善現无忘失
法畢竟空故不生不滅不染不淨恒住捨性

BD02105號　大般若波羅蜜多經卷二九六　（2–2）

有法名阿羅漢世尊若阿羅漢作是念我
得阿羅漢道即為著我人衆生壽者世尊佛
說我得无諍三昧人中最為第一是第一離
欲阿羅漢我不作是念我是離欲阿羅漢世
尊我若作是念我得阿羅漢道世尊則不
說須菩提是樂阿蘭那行者以須菩提實无所
行而名須菩提是樂阿蘭那行
佛告須菩提於意云何如來昔在然燈佛所
於法有所得不世尊如來在然燈佛所於法
實无所得
須菩提於意云何菩薩莊嚴佛土不不也世
尊何以故莊嚴佛土者則非莊嚴是名莊嚴
是故須菩提諸菩薩摩訶薩應如是生清淨
心不應住色生心不應住聲香味觸法生心應
无所住而生其心須菩提譬如有人身如須
弥山王於意云何是身為大不須菩提言甚
大世尊何以故佛說非身是名大身
須菩提如恒河中所有沙數如是沙等恒河於
意云何是諸恒河沙寧為多不須菩提言甚
多世尊但諸恒河尚多无數何況其沙須菩提
我今實言告汝若有善男子善女人以七寶
滿尒所恒河沙數三千大千世界以用布施得
福多不須菩提言甚多世尊佛告須菩提若

BD02106號　金剛般若波羅蜜經　（6–1）

須菩提如恒河中所有沙數如是沙等恒河於
意云何是諸恒河沙寧為多不須菩提言甚
多世尊但諸恒河尚多无數何況其沙須菩提
我今實言告汝若有善男子善女人以七寶
滿尒所恒河沙數三千大千世界以用布施得
福多不須菩提言甚多世尊佛告須菩提若
善男子善女人於此經中乃至受持四句
偈等為他人說而此福德勝前福德
復次須菩提隨說是經乃至四句偈等當知
此處一切世間天人阿脩羅皆應供養如佛
塔廟何況有人盡能受持讀誦須菩提當知
是人成就最上第一希有之法若是經典所
在之處則為有佛若尊重弟子
尒時須菩提白佛言世尊當何名此經我等
云何奉持佛告須菩提是經名為金剛般若
波羅蜜以是名字汝當奉持所以者何須菩
提佛說般若波羅蜜則非般若波羅蜜須菩
提於意云何如來有所說法不須菩提白佛
言世尊如來无所說須菩提於意云何三千
大千世界所有微塵是為多不須菩提言甚
多世尊須菩提諸微塵如來說非微塵是名
微塵如來說世界非世界是名世界須菩提
於意云何可以三十二相見如來不不也世尊
不可以三十二相得見如來何以故如來說三
十二相即是非相是名三十二相
須菩提若有善男子善女人以恒河沙等身

BD02106號　金剛般若波羅蜜經　（6–2）

大千世界所有微塵是為多不須菩提言甚
多世尊須菩提諸微塵如來說非微塵是名
微塵如來說世界非世界是名世界須菩提
於意云何可以三十二相見如來不不也世尊
不可以三十二相得見如來何以故如來說三
十二相即是非相是名三十二相
須菩提若有善男子善女人以恒河沙等身
命布施若復有人於此經中乃至受持四句
偈等為他人說其福甚多
尒時須菩提聞說是經深解義趣涕淚悲泣
而白佛言希有世尊佛說如是甚深經典我
從昔來所得慧眼未曾得聞如是之經世尊
若復有人得聞是經信心清淨則生實相當
知是人成就第一希有功德世尊是實相者
則是非相是故如來說名實相世尊我今得
聞如是經典信解受持不足為難若當來世
後五百歲其有衆生得聞是經信解受持是
人則為第一希有何以故此人无我相人相
衆生相壽者相所以者何我相即是非相人
相衆生相壽者相即是非相何以故離一切
諸相則名諸佛佛告須菩提如是如是若復
有人得聞是經不驚不怖不畏當知是人甚
為希有何以故須菩提如來說第一波羅蜜
非第一波羅蜜是名第一波羅蜜
須菩提忍辱波羅蜜如來說非忍辱波羅蜜
何以故須菩提如我昔為歌利王割截身體
我於尒時无我相无人相无衆生相无壽者

非第一波羅蜜是名第一波羅蜜
須菩提忍辱波羅蜜如來說非忍辱波羅蜜
何以故須菩提如我昔為歌利王割截身體
我於尒時无我相无人相无衆生相无壽者
相何以故我於往昔節節支解時若有我相
人相衆生相壽者相應生瞋恨須菩提又念
過去於五百世作忍辱仙人於尒所世无我
相无人相无衆生相无壽者相是故須菩提
菩薩應離一切相發阿耨多羅三藐三菩提
心不應住色生心不應住聲香味觸法生心
應生无所住心若心有住則為非住是故佛
說菩薩心不應住色布施須菩提菩薩為利
益一切衆生應如是布施如來說一切諸相
即是非相又說一切衆生則非衆生須菩提
如來是真語者實語者如語者不誑語者不
異語者須菩提如來所得法此法无實无虛
須菩提若菩薩心住於法而行布施如人入
闇則无所見若菩薩心不住法而行布施如
人有目日光明照見種種色
須菩提當來之世若有善男子善女人能於此
經受持讀誦則為如來以佛智慧悉知是人
悉見是人皆得成就无量无邊功德
須菩提若有善男子善女人初日分以恒河
沙等身布施中日分復以恒河沙等身布施
後日分亦以恒河沙等身布施如是无量百
千万億劫以身布施若復有人聞此經典信

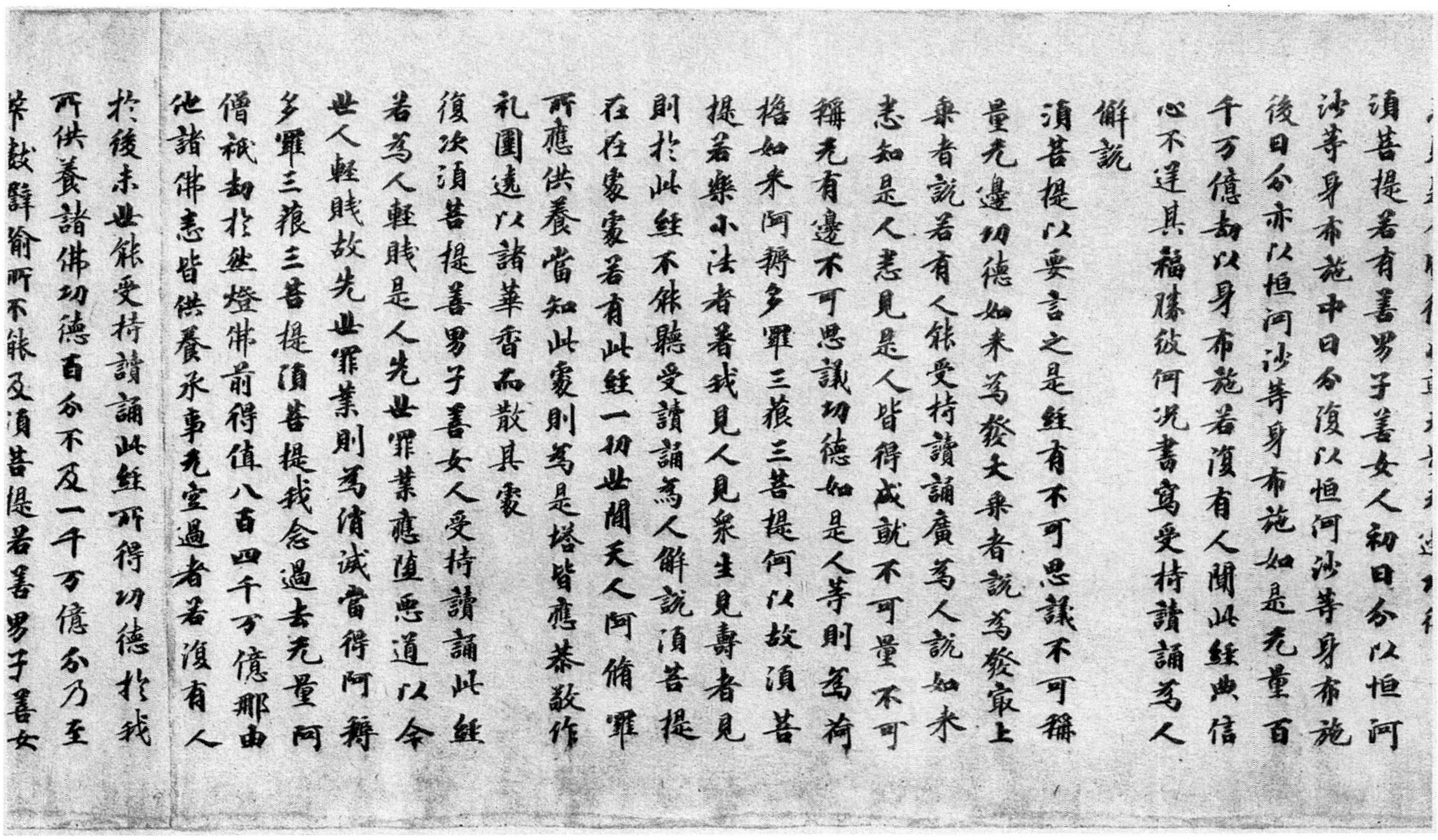
須菩提若有善男子善女人初日分以恒河
沙等身布施中日分復以恒河沙等身布施
後日分亦以恒河沙等身布施如是无量百
千万億劫以身布施若復有人聞此經典信
心不逆其福勝彼何况書寫受持讀誦為人
解說
須菩提以要言之是經有不可思議不可稱
量无邊功德如來為發大乘者說為發最上
乘者說若有人能受持讀誦廣為人說如來
悉知是人悉見是人皆得成就不可量不可
稱无有邊不可思議功德如是人等則為荷
擔如來阿耨多羅三藐三菩提何以故須菩
提若樂小法者著我見人見衆生見壽者見
則於此經不能聽受讀誦為人解說須菩提
在在處處若有此經一切世間天人阿脩羅
所應供養當知此處則為是塔皆應恭敬作
礼圍遶以諸華香而散其處
復次須菩提善男子善女人受持讀誦此經
若為人輕賤是人先世罪業應墮惡道以今
世人輕賤故先世罪業則為消滅當得阿耨
多羅三藐三菩提須菩提我念過去无量阿
僧祇劫於然燈佛前得值八百四千万億那由
他諸佛悉皆供養承事无空過者若復有人
於後末世能受持讀誦此經所得功德於我
所供養諸佛功德百分不及一千万億分乃至
筭數譬喻所不能及須菩提若善男子善女

BD02106 號　金剛般若波羅蜜經　（6–5）

於後末世能受持讀誦此經所得功德於我
所供養諸佛功德百分不及一千万億分乃至
筭數譬喻所不能及須菩提若善男子善女
人於後末世有受持讀誦此經所得功德我
若具說者或有人聞心則狂亂狐疑不信須
菩提當知是經義不可思議果報亦不可思
議
尒時須菩提白佛言世尊善男子善女人發
阿耨多羅三藐三菩提心云何應住云何降
伏其心佛告須菩提善男子善女人發阿耨
多羅三藐三菩提者當生如是心我應滅度
一切衆生滅度一切衆生已而无有一衆生
實滅度者何以故若菩薩有我相人相衆生
相壽者相則非菩薩所以者何須菩提實无
有法發阿耨多羅三藐三菩提者
須菩提於意云何如來於然燈佛所有法得
阿耨多羅三藐三菩提不不也世尊如我解
佛所說義佛於然燈佛所无有法得阿耨多
羅三藐三菩提佛言如是如是須菩提實无
有法如來得阿耨多羅三藐三菩提須菩提
若有法如來得阿耨多羅三藐三菩提者然燈
佛則不與我受記汝於來世當得作佛号釋
迦牟尼以實无有法得阿耨多羅三藐三菩
提是故然燈佛與我受記作是言汝於來世
當得作佛号釋迦牟尼何以故如來者即諸
義若有人言[illegible]得阿耨多羅三藐三

BD02106 號　金剛般若波羅蜜經　（6–6）

大般若波羅蜜多經卷第二百九十七
初分波羅蜜多品第卅八之二　三藏法師玄奘奉　詔譯
世尊如是般若波羅蜜多是佛十力波羅蜜
多佛言如是達一切法難屈伏故世尊如是
般若波羅蜜多是四无所畏波羅蜜多佛言
如是得道相智无退沒故世尊如是般若波
羅蜜多是四无礙解波羅蜜多佛言如是得
一切相智无滯礙故世尊如是般若波羅蜜
多是大慈波羅蜜多佛言如是安樂一切有
情故世尊如是般若波羅蜜多是大悲波羅
蜜多佛言如是利益一切有情故世尊如是
般若波羅蜜多是大喜波羅蜜多佛言如是
不捨一切有情故世尊如是般若波羅蜜多
是大捨波羅蜜多佛言如是於諸有情心平
等故世尊如是般若波羅蜜多是十八佛不
共法波羅蜜多佛言如是超過一切聲聞獨
覺法故世尊如是般若波羅蜜多是无忘失
法波羅蜜多佛言如是无忘失事不可得故
世尊如是般若波羅蜜多是恒住捨性波羅
蜜多佛言如是恒住捨事不可得故

BD02107號　大般若波羅蜜多經卷二九七　（2–1）

般若波羅蜜多是四无所畏波羅蜜多佛言
如是得道相智无退沒故世尊如是般若波
羅蜜多是四无礙解波羅蜜多佛言如是得
一切相智无滯礙故世尊如是般若波羅蜜
多是大慈波羅蜜多佛言如是安樂一切有
情故世尊如是般若波羅蜜多是大悲波羅
蜜多佛言如是利益一切有情故世尊如是
般若波羅蜜多是大喜波羅蜜多佛言如是
不捨一切有情故世尊如是般若波羅蜜多
是大捨波羅蜜多佛言如是於諸有情心平
等故世尊如是般若波羅蜜多是十八佛不
共法波羅蜜多佛言如是超過一切聲聞獨
覺法故世尊如是般若波羅蜜多是无忘失
法波羅蜜多佛言如是无忘失事不可得故
世尊如是般若波羅蜜多是恒住捨性波羅
蜜多佛言如是恒住捨事不可得故
世尊如是般若波羅蜜多是一切陁羅尼門
波羅蜜多佛言如是諸捴持事不可得故世
尊如是般若波羅蜜多是一切三摩地門波
羅蜜多佛言如是諸等持事不可得故世尊
如是般若波羅蜜多是一切智波羅蜜多佛
言如是一切智事不可得故世尊如是般若

BD02107號　大般若波羅蜜多經卷二九七　（2–2）

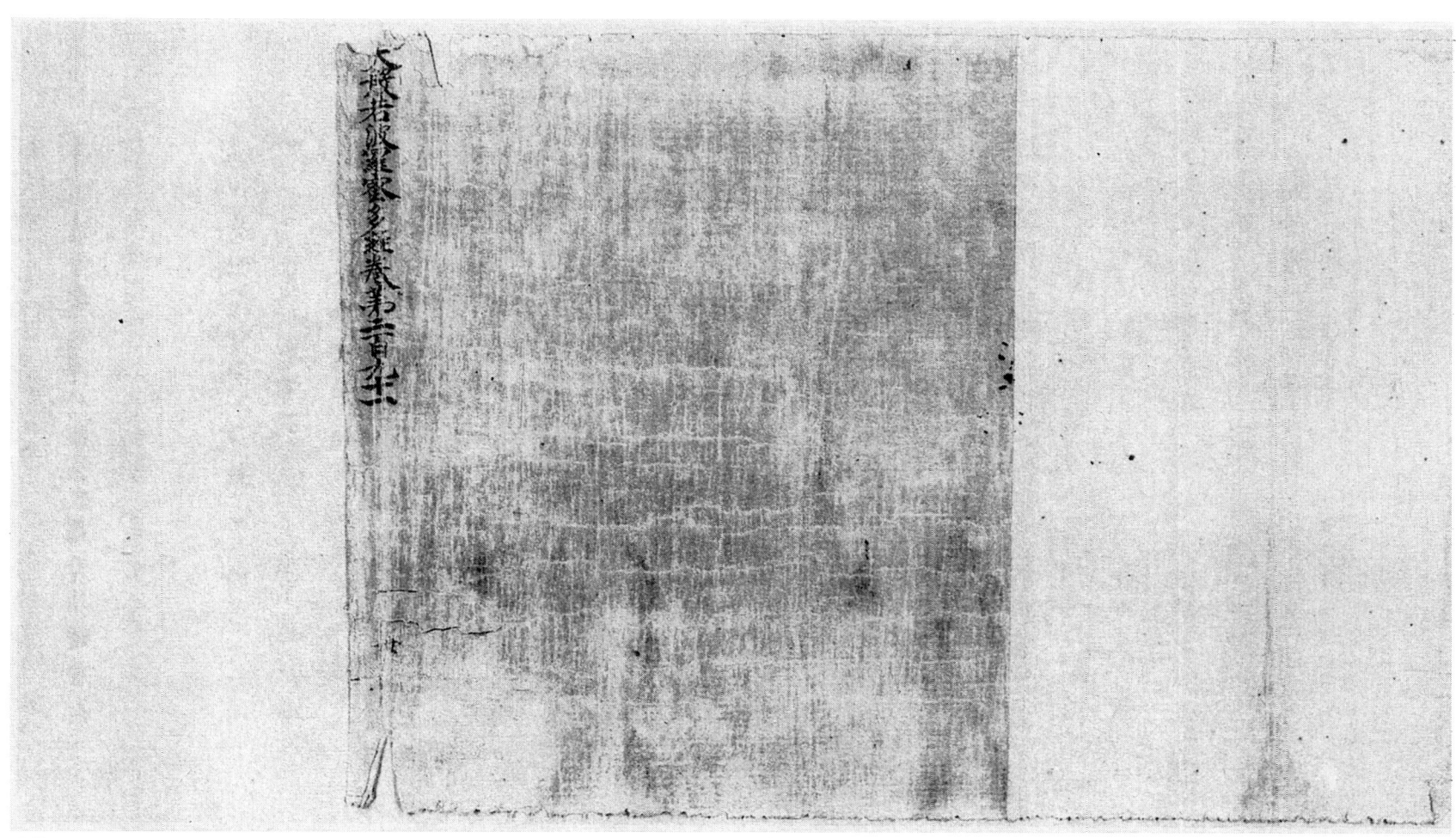

BD02108 號背　大般若波羅蜜多經卷二九一護首　　（1–1）

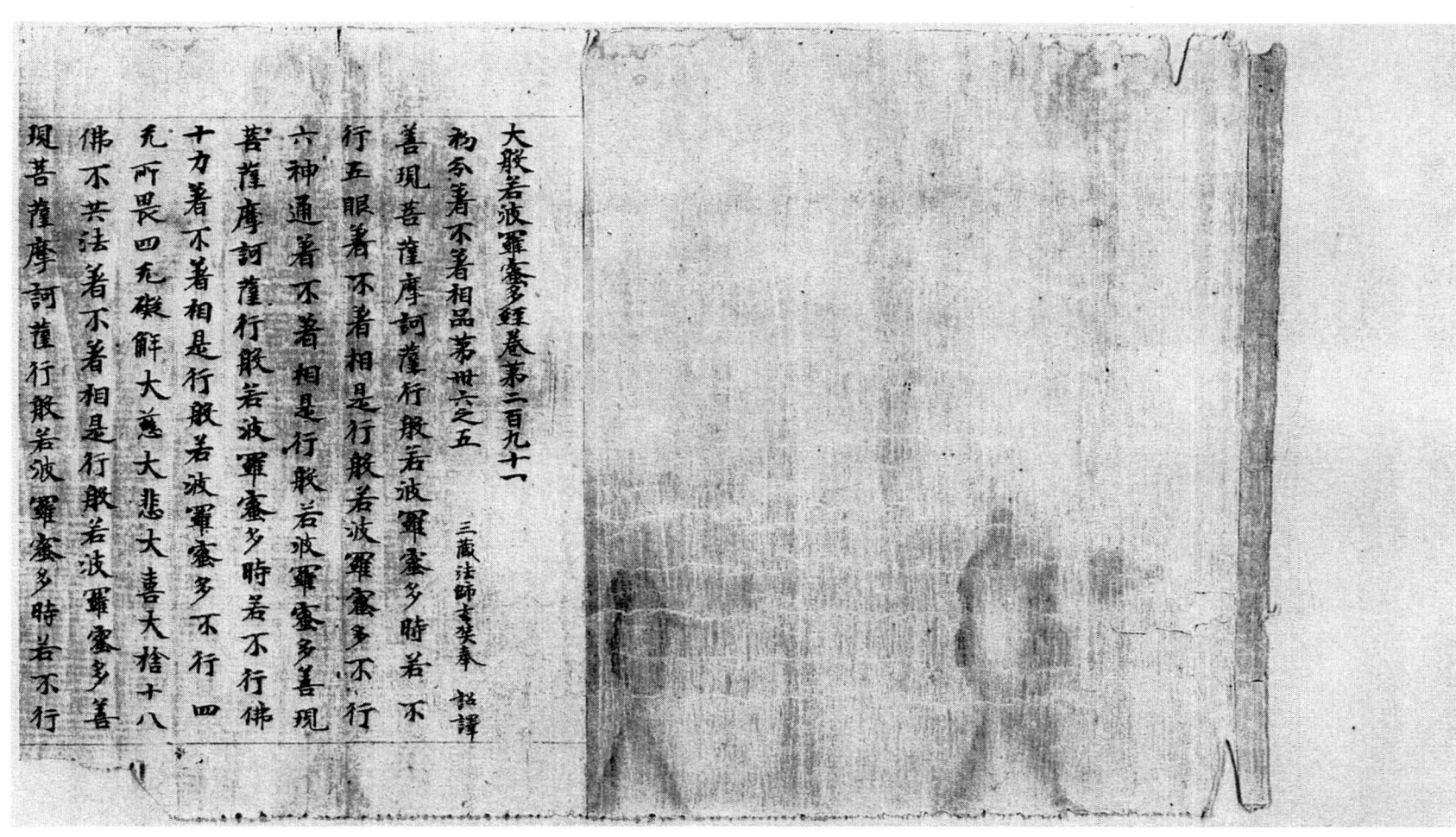

大般若波羅蜜多經卷第二百九十一
初分著不著相品第卌六之五　　三藏法師玄奘奉　詔譯
善現菩薩摩訶薩行般若波羅蜜多時若不
行五眼著不著相是行般若波羅蜜多不行
六神通著不著相是行般若波羅蜜多善現
菩薩摩訶薩行般若波羅蜜多時若不行佛
十力著不著相是行般若波羅蜜多不行四
无所畏四无礙解大慈大悲大喜大捨十八
佛不共法著不著相是行般若波羅蜜多善
現菩薩摩訶薩行般若波羅蜜多時若不行

BD02108 號　大般若波羅蜜多經卷二九一　　（2–1）

初分著不著相品第卅六之五　三藏法師玄奘奉　詔譯
善現菩薩摩訶薩行般若波羅蜜多時若不
行五眼著不著相是行般若波羅蜜多不行
六神通著不著相是行般若波羅蜜多善現
菩薩摩訶薩行般若波羅蜜多時若不行佛
十力著不著相是行般若波羅蜜多不行四
无所畏四无礙解大慈大悲大喜大捨十八
佛不共法著不著相是行般若波羅蜜多善
現菩薩摩訶薩行般若波羅蜜多時若不行
无忘失法著不著相是行般若波羅蜜多不
行恒住捨性著不著相是行般若波羅蜜多
善現菩薩摩訶薩行般若波羅蜜多時若不
行一切智著不著相是行般若波羅蜜多不行
道相智一切相智著不著相是行般若波
羅蜜多善現菩薩摩訶薩行般若波羅蜜多
時若不行一切陁羅尼門著不著相是行般
若波羅蜜多不行一切三摩地門著不著相
是行般若波羅蜜多
善現菩薩摩訶薩行般若波羅蜜多時若不
行預流果著不著相是行般若波羅蜜多不
行一來不還阿羅漢果著不著相是行般若
波羅蜜多善現菩薩摩訶薩行般若波羅蜜
多時若不行獨覺菩提著不著相是行般若
波羅蜜多善現菩薩摩訶薩行般若波羅蜜
多時若不行一切菩薩摩訶薩行著不著相

BD02108號　大般若波羅蜜多經卷二九一　（2-2）

生純極大苦之聚 此三結也 言純者離我所故言純極苦者名三苦八苦故言
大苦 无有始故 第二明非流轉 文三 初分數 次結 後引證 經次中无明滅故行滅至生滅
故老死愁嘆苦憂惱得滅故 此初也 問何故无明滅等名緣生法耶 答處有二種
一遮无二遮非此遮非故 譬如人服其先藥 次亦如是 以修道力不与无明等
相應而得轉條漸令增勝 故无明滅等亦名緣生 說二種緣生法者 爲諸有情迷於
流轉故非流轉法 稍此迷故 說二種 經如是唯純極大苦之聚 此二結也 結此是
世尊所說因緣之法 此三引證 非自意故 引證 總標門 第四明所知性 文三 初
問 次答 後結 經何者是法 此初也 問文可見 經所名八聖道支 正見 正思惟 正語 正業
正精進 正命 正念 正定 此二答 若論於法而有三種 今所說者取其行法 此八聖
道是法行故 於如實理无顛倒見者 名爲正見 如理籌量 名正思惟 如實而說離於口過
者 名爲正語 離身三惡身業清淨 名爲正業 離四邪等如法而求清淨故名正
命 爲除餘障諸過故 而於蹋捍名爲正精進 於所緣境明記不妄名爲正念 名求勝
得心住一境 名爲正定 此八聖道分爲六支 一了別支 即是正見 正了別已決定取故 二兼亦
支 即正思惟 正語 所思之事爲人說故 三信受支 即正語 正業 正命 若有問法如實答故
不作非業戒清淨故 如法而求常少欲故 四除障支 即正精進 此能除煩惱并煩惱
所知二種障故 五積道煩惱支 即正念 爲正念故棹舉昏沉不得便故 六成功德支 即
即正定 由定力故 能得三明諸功德故 經此是八聖道 此三結也 次明總標門 第五所知果
文二 有上 二无上 初復分三 一有爲 二无爲 三引證 經果 此初也 四沙門果即有爲是解脫
道 經及涅槃 此二无爲煩惱也 得涅槃者是无爲故 論云說有爲无爲皆是四沙門果
者 依通論故 今此經中別說涅槃 故分爲二 又解言涅槃者 即是清淨真如彼无煩惱
故 經世尊所說名之爲法 此三引證 言法者執自性爲義 二明无上 問 四 一問 二答
三明 問 經何者是佛 此初問 所謂知一切法者名之爲佛 此二答 以无漏惠如理而知内外

BD02109號　大乘稻芉經隨聽疏　　（4–1）

夫二有上 二无上 初復分三 一有為 二无為 三引證經 此初也 四沙門果即有為是解脫
道經及涅槃 此二无為 種煩惱也 得涅槃者是无為故 論云 說有為无為皆是四沙門果
者彼通論故 今此經中別說涅槃故分為二 又解言涅槃者即是清淨真如彼无煩惱
故 經世尊所說名之為法 此三引證 言法者執自性為義 二明无上 開四一問 二荅
三明因 經何者是仏 此初問所謂知一切法者名之為仏 此二荅 以无漏恵 如理而知內外
一切有為无為有漏无漏 諸法性相故名仏 經以彼恵眼及法身 此三明因也 能知一切
法者是无漏恵 非宍眼故 故言恵眼 顯恵眼因故 列法身 言法身者即是清淨智及
真如也 經能見修種 學无學法故 此四弁所緣 言能見者以恵眼及法身能見故也
言修種者 即是三種種之因 所謂三十七種分法 及十二分教等是也 言有學者從四加
行至第七人名為有學 言无學者第八人也 問何故不說非有學非无學耶 荅有學无學
上自能知起非非有學非无學而不能知故不列也 總攝門第六明云何所知 文分為三 一勝
義 二世俗 初又分三 初觀因緣 此於觀法 後觀於仏 初又分二 一問 二荅 經云何見因緣
此初問也 經如仏所說若能見因緣之法 至不寂靜相者是也 此二荅是 以勝義世俗觀因緣者
謂欲令損增益損減謗故 若離勝義觀因緣者墮於斷見及涅槃故 若唯世俗觀因緣
者即墮增益 以二門觀則離二謗 處中道故 无明行等猶如幻化假因緣有而非三世无
有生者即名勝義 故經云无生是實 餘皆虛妄 問勝義諦中无有言說何故 此經說常无
壽等耶 荅作是說者皆是世俗為欲表示諸有情故 於一切時具足无生故故名為常 此明顯其
於第一義 三世无變以也 若如是者与說有我无有差別 破此疑故故言无壽自性本非是我
性故言離壽者 无有一物与此差別我壽者能動轉故 而此因緣勝義之法非如常我攝
計有故故言如實性 此明顯其非攝計也 何故此非攝計 亦此因緣故故列无錯謬性
此明現其无顛倒也 此顯有生何故言不生耶 謂除此疑故言无生於第一義无有少法而
生故也 故經云從緣所生彼不生 此前名為无生法 雖現不生於過去世不具生耶 緣此見
故故言无起過去之世亦如現在无所生故 雖自不生故 无生无起為自在等而不造作耶 為除
此見故言无作 无有常因漸須造作有相為故 此前離其无因不相似因也 雖非自在
等作為因緣和合共相作故 此名有為 為除此見故書无為以勝義觀因及衆緣不可得故
此因緣法雖於此處而无有生或於餘處而則能生 為除此見故言无障礙於一切法而此
空性无不遍故 是故此无生法於一切處而无所礙 此明顯其往一切處也 若如是者如上所
說有為因緣一切有情何故而不知耶 為除此疑故故言无境界能取所取无所有故是故
會著能取所趣 諸有情等而不能知 離此離諸戲論出世間而能知見 有何勝益

BD02109號　大乘稻芉經隨聽疏　（4–2）

等住名因緣和合共相住故　此名有為〻除此見故言无為以勝義觀因及衆緣不可得故
此因緣法雖於此處而无有生或於餘處而則能生　為權此見故言无障㝵於一切法而此
定住无不遍故是故此无生法於一切處而无所㝵　此則顯其住一切處也　若如是者如上所
說有爲因緣一切有情何故而不知耶　為除此疑故〻言无境界能取所取无所有故是故
貪著能取所趣諸有情等而不能知雖此離諸戲論出世間而能知覓　有何勝益
而令依此勝義觀耶　為示勝益故言寂靜　若能而依勝義觀者能離一切諸惡法故
名為寂靜　若无我〻所能取所取者无有苦樂〻等事超過一切語言境故所能樂此法
耶　為稽此見故言无畏於此法中无怖畏故貪著有境界著於我則有怖畏若見勝
義分別故是故若能修此法者離怖畏故雖證此因緣勝義後於果時遇惡知識起
顛倒故貪等〻煩惱而能生起復為怖因　為除此見故言无侵脫也　見勝義者无能毀
壞故言无侵奪也　雖見真實除不能壞為自體顛倒故而不侵奪耶　為除此疑
故言不寂靜相於此勝義无生法中无有對治依道之力能治顛倒本自无生性明
淨故〻因緣論云　此中无遺亦无少安立於真以觀真〻見真而解脫　經若能如是於法
亦見常无壽至不寂靜相者　此之觀法也　而此經文同上所釋故不別相　經得正智故
能悟勝法以无上法身而見於佛　此三觀佛也　言正智者若有能證勝義法者名為正智言
勝法者即勝義諦也　如上所說勝義之法名无上法身若具正智住平等性者故而觀因
緣法及諸佛等无差別是故佛說若見因緣即能見法若見於法即能見佛者与理无違
住平等意趣　圓成密語說此法故　次明第二世俗而觀因緣　文分為二　初標後釋　初有三
一從有因所生門　二從種无常所生門　三從无我因所門　經問曰何故名因緣　至不顛倒性
等作如是說　此初也　文四　一問　二答　三結　四引證　經問何故名因緣　此初問也　前言此
因緣法於勝義諦无生无為　若如是者何故此法名曰因緣耶　問此事故〻列斯問　經答曰
有因有緣名為因緣非无因无緣故　此二答也　此則能除无因之見　此緣生之法於第
一義雖无有生然約世諦如幻如化假因假緣有施設故　是故諸佛　教於世与理
无違　若世諦門如幻化者何故說此法耶　雖然為捨外道五種見故所謂无因執常
有我不能作者故佛謂說從有因所生從種〻无常所生從无我因所生從能成因所生
從无作者因所生門也　經是故名為因緣之法　此二結也　經世尊略說因緣之相至不
顛倒性等作如是說　此四引證也　言彼緣生果如來出現若不出現法性常住者
從因生果之法不假諸佛出現於世然及涅槃　此法示故也　言法性者是因緣性故言法
住性者因緣之法本自住故　言法定性者依本因故言与因緣相應性者无有一法不

亦見常无壽至不寂靜相者　此之觀法也　而此經文同上所釋故不別稱　經得正智故
能悟勝法以无上法身而見於仏　此三觀訖也　言正智者若有能證勝義法者名為正智言
勝法者即勝義諦也　如上所說勝義之法名无上法身若具正智住平等性者故而觀因
緣法及諸仏等无差別是故仏說若見因緣即能見法若見於法即能見仏者与理无違
依平等意趣　圓成密語說此法故　次明第二世俗而觀因緣　文分為二　初標後釋　初有三
一從有因所生門二種從種无常所生門三從无我因所門　經問曰何故名因緣至不顛倒性
等作如是說　此初也　文四　一問　二答　三結　四引證　經問何故名因緣　此初問也　前言此
因緣法於勝義諦无生无為若如是者何故此法名因緣耶　問此事故々列斯問　經答曰
有因有緣名為因緣非无因无緣故　此二答也　此則能除无因之見　此緣生之法於第
一義雖无有生然約世諦如幻如化假因假緣有施設故　是故諸仏教於世与理
无違　若世諦門如幻化者何故說法耶　雖然為揩外道五種見故所謂无因執常
有我不能作者故仏謂說從有因所生從種々无常所生從无我因所生從能成因所生
從无作者因所生門也　經是故名為因緣之法此二結也　經世尊略說因緣之相至不
顛倒性等作如是說　此四引證也　言彼緣生果如來出現若不出現法性常住者
從因生果之法不假諸仏出現於世及涅槃　此法爾故也　言法性者是因緣性故言法
住性者因緣之法本自住故　言法定性者依本因故言与因緣相應性者无有一法不
假因緣而能生故　言真如性者若證此法了真如故　言无錯謬性者揩顛倒故　言无
變異性者揩耶曲故　言真實性者无虛誑故　言實際性者

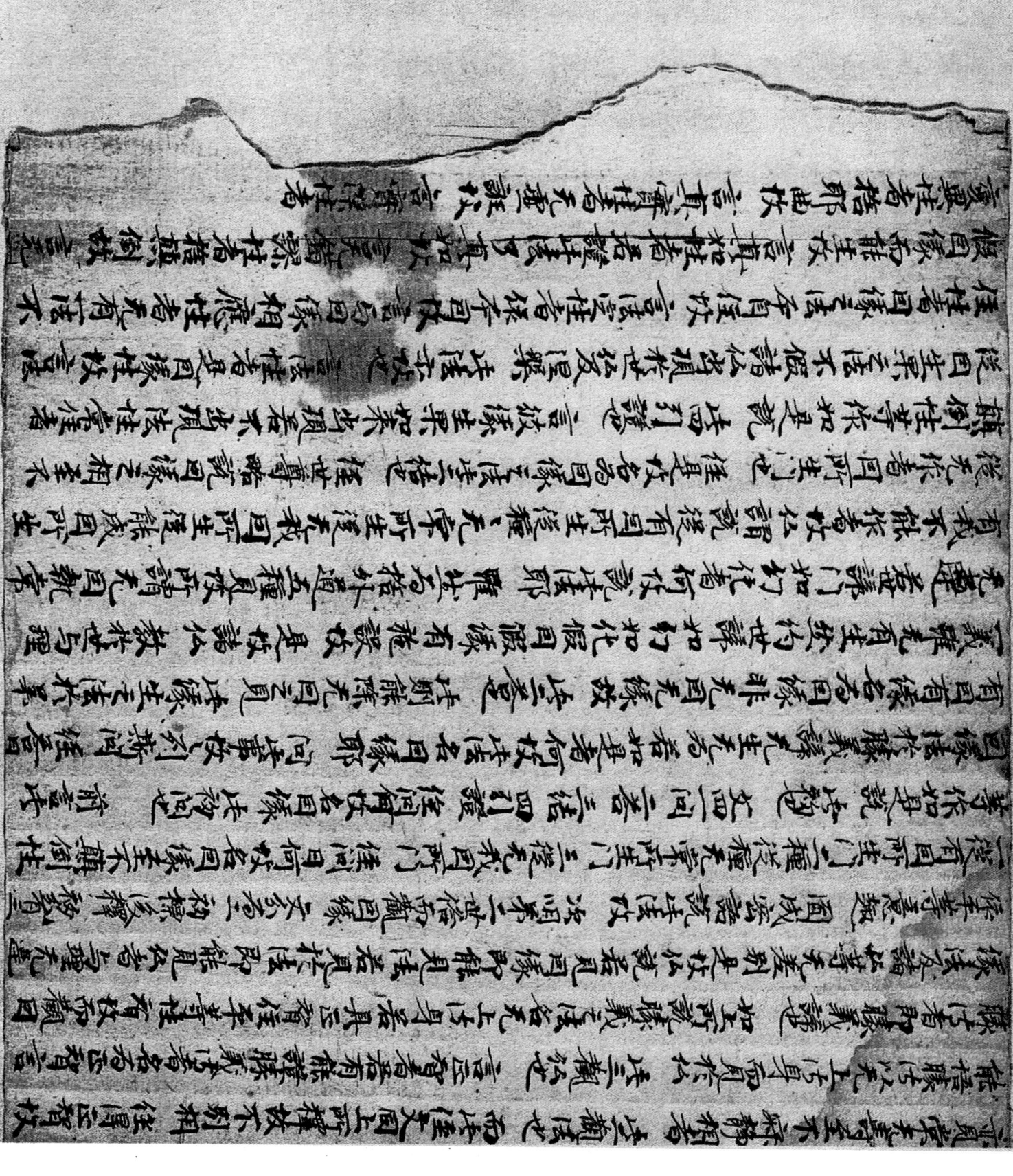

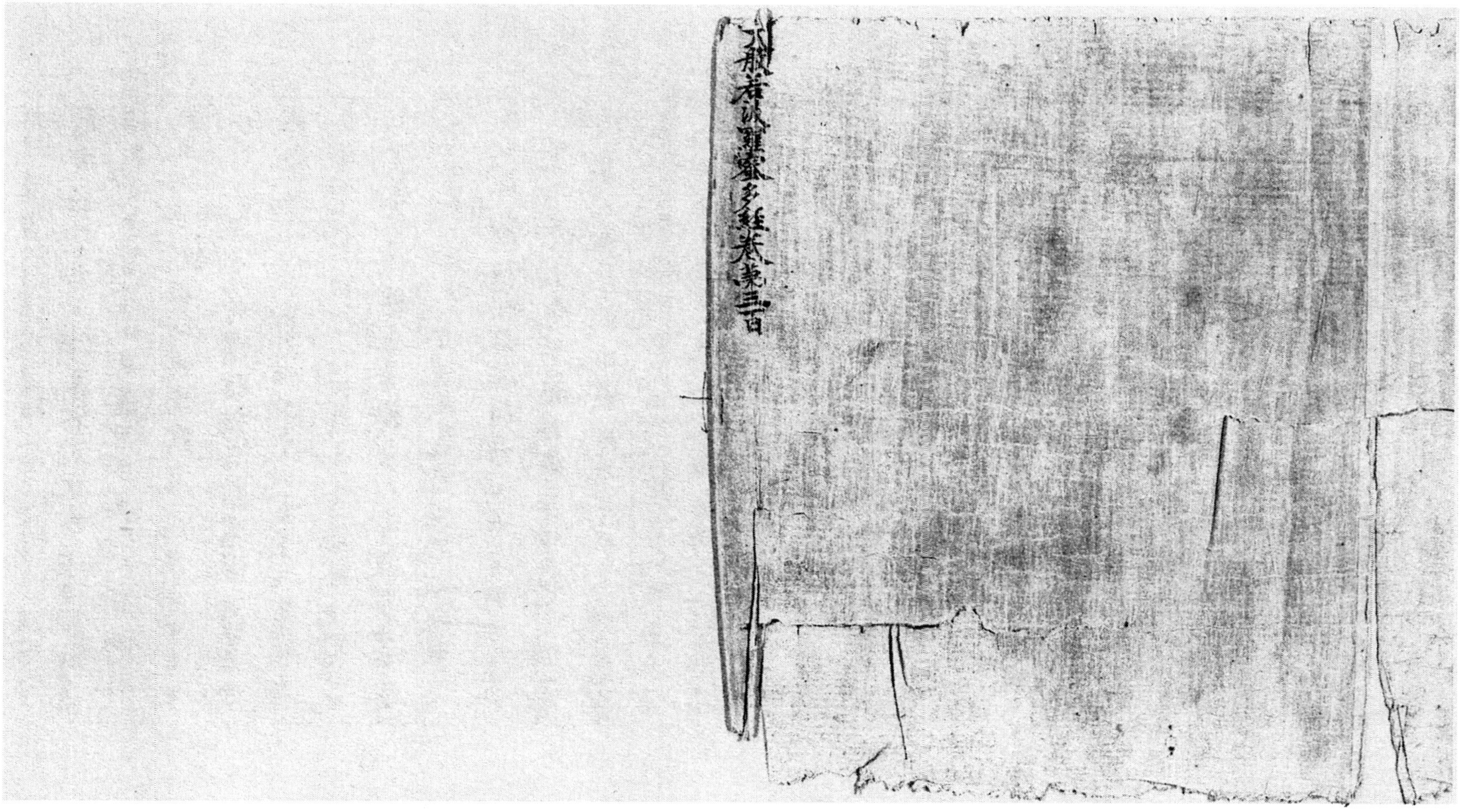
大般若波羅蜜多經卷第三百

BD02110 號背　大般若波羅蜜多經卷三〇〇護首　　(1–1)

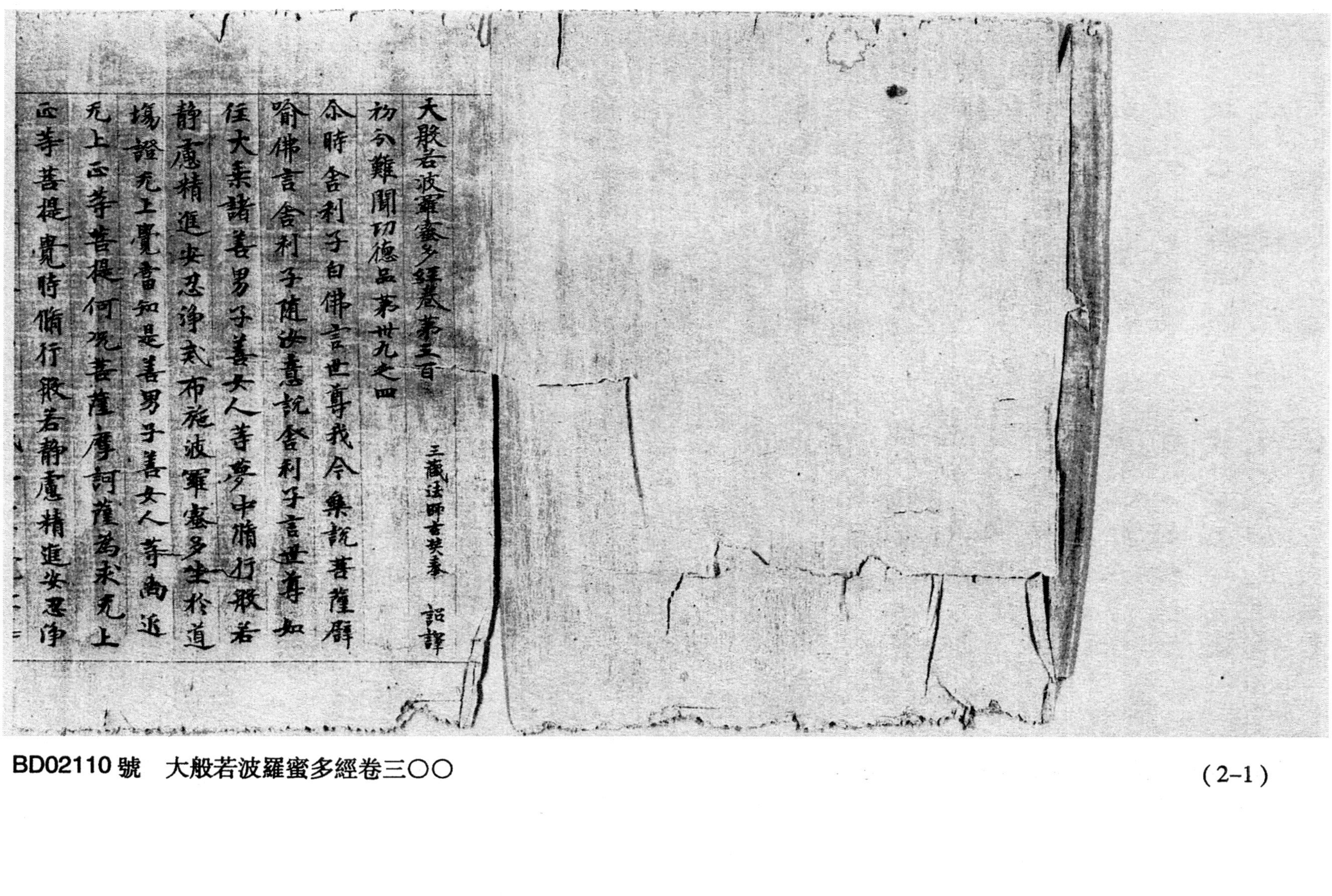
大般若波羅蜜多經卷第三百
三藏法師玄奘奉　詔譯
初分難聞功德品第卅九之四
尒時舍利子白佛言世尊我今樂説菩薩辟
喻佛言舍利子隨汝意説舍利子言世尊如
住大乘諸善男子善女人等夢中脩行般若
靜慮精進安忍淨戒布施波羅蜜多坐於道
場證无上覺當知是善男子善女人等尚近
无上正等菩提何况菩薩摩訶薩為求无上
正等菩提覺時脩行般若靜慮精進安忍淨

BD02110 號　大般若波羅蜜多經卷三〇〇　　(2–1)

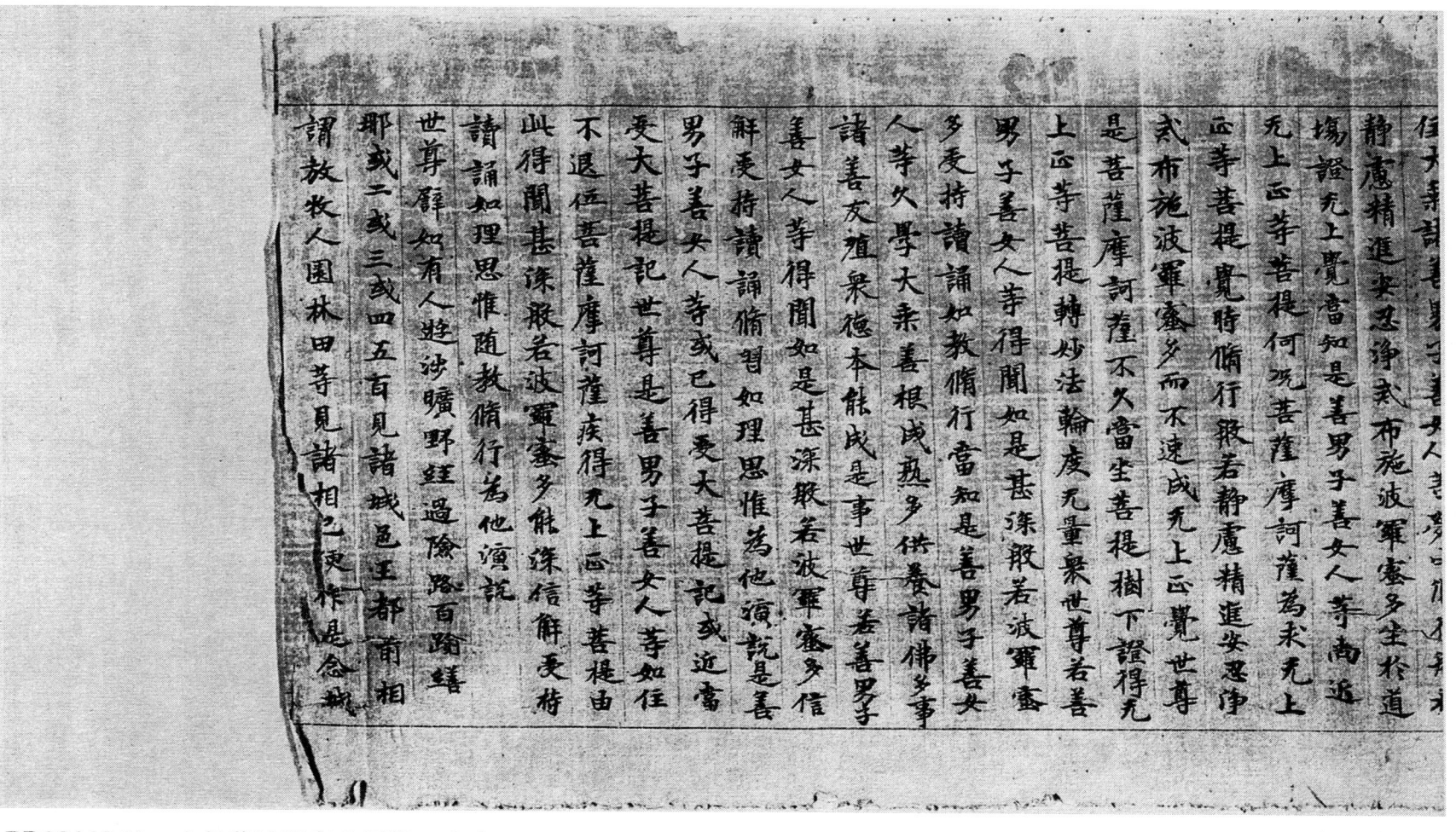

住大乘諸善男子善女人[illegible]
靜慮精進安忍淨戒布施波羅蜜多坐於道
場證无上覺當知是善男子善女人等尚近
无上正等菩提何况菩薩摩訶薩為求无上
正等菩提覺時脩行般若靜慮精進安忍淨
戒布施波羅蜜多而不速成无上正覺世尊
是菩薩摩訶薩不久當坐菩提樹下證得无
上正等菩提轉妙法輪度无量衆世尊若善
男子善女人等得聞如是甚深般若波羅蜜
多受持讀誦如教脩行當知是善男子善女
人等久學大乘善根成熟多供養諸佛多事
諸善友殖衆德本能成是事世尊若善男子
善女人等得聞如是甚深般若波羅蜜多信
解受持讀誦脩習如理思惟為他演說是善
男子善女人等或已得受大菩提記或近當
受大菩提記世尊是善男子善女人等如住
不退位菩薩摩訶薩疾得无上正等菩提由
此得聞甚深般若波羅蜜多能深信解受持
讀誦如理思惟隨教脩行為他演說
世尊譬如有人遊涉曠野經過險路百踰繕
那或二或三或四五百見諸城邑王都前相
謂放牧人園林田等見諸相已便作是念城

BD02110號　大般若波羅蜜多經卷三〇〇　（2–2）

[illegible]
界可知盡邊无有能知諸佛名字吾當為汝
略說三世諸佛名字若人聞者一經於耳其
人命終亦得生天聞已信敬復能書寫稱名
礼拜得滅无量生死重罪得福无量其人命
終十方世界隨意往生亦得見我及見未來
賢劫諸佛
尒時世尊告諸大衆汝等應當正理衣服正
身正心正意正念正觀欲聞法者
一心當敬礼須弥燈王佛　當敬礼寶王佛
當敬礼寶勝佛　當敬礼阿弥陁佛
當敬礼毗婆尸佛　當敬礼多寶佛
當敬礼釋迦牟尼佛　敬礼攝持一切佛
敬礼過稱量　敬礼无譬類
敬礼无邊法　敬礼難思議
敬礼住力中力　敬礼十力无所畏
敬礼三界尊　敬礼一切大道師
敬礼能斷衆結縛　敬礼已到於彼岸
敬礼已度諸世間　敬礼永離生死道
敬礼三昧得解脱　敬礼如空无所依
敬礼衆中大法王　敬礼破壞四魔衆

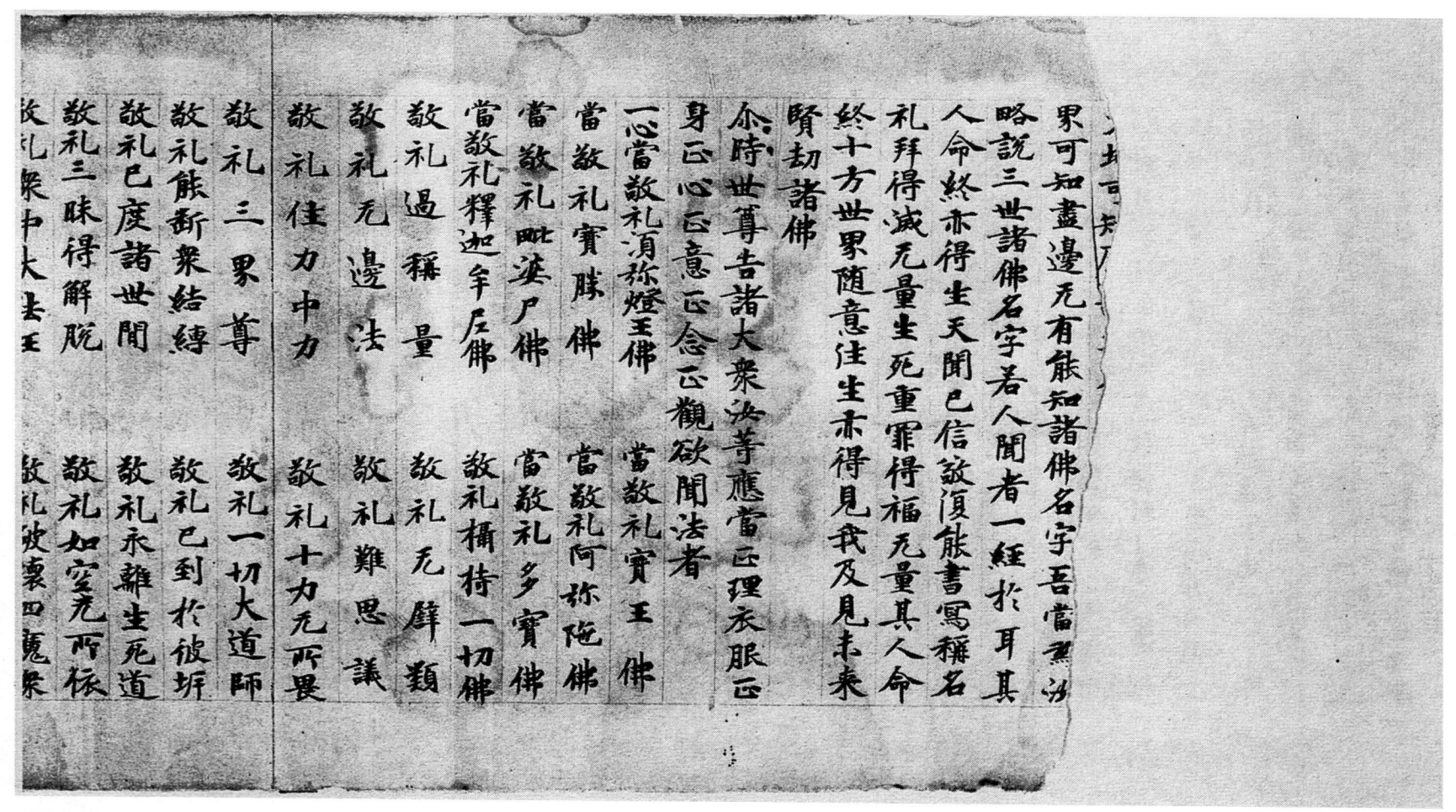

BD02111號　大通方廣懺悔滅罪莊嚴成佛經卷上　（19–1）

敬礼三界尊　敬礼一切大道師
敬礼能斷衆結縛　敬礼已到於彼岸
敬礼已度諸世間　敬礼永離生死道
敬礼三昧得解脱　敬礼如空无所依
敬礼衆中大法王　敬礼破壞四魔衆
敬礼一子大慈父　唯願世世值諸佛
明見佛性到大涅槃　何以故一切有形
皆有佛性
是時大衆合十指抓掌一心諦聽一心供養
聽我說三世十方諸佛名乃至五无間當生解脱相
若人无善根我亦爲說之彼自不能解雖種自然亡
唯有真實在除去小乘相唯有大乘在除去三乘者
唯有一乘在若人无善根不得聞是經曾供无量佛
令得聞佛名當知受持者少分解脱人安住清淨地
令於我法中經行作佛事受持及讀誦礼拜是佛名
去離衆魔事滅除四重禁无間一闡提是人未來世
必得成佛道若人不生信定墮三惡道生信勤礼拜
常見无量佛應當一心礼願除无量罪是故應敬信
是諸大衆合掌諦聽攝持身心勿得動轉五
體投地一心諦觀
尒時世尊稱名唱曰
南无過去无量諸佛　南无二万日月燈明佛
南无三万然燈佛　南无大通智勝佛
南无十六王子佛　南无空王佛
南无多寶佛　南无威音王佛
南无雲自在燈王佛　南无思善佛

BD02111 號　大通方廣懺悔滅罪莊嚴成佛經卷上　（19–2）

南无十六王子佛　南无空王佛
南无多寶佛　南无威音王佛
南无雲自在燈王佛　南无思善佛
南无无數光佛　南无分身諸佛
南无日月淨明德佛　南无淨華宿王智佛
南无淨莊嚴王佛　南无龍尊王佛
南无雲雷音王佛　南无雲雷宿王華智佛
南无寶王佛　南无娑羅樹王佛
南无上威德寶王佛　南无光明王佛
南无百億定光佛　南无光遠佛
南无月光佛　南无栴檀香佛
南无善山王佛　南无須弥冠佛
南无須弥等曜佛　南无月色佛
南无正念佛　南无離垢佛
南无无著佛　南无龍天佛
南无不動地佛　南无琉璃妙華佛
南无琉璃金色佛　南无金藏佛
南无炎光佛　南无炎根佛
南无地種佛　南无月像佛
南无日音佛　南无解脱華佛
南无莊嚴光明佛　南无海覺神通佛
南无水光佛　南无大香佛
南无離塵垢佛　南无捨猒意佛
南无寶炎佛　南无妙頂佛
南无勇立佛　南无功德持惠佛
南无蘚日月光佛　南无日月琉璃光佛

BD02111 號　大通方廣懺悔滅罪莊嚴成佛經卷上　（19–3）

南无寶炎佛 南无妙頂佛
南无勇立佛 南无功德持惠佛
南无觧日月光佛 南无日月琉璃光佛
南无无上琉璃光佛 南无冣上首佛
南无善提華佛 南无月明佛
南无日光佛 南无華色王佛
南无水月光佛 南无除疑冥佛
南无度盖行佛 南无淨信佛
南无善宿佛 南无威神佛
南无法慧佛 南无鸞音佛
南无師子音佛 南无龍音佛
南无雲世佛 南无自在佛
南无无量壽佛 南无无量光佛
南无无邊光佛 南无无㝵光佛
南无无對光佛 南无光炎王佛
南无清淨光佛 南无歡喜光佛
南无智慧光佛 南无不斷光佛
南无難思光佛 南无无稱光佛
南无超日月光佛 南无相好此金佛
南无遠照佛 南无寶藏佛
南无无量音佛 南无甘露味佛
南无龍勝佛 南无勝力佛
南无師子音佛 南无離垢光佛
南无德首佛 南无妙德山佛
南无人王佛 南无无上華佛
南无无畏力王佛 南无龍自在王佛

BD02111號　大通方廣懺悔滅罪莊嚴成佛經卷上　（19–4）

南无師子音佛 南无離垢光佛
南无德首佛 南无妙德山佛
南无人王佛 南无无上華佛
南无无畏力王佛 南无龍自在王佛
南无師子衣王佛 南无自在王佛
南无普光佛 南无普明佛
南无普淨佛 南无多摩羅跋栴檀香佛
南无栴檀香光佛 南无摩尼幢佛
南无歡喜藏摩尼寶積佛 南无上大精進佛
南无摩尼幢燈光佛 南无慧炬照佛
南无海德光明佛 南无金剛牢強佛
南无普散金光佛 南无大強精進佛
南无勇猛佛 南无大悲光佛
南无慈力王佛 南无慈藏王佛
南无栴檀窟莊嚴勝佛 南无賢善首佛
南无善覺佛 南无莊嚴王佛
南无金山寶盖佛 南无金華炎光相佛
南无大炬光明佛 南无寶盖照空自在力王佛
南无金華光佛 南无虛空寶華光佛
南无琉璃莊嚴王佛 南无普現色身光佛
南无不動智光佛 南无降伏諸魔王佛
南无丰千光明佛 南无慈慧勝佛
南无弥勒鮮光佛 南无[illegible]淨光佛
南无善寂月音佛 南无妙尊智王佛
南无寶盖燈王佛 南无龍種上智尊王佛
南无日月光佛 南无日月珠光佛

BD02111號　大通方廣懺悔滅罪莊嚴成佛經卷上　（19–5）

南无[illegible]歎鮮光佛　南无世淨光佛
南无善寂月音佛　南无妙尊智王佛
南无寶蓋登王佛　南无龍種上智尊王佛
南无日月光佛　南无日月珠光佛
南无慧幢勝莊嚴王佛　南无无垢藏佛
南无光明相佛　南无金剛光明佛
南无金伯光明藏佛　南无師子吼自在力王佛
南无妙音勝王佛　南无常光幢佛
南无觀世登王佛　南无慧衣登王佛
南无法勝王佛　南无須彌光佛
南无須摩那華光佛　南无憂鉢羅華光佛
南无彊勝力王佛　南无慧力王佛
南无阿閦毗歡喜光佛　南无量音聲王佛
南无才光佛　南无金海光佛
南无山海慧自在通王佛　南无大通光佛
南无一切法常滿王佛　南无現无愚佛
南无過去无量分身諸佛
南无過去一佛十佛百佛千佛万佛能除无量
劫以来生死重罪
南无一億十億百億千億万億那由他恒河
沙等无量阿僧祇佛若人聞是過去无量阿
僧祇佛名是人八万劫不墮地獄皆是故今
敬礼
若人因礼拜　過去諸佛者　滅罪得本心　更不造十惡
及以五逆等　常得聞正法　具足大乘戒　是故今敬礼
唯除二種人　一者謗方等　二者一闡提　若人心淨信
不名一闡提　常見无量佛

BD02111 號　大通方廣懺悔滅罪莊嚴成佛經卷上　（19–6）

敬礼
若人因礼拜　過去諸佛者　滅罪得本心　更不造十惡
及以五逆等　常得聞正法　具足大乘戒　是故今敬礼
唯除二種人　一者謗方等　二者一闡提　若人心淨信
不名一闡提　常見无量佛
若有犯四重　及以五无間　復能清淨信　亦使如法住
皆由敬礼故　滅除十惡業　悉得大乘戒　是故今敬礼
說是過去諸佛名時十千菩薩得无生忍
八百聲聞發少分心五千比丘得羅漢道一
億天人得法眼淨
南无現在无量諸佛　南无十億王明諸佛
南无離垢金沙佛　南无无量明佛
南无日轉光明王佛　南无香積佛
南无師子億像佛　南无師子遊戲佛
南无普光功德山王佛　南无善住功德寶王佛
南无寶華莊嚴王佛　南无難勝佛
南无須彌相佛　南无登王佛
南无寶德佛　南无寶月佛
南无寶炎佛　南无寶嚴佛
南无難勝師子響佛　南无大光王佛
南无不動佛　南无藥王佛
南无莊嚴佛　南无樓至佛
南无月蓋佛　南无普光佛
南无寶王佛　南无唯衛佛
南无式佛　南无隨葉佛
南无拘樓秦佛　南无拘那含牟尼佛

BD02111 號　大通方廣懺悔滅罪莊嚴成佛經卷上　（19–7）

南无寶王佛　南无唯衛佛
南无式佛　南无随葉佛
南无拘楼秦佛　南无拘那含牟尼佛
南无迦葉佛　南无雷音王佛
南无祇法藏佛　南无栴檀華佛
南无栴檀葉佛　南无妙音億佛
南无无上勝佛　南无甘露鼓佛
南无毗婆尸佛　南无日月光明佛
南无无勝光佛　南无具足莊嚴王佛
南无光明遍照一切德王佛　南无破壞四魔師子吼王佛
南无金剛不壞佛　南无琉璃光佛
南无須弥山王佛　南无淨土光明王佛
南无善德佛　南无无量光明佛
南无陁羅尼遊戲佛　南无首楞嚴三昧力王佛
南无善見定自在王佛　南无无上一切德佛
南无神通自在佛　南无无散相佛
南无无香相佛　南无无味相佛
南无无覺相佛　南无三昧定自在佛
南无慧定自在佛　南无相覺自在佛
南无普觸佛　南无報德普光佛
南无尸棄佛　南无毗舍浮佛
南无迦羅鳩村大佛　南无迦那牟尼佛
南无迦葉佛　南无意樂美音佛
南无歡喜佛　南无阿閦佛
南无弥須相佛　南无師子音佛
南无師子相佛　南无雲自在佛

BD02111號　大通方廣懺悔滅罪莊嚴成佛經卷上　（19–8）

南无歡喜佛　南无阿閦佛
南无弥須相佛　南无師子音佛
南无師子相佛　南无雲自在佛
南无常滅佛　南无帝相佛
南无阿弥陁佛　南无梵相佛
南无度一切世間苦惱佛　南无多摩羅跋栴檀香佛
南无須弥相佛　南无雲自在王佛
南无壞一切世間怖畏佛　南无百億釋迦牟尼佛
南无現在一佛十佛百佛千佛万佛餘除
无量劫以来生死重罪
南无一億十億百億千億万億那由他恒
河沙等无量阿僧祇佛若人聞是現在无量
阿僧祇佛名是人六十万劫不墮地獄苦是
故今敬礼
若人因礼拜　現在十方佛　度脫諸惡業　滅陰五逆等
常住清淨地　安住釋迦法　永離四惡道　得見弥勒佛
及以見千佛　是故今敬礼
復見十方佛　常生清淨土　得聞第一義　了知如来常
說是現在諸佛名時二恒河沙菩薩得入陁
羅尼門卌二億諸天及人皆發无上菩提道心
南无未来賢劫无量諸佛　南无弥勒佛
南无淨身佛　南无華光佛
南无華足佛　南无光明佛
南无名相佛　南无閻浮那提金光佛
南无法明佛　南无寶明佛
南无普明佛　南无普相佛

BD02111號　大通方廣懺悔滅罪莊嚴成佛經卷上　（19–9）

南无華足佛　南无光明佛
南无名相佛　南无閻浮那提金光佛
南无法明佛　南无寶明佛
南无普明佛　南无普相佛
南无光相佛　南无普光佛
南无山海惠佛　南无自在通王佛
南无寶莊嚴佛　南无弗沙佛
南无百億自在登王佛　南无寶相佛
南无善見佛　南无二万光相莊嚴幢佛
南无三万同号普德佛　南无雷音寶王佛
南无四万八千定光佛　南无寶月王佛
南无離垢光佛　南无妙色佛
南无妙色光明佛　南无破一切衆難佛
南无衆香佛　南无衆聲佛
南无十千莊嚴光明佛　南无八十億莊嚴光明佛
南无寶華莊嚴佛　南无上首德王佛
南无紫金光明佛　南无五百授記華光佛
南无那羅延不壞佛　南无妙華莊嚴佛
南无金剛定自在佛
南无未来一佛十佛百佛千佛万佛能除
无量劫以来生死重罪
南无一億十億百億千億万億那由他恒
河沙无量阿僧祇佛若人聞是未来无量阿
僧祇佛名是人十四万劫不隨地獄苦是故今
敬礼
若人因礼拜　未来諸佛名　三郭及五逆　唯除一闡提

河沙无量阿僧祇佛若人聞是未来无量阿
僧祇佛名是人十四万劫不隨地獄苦是故今
敬礼
若人因礼拜　未来諸佛名　三郭及五逆　唯除一闡提
悉皆得除滅　安住佛法中　得見无量佛　常得聞正法
是故今敬礼
若人因礼拜　三世十方佛　滅除過去罪　未来及現在
所造十悪業　今現得除滅　未来見佛性　是故諦信之
書寫讀誦礼　世世所生處　不生悪耶見　常正得解脱
不生在邊地　不生在悪國　不見悪國王　四億万劫中
不隨地獄苦　是故今敬礼　滅除十悪業　得大陁羅尼
說是未来諸佛名時五万菩薩住不退地七
百比丘比丘尼得羅漢道六十二億諸天人
民得法眼淨
南无揔持大陁羅尼　十二部經　修多羅祇
夜受記　伽陁　憂陁那　尼陁那　阿波陁那
伊帝日多伽　闍陁伽　毗佛略　阿浮陁達摩
憂波提舍　所有大藏　諸波羅　若人聞是十二部
經　諸波羅蜜　讀誦礼拜　信樂受持是人
二十万劫中不隨獄苦　得宿命智　是故今敬礼
說是十二部經名時八万五千菩薩得金剛
三昧十億聲聞發大乘心十千比丘比丘尼
得羅漢道无量天人得法眼淨
南无十方諸大菩薩　南无文殊師利菩薩
南无觀世音菩薩　南无得大勢菩薩
南无常精進菩薩　南无不休息菩薩

得羅漢道无量天人得法眼淨
南无十方諸大菩薩　南无文殊師利菩薩
南无觀世音菩薩　南无得大勢菩薩
南无常精進菩薩　南无不休息菩薩
南无寶掌菩薩　南无藥王菩薩
南无勇施菩薩　南无寶月菩薩
南无月光菩薩　南无滿月菩薩
南无大力菩薩　南无无量力菩薩
南无越三界菩薩　南无颰陁波羅菩薩
南无弥勒菩薩　南无寶積菩薩
南无導師菩薩　南无德藏菩薩
南无樂說菩薩　南无龍樹菩薩
南无寶檀華菩薩　南无上行菩薩
南无无邊行菩薩　南无安立行菩薩
南无淨行菩薩　南无陁羅尼菩薩
南无金剛那羅延菩薩　南无常不輕菩薩
南无宿王華菩薩　南无喜見菩薩
南无妙音菩薩　南无德勤精進力菩薩
南无无盡意菩薩　南无淨藏菩薩
南无淨眼菩薩　南无普賢菩薩
南无妙德菩薩　南无慈氏菩薩
南无善思議菩薩　南无空无菩薩
南无神通華菩薩　南无光英菩薩
南无慧上菩薩　南无智幢菩薩
南无舜根菩薩　南无頻慧菩薩
南无香像菩薩　南无寶英菩薩
南无中住菩薩　南无制行菩薩

BD02111號　大通方廣懺悔滅罪莊嚴成佛經卷上　（19–12）

[illegible]
南无慧上菩薩　南无智幢菩薩
南无舜根菩薩　南无頻慧菩薩
南无香像菩薩　南无寶英菩薩
南无中住菩薩　南无制行菩薩
南无解脫菩薩　南无法藏菩薩
南无等觀菩薩　南无不等觀菩薩
南无等不等觀菩薩　南无定自在王菩薩
南无法自在菩薩　南无法相菩薩
南无光相菩薩　南无光嚴菩薩
南无大嚴菩薩　南无寶積菩薩
南无辯積菩薩　南无寶手菩薩
南无寶印手菩薩　南无常舉手菩薩
南无常下手菩薩　南无常慘菩薩
南无喜根菩薩　南无虛空藏菩薩
南无辯音菩薩　南无喜王菩薩
南无執寶炬菩薩　南无寶勇菩薩
南无明網菩薩　南无緣觀菩薩
南无慧積菩薩　南无寶勝菩薩
南无天王菩薩　南无壞魔菩薩
南无電德菩薩　南无自在王菩薩
南无功德相嚴菩薩　南无師子吼菩薩
南无雷音菩薩　南无山相擊音菩薩
南无香象菩薩　南无日香象菩薩
南无妙生菩薩　南无華嚴菩薩
南无梵網菩薩　南无寶杖菩薩
南无无勝菩薩　南无嚴土菩薩

BD02111號　大通方廣懺悔滅罪莊嚴成佛經卷上　（19–13）

南无香象菩薩　南无日香象菩薩
南无妙生菩薩　南无華嚴菩薩
南无梵網菩薩　南无寶杖菩薩
南无无勝菩薩　南无嚴土菩薩
南无金髻菩薩　南无珠髻菩薩
南无光嚴童子菩薩　南无持世菩薩
南无普德菩薩　南无難勝菩薩
南无照明菩薩　南无華嚴菩薩
南无寶檀菩薩　南无薩陁波崙菩薩
南无曇无竭菩薩　南无法自在菩薩
南无德首菩薩　南无不眴菩薩
南无德頂菩薩　南无善宿菩薩
南无善眼菩薩　南无妙臂菩薩
南无沸沙菩薩　南无師子菩薩
南无師子音菩薩　南无淨解菩薩
南无那羅延菩薩　南无善意菩薩
南无現見菩薩　南无普守菩薩
南无雷光菩薩　南无喜見菩薩
南无明相菩薩　南无妙意菩薩
南无无盡意菩薩　南无深慧菩薩
南无寂根菩薩　南无无号菩薩
南无上善菩薩　南无福田菩薩
南无華嚴菩薩　南无德藏菩薩
南无寶印手菩薩　南无珠頂王菩薩
南无月上菩薩　南无樂寶菩薩
南无慧見菩薩　南无登王菩薩
南无深王菩薩　南无華王菩薩

BD02111號　大通方廣懺悔滅罪莊嚴成佛經卷上　（19–14）

南无月上菩薩　南无樂寶菩薩
南无慧見菩薩　南无登王菩薩
南无深王菩薩　南无華王菩薩
南无妙色菩薩　南无善問菩薩
南无善谷菩薩　南无了相菩薩
南无定相菩薩　南无定積菩薩
南无發喜菩薩　南无安位菩薩
南无怖魔菩薩　南无惠施菩薩
南无救脫菩薩　南无慧登菩薩
南无勇施菩薩　南无智導菩薩
南无願慧菩薩　南无四攝菩薩
南无教音菩薩　南无海妙菩薩
南无法喜菩薩　南无道品菩薩
南无總持菩薩　南无慈王菩薩
南无大自在王菩薩　南无梵音菩薩
南无妙色菩薩　南无檀林菩薩
南无師子音菩薩　南无妙聲菩薩
南无妙色形菩薩　南无種種莊嚴菩薩
南无釋幢菩薩　南无頂生菩薩
南无明王菩薩　南无大光菩薩
南无奢提菩薩　南无密積菩薩
南无華睒菩薩　南无上首菩薩
南无普色身菩薩　南无神通菩薩
南无海德菩薩　南无无邊身菩薩
南无衣王自在菩薩　南无迦葉菩薩
南无无垢藏王菩薩　南无持一切菩薩

BD02111號　大通方廣懺悔滅罪莊嚴成佛經卷上　（19–15）

南无海德菩薩 南无无邊身菩薩
南无衣王自在菩薩 南无迦葉菩薩
南无无垢藏王菩薩 南无持一切菩薩
南无高貴德王菩薩 南无琉璃光菩薩
南无師子吼菩薩 南无信相菩薩
南无无畏菩薩 南无海王菩薩
南无持地菩薩 南无光嚴菩薩
南无慈力菩薩 南无大悲菩薩
南无依王菩薩 南无依力菩薩
南无依德菩薩 南无普濟菩薩
南无普攝菩薩 南无定光菩薩
南无普光菩薩 南无真光菩薩
南无拘樓菩薩 南无天光菩薩
南无寶王菩薩 南无弥光菩薩
南无教道菩薩 南无大忍菩薩
南无華王菩薩 南无華積菩薩
南无慧光菩薩 南无海慧菩薩
南无堅意菩薩 南无釋魔南菩薩
南无金光明菩薩 南无金藏菩薩
南无常悲菩薩 南无法上菩薩
南无財首菩薩 南无山光菩薩
南无山慧菩薩 南无大明菩薩
南无揔持菩薩 南无山剛菩薩
南无登王菩薩 南无山頂菩薩
南无山幢菩薩 南无山王菩薩
南无伏魔菩薩 南无雷音菩薩

BD02111號　大通方廣懺悔滅罪莊嚴成佛經卷上　（19–16）

南无登王菩薩 南无山頂菩薩
南无山幢菩薩 南无山王菩薩
南无伏魔菩薩 南无雷音菩薩
南无雨王菩薩 南无雷王菩薩
南无寶輪菩薩 南无寶英菩薩
南无寶首菩薩 南无寶藏菩薩
南无寶明菩薩 南无寶定菩薩
南无寶印菩薩 南无寶場菩薩
南无寶嚴菩薩 南无寶水菩薩
南无寶光菩薩 南无寶登菩薩
南无寶現菩薩 南无寶造菩薩
南无樂法菩薩 南无淨王菩薩
南无頂相菩薩 南无金光菩薩
南无寶語菩薩 南无千光菩薩
南无原嶮菩薩 南无照味菩薩
南无月辯菩薩 南无月光菩薩
南无法輪菩薩 南无光淨菩薩
南无常施菩薩 南无普得菩薩
南无普明菩薩 南无勝幢菩薩
南无濡音菩薩 南无德炎菩薩
南无相光菩薩 南无海月菩薩
南无海藏菩薩 南无勝月菩薩
南无淨慧菩薩 南无起光菩薩
南无月德菩薩 南无日光菩薩
南无金剛菩薩 南无炎憶菩薩
南无尊德菩薩 南无海明菩薩

BD02111號　大通方廣懺悔滅罪莊嚴成佛經卷上　（19–17）

南无月德菩薩　南无日光菩薩
南无金剛菩薩　南无炎憶菩薩
南无尊德菩薩　南无海明菩薩
南无海廣菩薩　南无照境菩薩
南无慧明菩薩　南无功德菩薩
南无明達菩薩　南无寂教菩薩
南无須那菩薩　南无色力菩薩
南无調伏菩薩　南无隱身菩薩
南无一菩薩南无十菩薩南无百菩薩南
无千菩薩南无万菩薩南无一百万二百万
三九百万千千万万諸大菩薩摩訶薩能除
无量劫以来生死重罪
南无一億十億百億千億万億南无万万
億諸大菩薩摩訶薩能除无量劫以来生死
重罪
南无一那由他十那由他百那由他千那由
他万那由他南无万万那由他諸大菩薩摩
訶薩能除无量劫以来生死重罪
南无一恒河沙南无二恒河沙南无三恒河
沙南无四恒河沙南无五恒河沙南无六恒
河沙南无七恒河沙南无八恒河沙南无九
恒河沙南无十恒河沙南无百恒河沙南无
百億无量恒河沙諸大菩薩摩訶薩能除
无量劫以来生死重罪
若人聞是大士諸大菩薩摩訶薩名者是人
卅千劫中不墮地獄苦不屬三界獄常屬解

恒河沙南无十恒河沙南无百恒河沙南无
百億无量恒河沙諸大菩薩摩訶薩能除
无量劫以来生死重罪
若人聞是大士諸大菩薩摩訶薩名者是人
卅千劫中不墮地獄苦不屬三界獄常屬解
脱王不生邊地不□惡國不受惡身不生耶
見不生下賤不生外道身根具足常聞正
法不受禁戒常得具足大乘威儀常見佛性
是故合敬礼安住佛法中来世得成佛
說是諸大菩□□名號□十八万億清信男子
悟阿那含□□十□億諸天得斯陁含果七
十八億天心□□□十心悟羅漢果十億
菩薩得□大□□□□成佛道
大通方廣□□□□□□□□□上

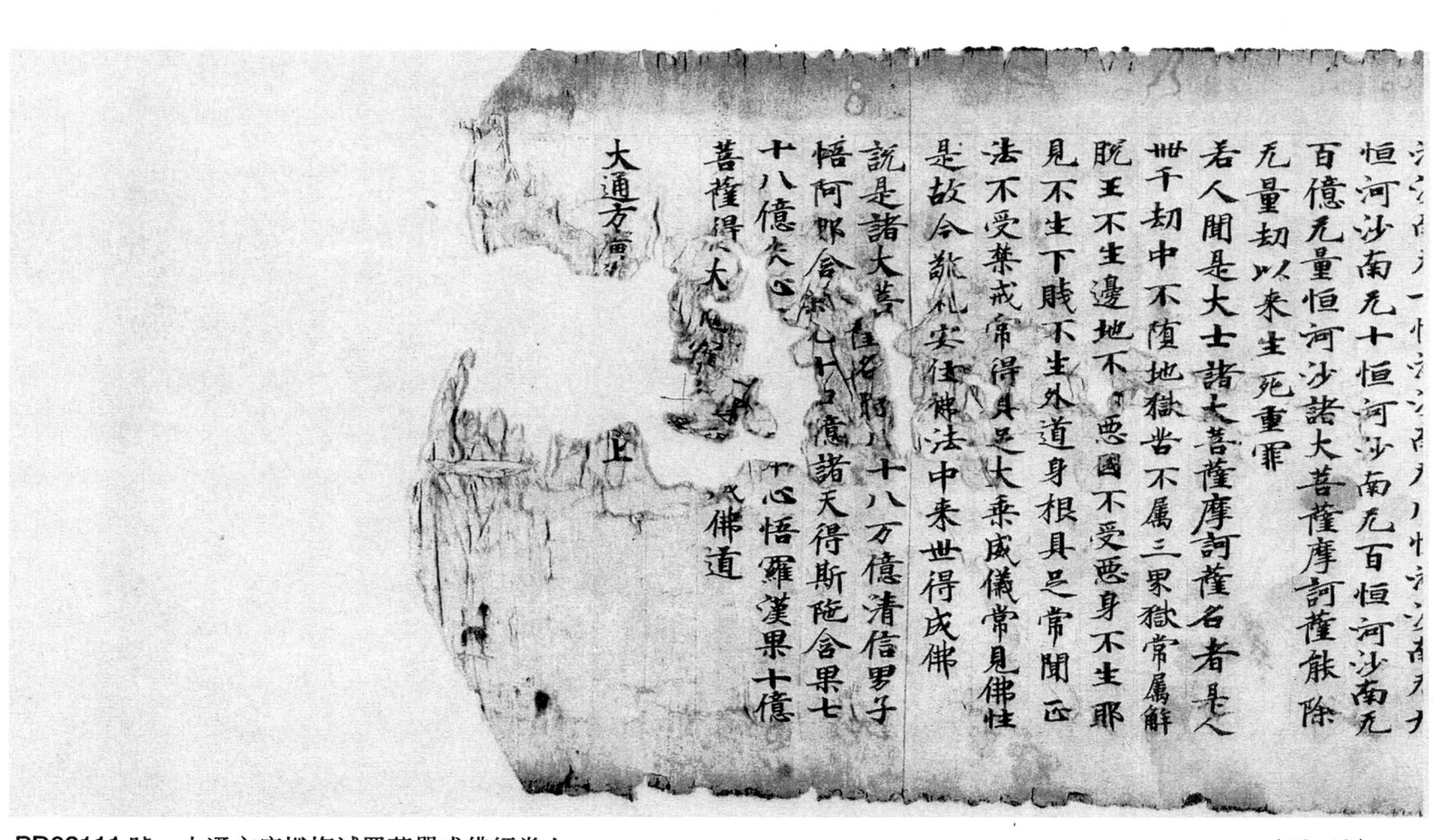

四分戒本疏卷第一　　沙門慧述

凡欲開發經題，先作三門分別，後乃隨文解釋。言三門者：第一舉
宗稱教首歸，第二知教歸旨，第三正釋經戒題目。言舉宗稱
教者，聖教次第略有三種：一修多羅藏，二毗尼藏，三阿毗達磨藏。
言修多羅者，此方為詮經；言毗尼者，此詮戒律；言阿毗曇者，此
詮論。今此戒本三藏之中，乃是第二毗尼藏攝。言智教首歸者，此
戒所云若以諸通論，兼詮定慧，故四分律云：何名增戒學？所謂增戒、
增心、增慧，是名增戒學。良以心作得戒，故亦令以宗求，唯學戒別詮。
此戒學兩者甫新簡。第一受戒法門，第二隨戒行相。言受戒者，創發要期，
斷惡修善，遠志成就，納法在心，目之為受。言隨戒者，受興於前，持心後起，
義順受體，說之為隨。就受隨二門，各開為兩，謂受門二者：為鄣戒法有
為，不能孤起，藉為不能孤起，藉因託緣，然後方發，故明能發之緣。既
有其緣，必有所得，故次第二所發戒體。言受緣者，寔以位階聖凡，報殊
男女，託緣不同，四分律并五種受戒：一曰善來，二稱上法，三名三歸，四曰八
敬，五曰羯磨，斯之五名，備如常釋。第二言受體者，撮要而論，不出二種：
一曰作戒，二無作戒。言作戒者，方便身口，造趣營為，稱之為作；二無作
者，一發續現，四心三性，始末恒有，不藉緣辯，字曰無作，斯之二種，但懸防
同稱為戒者也。作戒以色為體，言無作戒，非色非心。第二次弁隨戒二門者

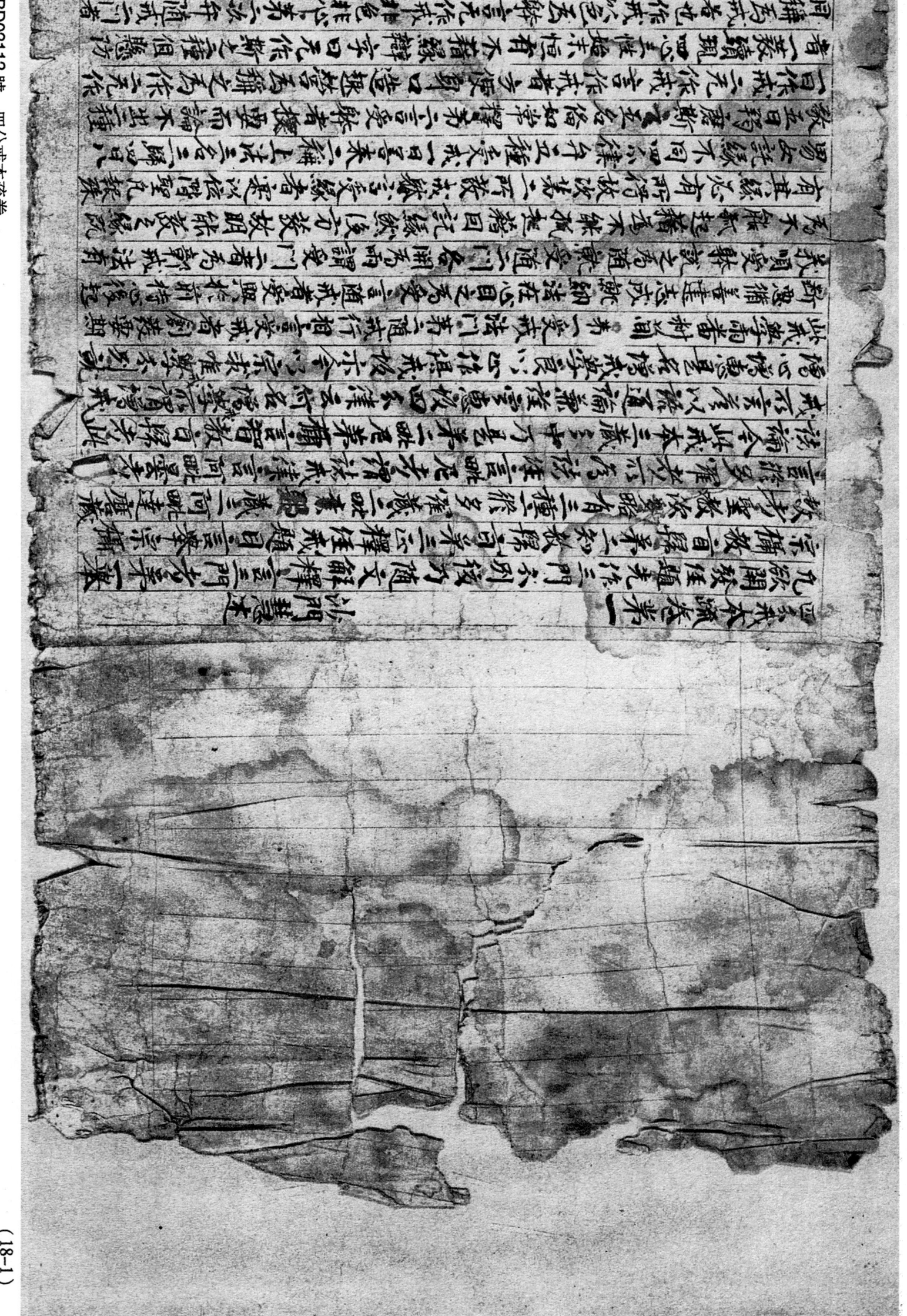

有其緣必有所得故次第二所發戒緣言受緣者憑以位階聖凡報殊
男女託緣不同四分律弁五種受戒一曰善來二稱上法三名三歸四曰八
敬五曰羯磨斯之五名備如常釋第二言受體者撮要而論不出二種
一曰作戒二無作戒言作戒者方便身口造趣營為稱之為作二無作
者一發續現四心三性始終恒有不藉緣辯字曰無作斯之二種俱懸防
同稱為戒若也作戒以色為體言無作戒非色非心第二次弁隨戒二門者
第一專精不犯第二犯已能悔言專精者上行之流一往順教惡離
善行稱曰專精但持有二一明止持二明作持言止持者念智捨等
謙身口不造諸惡稱之為止止而無違順受光潔故曰止持言作持者奉
順聖教作法作事對事作法稱之為作作而順受故號作持第二犯
已能悔者不謹之人放縱身口遠禁興過不循善行行本所受名之
為犯慚愧追謝還令復本亦名為持雖非一往善戒然亦殘而還復第二
白法故犯已能懺悔持然犯有二一者作犯現違聖教廣造諸過
稱為作犯二者止犯不准教奉循止而有違故名止犯對斯二犯悔而還
復並稱為持上來已弁教之宗旨其唯受隨若無其受則行無所
起以有受故眾行得生若無隨行便有戒羸等失以有隨故令受光
潔故地持云此二種戒攝受無量諸餘淨戒是故須受隨二法
就受門中廣釋緣體先明受緣後弁體言受緣者八門解義第
一釋名第二解義總別第三能秉教人師徒位別第四教所被者
聖凡不等第五藉緣多少第六弁此諸緣發戒時節第七受捨
漸頓第八文量勝劣。第一釋名者諸部立名多少不定或立
四受言無上或立六受取律中八比丘內自稱比丘是自誓受戒不然
之義今約四分之立五受言五受者謂善來上法三歸八敬羯磨等是
言善來者此人宿殖妙因道根深厚聞佛說法契證初果深厭
生死怖求出家佛言善來比丘即發戒品故曰善來亦可此等
諸人深厭生死怖求出家佛命善來即發具足故曰善來言上
法者性空之理超出相有物莫能加故稱上法無欲迦葉循道進德
或盡解滿會增上法而發具戒故曰上法亦可盡無生智超出學
表會而得戒故曰上法故母經中遠立善根上受具足言三歸者此
等諸人未感如來玄悟見道但訖託小聖諸羅漢等以為良緣亦
深厭三有怖求出家母云諸羅漢等教令剃頭染衣歸伏三寶歸
衣心戒即發具足故曰三歸亦名語言八敬者佛聽女人在道波闍聞
之持生厭離遂自剃頭倚立祇桓阿難見已為其三請如來遙宣
敬法阿難傳受愛道聞之尊斯八法作奉行之意即發具足故
曰八敬言羯磨者斯等人輩要假強緣扶彼善回方能發戒緣彼僧
眾羯磨言下而發戒品隱其能秉就所秉彰名故曰羯磨受戒
此五受法得名有四善來體境善誦行求戒心來是聖教故或可

衣心戒即發具足故曰三歸為名語言八敬者仏聽女人在道波闍聞
之特生最難逆自剃頭倚立祇桓阿難見已為其三請如來遂宣
敬法阿難傳受愛道聞之尊斯八法作奉行之意即發具足故
曰八敬言羯磨者斯等人輩要假殊緣扶彼若回方能發戒緣彼僧
衆羯磨言下而發戒品隱其能秉就所秉彰名故曰羯磨受戒
此五受法得名有四善來躰境善謂行者戒心來是聖教故或可
讚嘆受名有心受戒仏言善來故亦上法從境又可當躰受名遠立善
根上受具足故謂盡无生智歸敬三受約境就心羯磨從教名可切德
謂釋事故第二總別四受是別羯磨是總以從遠緣彰名或四或六而羯
磨既収故説為揔問羯磨受戒既有四緣何故獨彰羯磨餘不彰名
者何釋云從餘緣彰名乃有多種今且隱別就通以彰名羯磨何足
為妨第三乘人多論判言見帝自得餘六從他彼對七受釋故今類
彼論以判此五遠而言之盡從仏受以出世有是法故若以義推上法
得戒名為自受餘之四受是從他得云何上法名為自受論云以根
本而言由仏説法得證无漏發於具足名從仏受以義而推自以
盡智明現前而得具戒又名自得不從他受故心論云若法者仏
五比丘受呼善若爾何故論云從他教得答此據遠因而説善來八敬
是仏所秉名從仏受三歸羯磨弟子所秉是從弟子言教下得
第四所被分別四天律并善來受戒居在聖位故律中云見法得法得果
證已去得无漏解脫心出家至順之極方應善來發具足戒内凡已
還想心所聞非至順之極故爾不度又上法受者要弟四果以其或盡
解滿故尔三歸八敬内凡已上是以多論此二受法不羸不捨故知内凡已去言
羯磨受者始興為凡一興已後三人通被如涅槃經淨行梵志得初果已羯
磨為受四分律中蓮花色尼亦同此例　第五藉緣多少言善來受戒具四緣
得一證初果文言見法得法已二内有出家善心文言欲於如來法中脩梵
行三假對仏形文云前白仏言四假仏教謂聖命善來上法受戒具三緣發
一假仏教授如見論説二希戒心是以餘文羅漢沙弥无出家意故
但得其果朋須有心三得无漏空解謂盡智現前即得具戒三語
受戒緣各具三緣一假弟子形對諸羅漢二假弟子教謂口受三歸
言辞无欽三歸衣心戒須前歸依故能得戒八敬受戒具四緣發
一假仏八敬之教二假弟子形三弟子教謂口宣八敬四奉行之意故
愛道自陳我等頂受羯磨受戒具足四緣如律所説一僧數滿足緣二
教法成就緣三結戒成就緣四身无遮難緣若具此四是大比丘得戒
戒本祀戒二人四中若闕非大比丘故須此四方成比丘問善來等受以心
為緣羯磨一受何故不尓答善來羯磨非不有心以假外緣作法從緣以弁
故設目名又可羯磨四心俱得殊勝不弁心緣又准毋論前四以心為緣羯磨
一受何故不尓答善來羯磨非不有心以假外緣作法從緣以弁故渡目名
之所以者具導恐監不弁心緣又准毋論前四以心為緣羯磨一受雖

一假仏八敬之教二術業子刑三弟子教訶[illegible]
愛道自陳我等頂受羯磨受戒具足四緣如律所說一傳數滿足緣二
教法成就緣三結戒成就緣四身无遮難緣若具此四是大比丘得成
戒本犯戒之人四中若闕非大比丘故須此四方成比丘 問善来等受以心
為緣羯磨一受何故不尓答善来羯磨非不有心以假外緣作法從緣以弁
故假因名又可羯磨四心俱得謂臨不弁心緣又准母論前四以心為緣羯磨
一受何故不尓答善来羯磨非不有心以假外緣作法從强以弁故從因名
又可羯磨恐俱得恐臨不弁心緣又准母論前四以心為緣羯磨一受雖
文不列要亦須心故律文云聽眠醉狂等不得戒故 ・第六得戒時節善
来受者唱善来境即發具足故律云乃至得盡苦原上法受戒盡智現前
時得以小乘外齋羅漢梵行已立自然戒淨故更不從他受戒 問此上法得
者得作無作不 答以非作法但得無作 問既非作戒何因得發无作戒
者 答以非學為故无其作以道力故得无作戒三歸受戒第三語竟即發具
戒八敬受戒說第八敬即得戒品羯磨一受羯磨竟便發戒諸論大同
第七受捨漸頓先明受漸頓羯磨一受亦漸亦頓餘之四受頓而非
漸漸頓如何羯磨漸頓先受五戒次受十戒後受具戒是名為漸若不
受五十直受具戒得三種戒說之為頓 問若一時受得三種戒者何
須漸受 答深習仏法必須次第先受五戒以自調伏信樂漸增次受
十戒善心轉深次受具戒如是次第得仏法味好樂堅固難可退
敗不失次第不破威儀如遊大海漸漸深入一時受者既失次第又破
威儀故須漸受 問一時頓受得三戒者其无作體為一為三 答但發
具戒一无作體更无餘二无作之體若尓便是一戒如何言三 答比丘受得
防煞无作与沙弥俗人同戒者其實體一是以多論家據其體望三
人始終位別言得三戒理實无三 問所得知但一无三 答即此論文解次
第受中俗人下品五戒次中品心受沙弥戒前五戒仍本下品五戒外發
方為中品上品心受具本前二品仍猶下中五十外發始為上品據斯以驗
第次漸受三時心別同戒无作尚不發三世況一時受者而得有三故知漸次
望位別作三非體有三亦可心論云一切因一切支得三戒者三時漸受受既時別
重發无作有三體故若論頓受受既一時方可名為望位為三非體有
三 次解捨之漸頓若望四受受捨頓俱羯磨捨授並含漸頓為但
羯磨一受对制局漸捨兼漸頓 問羯磨頓受既得三戒捨時云何 答義含
漸頓若也要心三戒俱捨則頓失三是名頓 若言我作沙弥俱捨具戒言作
優婆塞者又捨十戒又言我三歸人方捨五戒名為漸 頓受之人捨俱頓並
漸 或以漸受須捨此三可尓若本頓受俱得具戒一无作體云何漸捨若得漸
捨便成三體如何言一 答比丘一時受防煞无作通沙弥俗人有防非是故捨時要心
捨具不捨十戒若与沙弥戒同隨心則在故律文言我作沙弥以十對五義旨
尓故言我作優婆塞是以論說據體通三人有其用義故望位說三非體有
三如此釋時頓受漸捨義亦无防故多論云辟如樹葉夏青秋黃冬時則白
是本來有直時異故對葉色異而始終一葉戒亦如是常是一戒隨位異故

漸戒以漸受須捨此三可亦名本損受俱得具戒一无作體云何漸捨若得漸
捨便成三體如何言一善並一時受防然无作通沙弥俗人有防非是故捨時要心
捨具不捨十戒若与沙弥戒同隨心則在故律文言我作沙弥以子對五義合
亦故言我作優婆塞是以論說據解通三人有其用義故建位說三非解有
三如此釋時須受漸捨義亦无防故多論云譬如樹葉夏青秋黃冬時則白
豈解殊有隨時異故樹葉色異而始終一葉戒亦如是常是一戒隨位異故
是以羯磨一受々捨俱須並漸善來等四唯須非漸以无作法捨故〻第八
優劣如多論說若就災患有无四受是勝羯磨為劣善勝
羯磨為劣若取任持仏法利益寬長羯磨一勝餘四受劣言四
勝一劣者羯磨受者內凡夫福德淺薄感得此戒多諸災患容有
毀上所下奉持心劣令戒有羸毳餘四受法內凡已去理解心中受得
斯戒持心堅固肥而不羸二者羯磨凡夫容有轉為形餘四受法復
无此變四者羯磨受人或起邪見斷捨善根餘四理解不斷善根
羯磨一受或有上四故稱為劣餘四受法无前過非是以名勝此對始興若
聖人受亦是其勝言一勝四劣者羯磨一受乃具六義一是時長謂現未二
處遍三方除欝單曰三粮兼男女四位該凡聖五所被无數六多坐
作法似斯論義仏法始終皆白四羯磨為宗本能紹續三寶作無盡
利益有任持之功莫大羯磨故說為勝餘四受中善來一受終盡雙林自
外三受中間即至又局閻浮不該餘二凡聖位善報局男女對前六義互
各闕少紹繼功微故稱四劣受戒緣境　〇第二次許受體於中四門料簡
第一釋名出體二辨先後　〇第二受隨同異〇第三弁發戒緣第四所發多少
第一先釋名者戒相雖眾義要二種一曰作戒二无作戒先釋別名作与无
作次解通名所目之戒言作者謂方便身口起動造作稱之為作故心論云
作者身動方便言无作者身動滅已与餘識俱彼法隨生名為无作如善受
戒纖行无記心現在前善戒隨生惡戒亦爾故釋通名戒者此作无
作俱有懸防戒稱為戒依善生經通有五名一名為制々斷一切諸不善故
名為戒又名迭隘雖有諸惡性不容受故名戒又名清涼遮熱煩惱令不入故
又名為上能上天堂至无上道又名學調伏心智故名為戒此五名戒是義用釋名
是故從用立名稱之為戒然於五中迭隘清涼是義名餘三用名問何故得知
有作无作善諸論廣明二種戒體一如心論第三羯磨剎那作及无作根本業道
又云身口作前二有對身口无作俱不可見无對二多論云初念戒有身口教
及无教第二念唯有无教无有々教毗婆沙云律儀善根有其二種
一者有作二者无作作者是色无作非色非心以斯文故明知戒有二種〻問何
須作无作者若无其作无作无所從生若无无作不可一形防非故須兩戒
此從言耳如上法得戒以道力故得无作戒〻次弁戒體若依多論作无作戒
並是色法為體此義可謂六種分別一有為無為分別二戒俱是有為法聚非
三无為故第二有為中三聚分別作无作戒並色法為體心及四相不相應法是
其戒用故命非及无作假色是分別色陰第二色聚中三色分別二可見有對色

及无教第二念唯有无教无有有教法住毗婆沙云律儀善根有其二種
一者有作二者无作作者是色无作非色非心以斯文故明知戒有二種。問何
須作无作者答若无其作无作无所從生若无无作作不可一形防非故須兩戒
此從言耳如上法得戒以道力故得无作戒。次弁戒體若依多論作无作戒
並是色法爲體此義可謂六種分別一有爲無爲分別二戒俱是有爲法聚非
三无爲故第二有爲中三聚分別作无作戒並色法爲體心及四相不相應諸是
其戒因故論云作及无作假色是分別色陰第三色聚中三色分別一可見有對色
謂色入公二不可見有對色謂五根四塵三不可見无對色謂法入中无作若言作
戒前二色收无作戒者第三色攝故伽心二論云身作可見有對口作不可見有對
身口无作俱不可見无對論其身作前二色中唯色入攝口作戒者是聲入收
非餘八色其二无作並法入攝此作无作俱是色陰第四就色聲中報方便分
別色雖通報及方便然身作是方便非報故心論云作者身方便口作唯方便
以聲非報法故身口二无作非報非方便第五三性分別身口色聲是善非餘
兩故心論云以清淨心動身口名善作等即向初色有廿種前十二唯无記後八富
下長短方圓正不正通三性眉取善邊身作戒體三聲之中謂除第二因不受
四大聲如風雷等唯无記故就初因受中大聲第三因俱聲此二通三性中
之取善聲邊爲身作體況論身口无作通於二性今論戒故是善性攝第
六始終分別此善作中通於終始謂始從請師終至羯磨未竟要心熟
善而非戒第二羯磨一剎那頃要期心滿思願成就善而是戒故局
取終然依得宗无作之戒定用非色非心爲體依作戒者取文不定或有取
文色心爲體故論文言業者非直音聲要以心力助成故知身業亦以
心力助成明知二業色心爲體又引論文以心爲體是故論言離心无思
无身口業故知二業用心爲體又辨色爲身口業體故論云身口業體
故論云身口業依心四大意思業依心若身口業非四大爲體性者意業依心
應不應以心爲體然意依心故即說意思業用心爲體故知身業以四大動
爲業業无別體即用四大作體口業者四大相繫於中出聲之成音曲有
所表彰以爲字句爲口作業業无別體用聲作體是以論云是法名聲性法
入所攝故以遠從四大即聲成故用聲爲體身業遊依四大故即用所
依心爲體次明二戒先後依心說論似一時得故文言第三念依无作根本業
道又多云初念戒有教无教後念若生戒但有无教无有有教故知一時然
无作之時有非戒者一者因時无作但是作俱是非全戒體二身是果時无
作无作有二一是作俱二是形俱形俱一種方是戒體三謂果後唯眉形
俱此是戒體以其果時有形俱故明一時得若依此宗以先後發故實言
闍齊何名爲无作答第三念須名爲无作以作戒爲初念故名无作爲
第二念唯羯磨竟所有无作是應戒體前二時中位是能俱所攝又善生經
方便心異作時心異衆緣和合得名爲作因緣發生无作作已過去唯有无作
其心雖在惡无記中本所作業不名漏失據斯以弁明先後發第二受隨
同異昔解受隨義一辭如一楯船桿衆敵爲破斯義故立此受隨二體並依

但此是戒體以其果時有形俱故明一時得。若依此宗以先後發故實名
闍義何名為无作答第二念須名為无作以作戒為初念故名无作爲
第二念唯羯磨竟所有无作是慈戒體前二時中位是能俱所攝又善生經
方便心異作時心異衆緣和合得名為作因緣發生无作之已過去唯有无作
其心雖在惡无記中本所作業不名漏失據斯以弁明先後發。第二受隨
同異昔解受隨義一譬如一楯解釋衆敵爲破斯義故立此受隨二諸並依
无作先解无作有其六七種一道共无作二定共无作三形俱四要期如日夜及處
中要期等五隨業无作如隨戒无作及處中隨作業發者是六事在无作如堵
寺橋船等事在時念念發无作等七隨因无作即前事在有人用時復發
无作者是就此七中形俱定受要具通二餘五定隨初弁同異受隨无作
同義有三為名體義異便有六第一受中无作義均一品隨中无作乃有
優劣言受中无作一品者若本上品者若本上品心受所發无作心增上故戒亦上
品或容犯罪或終至羅漢更无增感以其酬本一品心故中下心受義亦同然
三品各定故言義均一品隨中无作多品不定故優劣對五篇弁此優劣
者若就根條初勝乃至五劣若自多勝進五勝乃至初劣即應五篇次第之
義又可下篇下戒心有增微事別不等即有九品之持故隨无作有斯階
除。第二總別受中无作發心總斷一切惡意於生非生數須得律儀故
稱為總隨行无作次第漸成不可頓起故名為別。第三懸對受中无
作懸有防非未即有行隨中无作對事防非行成敗潔同懸未有非對
即隨行受有何有用　答若无其受隨不成隨共為成一治故
第四長短受是形俱說以為長隨行先作從漸行發非形俱
行隨无作從漸行發非形故俱自望為短。第五有无者受中无作通
三性唯善隨无作者體非二性亦不通兩此據性對分別受隨俱善
餘二並楪合約有无有通不通受是形俱通存餘二性中故說為寬隨
是作俱局善性中所以言楪此就心自作為言若先後心及以教人餘二性
中隨亦通有如教相所詮犯不犯中亦同此楪故犯行中无不犯行者通就
先後心及教人犯行中亦有不犯行此即受隨俱寬作此解人者然須
約以為言若局善性俱楪受隨同善性故若隨人等俱寬以亦通三故性
若以自作隨行對受亦別方有寬楪此唯多論有四五不同若實依論不
別寬楪者長短然復受中无作之是長寬隨无作者具於二種以道无作
寬長六第六受是根本隨是枝條次解二作同異同義有五謂名體義
寬楪長短等不同有四上品多品三懸別三亦懸對四根條比說可知既有
此辨　宜同昔解受隨義一　第三弁發戒緣者　若依薩婆多云別解脫
戒唯約見在以過未非衆生故若准得宗發之時不在過未心得戒以非衆生
故現在相續心中發戒以是衆生然受戒時要須三世境上所有之惡皆悉斷
意方能發戒遍防三世境上非所以然者過去之境雖生惡心故論云如人
供養過去所尊是亦得福律儀亦未來之境亦生惡心故須普緣總

寬狹長短等不同有四下品多品四一揔別三忍懸對四根枝比說可知既有
此殊宜同昔解受隨義一第三弁發戒緣者　若依薩婆多云別解脫
戒唯約見在以過未非眾生故若准得宗發之時不在過未心得戒以非眾生
故現在相續心中發戒以是眾生亦受戒時要須三世境上所有之惡皆作斷
意方能發戒還防三世境上非所以然者過去之境能生惡心故論云如人
供養過去所尊是亦得福律儀亦爾未來之境亦生惡心故須普緣揔
作斷意方能發戒又若過未不發戒者三世諸仏戒不齊等以其諸
諸仏戒品齊等故緣三世以發戒也。問戒防未非毗尼殊已起何故得言
緣三世境發還防三世非也答境雖過去非過去等以斯義故獨防未非是以
頌云第四發戒多少諸戒雖眾不過二種謂作无作作已過去唯有无作
一形相續此无作戒乃有多品以所防之惡既有无量戒亦是一故多論
云於一切眾生數非眾數而發律儀言於眾數者上至非想下至
阿鼻可煞不可煞可誑不可誑等下眾生乃至如來就根本而言不過
有身口七惡三因緣故一貪故起七二嗔故起七三癡故起七三七廿一惡對防
此惡受戒之時謂從无貪等三善根心各得身口七枝合廿一種戒善
乃至三千大千下眾生皆亦如是若十戒五戒得十二種戒故心多二論於一切
眾生一切時戒不斷式廿一種故經云眾生无邊戒亦无邊若非眾生數乃
至草木生種大地非法衣食等及下罪處本受戒時要期不作還德亦
所戒善功得故善生經云大地等无邊戒亦无邊出家僧尼仏聖弟子位
尊人天寔由於此文准了論四万二千福何謂四万二千學處一切恒流其猶河
水洗除破戒煩惱言四万二千者根本戒有四百二十所以爾者薩婆多外律戒有
二百多明輕戒優婆提捨戒有一百二十多明重戒比丘尼別戒九十九合成四百廿是
下戒有攝僧等十功德一一功德能生十種心行謂信等五根无貪等三及
身口二護一戒即百合戒有四百廿豈非四万二千文解无願毗尼者謂第三
羯磨竟時四万二千學處一時並起无戒不生故稱无願據斯以驗故知
戒量不可勝數問僧尼二眾戒數各爾何以无願毗尼直言四万二千耶上解
此據二種通說若取實理各隨本十戒二約轉根本義釋俱有四万二千上
來受戒法門辯了自下隨戒齊文中說。　第三正釋戒經題目言四分者
蓋是一百年後五部之中一部之別名言戒者是毗尼都教之宗矣夫
聖如來始從婆羅柰終訖涅槃隨根制戒輕重差殊緩急有異仏涅
槃後優婆離等撰仏遺言載傳竹帛次第狂持乃至毱多一百餘年
並以永宗无二所化眾生不相是非但為一部大毗尼藏倫傳於世然優婆
毱多有五弟子各執一見以為楷准至傳聖教不能均聽貴一於是
離分遂為五典各自相傳並流季世究其宗旨无非仏說如破金杖
並為金用揔別之教咸可受持本一今別義異於此文依三藏傳
云一百年後分為五部二百年後為十二部四百年後分作十八隨相雖
有多種莫不皆是一大毗尼藏故文殊謂請經仏說偈曰磨訶僧祇
部分別出有七餘毗尼十二是為廿部十八及本二悉從大乘出无是亦无非我

毱多有五弟子各執一見以為摽准至傳聖教不能始聽竟一於是
離分遂為五典各自相傳並流季世究其宗旨无非佛說如破金杖
並為金用然別之教咸可受持本一今別義異於此文依三藏傳
云一百年後分為五部二百年後為十二部四百年後分作十八隨相離
有多種莫不皆是一大毗尼藏故文殊諮請經佛說得曰摩訶僧祇
部分別出有七部毗尼十八是為廿部十八及本二悉從大眾出无是亦无非義
說未來起據斯以論明知四分名者於多部中一部之別名若就能秉應
言曇无德戒本此名法護今約所詮戒名故言四分四誦戒部因以名焉
今此戒經從彼律出故云四分戒本 隨文釋中文雖浩博聖凡見異
分釋多種不定今且約一義文分為三一者序二者正宗三者流通初序
三文第一從稽首禮至如是持已來名為序分第二從四波羅夷法至
七滅已還名正宗 第三從七佛已下至共成佛道是流通分次釋次三
名顯宗由致發起之端名之為序此五篇七聚及七滅諍正明犯不
犯輕重等相被時之益正當聖意當於序興又當機感故曰正宗
法傳季世目之為流流而不擁名之為通故曰流通次釋所以者說
經由序制戒必有由藉故須序分序分既彰宜宣宗本
之文豈唯現在亦欲開演大天流傳像季末大才聞令得同悟故須流
通就前序中復分為三初十二偈正明律主將欲流傳聖教被及遐代恐將
不信歸敬三寶嘆戒功能勸信奉脩是故自作廣略二教通序前開持毀之
言以成說聽之本 第二從和合已下

隨文釋中文雖浩博聖凡見異分釋多種不定今且約一義文分為三一者
序分二者正宗三者流通初序三文第一從稽首禮至如是持已來名
為序分第二從四波羅夷法至七滅已還名為正宗第三從七佛下至共成
佛道是流通分次釋次三名顯宗由致發起之端名之為序此五篇七聚
及七滅諍正明犯不犯輕重等相被時之益正當聖意當於序興又
當機感故曰正宗法傳季世目之為流流而不擁名之為通故曰流通
次釋所以者說經由序制戒必有由藉故須序分序分既彰宜宣宗本
故次正宗正說之文豈唯現在亦欲開演大天流傳像季末大才聞令得
同悟故須流通就前序中復分為三初十二偈正明律主將欲流傳聖教
被及遐代恐將不信歸敬三寶嘆戒功能勸信奉脩是故自作廣略二
教通序前開持毀之言以成說聽之本 第二從和合已下是二教大
宗發起之序於斯二序六門解釋一明之序意三義故亦一人有師徒謂
曇无德如來之別二時有現未三經躰不同如來經者出於金口雲无

同悟故須流通蘇前序中復分為三初十二偈已明律主將欲流傳集者
被及遐代恐時不信歸敬三寶嘆戒功能勸信奉脩是故自住廣略二
教通序前開持毀之言以成説聽之本 ●第二從和合已下是二教大
宗發起之序於斯二序六门解釋一明之序意三義故亦一人有師徒謂
曇无德如來之別二時有現末三經辭不同如來經者出於金口雲无
得經傳於竹素以斯三異得有二經之有二故須立二序 ●第二序名
不同就法以弁勸信發起名也約人曇无如來雖名有殊且約前説●
第三惣別偈序是別長行是惣之別可知 ●第四所明而異流演之聖
教非信不傳故此偈序寄嘆戒功勸信奉脩以明序義和合已下大聖
欲明被時之益輕重等相故戴發起 ●第五先後次第者問發起興前
反在後説勸信偈後迴在前明所以尒者 ●答二種不便故任如是一戴制戒
之相隔於勸信發起不便二顯雲无得勸信不具若勸信前明順前兩義
故迴發起勸信後説有可不妨為妨理而言之勸信之偈乃在流通事後
何以不對正宗等弁以先後故知不尒但勸信雖後法須前明 ●第六隨
文科釋偈文分三初稽首礼三字是云何敬之之儀或二諸佛已下七字
是何所敬顯所敬境三今演已下是何敬（其敬意）所謂廣略嘆戒勸信
稽首礼次明能敬之躰頭頂暨足身業致虔故曰稽首又稽首者
屈也首者頭也故曰稽首謂律主等行者身口意業身業恭敬礼口業
稱揚讚嘆意業信敬尊重此就能敬人業具或身口意弁若局明敬
躰其唯信數
諸佛及法比丘僧 ●次明所敬之境衆聖非一稱之曰諸宜
敬教主而兼礼餘佛者顯教道理均化儀无二諸佛平等故須普敬佛者西
音此方稱覺具足一切智通達諸法自覺覺他三覺圓滿故名為佛已上稽首
通下二目之為及 ●所言法者有二其義一就躰解法之名自躰二就用釋名
法行者軌則所言比丘者亦是西音稱度論中三義解釋一名乞士二意故
乞一為資身長道離四邪命正命自活故曰比丘二為益施主傳田行施獲反
報之福是故須乞二名破煩惱比丘為破丘名煩惱能破煩惱故名比丘三曰怖
魔能怖於魔及魔人民故名怖魔具足三義故曰比丘所言僧者亦是西
音此名和合謂四人已上於理於事絶去違諍名和合衆比丘者能成之曰僧者
所成之衆惣別合舉故曰比丘僧此三種境世所珎貴咸稱為寶三寶不同略

報々福是故須上之三名破煩惱比丘名破立名煩惱能破煩惱故名比丘三曰怖
魔能怖於魔及魔人民故名怖魔具斯三義故曰比丘所言僧者亦是西
音此名和合謂四人已上於理於事絕去違諍名和合衆比丘者能成々曰僧者
所成々之衆總別合舉故曰比丘僧此三種境世所珍貴咸稱為寶三寶不同略
有一解別相主持九種々異義如經論廣弁 今演比丘法令正法久住
從次已下彰其敬意々敬意有三一就別境二約總境言別境者境仏四意
一仏是教主將傳聖教寧不致虔表師資有在二報恩供養三開尓傳尼
遵奉之儀四請威伽護敬法三意一法是所傳々之旨真其蓋軌秉故亦宜敬二
尓遵奉之儀三請威伽護次總境三意雜心論云開發衆生三寶念是故
稽首礼三寶成實論云三寶最吉祥故我經初說今律主敬者為演
比丘勸時生信稟化相傳有久住々蓋是其大意先解初文於義吐宣故
曰今演比丘西音此方稱戒尅戒於心由行教就功能彰名故說此教為比丘
法比丘々名乃有多義如三叢義說一能引生是比丘義謂羯磨竟時
能引生四万二千功德一時並起二能教身口清淨為正直是比丘義謂離業
濁煩惱濁故名身口清淨正直故向涅槃三有戒義是比丘義性離諸惡
業非不生故名為戒四引勝故名比丘謂引俗入道引小入大令凡入聖十五勝
人所行是比丘義謂一切聖人同行此法總攝律教一切都盡既有多義今
翻戒者謂能得於戒具當二第向涅槃第三戒義但經論廣明戒義今
且略弁少多所言正法々雖有四今約行教二法而明正法故善見云仏語阿
難我滅度後有五種法令法久住一比丘者是汝大師下至五人持律在世三
若有中国十人邊地五人如法受戒四乃至有廿人如法出罪五以律師持律故
仏法住世五千年又論說言衆行々軌稱々為正法々由弘人能通法々在人
故更興不墮故曰令正法久住 戒如海無涯如寶求無厭欲護聖法財衆集
聽我說 此一偈略嘆戒功勸信奉脩所防々惡既有無量寧能防々戒
寧有涯際故經云說言衆生無邊戒亦無邊涯七寶々々珍世俗所貴求
之無厭七善律儀聖人所尊福者脩學而無疲勞求々無厭王卑珠寶難
性不淨愚人常護信等七法能資聖道故名為財福者常護勸令脩
學戒律法門故曰聽我說 欲除四弃法及滅僧殘法戒卅捨墮衆集聽
我說 此一偈文勸捨極惡不善々業而令脩學涅槃正因故多論說

之（元）猒，七善律儀聖人所尊，名者脩學而无疲勞，求之无猒，王卑珠寶貲斛
性不淨愚人常讚信，斗七法能資聖道，故名為財。名者常讚勸令脩
學戒律法門，故曰聽我說。 欲除四弃法及滅僧殘法霸卅捨墮眾集聽
我說。此一偈文勸捨樞惡不善之業而令脩學涅槃正因，故多論說
戒有四義，餘經所无。一者戒是佛法平地，万善由之生長；二諸弟子皆依
戒住，一切衆生由戒而有；三取涅槃初門；四是法瓔珞而能莊嚴諸佛正
法。以此義故持戒之方能滅諸惡，故勸聽說。 毗婆尸式棄毗舍拘留孫
俱那含牟尼迦葉釋迦文諸世尊大得為我說是事我今欲善說諸賢
咸共聽。此偈之文引佛為證，廣略二教七佛同說，是故我今勸令奉脩
聽徒非一，可諸並有和直之行，稱人冀者，者志詳審，故言咸共聽
譬如人毀足不堪有所涉，毀戒亦如是，不得生天人。欲得生天上若生人
間者常當護戒足，勿令有毀損。 此二偈文而明持犯兩法，前明彰
其毀犯，乃後明其護持。人欲遠涉事必須其腳，足若欲遠至涅槃
應存戒品，具足人足既損，難遊遠涉，若戒足闕，沉溺三塗，故令勸令
護戒如足。是以經說如人无足欲行遠路，如鳥无翅欲飛高界，如海无
舡欲度彼岸，是不可得。若无清淨戒欲得聖果，无有是處，是故護戒勿
令毀損。 如御入嶮道，失轄折軸憂。毀戒亦如是，死時懷恐懼。 此偈
明毀戒之義，御以喻身，轄喻律儀，軸喻根本，若失小戒即犯根本
故涅槃云：勿輕小罪以為无殃，水滴雖微漸盈大器，毀戒之喻亦復如是
不護小戒則有犯重之憂，故四分律云：破戒之人有五種過，一欲自害
三名者所呵，三惡名流布，四臨終生悔，五死墮地獄。以此義故勸令奉脩
如人自照鏡，好醜生欣戚。說戒亦如是，全毀生憂憘。 此偈法喻如相合境
喻淨戒，好醜喻持犯，若戒全時便生憘悅，若毀戒行乃至有憂悲，故
毗婆沙云：戒如明鏡，无戒像現，戒如瓔珞能嚴相好，若照淨戒，破犯乃見
故言憂憘。 如兩陣共戰，勇怯有進退。說戒亦如是，淨穢生安畏
此偈明進脩持犯二門，兩陣喻持犯，勇怯喻戒行，若全便進聖果
以毀戒故退墮惡道，持戒不犯便有涅槃安樂，惡戒因緣畏失證勝報
為度論云：破戒之人，人所不敬，其處如塚，譬如羅刹，惡心可畏，如大病人
人所不近，譬如毒蛇難可共住，常懷怖懼，我為外賊，乃至臨終生悔而无安

毗婆沙云戒如明鏡[illegible]

故言憂喜　如兩陣共戰勇怯有進退說戒亦如是淨穢生安畏

此偈明進脩持犯二門　兩陣喻持犯勇怯喻勝劣戒行若全便進至聖果

以毀戒故退墮惡道持戒不犯便有涅槃安樂惡戒因緣畏失證勝報

智度論云破戒之人人所不敬其處如冢譬如羅刹惡心可畏如大病人

人所不近譬如毒蛇難可共住常懷怖懼我為佛賊乃至臨終生悔而死安

樂持淨戒者諸天常護正法不斷故花嚴云具足能持諸威儀教授六

法常和敬善御大衆心无憂去來今佛共同讚持戒因緣法久住是人能

報諸佛恩又云戒是无上菩提本應當具足持淨戒若能堅持於禁戒是則

如來所讚嘆　世間王為最衆流海為最衆星月為最衆聖佛為最一切

衆律中戒經為上最　此偈以勝比劣世王能護故名為最大海深廣

故名為最月能圓滿故名為最佛具衆德是故名最戒含多義是故名最

故經說言依此戒得生諸禪及滅苦智如海渊廓深潤无涯戒善理深資

潤无窮起於万行喻若於海若就行論定慧除細亂惠斷煩惱所以是勝

根條住別戒是根本定惠從生戒復是勝約教辨者餘詮定惠故二義

勝若詮根本戒即居為勝今言最者根本攝勝摩夷論云最有四種一生善

善勝名最二滅惡中勝故名最第三相引故勝依有漏戒得无漏戒是故

名勝四相益故勝依非心戒起於心戒一切勝實非戒不起故戒經為上最

如來立禁戒半月半月說　此半偈結前嘆戒勸信諸天早意難明奇言

以彰申憤讚美王宗勸信若久誇德即處所通之法宜掩己情息嘆歸

乳上來廣略二教通序文畢自下廣略二教發起之意各有其三謂序正流

通　和合僧集會　從此已下廣明發起之序四分律云時有各同師知識

別部說戒佛當尋重之以事恭敬布薩聽一處住和合說戒違者得罪佛

言有三種和合一應來者來二應與欲者與欲三現前得呵者不呵反此別

衆言僧集會者謂同一界皆應相嘆是佛所教作法之時共集一處

若多若少乃至一人心念說戒是名集會　未受具戒者出此明異衆儀

式四分律云時有比丘令餘六衆遮說戒事佛言並令至不見不聞處除人

未受戒者非人來者聽之又不應在居前住也若有異衆乃令遠去

下坐應答言未受具戒者已出若无異衆應言此處无未受戒人洗

衆言僧集會者謂同一界皆應相喚是佛所教作法之時共集一處
若多若少乃至一人心念說戒是名集會 「未受具戒者出」此明異衆儀
戒四分律云時有比丘令餘六衆遮說戒事佛言並令至不見不聞處除人
未受戒者非人來者聽之又不應在尼前作也若有異衆乃令遠去
下坐應答言未受具戒者已出若無異衆應言此處無未受戒人役
弥出時應誦五得十數不者吉羅 「不來諸比丘說欲及清淨」此名和合
之義時有病比丘不來聽戒佛言應與欲及清淨隨其廣略若不見身相
不口說者不成與欲以要言之一切如法事業因緣佛開與欲無本緣長
陳欲法不成與欲法鄣僧說戒翻上成欲 「誰遣比丘尼來請教誡」
此明替請式儀若有受尼求請教誡者此時應起僧中為請衆中
若有具十德者即應差遣必若無者上座應作略教授法語請人言語
尼衆此寺無堪教授尼人亦無善說法者尼衆應一心行道謹慎莫放
逸彼答言尔若無請者下座應答此處無尼來請教誡 「僧今和合何
所作為」此句明問僧所作儀式若更有餘法事（皆應此時先作若无餘事）一人應答說戒羯磨上來是
衆法方便自下丘作二同 「大德僧聽今白月十五日衆僧說戒若僧
時到僧忍聽和合說戒白如是」此明作法律式四分律中佛語比丘當
王法黑白二月大小兩日隨國同稱言若僧時到謂作法時至僧忍
聽者勸衆詳和下白衆知故日白如是之以律云若有四人應作
此白三人已下當三語說戒獨住比丘心念布薩若不如是皆得吉羅
「諸大德我今欲說波羅提木叉戒」此句明發起正說戒序將欲說戒故標榜之語
大德者先告衆也波羅提木叉者西音[illegible]為別解脫戒也由受此戒別弃
種種惡故又能尅解脫果也得名為解脫律儀也不[illegible]惡衆所傳教
名解脫又衆初隨順解脫故名波羅提木叉又是別因標果稱又律中佛
語比丘新受戒者未聽聞戒不知何學聽集一處和合說之波羅提木叉者
戒也自攝持攝儀住處行根面首集衆善法三昧成就當結當說義起
闡布開現及覆分別 「衆集現前默然聽善思念之」此句明聽法儀式是
故律云同羯磨者集在一處乃至應可者不可是名如法若欲來聽小教妙
高座上而說八難緣隨時略說若客舊來集數有少多說至此序長事
便聽座如律結諦意專心而聽律行是名善思念之 「若自知有犯者即

[illegible]

戒也。自攝持攝儀住處行根西首集衆善什三昧成就當結當說教起
信布開現及覆分別「衆集現前默然聽善思念之。此句明聽法儀式是
故律云同羯磨者集在一處乃至應呵者不呵是名如法若樂樂聲少數妙
高座立上而說八難緣隨時略說若客舊來集數雖少多說至此序竟事
便聽，如律佛歸意專心而聽律法是名善思念之「若自知有犯者即
應自懺悔不犯者默然默然者知諸大德清淨。此句明不犯犯義所言犯
者不護之人旅從身口遠禁興過不備善行污本所受名之為犯慚愧追
謝還令復本亦名為犄雖非一往善成然亦數而還復第二自義行故名犯已
能悔是故律云有二種智人有罪能見已如法懺悔所言不犯者上行之流
一往順教西離善行故名不犯所以律云無犯有二若本不犯已能悔同名無犯
若欲懺悔者當詣清淨比丘說犯名字如法除已方得聞戒若無犯者即當
默然表心淨故「若有他問者亦如是答。此句明相問義律云非但誦戒之時
須如是答若有餘人問答如是故四分律言如是答者譬如一一比丘相問答也是
名亦如是「如是比丘在於衆中乃至三問憶念有罪不懺悔者得故妄語罪
此明違教罪四分律云默妄語者得吉羅罪是故衆中問時憶念有罪即
應發露故若妄不憶雖默無罪若正說戒時彼時憶念恐亂大衆即應心念發
露說戒已後如法懺悔「故妄語者佛說鄣道法。此句明遠罪果報言鄣道者
妄語之罪能令衆僧墮三惡道不獲聖果亦鄣四禪及三三昧乃至四果是故
律云佛告比丘如彼大海不受死屍設有漂出我法亦爾不受死屍謂死屍者
非沙門犯戒行自言沙門非梵行犯戒惡法不淨穢汙邪見覆善內懷腐爛內[illegible]
淨如空中樹雖在衆座常離衆遠衆亦遠彼故知懺罪方成聞戒「若彼
比丘憶念有罪欲求清淨者應懺悔懺悔懺悔則安樂。此明懺法若憶初篇犯
罪即應依大乘懺若憶僧殘如律廣懺乃至吉羅類名可知由懺因緣三業得
淨是故律中佛告比丘以戒學淨便得淨定乃至智慧亦復得淨三學淨故
能到諸禪及證聖果故曰懺悔得安樂「諸大德我已說戒經序今問諸大
德是中清淨不三說「諸大德是中清淨默然故是事如是持。此句結成受持也由
衆默然故是事成皆雖有三問共是一法故但得一罪上來已明廣略兩教
發起別序從此已下即明廣教正宗「諸大德是四波羅夷法半月半月

淨是故律中佛告比丘以戒學淨便得淨處乃至智慧亦復得淨三學淨故
能到諸禪及證聖果故曰懺悔得安樂　諸大德我已說戒經序今問諸大
德是中清淨不三說　諸大德是中清淨默然故是事如是持　此句結成受持也由
衆默然故無事成皆雖有三成問共是一問故但得一罪上來已明序略而教
發起別序從此已下即明廣教正宗　諸大德是四波羅夷法半月半月
說戒經中來自下正宗之內總有八問以階輕重此八初明第一夷篇一篇之
內皆有三段初標說儀次陳本戒後問清淨此前一句文是其標也下至七問
皆准於此問所以得共廣教者為僧尼不勝名利廣生有漏壞其略教是以
來隨有犯制廣補之使犯相班輕重位別教禁羣撥有當時之益是
意在此故號正宗正宗之旨不出身口正善受之與持犯相輕重但人多釋
不可具錄今且略撮宗來分為二種一者止持行相第二者作持行相此二種
持犯攝戒經始終物盡戒本之內且從八節料義此八為五犯十三九十合為
一犯四說共為一犯不定合在七滅故但為五將此五犯兩種解釋第一總相
解釋第二各別釋義總相之中四門分別第一五篇第二七聚第三方便
○第四持犯此四位中五篇雖是究竟以其根本究竟業道是以先明雖然
究竟前後眷屬相亦須識是故七聚以為第二七聚義之亦含輕重
五七之果成本由因造緣差千不可有盡暢思業故方便以為第三既識過
相階差理須護持犯為第四　欲明五篇四解釋第一釋名第二列名第三立
五所以第四次第　第一釋名者此是以正善為宗故用能治戒行以為所明
四分律中名五犯聚僧祇云以為五篇科以一名說四夷名初篇十三僧殘
以為第二篇三十九十共為第三篇四提舍尼為第四篇衆學及七滅諍為
第五篇所言一篇者輕重相形是故名篇善見云篇者類也又說均等名篇
各具三均故名為篇一者名均齊二者體均齊三者究竟均齊具此三均
齊等故得篇名如前篇名如前篇四戒俱名波羅夷輕重義等為此稱
似錄為初篇餘非類者理不得同乃至第五類意同爾
○第二第得名者夷者體得名祇云極惡三義故惡者退沒謂退失道果
三不共住非二僧攝故三者墮落棄此身已墮阿鼻地獄故即此極惡之辰書
罪人是故書體得名僧殘者殘體受名犯此罪已猶得行者非全堪用故
名為殘有殘之罪由僧除滅故名僧殘[illegible]

[illegible]

第二弃得名者夷害驂得名祇云極惡三義故惡者退沒謂退失道果
三不共住非二僧攝故三者墮落於此身已墮阿鼻地獄故即此極惡之罪
罪人既害驂得名僧殘者埃驂處名犯此罪已雖復行者非全堪用故
名為殘有殘之罪由僧除滅故名僧殘言墮者從驂及埃作名又云隨義
墮罪有此能故從功能作名言提捨者從對治埃久可表過處稱文言我
犯可呵法言吉羅者從具義立名故見論云吉羅名惡作○第三立五之
意或言業有五故立為五篇寄唯洛刹道如五形罪或輕如來隨根之教略
攝此五○第四次第先就所防罪解推尋本制之興隨犯而集輕重事亂无
定今明次弟可所依准蓋是大聖欲令斯行論傳遐代故命優波離曲宣方軌
不以重輕次比花後故優波離仏涅槃後一依聖教集仏所制成先之罪置如先
勒故弃在初餘次輕者依其階位乃至第五類以可知若從能防行次第者
初篇是行根本故須先明初篇是行壞下四枝條為能得生是故初篇先立
根本行既立已又備衆行衆行不成細行難立何能兼行故立衆行為第二篇衆
行雖成若不備律儀細行難立故明第三身口威儀威儀既成若不離譏過若
不敬順三寶除綵殊諍及成滯尋傳花三有為能出離是故第五篇敬順三寶
威儀淨熟趣道之行此據根本所以初勝若據難防第五最勝乃至初劣
第二七聚四門分別一約位二約聖三偷蘭先後四入篇不言約位者四棄為第
十三 二切偷蘭為第三僧殘為第四提捨名為第五惡作為第六惡說為第七
言聚者聚罪非一聚在一處名之為聚言五名者初篇當驂殘約境義對
就所防罪立名驂唯不善故見論偷蘭名大遮能鄣道故名為偷蘭提捨切能可
呵約表立名第六約作得名故翻要作第七就說為名故言惡說言偷蘭先後
者偷蘭過麁故能治之行所戒門攝若約均雜往不復犯第五以驂合古便
究竟之異雜門所收麁重是故須約下雜上位當第五又解作因故三為果
故五為弃戒他之戒故尔言入不入者犯入五篇皆具三義一名均二驂均三
究竟均表等四聚並具此義蘭中但有名均雖是蘭聚猶餘二均以通因果
含輕重故不入五篇所言輕重有四種別一不可懺如二遂提之大衆蘭初二篇
下是三小衆蘭四對手蘭一人邊懺輕者出界四人中懺殘遠重者同界生種
殘邊輕者對手懺有此差別故不入篇第三方便於中有三一者遠方便一

威儀淳熟趣道已行此懷根本所以初說若緣雜防第五衆說乃至初篇
第二七聚四門分別一約位二立名三偷蘭先後四入篇不言約位者四衆為第一
十三二切偷蘭為第三捨墮為第四提舍尼為第五惡作為第六惡說為第七言
立名者衆罪非一聚在一處名之為聚言立名者初篇當體殘約境義蘭
就所防罪立名驗唯不善故見論偷蘭名大遮能障道故名為偷蘭提舍從境可
呵約責立名第六約作得名故御惡作第七就說為名故言惡說言偷蘭先後
者偷蘭過麁故能治之行於戒門攝若約均雜往來須於第五以驗含方便
究竟之異雜門所收麁重是故須於均下雜上位當第五又解作回故三為果
故五為昇成他之戒故爾言入不入者犯凡入五篇皆具三義一名均二驗均三
究竟均謂等四聚並具此義蘭中但有名均雖是蘭聚闕餘二均以通回果
含輕重故不入五篇所言輕重有四種別一不可懺如二逆提二大衆蘭初二篇
下是三小衆蘭四對手蘭一人邊懺輕者去果四人中懺殘邊重者同衆生輕
殘邊輕者對手懺有此差別故不入篇第三方便於中有三一者遠方便二
者近趣方便三者開緣方便遠者有果而不成進趣者以回成果開緣者先
果而可成言遠者如自覆藏罪是非不稽此覆藏生於後犯名曰方便終
不攬此以成於彼故名為遠論其正體其唯究竟教人蘭吉類之淨因亦
貴論五犯是可為遠如自稱得聖遠覺犯盜如初五錢不淨行羅從中說故

十二者約情取四戒酒等非情攸非七支　欲受戒時要期契竟羯磨竟時名之家

德宗者畧元標也

犯法不犯刂　如夢中漏失有不犯刂　犯法漏失亦不犯重由不搆相犯程

如於禪惠等一切善事未在於心名不犯　法聚名利養盛遠失名犯刂　犯中亦不犯刂者　善惡不俱也

犯刂中亦有不犯刂者　約道善無記　即如前不犯刂中亦有犯刂　如漏失是

道共者與无漏時發生來是　定共者禪无漏是

報者身依方便者又依　損无依者非定

六義前六受　三長劫上法　三時八教

月

見法者見身中本真之性　以人空智證人空理　或智顯名現前　人我未亡或轉住在四賊福无漏行

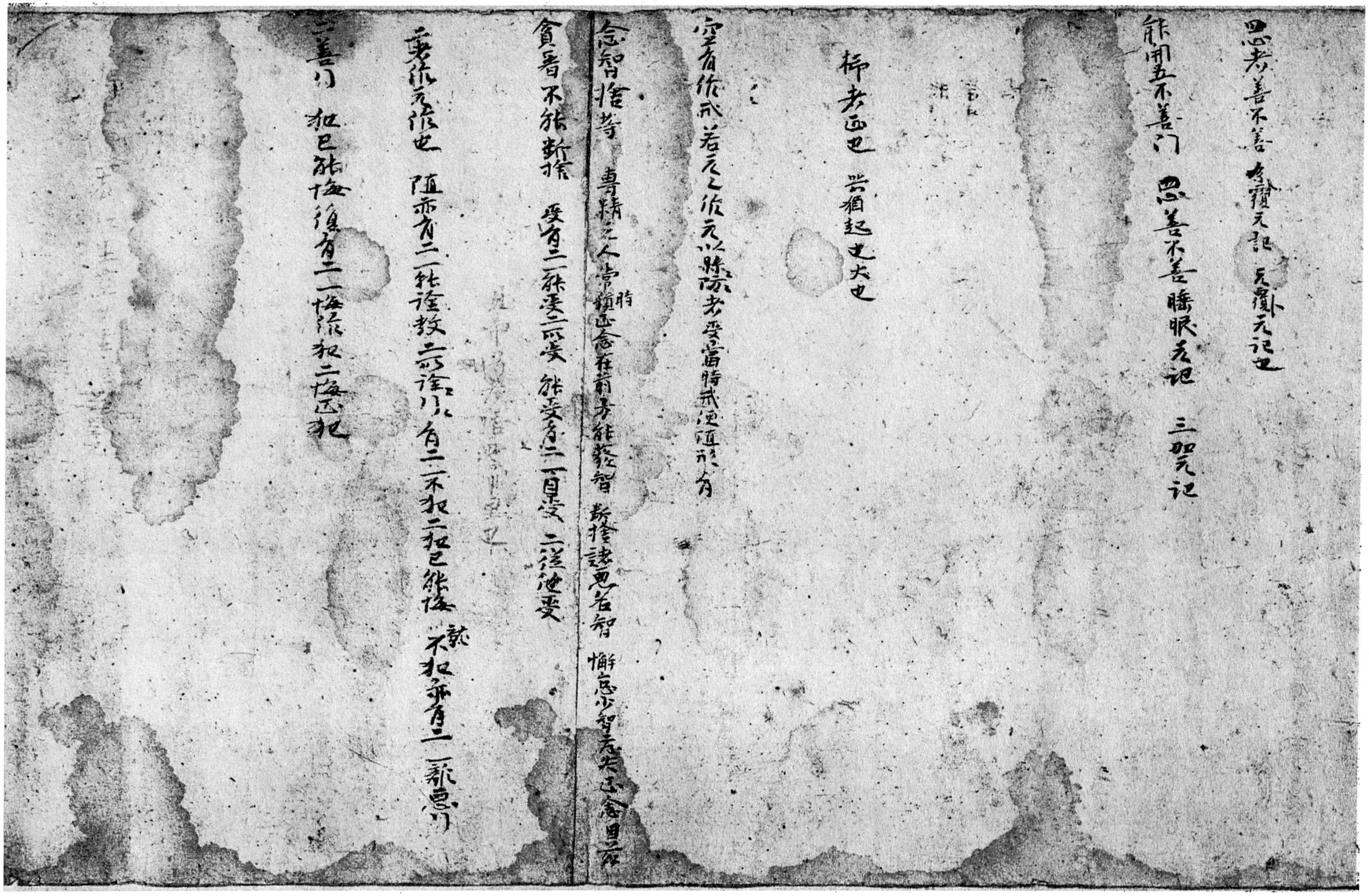
思者善不善 者覆无記 无斷无記也
能開五不善门 思善不善 睡眠无記 三架无記
栖者西也 出猶起也大也
空有依戒若无之依无以勝諸者受當時戒便隨形有
念智捨等 專精之人常積正念在前方能發智 断捨諸惡名智 懈怠少智者失正念因名
貪瞋不能斷捨 受有二一殊受二正受 能受有二一自受二從他受
垂作无作也 隨亦有二一能詮教二所詮门 有二一不犯二犯已能悔 就不犯亦有二一黍惡门
二善门 犯已能悔復有二一悔除犯二悔正犯

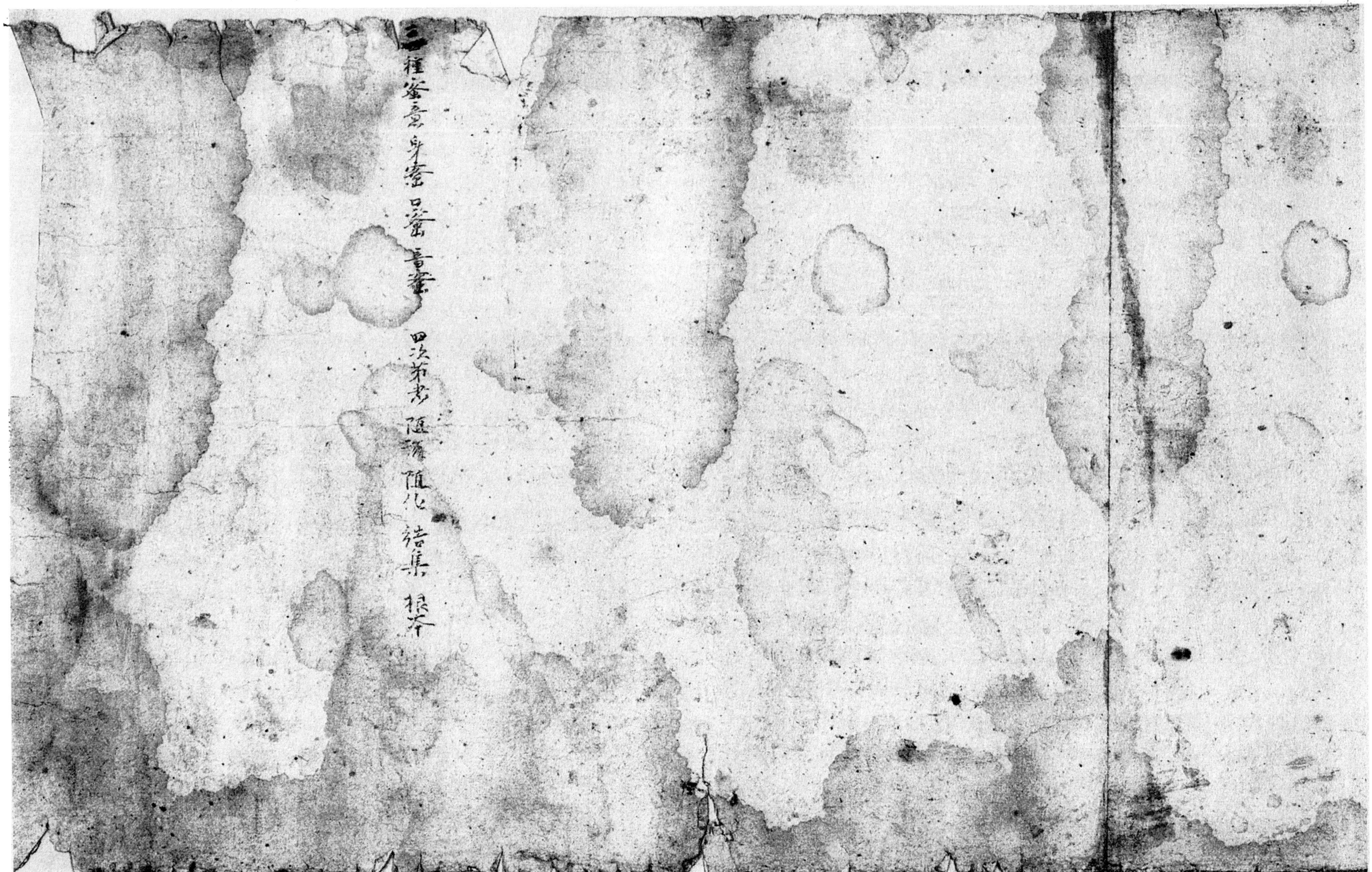
三種密意　身密　口密　意密　四次第書　隨[illegible]　隨化　結集　根本

（4–4）

BD02112 號背　補充註釋

大乘无量壽經
如是我聞一時佛在舍衛國祇樹給孤獨園與大苾蒭僧千二百五十人大
菩薩摩訶薩衆俱同會坐尒時世尊告曼殊室利童子曼殊上方有世界名
无量功德聚彼土有佛号无量智決定王如來阿耨多羅三藐三菩提現
為衆生開示說法曼殊錦聽南閻浮提人皆短壽大限百年於中夭枉橫死者
衆曼殊如是无量壽如來功德名稱法要若有衆生得聞名号若自書
或使人書能為經卷受持讀誦若於舍宅所住之處以種種花鬘瓔珞塗香
末香而為供養如其命盡復得延年滿足百歲如是曼殊若有衆生得聞
是无量壽智決定王如來一百八名号者益其長壽若有衆生大命將
盡復念是如來名号更得增壽如是曼殊若有善男子善女人欲求
長壽於是无量壽如來一百八名号有得聞者或自書若使人書受持
讀誦得如是等果報福德具足陁羅尼曰 南謨薄伽勃底一 阿波唎蜜哆
阿瑜紇硯娜三 須毗你悉指陁四 囉佐耶五 怛他羯他耶六 怛姪他唵七 薩婆
桑悉迦羅八 波唎輸底九 達磨底十 伽迦娜十一 莎訶萁特迦底十二 薩婆
婆毗輸底十三 摩訶娜耶十四 波唎婆唎莎訶十五
世尊復告曼殊室利如是如來一百八名号若有自書或使人書為經卷受
讀持讀誦如壽命盡復得百年壽終此身後得往生无量福智世界无量
壽淨土陁羅尼曰 南謨伽簿勃底一 阿波唎蜜哆二 阿瑜紇硯娜三 須毗你悉

BD02113號　無量壽宗要經　(6–1)

世尊復告曼殊室利如是如來一百八名号若有自書或使人書為經卷受
讀持讀誦如壽命盡復得百年壽終此身後得往生无量福智世界无量
壽淨土陁羅尼曰 南謨伽簿勃底一 阿波唎蜜哆二 阿瑜紇硯娜三 須毗你悉
指陁四 囉佐耶五 怛他羯他耶六 怛姪他唵七 薩婆桑悉迦羅八 達摩底九 伽迦
娜十一 莎訶萁特迦底十二 薩婆婆毗輸底十三 摩訶娜耶十四 波唎婆唎莎訶十五
尒時復有九十九姟佛等一時同聲說是无量壽宗要經陁羅尼曰 南謨薄
伽勃底一 阿波唎蜜哆二 阿瑜紇硯娜三 須毗你悉指陁四 囉佐耶五 怛他羯他耶六
怛姪他唵七 薩婆桑悉迦羅八 波唎輸底九 達摩底十 伽迦娜十一 莎訶萁特
迦底十二 薩婆婆毗輸底十三 摩訶娜耶十四 波唎婆唎莎訶十五
尒時復有一百四姟佛一時同聲說是无量壽宗要經陁羅尼曰 南謨薄伽勃
底一 阿波唎蜜哆二 阿瑜紇硯娜三 須毗你悉指陁四 囉佐耶五 怛他羯他耶六 怛
姪他唵七 薩婆桑悉迦羅八 波唎輸底九 達磨底十 伽迦娜十一 莎訶萁特迦
底十二 薩婆婆毗輸底十三 摩訶娜耶十四 波唎婆唎莎訶十五
尒時復有七姟佛一時同聲說是无量壽宗要經陁羅尼曰 南謨薄伽勃底一
阿波唎蜜哆二 阿瑜紇硯娜三 須毗你悉指陁四 囉佐耶五 怛他羯他耶六 怛姪
薩婆桑悉迦羅八 波唎輸底九 達磨底十 伽迦娜十一 莎訶萁特迦底十二 薩婆婆
毗輸底十三 摩訶娜耶十四 波唎婆唎莎訶十五
尒時復有六十五姟佛一時同聲說是无量壽宗要經陁羅尼曰 南謨薄伽
勃底一 阿波唎蜜哆二 阿瑜紇硯娜三 須毗你悉指陁四 囉佐耶五 怛他羯他耶六
怛姪他唵七 薩婆桑悉迦羅八 波唎輸底九 達摩底十 伽迦娜十一 莎訶
萁特迦底十二 薩婆婆毗輸底十三 摩訶娜耶十四 波唎婆唎莎訶十五
尒時復有五十五姟佛一時同聲說是无量壽宗要經陁羅尼曰 南謨薄伽勃
底一 阿波唎蜜哆二 阿瑜紇硯娜三 須毗你悉指陁四 囉佐耶五 怛他羯他耶六
怛姪他唵七 薩婆桑悉迦羅八 波唎輸底九 達磨底十 伽迦娜十一 薩莎訶萁特伽
底十二 薩婆婆毗輸底十三 摩訶娜耶十四 波唎婆唎莎訶十五
尒時復有四十五姟佛一時同聲說是无量壽宗要經陁羅尼曰 南謨薄伽勃底
阿波唎蜜哆二 阿瑜紇硯娜三 須毗你悉指陁四 囉佐耶五 怛他羯他耶六 怛姪他唵
薩婆桑悉迦羅八 波唎輸底九 達磨底十 伽迦娜十一 莎訶萁特迦底十二 薩婆
婆毗輸底十三 摩訶娜耶十四 波唎婆唎莎訶十五
尒時復有三十六姟佛一時同聲說是无量壽宗要經陁羅尼曰 南謨薄伽勃底

BD02113號　無量壽宗要經　(6–2)

尒時復有四十五殑佛一時同聲說是无量壽宗要經陁羅尼曰 南謨薄伽勃底
阿波唎蜜多二阿喻紇硯鄉三須毗你悉指陁四羅佐耶五怛他羯他耶六怛姪他唵七
薩婆桒悉迦羅八波唎輸底九達磨底十伽迦鄉十一莎訶某特迦底十二薩婆
婆毗輸底十三 摩訶鄉耶十四 波唎婆唎莎訶十五
尒時復有三十六殑佛一時同聲說是无量壽宗要經陁羅尼曰南謨薄伽勃底
阿波唎蜜多二阿喻紇硯鄉三須毗你悉指陁四羅佐耶五怛他羯他耶六怛姪他唵
薩婆桒悉迦羅八波唎輸底九達磨底十伽迦鄉十一莎訶某特迦底十二薩婆
婆毗輸底十三 摩訶鄉耶十四 波唎婆唎莎訶十五
尒時復有二十五殑佛一時同聲說是无量壽宗要經陁羅尼曰南謨薄伽勃
底一阿波唎蜜多二阿喻紇硯鄉三須毗你悉指陁四羅佐耶五怛他羯他耶六怛
姪他唵七薩婆桒悉迦羅八波唎輸底九達磨底十伽迦鄉十一莎訶某特迦底
薩婆婆毗輸底十三 摩訶鄉耶十四 波唎婆唎莎訶十五
尒時復有恒河沙殑佛一時同聲說是无量壽宗要經陁羅尼曰南謨薄伽勃
底一阿波唎蜜多二阿喻紇硯鄉三須毗你悉指陁四羅佐耶五怛他羯他耶六怛姪
他唵七薩婆桒悉迦羅八波唎輸底九達磨底十伽迦鄉十一莎訶某特迦底十二
薩婆婆毗輸底十三 摩訶鄉耶十四 波唎婆唎莎訶十五
善男子若有自書寫教人書寫是无量壽宗要經如其命盡復得長壽而
滿年陁羅尼曰 南謨薄伽勃底一阿波唎蜜多二阿喻紇硯鄉三須毗你悉指陁四羅佐耶五怛
他羯他耶六怛姪他唵七薩婆桒悉迦羅八波唎輸底九達磨底十伽迦鄉十一莎訶某特迦底十二
薩婆婆毗輸底十三 摩訶鄉耶十四 波唎婆唎莎訶十五
善若有自書寫教人書寫是无量壽宗要經讀誦受持畢竟不墮地獄在在所
生得宿命智陁羅尼曰 南謨薄伽勃底一阿波唎蜜多二阿喻紇硯鄉三須毗你悉指陁
羅佐耶五怛他羯他耶六怛姪他唵七薩婆桒悉迦羅八波唎輸底九達磨底十伽迦鄉十一莎
訶某特迦底十二薩婆婆毗輸底十三 摩訶鄉耶十四 波唎婆唎莎訶十五
若有自書寫教人書寫是无量壽宗要經受持讀誦如同書寫八万四千一切經典
陁羅尼曰 南謨薄伽勃底一阿波唎蜜多二阿喻紇硯鄉三須毗你悉指陁四羅佐耶
怛他羯他耶六怛姪他唵七薩婆桒悉迦羅八波唎輸底九達磨底十伽迦鄉十一莎訶某
特迦底十二薩婆婆毗輸底十三摩訶鄉耶十四 波唎婆唎莎訶十五
若有自書寫教人書寫是无量壽宗要經即是書寫八万四千部建立塔廟
陁羅尼曰 南謨薄伽勃底一阿波唎蜜多二阿喻紇硯鄉三須毗你悉指陁四羅
佐耶五怛他羯他耶六怛姪他唵七薩婆桒悉迦羅八波唎輸底九達磨底十伽迦鄉

BD02113號　無量壽宗要經

（6–3）

怛他羯他耶六怛姪他唵七薩婆桒悉迦羅八波唎輸底九達磨底十伽迦鄉十一 莎訶某
特迦底十二 薩婆婆毗輸底十三 摩訶鄉耶十四 波唎婆唎莎訶十五
若有自書寫教人書寫是无量壽宗要經即是書寫八万四千部建立塔廟
陁羅尼曰 南謨薄伽勃底一阿波唎蜜多二阿喻紇硯鄉三須毗你悉指陁四羅
佐耶五怛他羯他耶六怛姪他唵七薩婆桒悉迦羅八波唎輸底九達磨底十伽迦鄉
莎訶某特迦底十二薩婆婆毗輸底十三摩訶鄉耶十四波唎婆唎莎訶十五
若有自書寫教人書寫是无量壽宗要經能消五无間等一切重罪陁羅
尼曰 南謨薄伽勃底一阿波唎蜜多二阿喻紇硯鄉三須毗你悉指陁四羅佐耶五
怛他羯他耶六怛姪他唵七薩婆桒悉迦羅八波唎輸底九達磨底十伽迦鄉十一莎訶
某特迦底十二 薩婆婆毗輸底十三 摩訶鄉耶十四 波唎婆唎莎訶十五
若有自書寫教人書寫是无量壽宗要經受持讀誦設有重罪猶如須弥盡
能除滅陁羅尼曰 南謨薄伽勃底一阿波唎蜜多二阿喻紇硯鄉三須毗你悉
指陁四羅佐耶五怛他羯他耶六怛姪他唵七薩婆桒悉迦羅八波唎輸底九達磨底
伽迦鄉十一莎訶某特迦底十二薩婆婆毗輸底十三摩訶鄉耶十四波唎婆唎莎訶
若有自書寫教人書寫是无量壽宗要經受持讀誦若魔子之眷屬夜叉
羅剎不得其更致无枉死陁羅尼曰南謨薄伽勃底一阿波唎蜜多二阿喻紇硯鄉
須毗你悉指陁四羅佐耶五怛他羯他耶六怛姪他唵七薩婆桒悉迦羅八波唎輸底
達磨底十伽迦鄉十一莎訶某特迦底十二薩婆婆毗輸底十三摩訶鄉耶十四波唎婆唎
若有自書寫教人書寫是无量壽宗要經受持讀誦當命終時有九十九殑
佛現其人前衆千佛授手能遊一切佛剎莫於此生於疑惑陁羅尼曰南謨
薄伽勃底一阿波唎蜜多二阿喻紇硯鄉三須毗你悉指陁四羅佐耶五怛他羯他耶六
怛姪他唵七薩婆桒悉迦羅八波唎輸底九達磨底十伽迦鄉十一莎訶某特迦底十二
薩婆婆毗輸底十三摩訶鄉耶十四波唎婆唎莎訶十五
若有自書寫教人書寫是无量壽宗要經受持讀誦常得四天大王隨其衛
護陁羅尼曰南謨薄伽勃底一阿波唎蜜多二阿喻紇硯鄉三須毗你悉指陁四羅佐耶五
怛他羯他耶六怛姪他唵七薩婆桒悉迦羅八波唎輸底九達磨底十伽迦鄉十一莎訶某特迦底十二
薩婆婆毗輸底十三 摩訶鄉耶十四 波唎婆唎莎訶十五
若有自書寫教人書寫是无量壽宗要經如其讀誦當得往生西方極樂世界阿弥陁淨土陁
羅尼曰南謨薄伽勃底一阿波唎蜜多二阿喻紇硯鄉三須毗你悉指陁四羅佐耶五怛他羯他
耶六怛姪他唵七薩婆桒悉迦羅八波唎輸底九達磨底十伽迦鄉十一莎訶某特迦底十二

BD02113號　無量壽宗要經

（6–4）

薩婆婆毗輸底十三 摩訶娜耶十四 波唎婆唎莎訶十五
若有自書寫教人書寫是無量壽宗要經如其讀誦當得往生西方極樂世界阿彌陀淨土陀
羅尼曰 南謨薄伽勃底一 阿波唎蜜多二 阿喩紇硏那三 須毗你失指陀四 囉佐耶五 怛他羯他
耶六 怛姪他唵七 薩婆桑悉迦囉八 波唎輸底九 達磨底十 伽伽那十一 莎訶娑特迦底十二
薩婆婆毗輸底十三 摩訶娜耶十四 波唎婆唎莎訶十五
若有自書寫教人書寫是無量經典之處即為是塔皆應恭敬作禮若是書
坐或為鳥獸得是經如是等類皆當不久得成一切種智陀羅尼曰 南謨薄伽勃底一
阿波唎蜜多二 阿喩紇硏那三 須毗你失指陀四 囉佐耶五 怛他羯他耶六 怛姪他唵七 薩婆桑悉迦
囉八 波唎輸底九 達磨底十 伽伽那十一 莎訶娑特迦底十二 薩婆婆毗輸底十三 摩訶娜耶十四 波唎婆唎莎
若有於是無量壽經自書寫若使人書寫畢竟不受女人之身陀羅尼曰 南謨薄伽勃底一
阿波唎蜜多二 阿喩紇硏那三 須毗你失指陀四 囉佐耶五 怛他羯他耶六 怛姪他唵七 薩婆桑悉迦囉
波唎輸底九 達磨底十 伽伽那十一 莎訶娑特迦底十二 薩婆婆毗輸底十三 摩訶娜耶十四 波唎婆唎莎訶十五
若有能於是經少分能惠施者等於三千大千世界滿中七寶布施陀羅尼曰 南謨薄伽勃
底一 阿波唎蜜多二 阿喩紇硏那三 須毗你失指陀四 囉佐耶五 怛他羯他耶六 怛姪他唵七 薩婆
桑悉迦囉八 波唎輸底九 達磨底十 伽伽那十一 莎訶娑特迦底十二 薩婆婆毗輸底十三 摩訶娜耶十四
波唎婆唎莎訶十五 若有能供養是經者則是供養一切者經等無有異陀羅尼曰
南謨薄伽勃底一 阿波唎蜜多二 阿喩紇硏那三 須毗你失指陀四 囉佐耶五 怛他羯他耶六 怛姪他
唵七 薩婆桑悉迦囉八 波唎輸底九 達磨底十 伽伽那十一 莎訶娑特迦底十二 薩婆
婆毗輸底十三 摩訶娜耶十四 波唎婆唎莎訶十五
若有人以七寶供養如是七佛其福有限書寫受持是無量壽經典所有功德不
可限量陀羅尼曰 南謨薄伽勃底一 阿波唎蜜多二 阿喩紇硏那三 須毗你失指陀四 囉
佐耶五 怛他羯他耶六 怛姪他唵七 薩婆桑悉迦囉八 波唎輸底九 達磨底十 伽伽那十一
莎訶娑特迦底十二 薩婆婆毗輸底十三 摩訶娜耶十四 波唎婆唎莎訶十五
若有七寶等於須彌以布施用其福上能知其限量是無量壽經典其福不可
知數陀羅尼曰 南謨薄伽勃底一 阿波唎蜜多二 阿喩紇硏那三 須毗你失指陀四 囉
佐耶五 怛他羯他耶六 怛姪他唵七 薩婆桑悉迦囉八 波唎輸底九 達磨底十 伽伽
那十一 莎訶娑特迦底十二 薩婆婆毗輸底十三 摩訶娜耶十四 波唎婆唎莎訶十五
知是四大海水可知渧數是無量壽經典所生果報不可數量陀羅尼曰 南謨
薄伽勃底一 阿波唎蜜多二 阿喩紇硏那三 須毗你失指陀四 囉佐耶五 怛他羯他耶六
怛姪他唵七 薩婆桑悉迦囉八 波唎輸底九 達磨底十 莎訶娑特迦底 薩婆婆
[illegible]十三 摩訶娜耶十四 波唎[illegible]莎訶十五

BD02113號　無量壽宗要經　（6–5）

婆毗輸底十三 摩訶娜耶十四 波唎婆唎莎訶十五
若有人以七寶供養如是七佛其福有限書寫受持是無量壽經典所有功德不
可限量陀羅尼曰 南謨薄伽勃底一 阿波唎蜜多二 阿喩紇硏那三 須毗你失指陀四 囉
佐耶五 怛他羯他耶六 怛姪他唵七 薩婆桑悉迦囉八 波唎輸底九 達磨底十 伽伽那十一
莎訶娑特迦底十二 薩婆婆毗輸底十三 摩訶娜耶十四 波唎婆唎莎訶十五
若有七寶等於須彌以布施用其福上能知其限量是無量壽經典其福不可
知數陀羅尼曰 南謨薄伽勃底一 阿波唎蜜多二 阿喩紇硏那三 須毗你失指陀四 囉
佐耶五 怛他羯他耶六 怛姪他唵七 薩婆桑悉迦囉八 波唎輸底九 達磨底十 伽伽
那十一 莎訶娑特迦底十二 薩婆婆毗輸底十三 摩訶娜耶十四 波唎婆唎莎訶十五
知是四大海水可知渧數是無量壽經典所生果報不可數量陀羅尼曰 南謨
薄伽勃底一 阿波唎蜜多二 阿喩紇硏那三 須毗你失指陀四 囉佐耶五 怛他羯他耶六
怛姪他唵七 薩婆桑悉迦囉八 波唎輸底九 達磨底十 莎訶娑特迦底 薩婆婆
輸底十三 摩訶娜耶十四 波唎婆唎莎訶十五
布施力能成正覺 悟布施力人師子 布施力能聲普聞 慈悲階漸最能入
持戒力能成正覺 悟持戒力人師子 持戒力能聲普聞 慈悲階漸最能入
忍辱力能成正覺 悟忍辱力人師子 忍辱力能聲普聞 慈悲階漸最能入
精進力能成正覺 悟精進力人師子 精進力能聲普聞 慈悲階漸最能入
禪定力能成正覺 悟禪定力人師子 禪定力能聲普聞 慈悲階漸最能入
智慧力能成正覺 悟智慧力人師子 智慧力能聲普聞 慈悲階漸最能入
爾時如來說是經已一切世間天人阿修羅揵闥婆等聞佛所說皆大歡喜 信受奉行
佛說無量壽宗要經卷

BD02113號　無量壽宗要經　（6–6）

界性无
性无知即是清淨
識界及耳觸耳觸爲緣所生
无知即是清淨佛言如是畢竟淨故
利子言云何聲界乃至耳觸爲緣所生諸
受性无知即是清淨佛言自相空聲界乃
至耳觸爲緣所生諸受性无知即是清淨舍
利子言鼻界性无知即是清淨佛言如是畢
竟淨故舍利子言云何鼻界性无知即是清
淨佛言自相空故鼻界性无知即是清淨舍
利子言香界鼻識界及鼻觸鼻觸爲緣所
生諸受性无知即是清淨佛言如是畢竟淨故
舍利子言云何香界乃至鼻觸爲緣所生諸
受性无知即是清淨佛言自相空故香界乃
至鼻觸爲緣所生諸受性无知即是清淨舍
利子言舌界性无知 即是清淨佛言如是畢
竟淨故舍利子言云何舌界性无知即是 清
淨佛言自相空故舌界性无知即是清淨舍
利子言味界舌識界及舌觸舌觸爲緣所生
諸受性无知即是清淨佛言如是畢竟淨故

BD02114號　大般若波羅蜜多經卷二八六　（17–1）

至鼻觸
利子言舌界性无知即是清淨佛言如是畢
竟淨故舍利子言云何舌界性无知即是清
淨佛言自相空故舌界性无知即是清淨舍
利子言味界舌識界及舌觸舌觸爲緣所生
諸受性无知即是清淨佛言如是畢竟淨故
舍利子言云何味界乃至舌觸爲緣所生諸
受性无知即是清淨佛言自相空故味界乃
至舌觸爲緣所生諸受性无知即是清淨舍
利子言身界性无知即是清淨佛言如是畢
竟淨故舍利子言云何身界性无知即是
清淨佛言自相空故身界性无知即是清淨舍
利子言觸界身識界及身觸身觸爲緣所生
諸受性无知即是清淨佛言如是畢竟淨故
舍利子言云何觸界乃至身觸爲緣所生諸
受性无知即是清淨佛言自相空故觸界
乃至身觸爲緣所生諸受性无知即是清淨
舍利子言意界性无知即是清淨佛言如是
畢竟淨故舍利子言云何意界性无知即是
清淨佛言自相空故意界性无知即是清淨
舍利子言法界意識界及意觸意觸爲緣所
生諸受性无知即是清淨佛言如是畢竟淨
故舍利子言云何法界乃至意觸爲緣所生諸
受性无知即是清淨佛言自相空故法界乃
至意觸爲緣所生諸受性无知即是清淨舍
利子言地界性无知即是清淨佛言如是畢竟
淨故舍利子言云何地界性无知即是清淨

BD02114號　大般若波羅蜜多經卷二八六　（17–2）

故舍利子言云何法界乃至意觸爲緣所生諸
受性无知即是清淨佛言自相空故法界乃
至意觸爲緣所生諸受性无知即是清淨舍
利子言地界性无知即是清淨佛言如是畢竟
淨故舍利子言云何地界性无知即是清淨
佛言自相空故地界性无知即是清淨舍利
子言水火風空識界性无知即是清淨佛言
如是畢竟淨故舍利子言云何水火風空識
界性无知即是清淨佛言自相空故水火風
空識界性无知即是清淨舍利子言无明
性无知即是清淨佛言如是畢竟淨故舍利
子言云何无明性无知即是清淨佛言自相
空故无明性无知即是清淨舍利子言行識
名色六處觸受愛取有生老死愁歎苦憂
惱无知即是清淨佛言如是畢竟淨故舍利
子言云何行乃至老死愁歎苦憂惱性无知
即是清淨佛言自相空故行乃至老死愁歎
苦憂惱性无知即是清淨
舍利子言布施波羅蜜多性无知即是清淨
佛言如是畢竟淨故舍利子言云何布施波
羅蜜多性无知即是清淨佛言自相空故布
施波羅蜜多性无知即是清淨舍利子言
淨戒安忍精進靜慮般若波羅蜜多性无
知即是清淨佛言如是畢竟淨故舍利子言
云何淨戒乃至般若波羅蜜多性无知即是清
淨佛言自相空故淨戒乃至般若波羅蜜多

BD02114號　大般若波羅蜜多經卷二八六　（17–3）

淨戒安忍精進靜慮般若波羅蜜多性无
知即是清淨佛言如是畢竟淨故舍利子言
云何淨戒乃至般若波羅蜜多性无知即是清
淨佛言自相空故淨戒乃至般若波羅蜜多
性无知即是清淨舍利子言內空性无知即是
清淨佛言如是畢竟淨故舍利子言云何內
空性无知即是清淨佛言自相空故內空性
无知即是清淨舍利子言外空內外空空空
大空勝義空有爲空无爲空畢竟空无際
空散空无變異空本性空自相空共相空一
切法空不可得空无性空自性空无性自性空
性无知即是清淨佛言如是畢竟淨故舍利
子言云何外空乃至无性自性空性无知即
是清淨佛言自相空故外空乃至无性自性
空性无知即是清淨舍利子言真如性无知
即是清淨佛言如是畢竟淨故舍利子言
云何真如性无知即是清淨佛言自相空故
真如性无知即是清淨舍利子言法界法性不
虛妄性不變異性平等性離生性法定法住
實際虛空界不思議界性无知即是清淨佛
言如是畢竟淨故舍利子言云何法界乃至
不思議界性无知即是清淨佛言自相空
故法界乃至不思議界性无知即是清淨舍
利子言苦聖諦性无知即是清淨佛言如
是畢竟淨故舍利子言云何苦聖諦性无知
即是清淨佛言自相空故苦聖諦性无知即

BD02114號　大般若波羅蜜多經卷二八六　（17–4）

不思議界性无知即是清淨佛言自相空
故法界乃至不思議界性无知即是清淨舍
利子言苦聖諦性无知即是清淨佛言如
是畢竟淨故舍利子言云何苦聖諦性无知
即是清淨佛言自相空故苦聖諦性无知即
是清淨舍利子言集滅道聖諦性无知即是
清淨佛言如是畢竟淨故舍利子言云何集
滅道聖諦性无知即是清淨佛言自相空故
集滅道聖諦性无知即是清淨舍利子言四
靜慮性无知即是清淨佛言如是畢竟淨故
舍利子言云何四靜慮性无知即是清淨佛言
自相空故四靜慮性无知即是清淨舍利子言
四无量四无色定性无知即是清淨佛言如是
畢竟淨故舍利子言云何四无量四无色定
性无知即是清淨佛言自相空故四无量四
无色定性无知即是清淨舍利子言八解脫
性无知即是清淨佛言如是畢竟淨故舍利
子言云何八解脫性无知即是清淨佛言自
相空故八解脫性无知即是清淨舍利子言八
勝處九次第定十遍處性无知即是清淨佛
言如是畢竟淨故舍利子言云何八勝處九
次第定十遍處性无知即是清淨佛言自相
空故八勝處九次第定十遍處性无知即是清
淨舍利子言四念住性无知即是清淨佛言
如是畢竟淨故舍利子言云何四念住性无
知即是清淨佛言自相空故四念住性无知
即是清淨舍利子言四正斷四神足五根五

BD02114 號　大般若波羅蜜多經卷二八六　（17–5）

淨舍利子言四念住性无知即是清淨佛言
如是畢竟淨故舍利子言云何四念住性无
知即是清淨佛言自相空故四念住性无知
即是清淨舍利子言四正斷四神足五根五
力七等覺支八聖道支性无知即是清淨佛
言如是畢竟淨故舍利子言云何四正斷乃
至八聖道支性无知即是清淨佛言自相空
故四正斷乃至八聖道支性无知即是清淨
舍利子言空解脫門性无知即是清淨佛言
如是畢竟淨故舍利子言云何空解脫門性
无知即是清淨佛言自相空故空解脫門性
无知即是清淨舍利子言无相无願解脫門
性无知即是清淨佛言如是畢竟淨故舍
利子言云何无相无願解脫門性无知即是
清淨佛言自相空故无相无願解脫門性无知
即是清淨舍利子言菩薩十地性无知即是
清淨佛言如是畢竟淨故舍利子言云何菩
薩十地性无知即是清淨佛言自相空故菩
薩十地性无知即是清淨
舍利子言五眼性无知即是清淨佛言如是
畢竟淨故舍利子言云何五眼性无知即是
清淨佛言自相空故五眼性无知即是清淨
舍利子言六神通性无知即是清淨佛言如
是畢竟淨故舍利子言云何六神通性无知
即是清淨佛言自相空故六神通性无知即
是清淨舍利子言佛十力性无知即是清淨

BD02114 號　大般若波羅蜜多經卷二八六　（17–6）

舍利子言六神通性无知即是清淨佛言
是畢竟淨故舍利子言云何六神通性无知
即是清淨佛言自相空故六神通性无知即
是清淨舍利子言佛十力性无知即是清淨
佛言如是畢竟淨故舍利子言云何佛十力
性无知即是清淨佛言自相空故佛十力性无
知即是清淨舍利子言四无所畏四无礙解
大慈大悲大喜大捨十八佛不共法性无知
即是清淨佛言如是畢竟淨故舍利子
言云何四无所畏乃至十八佛不共法性无知
即是清淨佛言自相空故四无所畏乃至十
八佛不共法性无知即是清淨舍利子言无
忘失法性无知即是清淨佛言如是畢竟淨
故舍利子言云何无忘失法性无知即是清
淨佛言自相空故无忘失法性无知即是
清淨舍利子言恒住捨性性无知即是清淨
佛言如是畢竟淨故舍利子言云何恒住捨
性性无知即是清淨佛言自相空故恒住捨性
性无知即是清淨舍利子言一切智性无知即
是清淨佛言如是畢竟淨故舍利子言云何
一切智性无知即是清淨佛言自相空故一切
智性无知即是清淨舍利子言道相智一
切相智性无知即是清淨佛言如是畢竟淨
故舍利子言云何道相智一切相智性无知
即是清淨佛言自相空故道相智一切相
智性无知即是清淨舍利子言一切陁羅尼
門性无知即是清淨佛言如是畢竟淨故

BD02114號　大般若波羅蜜多經卷二八六　（17–7）

切相智性无知即是清淨佛言如是畢竟淨
故舍利子言云何道相智一切相智性无知
即是清淨佛言自相空故道相智一切相
智性无知即是清淨舍利子言一切陁羅尼
門性无知即是清淨佛言如是畢竟淨故
舍利子言云何一切陁羅尼門性无知即是清
淨佛言自相空故一切陁羅尼門性无知即
是清淨舍利子言一切三摩地門性无知即
是清淨佛言如是畢竟淨故舍利子言云
何一切三摩地門性无知即是清淨佛言自
相空故一切三摩地門性无知即是清淨
舍利子言預流果性无知即是清淨佛言如
是畢竟淨故舍利子言云何預流果性无知
即是清淨佛言自相空故預流果性无知即
是清淨舍利子言一來不還阿羅漢果性无
知即是清淨佛言如是畢竟淨故舍利子言
云何一來不還阿羅漢果性无知即是清淨
佛言自相空故一來不還阿羅漢果性无知
即是清淨舍利子言獨覺菩提性无知即是
清淨佛言如是畢竟淨故舍利子言云何
獨覺菩提性无知即是清淨佛言自相空
故獨覺菩提性无知即是清淨舍利子言一切
菩薩摩訶薩行性无知即是清淨佛言如是
畢竟淨故舍利子言云何一切菩薩摩訶薩
行性无知即是清淨佛言自相空故一切菩薩
摩訶薩行性无知即是清淨舍利子言諸

BD02114號　大般若波羅蜜多經卷二八六　（17–8）

故獨覺菩提性无知即是清淨舍利子言一切
菩薩摩訶薩行性无知即是清淨佛言如是
畢竟淨故舍利子言云何一切菩薩摩訶薩
行性无知即是清淨佛言自相空故一切菩薩
摩訶薩行性无知即是清淨舍利子言諸
佛无上正等菩提性无知即是清淨佛言如
是畢竟淨故舍利子言云何諸佛无上正等菩
提性无知即是清淨佛言自相空故諸佛无
上正等菩提性无知即是清淨
時舍利子復白佛言世尊般若波羅蜜多於
一切智智无益无損佛言如是畢竟淨故舍
利子言云何般若波羅蜜多於一切智智无
益无損佛言舍利子法界常住故般若波羅
蜜多於一切智智无益无損時舍利子復白
佛言世尊清淨般若波羅蜜多於一切法无
所執受佛言如是畢竟淨故舍利子言云何
清淨般若波羅蜜多於一切法无所執受佛
言舍利子法界不動故清淨般若波羅蜜多
於一切法无所執受
尒時具壽善現白佛言世尊我清淨故色清
淨佛言如是畢竟淨故世尊何緣而說我清
淨故色清淨是畢竟淨善現我无所有故
色无所有是畢竟淨世尊我清淨故受想
行識清淨佛言如是畢竟淨故世尊何緣
而說我清淨故受想行識清淨是畢竟淨善
現我无所有故受想行識无所有是畢竟淨世

行識清淨佛言如是畢竟淨故世尊何緣
而說我清淨故受想行識清淨是畢竟淨善
現我无所有故受想行識无所有是畢竟淨世
尊我清淨故眼處清淨佛言如是畢竟淨故
世尊何緣而說我清淨故色處清淨是畢竟
淨善現我无所有故眼處无所有是畢竟淨世
尊我清淨故耳鼻舌身意處清淨佛言如
是畢竟淨故世尊何緣而說我清淨故耳鼻舌
身意處清淨是畢竟淨善現我无所有故耳
鼻舌身意處无所有是畢竟淨世尊我清
淨故色處清淨佛言如是畢竟淨故世尊何
緣而說我清淨故色處清淨是畢竟淨善現
我无所有故色處无所有是畢竟淨世尊我清
淨故聲香味觸法處清淨佛言如是畢竟淨
故世尊何緣而說我清淨故聲香味觸法處
清淨是畢竟淨善現我无所有故聲香味
觸法處无所有是畢竟淨世尊我清淨故眼
界清淨佛言如是畢竟淨故世尊何緣而說
我清淨故眼界清淨是畢竟淨善現我无所有
故眼界无所有是畢竟淨世尊我清淨故
色界眼識界及眼觸眼觸為緣所生諸受清
淨佛言如是畢竟淨故世尊何緣而說我清淨
故色界乃至眼觸為緣所生諸受清淨是畢
竟淨善現我無所有故色界乃至眼觸為緣所
生諸受无所有是畢竟淨世尊我清淨故耳
界清淨佛言如是畢竟淨故世尊何緣而說

故色界乃至眼觸爲緣所生諸受清淨是畢
竟淨善現我無所有故色界乃至眼觸爲緣所
生諸受无所有是畢竟淨世尊我清淨故耳
界清淨佛言如是畢竟淨故世尊何緣而說
我清淨故耳界清淨是畢竟淨善現我无所
有故耳界无所有是畢竟淨世尊我清淨
故聲界耳識界及耳觸耳觸爲緣所生諸受清
淨佛言如是畢竟淨故世尊何緣而說我
清淨故聲界乃至耳觸爲緣所生諸受清淨
是畢竟淨善現我无所有故聲界乃至耳觸
爲緣所生諸受无所有是畢竟淨世尊我清
淨故鼻界清淨佛言如是畢竟淨故世尊何
緣而說我清淨故鼻界清淨是畢竟淨善現
我无所有故鼻界无所有是畢竟淨世尊我
清淨故香界鼻識界及鼻觸鼻觸爲緣所生
諸受清淨佛言如是畢竟淨故世尊何緣而
說我清淨故香界乃至鼻觸爲緣所生諸受
清淨是畢竟淨善現我无所有故香界乃至
鼻觸爲緣所生諸受无所有是畢竟淨世尊
我清淨故舌界清淨佛言如是畢竟淨故
世尊何緣而說我清淨故舌界清淨是畢竟
淨善現我无所有故舌界无所有是畢竟淨世
尊我清淨故味界舌識界及舌觸舌觸爲緣所
生諸受清淨佛言如是畢竟淨故世尊何緣
而說我清淨故味界乃至舌觸爲緣所生諸
受清淨是畢竟淨善現我无所有故味界乃
至舌觸爲緣所生諸受无所有是畢竟淨世

BD02114號　大般若波羅蜜多經卷二八六　（17–11）

生諸受清淨佛言如是畢竟淨故世尊何緣
而說我清淨故味界乃至舌觸爲緣所生諸
受清淨是畢竟淨善現我无所有故味界乃
至舌觸爲緣所生諸受无所有是畢竟淨世
尊我清淨故身界清淨佛言如是畢竟淨
故世尊何緣而說我清淨故身界清淨是畢
竟淨善現我无所有故身界无所有是畢竟
淨世尊我清淨故觸界身識界及身觸身
觸爲緣所生諸受清淨佛言如是畢竟淨故
世尊何緣而說我清淨故觸界乃至身觸爲
緣所生諸受清淨是畢竟淨善現我无所有
故觸界乃至身觸爲緣所生諸受无所有是
畢竟淨世尊我清淨故意界清淨佛言如
是畢竟淨故世尊何緣而說我清淨故意界
清淨是畢竟淨善現我无所有故意界无所
有是畢竟淨世尊我清淨故法界意識界
及意觸意觸爲緣所生諸受清淨佛言如
是畢竟淨故世尊何緣而說我清淨故法
界乃至意觸爲緣所生諸受清淨是畢竟淨
善現我无所有故法界乃至意觸爲緣所生諸
受无所有是畢竟淨世尊我清淨故地界清
淨佛言如是畢竟淨故世尊何緣而說我
清淨故地界清淨是畢竟淨善現我无所
有故地界无所有是畢竟淨世尊我清淨故
水火風空識界清淨佛言如是畢竟淨故世
尊何緣而說我清淨故水火風空識界清淨
是畢竟淨善現我无所有故水火風空識界

BD02114號　大般若波羅蜜多經卷二八六　（17–12）

有故地界无所有是畢竟淨世尊我清淨故
水火風空識界清淨佛言如是畢竟淨故世
尊何緣而說我清淨故水火風空識界清淨
是畢竟淨善現我无所有故水火風空識界
无所有是畢竟淨世尊我清淨故无明清淨
佛言如是畢竟淨故世尊何緣而說我清淨
故无明清淨是畢竟淨善現我无所有故无
明无所有是畢竟淨世尊我清淨故行識名
色六處觸受愛取有生老死愁歎苦憂惱
清淨佛言如是畢竟淨故世尊何緣而說
我清淨故行乃至老死愁歎苦憂惱清淨是
畢竟淨善現我无所有故行乃至老死愁
歎苦憂惱无所有是畢竟淨世尊我清淨故
布施波羅蜜多清淨佛言如是畢竟淨故
世尊何緣而說我清淨故布施波羅蜜多
清淨是畢竟淨善現我无所有故布施波羅
蜜多无所有是畢竟淨世尊我清淨故淨戒
安忍精進靜慮般若波羅蜜多清淨佛言
如是畢竟淨故世尊何緣而說我清淨故
淨戒乃至般若波羅蜜多清淨是畢竟淨
善現我无所有故淨戒乃至般若波羅蜜多
无所有是畢竟淨世尊我清淨故內空清淨
佛言如是畢竟淨故世尊何緣而說我清淨
故內空清淨是畢竟淨善現我无所有故
內空无所有是畢竟淨世尊我清淨故外
空內外空空空大空勝義空有為空无為
空畢竟空无際空散空无變異空本性空

BD02114號　大般若波羅蜜多經卷二八六　（17–13）

佛言如是畢竟淨故世尊何緣而說我清淨
故內空清淨是畢竟淨善現我无所有故
內空无所有是畢竟淨世尊我清淨故外
空內外空空空大空勝義空有為空无為
空畢竟空无際空散空无變異空本性空
自性空共相空一切法空不可得空无性空自
性空无性自性空清淨佛言如是畢竟淨故
世尊何緣而說我清淨故外空乃至无性
自性空清淨是畢竟淨善現我无所有故
外空乃至无性自性空无所有是畢竟淨
世尊我清淨故真如清淨佛言如是畢
竟淨故世尊何緣而說我清淨故真如清
淨是畢竟淨善現我无所有故真如无所
有畢竟淨世尊我清淨故法界法性不
虛妄性不變異性平等性離生性法定法
住實際虛空界不思議界清淨佛言如是
畢竟淨故世尊何緣而說我清淨故法界
乃至不思議界清淨是畢竟淨善現我无
所有故法界乃至不思議界无所有是畢竟
淨世尊我清淨故苦聖諦清淨佛言如是
畢竟淨故世尊何緣而說我清淨故苦聖諦
清淨是畢竟淨善現我无所有故苦聖諦
无所有是畢竟淨世尊我清淨故集
滅道聖諦清淨佛言如是畢竟淨故世
尊何緣而說我清淨故集滅道聖諦
清淨是畢竟淨
善現我无所有故集滅道聖諦无所有是畢竟

BD02114號　大般若波羅蜜多經卷二八六　（17–14）

无所有是畢竟淨世尊我清淨故集
滅道聖諦清淨佛言如是畢竟淨故世
尊何緣而說我清淨故集滅道聖諦
清淨是畢竟淨
善現我无所有故集滅道聖諦无所有是畢竟
淨世尊我清淨故四靜慮清淨佛言如是畢竟
淨故世尊何緣而說我清淨故四靜慮清淨是
畢竟淨善現我无所有故四靜慮无所有是
畢竟淨世尊我清淨故四无量四无色定清
淨佛言如是畢竟淨故世尊何緣而說我清
淨故四无量四无色定清淨是畢竟淨善現
我无所有故四无量四无色定无所有是畢
竟淨世尊我清淨故八解脫清淨佛言如是
畢竟淨故世尊何緣而說我清淨故八解脫清
淨是畢竟淨善現我无所有故八解脫无所
有是畢竟淨世尊我清淨故八勝處九
次第定十遍處清淨佛言如是畢竟淨故世
尊何緣而說我清淨故八勝處九次第定十
遍處清淨是畢竟淨善現我无所有故八勝
處九次第定十遍處无所有是畢竟淨世尊
我清淨故四念住清淨佛言如是畢竟淨故
世尊何緣而說我清淨故四念住清淨是畢
竟淨善現我无所有故四念住无所有是
畢竟淨世尊我清淨故四正斷四神足五根
五力七等覺支八聖道支清淨佛言如是畢
竟淨故世尊何緣而說我清淨故四正斷乃

BD02114號　大般若波羅蜜多經卷二八六　(17-15)

竟淨善現我无所有故四念住无所有是
畢竟淨世尊我清淨故四正斷四神足五根
五力七等覺支八聖道支清淨佛言如是畢
竟淨故世尊何緣而說我清淨故四正斷乃
至八聖道支清淨是畢竟淨善現我无所有
故四正斷乃至八聖道支无所有是畢竟淨
世尊我清淨故空解脫門清淨佛言如是畢
竟淨故世尊何緣而說我清淨故空解脫
門清淨是畢竟淨善現我无所有故空解脫
門无所有是畢竟淨世尊我清淨故无相无願
解脫門清淨佛言如是畢竟淨故世尊何緣
而說我清淨故无相无願解脫門清淨是畢
竟淨善現我无所有故无相无願解脫門无
所有是畢竟淨世尊我清淨故菩薩十地清
淨佛言如是畢竟淨故世尊何緣而說我
清淨故菩薩十地清淨是畢竟淨善現我
无所有故菩薩十地无所有是畢竟淨

大般若波羅蜜多經卷第二百八十六

BD02114號　大般若波羅蜜多經卷二八六　(17-16)

清淨故菩薩十地清淨是畢竟淨善現我
无所有故菩薩十地无所有是畢竟淨
大般若波羅蜜多經卷第二百八十六
比丘神威寫記

BD02114 號　大般若波羅蜜多經卷二八六　（17–17）

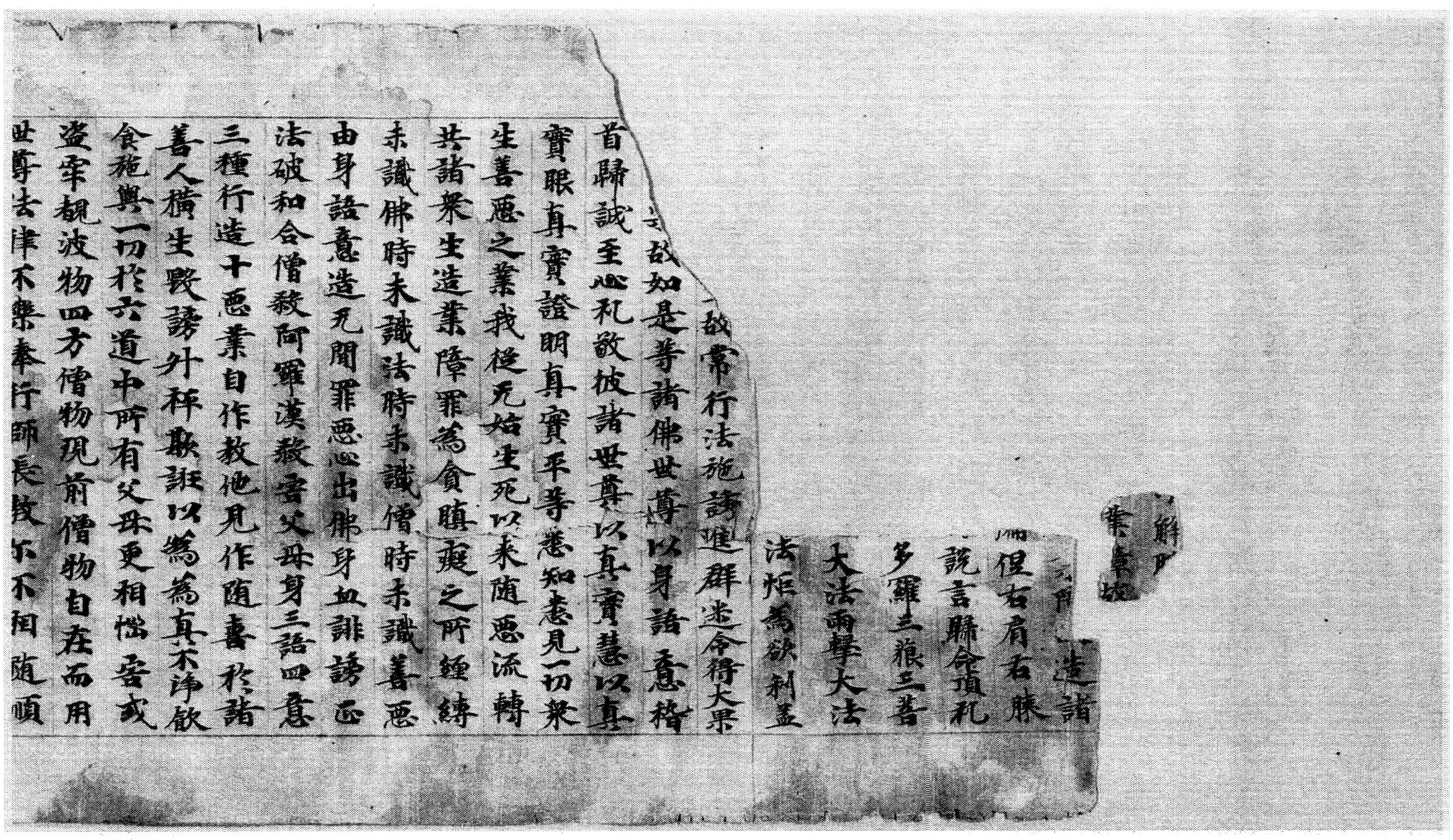
解…
業皇故
…造諸
偏袒右肩右膝
說言歸命頂礼
多羅三藐三菩
大法雨擊大法
法炬為欲利益
故常行法施誘進群迷令得大果
故如是等諸佛世尊以身語意稽
首歸誠至心礼敬彼諸世尊以真
實眼真實證明真實平等悉知悉見一切衆
生善惡之業我從无始生死以來隨惡流轉
共諸衆生造業障罪為貪瞋癡之所纏縛
未識佛時未識法時未識僧時未識善惡
由身語意造无間罪惡心出佛身血誹謗正
法破和合僧殺阿羅漢殺害父母身三語四意
三種行造十惡業自作教他見作隨喜於諸
善人橫生毀謗斗秤欺誑以偽為真不淨飲
食施與一切於六道中所有父母更相惱害或
盜窣覩波物四方僧物現前僧物自在而用
世尊法律不樂奉行師長教示不相隨順

BD02115 號　金光明最勝王經卷三　（15–1）

三種行造十惡業自作教他見作隨喜於諸
善人横生毀謗外秤欺誑以僞爲真不淨飲
食施與一切於六道中所有父母更相惱害或
盗窣覩波物四方僧物現前僧物自在而用
世尊法律不樂奉行師長教示不相隨順
見行聲聞獨覺大乘行者喜生罵辱令諸
行人心生悔惱見有勝己便懷嫉妬法施財施
常生慳惜无明所覆邪見惑心不修善因令
惡增長於諸佛所而起誹謗法說非法非法
說法如是衆罪佛以真實慧真實眼真實證
明真實平等悉知悉見我今歸命對諸佛前
皆悉發露不敢覆藏未作之罪更不復作已
作之罪今皆懺悔所作業障應墮惡道地獄
傍生餓鬼之中阿蘇羅衆及八難處願我此
生所有業障皆得消滅所有惡報未來不受
亦如過去諸大菩薩修菩提行所有業障悉
已懺悔我之業障今亦懺悔皆悉發露不敢
覆藏已作之罪願得除滅未來之惡更不敢造亦如
未來諸大菩薩修菩提行所有業障悉已懺悔我
之業障今亦懺悔皆悉發露不敢覆藏已作之
罪願得除滅未來之惡更不敢造亦如現在
十方世界諸大菩薩修菩提行所有業障悉
已懺悔我之業障今亦懺悔皆悉發露不敢覆
藏已作之罪願得除滅未來之惡更不敢造
善男子以是因緣若有造罪一刹那中不得
覆藏何況一日一夜乃至多時若有犯罪欲求

BD02115號　金光明最勝王經卷三

（15–2）

已懺悔我之業障今亦懺悔皆悉發露不敢覆
藏已作之罪願得除滅未來之惡更不敢造
善男子以是因緣若有造罪一刹那中不得
覆藏何況一日一夜乃至多時若有犯罪欲求
清淨心懷慚愧深信於未來必有惡報生大
恐怖應如是懺如人被火燒頭燒衣救令速
滅火若未滅心不得安若人犯罪亦復如是
即應懺悔令速除滅若有願生富樂之家多
饒財寶復欲發意修習大乘亦應懺悔滅除
業障欲生豪貴婆羅門種刹帝利家及轉
輪王七寶具足亦應懺悔滅除業障
善男子若有欲生四大王衆三十三天夜摩
天覩史多天樂變化天他化自在天亦應懺
悔滅除業障若欲生梵衆梵輔大梵天少光
天无量光極光淨天少淨无量淨遍淨天无雲福
生廣果无煩无熱善現天善見色究竟天亦
應懺悔滅除業障若欲求預流果一來果
不還果阿羅漢果亦應懺悔滅除業障若
欲願求三明六通聲聞獨覺自在菩提至究
竟地求一切智淨智不思議智不動智三藐
三菩提正遍知者亦應懺悔滅除業障何以
故善男子一切諸法從因緣生如來所說異
相生異相滅因緣異故如是過去諸法皆已
滅盡所有業障无復遺餘是諸行法未得
現生而今得生未來業障更不復起何以故
善男子一切法空如來所說无有我人衆生
壽者亦无生滅亦无行法善男子一切諸法

BD02115號　金光明最勝王經卷三

（15–3）

現生而今得生未來業障更不復起何以故
善男子一切法空如來所説无有我人衆生
壽者亦无生滅亦无行法善男子一切諸法
皆依於本亦不可説何以故過一切相故若有
善男子善女人如是入於微妙真理生信敬
心是名无衆生而有於本以是義故説於懺
悔滅除業障
善男子若人成就四法能除業障永得清淨
云何為四一者不起邪心正念成就二者於甚
深理不生誹謗三者於初行菩薩起一切智
心四者於諸衆生起慈无量是謂為四尒時
世尊而説頌言
專心護三乘　不誹謗深法　作一切智想　慈心淨業障
善男子有四業障難可滅除云何為四一者
於菩薩律儀犯極重惡二者於大乘經心生
誹謗三者於自善根不能增長四者貪著三
有无出離心復有四種對治業障云何為四一者
於十方世界一切如來至心親近説一切罪
二者為一切衆生勸請諸佛説深妙法三
者隨喜一切衆生所有功德四者所有一切
功德善根悉皆迴向阿耨多羅三藐三菩提
尒時天帝釋白佛言世尊世間所有男子
女人於大乘行有能行者有不行者云何能
得隨喜一切衆生功德善根佛言善男子若
有衆生雖於大乘未能修習然於晝夜六時
偏但右肩右膝著地合掌恭敬一心專念作
隨喜時得福无量應作是言十方世界一

BD02115號　金光明最勝王經卷三　（15–4）

有衆生雖於大乘未能修習然於晝夜六時
偏但右肩右膝著地合掌恭敬一心專念作
隨喜時得福无量應作是言十方世界一
切衆生現在修行施戒心慧我今皆悉深生
隨喜由作如是隨喜福故必當獲得尊重殊
勝无上无等冣妙之果如是過去未來一切衆
生所有善根皆悉隨喜又於現在初行菩薩
發菩提心所有功德過百大劫行菩薩行有
大功德獲无生忍至不退轉一生補處如是
一切功德之蘊皆悉至心隨喜讃歎過去未
來一切菩薩所有功德隨喜讃歎亦復如是
復於現在十方世界一切諸佛應正遍知證
妙菩提為度无邊諸衆生故轉无上法輪行
无礙法施擊法鼓吹法螺建法幢雨法雨哀
愍勸化一切衆生咸令信受皆蒙法施悉得
充足无盡安樂又復所有菩薩聲聞獨覺
功德積集善根若有衆生未具如是諸功德
者悉令具足我皆隨喜如是過去未來諸佛
菩薩聲聞獨覺所有功德亦皆至心隨喜讃
歎善男子如是隨喜當得无量功德之聚如
恒河沙三千大千世界所有衆生皆斷煩惱
成阿羅漢若有善男子善女人盡其形壽常
以上妙衣服飲食卧具醫藥而為供養如是
功德不及如前隨喜功德千分之一何以故供
養功德有數有量不攝一切諸功德故隨喜
功德无量无數能攝三世一切功德是故若人
欲求增長勝善根者應修如是隨喜功德

BD02115號　金光明最勝王經卷三　（15–5）

功德不及如前隨喜功德千分之一何以故供
養功德有數有量不攝一切諸功德故隨喜
功德无量无數能攝三世一切功德是故若人
欲求增長勝善根者應脩如是隨喜功德
若有女人願轉女身為男子者亦應脩習隨
喜功德必得隨心現成男子尒時天帝釋白
佛言世尊已知隨喜功德勸請功德唯願為
說欲令未來一切菩薩當轉法輪現在菩
薩正脩行故佛告帝釋若有善男子善女人
願求阿耨多羅三藐三菩提者應當脩行聲
聞獨覺大乘之道是人當於晝夜六時如前
威儀一心專念作如是言我今歸依十方一切
諸佛世尊已得阿耨多羅三藐三菩提未轉
无上法輪欲捨報身入涅槃者我皆至誠頂
礼勸請轉大法輪雨大法雨然大法燈照明
理趣施无礙法莫般涅槃久住於世度脫安
樂一切衆生如前所說乃至无盡安樂我今
以此勸請功德迴向阿耨多羅三藐三菩提
如過去未來現在諸大菩薩勸請功德迴向
菩提我亦如是勸請功德迴向无上正等菩
提善男子假使有人以三千大千世界滿中
七寶供養如來若復有人勸請如來轉大法
輪所得功德其福勝彼何以故彼是財施此
是法施善男子且置三千大千世界七寶布
施若人以滿恒河沙數大千世界七寶供養一
切諸佛勸請功德亦勝於彼由其法施有五
勝利云何為五一者法施兼利自他財施不

是法施善男子且置三千大千世界七寶布
施若人以滿恒河沙數大千世界七寶供養一
切諸佛勸請功德亦勝於彼由其法施有五
勝利云何為五一者法施兼利自他財施不
尒二者法施能令衆生出於三界財施之福
不出欲界三者法施能淨法身財施但唯增
長於色四者法施无窮財施有盡五者法施
能斷无明財施唯伏貪愛是故善男子勸請
功德无量无邊難可譬喻如我昔行菩薩道
時勸請諸佛轉大法輪由彼善根是故今日
一切帝釋諸梵王等勸請於我轉大法輪善
男子請轉法輪為欲度脫安樂諸衆生故我
於往昔為菩提行勸請如來久住於世莫般
涅槃依此善根我得十力四无所畏四无礙
辯大慈大悲證得无數不共之法我當入於无
餘涅槃我之正法久住於世我法身者清淨
无比種種妙相无量智慧无量自在无量功
德難可思議一切衆生皆蒙利益百千万
劫說不能盡法身攝藏一切諸法一切諸法
不攝法身法身常住不墮常見雖復斷滅亦
非斷見能破衆生種種異見能生衆生種
種真見能解一切衆生之縛无縛可解能植衆
生諸善根本未成熟者令成熟已成熟者
令解脫无作无動遠離憒閙寂靜无為自在安
樂過於三世能現三世出於聲聞獨覺之境
諸大菩薩之所脩行一切如來體无有異此
等皆由勸請功德善根力故如是法身我今

令解脫无[illegible]

槃過於三世能現三世出於聲聞獨覺之境
諸大菩薩之所修行一切如來體无有異此
等皆由勸請功德善根力故如是法身我今
已得是故若有欲得阿耨多羅三藐三菩提
者於諸經中一句一頌為人解說功德善根
尚无限量何況勸請如來轉大法輪久住於
世莫般涅槃
時天帝釋復白佛言世尊若善男子善女人
為求阿耨多羅三藐三菩提故修三乘道所
有善根云何迴向一切智智佛告天帝善男
子若有衆生欲求菩提修三乘道所有善根
願迴向者當於晝夜六時慇重至心作如是
說我從无始生死以來於三寶所修行成就
所有善根乃至施與傍生一摶之食或以善
言和解諍訟或受三歸及諸學處或復懺
悔勸請隨喜所有善根我今作意悉皆攝
取迴施一切衆生无悔悋心是解脫分善根所
攝如佛世尊之所知見不可稱量无礙清淨如
是所有功德善根悉以迴施一切衆生不住相心
不捨相心我亦如是功德善根悉以迴施一
切衆生願皆獲得如意之手擬空出寶滿
衆生願富樂无盡智慧无窮妙法辯才悉皆
无滯共諸衆生同證阿耨多羅三藐三菩提
得一切智因此善根更復出生无量善法亦
皆迴向无上菩提又如過去諸大菩薩修行
之時功德善根悉皆迴向一切種智現在未

无滯共諸衆生同證阿耨多羅三藐三菩提
得一切智因此善根更復出生无量善法亦
皆迴向无上菩提又如過去諸大菩薩修行
之時功德善根悉皆迴向一切種智現在未
來亦復如是然我所有功德善根亦皆迴向
阿耨多羅三藐三菩提是諸善根願與一切
衆生俱成正覺如餘諸佛坐於道場菩提樹
下不可思議无礙清淨住於无盡法藏陀羅
尼首楞嚴定破魔波旬无量兵衆應見覺
知應可通達如是一切一剎那中悉皆照了
於後夜中獲甘露法證甘露義我及衆生願
皆同證如是妙覺猶如
无量壽佛　勝光佛　妙光佛　阿閦佛
功德善光佛　師子光明佛　百光明佛　網光明佛
寶　相佛　寶燄佛　燄明佛　燄盛光明佛
吉祥上王佛　微妙聲佛　妙莊嚴佛　法　幢佛
上勝身佛　可愛色佛　光明遍照佛　梵淨王佛
上性　佛
如是等如來應正遍知過去未來及以現在
亦現應化得阿耨多羅三藐三菩提轉无上
法輪為度衆生我亦如是廣說如上
善男子若有淨信男子女人於此金光明最
勝王經滅業障品受持讀誦憶念不忘為他
廣說得无量无邊大功德聚譬如三千大
千世界所有衆生一時皆得成就人身得人
身已成獨覺道若有男子女人盡其形壽恭
敬尊重四事供養一一獨覺各施七寶如須彌

廣說得无量无邊大功德聚譬如三千大
千世界所有衆生一時皆得成就人身得人
身已成獨覺道若有男子女人盡其形壽恭
敬尊重四事供養一一獨覺各施七寶如須弥
山此諸獨覺入涅槃後皆以珎寶起塔供養
其塔高廣十二瑜繕那以諸花香寶幢幡
蓋常為供養善男子於意云何是人所獲功
德寧為多不天帝釋言甚多世尊善男子
若復有人於此金光明微妙經典衆經之王滅
業障品受持讀誦憶念不忘為他廣說所獲
功德於前所說供養功德百分不及一百千万
億分乃至挍量譬喻所不能及何以故是善
男子善女人住正行中勸請十方一切諸佛
轉无上法輪皆為諸佛歡喜讚歎善男子如
我所說一切施中法施為勝是故善男子於
三寶所設諸供養不可為比勸受三歸持一
切戒无有毀犯三業不空不可為比一切世界
一切衆生隨力隨能隨所願樂於三乘中勸
發菩提心不可為比於三世中一切世界所
有衆生皆得无礙速令成就无量功德不
可為比三世剎土一切衆生令无障礙得三
菩提不可為比三世剎土一切衆生勸令速
出四惡道苦不可為比三世剎土一切衆生
勸令除滅極重惡業不可為比一切苦惱勸
令解脫不可為比一切怖畏苦惱逼切皆令
得解不可為比三世佛前一切衆生所有功
德勸令隨喜發菩提願不可為比勸除惡行

BD02115號　金光明最勝王經卷三　（15-10）

令解脫不可為比一切怖畏苦惱逼切皆令
得解不可為比三世佛前一切衆生所有功
德勸令隨喜發菩提願不可為比勸除惡行
罵辱之業一切功德皆願成就所在生中勸
請供養尊重讚歎一切三寶勸請衆生淨修
福行成滿菩提不可為比是故當知勸請一
切世界三世三寶勸請滿足六波羅蜜勸請
轉於无上法輪勸請住世經无量劫演說无
量甚深妙法功德甚深无能比者
尒時天帝釋及恒河女神无量梵王四大天
衆從座而起偏袒右肩右膝著地合掌頂礼
白佛言世尊我等皆得聞是金光明冣勝王
經今悉受持讀誦通利為他廣說依此法住
何以故世尊我等欲求阿耨多羅三藐三菩
提隨順此義種種勝相如法行故尒時梵
王及天帝釋等於說法處皆以種種曼陁
羅花而散佛上三千大千世界地皆大動一切
天鼓及諸音樂不鼓自鳴放金色光遍滿世
界出妙音聲時天帝釋白佛言世尊此等皆
是金光明經威神之力慈悲普救種種利益種
種增長菩薩善根滅諸業障佛言如是如是
如汝所說何以故善男子我念往昔過无量
百千阿僧祇劫有佛名寶王大光照如來應
正遍知出現於世住世六百八十億劫尒時寶
王大光照如來為欲度脫人天釋梵沙門
婆羅門一切衆生令安樂故當出現時初會
說法度百千億億万衆皆得阿羅漢果諸漏

BD02115號　金光明最勝王經卷三　（15-11）

百千阿僧祇劫有佛名寶王大光照如來應
正遍知出現於世住世六百八十億劫尒時寶
王大光照如來為欲度脫人天釋梵沙門
婆羅門一切眾生令安樂故當出現時初會
說法度百千億億万眾皆得阿羅漢果諸漏
已盡三明六通自在无礙於第二會復度九
十千億億万眾皆得阿羅漢果諸漏已盡
三明六通自在无礙於第三會復度九十八
千億億万眾皆得阿羅漢果圓滿 如上
善男子我尒時作女人身名福寶光明於
第三會親近世尊受持讀誦是金光明經為
他廣說求阿耨多羅三藐三菩提故時彼世
尊為我授記此福寶光明女於未來世當得
作佛号釋迦牟尼如來應正遍知明行足善
逝世間解无上士調御丈夫天人師佛世尊
捨女身後從是以來越四惡道生人天中受
上妙樂八十四百千生作轉輪王至于今日得
成正覺名稱普聞遍滿世界時會大眾忽
然皆見寶王大光照如來轉无上法輪說微
妙法善男子去此索訶世界東方過百千恒
河沙數佛土有世界名寶莊嚴其寶王大光
照如來今現在彼未般涅槃說微妙法廣化
群生汝等見者即是彼佛
善男子若有善男子善女人聞是寶王大光
照如來名号者於菩薩地得不退轉至大涅
槃若有女人聞是佛名者臨命終時得見彼
佛來至其所既見佛已究竟不復更受女身

BD02115號　金光明最勝王經卷三　（15-12）

照如來今現在彼未般涅槃說微妙法廣化
群生汝等見者即是彼佛
善男子若有善男子善女人聞是寶王大光
照如來名号者於菩薩地得不退轉至大涅
槃若有女人聞是佛名者臨命終時得見彼
佛來至其所既見佛已究竟不復更受女身
善男子是金光明微妙經典種種利益種種
增長菩薩善根滅諸業障善男子若有苾
芻苾芻尼鄔波索迦鄔波斯迦隨在何處為
人講說是金光明微妙經典於其國土皆獲
四種福利善根云何為四一者國王无病離諸
灾厄二者壽命長遠无有障礙三者无諸怨
敵兵眾勇健四者安隱豐樂正法流通何以
故如是人王常為釋梵四王藥叉之眾共守
護故
尒時世尊告天眾曰善男子是事實不是時
无量釋梵四王及藥叉眾俱時同聲荅世尊
言如是如是若有國王講宣讀誦此妙經王
是諸國主我等四王常來擁護行住共俱其
王若有一切灾障及諸怨敵我等四王皆使
消殄憂愁疾疫亦令除差增益壽命感應
禎祥所願遂心恒生歡喜我等亦能令其國
中所有軍兵悉皆勇健佛言善哉善哉善男
子如汝所說汝當修行何以故是諸國主如法
行時一切人民隨王修習如法行者汝等皆蒙
色力勝利宮殿光明眷屬強盛時釋梵等白
佛言如是世尊佛言若讀誦此妙經典流通
之處於其國中大臣輔相有四種益云何為

BD02115號　金光明最勝王經卷三　（15-13）

子如汝所說汝當修行何以故是諸國王如法
行時一切人民隨王修習如法行者汝等皆蒙
色力勝利宮殿光明眷屬强盛時釋梵等白
佛言如是世尊佛言若讀誦此妙經典流通
之處於其國中大臣輔相有四種益云何爲
四一者更相親穆尊重愛念二者常爲人
王心所愛重亦爲沙門婆羅門大國小國之
所尊敬三者輕財重法不求世利嘉名普暨
衆所欽仰四者壽命延長安隱快樂是名四
益若有國土宣說是經沙門婆羅門得四種
勝利云何爲四一者衣服飲食卧具醫藥无
所乏少二者皆得安心思惟讀誦三者依於
山林得安樂住四者隨心所願皆得滿足是
名四種勝利若有國土宣說是經一切人民皆
得豐樂无諸疾疫商估往還多獲寶貨具
之勝福是名種種功德利益
尒時梵釋四天王及諸大衆白佛言世尊如是
經典甚深之義若現在者當知如來卅七
種助菩提法住世未滅若是經典滅盡之時
正法亦滅佛言如是如是善男子是故汝等
於此金光明經一句一頌一品一部皆當一心
正讀誦正聞持正思惟正修習爲諸衆生
廣宣流布長夜安樂福利无邊時諸大衆聞
佛說已咸蒙勝益歡喜受持
金光明經卷第三

BD02115號　金光明最勝王經卷三　（15–14）

之勝福是名種種功德利益
尒時梵釋四天王及諸大衆白佛言世尊如是
經典甚深之義若現在者當知如來卅七
種助菩提法住世未滅若是經典滅盡之時
正法亦滅佛言如是如是善男子是故汝等
於此金光明經一句一頌一品一部皆當一心
正讀誦正聞持正思惟正修習爲諸衆生
廣宣流布長夜安樂福利无邊時諸大衆聞
佛說已咸蒙勝益歡喜受持
金光明經卷第三
闠胡對 穆莫六 暨其器

BD02115號　金光明最勝王經卷三　（15–15）

頭目髓腦眷屬妻子象馬車乘奴婢僕使宮
殿園林金銀琉璃硨磲碼碯珊瑚虎珀璧玉
珂貝飲食衣服卧具醫藥如餘無量百千菩
薩以諸供具供養過去無數百千万億那庾
多佛如是菩薩各經無量無邊劫數然後方
得受菩提記世尊是諸天子以何因緣修何
勝行種何善根從彼天來暫時聞法便得授
記唯願世尊為我解說斷除疑網佛告地神
善女天如汝所說皆從勝妙善根因緣勤苦
修已方得授記此諸天子於妙天宮捨五欲
樂故來聽是金光明經既聞法已於是經中
心生慇重如淨瑠璃無諸瑕穢復得聞此三
大菩薩授記之事亦由過去久修正行誓願
因緣是故我今皆與授記於未來世當成阿
耨多羅三藐三菩提時彼樹神聞佛說已歡
喜信受

金光明最勝王經除病品第廿四

佛告菩提樹神善女天諦聽諦聽善思念之
是十千天子本願因緣今為汝說善女天過
去無量不可思議阿僧企耶劫尒時有佛出
現於世名曰寶髻如來應正遍知明行足善
逝世間解无上士調御丈夫天人師佛世尊
善女天時彼世尊般涅槃後正法滅已於像

BD02116號　金光明最勝王經卷九　（13–1）

佛告菩提樹神善女天諦聽諦聽善思念之
是十千天子本願因緣今為汝說善女天過
去無量不可思議阿僧企耶劫尒時有佛出
現於世名曰寶髻如來應正遍知明行足善
逝世間解无上士調御丈夫天人師佛世尊
善女天時彼世尊般涅槃後正法滅已於像
法中有王名曰天自在光常以正法化於人
民猶如父母是王國中有一長者名曰持水
善解醫明妙通八術衆生病苦四大不調咸
能救療善女天尒時持水長者唯有一子名
曰流水顏容端正人所樂觀受性聰敏妙閑
諸論書畫筭印無不通達時王國內有无量
百千諸衆生類皆遇疫疾衆苦所逼乃至無
有歡樂之心善女天尒時長者子流水見是
無量百千衆生受諸病苦起大悲心作如是
念無量衆生為諸極苦之所逼迫我父長者
雖善醫方妙通八術能療衆病四大增損
然已衰邁老耄虛羸要假扶策方能進步不
復能往城邑聚落救諸病苦今有無量百千衆
生皆遇重病無能救者我今當至大醫父所
諮問治病醫方秘法若得解已當往城邑聚
落之所救諸衆生種種疾病令於長夜得受
安樂時長者子作是念已即詣父所稽首礼
足合掌恭敬却住一面即以伽他請其父曰
慈父當哀愍　我欲救衆生　今請諸醫方　幸願為我說
云何身衰壞　諸大有增損　復在何時中　能生諸疾病

BD02116號　金光明最勝王經卷九　（13–2）

安樂時長者子作是念已即詣父所稽首礼
足合掌恭敬却住一面即以伽他請其父曰
慈父當哀愍 我欲救眾生 今請諸醫方 幸願為我說
云何身衰壞 諸大有增損 復在何時中 能生諸疾病
云何噉飲食 得受於安樂 能使內身中 火勢不衰損
眾生有四病 風黃熱痰癊 及以總集病 云何而療治
何時風病起 何時熱病發 何時動痰癊 何時總集生
時彼長者聞子請已 復以伽他而答之曰
我今依古仙 所有療病法 次第為汝說 善聽救眾生
三月是春時 三月名為夏 三月名秋分 三月謂冬時
此據一年中 三三而別說 二二為一節 便成歲六時
初二是花時 三四名熱際 五六名雨際 七八謂秋時
九十是寒時 後二名氷雪 既知如是別 授藥勿令差
當隨此時中 調息於飲食 入腹令消散 眾病則不生
節氣若變改 四大有推移 此時無藥資 必生於病苦
醫人解四時 復知其六節 明閑身七界 食藥使無差
謂味界血肉 膏骨及髓腦 病入此中時 知其可療不
病有四種別 謂風熱痰癊 及以總集病 應知發動時
春中痰癊動 夏內風病生 秋時黃熱增 冬節三俱起
春食澁熱辛 夏膩熱鹹醋 秋時冷甜膩 冬酸澁膩甜
於此四時中 服藥及飲食 若依如是味 眾病無由生
食後病由癊 食消時由熱 消後起由風 准時須識病
既識病源已 隨病而設藥 假令患狀殊 先須療其本
風病服油膩 患熱利為良 癊病應變吐 總集須三藥
風熱癊俱有 是名為總集 雖知病起時 應觀其本性
如是觀知已 順時而授藥 飲食藥無差 斯名善醫者

BD02116號　金光明最勝王經卷九　（13–3）

既識病源已 隨病而設藥 假令患狀殊 先須療其本
風病服油膩 患熱利為良 癊病應變吐 總集須三藥
風熱癊俱有 是名為總集 雖知病起時 應觀其本性
如是觀知已 順時而授藥 飲食藥無差 斯名善醫者
復應知八術 總攝諸醫方 於此若明閑 可療眾生病
謂針刺傷破 身疾并鬼神 惡毒及孩童 延年增氣力
先觀彼形色 語言及性行 然後問其夢 知風熱癊殊
乾瘦少頭髮 其心無定住 多語夢飛行 斯人是風性
少年生白髮 多汗及多瞋 聰明夢見火 斯人是熱性
心定身平整 慮審頭津膩 夢見水白物 是癊性應知
總集性俱有 或二或具三 隨有一偏增 應知是其性
既知本性已 准病而授藥 驗其無死相 方名可救人
諸根倒取境 尊醫人起慢 親友生瞋恚 是死相應知
左眼白色變 舌黑鼻梁欹 耳輪與舊殊 下脣垂向下
訶梨勒一種 具足有六味 能除一切病 無忌藥中王
又三果三辛 諸藥中易得 沙糖蜜酥乳 此能療眾病
自餘諸藥物 隨病可增加 先起慈愍心 莫規於財利
我已為汝說 療疾中要事 以此救眾生 當獲無邊果
善女天尒時長者子流水親問其父八術之
要四大增損時節不同餌藥方法既善了知
自忖堪能救療眾病即便遍至城邑聚落所
在之處隨有百千万億病苦眾生皆至其所
善言慰喻作如是語我是醫人我是醫人善
知方藥今為汝等療治眾病悉令除愈善女
天尒時眾人聞長者子善言慰喻許為治病
時有無量百千眾生遇極重病聞是語已身

BD02116號　金光明最勝王經卷九　（13–4）

善言慰喻作如是語我是醫人我是醫人善
知方藥今為汝等療治衆病悉令除愈善女
天尒時衆人聞長者子善言慰喻許為治病
時有無量百千衆生遇極重病聞是語已身
心踊躍得未曾有以此因緣所有病苦悉得
蠲除氣力充實平復如本善女天尒時復有
無量百千衆生病苦深重難療治者即共往
詣長者子所重請醫療時長者子即以妙藥
令服皆蒙除差善女天是長者子於此國內
百千万億衆生病苦悉得除差

金光明㝡勝王經長者子流水品第廿五

尒時佛告菩提樹神善女天尒時長者子流
水於往昔時在天自在光王國內療諸衆生
所有病苦令得平復受安隱樂時諸衆生以
病除故多修福業廣行惠施以自歡娛即共
往詣長者子所咸生尊敬作如是言善哉善
哉大長者子善能滋長福德之事增益我等
安隱壽命仁今實是大力醫王慈悲菩薩妙
閑醫藥善療衆生無量病苦如是稱歎周遍
城邑善女天時長者子妻名水肩藏有其二
子一名水滿二名水藏是時流水將其二子漸
次遊行城邑聚落過空澤中深險之處見
諸禽獸犲狼狐玃鵰鷲之屬食血肉者皆悉
奔飛一向而去時長者子作如是念此諸禽
獸何因緣故一向飛走我當隨後暫往觀之

BD02116 號　金光明最勝王經卷九　（13–5）

次遊行城邑聚落過空澤中深險之處見
諸禽獸犲狼狐玃鵰鷲之屬食血肉者皆悉
奔飛一向而去時長者子作如是念此諸禽
獸何因緣故一向飛走我當隨後暫往觀之
即便隨去見有大池名曰野生其水將盡於
此池中多有衆魚流水見已生大悲心時有
樹神示現半身作如是語善哉善哉善男子
汝有實義名流水者可愍此魚應與其水有
二因緣名為流水一能流水二能與水汝今應
當隨名而作是時流水問樹神言此魚頭數
為有幾何樹神荅曰數滿十千善女天時長
者子聞是數已倍益悲心時此大池為日
所暴餘水無幾是十千魚將入死門旋身婉
轉見是長者心有所希隨逐瞻視目未曾捨
時長者子見是事已馳趣四方欲覓於水竟
不能得復望一邊見有大樹即便昇上折取
枝葉為作蔭涼復更推求是池中水從何處
來尋覓不已見一大河名曰水生時此河邊
有諸漁人為取魚故於河上流懸險之處決
棄其水不令下過於所決處卒難修補便作
是念此崖深峻設百千人時經三月亦未能
斷況我一身而堪濟辦時長者子速還本城
至大王所頭面禮足却住一面合掌恭敬作
如是言我為大王國土人民治種種病悉令
安隱漸次遊行至其空澤見有一池名曰野
生其水欲涸有十千魚為日所暴將死不久

BD02116 號　金光明最勝王經卷九　（13–6）

至大王所頭面礼足却住一面合掌恭敬住
如是言我為大王國土人民治種種病悉令
安隱漸次遊行至其空澤見有一池名曰野
生其水欲涸有十千魚為日所暴將死不久
唯願大王慈悲愍念與二十大象暫往負水
濟彼魚命如我與諸病人壽命尒時大王即
勑大臣速疾與此醫王大象時彼大臣奉王
勑已白長者子善哉大士仁今自可至象廐
中隨意選取二十大象利益眾生令得安樂
是時流水及其二子將二十大象又從酒家
多借皮囊往決水處以囊盛水象負至池寫
置池中水即彌滿還復如故善女天時長者
子於池四邊周旋而視時彼眾魚亦復隨逐
循岸而行時長者子復作是念眾魚何故隨
我而行必為飢火之所惱逼復欲從我求索
於食我今當與尒時長者子流水告其子言
汝取一象最大力者速至家中啓父長者家
中所有可食之物乃至父母食噉之分及
以妻子奴婢之分悉皆收取即可持來尒時
二子受父教已乘最大象速往家中至祖父
所說如上事收取家中可食之物置於象上
疾還父所至彼池邊是時流水見其子來身
心喜躍遂取餅食遍散池中魚得食已悉皆
飽足便作是念我今施食令魚得命願於來
世當施法食充濟無邊復更思惟我先曾於
空閑林處見一苾芻讀大乘經說十二緣生

BD02116 號　金光明最勝王經卷九　（13–7）

飽足便作是念我今施食令魚得命願於來
世當施法食充濟無邊復更思惟我先曾於
空閑林處見一苾芻讀大乘經說十二緣生
甚深法要又經中說若有眾生臨命終時得
聞寶髻如來名者即生天上我今當為是十
千魚演說甚深十二緣起亦當稱說寶髻佛
名然贍部洲有二種人一者深信大乘二者
不信毀呰亦當為彼增長信心時長者子作
如是念我入池中可為眾魚說深妙法作是
念已即便入水唱言南謨過去寶髻如來應
正遍知明行足善逝世間解無上士調御丈
夫天人師佛世尊此佛往昔修菩薩行時作
是誓願於十方界所有眾生臨命終時聞我
名者命終之後得生三十三天尒時流水復
為池魚演說如是甚深妙法此有故彼有此
生故彼生所謂無明緣行行緣識識緣名色
名色緣六處六處緣觸觸緣受受緣愛愛緣
取取緣有有緣生生緣老死憂悲苦惱此滅
故彼滅所謂無明滅則行滅行滅則識滅識
滅則名色滅名色滅則六處滅六處滅則觸
滅觸滅則受滅受滅則愛滅愛滅則取滅取
滅則有滅有滅則生滅生滅則老死滅老死
滅則憂悲苦惱滅如是純極苦蘊悉皆除滅
說是法已復為宣說十二緣起相應陁羅尼
曰

BD02116 號　金光明最勝王經卷九　（13–8）

滅觸滅則受滅受滅則愛滅愛滅則取滅取
滅則有滅有滅則生滅生滅則老死滅老死
滅則憂悲苦惱滅如是純極苦蘊悉皆除滅
說是法已復為宣說十二緣起相應陀羅尼
曰
怛姪他 毗折儞毗折儞 毗 折 儞
僧塞枳儞 僧塞枳儞 僧塞枳儞
毗尒儞 毗 尒 儞 毗尒儞莎訶
怛姪他 那須儞那須儞 那 須 儞
敎雉儞 敎雉儞 敎雉儞
颯鉢哩設儞 颯鉢哩設儞 颯鉢哩設儞莎訶
怛姪他 薜達儞薜達儞 薜 達 儞
窒里瑟儞儞 窒里瑟儞儞 窒里瑟儞儞
鄔波地儞 鄔波地儞 鄔波地儞莎訶
怛姪他 婆毗儞婆毗儞 婆 毗 儞
闍 底 儞 闍 底 儞 闍 底 儞
闍摩儞儞 闍摩儞儞 闍摩儞儞莎訶
尒時世尊為諸大衆說長者子昔緣之時諸
人天衆歎未曾有時四大天王各於其處異
口同音作如是說
善哉釋迦尊 說妙法明呪 生福除衆惡 十二支相應
我等亦說呪 擁護如是法 若有生違逆 不善隨順者
頭破作七分 猶如蘭香梢 我等於佛前 共說其呪曰
怛姪他 呬里謎 揭朕健陀哩
旃荼里 地㘑 騷伐㘑石呬伐㘑

BD02116號 金光明最勝王經卷九 （13–9）

怛姪他 呬里謎 揭朕健陀哩
旃荼里 地㘑 騷伐㘑石呬伐㘑
補囉布㘑 矩矩末底 崎囉末底達地目枓
窶嚕婆母嚕婆 具荼母嚕健提
杜嚕杜嚕毗㘑 翳泥悉泥沓徒洽下同娘
達沓娘鄔悉怛哩 烏率吒囉伐底
頞刺婆伐底 鉢杜摩伐底
俱蘇摩伐底 莎訶
佛告善女天尒時長者子流水及其二子為
彼池魚施水施食并說法已俱共還家是長
者子流水復於後時因有聚會設衆伎樂醉
酒而臥時十千魚同時命過生三十三天起如
是念我等以何善業因緣生此天中便相謂
曰我等先於贍部洲內墮傍生中共受魚身
長者子流水施我等水及以餅食復為我等
說甚深法十二緣起及陀羅尼復稱寶髻如
來名号以是因緣能令我等得生此天是故
我今咸應詣彼長者子所報恩供養尒時
十千天子即於天沒至贍部洲大醫王所時
長者子在高樓上安隱而睡時十千天子共
以十千真珠瓔珞置其頭邊復以十千置其
足處復以十千置於右脅復以十千置左脅
邊雨曼陀羅花摩訶曼陀羅花積至于膝光明
普照種種天樂出妙音聲令贍部洲有睡眠者
皆悉覺悟長者子流水亦從睡寤是時十千

BD02116號 金光明最勝王經卷九 （13–10）

邊雨曼陁羅花摩訶曼陁羅花積至于膝光明
普照種種天樂出妙音聲令贍部洲有睡眠者
皆悉覺悟長者子流水亦從睡寤是時十千
天子為供養已即於空中飛騰而去於天自
在光王國内處處皆雨天妙蓮花是諸天子
復至本處空澤池中雨衆天花便於此沒還
天宮殿隨意自在受五欲樂天自在光王至
天曉已問諸大臣昨夜何緣忽現如是希有
瑞相放大光明大臣荅言大王當知有諸天
衆於長者子流水家中雨四十千真珠瓔珞
及天曼陁羅花積至于膝王告臣曰詣長者
家喚取其子大臣受勅即至其家奉宣王命
喚長者子時長者子即至王所王曰何緣昨
夜示現如是希有瑞相長者子言如我思忖
定應是彼池内衆魚如經所說命終之後得
生三十三天彼來報恩故現如是希奇之相
王曰何以得知流水荅曰王可遣使并我二
子往彼池所驗其虛實彼十千魚為死為活
王聞是語即便遣使及子向彼池邊見其池
中多有曼陁羅花積成大聚諸魚並死見已
馳還為王廣說王聞是已心生歡喜歎未曾
有尒時佛告菩提樹神善女天汝今當知昔
時長者子流水者即我身是持水長者即妙
幢是彼之二子長子水滿即銀幢是次子水
藏即銀光是彼天自在光王者即汝菩提樹

王聞是語即便遣使及子向彼池邊見其池
中多有曼陁羅花積成大聚諸魚並死見已
馳還為王廣說王聞是已心生歡喜歎未曾
有尒時佛告菩提樹神善女天汝今當知昔
時長者子流水者即我身是持水長者即妙
幢是彼之二子長子水滿即銀幢是次子水
藏即銀光是彼天自在光王者即汝菩提樹
神是十千魚者即十千天子是因我往昔以
水濟魚與食令飽為說甚深十二緣起并此
相應陁羅尼呪又為稱彼寶髻佛名因此善
根得生天上今來我所歡喜聽法我皆當為
授阿耨多羅三藐三菩提記說其名号善
女天如我往昔於生死中輪迴諸有廣為利益
無量衆生悉令次第成無上覺與其授
記汝等皆應勤求出離勿為放逸尒時大衆
聞說是已悉皆悟解由大慈悲救護一切勤
修苦行方能證獲無上菩提咸發深心信受
歡喜

金光明最勝王經卷第九

氂毛報 瘯徒甘 蘊於禁 貜俱縛 枳居亦 頞猕氏 娘普詣 睇啼計 梢

所交

授於阿耨多羅三藐三菩提記說其名号善
女天如我往昔於生死中輪迴諸有廣為利益
令無量衆生悉令次第成無上覺與其授
記汝等皆應勤求出離勿為放逸尒時大衆
聞說是已悉皆悟解由大慈悲救護一切勤
修苦行方能證獲無上菩提咸發深心信受
歡喜

金光明最勝王經卷第九

耄毛報 𤸎徒甘 蔭於禁 矍俱縛 枳居亦 弭弥氏 娘普諧 睇啼計 梢所交

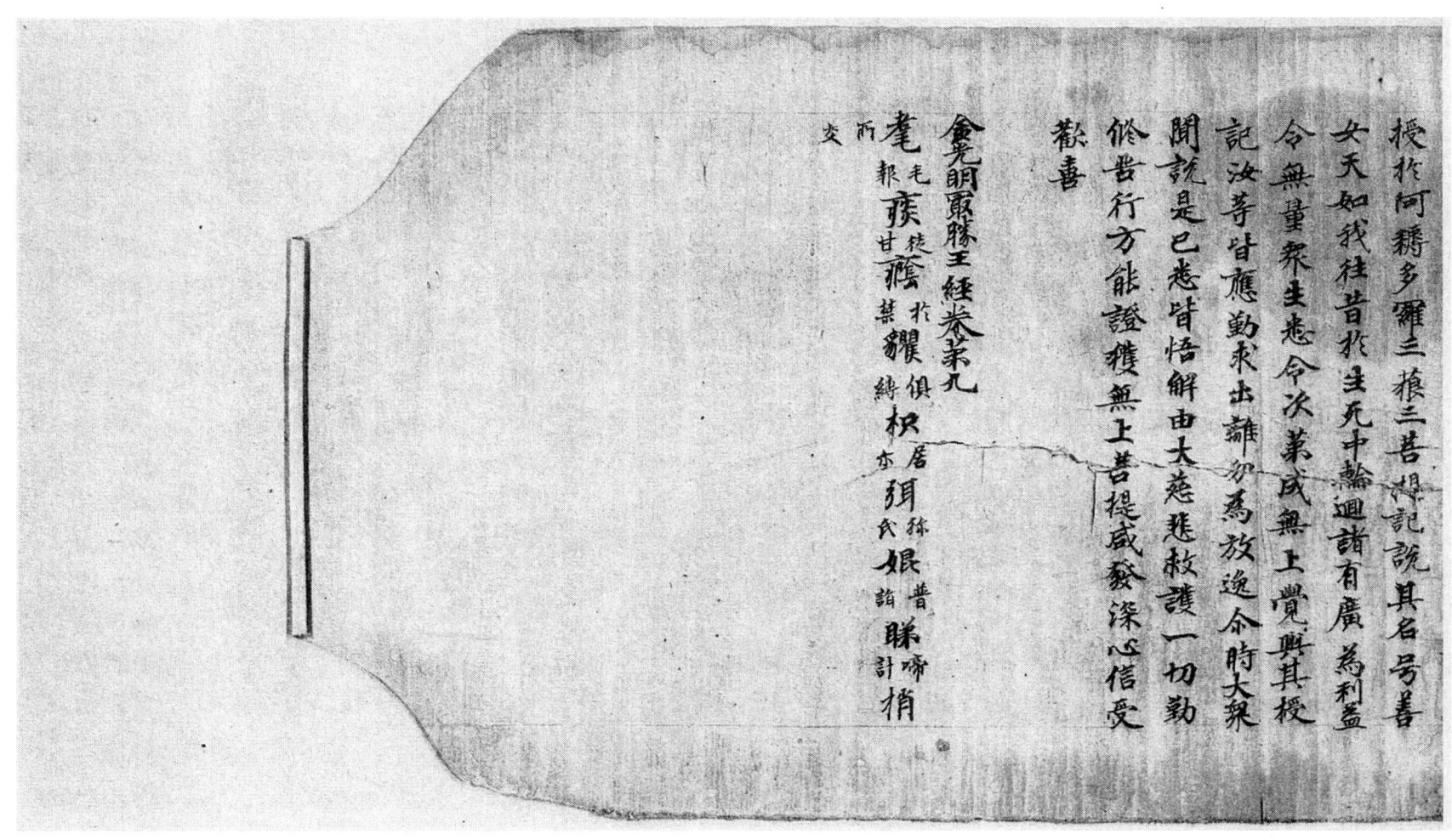

BD02116 號　金光明最勝王經卷九　　（13–13）

實无所得須菩提於意云何菩薩莊嚴
土不不也世尊何以故莊嚴佛土者則非莊嚴
是名莊嚴是故須菩提諸菩薩摩訶薩應如
是生清淨心不應住色生心不應住聲香味
觸法生心應无所住而生其心須菩提譬如
有人身如須弥山王於意云何是身為大不
須菩提言甚大世尊何以故佛說非身是
名大身
須菩提如恒河中所有沙數如是沙等恒河
於意云何是諸恒河沙寧為多不須菩提言
甚多世尊但諸恒河尚多无數何況其沙須
菩提我今實言告汝若有善男子善女人以
七寶滿尒所恒河沙數三千大千世界以用
布施得福多不須菩提言甚多世尊佛告
須菩提若善男子善女人於此經中乃至受
持四句偈等為他人說而此福德勝前福德
復次須菩提隨說是經乃至四句偈等當知
此處一切世間天人阿脩羅皆應供養如佛
塔廟何況有人盡能受持讀誦須菩提當
知是人成就最上第一希有之法若是經典
所在之處則為有佛若尊重弟子
尒時須菩提白佛言世尊當何名此經我當

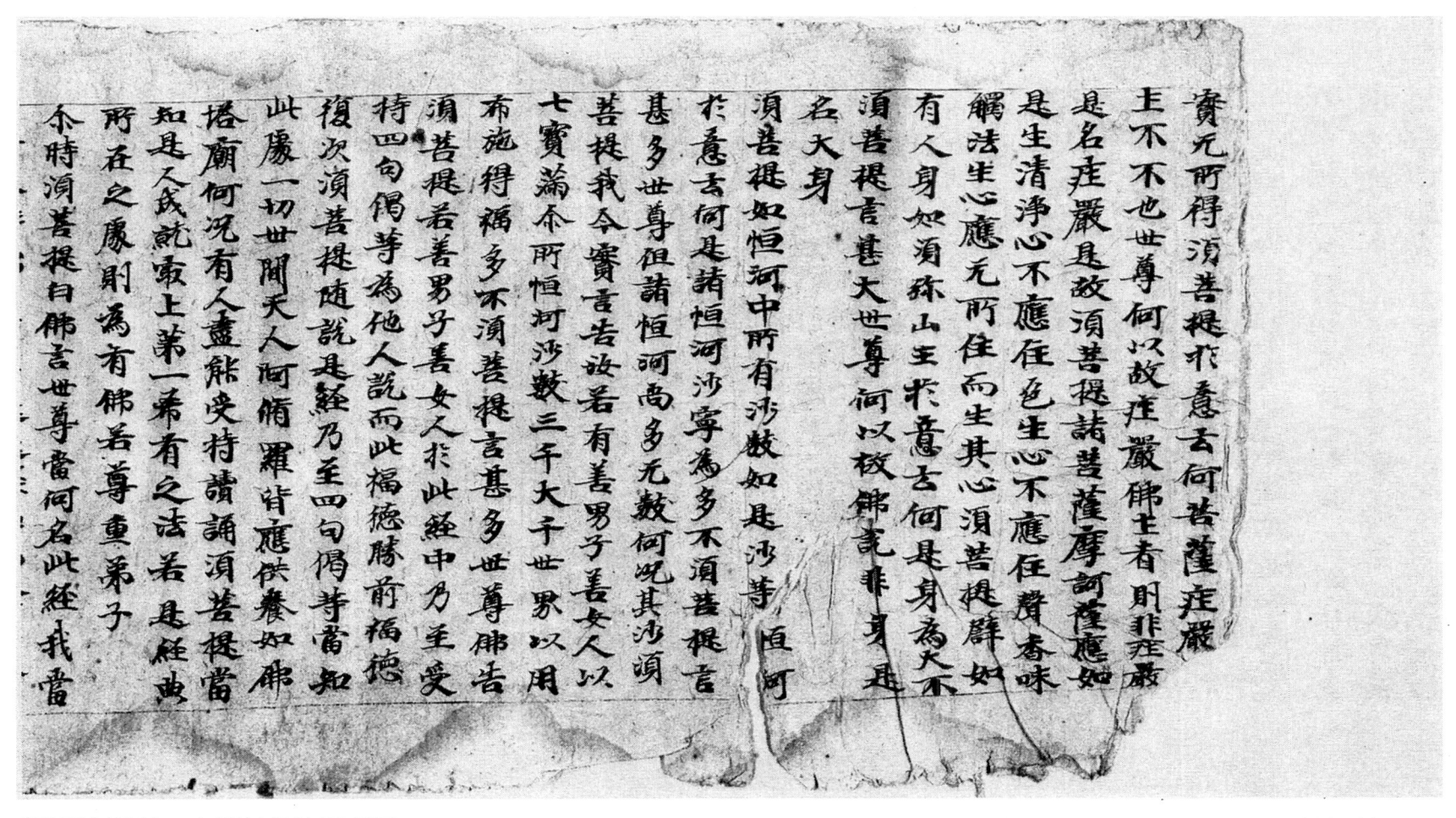

BD02117 號　金剛般若波羅蜜經　　（12–1）

此處一切世間天人阿修羅皆應供養如佛
塔廟何況有人盡能受持讀誦須菩提當
知是人成就最上第一希有之法若是經典
所在之處則為有佛若尊重弟子
尒時須菩提白佛言世尊當何名此經我當
云何奉持佛告須菩提是經名為金剛般若
波羅蜜以是名字汝當奉持所以者何須菩
提佛說般若波羅蜜則非般若波羅蜜須菩
提於意云何如來有所說法不須菩提白佛
言世尊如來无所說須菩提於意云何三千
大千世界所有微塵是為多不須菩提言甚
多世尊須菩提諸微塵如來說非微塵是名
微塵如來說世界非世界是名世界須菩提
於意云何可以三十二相見如來不不也世
尊不可以三十二相得見如來何以故如來
所說三十二相即是非相是名三十二相須菩
提若有善男子善女人以恒河沙等身命布
施若復有人於此經中乃至受持四句偈等
為他人說其福甚多尒時須菩提聞說是經
深解義趣涕淚悲泣而白佛言希有世尊佛
說如是甚深經典我從昔來所得慧眼未曾
得聞如是之經世尊若復有人得聞是經信
心清淨則生實相當知是人成就第一希有
功德世尊是實相者則是非相是故如來說
名實相世尊我今得聞如是經典信解受持
不足為難若當來世後五百歲其有眾生得

BD02117 號　金剛般若波羅蜜經

（12–2）

心清淨則生實相當知是人成就第一希有
功德世尊是實相者則是非相是故如來說
名實相世尊我今得聞如是經典信解受持
不足為難若當來世後五百歲其有眾生得
聞是經信解受持是人則為第一希有何以故
此人无我相人相眾生相壽者相所以者何我
相即是非相人相眾生相壽者相即是非相何以故
離一切諸相則名諸佛佛告須菩提如是如
是若復有人得聞是經不驚不怖不畏當
知是人甚為希有何以故須菩提如來說第一
波羅蜜非第一波羅蜜是名第一波羅蜜
須菩提忍辱波羅蜜如來說非忍辱波羅蜜
何以故須菩提如我昔為歌利王割截身
體我於尒時无我相无人相无眾生相无壽
者相何以故我於往昔節節支解時若有
我相人相眾生相壽者相應生瞋恨須菩提
又念過去於五百世作忍辱仙人於尒所
世无我相无人相无眾生相无壽者相是故
須菩提菩薩應離一切相發阿耨多羅三藐
三菩提心不應住色生心不應住聲香味觸
法生心應生无所住心若心有住則為非住
是故佛說菩薩心不應住色布施須菩提菩
薩為利益一切眾生應如是布施如來說一
切諸相即是非相又說一切眾生則非眾生
須菩提如來是真語者實語者如語者不誑
語者不異語者須菩提如來所得法此法无

BD02117 號　金剛般若波羅蜜經

（12–3）

切諸相即是非相又說一切衆生則非衆生
須菩提如來是真語者實語者如語者不誑
語者不異語者須菩提如來所得法此法无
實无虛
須菩提若菩薩心住於法而行布施如人入
闇則无所見若菩薩心不住法而行布施如人
有目日光明照見種種色須菩提當來之世若
有善男子善女人能於此經受持讀誦則為
如來以佛智慧悉知是人悉見是人皆得成
就无量无邊功德
須菩提若有善男子善女人初日分以恒河
沙等身布施中日分復以恒河沙等身布施
後日分亦以恒河沙等身布施如是无量百千
万億劫以身布施若復有人聞此經典信心不
逆其福勝彼何況書寫受持讀誦為人解說
須菩提以要言之是經有不可思議不可稱
量无邊功德如來為發大乘者說為發最
上乘者說若有人能受持讀誦廣為人說
如來悉知是人悉見是人皆得成就不可量
不可稱无有邊不可思議功德如是人等則
為荷擔如來阿耨多羅三藐三菩提何以故
須菩提若樂小法者著我見人見衆生見壽
有見則於此經不能聽受讀誦為人解說
須菩提在在處處若有此經一切世間天人
阿脩羅所應供養當知此處則為是塔皆

須菩提若樂小法者著我見人見衆生見壽
有見則於此經不能聽受讀誦為人解說
須菩提在在處處若有此經一切世間天人
阿脩羅所應供養當知此處則為是塔皆
應恭敬作禮圍遶以諸華香而散其處
復次須菩提善男子善女人受持讀誦此經
若為人輕賤是人先世罪業應墮惡道以今
世人輕賤故先世罪業則為消滅當得阿耨
多羅三藐三菩提須菩提我念過去无量阿
僧祇劫於然燈佛前得值八百四千万億那
由他諸佛悉皆供養承事无空過者若復
有人於後末世能受持讀誦此經所得功
德於我所供養諸佛功德百分不及一千万
億分乃至筭數譬喻所不能及
須菩提若善男子善女人於後末世有受持
讀誦此經所得功德我若具說者或有人聞
心則狂亂狐疑不信須菩提當知是經義
不可思議果報亦不可思議
尒時須菩提白佛言世尊善男子善女人發
阿耨多羅三藐三菩提心云何應住云何降
伏其心佛告須菩提善男子善女人發阿耨
多羅三藐三菩提者當生如是心我應滅度
一切衆生滅度一切衆生已而无有一切衆生
實滅度者何以故若菩薩有我相人相衆生
相壽者相則非菩薩所以者何須菩提實

多羅三藐三菩提者當生如是心我應滅度
一切衆生滅度一切衆生已而无有一切衆生
實滅度者何以故若菩薩有我相人相衆生
相壽者相則非菩薩所以者何須菩提實
无有法發阿耨多羅三藐三菩提者
須菩提於意云何如來於然燈佛所有法得
阿耨多羅三藐三菩提不不也世尊如我解
佛所說義佛於然燈佛所實无有法得阿耨
多羅三藐三菩提佛言如是如是須菩提實
无有法如來得阿耨多羅三藐三菩提須菩提
若有法如來得阿耨多羅三藐三菩提者然
燈佛則不與我授記汝於來世當得作佛号
釋迦牟尼佛以實无有法得阿耨多羅三藐
三菩提是故然燈佛與我授記作是言汝於來
世當得作佛号釋迦牟尼何以故如來者即
諸法如義若有人言如來得阿耨多羅三藐
三菩提須菩提實无有法佛得阿耨多羅三
藐三菩提須菩提如來所得阿耨多羅藐
三菩提於是中无實无虛是故如來說一切
法皆是佛法須菩提所言一切法者即非一
切法是故名一切法須菩提譬如人身長大
須菩提言世尊如來說人身長大則為非大
身是名大身須菩提菩薩亦如是若作是言
我當滅度无量衆生則不名菩薩何以故須
菩提實无有法名為菩薩是故佛說一切
法无我无人无衆生无壽者須菩提若菩

BD02117 號　金剛般若波羅蜜經　（12–6）

我當滅度无量衆生則不名菩薩何以故須
菩提實无有法名為菩薩是故佛說一切
法无我无人无衆生无壽者須菩提若菩
薩作是言我當莊嚴佛土是不名菩薩何
以故如來說莊嚴佛土者即非莊嚴是名莊
嚴須菩提若菩薩通達无我法者如來說
名真是菩薩
須菩提於意云何如來有肉眼不如是世尊
如來有肉眼須菩提於意云何如來有天眼
不如是世尊如來有天眼須菩提於意云何如
來有慧眼不如是世尊如來有慧眼須菩提
於意云何如來有法眼不如是世尊如來有
法眼須菩提於意云何如來有佛眼不如是
世尊如來有佛眼須菩提於意云何恒河中
所有沙佛說是沙不如是世尊如來說是沙
須菩提於意云何如一恒河中所有沙有如
是等恒河是諸恒河所有沙數佛世界如是
寧為多不甚多世尊佛告須菩提尒所國土
中所有衆生若干種心如來悉知何以故如
來說諸心皆為非心是名為心所以者何須
菩提過去心不可得現在心不可得未來心
不可得須菩提於意云何若有人滿三千大
千世界七寶以用布施是人以是因緣得福
多不如是世尊此人以是因緣得福甚多須
菩提若福德有實如來不說得福德多以福

BD02117 號　金剛般若波羅蜜經　（12–7）

千世界七寶以用布施是人以是因緣得福
多不如是世尊此人以是因緣得福甚多須
菩提若福德有實如來不說得福德多以福
德无故如來說得福德多
須菩提於意云何佛可以具足色身見不不
也世尊如來不應以具足色身見何以故如
來說具足色身即非具足色身是名具足色
身須菩提於意云何如來可以具足諸相見
不不也世尊如來不應以具足諸相見何以故
如來說諸相具足即非具足是名諸相具
足須菩提汝勿謂如來作是念我當有所說
法莫作是念何以故若人言如來有所說法
即為謗佛不能解我所說故須菩提說法者
无法可說是名說法
須菩提白佛言世尊佛得阿耨多羅三藐三
菩提為无所得耶如是如是須菩提我於阿
耨多羅三藐三菩提乃至无有少法可得是
名阿耨多羅三藐三菩提復次須菩提是法
平等无有高下是名阿耨多羅三藐三菩提
以无我无人无衆生无壽者脩一切善法則
得阿耨多羅三藐三菩提須菩提所言善法
者如來說非善法是名善法
須菩提若三千大千世界中所有諸須弥山
王如是等七寶聚有人持用布施若人以此
般若波羅蜜經乃至四句偈等受持讀誦為
他人說於前福德百分不及一百千万億分乃

BD02117號　金剛般若波羅蜜經　（12–8）

須菩提若三千大千世界中所有諸須弥山
王如是等七寶聚有人持用布施若人以此
般若波羅蜜經乃至四句偈等受持讀誦為
他人說於前福德百分不及一百千万億分乃
至筭數譬喻所不能及
須菩提於意云何汝等勿謂如來作是念我
當度衆生須菩提莫作是念何以故實无
有衆生如來度者若有衆生如來度者如來則
有我人衆生壽者須菩提如來說有我者則
非有我而凡夫之人以為有我須菩提凡夫者
如來說則非凡夫須菩提於意云何可以卅二
相觀如來不須菩提言如是如是以卅二相
觀如來佛言須菩提若以卅二相觀如來者轉
輪聖王則是如來須菩提白佛言世尊如我
解佛所說義不應以卅二相觀如來尒時世
尊而說偈言
若以色見我　以音聲求我　是人行邪道　不能見如來
須菩提汝若作是念如來不以具足相故得
阿耨多羅三藐三菩提須菩提莫作是念
如來不以具足相故得阿耨多羅三藐三菩
提須菩提汝若作是念發阿耨多羅三藐三
菩提者說諸法斷滅相莫作是念何以故發
阿耨多羅三藐三菩提者於法不說斷滅相
須菩提若菩薩以滿恒河沙等世界七寶布
施若復有人知一切法无我得成於忍此菩

BD02117號　金剛般若波羅蜜經　（12–9）

菩提者說諸法斷滅相莫作是念何以故發
阿耨多羅三藐三菩提者於法不說斷滅相
須菩提若菩薩以滿恒河沙等世界七寶布
施若復有人知一切法无我得成於忍此菩
薩勝前菩薩所得功德須菩提以諸菩薩
不受福德故須菩提白佛言世尊云何菩薩
不受福德須菩提菩薩所作福德不應貪著
是故說不受福德須菩提若有人言如來若
来若去若坐若卧是人不解我所說義
何以故如来者无所從来亦无所去故名如来
須菩提若善男子善女人以三千大千世界
碎為微塵於意云何是微塵衆寧為多不
甚多世尊何以故若微塵衆實有者佛則
不說是微塵衆所以者何佛說微塵衆則
非微塵衆是名微塵衆世尊如来所說三千
大千世界則非世界是名世界何以故若世界
實有者則是一合相如来說一合相則非一
合相是名一合相須菩提一合相者則是不
可說但凡夫之人貪著其事
須菩提若人言佛說我見人見衆生見壽
者見須菩提於意云何是人解我所說義
不世尊是人不解如来所說義何以故世
尊說我見人見衆生見壽者見即非我見
人見衆生見壽者見是名我見人見衆生
見壽者見須菩提發阿耨多羅三藐三菩
提心者於一切法應如是知如是見如是信

BD02117號　金剛般若波羅蜜經　（12–10）

尊說我見人見衆生見壽者見即非我見
人見衆生見壽者見是名我見人見衆生
見壽者見須菩提發阿耨多羅三藐三菩
提心者於一切法應如是知如是見如是信
解不生法相須菩提所言法相者如来說
即非法相是名法相須菩提若有人以滿
无量阿僧祇世界七寶持用布施若有
善男子善女人發菩薩心者持於此經
乃至四句偈等受持讀誦為人演說其福勝
彼云何為人演說不取於相如如不動何以
故
一切有為法　如夢幻泡影　如露亦如電　應作如是觀
佛說是經已長老須菩提及諸比丘比丘尼
優婆塞優婆夷一切世間天人阿脩羅聞
佛所說皆大歡喜信受奉行

金剛般若波羅蜜經

BD02117號　金剛般若波羅蜜經　（12–11）

BD02117號　金剛般若波羅蜜經　（12–12）

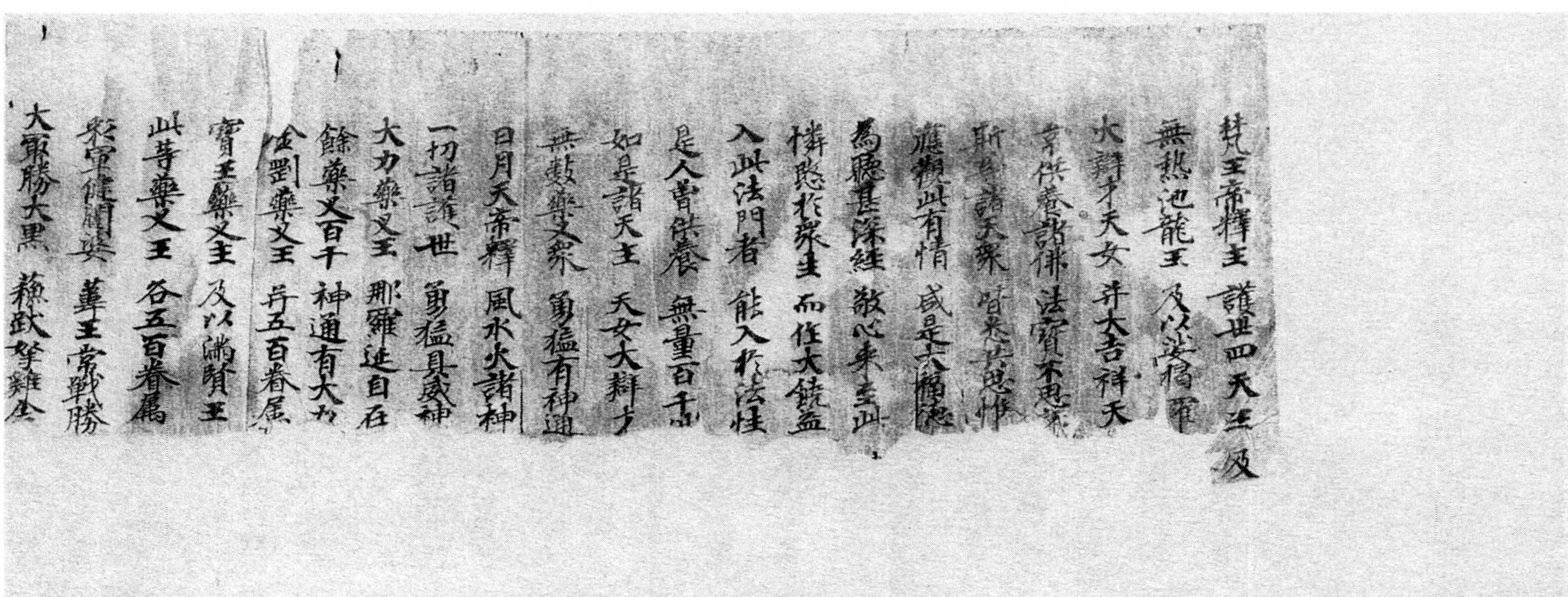

梵王帝釋主　護世四天王　及
無熱池龍王　及以娑竭羅
大辯才天女　并大吉祥天
常供養諸佛　法寶不思議
斯等諸天眾　皆悉共思惟
應觀此有情　咸是大福德
為聽甚深經　敬心來至此
憐愍於眾生　而作大饒益
入此法門者　能入於法性
是人曾供養　無量百千佛
如是諸天主　天女大辯才
無數藥叉眾　勇猛有神通
日月天帝釋　風水火諸神
一切諸護世　勇猛具威神
大力藥叉王　那羅延自在
餘藥叉百千　神通有大力
金剛藥叉王　并五百眷屬
寶王藥叉王　及以滿賢王
此等藥叉王　各五百眷屬
彩軍乾闥婆　華王常戰勝
大聚勝大黑　蘇跋拏雞舍

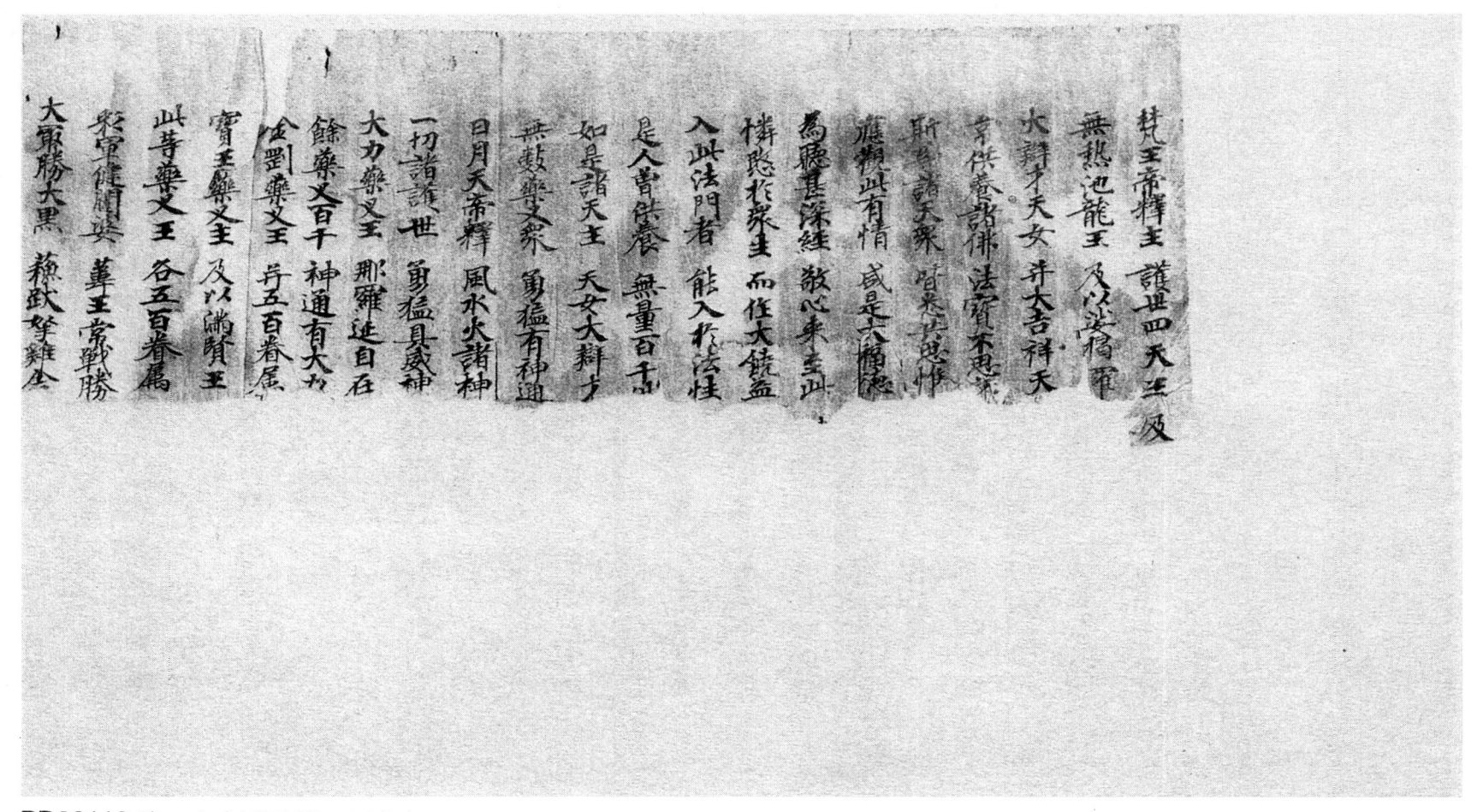

BD02118號　金光明最勝王經卷九　（3–1）

金剛藥叉王 并五百眷屬
寶王藥叉王 及以滿賢王
此等藥叉王 各五百眷屬
彩軍健闥婆 華王常戰勝
大最勝大黑 蘇跋拏雞舍
小渠并護法 及以獼猴王
大渠諸狗羅 旃檀欲中勝
皆有大神通 雄猛具大力
阿那婆答多 及以娑竭羅
於百千龍中 神通具威德
婆稚羅睺羅 毗摩質多羅
及餘蘇羅王 并無數天衆 大力有勇健 皆來護是人
訶利底母神 五百藥叉衆 於彼人睡覺 常來相擁護
旃荼旃荼利 藥叉旃稚女 昆帝拘吒齒 吸衆生精氣
如是諸神衆 大力有神通 常護持經者 晝夜恒不離
上首辯才天 無量諸天女 吉祥天為首 并餘諸眷屬
此大地神女 果實園林神 樹神江河神 制底諸神等
如是諸天神 心生大歡喜 彼皆來擁護 讀誦此經人
見有持經者 增壽命色力 威光及福德 妙相以莊嚴
星宿現災變 困厄當此人 夢見惡徵祥 皆悉令除滅
此大地神女 堅固有威勢 由此經力故 法味常充足
地肥若流下 過百踰繕那 地神令味上 滋潤於大地
此地厚六十 八億踰繕那 乃至金剛際 地味皆令上
由聽此經王 獲大功德蘊 能使諸天衆 悉蒙其利益
復令諸天衆 威力有光明 歡喜常安樂 捨離於衰相

BD02118號　金光明最勝王經卷九　（3–2）

如是諸天神 心生大歡喜 彼皆來擁護 讀誦此經人
見有持經者 增壽命色力 威光及福德 妙相以莊嚴
星宿現災變 困厄當此人 夢見惡徵祥 皆悉令除滅
此大地神女 堅固有威勢 由此經力故 法味常充足
地肥若流下 過百踰繕那 地神令味上 滋潤於大地
此地厚六十 八億踰繕那 乃至金剛際 地味皆令上
由聽此經王 獲大功德蘊 能使諸天衆 悉蒙其利益
復令諸天衆 威力有光明 歡喜常安樂 捨離於衰相
於此南洲內 林果苗稼神 由此經威力 心常得歡喜
苗稼皆成就 處處有妙花 菓實並滋繁 充滿於大地
所有諸果樹 及以衆園林 悉皆生妙花 香氣常芬馥
衆草諸樹木 咸出微妙花 及生甘美果 隨處皆充遍
於此贍部洲 無量諸龍女 心生大歡喜 皆共入池中
種植鉢頭摩 及以分陀利 青白二蓮花 池中皆遍滿
由此經威力 虛空淨無翳 雲霧皆除遣 冥闇悉光明
日出放千光 無垢焰清淨 由此經王力 流暉遶四天
此經威德力 資助於天子 皆用贍部金 而作於宮殿
日天子初出 見此洲歡喜 常以大光明 周遍皆照耀
於斯大地內 所有蓮花池 日光照及時 無不盡開發
於此贍部洲 田疇諸果藥 悉皆令善熟 充滿於大地
由此經威力 日月所照處 星辰不失度 風雨皆順時

BD02118號　金光明最勝王經卷九　（3–3）

有法如來得阿耨多羅三藐三菩提須菩提
若有法如來得阿耨多羅三藐三菩提者然
燈佛則不與我授記汝於來世當得作佛号
釋迦牟尼佛以實无有法得阿耨多羅三藐
三菩提是故然燈佛與我授記作是言汝於來
世當得作佛号釋迦牟尼何以故如來者即
諸法如義若有人言如來得阿耨多羅三藐
三菩提須菩提實无有法佛得阿耨多羅三
藐三菩提須菩提如來所得阿耨多羅三藐
三菩提於是中无實无虛是故如來說一切
法皆是佛法須菩提所言一切法者即非一
切法是故名一切法須菩提譬如人身長大
須菩提言世尊如來說人身長大則為非大
身是名大身須菩提菩薩亦如是若作是言
我當滅度无量衆生則不名菩薩何以故須
菩提實无有法名為菩薩是故佛說一切
法无我无人无衆生无壽者須菩提若菩
薩作是言我當莊嚴佛土是不名菩薩何
以故如來說莊嚴佛土者即非莊嚴是名莊
嚴須菩提若菩薩通達无我法者如來說
名真是菩薩

BD02119 號　金剛般若波羅蜜經　（6–1）

菩提實无有法名為菩薩是故佛說一切
法无我无人无衆生无壽者須菩提若菩
薩作是言我當莊嚴佛土是不名菩薩何
以故如來說莊嚴佛土者即非莊嚴是名莊
嚴須菩提若菩薩通達无我法者如來說
名真是菩薩
須菩提於意云何如來有肉眼不如是世尊
如來有肉眼須菩提於意云何如來有天眼不
如是世尊如來有天眼須菩提於意云何如
來有慧眼不如是世尊如來有慧眼須菩提
於意云何如來有法眼不如是世尊如來有
法眼須菩提於意云何如來有佛眼不如是
世尊如來有佛眼須菩提於意云何恒河中
所有沙佛說是沙不如是世尊如來說是沙
須菩提於意云何如一恒河中所有沙有如
是等恒河是諸恒河所有沙數佛世界如是
寧為多不甚多世尊佛告須菩提尒所國土
中所有衆生若干種心如來悉知何以故如來
說諸心皆為非心是名為心所以者何須
菩提過去心不可得現在心不可得未來心
不可得須菩提於意云何若有人滿三千大
千世界七寶以用布施是人以是因緣得福
多不如是世尊此人以是因緣得福甚多須
菩提若福德有實如來不說得福德多以福
德无故如來說得福德多
須菩提於意云何佛可以具足色身見不不

BD02119 號　金剛般若波羅蜜經　（6–2）

如是世尊此人以是因緣得福甚多須
菩提若福德有實如來不說得福德多以福
德无故如來說得福德多
須菩提於意云何佛可以具足色身見不不
也世尊如來不應以具足色身見何以故如
來說具足色身即非具足色身是名具足色
身須菩提於意云何如來可以具足諸相見
不不也世尊如來不應以具足諸相見何以
故如來說諸相具足即非具足是名諸相具
足須菩提汝勿謂如來作是念我當有所說
法莫作是念何以故若人言如來有所說法
即為謗佛不能解我所說故須菩提說法者
无法可說是名說法
須菩提白佛言世尊佛得阿耨多羅三藐三
菩提為无所得耶如是如是須菩提我於阿
耨多羅三藐三菩提乃至无有少法可得是
名阿耨多羅三藐三菩提復次須菩提是法
平等无有高下是名阿耨多羅三藐三菩提
以无我无人无眾生无壽者脩一切善法則
得阿耨多羅三藐三菩提須菩提所言善法
者如來說非善法是名善法
須菩提若三千大千世界中所有諸須彌山
王如是等七寶聚有人持用布施若人以此
般若波羅蜜經乃至四句偈等受持讀誦為
他人說於前福德百分不及一百千万億分乃
至筭數譬喻所不能及

BD02119號　金剛般若波羅蜜經

（6–3）

須菩提若三千大千世界中所有諸須彌山
王如是等七寶聚有人持用布施若人以此
般若波羅蜜經乃至四句偈等受持讀誦為
他人說於前福德百分不及一百千万億分乃
至筭數譬喻所不能及
須菩提於意云何汝等勿謂如來作是念我
當度眾生須菩提莫作是念何以故實无
有眾生如來度者若有眾生如來度者如來則
有我人眾生壽者須菩提如來說有我者則
非有我而凡夫之人以為有我須菩提凡夫者
如來說則非凡夫須菩提於意云何可以卅
二相觀如來不須菩提言如是如是以卅二相
觀如來佛言須菩提若以卅二相觀如來者轉
輪聖王則是如來須菩提白佛言世尊如我
解佛所說義不應以卅二相觀如來尒時世
尊而說偈言
若以色見我　以音聲求我　是人行邪道　不能見如來
須菩提汝若作是念如來不以具足相故得
阿耨多羅三藐三菩提須菩提莫作是念
如來不以具足相故得阿耨多羅三藐三菩
提須菩提汝若作是念發阿耨多羅三藐三
菩提者說諸法斷滅相莫作是念何以故發
阿耨多羅三藐三菩提者於法不說斷滅相
須菩提若菩薩以滿恒河沙等世界七寶布
施若復有人知一切法无我得成於忍此菩
薩勝前菩薩所得功德須菩提以諸菩薩

BD02119號　金剛般若波羅蜜經

（6–4）

阿耨多羅三藐三菩提者於法不說斷滅相
須菩提若菩薩以滿恒河沙等世界七寶布
施若復有人知一切法无我得成於忍此菩
薩勝前菩薩所得功德須菩提以諸菩薩
不受福德故須菩提白佛言世尊云何菩薩
不受福德須菩提菩薩所作福德不應貪着
是故說不受福德須菩提若有人言如來若
來若去若坐若卧是人不解我所說義
何以故如來者无所從來亦无所去故名如來
須菩提若善男子善女人以三千大千世界
碎為微塵於意云何是微塵衆寧為多不
甚多世尊何以故若微塵衆實有者佛則
不說是微塵衆所以者何佛說微塵衆則
非微塵衆是名微塵衆世尊如來所說三千
大千世界則非世界是名世界何以故若世界
實有者則是一合相如來說一合相則非一
合相是名一合相須菩提一合相者則是不
可說但凡夫之人貪着其事
須菩提若人言佛說我見人見衆生見壽
者見須菩提於意云何是人解我所說義
不世尊是人不解如來所說義何以故世
尊說我見人見衆生見壽者見即非我見
人見衆生見壽者見是名我見人見衆生
見壽者見須菩提發阿耨多羅三藐三菩
提心者於一切法應如是知如是見如是信

BD02119號　金剛般若波羅蜜經　（6–5）

不世尊是人不解如來所說義何以故世
尊說我見人見衆生見壽者見即非我見
人見衆生見壽者見是名我見人見衆生
見壽者見須菩提發阿耨多羅三藐三菩
提心者於一切法應如是知如是見如是信
解不生法相須菩提所言法相者如來說
即非法相是名法相須菩提若有人以滿
无量阿僧祇世界七寶持用布施若有善
男子善女人發菩薩心者持於此經乃
至四句偈等受持讀誦為人演說其福勝
彼云何為人演說不取於相如如不動何以
故
一切有為法　如夢幻泡影　如露亦如電　應作如是觀
佛說是經已長老須菩提及諸比丘比丘尼
優婆塞優婆夷一切世間天人阿修羅聞
佛所說皆大歡喜信受奉行

金剛般若波羅蜜經

BD02119號　金剛般若波羅蜜經　（6–6）

昧身心不動是時天雨曼陀羅華摩訶曼陀
羅華曼殊沙華摩訶曼殊華而散佛上及
諸大衆普佛世界六種震動尒時會中比丘
比丘尼優婆塞優婆夷天龍夜叉乾闥婆阿
脩羅迦樓羅緊那羅摩睺羅伽人非人及
諸小王轉輪聖王等是諸大衆得未曾有歡
喜合掌一心觀佛
尒時如來放眉間白豪相光照東方万八千
佛土靡不周遍如今所見是諸佛土弥勒當
知尒時會中有二十億菩薩樂欲聽法是諸
菩薩見此光明普照佛土得未曾有欲知此
光所爲因緣時有菩薩名曰妙光有八百弟
子是時日月燈明佛從三昧起因妙光菩薩
說大乘經名妙法蓮華教菩薩法佛所護念
六十小劫不起于坐時會聽者亦坐一處六
十小劫身心不動聽佛所說謂如食傾是時
衆中无有一人若身若心而生懈惓日月燈
明佛於六十小劫說是經已即於梵魔沙門
婆羅門及天人阿脩羅衆中而宣此言如來

BD02120號　妙法蓮華經卷一　（16–1）

十小劫身心不動聽佛所說謂如食傾是時
衆中无有一人若身若心而生懈惓日月燈
明佛於六十小劫說是經已即於梵魔沙門
婆羅門及天人阿脩羅衆中而宣此言如來
於今日中夜當入无餘涅槃時有菩薩名曰
德藏日月燈明佛即授其記告諸比丘是德
藏菩薩次當作佛号曰淨身多陀阿伽度阿
羅訶三藐三佛陀佛授記已便於中夜入无
餘涅槃
佛滅度後妙光菩薩持妙法蓮華經滿八十
小劫爲人演說日月燈明佛八子皆師妙光
妙光教化令其堅固阿耨多羅三藐三菩提
是諸王子供養无量百千万億佛已皆成佛
道其最後成佛者名曰然燈八百弟子中有
一人号曰求名貪著利養雖復讀誦衆經而
不通利多所忘失故号求名是人亦以種諸
善根因緣故得值无量百千万億諸佛供養
恭敬尊重讚歎弥勒當知尒時妙光菩薩豈
異人乎我身是也求名菩薩汝身是也今見
此瑞與本无異是故惟忖今日如來當說大
乘經名妙法蓮華教菩薩法佛所護念尒時
文殊師利於大衆中欲重宣此義而說偈言
我念過去世　无量无數劫　有佛人中尊　号日月燈明
世尊演說法　度无量衆生　无數億菩薩　令入佛智慧
佛未出家時　所生八王子　見大聖出家　亦隨脩梵行
時佛說大乘　經名无量義　於諸大衆中　而爲廣分別

BD02120號　妙法蓮華經卷一　（16–2）

我念過去世 无量无數劫 有佛人中尊 号日月燈明
世尊演說法 度无量衆生 无數億菩薩 令入佛智慧
佛未出家時 所生八王子 見大聖出家 亦隨脩梵行
時佛說大乘 經名无量義 於諸大衆中 而為廣分別
佛說此經已 即於法座上 跏趺坐三昧 名无量義處
天雨曼陀華 天鼓自然鳴 諸天龍鬼神 供養人中尊
一切諸佛土 即時大震動 佛放眉間光 現諸希有事
此光照東方 万八千佛土 示一切衆生 生死業報處
有見諸佛土 以衆寶莊嚴 琉璃頗梨色 斯由佛光照
及見諸天人 龍神夜叉衆 乾闥緊那羅 各供養其佛
又見諸如來 自然成佛道 身色如金山 端嚴甚微妙
如淨琉璃中 內現真金像 世尊在大衆 敷演深法義
一一諸佛土 聲聞衆无數 因佛光所照 悉見彼大衆
或有諸比丘 在於山林中 精進持淨戒 猶如護明珠
又見諸菩薩 行施忍辱等 其數如恒沙 斯由佛光照
又見諸菩薩 深入諸禪定 身心寂不動 以求无上道
又見諸菩薩 知法寂滅相 各於其國土 說法求佛道
爾時四部衆 見日月燈明 現大神通力 其心皆歡喜
各各自相問 是事何因緣
天人所奉尊 適從三昧起 讚妙光菩薩 汝為世間眼
一切所歸信 能奉持法藏 如我所說法 唯汝能證知
世尊既讚歎 令妙光歡喜 說是法華經 滿六十小劫
不起於此座 所說上妙法 是妙光法師 悉皆能受持
佛說是法華 令衆歡喜已 尋即於是日 告於天人衆
諸法實相義 已為汝等說 我今於中夜 當入於涅槃
汝一心精進 當離於放逸 諸佛甚難值 億劫時一遇
世尊諸子等 聞佛入涅槃 各各懷悲惱 佛滅一何速

BD02120號 妙法蓮華經卷一 （16–3）

不起於此座 所說上妙法 是妙光法師 悉皆能受持
佛說是法華 令衆歡喜已 尋即於是日 告於天人衆
諸法實相義 已為汝等說 我今於中夜 當入於涅槃
汝一心精進 當離於放逸 諸佛甚難值 億劫時一遇
世尊諸子等 聞佛入涅槃 各各懷悲惱 佛滅一何速
聖主法之王 安慰无量衆 我若滅度時 汝等勿憂怖
是德藏菩薩 於无漏實相 心已得通達 其次當作佛
号曰為淨身 亦度无量衆
佛此夜滅度 如薪盡火滅 分布諸舍利 而起无量塔
比丘比丘尼 其數如恒沙 倍復加精進 以求无上道
是妙光法師 奉持佛法藏 八十小劫中 廣宣法華經
是諸八王子 妙光所開化 堅固无上道 當見无數佛
供養諸佛已 隨順行大道 相繼得成佛 轉次而授記
最後天中天 号曰然燈佛 諸仙之導師 度脫无量衆
是妙光法師 時有一弟子 心常懷懈怠 貪著於名利
求名利无猒 多遊族姓家 弃捨所習誦 廢忘不通利
以是因緣故 号之為求名 亦行衆善業 得見无數佛
供養於諸佛 隨順行大道 具六波羅蜜 今見釋師子
其後當作佛 号名曰弥勒 廣度諸衆生 其數无有量
彼佛滅度後 懈怠者汝是 妙光法師者 今則我身是
我見燈明佛 本光瑞如此 以是知今佛 欲說法華經
今相如本瑞 是諸佛方便 今佛放光明 助發實相義
諸人今當知 合掌一心待 佛當雨法雨 充足求道者
諸求三乘人 若有疑悔者 佛當為除斷 令盡无有餘

妙法蓮華經方便品第二

爾時世尊從三昧安詳而起告舍利弗諸佛智
慧甚深无量其智慧門難解難入一切聲

BD02120號 妙法蓮華經卷一 （16–4）

諸求三乘人　若有疑悔者　佛當為除斷　令盡无有餘

妙法蓮華經方便品第二

尒時世尊從三昧安詳而起告舍利弗諸佛智
慧甚深无量其智慧門難解難入一切聲
聞辟支佛所不能知所以者何佛曾親近百
千万億无數諸佛盡行諸佛无量道法勇猛
精進名稱普聞成就甚深未曾有法隨宜所
說意趣難解舍利弗吾從成佛已來種種因
緣種種譬喻廣演言教无數方便引導衆生
令離諸著所以者何如來方便知見波羅蜜
皆已具足舍利弗如來知見廣大深遠无量
无㝵力无所畏禪定解脫三昧深入无際成
就一切未曾有法舍利弗如來能種種分別
巧說諸法言辭柔軟悅可衆心舍利弗取要
言之无量无邊未曾有法佛悉成就止舍利
弗不須復說所以者何佛所成就第一希有
難解之法唯佛與佛乃能究盡諸法實相所
謂諸法如是相如是性如是體如是力如是
作如是因如是緣如是果如是報如是本末
究竟等尒時世尊欲重宣此義而說偈言

世雄不可量　諸天及世人　一切衆生類　无能知佛者
佛力无所畏　解脫諸三昧　及佛諸餘法　无能測量者
本從无數佛　具足行諸道　甚深微妙法　難見難可了
於无量億劫　行此諸道已　道場得成果　我已悉知見
如是大果報　種種性相義　我及十方佛　乃能知是事
是法不可示　言辭相寂滅　諸餘衆生類　无有能得解
除諸菩薩衆　信力堅固者　諸佛弟子衆　曾供養諸佛

BD02120號　妙法蓮華經卷一　（16–5）

於无量億劫　行此諸道已　道場得成果　我已悉知見
如是大果報　種種性相義　我及十方佛　乃能知是事
是法不可示　言辭相寂滅　諸餘衆生類　无有能得解
除諸菩薩衆　信力堅固者　諸佛弟子衆　曾供養諸佛
一切漏已盡　住是最後身　如是諸人等　其力所不堪
假使滿世間　皆如舍利弗　盡思共度量　不能測佛智
正使滿十方　皆如舍利弗　及餘諸弟子　亦滿十方剎
盡思共度量　亦復不能知　辟支佛利智　无漏最後身
亦滿十方界　其數如竹林　斯等共一心　於億无量劫
欲思佛實智　莫能知少分　新發意菩薩　供養无數佛
了達諸義趣　又能善說法　如稻麻竹葦　充滿十方剎
一心以妙智　於恒河沙劫　咸皆共思量　不能知佛智
不退諸菩薩　其數如恒沙　一心共思求　亦復不能知
又告舍利弗　无漏不思議　甚深微妙法　我今已具得
唯我知是相　十方佛亦然　舍利弗當知　諸佛語无異
於佛所說法　當生大信力　世尊法久後　要當說真實
告諸聲聞衆　及求緣覺乘　我令脫苦縛　逮得涅槃者
佛以方便力　示以三乘教　衆生處處著　引之令得出

尒時大衆中有諸聲聞漏盡阿羅漢阿若憍
陳如等千二百人及發聲聞辟支佛心比丘
比丘尼優婆塞優婆夷各作是念今者世尊
何故慇懃稱歎方便而作是言佛所得法甚
深難解有所言說意趣難知一切聲聞辟支
佛所不能及佛說一解脫義我等亦得此法
到於涅槃而今不知是義所趣尒時舍利弗
知四衆心疑自亦未了而白佛言世尊何因

BD02120號　妙法蓮華經卷一　（16–6）

到於涅槃而今不知是義所趣尒時舍利弗
知四衆心疑自亦未了而白佛言世尊何因
何緣慇懃稱歎諸佛第一方便甚深微妙難
解之法我自昔來未曾從佛聞如是說今者
四衆咸皆有疑唯願世尊敷演斯事世尊何
故慇懃稱歎甚深微妙難解之法尒時舍利
弗欲重宣此義而說偈言
慧日大聖尊　久乃說是法　自說得如是　力无畏三昧
禪定解脫等　不可思議法　道場所得法　无能發問者
我意難可測　亦无能問者　无問而自說　稱歎所行道
智慧甚深妙　諸佛之所得　无漏諸羅漢　及求涅槃者
今皆墮疑網　佛何故說是　其求緣覺者　比丘比丘尼
諸天龍鬼神　及乾闥婆等　相視懷猶豫　瞻仰兩足尊
是事為云何　願佛為解說　於諸聲聞衆　佛說我第一
我今自於智　疑惑不能了　為是究竟法　為是所行道
佛口所生子　合掌瞻仰待　願出微妙音　時為如實說
諸天龍神等　其數如恒沙　求佛諸菩薩　大數有八万
又諸万億國　轉輪聖王至　合掌以敬心　欲聞具足道
尒時佛告舍利弗止止不須復說若說是事
一切世間諸天及人皆當驚疑舍利弗重白
佛言世尊唯願說之唯願說之所以者何是
會无數百千万億阿僧祇衆生曾見諸佛諸
根猛利智慧明了聞佛所說則能敬信尒時
舍利弗欲重宣此義而說偈言
法王无上尊　唯說願勿慮　是會无量衆　有能敬信者
佛復止舍利弗若說是事一切世間天人阿

舍利弗欲重宣此義而說偈言
法王无上尊　唯說願勿慮　是會无量衆　有能敬信者
佛復止舍利弗若說是事一切世間天人阿
脩羅皆當驚疑增上慢比丘將墜於大坑尒
時世尊重說偈言
止止不須說　我法妙難思　諸增上慢者　聞必不敬信
尒時舍利弗重白佛言世尊唯願說之唯願
說之今此會中如我等比百千万億世世已
曾從佛受化如此人等必能敬信長夜安隱
多所饒益尒時舍利弗欲重宣此義而說偈
言
无上兩足尊　願說第一法　我為佛長子　唯垂分別說
是會无量衆　能敬信此法　佛已曾世世　教化如是等
皆一心合掌　欲聽受佛語　我等千二百　及餘求佛者
願為此衆故　唯垂分別說　是等聞此法　則生大歡喜
尒時世尊告舍利弗汝已慇懃三請豈得不
說汝今諦聽善思念之吾當為汝分別解說
說此語時會中有比丘比丘尼優婆塞優婆
夷五千人等即從坐起禮佛而退所以者何
此輩罪根深重及增上慢未得謂得未證謂
證有如此失是以不住世尊嘿然而不制止
尒時佛告舍利弗我今此衆无復枝葉純有
貞實舍利弗如是增上慢人退亦佳矣汝今
善聽當為汝說舍利弗言唯然世尊願樂欲
聞佛告舍利弗如是妙法諸佛如來時乃說
之如優曇鉢華時一現耳舍利弗汝等當信

上慢人退亦佳矣汝今
善聽當為汝說舍利弗言唯然世尊願樂欲
聞佛告舍利弗如是妙法諸佛如來時乃說
之如優曇鉢華時一現耳舍利弗汝等當信
佛之所說言不虛妄舍利弗諸佛隨宜說法
意趣難解所以者何我以无數方便種種因
緣譬喻言辭演說諸法是法非思量分別之
所能解唯有諸佛乃能知之所以者何諸佛
世尊唯以一大事因緣故出現於世舍利弗
云何名諸佛世尊唯以一大事因緣故出現
於世諸佛世尊欲令眾生開佛知見使得清
淨故出現於世欲示眾生佛知見故出現
於世欲令眾生悟佛知見故出現於世欲令
眾生入佛知見道故出現於世舍利弗是為
諸佛以一大事因緣故出現於世
佛告舍利弗諸佛如來但教化菩薩諸有所
作常為一事唯以佛之知見示悟眾生舍利
弗如來但以一佛乘故為眾生說法无有餘
乘若二若三舍利弗一切十方諸佛法亦如
是舍利弗過去諸佛以无量无數方便種種
因緣譬喻言辭而為眾生演說諸法是法皆
為一佛乘故是諸眾生從諸佛聞法究竟皆
得一切種智舍利弗未來諸佛當出於世亦
以无量无數方便種種因緣譬喻言辭而為
眾生演說諸法是法皆為一佛乘故是諸眾
生從佛聞法究竟皆得一切種智舍利弗現
在十方无量百千万億佛土中諸佛世尊多

BD02120號　妙法蓮華經卷一　（16-9）

以无量无數方便種種因緣譬喻言辭而為
眾生演說諸法是法皆為一佛乘故是諸眾
生從佛聞法究竟皆得一切種智舍利弗現
在十方无量百千万億佛土中諸佛世尊多
所饒益安樂眾生是諸佛亦以无量无數方
便種種因緣譬喻言辭而為眾生演說諸法
是法皆為一佛乘故是諸眾生從佛聞法究
竟皆得一切種智舍利弗是諸佛但教化菩
薩欲以佛之知見示眾生故欲以佛之知見
悟眾生故欲令眾生入佛知見故舍利弗
我今亦復如是知諸眾生有種種欲深心所
著隨其本性以種種因緣譬喻言辭方便力
故而為說法舍利弗如此皆為得一佛乘一
切種智故舍利弗十方世界中尚无二乘何
況有三
舍利弗諸佛出於五濁惡世所謂劫濁煩惱
濁眾生濁見濁命濁如是舍利弗劫濁亂時
眾生垢重慳貪嫉妒成就諸不善根故諸佛
以方便力於一佛乘分別說三舍利弗若我
弟子自謂阿羅漢辟支佛者不聞不知諸佛
如來但教化菩薩事此非佛弟子非阿羅漢
非辟支佛又舍利弗是諸比丘比丘尼自謂
已得阿羅漢是最後身究竟涅槃便不復志
求阿耨多羅三藐三菩提當知此輩皆是增
上慢人所以者何若有比丘實得阿羅漢若
不信此法无有是處除佛滅度後現前无佛
所以者何佛滅度後如是等經受持讀誦解

BD02120號　妙法蓮華經卷一　（16-10）

上慢人所以者何若有比丘實得阿羅漢若
不信此法无有是處除佛滅度後現前无佛
所以者何佛滅度後如是等經受持讀誦解
義者是人難得若遇餘佛於此法中便得決
了舍利弗汝等當一心信解受持佛語諸佛
如來言无虛妄无有餘乘唯一佛乘尒時世
尊欲重宣此義而說偈言
比丘比丘尼　有懷增上慢　優婆塞我慢　優婆夷不信
如是四衆等　其數有五千　不自見其過　於戒有缺漏
護惜其瑕疵　是小智已出　衆中之糟糠　佛威德故去
斯人尠福德　不堪受是法　此衆无枝葉　唯有諸貞實
舍利弗善聽　諸佛所得法　无量方便力　而為衆生說
衆生心所念　種種所行道　若干諸欲性　先世善惡業
佛悉知是已　以諸緣譬喻　言辭方便力　令一切歡喜
或說修多羅　伽陁及本事　本生未曾有　亦說於因緣
譬喻并祇夜　優波提舍經　鈍根樂小法　貪著於生死
於諸无量佛　不行深妙道　衆苦所惱亂　為是說涅槃
我設是方便　令得入佛慧　未曾說汝等　當得成佛道
所以未曾說　說時未至故　今正是其時　決定說大乘
我此九部法　隨順衆生說　入大乘為本　以故說是經
有佛子心淨　柔軟亦利根　无量諸佛所　而行深妙道
為此諸佛子　說是大乘經
我記如是人　來世成佛道　以深心念佛　修持淨戒故
此等聞得佛　大喜充遍身　佛知彼心行　故為說大乘
聲聞若菩薩　聞我所說法　乃至於一偈　皆成佛无疑
十方佛土中　唯有一乘法　无二亦无三　除佛方便說
但以假名字　引導於衆生　說佛智慧故　諸佛出於世

聲聞若菩薩　聞我所說法　乃至於一偈　皆成佛无疑
十方佛土中　唯有一乘法　无二亦无三　除佛方便說
但以假名字　引導於衆生　說佛智慧故　諸佛出於世
唯此一事實　餘二則非真　終不以小乘　濟度於衆生
佛自住大乘　如其所得法　定慧力莊嚴　以此度衆生
自證无上道　大乘平等法　若以小乘化　乃至於一人
我則墮慳貪　此事為不可　若人信歸佛　如來不欺誑
亦无貪嫉意　斷諸法中惡　故佛於十方　而獨无所畏
我以相嚴身　光明照世間　无量衆所尊　為說實相印
舍利弗當知　我本立誓願　欲令一切衆　如我等无異
如我昔所願　今者已滿足　化一切衆生　皆令入佛道
若我遇衆生　盡教以佛道　无智者錯乱　迷惑不受教
我知此衆生　未曾修善本　堅著於五欲　癡愛故生惱
以諸欲因緣　墜墮三惡道　輪迴六趣中　備受諸苦毒
受胎之微形　世世常增長　薄德少福人　衆苦所逼迫
入邪見稠林　若有若无等　依止此諸見　具足六十二
深著虛妄法　堅受不可捨　我慢自矜高　諂曲心不實
於千万億劫　不聞佛名字　亦不聞正法　如是人難度
是故舍利弗　我為設方便　說諸盡苦道　示之以涅槃
我雖說涅槃　是亦非真滅　諸法從本來　常自寂滅相
佛子行道已　來世得作佛
我有方便力　開示三乘法　一切諸世尊　皆說一乘道
今此諸大衆　皆應除疑惑　諸佛語无異　唯一无二乘
過去无數劫　无量滅度佛　百千万億種　其數不可量
如是諸世尊　種種緣譬喻　无數方便力　演說諸法相
是諸世尊等　皆說一乘法　化无量衆生　令入於佛道

令此諸大衆　皆應除疑惑　諸佛語无異　唯一无二乘
過去无數劫　无量滅度佛　百千万億種　其數不可量
如是諸世尊　種種緣譬喻　无數方便力　演說諸法相
是諸世尊等　皆說一乘法　化无量衆生　令入於佛道
又諸大聖主　知一切世間　天人群生類　深心之所欲
更以異方便　助顯第一義　若有衆生類　值諸過去佛
若聞法布施　或持戒忍辱　精進禪智等　種種脩福德
如是諸人等　皆已成佛道　諸佛滅度已　若人善耎心
如是諸衆生　皆已成佛道　諸佛滅度已　供養舍利者
起万億種塔　金銀及頗梨　車𤦲与馬瑙　玫瑰琉璃珠
清淨廣嚴飾　莊挍於諸塔　或有起石廟　栴檀及沈水
木櫁并餘材　塼瓦泥土等　若於曠野中　積土成佛廟
乃至童子戲　聚沙為佛塔　如是諸人等　皆已成佛道
若人為佛故　建立諸形像　刻彫成衆相　皆已成佛道
或以七寶成　鍮石赤白銅　白鑞及鈆錫　鐵木及與泥
或以膠漆布　嚴飾作佛像　如是諸人等　皆已成佛道
綵畫作佛像　百福莊嚴相　自作若使人　皆已成佛道
乃至童子戲　若草木及筆　或以指爪甲　而畫作佛像
如是諸人等　漸漸積功德　具足大悲心　皆已成佛道
但化諸菩薩　度脫无量衆　若人於塔廟　寶像及畫像
以華香幡蓋　敬心而供養　若使人作樂　擊鼓吹角貝
簫笛琴箜篌　琵琶鐃銅鈸　如是衆妙音　盡持以供養
或以歡喜心　歌唄頌佛德　乃至一小音　皆已成佛道
若人散亂心　乃至以一華　供養於畫像　漸見无數佛
或有人礼拜　或復但合掌　乃至舉一手　或復小低頭
以此供養像　漸見无量佛　自成无上道　廣度无數衆
入无餘涅槃　如薪盡火滅

BD02120號　妙法蓮華經卷一　（16–13）

若人散亂心　乃至以一華　供養於畫像　漸見无數佛
或有人礼拜　或復但合掌　乃至舉一手　或復小低頭
以此供養像　漸見无量佛　自成无上道　廣度无數衆
入无餘涅槃　如薪盡火滅
若人散亂心　入於塔廟中　一稱南无佛　皆已成佛道
於諸過去佛　現在或滅度　若有聞是法　皆已成佛道
未來諸世尊　其數无有量　是諸如來等　亦方便說法
一切諸如來　以无量方便　度脫諸衆生　入佛无漏智
若有聞法者　无一不成佛　諸佛本誓願　我所行佛道
普欲令衆生　亦同得此道　未來世諸佛　雖說百千億
无數諸法門　其實為一乘　諸佛兩足尊　知法常无性
佛種從緣起　是故說一乘　是法住法位　世間相常住
於道場知已　導師方便說　天人所供養　現在十方佛
其數如恒沙　出現於世間　安隱衆生故　亦說如是法
知第一寂滅　以方便力故　雖示種種道　其實為佛乘
知衆生諸行　深心之所念　過去所習業　欲性精進力
及諸根利鈍　以種種因緣　譬喻亦言辭　隨應方便說
今我亦如是　安隱衆生故　以種種法門　宣示於佛道
我以智慧力　知衆生性欲　方便說諸法　皆令得歡喜
舍利弗當知　我以佛眼觀　見六道衆生　貧窮无福慧
入生死嶮道　相續苦不斷　深著於五欲　如犛牛愛尾
以貪愛自蔽　盲瞑无所見　不求大勢佛　及与斷苦法
深入諸邪見　以苦欲捨苦　為是衆生故　而起大悲心
我始坐道場　觀樹亦經行　於三七日中　思惟如是事
我所得智慧　微妙最第一　衆生諸根鈍　著樂癡所盲
如斯之等類　云何而可度
尒時諸梵王　及諸天帝釋　護世四天王　及大自在天

BD02120號　妙法蓮華經卷一　（16–14）

我始坐道場 觀樹亦經行 於三七日中 思惟如是事
我所得智慧 微妙最第一 衆生諸根鈍 著樂癡所盲
如斯之等類 云何而可度
尒時諸梵王 及諸天帝釋 護世四天王 及大自在天
并餘諸天衆 眷屬百千万 恭敬合掌礼 請我轉法輪
我即自思惟 若但讚佛乘 衆生沒在苦 不能信是法
破法不信故 墜於三惡道 我寧不說法 疾入於涅槃
尋念過去佛 所行方便力 我今所得道 亦應說三乘
作是思惟時 十方佛皆現 梵音慰喻我 善哉釋迦文
第一之導師 得是无上法 隨諸一切佛 而用方便力
我等亦皆得 最妙第一法 為諸衆生類 分別說三乘
少智樂小法 不自信作佛 是故以方便 分別說諸果
雖復說三乘 但為教菩薩
舍利弗當知 我聞聖師子 深淨微妙音 稱南无諸佛
復作如是念 我出濁惡世 如諸佛所說 我亦隨順行
思惟是事已 即趣波羅柰 諸法寂滅相 不可以言宣
以方便力故 為五比丘說 是名轉法輪 便有涅槃音
及以阿羅漢 法僧差別名 從久遠劫來 讚示涅槃法
生死苦永盡 我常如是說 舍利弗當知 我見佛子等
志求佛道者 无量千万億 咸以恭敬心 皆來至佛所
曾從諸佛聞 方便所說法 我即作是念 如來所以出
為說佛慧故 今正是其時 舍利弗當知 鈍根小智人
著相憍慢者 不能信是法 今我喜无畏 於諸菩薩中
正直捨方便 但說无上道 菩薩聞是法 疑網皆已除
千二百羅漢 悉亦當作佛 如三世諸佛 說法之儀式
我今亦如是 說无分別法 諸佛興出世 懸遠值遇難
正使出于世 說是法復難 无量无數劫 聞是法亦難

BD02120號 妙法蓮華經卷一 （16–15）

正直捨方便 但說无上道 菩薩聞是法 疑網皆已除
千二百羅漢 悉亦當作佛 如三世諸佛 說法之儀式
我今亦如是 說无分別法 諸佛興出世 懸遠值遇難
正使出于世 說是法復難 无量无數劫 聞是法亦難
能聽是法者 斯人亦復難
譬如優曇華 一切皆愛樂 天人所希有 時時乃一出
聞法歡喜讚 乃至發一言 則為已供養 一切三世佛
是人甚希有 過於優曇華 汝等勿有疑 我為諸法王
普告諸大衆 但以一乘道 教化諸菩薩 无聲聞弟子
汝等舍利弗 聲聞及菩薩 當知是妙法 諸佛之祕要
以五濁惡世 但樂著諸欲 如是等衆生 終不求佛道
當來世惡人 聞佛說一乘 迷惑不信受 破法墮惡道
有慚愧清淨 志求佛道者 當為如是等 廣讚一乘道
舍利弗當知 諸佛法如是 以万億方便 隨宜而說法
其不習學者 不能曉了此 汝等既已知 諸佛之世師
隨宜方便事 无復諸疑惑 心生大歡喜 自知當作佛

妙法蓮華經卷第一

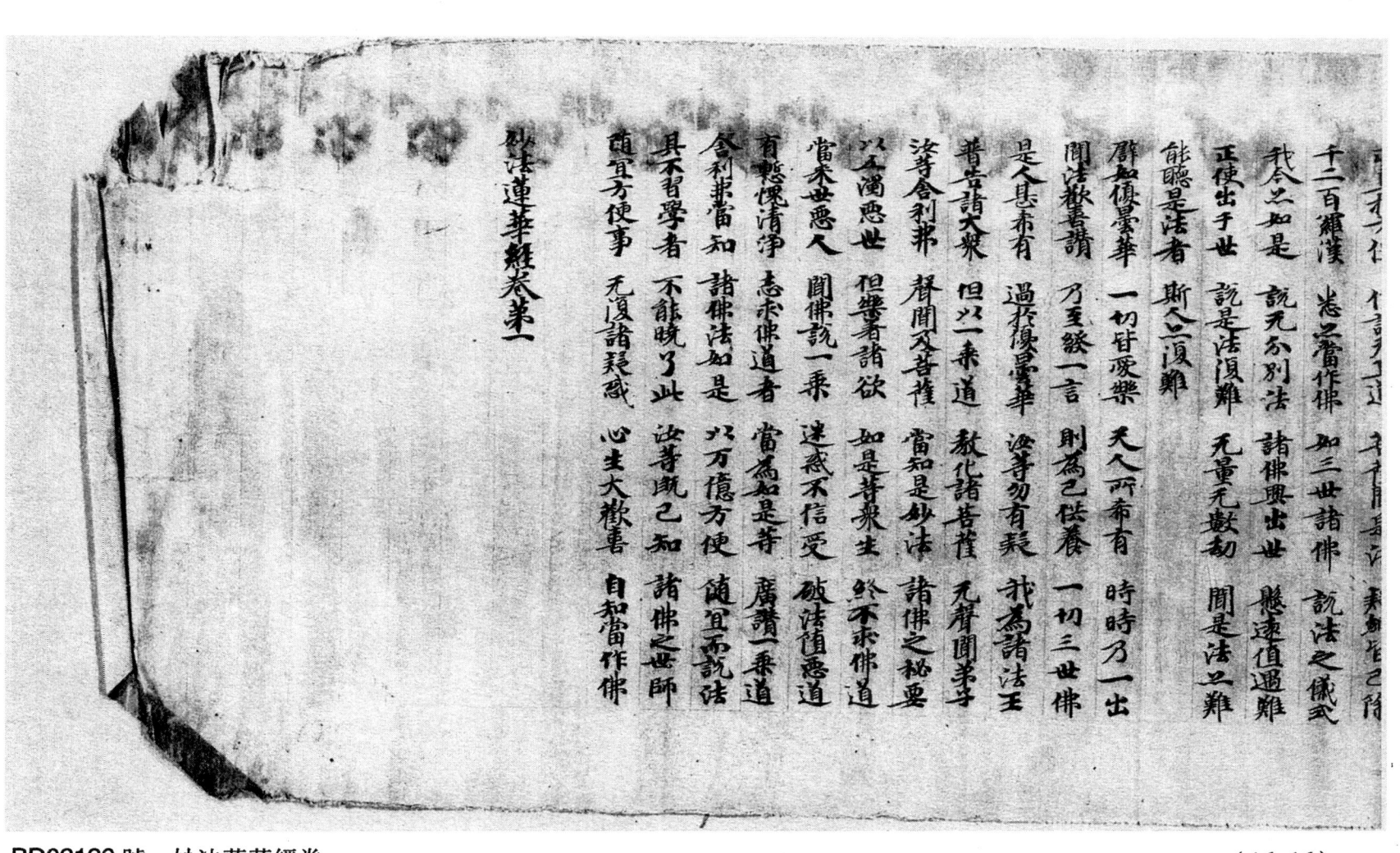

BD02120號 妙法蓮華經卷一 （16–16）

BD02121 號背　金剛般若波羅蜜經護首　　（1–1）

金剛般若波羅蜜經
如是我聞一時佛在
與大比丘衆千二百五
時著衣持鉢入舍衛
第乞已還至本處飯食訖
敷座而坐時長老須菩提在大衆
坐起偏袒右肩右膝著地合掌恭敬

BD02121 號　金剛般若波羅蜜經　　（10–1）

時著衣持鉢入舍衛大
第乞已還至本處飯食訖收衣鉢
敷座而坐時長老須菩提在大衆
坐起偏袒右肩右膝著地合掌恭敬
言希有世尊如來善護念諸菩薩善付囑諸
菩薩世尊善男子善女人發阿耨多羅三藐
三菩提心應云何住云何降伏其心佛言善哉
善哉須菩提如汝所說如來善護念諸菩薩
善付囑諸菩薩汝今諦聽當為汝說善男子
善女人發阿耨多羅三藐三菩提心應如是
住如是降伏其心唯然世尊願樂欲聞
佛告須菩提諸菩薩摩訶薩應如是降伏
其心所有一切衆生之類若卵生若胎生若
濕生若化生若有色若无色若有想若无想
若非有想非无想我皆令入无餘涅槃而滅
度之如是滅度无量无數无邊衆生實无衆
生得滅度者何以故須菩提若菩薩有我相
人相衆生相壽者相即非菩薩
復次須菩提菩薩於法應无所住行於布
施所謂不住色布施不住聲香味觸法布施
須菩提菩薩應如是布施不住於相何以故
若菩薩不住相布施其福德不可思量須菩
提於意云何東方虛空可思量不不也世尊
須菩提南西北方四維上下虛空可思量不
不也世尊須菩提菩薩无住相布施福德亦

BD02121 號　金剛般若波羅蜜經　（10–2）

須菩提南西北方四維上下虛空可思量不
不也世尊須菩提菩薩无住相布施福德亦
復如是不可思量須菩提菩薩但應如所教
住須菩提於意云何可以身相見如來不不
也世尊不可以身相得見如來何以故如來
所說身相即非身相佛告須菩提凡所有
相皆是虛妄若見諸相非相則見如來須
菩提白佛言世尊頗有衆生得聞如是言
說章句生實信不佛告須菩提莫作是說如
來滅後後五百歲有持戒脩福者於此章句
能生信心以此為實當知是人不於一佛二
佛三四五佛而種善根已於无量千万佛所
種諸善根聞是章句乃至一念生淨信者須
菩提如來悉知悉見是諸衆生得如是无量
福德何以故是諸衆生无復我相人相衆生
相壽者相无法相亦无非法相何以故是諸
衆生若心取相則為著我人衆生壽者若取
法相即著我人衆生壽者何以故若取非法
相即著我人衆生壽者是故不應取法不應
取非法以是義故如來常說汝等比丘知我說
法如筏喻者法尚應捨何況非法
須菩提於意云何如來得阿耨多羅三藐三
菩提耶如來有所說法耶須菩提言如我解
佛所說義无有定法名阿耨多羅三藐三菩
提亦无有定法如來可說

BD02121 號　金剛般若波羅蜜經　（10–3）

法如筏喻者法尚應捨何况非法
須菩提於意云何如來得阿耨多羅三藐三
菩提耶如來有所說法耶須菩提言如我解
佛所說義无有定法名阿耨多羅三藐三菩
提亦无有定法如來可說何以故如來所說
法皆不可取不可說非法非非法所以者何
一切賢聖皆以无為法而有差別須菩提於
意云何若人滿三千大千世界七寶以用布
施是人所得福德寧為多不須菩提言甚多
世尊何以故是福德即非福德性是故如來
說福德多若復有人於此經中受持乃至四
句偈等為他人說其福勝彼何以故須菩提
一切諸佛及諸佛阿耨多羅三藐三菩提法
皆從此經出須菩提所謂佛法者即非佛法
須菩提於意云何須陁洹能作是念我得須
陁洹果不須菩提言不也世尊何以故須陁
洹名為入流而无所入不入色聲香味觸法
是名須陁洹須菩提於意云何斯陁含能作
是念我得斯陁含果不須菩提言不也世尊
何以故斯陁含名一往來而實无往來是名
斯陁含須菩提於意云何阿那含能作是念
我得阿那含果不須菩提言不也世尊何以
故阿那含名為不來而實无來是故名阿那
含須菩提於意云何阿羅漢能作是念我得
阿羅漢道不須菩提言不也世尊何以故實

BD02121號　金剛般若波羅蜜經

（10–4）

我得阿那含果不須菩提言不也世尊何以
故阿那含名為不來而實无來是故名阿那
含須菩提於意云何阿羅漢能作是念我得
阿羅漢道不須菩提言不也世尊何以故實
无有法名阿羅漢世尊若阿羅漢作是念我
得阿羅漢道即為著我人眾生壽者世尊佛
說我得无諍三昧人中最為第一是第一離
欲阿羅漢我不作是念我是離欲阿羅漢世
尊我若作是念我得阿羅漢道世尊則不說
須菩提是樂阿蘭那行者以須菩提實无所
行而名須菩提是樂阿蘭那行
佛告須菩提於意云何如來昔在燃燈佛
所於法有所得不世尊如來在燃燈佛所於
法實无所得須菩提於意云何菩薩莊嚴佛
土不不也世尊何以故莊嚴佛土者則非莊嚴
是名莊嚴是故須菩提諸菩薩摩訶薩應如
是生清淨心不應住色生心不應住聲香味
觸法生心應无所住而生其心須菩提譬如
有人身如須弥山王於意云何是身為大不
須菩提言甚大世尊何以故佛說非身是名
大身
須菩提如恒河中所有沙數如是沙等恒河
於意云何是諸恒河沙寧為多不須菩提言
甚多世尊但諸恒河尚多无數何况其沙須
菩提我今實言告汝若有善男子善女人以

BD02121號　金剛般若波羅蜜經

（10–5）

須菩提如恒河中所有沙數如是沙等恒河
於意云何是諸恒河沙寧為多不須菩提言
甚多世尊但諸恒河尚多无數何況其沙須
菩提我今實言告汝若有善男子善女人以
七寶滿尒所恒河沙數三千大千世界以用
布施得福多不須菩提言甚多世尊佛告須
菩提若善男子善女人於此經中乃至受持
四句偈等為他人說而此福德勝前福德復
次須菩提隨說是經乃至四句偈等當知此
處一切世間天人阿脩羅皆應供養如佛塔
廟何況有人盡能受持讀誦須菩提當知是
人成就冣上第一希有之法若是經典所在
之處則為有佛若尊重弟子
尒時須菩提白佛言世尊當何名此經我等
云何奉持佛告須菩提是經名為金剛般若
波羅蜜以是名字汝當奉持所以者何須菩
提佛說般若波羅蜜則非般若波羅蜜須菩
提於意云何如來有所說法不須菩提白佛
言世尊如來无所說須菩提於意云何三千
大千世界所有微塵是為多不須菩提言甚
多世尊須菩提諸微塵如來說非微塵是名
微塵如來說世界非世界是名世界須菩提
於意云何可以三十二相見如來不不也世
尊何以故如來說卅二相即是非相是名卅
二相須菩提若有善男子善女人以恒河沙

BD02121號　金剛般若波羅蜜經　（10–6）

於意云何可以三十二相見如來不不也世
尊何以故如來說卅二相即是非相是名卅
二相須菩提若有善男子善女人以恒河沙
等身命布施若復有人於此經中乃至受持
四句偈等為他人說其福甚多
尒時須菩提聞說是經深解義趣涕淚悲泣
而白佛言希有世尊佛說如是甚深經典我
從昔來所得慧眼未曾得聞如是之經世尊
若復有人得聞是經信心清淨則生實相當
知是人成就第一希有功德世尊是實相者
則是非相是故如來說名實相世尊我今得
聞如是經典信解受持不足為難若當來世
後五百歲其有衆生得聞是經信解受持是
人則為第一希有何以故此人无我相人相衆
生相壽者相所以者何我相即是非相人相
衆生相壽者相即是非相何以故離一切諸
相則名諸佛
佛告須菩提如是如是若復有人得聞是經
不驚不怖不畏當知是人甚為希有何以故
須菩提如來說第一波羅蜜非第一波羅蜜
是名第一波羅蜜須菩提忍辱波羅蜜如來
說非忍辱波羅蜜何以故須菩提如我昔為
歌利王割截身體我於尒時无我相无人相
无衆生相无壽者相何以故我於往昔節節
支解時若有我相人相衆生相壽者相應生

BD02121號　金剛般若波羅蜜經　（10–7）

歌利王割截身體我於尒時无我相无人相
无衆生相无壽者相何以故我於往昔節節
支解時若有我相人相衆生相壽者相應生
瞋恨須菩提又念過去於五百世作忍辱仙
人於尒所世无我相无人相无衆生相无壽
者相是故須菩提菩薩應離一切相發阿耨
多羅三藐三菩提心不應住色生心不應住
聲香味觸法生心應生无所住心若心有住
則為非住是故佛說菩薩心不住色布施須
菩提菩薩為利益一切衆生應如是布施如
來說一切諸相即是非相又說一切衆生則
非衆生須菩提如來是真語者實語者如語
者不誑語者不異語者須菩提如來所得法
此法无實无虛須菩提若菩薩心住於法而
行布施如人入闇則无所見若菩薩心不住法
而行布施如人有目日光明照見種種色
須菩提當來之世若有善男子善女人能於
此經受持讀誦則為如來以佛智慧悉知是
人悉見是人皆得成就无量无邊功德
須菩提若有善男子善女人初日分以恒河
沙等身布施中日分復以恒河沙等身布施
後日分亦以恒河沙等身布施如是无量百
千万億劫以身布施若復有人聞此經典信
心不逆其福勝彼何況書寫受持讀誦為人
解說須菩提以要言之是經有不可思議不

BD02121號　金剛般若波羅蜜經　（10–8）

千万億劫以身布施若復有人聞此經典信
心不逆其福勝彼何況書寫受持讀誦為人
解說須菩提以要言之是經有不可思議不
可稱量无邊功德如來為發大乘者說為發
最上乘者說若有人能受持讀誦廣為人說
如來悉知是人悉見是人皆成就不可量不
可稱无有邊不可思議功德如是人等則為
荷擔如來阿耨多羅三藐三菩提何以故須
菩提若樂小法者著我見人見衆生見壽者
見則於此經不能聽受讀誦為人解說須菩
提在在處處若有此經一切世間天人阿脩
羅所應供養當知此處則為是塔皆應供敬
作礼圍繞以諸華香而散其處
復次須菩提善男子善女人受持讀誦此經
若為人輕賤是人先世罪業應墮惡道以今
世人輕賤故先世罪業則為消滅當得阿耨
多羅三藐三菩提須菩提我念過去无量阿
僧祇劫於燃燈佛前得值八百四千万億那
由他諸佛悉皆供養承事无空過者若復有
人於後末世能受持讀誦此經所得功德於
我所供養諸佛功德百分不及一千万億分
乃至筭數譬喻所不能及須菩提若善男子
善女人於後末世有受持讀誦此經所得功德
我若具說者或有人聞心則狂亂狐疑不信
須菩提當知是經義不可思議果報亦不可

BD02121號　金剛般若波羅蜜經　（10–9）

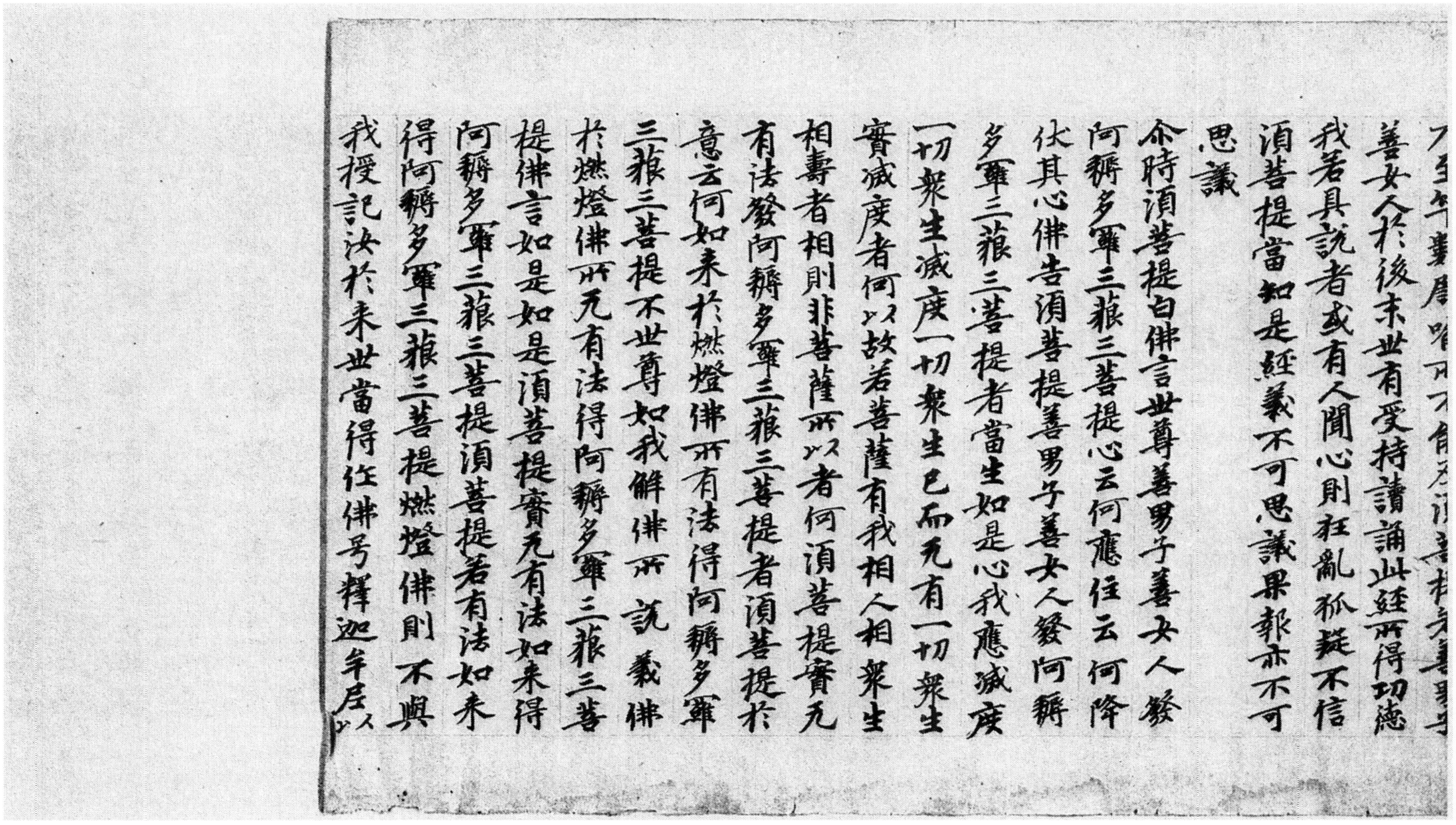

乃至算數譬喻所不能及須菩提若善男子
善女人於後末世有受持讀誦此經所得功德
我若具說者或有人聞心則狂亂狐疑不信
須菩提當知是經義不可思議果報亦不可
思議
尒時須菩提白佛言世尊善男子善女人發
阿耨多羅三藐三菩提心云何應住云何降
伏其心佛告須菩提善男子善女人發阿耨
多羅三藐三菩提者當生如是心我應滅度
一切衆生滅度一切衆生已而无有一切衆生
實滅度者何以故若菩薩有我相人相衆生
相壽者相則非菩薩所以者何須菩提實无
有法發阿耨多羅三藐三菩提者須菩提於
意云何如來於燃燈佛所有法得阿耨多羅
三藐三菩提不世尊如我解佛所說義佛
於燃燈佛所无有法得阿耨多羅三藐三菩
提佛言如是如是須菩提實无有法如來得
阿耨多羅三藐三菩提須菩提若有法如來
得阿耨多羅三藐三菩提燃燈佛則不與
我授記汝於來世當得作佛号釋迦牟尼以

BD02121 號　金剛般若波羅蜜經　（10–10）

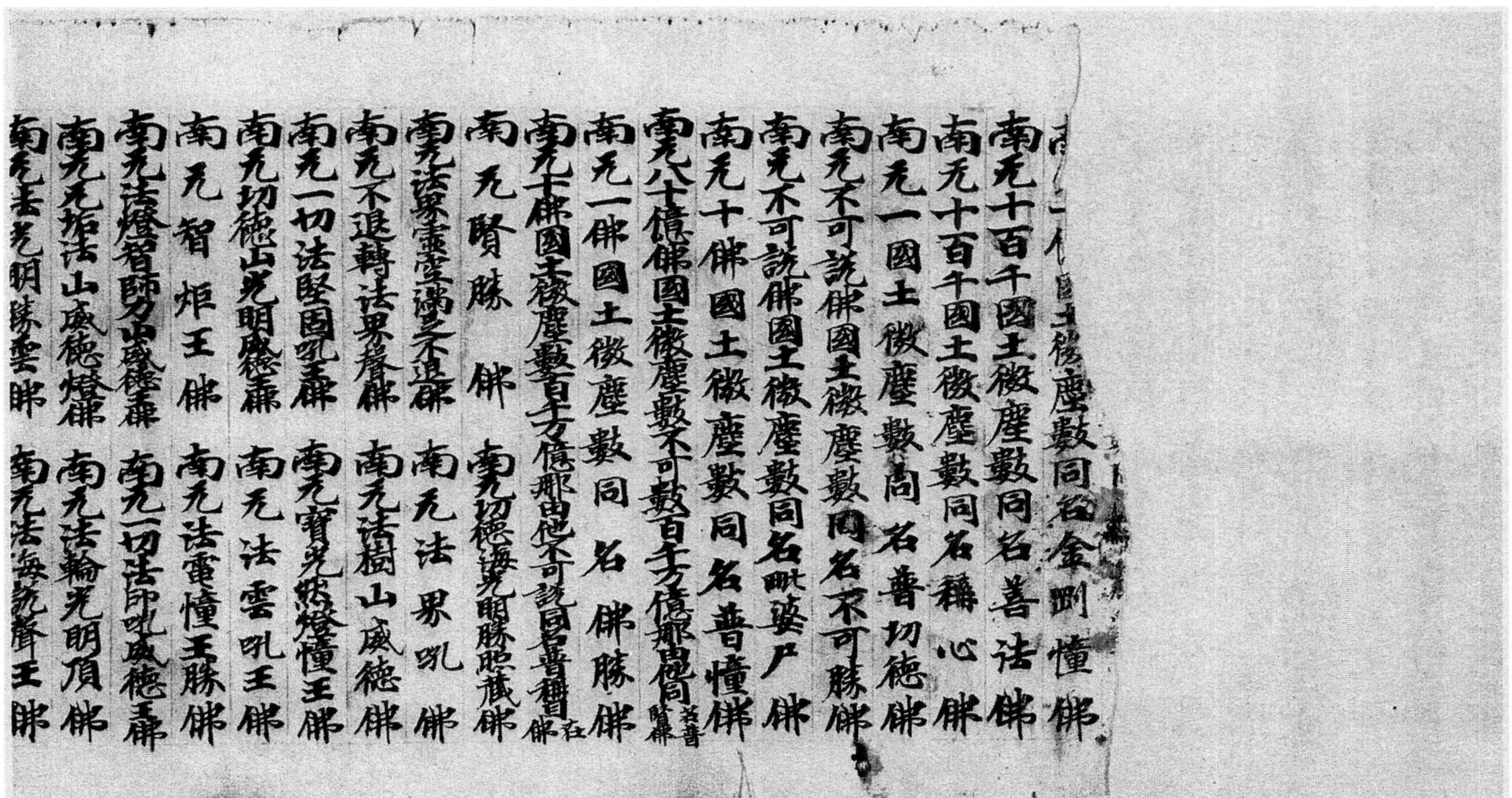

南无一億國土微塵數同名金剛幢佛
南无十百千國土微塵數同名善法佛
南无十百千國土微塵數同名稱心佛
南无一國土微塵數同名普切德佛
南无不可說佛國土微塵數同名不可勝佛
南无不可說佛國土微塵數同名毗婆尸佛
南无十佛國土微塵數同名普幢佛
南无八十億佛國土微塵數不可數百千万億那由他同名普賢佛
南无十佛國土微塵數百千万億那由他不可說同名普稱自在佛
南无一佛國土微塵數同名佛勝佛
南无賢勝佛　南无一切德海光明勝照藏佛
南无法界虛空諸邊不退佛　南无法界吼佛
南无不退轉法界聲佛　南无法樹山威德佛
南无一切法堅固吼王佛　南无法雲吼王佛
南无一切德山光明威德王佛　南无寶光然燈幢王佛
南无智炬王佛　南无法雷幢王勝佛
南无法燈智師子山威德王佛　南无一切法印吼威德王佛
南无光炬法山威德燈佛　南无法輪光明頂佛
南无善光明勝雲佛　南无法海說聲王佛

BD02122 號　佛名經（十六卷本）卷一二　（4–1）

南无一切法熾圓明王佛　南无寶光然燈幢王佛
南无功德山光明威德王佛　南无法雲吼王佛
南无智炬王佛　南无法電幢王勝佛
南无法燈智師子山威德王佛　南无一切法師吼威德王佛
南无法光明勝雲佛　南无法輪光明頂佛
南无法山威德燈佛　南无法海說聲王佛
南无法日智輪然燈佛　南无法華高幢雲佛
南无法炎山難兜王佛　南无法行深勝月佛
南无法智普光明藏佛　南无常智住佛
南无山王勝藏王佛　南无普門賢弥留法藏精進佛
南无一切法寶積弥留勝藏佛　南无寂靜光明身聲佛
南无法光明慈鏡像身佛　南无炎勝海佛
南无智日普照佛　南无普輪佛
南无智照頂王佛　南无智寶法界方光明威德王佛
次礼十二部尊經大藏法輪
南无國王菩薩經　南无阿毗曇經
南无金剛密經　南无持世經
南无阿那律八念經　南无等集經
南无迦羅越經　南无阿難問因緣精戒經
南无薩和達王經　南无阿難分別四時施經
南无阿闍世王經　南无阿閦佛經
南无德光太子經　南无小阿闍經
南无阿陀三昧經　南无胞藏經
南无阿鳩留經　南无漸備一切智經
南无菩薩悔過經　南无阿闍世女經
南无曉所諍不解者經　南无菩薩十住和經

BD02122號　佛名經（十六卷本）卷一二　（4–2）

南无德光太子經　南无小阿闍經
南无阿陀三昧經　南无胞藏經
南无阿鳩留經　南无漸備一切智經
南无菩薩悔過經　南无阿闍世女經
南无曉所諍不解者經　南无菩薩十住和經
南无阿救經　南无惡人經
南无菩薩等行然同經　南无阿毗曇九十八結經
南无越度世道經　南无惟越經
次礼十方諸大菩薩
南无文殊師利菩薩摩訶薩　南无觀世音菩薩
南无大勢至菩薩　南无普賢菩薩
南无龍勝菩薩　南无龍德菩薩
南无勝成就菩薩　南无勝藏菩薩
南无波頭勝菩薩　南无成就有善菩薩
南无地持菩薩　南无寶掌菩薩
南无寶印手菩薩　南无字意菩薩
南无虛空藏菩薩　南无師子奮迅吼聲菩薩
南无發心即轉法輪菩薩
從此以上九千二百佛十二部經一切賢聖
南无一切聲義別樂說菩薩　南无山樂說菩薩
南无大海音菩薩　南无大山菩薩
南无愛見菩薩　南无觀喜王菩薩
南无無邊觀菩薩　次礼聲聞緣覺一切賢聖
南无善快辟支佛　南无遠離辟支佛
南无吉沙辟支佛　南无憂波吉沙辟支佛
南无斷有辟支佛　南无憂波支羅辟支佛

BD02122號　佛名經（十六卷本）卷一二　（4–3）

南无大海普菩薩　南无大山菩薩
南无愛見菩薩　南无觀喜王菩薩
南无无邊觀菩薩　敬礼聲聞緣覺一切賢聖
南无善快辟支佛　南无遠施辟支佛
南无吉沙辟支佛　南无憂波吉沙辟支佛
南无斷有辟支佛　南无憂波支羅辟支佛
南无斷愛辟支佛　南无施婆羅辟支佛
南无轉覺辟支佛　南无吉垢辟支佛
南无高去辟支佛　南无何悉多辟支佛
歸命如是等无量无邊辟支佛
礼三寶已次復懺悔
已懺地獄報竟今當復懺悔三惡道報
經中佛説多欲之人多求利故苦惱亦多
知足之人雖卧地上猶以為樂不知足者雖
處天堂猶不稱意但世間人忽有急難便
能捨財不計多少而知此身臨於三塗深
坑之上一息不還便應墮落忽有知識營功
福德令脩未來善法資粮執此慳心无肯
作理夫如此者極為愚惑何以故尒經中佛
説生時不賫一文而来死亦不持一文而去
苦身積聚為之憂惱於己无益徒為他有
无善可恃无德可怙致使命終墮諸惡道
是故弟子等今日稽顙懇到歸依於佛
南无東方大光曜佛　南无南方盡寶住佛
南无西方金剛步佛　南无北方无邊力佛

BD02122號　佛名經（十六卷本）卷一二　（4–4）

作故常住故不生不滅故一切衆生悉平等故
一切性同一性故是名无增減是故此經如彼
大海有八不思議師子吼言世尊若言如来
不生不滅名為深者一切衆生有四種生卵
生胎生濕生化生是四種生人中具有如施婆
羅比丘優婆施婆羅比丘彌迦羅長者母尼
拘陁長者母半闍羅長者母各五百子同於
卵生當知人中則有卵生濕生者如佛所説
我於往昔作菩薩時作頂生王及手生王
如今所説菴羅樹女迦不多樹女當知人中
則有濕生劫初之時一切衆生皆悉化生如
来世尊得八自在何因緣故不化生耶佛言
善男子一切衆生四生所生得聖法已不得
如本卵生濕生善男子劫初衆生皆悉化生
當尒之時佛不出世善男子若有衆生遇
病苦時須醫酒藥劫初之時衆生化生雖
有煩惱其病未發是故如来不出於世劫初
衆生身心非器是故如来不出於世善男
子如来世尊所有事業勝諸衆生所謂種
性眷屬父母以殊勝故凡所説法人皆信受是
故如来不受化生善男子一切衆生父作子業
子作父業如来世尊若受化身則无父母若
无父母云何能令一切衆生作諸善業是故

BD02123號　大般涅槃經（北本　宮本）卷三三　（13–1）

性眷屬父母以殊勝故凡所説法人皆信受是
故如來不受化生善男子一切衆生父作子業
子作父業如來世尊若受化身則无父母若
无父母云何能令一切衆生作諸善業是故
如來不受化身善男子佛正法中有二種護
一内二外内護者禁戒外護者親族眷屬若
佛如來受化身者則无外護是故如來不受
化身善男子有人恃姓而生憍慢如來為破
如是憍慢故生在貴姓不受化身善男子
如來世尊有真父母父名淨飯母名摩耶
而諸衆生猶言是幻云何當受化生身也若受
化身云何得有碎身舍利如來為益衆生
故碎其身而令供養是故如來不受化身
一切諸佛悉无化生云何獨令我受化生身也尒
時師子吼菩薩合掌長跪右膝著地以偈讚佛
如來无量功德聚　我今不能廣宣説
令為衆生演一分　唯願哀慜聽我説
衆生无明闇中行　具受无邊百種業
世尊能令遠離之　是故世稱為大悲
衆生往返生死繩　放逸迷荒无安樂
如來能施衆生樂　是故永斷生死繩
佛能施衆安樂故　自於己樂不貪樂
為諸衆生脩苦行　是故世間興供養
見他受苦身戰動　處在地獄不覺痛
為諸衆生受大苦　是故无勝无有量
如來為衆脩苦行　成就具足滿六度
心處耶風不傾動　是故能勝世大士

BD02123號　大般涅槃經（北本　宮本）卷三三　（13–2）

見他受苦身戰動　處在地獄不覺痛
為諸衆生受大苦　是故无勝无有量
如來為衆脩苦行　成就具足滿六度
心處耶風不傾動　是故能勝世大士
衆生常欲得安樂　而不知脩安樂因
如來能教令脩集　猶如慈父愛一子
佛見衆生煩惱患　心苦如母念病子
常思離病諸方便　是故此身繫屬他
一切衆生行諸苦　其心顛倒以為樂
如來演説真苦樂　是故稱号為大悲
世間皆處无明鷇　无有智觜能破之
如來智觜能啄壞　是故名為最大子
不為三世所攝持　无有名字及假号
覺知涅槃甚深義　是故稱佛為大覺
有河洄澓没衆生　无明所盲不知出
如來自度能度彼　是故稱佛大船師
能知一切諸因果　亦復通達盡滅道
常施衆生病苦藥　是故世稱大醫王
外道耶見説苦行　因是能得无上樂
如來演説真樂行　能令衆生受快樂
如來世尊破耶道　開示衆生正真路
行是道者得安樂　是故稱佛為道師
非自非他之所作　亦非共作无因作
如來所説苦受事　勝於一切諸外道
成就具足戒定慧　亦以此法教衆生
以法施時无妬悋　是故稱佛无緣悲
无所造作无因緣　獲得无因无果報

BD02123號　大般涅槃經（北本　宮本）卷三三　（13–3）

如來所說皆受事　勝於一切諸外道
成就具足戒定慧　亦以此法教衆生
以法施時无貼悕　是故稱佛无緣悲
无所造作无因緣　獲得无因无果報
是故一切諸智者　稱說如來不求報
常共世間放逸行　而身不為放逸汙
是故名為不思議　世間八法不能汙
如來世尊无怨親　是故其心常平等
我師子吼讚大悲　能吼无量師子吼
大般涅槃經迦葉菩薩品第十二
迦葉菩薩白佛言世尊如來憐愍一切衆生
不調能調不淨能淨无歸依者能作歸依
未解脫者能令解脫得八自在為大醫師
作大藥王善星比丘是佛菩薩時子出家
之後受持讀誦分別解說十二部經壞欲界
結獲得四禪云何如來記說善星是一闡提
廝下之人地獄劫住不可治人如來何故不先為
其演說正法後為菩薩如來世尊若不能
救善星比丘云何得名有大慈愍有大方便
佛言善男子譬如父母唯有三子其一子者
有信順心恭敬父母利根智慧於世間事能
速了知其第二子不敬父母无信順心利根智
慧於世間事能速了知其第三子不敬父母
无有信心鈍根无智父母若欲教告應先教
誰先親愛誰當先教誰知世間事
迦葉菩薩白佛言世尊應先教授有信心
者恭敬父母利根智慧知世事者其次第

BD02123號　大般涅槃經（北本　宮本）卷三三　（13–4）

无有信心鈍根无智父母若欲教告應先教
誰先親愛誰當先教誰知世間事
迦葉菩薩白佛言世尊應先教授有信心
者恭敬父母利根智慧知世事者其次第
二乃及第三而彼二子雖无信順恭敬之心為
愍念故次復教之善男子如來亦尒其三子
者初喻菩薩中喻聲聞後喻一闡提如十二
部經脩多羅中微細之義我先已為諸菩
薩說淺近之義為聲聞說世間之義為一
闡提五逆罪說現在世中雖无利益以憐愍
故為生後世諸善種子善男子如三種田一者
渠流便易无諸沙鹵瓦石棘刺種一得百
二者雖无沙鹵瓦石棘刺渠流難嶮收實
減半三者渠流嶮難多諸沙鹵瓦石棘刺種
一得一為稾草故善男子農夫春月先種何
田世尊先種初田次第二田後及第三　初喻
菩薩次喻聲聞後喻一闡提善男子譬如
三器一者完二者漏三者破若欲盛置乳酪水
蘇先用何者世尊應用完者次用漏者後
及破者其完淨者喻菩薩僧漏喻聲聞破
喻一闡提善男子如三病人俱至醫所一者易
治二者難治三者不可治善男子醫若治者
當先治誰世尊應先治易次及第二後及第
三何以故為親屬故其易治者喻菩薩僧其
難治者喻聲聞僧不可治者喻一闡提現在
世中雖无善果以憐愍故為種後世諸善子
故善男子譬如大王有三種馬一調壯大力二不
[illegible]

BD02123號　大般涅槃經（北本　宮本）卷三三　（13–5）

難治者喻聲聞僧不可治者喻一闡提現在
世中雖无善果以憐愍故為種後世諸善子
故善男子譬如大王有三種馬一調壯大力二不
調齒壯大力三不調羸老无力王若乘者當
先乘何者世尊應先乘調壯大力次乘第二
後及第三善男子調壯大力喻菩薩僧其第
二者喻聲聞僧其第三者喻一闡提現在世
中雖无利益以憐愍故為種後世諸善種子
善男子如大施時有三人來一貴族聰明持戒
二中姓鈍根持戒三下姓鈍根毀戒善男子是
大施主應先施誰世尊應先施於貴姓剎
根持戒次第二後及第三第一喻菩薩僧第
二喻聲聞僧第三喻一闡提善男子如大
師子煞香象時皆盡其力煞兔亦尒不生
輕想諸佛如來亦復如是為諸菩薩及一
闡提演說法時功用无二善男子我於一時住
王舍城善星比丘為我給使我於初夜為天
帝釋演說法要弟子法應後師眠尒時善
星比丘以我久坐心生惡念時王舍城小男小
女若啼不止父母則語汝若不止當將汝付
薄俱羅鬼尒時善星反被拘執而語我言
速入禪室薄拘羅來我言癡人汝常不聞
如來世尊无所畏耶尒時帝釋即語我言
世尊如是人等亦復得入佛法中耶我即語
言憍尸迦如是人者得入佛法亦有佛性當
得阿耨多羅三藐三菩提我雖為是善星
說法而彼都无信受之心善男子我於一時在

BD02123號　大般涅槃經（北本　宮本）卷三三　（13–6）

如來世尊无[illegible]
世尊如是人等亦復得入佛法中耶我即語
言憍尸迦如是人者得入佛法亦有佛性當
得阿耨多羅三藐三菩提我雖為是善星
說法而彼都无信受之心善男子我於一時在
迦尸國尸婆富羅城善星比丘為我給使我
時欲入彼城乞食无量眾生虛心渴仰欲見
我跡善星比丘尋隨我後而毀滅之既不能滅
而令眾生生不善心我入城已於酒家舍見一
尼乾捲脊蹲地飡食酒糟善星比丘見已而
言世尊世間若有阿羅漢者是人最勝何以
故是人所說无因无果我言癡人汝常不聞
阿羅漢者不飲酒不害人不欺誑不偷盜不
婬泆是人煞害父母食噉酒糟云何而言是阿
羅漢是人捨身必定當墮阿鼻地獄阿羅漢
者永斷三惡云何而言是阿羅漢善星即
言四大之性猶可轉易欲令是人必墮阿鼻
无有是處我言癡人汝常不聞諸佛如來誠
言无二我雖為是善星說法而彼絕无信
受之心善男子我於一時與善星比丘住王舍
城尒時城中有一尼乾名曰苦得常作是言眾
生煩惱无因无緣眾生解脫亦无因緣善星
比丘復作是言世尊世間若有阿羅漢者苦
得為上我言癡人苦得實非羅漢不能
解了阿羅漢道善星復言何故羅漢於阿羅
漢而生妒嫉我言癡人我於羅漢不生妒嫉而
汝自生惡邪見耳若言苦得是羅漢者却後
七日當患宿食腹痛而死死已生於食吐鬼

BD02123號　大般涅槃經（北本　宮本）卷三三　（13–7）

漢而生妬嫉我言癡人我於羅漢不生妬嫉而
汝自生悪耶見可若言苦得是羅漢者却後
七日當患宿食腹痛而死死已生於食吐鬼
中其同學輩當舉其屍置寒林中尒時
善星即往苦得尼乾子所語言長老汝今知不
沙門瞿曇記汝七日當患宿食腹痛而死死
已生於食吐鬼中同學同師當與汝屍置寒
林中長老好善思惟作諸方便當令瞿曇墮
妄語中尒時苦得聞是語已即便斷食從初
一日乃至六日滿七日已便食黑蜜食黑蜜已
復飲冷水飲冷水已腹痛而終終已同學轝
其屍置寒林中即受食吐餓鬼之形在其
屍邊善星比丘聞是事已至寒林中見苦得
身受食吐形在其屍邊捲脊蹲地善星語
言大德死耶苦得荅言我已死矣云何死耶
荅言因腹痛死誰出汝屍荅言同學出置何
處荅言癡人汝今不識是寒林耶得何等身
荅言我得食吐鬼身善星諦聽如来善
語真語時語義語法語善星如来口出如是
實語汝於尒時云何不信若有衆生不信如
来真實言者彼亦當受如我此身尒時善星
即還我所作如是言世尊苦得尼乾命終之
後生卅三天我言癡人阿羅漢者无有生處云
何而言苦得生於三十三天世尊實如所言苦
得尼乾實不生於三十三天今受食吐餓鬼
之身我言癡人諸佛如来誠言无二若言如来

BD02123號　大般涅槃經（北本　宮本）卷三三　（13–8）

後生卅三天我言癡人阿羅漢者无有生處云
何而言苦得生於三十三天世尊實如所言苦
得尼乾實不生於三十三天今受食吐餓鬼
之身我言癡人諸佛如来誠言无二若言如来
有二言者无有是處善星即言如来尒時雖
作是說我於是事都不生信善男子我亦常
為善星比丘說真實法而彼絶无信受之心
善男子善星比丘雖復讀誦十二部經獲得
四禪乃至不解一偈一句一字之義親近悪友
退失四禪退禪定已生悪耶見作如是說
无佛无法无有涅槃沙門瞿曇善知相法是
故能得知他人心我於尒時告善星言我所
說法初中後善其言巧妙字義真正所說
无雜具足成就清淨梵行善星比丘復作是
言如来雖復為我說法而我真實謂无因果
善男子汝若不信如是事者善星比丘今者
近在尼連禪河可共往問尒時如来即與迦
葉往善星所善星比丘遥見我来見已即生
悪耶之心以悪心故生身陷入墮阿鼻獄善
男子善星比丘雖入佛法无量寶聚空无所
獲乃至不得一法之利以放逸故悪知識故辟
如有人雖入大海多見衆寶而无所得以放逸
故又如入海雖見寶聚自殺而死或為羅刹
悪鬼所煞善星比丘亦復如是入佛法已為悪
知識羅刹大鬼之所殺害善男子是故如
来以憐愍故常說善星多諸放逸善男
子若本貧窮於是人所雖生憐愍其心則薄

BD02123號　大般涅槃經（北本　宮本）卷三三　（13–9）

悪鬼所煞善星比丘亦復如是入佛法已為悪
知識羅剎大鬼之所殺害善男子是故如
来以憐愍故常說善星多諸放逸善男
子若本貧窮於是人所雖生憐愍其心則薄
若本巨富後失財物於是人所生於憐愍其心
則厚善星比丘亦復如是受持讀誦十二部經
獲得四禪然後退失甚可憐愍是故我說
善星比丘多諸放逸多放逸故斷諸善根
我諸弟子有見聞者於是人所无不生於重
憐愍心如初巨富後失財者我於多年常與
善星共相隨逐而彼自生悪邪之心以悪邪
故不捨悪見善男子我從昔来見是善星少
有善根如毛髮許終不記彼斷絕善根是闡
提廝下之人地獄劫住以其宣說无因无果无
有作業尒乃記彼永斷善根是一闡提廝
下之人地獄劫住善男子譬如有人沒圊廁
中有善知識以手接之若得首髮便欲拔出
久求不得尒乃息意我亦如是求覓善星微
妙善根便欲拔濟終日求之乃至不得如毛
髮許是故不得拔其地獄迦葉菩薩言世
尊如来何故記彼當墮阿鼻地獄善男子
善星比丘多有眷屬皆謂善星是阿羅漢
是得道果我欲壞彼悪邪心故記彼善星以放
逸故墮於地獄善男子汝今當知如来所說真
實无二何以故若佛所記當墮地獄若不到
者无有是處聲聞緣覺所記莂者則有二
種或虛或實如目揵連在摩伽陀國遍告諸

BD02123號　大般涅槃經（北本　宮本）卷三三　（13-10）

者无有是處聲聞緣覺所記莂者則有二
種或虛或實如目揵連在摩伽陀國遍告諸
人却後七日天當降雨時竟不雨後記特牛當
生白犢及其產時乃生駁犢記生男者後乃
生女善男子善星比丘常為无量諸衆生等
宣說一切无善悪果尒時永斷一切善根乃至
无有如毛髮許善男子我久知是善星比丘
當斷善根猶故共住滿二十年畜養共行我
若遠棄不近左右是人當教无量衆生造
作悪業是名如来第五解力世尊一闡提輩
以何因緣无有善法善男子一闡提輩斷善
根故衆生悉有信等五根而一闡提輩永斷
滅故以是義故煞害蟻子猶得煞罪煞一闡
提无有煞罪世尊一闡提者終无善法是故
名為一闡提耶佛言如是如是世尊一切衆
生有三種善過去未来現在一闡提輩亦不
能斷未来善法云何說言斷諸善法名一闡
提耶善男子斷有二種一現在滅二現在鄣
於未来一闡提具足二斷是故我言斷諸善
根善男子譬如有人沒圊廁中唯有一髮毛
頭未沒雖復一髮毛頭未沒而一髮毛頭不能
勝身一闡提輩亦復如是雖未来世當有
善根而不能救地獄之苦未来之世雖可救
拔現在之世无如之何是故名為不可救濟以
佛性因緣則可得救佛性者非過去非未来
非現在是故佛性不可得斷如朽敗子不能

BD02123號　大般涅槃經（北本　宮本）卷三三　（13-11）

善根不能救拔[illegible]
拔現在之世无如之何是故名爲不可救濟以
佛性因緣則可得救佛性者非過去非未來
非現在是故佛性不可得斷如朽敗子不能
生牙一闡提輩亦復如是世尊一闡提輩不
斷佛性佛性亦善云何說言斷一切善善男
子若諸衆生現在世中有佛性者則不得名
一闡提也如世間中衆生我性佛性是常三
世不攝三世若攝名爲无常佛性未來以當
見故故言衆生悉有佛性以是義故十住
菩薩具足莊嚴乃得少見迦葉菩薩言世
尊佛性者常猶如虛空何故如來說言未來
如來若言一闡提輩无善法者一闡提輩於
其同學同師父母親族妻子豈當不生愛念
心耶如其生者非是善乎佛言善哉善哉
善男子快發斯問佛性者猶如虛空非過去
非未來非現在一切衆生有三種身謂過去未
來現在衆生未來具足莊嚴清淨之身得見
佛性是故我言佛性未來善男子我爲衆生
或時說因爲果或時說果爲因是故經中說命
爲食見色名觸未來身淨故說佛性世尊如
佛所說義如是者何故說言一切衆生悉有
佛性善男子衆生佛性雖現在无不可言无
如虛空性雖无現在不得言无一切衆生雖復
无常而是佛性常住无變是故我於此經中
說衆生佛性非內非外猶如虛空非內非外
如其虛空有內外者虛空不名爲一爲常亦
不得言一切處有虛空雖復非內非外而諸

BD02123號　大般涅槃經（北本　宮本）卷三三　（13–12）

或時說因爲果或時說果爲因是故經中說命
爲食見色名觸未來身淨故說佛性世尊如
佛所說義如是者何故說言一切衆生悉有
佛性善男子衆生佛性雖現在无不可言无
如虛空性雖无現在不得言无一切衆生雖復
无常而是佛性常住无變是故我於此經中
說衆生佛性非內非外猶如虛空非內非外
如其虛空有內外者虛空不名爲一爲常亦
不得言一切處有虛空雖復非內非外而諸
衆生悉皆有之衆生佛性亦復如是如汝所
言一闡提輩有善法者是義不然何以故一
闡提輩若有身業口業意業取業求業施業
解業如是等業悉是邪業何以故不求因
果故善男子如呵梨勒果根莖枝葉華實
悉皆苦一闡提業亦復如是

大般涅槃經卷第卅三

BD02123號　大般涅槃經（北本　宮本）卷三三　（13–13）

著 錄 凡 例

本目錄採用條目式著錄法。諸條目意義如下：

1.1　著錄編號。用漢語拼音首字“BD”表示，意為“北京圖書館藏敦煌遺書”，簡稱“北敦號”。文獻寫在背面者，標註為“背”。一件遺書上抄有多個文獻者，用數字1、2、3等標示小號。一號中包括幾件遺書，且遺書形態各自獨立者，用字母A、B、C等區別。

1.2　著錄分類號。本條記目錄暫不分類，該項空缺。

1.3　著錄文獻的名稱、卷本、卷次。

1.4　著錄千字文編號。

1.5　著錄縮微膠卷號。

2.1　著錄遺書的總體數據。包括長度、寬度、紙數、正面抄寫總行數與每行字數、背面抄寫總行數與每行字數。如該遺書首尾有殘破，則對殘破部分單獨度量，用加號加在總長度上。凡屬這種情況，長度用括弧標註。

2.2　著錄每紙數據。包括每紙長度及抄寫行數或界欄數。

2.3　著錄遺書的外觀。包括：（1）裝幀形式。（2）首尾存況。（3）護首、軸、軸頭、天竿、縹帶，經名是書寫還是貼簽，有無經名號，扉頁、扉畫。（4）卷面殘破情況及其位置。（5）尾部情況。（6）有無附加物（蟲繭、油污、線繩及其他）。（7）有無裱補及其年代。（8）界欄。（9）修整。（10）其他需要交待的問題。

2.4　著錄一件遺書抄寫多個文獻的情況。

3.1　著錄文獻首部文字與對照本核對的結果。

3.2　著錄文獻尾部文字與對照本核對的結果。

3.3　著錄錄文。

3.4　著錄對文獻的說明。

4.1　著錄文獻首題。

4.2　著錄文獻尾題。

5　著錄本文獻與對照本的不同之處。

6.1　著錄本遺書首部可與另一遺書綴接的編號。

6.2　著錄本遺書尾部可與另一遺書綴接的編號。

7.1　著錄題記、題名、勘記等。

7.2　著錄印章。

7.3　著錄雜寫。

7.4　著錄護首及扉頁的內容。

8　著錄年代。

9.1　著錄字體。如有武周新字、合體字、避諱字等，予以說明。

9.2　著錄卷面二次加工的情況。包括句讀、點標、科分、間隔號、行間加行、行間加字、硃筆、墨塗、倒乙、刪除、兑廢等。

10　著錄敦煌遺書發現後，近現代人所加內容，裝裱、題記、印章等。

11　備註。著錄揭裱互見、圖版本出處及其他需要說明的問題。

上述諸條，有則著錄，無則空缺。

為避文繁，上述著錄中出現的各種參考、對照文獻，暫且不列版本說明。全目結束時，將統一編制本條記目錄出現的各種參考書目。

本條記目錄為農曆年份標註其公曆紀年時，未經行歲頭年末之換算，請讀者使用時注意自行換算。

條 記 目 録

BD02068—BD02123

1.1 BD02068 號
1.3 文殊師利所説摩訶般若波羅蜜經（一卷本）
1.4 冬 068
1.5 092:3492
2.1 （3.8 +937.3）×26.2 厘米；20 紙；共 541 行，行 17 字。
2.2 01：3.8 +33.5，22； 02：47.9，28； 03：47.7，28；
04：47.6，28； 05：47.7，28； 06：47.8，28；
07：47.6，28； 08：47.7，28； 09：47.7，28；
10：47.7，28； 11：47.6，28； 12：47.7，28；
13：47.5，28； 14：47.8，28； 15：48.0，28；
16：48.0，28； 17：47.9，28； 18：47.7，28；
19：47.7，28； 20：44.5，15。
2.3 卷軸裝。首殘尾全。第 15、16 紙接縫處脱爲 2 截，尾紙後部有撕裂殘損。卷首背有古代裱補。有烏絲欄。
3.1 首 2 行上下殘→大正 232，8/726B4 ~5。
3.2 尾全→8/732C9。
4.2 文殊般若經卷（尾）。
5 與《大正藏》本對照，此卷經文上、下合爲 1 卷。
8 8 世紀。唐寫本。
9.1 楷書。
9.2 有硃、墨筆行間校加字、行間加行。有硃筆點去符號。
11 圖版：《敦煌寶藏》，78/267A ~279A。

1.1 BD02069 號
1.3 維摩詰所説經卷上
1.4 冬 069
1.5 070:0861
2.1 （13 +934.5）×25.5 厘米；22 紙；正面共 587 行，行 17 字。背面 11 行，行 17 字。
2.2 01：13 +33，27； 02：44.0，28； 03：44.0，28；
04：44.0，28； 05：44.0，28； 06：44.0，28；
07：44.0，28； 08：44.0，28； 09：44.5，28；
10：44.5，28； 11：44.5，28； 12：44.0，28；
13：44.5，28； 14：44.0，28； 15：44.5，28；
16：44.5，28； 17：44.0，28； 18：47.5，28；
19：44.0，28； 20：44.5，28； 21：44.5，27；
22：14.0，01。
2.3 卷軸裝。首殘尾全。首紙中間有横撕裂，下邊有撕裂；卷面多水漬。背有古代裱補，裱補紙上有《金剛經》文。有烏絲欄。
2.4 本遺書包括 2 個文獻：（一）《維摩詰所説經卷上》，587 行，抄寫在正面，今編為 BD02069 號。（二）《金剛般若波羅蜜經》，11 行，抄寫在卷背裱補紙上，今編為 BD02069 號背。
3.1 首 6 行上殘→大正 475，14/537A3 ~11。
3.2 尾全→14/544A9。
4.1 □…□思議解脱，佛國品第一（首）
4.2 維摩詰經卷第一（尾）。
7.1 卷尾背面有勘記“寫了”。
8 8 ~9 世紀。吐蕃統治時期寫本。
9.1 楷書。
11 圖版：《敦煌寶藏》，63/164A ~177B。

1.1 BD02069 號背
1.3 金剛般若波羅蜜經
1.4 冬 069
1.5 070:0861
2.4 本遺書由 2 個文獻組成，本號為第 2 個，11 行，抄寫在卷背古代裱補紙上。餘參見 BD02069 號之第 2 項、第 11 項。
3.1 首殘→大正 235，8/749C24。
3.2 尾殘→8/750A7。
8 7 ~8 世紀。唐寫本。
9.1 楷書。
11 圖版：《敦煌寶藏》，63/177。

1.1 BD02070 號
1.3 佛金剛壇廣大清淨陀羅尼經

1.4　冬 070
1.5　252:7530
2.1　514.6×26.2 厘米；13 紙；共 292 行，行 17 字。
2.2　01：16.9，09；　02：42.2，24；　03：42.0，24；
04：35.1，20；　05：42.0，24；　06：42.1，24；
07：42.1，24；　08：42.0，24；　09：42.1，24；
10：42.1，24；　11：42.0，24；　12：41.9，24；
13：42.1，23。
2.3　卷軸裝。首殘尾全。第 7 紙上有 2 處燒炙殘洞及油污。有烏絲欄。
3.1　首殘→《敦煌佛教の研究》，第 633 頁第 6 行。
3.2　尾全→《敦煌佛教の研究》，第 640 頁第 13 行。
4.2　佛金剛壇陀羅尼經（尾）。
5　本文獻為對照本中的 A 校本。與對照本相比，文字有參差。
8　9～10 世紀。歸義軍時期寫本。
9.1　楷書。
9.2　有行間校加字。
11　圖版：《敦煌寶藏》，106/591A～597B。

1.1　BD02071 號
1.3　妙法蓮華經卷一
1.4　冬 071
1.5　105:4564
2.1　696.8×25.3 厘米；14 紙；共 372 行，行 17 字。
2.2　01：51.5，28；　02：51.7，28；　03：51.6，28；
04：51.8，28；　05：51.8，28；　06：51.8，28；
07：51.9，28；　08：51.8，28；　09：52.1，28；
10：52.0，28；　11：51.8，28；　12：51.8，28；
13：51.8，28；　14：23.4，08。
2.3　卷軸裝。首殘尾全。經黄打紙。接縫處有開裂，卷尾上下有蟲繭。有烏絲欄。
3.1　首殘→大正 262，9/3C14。
3.2　尾全→9/10B21。
4.2　妙法蓮華經卷第一（尾）。
8　7～8 世紀。唐寫本。
9.1　楷書。
11　圖版：《敦煌寶藏》，84/490B～501A。

1.1　BD02072 號 1
1.3　瑜伽師地論手記卷三三
1.4　冬 072
1.5　201:7199
2.1　1536.8×29 厘米；34 紙；共 1215 行，行字不等。
2.2　01：45.5，37；　02：45.1，37；　03：45.2，37；
04：45.2，37；　05：45.2，37；　06：45.3，37；
07：45.3，37；　08：45.3，23；　09：45.1，37；
10：45.1，37；　11：45.1，37；　12：45.1，37；
13：45.3，37；　14：45.1，37；　15：45.1，33；
16：45.1，37；　17：45.3，37；　18：45.3，37；
19：45.3，37；　20：45.2，36；　21：45.2，19；
22：45.2，36；　23：45.3，37；　24：45.2，37；
25：45.3，37；　26：45.3，37；　27：45.2，36；
28：45.1，37；　29：45.2，37；　30：45.0，34；
31：45.1，36；　32：45.1，37；　33：45.2，37；
34：45.2，37。
2.3　卷軸裝。首全尾脱。卷中有 1 處撕裂。有烏絲欄。
2.4　本遺書包括 5 個文獻：（一）《瑜伽師地論手記卷三三》，282 行，今編為 BD02072 號 1。（二）《瑜伽師地論手記卷三四》，255 行，今編為 BD02072 號 2。（三）《瑜伽師地論手記卷三五》，203 行，今編為 BD02072 號 3。（四）《瑜伽師地論手記卷三六》，328 行，今編為 BD02072 號。（五）《瑜伽師地論手記卷三七》，147 行，今編為 BD02072 號 5。
3.4　説明：
本文獻首尾均全。未為我國歷代大藏經所收。可參考大正 2801，85/881A8～883A21。
4.1　瑜伽論卷第卅三手記（首）
4.2　瑜伽論卷第卅（尾）。
7.1　尾題下有“説畢，沙門洪真本”。後有硃筆題記：“卅三卷，八月卅日説畢記。”卷背有騎縫題名“沙門洪真本”及“沙門洪真”。
8　8～9 世紀。吐蕃統治時期寫本。
9.1　行書。
9.2　有硃筆校改、行間校加字、點標、科分、塗抹。又有墨筆校改。
11　圖版：《敦煌寶藏》，104/479A～500B。

1.1　BD02072 號 2
1.3　瑜伽師地論手記卷三四
1.4　冬 072
1.5　201:7199
2.4　本遺書由 5 個文獻組成，本號為第 2 個，255 行。餘參見 BD02072 號 1 之第 2 項、第 11 項。
3.4　説明：
本文獻首尾均全。未為歷代大藏經所收。
4.1　瑜伽論卷第卅四手記（首）
4.2　瑜伽論第卅四卷（尾）。
7.1　首題下有“沙門洪真本”。尾題下有“己説聲聞及獨覺地，説畢，沙門洪真手本”。卷背面接縫處有騎縫題名“沙門洪真”。
8　8～9 世紀。吐蕃統治時期寫本。
9.1　行書。
9.2　有硃筆校改、行間校加字、點標、科分、塗抹。又有墨筆校改、倒乙。

1.1　BD02072 號 3

1.3　瑜伽師地論手記卷三五
1.4　冬 072
1.5　201:7199
2.4　本遺書由 5 個文獻組成，本號為第 3 個，203 行。餘參見 BD02072 號 1 之第 2 項、第 11 項。
3.4　説明：
本文獻首尾均全。未為歷代大藏經所收。
4.1　瑜伽論卷第卅五手記，菩薩地初持瑜伽處（首）。
7.1　首題下有“沙門洪真本”。尾題下有“第卅六卷壬巳説畢”。卷背面有 3 處 5 行墨筆或硃筆經釋，乃補充正面文字。各紙接縫處均有騎縫題名“沙門洪真”。有題記。
8　8～9 世紀。吐蕃統治時期寫本。
9.1　行書。有合體字“菩薩”。
9.2　有硃筆校改、行間校加字、點標、科分、倒乙、塗抹。又有墨筆校改。

1.1　BD02072 號 4
1.3　瑜伽師地論手記卷三六
1.4　冬 072
1.5　201:7199
2.4　本遺書由 5 個文獻組成，本號為第 4 個，328 行。餘參見 BD02072 號 1 之第 2 項、第 11 項。
3.4　説明：
本文獻首尾均全。未為歷代大藏經所收。
4.1　瑜伽論卷第卅六初手記（首）
4.2　瑜伽論卷第卅六（尾）。
7.1　首題下有“沙門洪真本”。尾題下有“説畢”。卷背面有 3 行硃、墨筆經釋，乃補充正面文字。各紙接縫處均有騎縫題名“沙門洪真”。
8　8～9 世紀。吐蕃統治時期寫本。
9.1　行書。有合體字“涅槃”。
9.2　有硃筆行間校加字、校改、科分、點標、塗抹。又有墨筆校改。

1.1　BD02072 號 5
1.3　瑜伽師地論手記卷三七
1.4　冬 072
1.5　201:7199
2.4　本遺書由 5 個文獻組成，本號為第 5 個，147 行。餘參見 BD02072 號 1 之第 2 項、第 11 項。
3.4　説明：
本文獻首全尾殘。未為歷代大藏經所收。
4.1　瑜伽論卷第卅七手初記（首）。
6.2　尾→BD01857 號。
7.1　卷背有硃筆經釋“那羅延力者，即大力金剛是也”1 行，乃補充正面文字。背面各紙接縫處均有騎縫題名“沙門洪真”。
8　8～9 世紀。吐蕃統治時期寫本。
9.1　行書。有合體字“菩薩”、“涅槃”。
9.2　有硃筆校改、行間校加字、點標、科分、塗抹。又有墨筆校改。

1.1　BD02073 號
1.3　現在賢劫千佛名經（宮本）
1.4　冬 073
1.5　068:0849
2.1　585.5×26.7 厘米；14 紙；共 332 行，行 11 字。
2.2　01：43.5，25；　02：43.2，25；　03：43.0，25；
04：43.1，25；　05：43.1，25；　06：43.1，25；
07：43.1，25；　08：43.1，25；　09：43.1，25；
10：43.1，25；　11：43.2，25；　12：43.1，25；
13：43.0，25；　14：24.8，07。
2.3　卷軸裝。首脱尾全。接縫處有開裂，卷尾上中部殘缺。有烏絲欄。
3.1　首殘→大正 447A，14/378B22。
3.2　尾全→14/383A19。
4.2　賢劫千佛名一卷（尾）。
5　與《大正藏》本相比，只有佛名，佛名亦略有參差；無懺悔文。形態與日本宮内寮本、《思溪藏》、《普寧藏》本相同，但多出佛名計數。
7.3　背面裱補紙上有字痕。
8　9～10 世紀。歸義軍時期寫本。
9.1　楷書。
11　圖版：《敦煌寶藏》，63/72A～80A。

1.1　BD02074 號
1.3　金剛峻經金剛頂一切如來深妙秘密金剛界大三昧耶修行四十九種壇法經作用威儀法則，大毗盧遮那佛金剛心地法門法界壇法儀則
1.4　冬 074
1.5　260:7667
2.1　924.4×30.5 厘米；22 紙；正面 507 行，背面 486 行，行字不等。
2.2　01：42.0，22；　02：42.0，25；　03：42.0，26；
04：42.0，24；　05：42.2，22；　06：42.2，22；
07：42.5，28；　08：42.0，25；　09：42.0，25；
10：42.2，24；　11：41.5，20；　12：43.7，22；
13：42.7，22；　14：43.0，24；　15：42.8，23；
16：43.1，23；　17：42.8，23；　18：42.5，22；
19：42.5，25；　20：42.7，22；　21：33.5，17；
22：42.5，21。
2.3　卷軸裝。首全尾脱。正面、背面為同一文獻，因卷尾數紙脱落，故文字不能直接連接。
3.4　説明
本文獻未為歷代大藏經所收。可參見伯 3913 號、斯 4487

號。與 BD02301 號背號為同一文獻，但行文有差異。
4.1　金剛峻經金剛頂一切如來深妙秘密金剛界大三昧耶修行四十九種/壇法經作用威儀法則，大毗盧遮那佛金剛心地法門<必>法界壇/法儀則，大興善寺三藏沙門大廣智不空奉詔譯/(首)。
8　10 世紀。歸義軍時期寫本。
9.1　行楷。
9.2　有行間校加字。有塗改。
圖版：《敦煌寶藏》，107/256B ~ 280A。

1.1　BD02075 號
1.3　妙法蓮華經卷一
1.4　冬 075
1.5　105:4590
2.1　(11.8 + 590.4) × 26.1 厘米；13 紙；共 318 行，行 17 字。
2.2　01：11.8 + 7.2，10；　02：53.1，28；　03：51.8，28；
04：51.9，28；　05：52.2，28；　06：52.1，28；
07：52.2，28；　08：52.1，28；　09：52.4，28；
10：52.0，28；　11：52.1，28；　12：52.1，28；
13：09.2，拖尾。
2.3　卷軸裝。首殘尾全。卷尾有原軸，兩端塗黑漆。第 2、3 紙接縫處脫開，第 10 紙中部有 1 處撕裂。背有多處古代裱補。有烏絲欄。
3.1　首 6 行下殘→大正 262，9/4C10 ~ 21。
3.2　尾全→9/10B20。
7.1　第 12、13 紙接縫處有勘記“第一卷”。
8　6 世紀。隋寫本。
9.1　隸書。
11　圖版：《敦煌寶藏》，85/1A ~ 9A。

1.1　BD02076 號
1.3　妙法蓮華經卷一
1.4　冬 076
1.5　105:4557
2.1　(11.9 + 667.3) × 24.5 厘米；16 紙；共 414 行，行 17 字。
2.2　01：03.7，02；　02：8.2 + 35.7，28；　03：44.7，28；
04：44.4，28；　05：44.9，28；　06：44.6，29；
07：45.1，28；　08：45.0，28；　09：45.0，28；
10：45.6，28；　11：45.4，28；　12：45.2，28；
13：45.2，28；　14：45.3，28；　15：45.9，28；
16：45.3，19。
2.3　卷軸裝。首殘尾全。卷首殘破嚴重，通卷多有黴爛殘損，接縫處有開裂，尾有蟲繭。有燕尾。有烏絲欄。
3.1　首 4 行殘→大正 262，9/3B2 ~ 6。
3.2　尾全→9/10B21。
4.2　妙法蓮華經卷第一（尾）。
8　7 ~ 8 世紀。唐寫本。
9.1　楷書。
9.2　有刮改。
11　圖版：《敦煌寶藏》，84/417B ~ 427B。

1.1　BD02077 號
1.3　金剛般若波羅蜜經
1.4　冬 077
1.5　094:3677
2.1　(3.5 + 478.2) × 27.5 厘米；10 紙；共 278 行，行 17 字。
2.2　01：3.5 + 44.5，28；　02：48.0，28；　03：48.2，28；
04：45.0，27；　05：48.5，28；　06：48.5，28；
07：49.0，28；　08：49.0，28；　09：49.0，28；
10：48.5，27。
2.3　卷軸裝。首殘尾全。卷首殘破，卷面有油污，接縫處有開裂。有烏絲欄。
3.1　首 2 行上、下殘→大正 235，8/749A17 ~ 18。
3.2　尾全→8/752C3。
4.2　金剛般若波羅蜜經（尾）
8　9 ~ 10 世紀。歸義軍時期寫本。
9.1　楷書。
11　圖版：《敦煌寶藏》，79/475A ~ 481A。

1.1　BD02078 號
1.3　無量壽宗要經
1.4　冬 078
1.5　275:7738
2.1　(17.5 + 192) × 30.5 厘米；5 紙；共 143 行，行 30 餘字。
2.2　01：17.5 + 14.5，27；　02：44.5，30；　03：44.5，30；
04：44.5，30；　05：44.0，26。
2.3　卷軸裝。首殘尾全。卷首殘破嚴重，卷尾有蟲繭。有烏絲欄。
3.1　首 10 行中下殘→大正 936，19/82A3 ~ 22。
3.2　尾全→19/84C29。
4.1　大乘無量壽經（首）
4.2　佛說無量壽宗要經（尾）。
7.1　卷尾有題名“田廣談”。
8　8 ~ 9 世紀。吐蕃統治時期寫本。
9.1　楷書。
11　圖版：《敦煌寶藏》，107/468B ~ 471A。

1.1　BD02079 號
1.3　善惡因果經
1.4　冬 079
1.5　291:8273
2.1　(11.1 + 367.3) × 26.5 厘米；8 紙；共 200 行，行 17 字。
2.2　01：11.1 + 38.2，27；　02：49.5，27；　03：49.5，27；
04：49.5，27；　05：49.3，27；　06：49.5，27；

07：49.3，27；　　08：32.5，11。
2.3　卷轴裝。首殘尾全。卷中多處黴爛殘損，各紙間接縫處多有開裂，卷尾上部殘破嚴重，卷尾有鳥糞。有燕尾。有烏絲欄。
3.1　首6行上殘→大正2881，85/1381B6。
3.2　尾全→85/1383B6。
4.2　佛說因果經（尾）。
8　9～10世紀。歸義軍時期寫本。
9.1　楷書。
11　圖版：《敦煌寶藏》，109/474A～478B。

1.1　BD02080號
1.3　大方廣佛華嚴經（晉譯五十卷本）卷三〇
1.4　冬080
1.5　001:0021
2.1　（7+500.5+1）×26厘米；11紙；共297行，行17字。
2.2　01：7+24，18；　02：51.5，30；　03：51.5，30；
04：51.5，30；　05：51.5，30；　06：51.5，30；
07：51.5，30；　08：51.0，30；　09：51.5，30；
10：51.5，30；　11：13.5+1，09。
2.3　卷轴裝。首尾均殘。卷面多水漬，紙張變色，尾紙下部殘破。有烏絲欄。已修整。
3.1　首4行上殘→大正278，9/627A10～12。
3.2　尾1行下殘→9/631A19。
5　相當於《大正藏》本卷三十五寶王如來性起品第三十二之三的後部分及卷三十六同品第三十二之四的前部分。與《大正藏》本相比，卷的開合不同，且本號的寶王如來性起品不分細目。相當於五十卷本，
8　5～6世紀。南北朝寫本。
9.1　隸楷。
9.2　有重文、倒乙符號。
11　圖版：《敦煌寶藏》，56/107A～113B。

1.1　BD02081號
1.3　金剛般若波羅蜜經
1.4　冬081
1.5　094:3895
2.1　（25.5+252.1+4）×25.5厘米；7紙；共168行，行17字。
2.2　01：25.5+14.5，26；　02：47.5，28；　03：47.5，28；
04：47.5，28；　05：47.6，28；　06：47.5，28；
07：04.0，02。
2.3　卷轴裝。首尾均殘。首紙殘缺嚴重，有脫落殘片，文可綴接；卷面有黴斑；接縫處有開裂，第5、6紙接縫處脫開；卷尾殘破。有烏絲欄。
3.1　首17行下殘→大正235，8/749B21～C9。
3.2　尾2行下殘→8/751B23～24。
8　8～9世紀。吐蕃統治時期寫本。
9.1　楷書。
9.2　有刮改。
11　圖版：《敦煌寶藏》，81/103B～107A。

1.1　BD02082號
1.3　妙法蓮華經（八卷本）卷四
1.4　冬082
1.5　105:5335
2.1　444.7×25.5厘米；9紙；共238行，行17字。
2.2　01：49.5，28；　02：49.5，28；　03：49.5，28；
04：49.5，28；　05：49.5，28；　06：49.5，28；
07：49.5，28；　08：49.5，28；　09：48.7，14。
2.3　卷轴裝。首脫尾全。有烏絲欄。
3.1　首殘→大正262，9/31A25。
3.2　尾全→9/34B22。
4.2　妙法蓮華經卷第四（尾）。
5　與《大正藏》本對照，分卷不同。相當於法師品第十前部至見寶塔品第十一終。為八卷本。
8　8世紀。唐寫本。
9.1　楷書。
11　圖版：《敦煌寶藏》，91/68A～74B。

1.1　BD02083號
1.3　無量壽宗要經
1.4　冬083
1.5　275:7739
2.1　217.5×31.5厘米；5紙；共138行，行30餘字。
2.2　01：43.5，28；　02：43.5，29；　03：43.5，29；
04：43.5，29；　05：43.5，23。
2.3　卷轴裝。首尾均全。有烏絲欄。
3.1　首全→大正936，19/82A3。
3.2　尾全→19/84C29。
4.1　大乘無量壽經（首）
4.2　佛說無量壽宗要經（尾）。
7.1　卷首背有寺院題名“圖”字，爲敦煌靈圖寺簡稱。卷尾有題名“索慎言”。
7.3　卷面有一處藏文雜寫。
8　8～9世紀。吐蕃統治時期寫本。
9.1　楷書。
11　圖版：《敦煌寶藏》，107/471B～474A。

1.1　BD02084號
1.3　無量壽宗要經
1.4　冬084
1.5　275:7740
2.1　208.5×30.2厘米；5紙；共132行，行30餘字。
2.2　01：46.5，29；　02：43.5，29；　03：43.5，29；

04：43.5，29；　05：31.5，16。
2.3　卷軸裝。首尾均全。卷前部上部有等距離殘洞。有烏絲欄。
3.1　首全→大正 936，19/82A3。
3.2　尾全→19/84C29。
4.1　大乘無量壽經（首）
4.2　佛說無量壽宗要經（尾）。
8　8～9 世紀。吐蕃統治時期寫本。
9.1　楷書。
9.2　有刮改。
11　圖版：《敦煌寶藏》，107/474B～477A。

1.1　BD02085 號
1.3　妙法蓮華經卷一
1.4　冬 085
1.5　105:4611
2.1　（10.1+65）×25.5 厘米；2 紙；共 46 行，行 17～18 字。
2.2　01：10.1+20，18；　02：45.0，28。
2.3　卷軸裝。首殘尾脫。經黄紙。首紙中有横裂，右下殘缺，有鳥糞。有烏絲欄。
3.1　首 6 行下殘→大正 262，9/1C25～2A4。
3.2　尾殘→9/2B17。
6.2　尾→BD02086 號。
8　7～8 世紀。唐寫本。
9.1　楷書。
11　圖版：《敦煌寶藏》，85/90A～91A。

1.1　BD02086 號
1.3　妙法蓮華經卷一
1.4　冬 086
1.5　105:4599
2.1　749.5×25.5 厘米；17 紙；共 460 行，行 16～17 字。
2.2　01：45.3，28；　02：45.4，28；　03：45.4，28；
04：45.6，28；　05：45.6，28；　06：45.5，28；
07：45.5，28；　08：45.4，28；　09：45.4，28；
10：45.4，28；　11：45.4，28；　12：45.4，28；
13：45.4，28；　14：45.5，28；　15：45.5，28；
16：45.4，28；　17：22.4，12。
2.3　卷軸裝。首脫尾全。經黄紙。接縫處有開裂。有烏絲欄。
3.1　首殘→大正 262，9/2B17。
3.2　尾全→9/10B21。
4.2　妙法蓮華經卷第一（尾）。
6.1　首→BD02085 號。
8　7～8 世紀。唐寫本。
9.1　楷書。
11　圖版：《敦煌寶藏》，85/48A～58B。

1.1　BD02087 號
1.3　佛名經（十六卷本）卷一六
1.4　冬 087
1.5　063:0823
2.1　（18+640.5）×25.4 厘米；15 紙；共 383 行，行 17 字。
2.2　01：18+18.5，22；　02：47.0，28；　03：47.0，28；
04：47.0，28；　05：47.0，28；　06：47.0，28；
07：47.0，28；　08：47.0，28；　09：47.0，28；
10：47.0，28；　11：47.0，28；　12：47.0，28；
13：47.0，28；　14：47.0，25；　15：11.0，拖尾。
2.3　卷軸裝。首殘尾全。經黄紙。首紙殘缺，脱落 1 塊殘片，可綴接；第 2 紙上邊殘破；前半卷油污嚴重；接縫處有開裂，第 13、14 紙接縫處脱開；卷尾上下有蟲繭。有燕尾。有烏絲欄。
3.1　首 3 行中下殘→《七寺古逸經典研究叢書》，3/第 815 頁第 277 行～第 279 行。
3.2　尾全→《七寺古逸經典研究叢書》，3/第 839 頁第 595 行。
4.2　佛名經卷第十六（尾）。
5　與《大正藏》本對照，本文獻多抄錄“罪業報應教化地獄經”，分兩段抄錄，中間 15 行，卷尾 19 行。另，末段比七寺本多出 30 行懺悔文。
8　7～8 世紀。唐寫本。
9.1　楷書。
9.2　有行間校加字。有刮改。
11　圖版：《敦煌寶藏》，62/565A～574A。

1.1　BD02088 號
1.3　大般若波羅蜜多經卷二八〇
1.4　冬 088
1.5　084:2760
2.1　（11.5+577.2）×25.7 厘米；13 紙；共 337 行，行 17 字。
2.2　01：11.5+14，14；　02：48.7，28；　03：49.0，28；
04：49.0，28；　05：49.0，28；　06：49.0，28；
07：49.0，28；　08：49.3，28；　09：49.0，28；
10：47.5，28；　11：48.2，28；　12：48.0，28；
13：27.5，15。
2.3　卷軸裝。首殘尾全。卷首右上角殘缺，有撕裂，右下部脱落 1 殘片，可綴接；卷面多有殘裂，接縫處有開裂。背有古代裱補。有烏絲欄。卷背面有烏絲欄。
3.1　首 6 行上下殘→大正 220，6/420B14～18。
3.2　尾全→6/424B4。
4.2　大般若波羅蜜多經卷第二百八十（尾）。
8　8～9 世紀。吐蕃統治時期寫本。
9.1　楷書。
11　圖版：《敦煌寶藏》，75/17A～25A。

1.1　BD02089 號
1.3　妙法蓮華經卷二
1.4　冬 089

1.5　105:4838
2.1　(12.1+35.8)×24.9 厘米；1 紙；共 28 行，行 17 字。
2.3　卷軸裝。首殘尾脫。經黄紙。卷面殘破嚴重，卷背有鳥糞。有烏絲欄。
3.1　首 7 行下殘→大正 262，9/11A7～20。
3.2　尾殘→9/11B21。
8　7～8 世紀。唐寫本。
9.1　楷書。
11　圖版：《敦煌寶藏》，87/59A～B。

1.1　BD02090 號
1.3　寶雲經（兑廢稿）卷六
1.4　冬 090
1.5　047:0435
2.1　47.5×27 厘米；1 紙；共 26 行，行 17 字。
2.3　卷軸裝。首全尾脫。有烏絲欄。
3.1　首全→大正 658，16/231B2。
3.2　尾殘→16/231C2。
4.1　寶雲經卷第六（首）。
5　與《大正藏》本經對照，有缺文，參見大正 658，16/231B7；分卷亦不同。本件首題“卷六”，相當於《大正藏》本之卷五。與《普寧藏》、《嘉興藏》分卷相同。
7.1　卷端背有勘記“十六紙”。
8　8 世紀。唐寫本。
9.1　楷書。
9.2　卷面及卷背各有 1 處“兑”字。
11　圖版：《敦煌寶藏》，59/142B～143B。

1.1　BD02091 號
1.3　佛名經（十六卷本）卷一二
1.4　冬 091
1.5　063:0731
2.1　(1424.5+8)×29 厘米；28 紙；共 645 行，行 19 字。
2.2　01：52.0，22；　02：51.5，22；　03：51.5，22；
04：51.5，22；　05：51.5，22；　06：45.5，20；
07：52.5，24；　08：53.0，24；　09：52.5，24；
10：52.5，24；　11：53.0，24；　12：53.0，24；
13：52.5，24；　14：52.5，24；　15：52.5，24；
16：52.5，24；　17：52.5，24；　18：52.5，24；
19：52.5，24；　20：52.5，24；　21：52.5，24；
22：52.5，24；　23：52.5，24；　24：52.5，24；
25：52.5，24；　26：52.5，24；　27：52.5，24；
28：17+8，11。
2.3　卷軸裝。首脫尾殘。首紙中部有殘洞，卷中有殘裂，卷尾下邊有殘缺。有烏絲欄。
3.1　首殘→《七寺古逸經典研究叢書》，3/587 頁第 20 行。
3.2　尾全→《七寺古逸經典研究叢書》，3/635 頁第 648 行。
4.2　佛名經卷第十二（尾）。
5　與七寺本對照，結尾不同（592 行第 18 字至 599 行文字未抄）。
7.1　首紙背有勘記“第十二”。
8　9～10 世紀。歸義軍時期寫本。
9.1　楷書。
11　圖版：《敦煌寶藏》，61/602A～618B。

1.1　BD02092 號
1.3　小抄
1.4　冬 092
1.5　178:7095
2.1　(14+297)×27.8 厘米；7 紙；共 143 行，行 23 字。
2.2　01：14+27，22；　02：48.5，22；　03：48.0，22；
04：48.5，21；　05：48.5，22；　06：48.0，23；
07：28.5，11。
2.3　卷軸裝。首殘尾全。卷首殘缺。有折疊欄。
3.1　首 7 行上下殘→《敦煌出土律典＜略抄＞の研究》（二），第 89 頁第 1 行～第 4 行。
3.2　尾全→《敦煌出土律典＜略抄＞の研究》（二），第 100 頁第 8 行。
3.4　説明：
該文獻形態複雜。本號是《略抄》的一個節略本，未將全文抄完，且行文的有些部分重新組織過。
4.2　四分律抄一卷（尾）。
7.1　尾有題記：“丙午年七月五日，大蕃國肅州酒泉郡沙門法榮/寫。手惡筆，若多闕錯，後有明帥（師），望垂/改卻。/”
8　826 年。吐蕃統治時期寫本。
9.1　楷書。
9.2　有硃筆科分、點標。
11　圖版：《敦煌寶藏》，104/142A～145B。

1.1　BD02093 號
1.3　四分比丘尼戒本
1.4　冬 093
1.5　157:6931
2.1　(11+409)×26.6 厘米；9 紙；共 261 行，行 23 字。
2.2　01：11+14，21；　02：49.0，30；　03：49.5，30；
04：49.5，30；　05：49.0，30；　06：49.5，30；
07：49.5，30；　08：49.5，30；　09：49.5，30。
2.3　卷軸裝。首殘尾脫。第 2 紙上下殘缺撕裂，第 2 至 7 紙下邊等距離撕裂。有烏絲欄。背有古代裱補，紙上有字，文字粘向内，難以辨認。
3.1　首 6 行下殘→大正 1431，22/1032A20。
3.2　尾殘→22/1036B1。
8　8～9 世紀。吐蕃統治時期寫本。
9.1　楷書。

9.2　有行間校加字。有倒乙。有硃筆點刪符號。
11　圖版：《敦煌寶藏》，102/595B～601A。

1.1　BD02094 號
1.3　大般若波羅蜜多經卷四七六
1.4　冬 094
1.5　084:3189
2.1　48.6×27.7 厘米；1 紙；共 28 行，行 17 字。
2.3　卷軸裝。首尾均脫。卷後部下邊處有殘裂。有烏絲欄。
3.1　首殘→大正 220，7/410C20。
3.2　尾殘→7/411A19。
8　8～9 世紀。吐蕃統治時期寫本。
9.1　楷書。
11　圖版：《敦煌寶藏》，76/577B～578A。

1.1　BD02095 號 1
1.3　大佛名略出懺悔
1.4　冬 095
1.5　064:0830
2.1　428.2×29.8 厘米；10 紙；共 235 行，行 27 字。
2.2　01：42.5，26；　02：43.0，26；　03：43.0，25；
04：44.0，26；　05：44.0，27；　06：43.5，26；
07：42.0，25；　08：42.2，24；　09：42.2，25；
10：41.8，05。
2.3　卷軸裝。首尾均脫。接縫處有開裂。前 3 紙為折疊欄，以後各紙為烏絲欄。
2.4　本遺書包括 2 個文獻：（一）《大佛名略出懺悔》，232 行，今編為 BD02095 號 1。（二）《五月五日滅口舌真言》（擬），3 行，今編為 BD02095 號 2。
3.4　説明：
本文獻首殘尾缺。現存文字為十六卷本《佛名經》卷三到卷六懺悔文摘抄，以下以《七寺古逸經典研究叢書》為對照本，情況如下：
卷三：
1～4 行，136 頁 263 行～266 行；
5～15 行，136～137 頁 263～282 行；
16～40 行，138～141 頁 289～328 行；
40～45 行，159～160 頁 564～572 行；
45～70 行，160～163 頁 579～619 行；
末有“作禮一拜。三卷了”。
卷四：
70～77 行，186～187 頁 272～282 行；
78～97 行，188～190 頁 289～321 行；
97～101 頁，212～213 頁 607～612 行；
101～115 行，213～215 頁 619～641 行；
末有“作禮一拜。第四卷了”。
卷五：
115～119 行，239 頁 275～281 行；
119～143 行，240～243 頁 288～326 行；
143～147 行，264 頁 599～605 行；
147～167 行，265～267 頁 612～647 行；
末有“作禮一拜。第五了”。
卷六：
167～186 行，289～291 頁 254～285 行；
186～216 行，292～296 頁 292～340 行；
216～224 行，316～317 頁 604～615 行；
224～232 行，317～318 頁 622～634 行；
233～235 行，雜寫。
3.4　説明：
本文獻首脫。現存首行有“作禮一拜。二卷了”云云，可見脫落部分抄寫第二卷的懺悔文。
7.1　卷背有多處勘記、題記，主要如下：
①　經名勘記“大佛名略出懺悔一卷記”。
②　題記“乙丑年正月九日幸長闍梨書記”。
③　題記“乙丑年正月九日永安寺有戒昇（僧）闍梨書記了”。
④　齋文：“夫欲歸依三寶，祈賽四王者，若不一心虔恭（下缺）。”
⑤　詩偈：“我有一片心，價直萬兩金。若人（下缺）。”
⑥　法語：“靈圖即法界，法界即靈圖。”
7.3　卷背尚有各種無甚研究价值雜寫若干，不錄文。
8　905 年或 965 年。歸義軍時期寫本。
9.1　楷書。
9.2　有行間校加字。有倒乙。
11　圖版：《敦煌寶藏》，62/595A～601A。

1.1　BD02095 號 2
1.3　五月五日滅口舌真言（擬）
1.4　冬 095
1.5　064:0830
2.4　本遺書由 2 個文獻組成，本號為第 2 個，3 行。餘參見 BD02095 號 1 之第 2 項、第 11 項。
3.3　錄文：
五月五日，惡口、惡口舌自消滅。急急如律令。
五月五日，天中節，應有口舌自消滅。急急如律令。
五月五日，天中節，赤口、赤［口］舌自消滅。急急如律令。
（錄文完）
8　905 年或 965 年。歸義軍時期寫本。
9.1　楷書。
9.2　有行間校加字。有倒乙。

1.1　BD02096 號
1.3　大般若波羅蜜多經（兑廢稿）卷三一一

1.4　冬 096
1.5　084: 2848
2.1　45.7×46.4 厘米；1 紙；共 26 行，行 17 字。
2.3　卷軸裝。首尾均脱。卷面有殘洞。尾有餘空。有烏絲欄。
3.1　首殘→大正 220，6/585A25。
3.2　尾殘→6/585B20。
8　8～9 世紀。吐蕃統治時期寫本。
9.1　楷書。
9.2　上邊有 2 "兌" 字。
11　圖版：《敦煌寶藏》，75/232A。

1.1　BD02097 號
1.3　無量壽宗要經
1.4　冬 097
1.5　275: 7741
2.1　（158.5＋15）×31 厘米；4 紙；共 125 行，行 30 餘字。
2.2　01：43.5，31；　02：46.5，35；　03：46.0，34；
　　04：22.5＋15，25。
2.3　卷軸裝。首全尾殘。卷前部上下邊有殘裂、殘缺，卷後部下邊有等距離殘缺，上邊有殘裂。背有古代裱補。有烏絲欄。
3.1　首全→大正 936，19/82A3。
3.2　尾 8 行中下殘→19/84C18～29。
4.1　大乘無量壽宗要經（首）
4.2　佛説大乘無量壽宗要經（尾）。
8　8～9 世紀。吐蕃統治時期寫本。
9.1　楷書。
11　圖版：《敦煌寶藏》，107/477B～479B。

1.1　BD02098 號 1
1.3　無量壽宗要經
1.4　冬 098
1.5　275: 7987
2.1　（2.5＋400）×31 厘米；10 紙；共 274 行，行 30 餘字。
2.2　01：2.5＋18，14；　02：42.0，28　03：42.0，28；
　　04：42.0，29；　05：42.5，29；　06：42.0，28；
　　07：43.0，30；　08：43.0，30；　09：43.0，30；
　　10：42.5，28。
2.3　卷軸裝。首殘尾全。首紙上下邊有撕裂殘缺，第 7 紙下邊有撕裂。有烏絲欄。
2.4　本遺書包括 2 個文獻：（一）《無量壽宗要經》，127 行，今編為 BD02098 號 1。（二）《無量壽宗要經》，147 行，今編為 BD02098 號 2。
3.1　首 2 行上下殘→大正 936，19/82A27～29。
3.2　尾全→19/84C29。
4.2　佛説無量壽宗要經（尾）。
7.1　尾題之後有題名 "令狐晏寫"。
7.3　卷背有雜寫，不錄文。
8　8～9 世紀。吐蕃統治時期寫本。
9.1　行楷。
9.2　有校改。
11　圖版：《敦煌寶藏》，108/447A～451B。

1.1　BD02098 號 2
1.3　無量壽宗要經
1.4　冬 098
1.5　275: 7987
2.4　本遺書由 2 個文獻組成，本號為第 2 個，147 行。餘參見 BD02098 號 1 之第 2 項、第 11 項。
3.1　首全→大正 936，19/82A3。
3.2　尾全→19/84C29。
4.1　大乘無量壽經（首）
4.2　佛說無量壽經。
8　8～9 世紀。吐蕃統治時期寫本。
9.1　行楷。
9.2　有行間校加字。有校改。

1.1　BD02099 號
1.3　金光明最勝王經卷六
1.4　冬 099
1.5　083: 1798
2.1　312.6×26.5 厘米；7 紙；共 168 行，行 17 字。
2.2　01：32.0，19；　02：47.0，28；　03：46.8，28；
　　04：46.8，28；　05：46.8，28；　06：46.7，28；
　　07：46.5，09。
2.3　卷軸裝。首殘尾全。上下邊殘破。有烏絲欄。
3.1　首殘→大正 665，16/430C5。
3.2　尾全→16/432C10。
4.2　金光明最勝王經卷第六（尾）。
5　尾附音義。
8　8～9 世紀。吐蕃統治時期寫本。
9.1　楷書。
11　圖版：《敦煌寶藏》，70/121B～125A。

1.1　BD02100 號
1.3　大般若波羅蜜多經卷五九八
1.4　冬 100
1.5　084: 3408
2.1　（1.8＋357.1）×26 厘米；9 紙；共 225 行，行 17 字。
2.2　01：01.8，01；　02：44.3，28；　03：44.6，28；
　　04：44.7，28；　05：44.8，28；　06：44.6，28；
　　07：44.8，28；　08：44.7，28；　09：44.6，28。
2.3　卷軸裝。首斷尾脱。卷面上邊下邊有殘損。卷首背有古代裱補。有烏絲欄。
3.1　首行中殘→大正 220，7/1094A21～22。

3.2　尾殘→7/1096C16。
6.1　首→BD02279 號。
8　8～9 世紀。吐蕃統治時期寫本。
9.1　楷書。
9.2　有行間校加字。有刮改。
11　圖版：《敦煌寶藏》，77/488B～493A。

1.1　BD02101 號
1.3　金剛般若波羅蜜經
1.4　藏 001
1.5　094：3940
2.1　419.6×26 厘米；9 紙；共 225 行，行 17 字。
2.2　01：51.0，28；　02：50.8，28；　03：50.6，28；
04：51.0，28；　05：51.0，28；　06：50.8，28；
07：51.0，28；　08：51.0，28；　09：12.4，01。
2.3　卷軸裝。首脱尾全。接縫處有開裂，卷面有粘損。有燕尾。有烏絲欄。
3.1　首殘→大正 235，8/749C20～21。
3.2　尾全→8/752C3。
4.2　金剛般若波羅蜜經（尾）。
8　7～8 世紀。唐寫本。
9.1　楷書。
11　圖版：《敦煌寶藏》，81/265A～270A。

1.1　BD02102 號
1.3　淨名經關中釋抄卷下
1.4　藏 002
1.5　079：1353
2.1　（2.2＋663.5＋1.1）×28.9 厘米；15 紙；共 502 行，行 34 字。
2.2　01：2.2＋42.3，32；　02：44.4，33；　03：44.5，33；
04：44.6，33；　05：44.5，33；　06：44.5，33；
07：44.5，34；　08：44.5，33；　09：44.5，33；
10：44.3，33；　11：44.5，35；　12：44.5，35；
13：44.3，33；　14：44.5，35；　15：43.1＋1.1，34。
2.3　卷軸裝。首全尾脱。卷首尾略殘，卷面有等距離油污。有烏絲欄。
3.1　首全→大正 2778，85/518B17。
3.2　尾殘→85/529B9。
4.1　淨名經關中釋抄卷下，沙門道液述（首）。
5　《大正藏》本卷首殘缺，此卷可與之校補。
6.2　尾→BD02300 號。
8　9～10 世紀。歸義軍時期寫本。
9.1　行楷。有合體字“菩薩”。
9.2　有硃筆標註、校改。上下邊有校改字。有重文符號。
11　圖版：《敦煌寶藏》，67/95A～102B。

1.1　BD02103 號
1.3　灌頂章句拔除過罪生死得度經
1.4　藏 003
1.5　250：7503
2.1　358.8×26.1 厘米；8 紙；共 198 行，行 17 字。
2.2　01：49.4，28；　02：49.2，28；　03：49.1，28；
04：49.1，28；　05：49.1，28；　06：45.4，26；
07：48.8，28；　08：18.7，04。
2.3　卷軸裝。首脱尾全。經黄紙。卷首有油污，尾 2 紙上邊有殘損，尾紙端有殘損破裂。有烏絲欄。
3.1　首殘→大正 1331，21/534A5。
3.2　尾全→21/536B5。
4.2　佛説藥師瑠璃光經一卷（尾）。
8　7～8 世紀。唐寫本。
9.1　楷書。
9.2　有行間校加字。
11　圖版：《敦煌寶藏》，106/511B～516A。

1.1　BD02104 號
1.3　大般若波羅蜜多經卷二九三
1.4　藏 004
1.5　084：2795
2.1　44×25 厘米；1 紙；共 26 行，行 17 字。
2.3　卷軸裝。首全尾脱。卷面有横向破裂。背有古代裱補。有烏絲欄。
3.1　首全→大正 220，6/488A2。
3.2　尾殘→6/488B1。
4.1　大般若波羅蜜多經卷第二百九十三，/初分説般若相品第卌七之二，三藏法師玄奘奉詔譯/（首）。
8　8～9 世紀。吐蕃統治時期寫本。
9.1　楷書。
11　圖版：《敦煌寶藏》，75/125B。

1.1　BD02105 號
1.3　大般若波羅蜜多經卷二九六
1.4　藏 005
1.5　084：2811
2.1　44.7×25.7 厘米；1 紙；共 26 行，行 17 字。
2.3　卷軸裝。首全尾脱。卷面有横向破裂，上邊下邊殘破，脱落 1 塊殘片，可綴接。背有古代裱補。有烏絲欄。
3.1　首全→大正 220，6/503C2。
3.2　尾殘→6/504A1。
4.1　大般若波羅蜜多經卷第二百九十六，/初分説般若相品第卌七之五，三藏法師玄奘奉詔譯/（首）。
8　8～9 世紀。吐蕃統治時期寫本。
9.1　楷書。
11　圖版：《敦煌寶藏》，75/165B。

1.1　BD02106 號
1.3　金剛般若波羅蜜經
1.4　藏 006
1.5　094:3896
2.1　(220.4 +2) ×26.5 厘米；5 紙；共 130 行，行 17 字。
2.2　01：44.5，26；　02：44.5，26；　03：44.5，26；
　04：44.4，26；　05：42.5 +2，26。
2.3　卷軸裝。首脱尾殘。首紙有蟲蛀殘洞，有蟲繭；卷面多污漬。有烏絲欄。
3.1　首殘→大正 235，8/749C8。
3.2　尾 1 行上殘→8/751A27 ~28。
8　7 ~8 世紀。唐寫本。
9.1　楷書。
11　圖版：《敦煌寶藏》，81/107B ~110A。

1.1　BD02107 號
1.3　大般若波羅蜜多經卷二九七
1.4　藏 007
1.5　084:2823
2.1　44 ×25.7 厘米；1 紙；共 26 行，行 17 字。
2.3　卷軸裝。首全尾脱。上邊下邊殘破。背有古代裱補。有烏絲欄。
3.1　首全→大正 220，6/509B2。
3.2　尾殘→6/509C2。
4.1　大般若波羅蜜多經卷第二百九十七，/初分波羅蜜多品第卌八之二，三藏法師玄奘奉詔譯/（首）。
8　8 ~9 世紀。吐蕃統治時期寫本。
9.1　楷書。
11　圖版：《敦煌寶藏》，75/177B。

1.1　BD02108 號
1.3　大般若波羅蜜多經卷二九一
1.4　藏 008
1.5　084:2790
2.1　66 ×25.3 厘米；2 紙；共 26 行，行 17 字。
2.2　01：21.5，護首；　02：44.5，26。
2.3　卷軸裝。首全尾脱。有護首，墨書經名。護首横向撕裂，下邊殘缺。第 1 紙下邊殘缺。有烏絲欄。
3.1　首全→大正 220，6/477C4。
3.2　尾殘→6/478A3。
4.1　大般若波羅蜜多經卷第二百九十一，/初分著不著相品第卌六之五，三藏法師玄奘奉詔譯/（首）。
7.4　護首有本文獻經名、卷次及所屬袟次："大般若波羅蜜多經卷第二百九十一，卅。"上有經名號。
8　8 ~9 世紀。吐蕃統治時期寫本。
9.1　楷書。
11　圖版：《敦煌寶藏》，75/105。

1.1　BD02109 號
1.3　大乘稻竿經隨聽疏
1.4　藏 009
1.5　059:0492
2.1　(1.5 +112) ×31.2 厘米；3 紙；共 72 行，行 32 ~34 字。
2.2　01：1.5 +21.5，15；　02：43.5，28；　03：47.0，29。
2.3　卷軸裝。首尾均殘。下邊殘破。有折疊欄。
3.1　首行上殘→大正 2782，85/548B8。
3.2　尾缺→85/550A26。
5　本件所引經文部分，較《大正藏》本簡略，其餘文字亦略有參差。
8　9 ~10 世紀。吐蕃統治時期寫本。
9.1　行楷。
9.2　有行間校加字，有校改。
11　圖版：《敦煌寶藏》，59/346A ~347A。

1.1　BD02110 號
1.3　大般若波羅蜜多經卷三〇〇
1.4　藏 010
1.5　084:2828
2.1　(1.2 +62.2 +2) ×25.3 厘米；2 紙；共 26 行，行 17 字。
2.2　01：1.2 +19，護首；　02：43.2 +2，26。
2.3　卷軸裝。首尾均殘。有護首，護首有竹製天竿，天竿下殘；護首有墨書經名。卷面多處破損。背有古代裱補，裱補紙開裂。有烏絲欄。
3.1　首全→大正 220，6/524B2。
3.2　尾殘→6/524B29。
4.1　大般若波羅蜜多經卷第三百，三藏法師玄奘奉詔譯，/初分難聞功德品第卌九之四/（首）。
7.4　護首有經名、卷次："大般若波羅蜜多經卷第三百"。上有經名號。
8　8 ~9 世紀。吐蕃統治時期寫本。
9.1　楷書。
11　圖版：《敦煌寶藏》，75/196B ~197A。

1.1　BD02111 號
1.3　大通方廣懺悔滅罪莊嚴成佛經卷上
1.4　藏 011
1.5　277:8215
2.1　709.3 ×25.5 厘米；16 紙；共 412 行，行 17 字。
2.2　01：26.5，15；　02：47.6，28；　03：48.0，28；
　04：47.5，28；　05：47.5，28；　06：47.6，28；
　07：47.6，28；　08：47.6，28；　09：47.6，28；
　10：47.6，28；　11：47.6，28；　12：47.6，28；
　13：47.6，28；　14：47.6，28；　15：47.3，28；
　16：16.5，05。
2.3　卷軸裝。首殘尾全。經黄紙。接縫處有開裂，卷面上部有

殘裂，卷尾殘爛嚴重，尾有蟲繭。有烏絲欄。
3.1　首殘→大正2871，85/1341B4。
3.2　尾全→85/1345A26～B1。
4.2　大通方廣□…□上（尾）。
6.1　首→BD02111號。
8　7～8世紀。唐寫本。
9.1　楷書。
11　圖版：《敦煌寶藏》，109/278A～287B。

1.1　BD02112號
1.3　四分戒本疏卷一
1.4　藏012
1.5　169:7032
2.1　599.5×29.8厘米；14紙；正面共467行，行27字。背面17行，行字不等。
2.2　01：17.0，護首；　02：43.5，36；　03：45.0，38；
04：45.0，38；　05：45.0，38；　06：45.0，38；
07：44.0，37；　08：45.0，34；　09：45.0，35；
10：45.0，35；　11：45.0，35；　12：45.0，34；
13：45.0，34；　14：45.0，35。
2.3　卷軸裝。首全尾脫。有護首，殘破嚴重。第2紙上下方殘裂。有烏絲欄。
3.4　説明：
本文獻首全尾殘。未為我國歷代大藏經所收。敦煌出土後，日本《大正藏》依據伯2064號收入錄文。但伯2064號存文僅相當本號之前218行。參見大正2787，85/567A3～571A11。
4.1　四分戒本疏卷第一，沙門慧述（首）。
6.1　首→BD02065號。
8　8～9世紀。吐蕃統治時期寫本。
9.1　楷書。
9.2　有硃筆點標、斷句、校改、點刪符號。紙背有硃墨兩色補充注釋。
11　圖版：《敦煌寶藏》，103/547A～556B。

1.1　BD02113號
1.3　無量壽宗要經
1.4　藏013
1.5　275:7742
2.1　206×31厘米；6紙；共131行，行30餘字。
2.2　01：08.5，素紙；　02：43.0，28；　03：43.0，29；
04：43.0，29；　05：43.0，29；　06：25.5，16。
2.3　卷軸裝。首尾均全。通卷上下殘缺，卷面有殘洞。有烏絲欄。
3.1　首全→大正936，19/82A3。
3.2　尾全→19/84C29。
4.1　大采（乘）無量壽經（首）。
4.2　佛說無量壽宗要經卷（尾）。
8　8～9世紀。吐蕃統治時期寫本。
9.1　行楷。
11　圖版：《敦煌寶藏》，107/480A～482B。

1.1　BD02114號
1.3　大般若波羅蜜多經卷二八六
1.4　藏014
1.5　084:2783
2.1　（8.6+601.8）×26.1厘米；13紙；共340行，行17字。
2.2　01：8.6+31，23；　02：48.0，28；　03：48.1，28；
04：48.1，28；　05：48.2，28；　06：48.2，28；
07：48.2，28；　08：48.2，28；　09：48.3，28；
10：48.2，28；　11：48.2，28；　12：48.1，28；
13：41.0，09。
2.3　卷軸裝。首殘尾全。接縫處有開裂，卷尾下邊殘缺、有殘洞，尾有蟲繭。有烏絲欄。已修整。
3.1　首5行上下殘→大正220，6/454B9～13。
3.2　尾全→6/458B4。
4.2　大般若波羅蜜多經卷第二百八十六（尾）。
7.1　尾題後有題記“比丘神威寫記。”
8　7～8世紀。唐寫本。
9.1　楷書。
9.2　有刮改。
11　圖版：《敦煌寶藏》，75/73A～81A。

1.1　BD02115號
1.3　金光明最勝王經卷三
1.4　藏015
1.5　083:1601
2.1　（15.6+534.3）×26厘米；13紙；共317行，行17字。
2.2　01：12.0，07；　02：3.6+44.5，28；　03：48.5，28；
04：47.0，28；　05：47.0，28；　06：46.8，28；
07：46.9，28；　08：47.0，28；　09：46.2，28；
10：47.0，28；　11：46.2，28；　12：46.2，28；
13：21.0，02。
2.3　卷軸裝。首殘尾全。尾有原軸，兩端塗棕色漆。卷面多水漬，卷首脫落小塊殘片，文可綴接。有烏絲欄。
3.1　首9行上殘→大正665，16/414A1～10。
3.2　尾全→16/417C16。
4.2　金光明經卷第三（尾）。
5　尾附音義。
8　8～9世紀。吐蕃統治時期寫本。
9.1　楷書。
11　圖版：《敦煌寶藏》，68/558A～564B。

1.1　BD02116號
1.3　金光明最勝王經卷九

1.4　藏 016
1.5　083:1936
2.1　467.8×25.5 厘米；12 紙；共 251 行，行 17 字。
2.2　01：42.5，24；　02：42.2，22；　03：42.5，24；
04：42.2，24；　05：42.3，24；　06：14.0，08；
07：27.3，16；　08：43.2，24；　09：43.0，24；
10：43.1，24；　11：42.7，24；　12：42.8，13。
2.3　卷軸裝。首斷尾全。經黄打紙。卷尾殘破嚴重。背有古代裱補。有燕尾。有烏絲欄。
3.1　首殘→大正 665，16/447B4。
3.2　尾全→16/450C15。
4.2　金光明最勝王經卷第九（尾）。
5　尾附音義。
6.1　首→BD07612 號。
8　7～8 世紀。唐寫本。
9.1　楷書。
11　圖版：《敦煌寶藏》，71/39B～45B。

1.1　BD02117 號
1.3　金剛般若波羅蜜經
1.4　藏 017
1.5　094:3924
2.1　（2+440.9）×26 厘米；9 紙；共 230 行，行 17 字。
2.2　01：2+47.5，28；　02：49.5，28；　03：49.0，28；
04：49.5，28；　05：49.5，28；　06：49.2，28；
07：49.5，28；　08：49.2，28；　09：48.0，06。
2.3　卷軸裝。首脱尾全。尾有原軸，軸頭已斷。卷首有斜裂。背有古代裱補。有烏絲欄。
3.1　首行下殘→大正 235，8/749C18～19。
3.2　尾全→8/752C3。
4.2　金剛般若波羅蜜經（尾）。
8　9～10 世紀。歸義軍時期寫本。
9.1　楷書。
11　圖版：《敦煌寶藏》，81/210B～215B。

1.1　BD02118 號
1.3　金光明最勝王經卷九
1.4　藏 018
1.5　083:1931
2.1　（47.5+48）×25.7 厘米；3 紙；共 54 行，行 20 字（偈頌）。
2.2　01：29.5，17；　02：18+24.5，24；　03：23.5，13。
2.3　卷軸裝。首殘尾脱。卷前部殘缺嚴重，有油污。有烏絲欄。
3.1　首 27 行下殘→大正 665，16/445B25～446A20。
3.2　尾殘→16/446C16。
6.2　尾→BD07612 號。
8　7～8 世紀。唐寫本。
9.1　楷書。
11　圖版：《敦煌寶藏》，71/30A～31A。

1.1　BD02119 號
1.3　金剛般若波羅蜜經
1.4　藏 019
1.5　094:4241
2.1　214.8×25.1 厘米；5 紙；共 117 行，行 17 字。
2.2　01：49.5，28；　02：49.7，28；　03：49.3，28；
04：49.4，28；　05：16.9，05。
2.3　卷軸裝。首脱尾全。卷首有破裂。有上下邊欄。
3.1　首殘→大正 235，8/751A20。
3.2　尾全→8/752C3。
4.2　金剛般若波羅蜜經（尾）。
8　7～8 世紀。唐寫本。
9.1　楷書。
11　圖版：《敦煌寶藏》，82/483A～485B。

1.1　BD02120 號
1.3　妙法蓮華經卷一
1.4　藏 020
1.5　105:4531
2.1　618.2×26 厘米；13 紙；共 353 行，行 17 字。
2.2　01：47.9，28；　02：47.5，28；　03：47.6，28；
04：47.8，28；　05：47.6，28；　06：47.7，28；
07：47.7，28；　08：47.6，28；　09：47.6，28；
10：47.5，28；　11：47.5，28；　12：47.6，28；
13：46.6，17。
2.3　卷軸裝。首脱尾全。經黄打紙。卷前部接縫處多有開裂，有等距離殘洞；卷後部有黴變。卷尾脱落 1 塊殘片，可綴接。有烏絲欄。
3.1　首殘→大正 262，9/2B10。
3.2　尾全→9/10B21。
4.2　妙法蓮華經卷第一（尾）。
8　7～8 世紀。唐寫本。
9.1　楷書。
11　圖版：《敦煌寶藏》，84/155A～164B。

1.1　BD02121 號
1.3　金剛般若波羅蜜經
1.4　藏 021
1.5　094:3520
2.1　（34.5+336.7）×25.6 厘米；8 紙；共 195 行，行 17 字。
2.2　01：19.8，護首；　02：15+35，27；　03：50.5，28；
04：50.5，28；　05：50.1，28；　06：50.3，28；
07：50.0，28；　08：50.3，28。
2.3　卷軸裝。首殘尾脱。經黄紙。有護首，下殘，有經名。接

縫處有開裂，第 6、7 紙接縫處脫開。有烏絲欄。已修整。
3.1　首 8 行下殘→大正 235，8/748C17～27。
3.2　尾殘→8/751A24。
4.1　金剛般若波羅蜜經（首）。
7.4　護首有經名“金剛般若波羅蜜經”。
8　7～8 世紀。唐寫本。
9.1　楷書。
11　圖版：《敦煌寶藏》，78/414B～419A。

1.1　BD02122 號
1.3　佛名經（十六卷本）卷一二
1.4　藏 022
1.5　063:0738
2.1　（2＋138.8）×25.2 厘米；3 紙；共 79 行，行 17 字。
2.2　01：2＋39，23；　02：49.8，28；　03：50.0，28。
2.3　卷軸裝。首尾均殘。經黄紙。首紙下方殘裂，第 2 紙上方殘裂，卷首背有紫紅色污漬。背有古代裱補。有烏絲欄。
3.1　首 1 行上殘→《七寺古逸經典研究叢書》，3/第 598 頁第 168 行。
3.2　尾殘→《七寺古逸經典研究叢書》，3/第 605 頁第 252 行。
8　7～8 世紀。唐寫本。
9.1　楷書。
11　圖版：《敦煌寶藏》，62/4B～6A。

1.1　BD02123 號
1.3　大般涅槃經（北本　宮本）卷三三
1.4　藏 023
1.5　115:6492
2.1　4831×26.1 厘米；10 紙；共 286 行，行 17 字。
2.2　01：48.3，29；　02：48.4，29；　03：48.4，29；
04：48.4，29；　05：48.2，29；　06：48.3，29；
07：48.3，29；　08：48.2，29；　09：48.4，29；
10：48.2，25。
2.3　卷軸裝。首脫尾全。經黄打紙。首紙上下方有殘裂。有燕尾。有烏絲欄。
3.1　首殘→大正 374，12/559B15。
3.2　尾全→12/562C20。
4.2　大般涅槃經卷第卅三（尾）。
5　與《大正藏》本對照，分卷不同。相當於卷三二師子吼菩薩品第十一之六至卷三三加葉菩薩品第十二之一。與日本宮內寮本分卷相同。
8　7～8 世紀。唐寫本。
9.1　楷書。
9.2　有刮改。
11　圖版：《敦煌寶藏》，99/527A～533B。

新舊編號對照表

一、千字文號與北敦號、縮微膠卷號對照表

千字文號	北敦號	縮微膠卷號
冬 068	BD02068 號	092：3492
冬 069	BD02069 號	070：0861
冬 069	BD02069 號背	070：0861
冬 070	BD02070 號	252：7530
冬 071	BD02071 號	105：4564
冬 072	BD02072 號 1	201：7199
冬 072	BD02072 號 2	201：7199
冬 072	BD02072 號 3	201：7199
冬 072	BD02072 號 4	201：7199
冬 072	BD02072 號 5	201：7199
冬 073	BD02073 號	068：0849
冬 074	BD02074 號	260：7667
冬 075	BD02075 號	105：4590
冬 076	BD02076 號	105：4557
冬 077	BD02077 號	094：3677
冬 078	BD02078 號	275：7738
冬 079	BD02079 號	291：8273
冬 080	BD02080 號	001：0021
冬 081	BD02081 號	094：3895
冬 082	BD02082 號	105：5335
冬 083	BD02083 號	275：7739
冬 084	BD02084 號	275：7740
冬 085	BD02085 號	105：4611
冬 086	BD02086 號	105：4599
冬 087	BD02087 號	063：0823
冬 088	BD02088 號	084：2760
冬 089	BD02089 號	105：4838
冬 090	BD02090 號	047：0435
冬 091	BD02091 號	063：0731
冬 092	BD02092 號	178：7095
冬 093	BD02093 號	157：6931
冬 094	BD02094 號	084：3189
冬 095	BD02095 號 1	064：0830
冬 095	BD02095 號 2	064：0830
冬 096	BD02096 號	084：2848
冬 097	BD02097 號	275：7741
冬 098	BD02098 號 1	275：7987
冬 098	BD02098 號 2	275：7987
冬 099	BD02099 號	083：1798
冬 100	BD02100 號	084：3408
藏 001	BD02101 號	094：3940
藏 002	BD02102 號	079：1353
藏 003	BD02103 號	250：7503
藏 004	BD02104 號	084：2795
藏 005	BD02105 號	084：2811
藏 006	BD02106 號	094：3896
藏 007	BD02107 號	084：2823
藏 008	BD02108 號	084：2790
藏 009	BD02109 號	059：0492
藏 010	BD02110 號	084：2828
藏 011	BD02111 號	277：8215
藏 012	BD02112 號	169：7032
藏 013	BD02113 號	275：7742
藏 014	BD02114 號	084：2783
藏 015	BD02115 號	083：1601
藏 016	BD02116 號	083：1936
藏 017	BD02117 號	094：3924
藏 018	BD02118 號	083：1931
藏 019	BD02119 號	094：4241
藏 020	BD02120 號	105：4531
藏 021	BD02121 號	094：3520
藏 022	BD02122 號	063：0738
藏 023	BD02123 號	115：6492

二、縮微膠卷號與北敦號、千字文號對照表

縮微膠卷號	北敦號	千字文號
001：0021	BD02080 號	冬 080
047：0435	BD02090 號	冬 090
059：0492	BD02109 號	藏 009
063：0731	BD02091 號	冬 091
063：0738	BD02122 號	藏 022
063：0823	BD02087 號	冬 087
064：0830	BD02095 號 1	冬 095
064：0830	BD02095 號 2	冬 095
068：0849	BD02073 號	冬 073
070：0861	BD02069 號	冬 069
070：0861	BD02069 號背	冬 069
079：1353	BD02102 號	藏 002
083：1601	BD02115 號	藏 015
083：1798	BD02099 號	冬 099
083：1931	BD02118 號	藏 018
083：1936	BD02116 號	藏 016
084：2760	BD02088 號	冬 088
084：2783	BD02114 號	藏 014
084：2790	BD02108 號	藏 008
084：2795	BD02104 號	藏 004
084：2811	BD02105 號	藏 005
084：2823	BD02107 號	藏 007
084：2828	BD02110 號	藏 010
084：2848	BD02096 號	冬 096
084：3189	BD02094 號	冬 094
084：3408	BD02100 號	冬 100
092：3492	BD02068 號	冬 068
094：3520	BD02121 號	藏 021
094：3677	BD02077 號	冬 077
094：3895	BD02081 號	冬 081
094：3896	BD02106 號	藏 006
094：3924	BD02117 號	藏 017
094：3940	BD02101 號	藏 001
094：4241	BD02119 號	藏 019
105：4531	BD02120 號	藏 020
105：4557	BD02076 號	冬 076
105：4564	BD02071 號	冬 071
105：4590	BD02075 號	冬 075
105：4599	BD02086 號	冬 086
105：4611	BD02085 號	冬 085
105：4838	BD02089 號	冬 089
105：5335	BD02082 號	冬 082
115：6492	BD02123 號	藏 023
157：6931	BD02093 號	冬 093
169：7032	BD02112 號	藏 012
178：7095	BD02092 號	冬 092
201：7199	BD02072 號 1	冬 072
201：7199	BD02072 號 2	冬 072
201：7199	BD02072 號 3	冬 072
201：7199	BD02072 號 4	冬 072
201：7199	BD02072 號 5	冬 072
250：7503	BD02103 號	藏 003
252：7530	BD02070 號	冬 070
260：7667	BD02074 號	冬 074
275：7738	BD02078 號	冬 078
275：7739	BD02083 號	冬 083
275：7740	BD02084 號	冬 084
275：7741	BD02097 號	冬 097
275：7742	BD02113 號	藏 013
275：7987	BD02098 號 1	冬 098
275：7987	BD02098 號 2	冬 098
277：8215	BD02111 號	藏 011
291：8273	BD02079 號	冬 079